le 1er
premier ministre
du canada

# John A. Macdonald

la naissance
d'un pays
incertain

**Couverture**

- Maquette:
  GAÉTAN FORCILLO

**Maquette intérieure**

- Conception graphique:
  JEAN-GUY FOURNIER
- Révision:
  MARIE-CHRISTIANE CHARBONNEAU

DISTRIBUTEURS EXCLUSIFS:

- Pour le Canada:
  AGENCE DE DISTRIBUTION POPULAIRE INC.*
  955, rue Amherst, Montréal H2L 3K4 (tél.: 514-523-1182)
  *Filiale de Sogides Ltée
- Pour la France et l'Afrique:
  INTER-FORUM
  13, rue de la Glacière, 75013 Paris (tél.: 570-1180)
- Pour la Belgique, la Suisse, le Portugal, les pays de l'Est:
  S.A. VANDER
  Avenue des Volontaires 321, 1150 Bruxelles (tél.: 02-762-0662)

**Donald Creighton**

**le 1$^{er}$ premier ministre du canada**

# John A. Macdonald

**la naissance d'un pays incertain**

traduit de l'anglais
par
Ivan Steenhout

*LES ÉDITIONS DE L'HOMME**
CANADA: 955, rue Amherst, Montréal H2L 3K4

*Division de Sogides Ltée

Ce livre a été publié en anglais sous le titre:
*John A. Macdonald, The Old Chieftain*
chez The Macmillan Company of Canada Ltd

*Bibliothèque nationale du Québec*
*Dépôt légal — 4e trimestre 1981*

ISBN 2-7619-0170-3

## Chapitre un

# Le ralliement de la Nouvelle-Écosse

## I

Le jeudi 28 novembre 1867, dans l'après-midi, Macdonald et les autres députés de la Chambre des Communes, assemblés dans la Salle du Sénat sur la colline parlementaire à Ottawa attendaient, quelque peu impatients et nerveux. Le gouverneur général Lord Monck, était en train de lire le discours du Trône devant le premier parlement fédéral canadien. L'histoire législative du nouveau dominion était sur le point de commencer. Bien que l'automne fût déjà avancé, le temps était très doux. La plupart des magasins de la ville étaient fermés. Une foule innombrable était venue s'entasser derrière les rangs de soldats de l'armée régulière et de la milice, alignés tout au long de la chaussée qui menait à l'entrée principale du bâtiment. À l'intérieur, dans la Salle du Sénat elle-même, la foule se pressait dans les galeries [1]. Derrière les rangées de sénateurs, près d'une centaine de dames, femmes et filles des membres du Parlement, assistaient à la cérémonie dans leurs robes à crinoline aux couleurs vives. À l'avant, près du fauteuil du gouverneur, quelques sièges avaient été spécialement réservés à Lady Monck et aux épouses des ministres. Susan Agnes était bien en vue. Pour la première fois dans la carrière de Macdonald, sa femme prenait la place qui lui revenait dans une cérémonie officielle de la politique canadienne. Il fut heureux de constater combien elle semblait apprécier ce genre d'événements et comme elle paraissait d'instinct s'y sentir à l'aise. Elle était grande. Elle avait les cheveux bruns, les traits plutôt forts mais réguliers et un beau regard sérieux.

Son allure grave, sa silhouette presque sculpturale, toute son attitude calme et simple cadraient parfaitement bien avec cette scène protocolaire.

Macdonald portait son habit d'apparat. Il avait alors cinquante-deux ans, presque cinquante-trois. Mais sa haute silhouette mince et droite, la nonchalance et l'aisance de son attitude, ne trahissaient pas son âge. Ses cheveux noirs étaient toujours aussi bouclés. Son visage ovale et allongé restait toujours sans rides, pareil à celui d'un jeune homme. Son sourire moqueur était toujours aussi vif et intelligent. Il se fatiguait cependant plus vite qu'avant. Maintenant, quand il lisait, il aimait s'étendre sur un sofa et, après le déjeuner, il cherchait souvent à faire une petite sieste. Il y avait quelquefois sur son visage une pâleur due à la fatigue qui effrayait Agnes. Mais il avait une remarquable faculté de récupération. Son esprit semblait plus prompt et plus alerte que jamais. "Il peut expédier une quantité de travail énorme en un laps de temps étonnamment court", confiait sa femme à son journal. "Il rentre souvent le sourcil froncé, fatigué et abattu, la voix faible, le pas lent; dix minutes plus tard, il fait de bonnes blagues et rit comme un écolier, les mains dans les poches, et la tête rejetée en arrière [2]." La bonne humeur de Macdonald faisait plaisir à voir. Son tempérament heureux naturellement enclin au bonheur ne semblait rien avoir perdu de cette tolérance dont il avait toujours fait preuve. "Je lui dis" écrivait sa femme avec admiration, "que son bon coeur et son affabilité sont les grands secrets de sa réussite [3]."

Il allait continuer d'avoir besoin de cette recette secrète. Moins de quelques minutes après le début de cette scène, il allait devoir faire face à la Chambre des Communes du premier Parlement du Dominion du Canada. Pendant des années, ce jour qui marquait le début d'une nouvelle page de l'histoire parlementaire avait semblé l'objectif de tous les efforts de Macdonald. Mais aujourd'hui, il n'était plus que le point de départ de toute une nouvelle série d'autres efforts. Macdonald y était bien sûr bien préparé. Il avait veillé à tout. La première élection générale de la Confédération s'était tenue au mois d'août précédent. Elle avait été un succès triomphal pour son gouvernement. Les forces de la coalition avaient gagné haut la main dans les deux provinces de l'Ontario et du Québec. Au Nouveau-Brunswick, elles avaient fait mieux que gagner. Le Parti dans son ensemble était bien disposé et plein de confiance. Il y avait eu c'est vrai une dispute assez peu convenable entre trois ou quatre députés qui voulaient tous obtenir le poste de président de l'Assemblée. Galt, le ministre des Finances, homme susceptible, capricieux et imprévisible — "il est aussi instable que l'eau courante", se plaignit Macdonald d'un ton chagrin — avait décidé de marquer l'ouverture du premier Parlement fédéral en posant un geste spectaculaire et en présentant sa démission. Pourtant ces choses — même les caprices plutôt lassants de Galt — lui était familières. Macdonald pouvait se permettre de sourire de tout. Il savait qu'au

Parlement aucune force ne pourrait pour le moment s'opposer à la coalition. Mais il savait aussi qu'en dehors du Parlement une énorme tâche l'attendait, une tâche à l'échelle du continent. Les quatres provinces unies ne représentaient qu'une partie de l'Amérique du Nord britannique. Même au sein de l'Union existante, il faudrait assurément beaucoup de temps — pour reprendre l'expression même de Macdonald — avant que le cartilage ne se transforme en os.

En Nouvelle-Écosse le processus n'avait même pas encore commencé. La Nouvelle-Écosse était violemment opposée à l'Union. À cause de cette opposition, Macdonald le savait, son triomphe électoral semblait équivoque et l'avenir terriblement incertain. "Vous avez sans doute remarqué", écrivait-il quelques semaines plus tôt, "que nous avons vaincu toutes les résistances au Nouveau-Brunswick ainsi que dans les deux Canadas. Notre majorité est en fait trop forte. Mais la Nouvelle-Écosse s'est déclarée opposée à la Confédération. Elle ne pourra pas nous nuire beaucoup même si ce vilain bonhomme de Howe a sans doute l'intention de nous créer des problèmes en Angleterre." [4]

"Ce vilain bonhomme de Howe!" Alors que Macdonald s'installait dans ce fauteuil situé à la droite du président qu'il allait occuper pendant près de vingt ans et qu'il observait attentivement la première Chambre des Communes du Canada, c'est sur Joseph Howe que son regard revenait toujours avec curiosité. L'Opposition se trouvait de l'autre côté de la salle. Ces barbus, moustachus, avec leurs favoris, leurs crânes chauves, leurs mèches bien huilées et leurs chapeaux hauts de forme y occupaient sept rangées. Dans l'ensemble, Macdonald les connaissait à peu près tous. Il y avait bien sûr quelques nouveaux venus et quelques absences inexplicables. George Brown avait été battu dans Ontario-Sud. Macdonald s'attendait sans doute à ce que son vieux rival trouve rapidement un autre siège, mais Brown ne devait jamais devenir député de la Chambre des Communes du Canada. Son absence était le signe le plus évident d'un changement, mais il y en avait d'autres qui témoignaient de l'arrivée de nouvelles générations et qui annonçaient de nouveaux problèmes. Un jeune homme trapu au visage large et plein, assez poupin, à qui sa myopie donnait un air d'enfant précoce, occupait une place bien en vue au sein de l'Opposition. Il s'agissait d'Edward Blake, le fils de William Hum Blake que Macdonald avait provoqué en duel près de vingt ans auparavant. Le nouveau venu n'était pas un "back-bencher". C'était même, parmi la phalange de vieux opposants qui ne lui faisaient pas peur du tout l'une des figures les plus remarquables. John Sandfield Macdonald, nouveau Premier ministre de l'Ontario qui avait fait campagne pour les unionistes au cours des dernières élections, occupait pour peu de temps et de façon assez inexplicable le siège de chef de l'Opposition. Près de lui, se tenaient les visages familiers de Dorion et d'Holton, et la triste figure ornée de favoris d'Alexander Mackenzie. Macdonald les connaissait si bien qu'il pouvait se permettre de les considérer tous avec dédain. Plus d'une dizaine de fois, il avait déjoué leurs manoeuvres et celles de bien d'autres. Le véritable danger provenait de Joseph Howe. Macdonald regardait cette homme vieillissant aux cheveux mal coupés, aux yeux fatigués mais encore clairs, et aux traits grossiers et saillants. C'est là qu'était la méchanceté, mais il ne savait pas encore ce qu'elle réservait.

Qu'allait-il faire? Les anticonfédérés et lui avaient complètement battu les unionistes lors des élections fédérales et provinciales de Nouvelle-Écosse. La nouvelle Assemblée provinciale d'Halifax ne comptait que deux partisans de l'Union et dix-sept des dix-huit représentants de Nouvelle-Écosse à Ottawa étaient des anticonfédérés qui s'étaient engagés à soutenir Howe. Pourtant, comme Macdonald s'en rendit compte, le seul fait de la présence de celui-ci à Ottawa était déjà en soi un élément rassurant. Cela prouvait au moins qu'ils n'avaient pas la moindre intention de boycotter le Parlement canadien ni de défier son autorité. Mais quel rôle allaient-ils jouer? Pendant que la Chambre entamait le débat sur le Discours du Trône, la curiosité de Macdonald se fit plus forte. Howe et ses seize partisans allaient-ils agir comme un bloc intransigeant ou bien feraient-ils preuve d'un certain sens de la coopération et dans ce cas jusqu'à quel point? Le vendredi, second jour des débats, Howe se leva pour définir sa position. Un grand nombre de députés se pressaient dans la salle et les galeries étaient combles [5]. L'auditoire était plus respectueux qu'enthousiaste. Les gens furent déçus. Le discours de Howe fut assez inégal. Son style affecté et assez peu parlementaire surprit. Mais ce comportement étrange et la faiblesse de son art oratoire importaient peu à Macdonald. Après le discours de Howe, il ressentit un immense soulagement. Le vieux tribun avait à plusieurs reprises insisté sur le fait que les députés de Nouvelle-Écosse n'éprouvaient aucun intérêt vis-à-vis de la politique canadienne. Il avait répété qu'ils ne soutiendraient ni le gouvernement ni l'Opposition et qu'ils désiraient avant tout que la Nouvelle-Écosse ne fasse plus partie de la Confédération. Mais en même temps, Howe fit bien comprendre que ses partisans et lui n'étaient pas venus à Ottawa pour empêcher son Parlement de fonctionner ni pour en indisposer les membres. Macdonald était surpris, soulagé et même un peu encouragé. "Nous avons commencé sur un ton des plus civils", écrivit-il quelques jours plus tard à un correspondant de Nouvelle-Écosse. "En réaction au Discours du Trône, Howe a fait une déclaration qui me semble prouver qu'il est bien disposé. Il a proposé un amendement en vue de préciser sa position. D'après le ton qu'il a employé, il paraît clair qu'on pourra peu à peu lui faire entendre raison [6]."

C'était beaucoup trop optimiste. Trois jours plus tard, Tupper amena Howe à exposer plus clairement sa position. Les auditeurs comprirent alors que les anticonfédérés d'Halifax et d'Ottawa feraient tout leur possible pour faire sortir la Nouvelle-Écosse de la Confédération [7]. Pourtant, comme Macdonald s'y attendait, Howe et ses partisans prouvèrent vite qu'ils n'étaient pas des fanatiques opposés à la société et au Parlement. Ils restèrent sur leurs positions, mais sans tomber jamais dans l'excès et sans se livrer à une obstruction délibérée. Le travail de la première session du premier Parlement du Canada avançait bien. Macdonald présenta lui-même le projet de loi pour la construction immédiate du chemin de fer intercolonial qui devait relier les Provinces Maritimes au centre du Canada. William Mcdougall introduisit les résolutions qui déclaraient le Canada prêt — à condition que cela ne lui coûte rien — à acquérir les Territoires de Rupert et du Nord-Ouest. Les députés avaient entrepris à l'est comme à l'ouest de bâtir la nation. Les anti-unionistes n'avaient eu le loisir ni d'interrompre ni d'entraver ce travail.

Malgré tout, ils restaient sur leurs positions. Après son premier sentiment de soulagement, Macdonald éprouva un sentiment croissant d'embarras. La seule présence d'un groupe d'hommes irréductibles, prêts à tout pour briser la Confédération représentait pour lui une source d'exaspération quotidienne: "(...) je dois dire", écrivit-il sur un ton presque irrité à l'archevêque d'Halifax, "qu'ils ont mis notre patience à rude épreuve. Howe a fait de nombreuses déclarations qui n'avaient pas le moindre bon sens et qui même étaient parfois perfides. Nous avons tout supporté [8]." Oui! Macdonald avait tout supporté. Mais il était las maintenant de se montrer indulgent. Il avait hâte d'en finir. "Ce genre de chose doit avoir une fin pourtant", confiait-il à l'archevêque. "Nous ne leur permettrons pas de tenir le même langage quand nous nous assemblerons de nouveau." Le temps était venu pour Howe de sortir de son attitude négative et ambiguë. Il se devait maintenant de faire un dernier effort, quel qu'il soit, pour tâcher d'abroger l'Union. Macdonald se sentait prêt et avait hâte de lui répondre.

## II

Le problème de la Nouvelle-Écosse ne semblait être qu'un symbole des incertitudes et des nouveautés qui entouraient désormais Macdonald. Pendant quelque temps, il devrait mobiliser toute sa force vitale pour s'adapter à des situations nouvelles. Presque tout était différent dans sa vie. Il n'était plus veuf, il était marié. Il vivait chez lui et non plus dans un meublé. Il n'était plus citoyen de Kingston mais d'Ottawa. Il était Premier ministre seul et non plus Premier ministre associé. Tous ces changements nécessitaient des ajustements, mais le plus important était peut-être la modification de son état matrimonial. Isabella était morte depuis dix ans et elle avait vécu les dix dernières années de sa vie en invalide chronique.

Susan Agnes était sa cadette de près de vingt ans. Elle était jeune, vigoureuse, pleine de vitalité et d'enthousiasme naïf. Elle avait une personnalité et un caractère bien à elle. Macdonald pouvait affirmer sans crainte — les preuves en étaient suffisamment nombreuses — qu'elle était profondément amoureuse. Elle l'attendait humblement sur le terre-plein devant le bâtiment est. Elle s'inquiétait de sa pâleur ou de ses fatigues occasionnelles. Elle réagissait avec enthousiasme à sa bonne humeur et se demandait d'un air rêveur si l'amour qu'elle portait dans son coeur — "entièrement dévoué à son mari" — ne l'avait pas complètement subjuguée au point de devenir un sentiment coupable [9]. Elle le regardait avec fierté diriger les débats en Chambre. Elle avait conscience d'être "la femme d'un grand Premier ministre", et en éprouvait de l'émotion. "J'aime tant m'identifier à toutes les entreprises et à toutes les occupations de mon mari", écrivait-elle joyeusement [10]. Elle possédait toutes les qualités qui avaient si visiblement fait défaut à la pauvre Isabella et, notamment, celle d'hôtesse et de maîtresse de maison appelée à recevoir de nombreuses personnalités politiques. Elle-même se trouvait une femme d'intérieur "besogneuse" et "maladroite", mais elle présidait avec dignité aux réceptions qu'offrait Macdonald aux politiciens de son temps. Son élégance grave et son port fier étaient un atout pour son mari lors des cérémonies publiques.

Avec le temps, ce dernier se mit à distinguer deux "Agnes" différentes. L'une était un être enthousiaste comme une jeune fille, qui aimait le plaisir, qui appréciait spontanément et sans limites les longues successions de visiteurs, de rendez-vous, de réceptions, d'invitations et toutes sortes d'amusements. C'était l'Agnes prompte à remarquer la couleur du ciel et les rayons du soleil sur la neige ou les expressions d'un visage, et qui savait apprécier à leur valeur tous les détails, grands et petits, de la vie bien remplie qu'elle menait. Cette Agnes-là semblait complètement absorbée par le monde physique du temps et de l'espace. Mais il y avait une autre Agnes, pieuse, repentante et sérieuse. Quelquefois la seconde remplaçait totalement la première et pour elle les choses temporelles ne pouvaient s'évaluer qu'en regard de l'éternel. La seconde Agnes était une femme qui considérait ses "frivolités" — et celles des autres — avec une désapprobation grave et qui tâchait de se souvenir de la finalité morale de l'existence. Pour elle, la religion était le fondement de la vie. Il y avait dans son anglicanisme des touches d'évangélisme et de puritanisme. "J'ai peur, confessait-elle, d'être en train de devenir méthodiste [11]." Elle cessa de boire du vin, juste "pour donner l'exemple". Elle déplorait "la description des passions dans les romans *à la mode*" *. Elle désapprouvait la coquetterie et l'affectation mondaine de Madame John Rose. Elle espérait agir sur son milieu: "J'aurai peut-être la chance de donner un ton plus élevé aux pensées du groupe au sein duquel je vis [12]."

* N.D.T.: en français dans le texte.

Grâce à sa gestion méthodique et méticuleuse, le foyer de Macdonald prit une allure nouvelle: digne, ordonnée, confortable et chaleureuse. Ils habitaient toujours le vieux "quadrilatère" au coin des rues Cumberland et Daly dans cette rangée de maisons où Galt, Brydges et Macdonald avaient habité des années auparavant. Il est fort possible que Macdonald ait eu envie de s'installer dans un logement plus vaste, un peu plus distingué et qui convenait mieux à l'importance de sa nouvelle situation. Mais il ne pouvait tout simplement pas s'offrir une plus grande maison. Au début de sa carrière, ses revenus comme avocat étaient venus fort opportunément grossir son salaire officiel. Mais vers 1860, le bureau de Kingston avait peu à peu cessé d'être lucratif et était rapidement devenu une lourde charge. Depuis des années, Macdonald n'était plus capable de s'en occuper sérieusement lui-même. Il était trop souvent et trop longtemps absent. Les affaires du cabinet n'avaient fait qu'empirer. De plus, son principal associé, A.J. Macdonnell, était lui aussi malade (maladie qui finira d'ailleurs par l'emporter). C'est à ce moment que la Banque commerciale du district de Midland fit malheureusement faillite, cette banque dont son premier employeur, le grand George Mackenzie, avait été le fondateur trente-cinq ans plus tôt. Macdonald en était un des actionnaires et un des directeurs. Il en avait été l'avoué dès le début de sa carrière. Sur le coup, le plus grave était que son cabinet devait des sommes d'argent considérables à la banque. Ses dettes étaient lourdes. Il n'allait en connaître le montant exact que lorsque les comptes de la Banque commerciale allaient être définitivement arrêtés. Mais en attendant ce n'était pas le moment de prendre un logement plus coûteux.

Malgré ce train de vie modeste et ces soucis financiers, Macdonald était en train d'apprécier les plaisirs de la vie domestique. La maison de la rue Daly était bien pleine, mais pas au point que cela soit inconfortable. La vieille Madame Bernard et son fils Hewitt qui avait été le secrétaire de Macdonald et qui était devenu vice-ministre de la Justice y habitaient en permanence. Il y avait également une chambre pour Hugh qui étudiait à l'Université de Toronto et qui revenait régulièrement passer ses vacances à Ottawa. La famille de Macdonald, celle de sa femme et les domestiques occupaient bien sûr la majeure partie de la maison, mais il restait assez de place pour qu'il puisse avoir son propre bureau et il lui arrivait souvent de s'offrir le luxe de s'y retirer pour travailler dans la plus complète solitude loin des visiteurs importuns du bâtiment est. Macdonald tenait beaucoup à ce bureau, mais la pièce qu'il aimait le plus était le cabinet du premier étage où Agnes faisait de la couture et où elle écrivait sa correspondance. Les soirs d'automne et d'hiver, le feu de foyer y était toujours allumé. En novembre et décembre, après de longues heures de travail en Chambre ou au Conseil, Macdonald aimait rentrer chez lui et retrouver le confort de sa maison. Cette année-là, l'hiver avait rapidement succédé à l'automne. Un vent du nord-ouest soufflait en rafales depuis l'autre rive de la rivière Ottawa. De gros bancs de neige s'amoncelaient sur la colline parlementaire.

Agnes venait souvent attendre son mari dans l'antichambre de son bureau. La voiture ou le traîneau l'attendait devant la porte du bâtiment est. Ensuite, ils s'en allaient ensemble vers le canal Brydge. Ils descendaient la rue Rideau dans le crépuscule d'hiver souvent barré d'un écran de flocons de neige. Pendant la saison, ils offraient une réception une ou deux fois par semaine. Macdonald était content du tact d'Agnes qui parlait français aux députés du Québec et qui, au bout de la table, jouait son rôle d'hôtesse avec grâce et efficacité. Le plus souvent, les Macdonald étaient seuls le soir et John se livrait à d'innombrables jeux de patience. Agnes faisait remarquer en souriant qu'"Albert le Bon" avait approuvé la patience. Étendue sur le sofa, elle lisait *Fineas Finn* ou *Frédéric le Grand* de Carlyle. Le dimanche, ils allaient à l'église, le plus souvent à l'église St. Alban de l'Église d'Angleterre, et quelquefois pour changer, à l'église écossaise. Au tout début de son séjour à Ottawa, Macdonald avait l'habitude de recevoir le dimanche un grand nombre de visiteurs et de discuter longuement politique avec eux. Agnes avait découragé ces conversations profanes. "Pendant des mois, ma plus ardente prière", confiait-elle à son journal, "a été que mon mari mette fin aux visites dominicales et aux dérangements le dimanche (...) mon aimable et cher mari, a miséricordieusement été amené à reconnaître que j'avais raison(...)". [13]

En plus des nouveautés de la vie de famille, il y avait également le dépaysement provoqué par les conditions étranges et inhabituelles de la vie politique depuis que le pays était devenu une union fédérale. Même la capitale était relativement peu familière à Macdonald. Depuis l'automne 1865, au moment où le Parlement de l'ancienne Province unie du Canada s'était installé dans ses nouveaux quartiers, Macdonald avait probablement passé autant de temps à Londres qu'à Ottawa. Et Ottawa, malgré la grande beauté de son site avec les rivières qui l'entouraient, était encore une ville inachevée, grandie trop vite, aux constructions de bois, avec des rangées assez laides de maisons construites dans le style victorien et des "villas" semi-détachées. Toute une série d'entrepôts à bois mal entretenus, encombrés de piles de planches et de tas de sciure d'un jaune sale ceinturaient la ville. Au milieu de tout cela, les bâtiments du Parlement se dressaient avec une magnificence incongrue. Et même ces bâtiments que George Brown quelques années plus tôt avait trouvé si absurdement grandioses ne semblaient plus aussi spacieux et aussi confortables que prévu. Le chauffage ne fonctionnait pas au charbon, mais au bois. Il était incroyablement capricieux. Le local de la Chambre prévu pour les cent trente représentants de la Province unie du Canada était bien sûr très juste pour héberger les cent quatre-vingt-un députés du premier Parlement du Dominion [14].

La Confédération elle-même ressemblait un peu à ces nouveaux bâtiments peu connus. On se perdait toujours dans de nouveaux couloirs. On se heurtait sans cesse à des murs inattendus. On découvrait des pièces qui n'étaient pas tout à fait achevées. On avait régulièrement le sentiment désagréable de n'avoir pas bien prévu ceci ou cela, ou d'avoir complètement oublié quelque chose. "Tout notre système actuel en est au stade expérimental", écrivit Macdonald à un correspondant mécontent [15]. Il était le principal auteur de l'expérience. Il était donc sans cesse sollicité pour l'expliquer et la défendre, pour préciser ce que permettaient et ce que ne permettaient pas les nouveaux règlements. Macdonald devait surveiller tout le fonctionnement de ce processus complexe jusqu'au bout, veiller au nouveau système jusqu'à ce qu'il se soit, comme il disait, "figé dans un moule". Il était à la fois stimulant et consternant pour lui de se rendre compte qu'il ne pouvait pas encore prévoir la suite des événements.

Après l'ajournement d'hiver du Parlement, Macdonald put heureusement pendant un bref laps de temps cesser de se poser toutes ces questions. Pendant la période de Noël, de nombreux ministres se dispersèrent. La petite ville reposait tranquille, ensevelie sous les monceaux de neige. Le 11 janvier, jour de son anniversaire, Macdonald ne se rendit au Parlement que tard dans l'après-midi. Agnes et lui revinrent en traîneau à travers la campagne uniformément couverte d'un éclatant manteau de neige. Cette nuit-là, ils dînèrent à Rideau Hall. La réception était offerte en l'honneur de Macdonald. Il portait l'étoile et le large ruban rouge de son Ordre. Il pouvait remarquer les coups d'oeil admiratifs et discrets que lui lançait Agnes. Il lui fut agréable également de voir le gouverneur prendre le bras de celle-ci et la conduire cérémonieusement à la table. Ils rentrèrent tard; Agnes, Hewitt Bernard et lui étaient de fort joyeuse humeur. Ils montèrent gaiement dans un traîneau découvert, abrités sous des couvertures de fourrures et des peaux de bison et traversèrent les rues glacées et désertes d'Ottawa [16].

Macdonald profita au maximum de ces jours de détente. Mais ils ne pouvaient durer indéfiniment. Le Conseil se réunit à nouveau. Le Parlement devait reprendre ses travaux au début de mars. Les mauvaises nouvelles commencèrent alors à affluer de partout. L'automne précédent, quand le Parlement canadien s'était adressé au Parlement impérial à propos de la prise en charge des avoirs de la Baie d'Hudson, les députés avaient feint de présumer qu'en reprenant le Territoire de Rupert et les Territoires du Nord-Ouest, ils n'auraient d'autre obligation que de donner un gouvernement à ces régions. Au début de la nouvelle année, une dépêche en provenance du ministère des Colonies mit un terme à cette douce illusion. Le gouvernement britannique insistait lourdement sur le fait que la charte de la Baie d'Hudson lui conférait des privilèges qu'elle ne céderait pas sans compensation à moins que la cause ne soit portée devant les tribunaux et que la justice en décide autrement. L'entreprise d'expansion vers l'Ouest allait de toute évidence être extrêmement coûteuse, difficile et hasardeuse. Il allait falloir attendre. L'Ouest posait des problèmes. Mais il n'y avait pas que l'Ouest. Ailleurs aussi il allait falloir s'attendre à des problèmes et à du retard. Depuis la session d'automne du Parlement, la question de la Nouvelle-Écosse était restée en suspens. Le problème resurgit brutalement. La Législature antifédéraliste d'Halifax passa une série de résolutions scandalisées et véhémentes qui dénonçaient la Confédération et demandaient que la Nouvelle-Écosse puisse s'en détacher [17]. Son gouvernement antifédéraliste avait nommé Joseph Howe, William Annand, H. Smith et J.C. Troop comme délégués pour aller déposer aux pieds du trône impérial sa demande pressante qu'on lui permette de recouvrer la liberté. Il était donc certain que la Nouvelle-Écosse ferait un autre pèlerinage à Londres pour se retirer de la Confédération. Quelle serait la position de Macdonald et du gouvernement canadien?

Macdonald étudia le problème avec attention. La Confédération n'était pas une entreprise définitivement achevée. Il restait de nombreuses zones floues. Les longues réunions du Cabinet se succédaient à une cadence de plus en plus rapide. Il était une fois de plus "sur la touche" comme le disait Agnes. Pendant qu'il faisait ses patiences le soir dans le salon, il lui était facile de deviner les inquiétudes que dissimulaient le visage fermé et les yeux fatigués de son mari. Au début de février, le docteur Grant, médecin de Macdonald, avertit Agnes que son mari se surmenait dangereusement. À la fin du mois, il la mit de nouveau en garde [18]. Agnes exprimait sa propre inquiétude en lui prodiguant une attention nerveuse et trop empressée. C'est alors, juste au moment où elle voulait le plus que sa maison soit un refuge confortable, que se produisit un petit désastre domestique. Les drains qui servaient au système d'écoulement des eaux cessèrent de fonctionner normalement. En plein hiver, il était pratiquement impossible de les faire réparer comme il faut. L'air de son bureau, cette pièce ou Macdonald travaillait le plus souvent quand il était à la maison, fut déclaré impur. Pendant des jours, il protesta qu'il ne voulait pas déranger toute la maisonnée, mais Agnes réussit à le persuader de s'installer en haut [19]. Ses maux de tête ne cessèrent pas pour autant. Pendant plusieurs semaines il continua de se sentir fatigué et déprimé. À la fin de février, moins de quinze jours avant l'ouverture du Parlement, il eut une longue conversation avec son vieil ami, Alexander Campbell, au cours de laquelle il fit une allusion vague mais claire à son intention de se retirer de la vie publique [20].

## III

Malgré ses préoccupations, Macdonald n'éprouvait pas de doutes réels à propos de la Nouvelle-Écosse. Il était conciliant d'instinct et par expérience, mais il n'avait pas la moindre intention de faire des compromis quand il s'agissait de ce Dominion du Canada récemment créé. L'objet de la mission Howe en Angleterre était le retrait de la Nouvelle-Écosse de l'Union. Macdonald refusait de discuter officiellement d'un tel sujet. Les seules concessions auxquelles il ait jamais pensé étaient de petits réajustements, essentiellement financiers, à l'intérieur du cadre général de l'Union. Cela, il était prêt à en discuter, mais rien d'autre. Certains prétendaient que la meilleure solution serait de persuader les Néo-Écossais de "donner une chance" au nouveau système. Si, après la période d'essai, ils ne trouvaient pas l'union satisfaisante, ils seraient toujours libres de s'en retirer. "D'après moi", écrivit franchement Macdonald à Jonathan McCully, "agir de la sorte équivaudrait à renoncer purement et simplement à l'Union. Il est un principe dont les unionistes ne doivent pas démordre: *le retrait de l'Union n'est pas un sujet qui puisse prêter à discussion.* J'espère que le ministère des Colonies se montrera ferme sur ce point. Si le duc de Buckingham parvient à faire comprendre tout de suite à Howe et à ses confrères qu'ils n'ont rien à espérer ni à attendre du gouvernement britannique, je pense que l'affaire n'ira pas plus loin. Par contre, s'il a la faiblesse de dire: donnez une chance au système pendant un an ou deux, alors les agitateurs professionnels continueront à faire de l'agitation. Un ou deux ans plus tard, ils retourneront au ministère. Ils y présenteront leur propre action factieuse et la réussite de leur entreprise comme une preuve évidente que le peuple ne souhaite pas faire partie de l'Union." [21]

Ce serait bien sûr catastrophique. Le ministère des Colonies se garderait sans doute bien d'une aussi dangereuse concession. Macdonald se demandait pourtant s'il était bien sage, devant l'importance du problème, de se fier aux seules dépêches et aux télégrammes pour présenter le point de vue canadien. Ne valait-il pas mieux avoir à Westminster un unioniste convaincu, capable de répondre aux arguments de Howe et de contrer sa propagande empoisonnée. Macdonald savait qu'un tel agent ne pouvait être membre du gouvernement. Car s'il l'était, on risquait d'interpréter sa présence comme la preuve que le Canada considérait le retrait de la Nouvelle-Écosse, comme un sujet de discussion officielle. En dehors du cercle restreint du Cabinet, certaines personnes proches du gouvernement pouvaient très bien jouer le rôle de délégué. Il y avait par exemple le bouillant Galt, qui avait démissionné au début de la session et qu'on pouvait calmer en lui confiant une nouvelle mission. Il y avait aussi Tupper qui de façon tout à fait désintéressée avait refusé un portefeuille au sein du premier Cabinet fédéral, mais qui avait été le chef de la délégation de la Nouvelle-Écosse à la Conférence de Québec et à celle de Londres. Galt qui à l'époque se montrait jaloux de Macdonald et éprouvait du ressentiment vis-à-vis de lui, refusa le poste, alléguant que la nomination de Tupper comme second commissaire provoquerait inévitablement l'échec de la mission. Macdonald prit la parole le 19 mars pour expliquer la politique du gouvernement [22]. Toutes les critiques de l'Opposition visaient à prouver que Tupper, l'homme que les anticonfédérés de la Nouvelle-Écosse détestaient le plus, n'était pas capable de remplir cette mission. Macdonald défendit fermement Tupper et déclara qu'il n'était que juste que son collègue de Nouvelle-Écosse ait l'occasion de défendre sa politique. Lorsqu'il se rassit ce soir-là, Macdonald devait être presque certain que la question de la mission en Angleterre était réglée.

Physiquement, Macdonald se sentait beaucoup mieux qu'un mois plus tôt. L'arrivée du printemps coïncida presque exactement avec la réouverture du Parlement. Si l'hiver avait été exceptionnellement dur, avril au contraire fut très doux. Macdonald eut encore des rechutes subites, des jours où il se sentit très mal. Mais dans l'ensemble, il était moins déprimé. Il se sentait beaucoup plus prêt à mener les batailles parlementaires. Le 26 avril, lorsque "ce cuistre de Parker", c'est ainsi qu'il s'exprima dans une lettre à Tupper, souleva de nouveau la question de la mission en Angleterre, il fit preuve de plus de calme et d'intérêt dans ce nouveau débat qu'il n'aurait pu l'imaginer un mois plus tôt. Macdonald prit soin de ne pas intervenir personnellement. Le débat ne méritait pas l'attention de ministres! Le seul personnage important à y prendre part, du côté gouvernemental, fut Thomas D'Arcy McGee. McGee n'était pas au meilleur de sa forme, mais ce n'était pas nécessaire. Macdonald se rendit compte avec satisfaction qu'il se montra juste assez éloquent et adroitement persuasif. McGee défendit Tupper en le présentant comme un homme qui avait risqué d'être temporairement impopulaire pour devenir durablement célèbre. Il promit que le Dominion étudierait sérieusement les revendications pratiques de la Nouvelle-Écosse. McGee termina en demandant aux deux parties de laisser le temps apaiser leurs divergences [23].

Le débat se termina peu après une heure du matin. Macdonald regagna le "quadrilatère" et Daly Street en voiture dans le silence de la nuit de printemps. Il faisait plus froid maintenant. La journée ensoleillée, fraîche et incertaine s'était terminée par un retour brutal du gel. La pleine lune brillait haut dans le ciel. En remontant la rue Rideau, il remarqua les minces plaques de glace qui scintillaient au clair de lune dans les ornières de la route. Il était près de deux heures et demie lorsqu'il arriva chez lui. Agnes l'attendait. Elle ne s'était pas couchée. Elle lui ouvrit la porte toute grande. Il prit une collation dans le boudoir. Les dernières flammes brillaient dans l'âtre et le gaz chantait joyeusement au-dessus de leurs têtes. Macdonald se sentait d'humeur tranquille et joyeuse. Pour la seconde fois, les revendications de la Nouvelle-Écosse avaient été réduites au silence. La majorité s'était comportée de façon tout à fait digne et efficace. D'un air amusé et amusant, Macdonald raconta à sa femme une partie du débat.

La journée avait été longue et énervante mais elle s'était bien terminée. Il resta quelque temps à savourer la paix de la maison silencieuse [24].

Macdonald n'était pas encore au lit quand il entendit cogner à la porte d'entrée. Une minute plus tard, il ouvrit toute grande la fenêtre du boudoir et se pencha au dehors.

— Qu'y a-t-il? demanda-t-il doucement.

C'est alors qu'il vit, à la lueur de la lune, le messager qui levait vers lui un visage effrayé et blafard.

— McGee a été assassiné... Il est étendu dans la rue... Une balle dans la tête!

Macdonald réveilla Hewitt Bernard. Ils montèrent en voiture et refirent le trajet par les rues Rideau et Park jusqu'au logement de McGee. Juste après le croisement de la rue Metcalfe et de la rue Sparks, Macdonald vit un petit groupe de silhouettes sombres, immobiles. C'étaient la propriétaire de McGee, les médecins, la police et les reporters du *Ottawa Times*. Il s'agenouilla près du corps. À côté de la mare de sang, il y avait un cigare à demi fumé, et le chapeau tout neuf de McGee. Il aida à transporter le cadavre dans la maison [25], puis écouta les témoins raconter nerveusement leur première version du drame. Après, Macdonald se rendit au bureau de *Times* et télégraphia aux polices des villes avoisinantes. Il était cinq heures et les rues prenaient déjà la teinte grise de l'aube quand il regagna le "quadrilatère". Quelques heures plus tard à peine, il était de retour à son bureau. Toute la machine était en branle pour capturer le meurtrier. Dès le début, tout le monde crut que c'était un fenian. Cet après-midi là, quand la Chambre se réunit, nombreux furent les orateurs qui rendirent hommage au défunt. Macdonald, pratique comme d'habitude, proposa de verser une rente à la veuve de McGee et de doter chacune de ses filles d'un petit capital [26]. Dans les galeries, sa voix était à peine audible [27]. Sur son visage pâle de fatigue se lisaient le manque de sommeil, la tristesse et la colère.

La tragédie l'avait durement touché. McGee mourait à quarante-trois ans, "juste au moment où il commençait à être utile". Il avait été le prophète le plus éloquent de la Confédération. Dans l'esprit de nombreux Britanniques d'Amérique du Nord, il en était presque devenu le symbole. Au moment de sa mort, les mêmes vieux ennemis menaçaient toujours l'entreprise: les anticonfédérés, les sécessionnistes, les annexionnistes et les fenians. La tragédie persuada Macdonald et tous les autres unionistes, jeunes et vieux, qu'il fallait une détermination plus grande que jamais. McGee avait défendu Tupper et sa mission en Angleterre presque jusqu'à son dernier soupir. C'était maintenant un devoir envers le mort, aussi bien qu'envers les vivants, d'assurer le succès de cette mission. Il ne fallait pas détruire la Confédération "juste au moment où elle commençait à être utile". Tupper se devait de réussir. Il devait tout d'abord persuader le gouvernement britannique, par l'entremise du secrétaire aux Colonies, d'écraser carrément; fermement et définitivement l'appel sécessioniste. Il devait ensuite empêcher John Bright et tout autre membre crédule du Parlement impérial qu'Howe et ses amis risquaient d'influencer, de relancer inutilement le débat en Chambre et de prolonger aussi toute l'agitation qui existait autour du retrait de la Nouvelle-Écosse.

Pourtant, et Macdonald le savait bien, ce n'était pas l'ultime objectif du voyage de Tupper en Angleterre. Contrebalancer la démarche antifédérale de Howe auprès du gouvernement et du Parlement britannique n'était en réalité qu'obtenir un résultat négatif. Le but ultime du gouvernement canadien ne pouvait être rien moins que le ralliement de la Nouvelle-Écosse — l'adhésion des Néo-Écossais au "fait acquis" de la Confédération. Et le gouvernement canadien, Macdonald s'en rendait compte aussi, ne pourrait toucher les antifédéralistes de Nouvelle-Écosse que par l'intermédiaire de leurs propres dirigeants antifédéralistes. Howe en était la tête et le chef. L'objectif final de Macdonald était de le persuader de changer d'idée et de s'identifier publiquement à la Confédération en participant lui-même au gouvernement fédéral. Macdonald savait qu'une grande part de la force du mouvement antifédéral était due au charisme de Howe. Avec le temps, il se persuadait de plus en plus de l'importance du vieux tribun. "En l'absence de Howe, les anti sont retombés dans l'insignifiance", écrivit-il à Tupper à la fin d'avril. "Plus que jamais, je crois qu'il convient d'arranger les choses directement avec lui [28]." C'était nécessaire, et même plus, cela semblait possible! Depuis son arrivée en Angleterre, Tupper en avait profité pour rencontrer Howe à plusieurs reprises. Tupper était optimiste comme d'habitude. Il était convaincu que le dirigeant Néo-Écossais serait tout disposé à devenir raisonnable à condition qu'échoue sa mission antifédérale dans la capitale britannique. Howe pourrait alors battre en retraite honorablement. Il pourrait appeler ses partisans à se soumettre. Et c'est exactement ce qu'espérait Macdonald.

Ses espoirs grandirent à mesure qu'avançait l'été. En juin, le secrétaire aux Colonies, le duc de Buckingham et Chandos rejeta avec fermeté la pétition lui demandant la dissolution de l'Union. La Chambre des Communes, au Parlement impérial, défit par une forte majorité la proposition de John Bright de créer une commission royale d'enquête sur la position de la Nouvelle-Écosse. Tupper annonça son retour immédiat ainsi que celui de la délégation de la Nouvelle-Écosse. Sa lettre trahissait sa joie et sa confiance. Il demandait avec insistance à Macdonald d'écrire immédiatement à Howe. Tupper lui-même, comptait partir pour la Nouvelle-Écosse de suite après son arrivée. Il voulait y tenir une série d'assemblées publiques pour convertir à la Confédération tous ceux des habitants qui hésitaient encore! Macdonald, sceptique, hochait la tête. "Dans tout ceci, *entre nous**", écrivit-il prudemment à Archibald, "je décèle un empres-

*N.D.T.: en français dans le texte.

sement fort peu discret [29]." Selon ses termes, il ne pouvait s'empêcher de penser que "le moment est très mal choisi pour tenir de telles assemblées. Les gens ne se sont pas encore remis de la frustration qu'ils ont dû éprouver quand la demande d'enquête a été rejetée". En ce qui concernait Howe, Macdonald croyait toujours que le Néo-Écossais devait faire les premiers pas. Sinon, il craignait d'essuyer une rebuffade.

Un mois plus tard, Macdonald avait changé d'avis. La situation changeait rapidement elle aussi. Tupper vint en Ontario rendre compte de sa mission et plaider pour qu'on agisse rapidement. Tilley et Archibald avaient vu Howe immédiatement après son retour à Halifax. Ils racontèrent que le dirigeant néo-écossais était prêt à étudier toute "concession d'ordre pécuniaire" — ou, en termes plus clairs, des conditions financières plus favorables à sa province au sein de la Confédération [30]. C'était le genre d'arrangement qui ne changeait pas la Constitution en profondeur et que Macdonald avait toujours cru possible. C'était aussi le genre d'arrangement que le secrétaire aux Colonies avait discrètement suggéré dans sa dépêche opposant une fin de non-recevoir à l'appel anticonfédérationiste, tout en promettant que le Canada serait prêt à prendre en considération toutes les plaintes légitimes de la Nouvelle-Écosse. Macdonald hésitait. Il ne lui restait plus maintenant qu'à trouver une bonne occasion pour rencontrer Howe. Le hasard voulut que l'occasion se présentât miraculeusement à lui. Les Néo-Écossais décidèrent que la délégation envoyée en Angleterre devait présenter son rapport devant une convention ou un caucus général de tous les députés de l'Assemblée provinciale et de tous les membres du Parlement local. La convention devrait étudier à cette occasion l'avenir du mouvement antifédéral. La date probable de la rencontre avait été fixée au 3 août. Pourquoi Macdonald ne se présenterait-il pas à Halifax? Pourquoi n'offrirait-il pas de discuter officieusement et amicalement avec la convention des griefs des délégués de la Nouvelle-Écosse? Il avait tout juste le temps. Il décida de s'y rendre. Monck approuva sa décision avec enthousiasme. "Je pense, écrivit le gouverneur général, que tout prouve à l'évidence que vous devriez *battre le fer pendant qu'il est chaud* et le fer est chaud en ce moment [31]."

## IV

Le voyage en Nouvelle-Écosse marquait un jalon intéressant dans l'histoire de la Confédération canadienne. Le Dominion avait un peu plus d'un an. Le Parlement fédéral et les législatures provinciales venaient de terminer leur première session législative. Le système tout entier était en train de trouver sa vitesse de croisière. Macdonald étudiait le processus avec anxiété et intérêt. Dans quelle mesure son projet idéal pourrait-il se concrétiser dans les faits? Il avait prévu un gouvernement central fort. Selon lui, toutes les provinces devaient dépendre autant d'Ottawa qu'elles avaient dépendu jusque-là de Londres. Il avait pris bien soin, dans l'Acte de l'Amérique du Nord britannique, de donner au gouvernement fédéral et aux lieutenants-gouverneurs d'importants moyens de contrôle sur les législatures provinciales. Il avait prévu que les grands sujets de législation devaient relever du Parlement fédéral. De fait, le pouvoir législatif du Dominion était très grand. Mais il n'était pas encore complet. Il restait un grand fossé à combler. Les "droits civils et les droits de propriété" devaient rester de juridiction provinciale jusqu'à ce que les lois en la matière dans les provinces soumises au common-law c'est-à-dire en Ontario, en Nouvelle-Écosse et au Nouveau-Brunswick aient été assimilées conformément à l'article 94 de l'Acte de l'Amérique du Nord britannique. Une fois terminée cette assimilation, les "droits civils et les droits de propriété" pourraient, avec le consentement des provinces concernées, être transférés sous juridiction fédérale. Macdonald avait hâte de procéder à ce transfert. Au cours du printemps et au début de l'été, il avait planifié la création d'une commission destinée à régler "la grande question de l'uniformité des lois" [32]. Macdonald commençait aussi à se demander si, malgré toutes ses prudentes prévisions, la division des pouvoirs entre les provinces et le Dominion était aussi claire et nette qu'il l'avait pensé. Il lui vint à l'esprit que les différents gouvernements pourraient se mettre d'accord sur un protocole d'entente qui réglerait les points litigieux. Mais cet élément-là même ne complétait pas la structure légale qu'il voulait tellement créer. Pour couronner tout l'édifice, il faudrait créer une Cour suprême. Macdonald espérait, selon ses termes, "présenter un projet de loi pour créer la haute cour de justice du Dominion, qui aurait à la fois la juridiction d'un tribunal de première instance et celle d'une cour d'appel" [33].

C'étaient là les grandes lignes de son programme de parachèvement du nouveau système fédéral. Mais dans l'immédiat l'objectif précis était de calmer la Nouvelle-Écosse. C'était ce qu'il fallait faire d'abord. Le 28 juillet, Macdonald quitta Montréal en compagnie d'Agnes, d'Hewitt Bernard, de Tupper, de Cartier et d'un autre émissaire spécial de bonne volonté, John Sandfield Macdonald qui était à la fois un ami personnel de Howe et qui avait été un libéral opposé à la Confédération jusqu'au moment où celle-ci était devenue une réalité. La délégation était donc presque aussi importante que celle qui avait descendu le Saint-Laurent jusqu'à Charlottetown près de quatre ans plus tôt. En 1864, le premier accueil dans la capitale de l'Île-du-Prince-Édouard, avait été froid et peu enthousiaste. Mais cette fois, l'accueil dans la capitale de la Nouvelle-Écosse fut franchement hostile. Le silence était lugubre quand Macdonald descendit du train à Halifax, le samedi 1er août. Tous les membres du gouvernement provincial s'abstinrent unanimement et ostensiblement de prendre part au dîner offert ce soir-là par le général Doyle en l'honneur des visiteurs canadiens [34]. En dépit de cet accueil officiel glacial, Macdonald avait déjà remporté une victoire secrète mais importante. Il avait écrit à Howe pour lui suggérer de venir le rencontrer le dimanche et d'avoir avec lui une conversation tranquille dans le bureau du général à Government House, tout de suite après l'office. Howe avait répondu qu'il serait là à une heure et demie [35].

Assis dans le bureau du général, dans la chaude torpeur du mois d'août et dans la tranquillité dominicale, Macdonald était conscient que la partie était gagnée, tout au moins en ce qui concernait Howe lui-même. L'homme qu'il avait en face de lui se savait battu. Sa grosse tête aux traits plutôt rudes, à la chevelure grise et désordonnée, semblait pesante d'avoir pris conscience avec tristesse et stupéfaction de son échec définitif. Howe avait de nombreuses qualités et des ambitions encore plus nombreuses. Il avait consacré la plus grande partie de sa vie à des tâches peu honorables et à des entreprises incertaines. Il venait de mener sa dernière croisade, qui avait été aussi la moins bien considérée. Il était obligé de reconnaître son échec total et irrémédiable. Qu'allait-il faire? Il avait trop de fierté pour consentir à en appeler une troisième fois au Parlement impérial — à ce Dieu qui lui avait fait défaut. Il était trop loyal pour penser même se lancer dans une résistance active ou passive. Pourquoi dès lors ne pas discuter des correctifs que les Canadiens avaient à lui proposer? Macdonald lui dit gravement que le gouvernement du Canada était prêt à "étudier tout grief justifié" à propos de la situation financière ou commerciale de la Nouvelle-Écosse; puis il le pressa d'accepter de devenir membre du Cabinet fédéral [36]. Howe eut un sursaut. Pourrait-il convaincre ses partisans? Ses mauvais doutes refirent surface. Il devait naturellement attendre que la convention se prononce. Il fondait, dit-il à Macdonald, de grands espoirs sur cette convention. Il serait peut-être possible d'en persuader les membres d'approuver l'ouverture de négociations amicales avec les Canadiens.

Macdonald décida de rester sur ses positions en attendant de nouveaux développements. Le général était un hôte aimable et généreux. Les distractions frivoles qu'Agnes aimait tant et qu'elle se gourmandait si sévèrement d'aimer, continuaient à se succéder agréablement. Pendant ce temps, la convention poursuivait ses travaux. Les débats trahissaient la déception et l'indignation des délégués. Pour finir, l'assemblée décida ce que décide invariablement toute assemblée déroutée. Elle désigna un comité qui devait compter dix-sept membres et présidé par Howe, avec pour mandat de déterminer un plan d'action pour l'avenir. Si Macdonald voulait des pourparlers, il devait bien sûr s'adresser à ce comité. Il lui envoya une brève note pour demander la tenue de "discussions franches et approfondies en vue d'étudier la position de la Nouvelle-Écosse et de trouver le moyen le plus approprié pour éliminer le sentiment d'insatisfaction qui pouvait exister à l'heure actuelle" [37]. Le comité répondit en adoptant une position des plus officielles. "Ce comité", expliqua plus tard Macdonald à Monck, "faisait comme si notre visite était officielle et que l'Angleterre nous avait chargés de lui faire certaines propositions [38]." Macdonald n'avait nullement l'intention d'y placer le Canada. Il répondit platement que les Canadiens étaient prêts à discuter de toutes les plaintes de la Nouvelle-Écosse, mais qu'ils n'avaient aucune proposition à faire. Cet avis brutal fit presque échouer l'espoir d'une rencontre. Mais Howe pressa ses collègues d'accepter une discussion libre et officieuse. Finalement, le président l'emporta. Le comité décida qu'il était disposé à écouter les "exposés" et à accepter aussi toute proposition écrite.

On était le 7 août. Macdonald se trouvait à Halifax depuis près d'une semaine. La résolution du comité qui invitait les Canadiens à participer à une rencontre, sans préciser d'heure, ne lui parvint qu'en milieu d'après-midi ou presque. Quelques minutes s'écoulèrent encore avant qu'une seconde note hâtive envoyée cette fois par Howe ne l'informât que le rendez-vous était prévu pour trois heures. Or, il était déjà trois heures et les membres de la délégation canadienne étaient partis un peu partout vaquer à leurs occupations [39]. Mais Macdonald était bien décidé à rencontrer le comité. Il passa près d'une heure à essayer de rassembler à toute vitesse les ministres du Cabinet canadien les plus faciles à trouver — Cartier, Kenny et Mitchell — et se rendit ensuite avec eux au Parlement provincial. Il y fut reçu, comme il l'expliqua plus tard à Monck, "avec courtoisie". Howe eut du mal à se montrer aussi enjoué que d'habitude. Au moins la moitié des membres du comité, l'air morose assistèrent à la réunion enfermés dans un mutisme réprobateur. Macdonald parla d'abord. Il expliqua que le Dominion était incapable de changer la constitution, mais que le gouvernement canadien était prêt à discuter des réclamations financières avec des représentants du gouvernement provincial. Puis Cartier parla brièvement à son tour et Howe posa quelques questions. La réunion était terminée. Elle avait duré une heure [40].

Macdonald ne pouvait se le cacher: il n'avait pas réussi à atteindre son objectif. La convention, après avoir passé près de la moitié de la nuit du vendredi à se chamailler sur le sujet, n'autorisa pas de nouvelle rencontre avec les Canadiens. La rencontre avec le comité des dix-sept ne changea rien. Mais elle eut pourtant certaines conséquences. Howe donna à Macdonald l'assurance que les explications canadiennes "avaient été très satisfaisantes, même pour les plus violents adversaires de la Confédération". La convention décida, et c'était assez significatif, qu'il fallait poursuivre la bataille pour le retrait de la Nouvelle-Écosse hors de la Confédération, mais uniquement par les voies légales et constitutionnelles. La législature provinciale, dont certains avaient craint qu'elle ne refusât d'appliquer la nouvelle constitution, continua à agir de façon tout à fait normale. Le mouvement de résistance fit cependant de nouvelles recrues même parmi les politiciens provinciaux. Mais Macdonald eut beaucoup plus de succès auprès des Néo-Écossais membres du Parlement — surtout auprès de Howe. Howe et Macdonald eurent au moins une longue discussion au cours de la fin de semaine. Avant que Macdonald ne prenne le train pour Pictou le mardi matin, ils étaient parvenus à un accord secret très important. "Dès l'ajournement", expliqua confidentiellement Macdonald au gouverneur général, "j'adresserai à Mr Howe une lettre dont les termes auront été fixés d'un commun accord et dont il pourra se servir auprès de ses amis même si elle porte la mention "personnel". Howe pourra ainsi les pousser à le soutenir dans le cas où lui-même ou un autre dirigeant de parti occuperait un poste au gouvernement [41]."

# V

Le vapeur gouvernemental *Napoléon III* attendait à Pictou pour remonter le golfe. Il fit escale pendant un jour dans l'Île-du-Prince-Édouard. Macdonald profitait de toute occasion pour se montrer aimable avec les insulaires. Puis il fit une visite de deux jours à Québec qui réveilla de nombreux souvenirs agréables chez Agnes [42]. Le 18 août, ils étaient de retour à Ottawa. Les derniers jours de l'été passèrent, frais, tranquilles et sans nuages. Après les semaines étouffantes à Toronto, la visite incertaine et astreignante à Halifax, Macdonald apprécia le retour à une routine administrative plus facile. Son horaire quotidien était à peu près le suivant: le matin, il travaillait dans le silence de son bureau; il prenait un léger déjeuner à la maison et dans l'après-midi se rendait au bâtiment est pour une réunion du conseil ou un rendez-vous à son bureau du ministère. Il était libre tôt dans la soirée. Lorsqu'il franchissait les longs couloirs, des employés et des quémandeurs l'attendaient souvent pour le prier de leur donner des instructions de dernière minute ou de leur accorder un bref entretien; mais par-delà les derniers importuns, il y avait la porte de sortie et le grand air de la place devant la colline parlementaire où Agnes l'attendait. Ils descendaient ensemble la rue Rideau pour retourner au "quadrilatère" dans la clarté d'or des fins d'après-midi.

Toute la petite famille Macdonald était au complet maintenant. Hugh avait passé la majeure partie de l'été avec sa tante Louisa à Kingston, mais il était revenu à Ottawa vers le milieu de septembre [43]. Macdonald était conscient qu'il ne connaissait pas Hugh aussi bien que la plupart des pères connaissent leur fils. Le garçon avait perdu sa mère à l'âge de sept ans et, pendant des années, il n'avait vu son père que peu fréquemment et brièvement. Il avait grandi à Kingston. Son véritable foyer était la maison de sa tante. Il avait à présent dix-huit ans, l'âge où un adolescent se transforme soudainement et étrangement en adulte. Macdonald commençait à s'interroger sur la carrière de son fils. Il avait toujours pensé offrir à Hugh une place dans son cabinet de Kingston. Mais pour le moment, le projet ne lui souriait plus du tout. Le cabinet était en difficulté depuis longtemps déjà. Depuis des années, il n'existait plus que grâce au soutien de la Commercial Bank du Midland District. Et la Commercial Bank avait fait faillite. Les affaires personnelles de Macdonald étaient menacées.

Sa famille en général, et son bien-être matériel en particulier occupèrent souvent les pensées de Macdonald cet automne-là. Il dut s'habituer à la présence d'un jeune homme qui allait bientôt s'inscrire comme étudiant en droit à Osgoode Hall à peu près de la même façon qu'il l'avait fait lui-même près de quarante ans plus tôt! C'était déjà en soi une nouveauté assez étonnante! Pourtant l'idée qu'Hugh approchait de sa majorité troublait beaucoup moins Macdonald que la pensée d'un autre événement, beaucoup plus proche encore et plus délicat. Il était certain maintenant qu'à un moment donné au cours du prochain hiver Agnes allait avoir un enfant. Il la regardait avec inquiétude. Parfois, quand elle restait allongée de longues heures sur le sofa, prostrée et souffrante, Macdonald avait du mal à calmer ses appréhensions. Mais le plus souvent, et il le savait, elle était extrêmement heureuse de ce qu'elle appelait "mon nouvel espoir". "Je puis difficilement exprimer à quel point ma grossesse a donné un sens nouveau à ma vie", écrivait-elle. "Je pense souvent à l'existence bien peu satisfaisante que mènent ces femmes qui, après l'adolescence, par manque de vocation particulière, ne connaissent jamais la joie d'être femme ni celle de devenir mère. Elles passent leur vie à essayer de combler ce vide dont la nature a décidé qu'elles feraient l'expérience [44]."

Les jours tranquilles de septembre s'écoulaient. Macdonald attendait que Howe lui fasse signe pour lui envoyer sa lettre. Il réexamina une fois de plus la question de la compagnie de la Baie d'Hudson. Il savait maintenant, comme tout le monde, que le Canada n'obtiendrait pas gratuitement cet empire dans le nord-ouest qu'il convoitait. Il avait dû se rendre à l'évidence: le Canada devrait verser une compensation à la compagnie de la Baie d'Hudson pour que celle-ci renonce aux privilèges que lui octroyait sa Charte. Au début, Macdonald était inquiet à l'idée qu'une colonie grandie trop vite devrait en plus assumer seule la charge de tout un dominion dans l'Ouest. Maintenant, il avait hâte que le Canada termine son expansion à l'échelle du continent. Au milieu de septembre, le Conseil avait discuté de la composition de la délégation qui devrait se rendre immédiatement en Angleterre pour négocier le transfert de juridiction du Territoire de Rupert et des Territoires du Nord-Ouest. Macdonald eut certaines difficultés à mettre sur pied la délégation. Il était arrêté que William McDougall et Cartier — qui était devenu Sir Georges et qui avait été anobli — allaient être délégués. Le troisième, Alexander Campbell, qui avait de lui-même demandé d'être choisi, avait ensuite refusé de façon tout à fait inattendue. Macdonald en fut si furieux qu'il le lui reprocha publiquement en séance du Conseil. Campbell n'en faisait qu'à sa guise ! Mais lui Macdonald était obligé de faire tout ce qu'on lui demandait et de supporter toutes les charges! Il savait qu'il ne pouvait pas se rendre lui-même en Angleterre pendant l'automne 1858. Il devait rester au Canada pour accueillir le nouveau gouverneur général, prendre garde aux derniers efforts du mouvement fenian, à ce moment-là assez moribond, mettre au point son projet de loi sur la création de la Cour suprême et préparer toute la série de lois qui devaient être présentées à la prochaine session. Surtout, il devait rester pour rallier Howe à la cause de l'Union et encourager le mouvement fédéraliste en Nouvelle-Écosse. Macdonald s'en tint à sa décision, même si plusieurs personnalités influentes essayèrent de l'en faire changer. "Lord Monck m'a écrit et a beaucoup insisté pour que j'aille en Angleterre, confia-t-il à Rose, mais plus j'y pense, plus je suis content de penser qu'il n'en est pas question [45]."

Macdonald n'eut pas de nouvelle de Howe avant le 15 septembre. Le vieux tribun était prudent et très réservé. Pourtant, il semblait sûr qu'il voulait négocier et qu'il attendait un résultat positif de cet échange de correspondance. "Il faudrait commencer, écrivit-il à Macdonald, par coucher sur papier l'essentiel des déclarations verbales que vous avez faites au comité. Il faudrait le faire sans tarder. Je montrerai le document à quelques amis, et vous écrirai sans doute pour vous donner nos réactions [46]." Macdonald attendit la fin du mois. Entre-temps le Conseil devait se réunir, et Macdonald souhaitait que ses propositions aient l'assentiment de tous ses collègues. Il avertit Howe que sa lettre ne ferait que "répéter les déclarations faites devant le comité". De fait, le long document qu'il envoya le 6 octobre ne contenait rien de nouveau [47]. Il demandait que "les clauses purement constitutionnelles" de l'Acte de l'Amérique du Nord britannique ne soient aucunement changées. Il promettait d'étudier très généreusement les inconvénients financiers et commerciaux causés à la Nouvelle-Écosse par son adhésion à la Confédération. Il offrait d'examiner la possibilité d'amender certains points de sa lettre si Howe voulait bien lui télégraphier ses suggestions. Mais Howe fut tout à fait satisfait. "Lettre reçue. Termes satisfaisants, câbla-t-il. Écrirai bientôt [48]." C'était le 13 octobre. Macdonald attendit encore deux semaines, pendant que Howe faisait circuler la lettre et consultait ses amis. Puis, le Néo-Écossais rompit soudain le silence énigmatique derrière lequel il s'était retranché tout au long de l'été et de l'automne. Il riposta aux attaques calomnieuses de ses ennemis. Le 26 octobre, dans le *Morning Chronicle* d'Halifax, il commença à publier une série de lettres ouvertes favorables à l'idée de négociations avec les Canadiens pour réajuster les conditions aux termes desquelles la Nouvelle-Écosse était entrée au sein de la Confédération. "Comme vous le dites très justement, écrivit Macdonald à Tupper,

Howe n'a pas seulement quitté le navire "Abrogation de la Confédération", il l'a également coulé. Tout dépend maintenant de la façon dont nous jouerons le jeu [49]."

Le jeu était extrêmement difficile et délicat. Macdonald se rendait trop bien compte que pour se rallier Howe et un nombre indéterminé de ses amis antifédéralistes, il courait le risque très réel de s'aliéner les unionistes fidèles de Nouvelle-Écosse. Il avait dû promettre qu'en attendant l'issue des négociations en cours, il s'abstiendrait de procéder à quelle que nomination fédérale que ce fût en Nouvelle-Écosse. Tupper se plaignait amèrement que pas un seul membre du Parti de l'union dans la province n'ait "suffisamment d'influence pour faire nommer ne fût-ce qu'un douanier". Macdonald, fatigué, était d'accord avec presque tout ce que disait le Néo-Écossais en colère. Il savait qu'il ne devait pas s'attendre à ce que Howe amène avec lui autre chose qu'une minorité intelligente d'antifédéralistes. Il savait aussi qu'il devait compter sur les fédéralistes fidèles pour remporter un succès à long terme. Mais en vérité, et même si c'était brutal à dire, les unionistes étaient déjà gagnés à la cause et Howe ne l'était pas. Il fallait réussir à rallier Howe. Il fallait lui accorder toute la latitude requise pour lui permettre de gagner. Macdonald plaida la patience. "Je sympathise réellement avec Tupper et vous, écrivit-il à Archibald, lorsqu'il vous faut entendre chaque jour nos amis fédéralistes se plaindre de la manière dont le gouvernement local les traite et la désinvolture apparente avec laquelle le gouvernement du Dominion semble leur touner le dos. Cela ne peut durer beaucoup plus longtemps. Je ne désire pas, poussé par l'impatience ou sous la pression d'amis, rompre les pourparlers que j'ai entamés avec Howe à Halifax et qui ne sont pas encore finis (...) Le Parti de l'union triomphera et son tour viendra, si Howe accepte nos propositions. Car alors il devra se tourner vers le parti de l'union et cultiver ses bonnes grâces afin d'obtenir une majorité en Nouvelle-Écosse (...) [50]."

À long terme, Howe pouvait avoir besoin du Parti de l'union. De la même façon le Parti avait désespérément besoin de Howe. Tout au long de cet automne-là, Macdonald essaya de le persuader par tous les moyens en son pouvoir de le faire entrer au gouvernement fédéral. "D'après tout ce que j'ai pu entendre sur la situation en Nouvelle-Écosse, et j'ai la version des uns et des autres, écrivait-il, je me contenterais d'une déclaration de votre part pour demander d'essayer honnêtement d'appliquer la présente constitution. Votre demande aura force de loi [51]." Howe avait été l'inspirateur de la résistance en Nouvelle-Écosse; il était aussi, pensait Macdonald, l'instrument indispensable du ralliement de la province. Seul et sans aide aucune, il était capable de faire la paix. Si le fédéral obtenait son soutien, l'opposition du gouvernement provincial, jusque-là intraitable, deviendrait un problème de peu d'importance. Macdonald avait espéré, grâce à Howe, pouvoir persuader Annand, Wilkins et compagnie de s'asseoir amicalement et de négocier "des conditions plus favorables" pour la Nouvelle-Écosse. Finalement, il s'était rendu compte à quel point cet espoir était vain. Le gouvernement local existant ne négocierait jamais. Il fallait abandonner l'idée et la remplacer par un autre projet, plus intelligent et plus risqué. Le gouvernement du Dominion avait l'intention d'ignorer tout simplement Annand et ses associés bornés. Le gouvernement du Dominion ne traiterait qu'avec Howe et les amis que Howe voudrait désigner, comme par exemple McLean. Howe et ses partisans seraient les seuls à bénéficier du crédit d'avoir réussi à négocier des "conditions plus favorables". "Vous direz sans doute que le jeu est audacieux, écrivit Macdonald à Howe, mais une fois les choses rentrées dans l'ordre, c'est vous qui à coup sûr en tirerez tout le profit (...) Vous avez la possibilité de jouer un jeu honorable et patriotique, permettez-moi de vous presser de le jouer [52]."

Macdonald poursuivit patiemment ses manoeuvres de persuasion tout au long de l'automne. Monck partit finalement pour l'Angleterre vers le milieu de novembre. Moins de quinze jours plus tard, le nouveau gouverneur général Sir John Young arrivait au Canada après avoir transité par New York. Macdonald, accompagné de plusieurs autres membres du Cabinet, prit le train du matin jusqu'à Prescott pour aller l'accueillir [53]. Il savait que le changement n'affecterait pas énormément la politique canadienne. Par contre, le bouleversement politique qui avait eu lieu en Angleterre au début de décembre était, il s'en rendait compte, infiniment plus sérieux. Disraeli et les conservateurs, après être restés au pouvoir un peu plus de deux ans, avaient été battus aux élections générales. Un nouveau gouvernement s'était installé à Whitehall. Le terrible Gladstone en était le Premier ministre et deux "anticoloniaux" notoires, John Bright et Robert Lowe, en faisaient partie. Cartier se trouvait à Londres pour négocier le transfert de juridiction des territoires de la Compagnie de la Baie d'Hudson. Il était franchement inquiet. Il craignait que le changement de gouvernement n'ait des conséquences néfastes pour le Canada. Lowe, rapportait-il gravement à Macdonald "ne nous favorisera pas beaucoup". En outre, toujours selon Cartier, Bright était "plein d'idées pro-américaines et de sympathies américaines" [54]. Mais c'est surtout les négociations avec la Compagnie de la Baie d'Hudson qui inquiétaient Macdonald. Elles venaient tout juste de vraiment bien démarrer au moment où le gouvernement conservateur avait dû quitter le pouvoir. Pour le reste, Macdonald ne croyait pas vraiment que les libéraux soutiendraient la cause de la Nouvelle-Écosse ni qu'ils désavoueraient le projet de Confédération qui au départ avait été le leur. Pourtant Bright avait parrainé une résolution demandant une enquête. Sa présence au sein du Cabinet risquait de faire naître de faux espoirs en Nouvelle-Écosse. Pour le bon déroulement du plan canadien, il était essentiel que le nouveau gouvernement clarifiât de nouveau sa position. À la demande de Macdonald, Sir John Young envoya rapidement une dépêche priant le nouveau secrétaire aux Colonies, Lord Granville, de préciser clairement s'il se ralliait à la politique de ses prédécesseurs [55].

Entre-temps, Macdonald se rendait compte qu'Howe était rapidement amené à jouer le rôle qu'il avait prévu pour lui. Au début, le Néo-Écossais avait semblé vouloir discuter d'une effrayante série d'amendements à apporter à l'Acte de l'Amérique du Nord britannique. Mais, à mesure qu'il déployait plus d'énergie pour convaincre ses compatriotes obstinés, Howe finit par renoncer à ses demandes une à une. Il finit par se désintéresser des "questions constitutionnelles". Il commença à penser lui aussi — ce que Macdonald avait toujours espéré qu'il pensât — qu'un réajustement des conditions financières de l'union était le point essentiel pour parvenir à rallier la Nouvelle-Écosse. Ces "conditions plus favorables", disait Macdonald, ne pouvaient se décider qu'en conférence, et John Rose, le ministre canadien des Finances, était prêt à discuter de la question avec Howe et son ami McLean, dès que ceux-ci en exprimeraient le désir. La réunion ne pouvait se tenir à Halifax, sinon Rose pourrait difficilement ne pas communiquer avec les membres du gouvernement provincial. Portland était un "terrain neutre" acceptable. S'ils parvenaient à conclure un accord à Portland, Howe et McLean pourraient venir "jusqu'à" Ottawa [56]. La nouvelle année se passa avant qu'Howe ne prît une décision. Rose prit le train du Grand Trunk Railway pour Portland. "La Nouvelle-Écosse est sur le point de s'enrôler", écrivit Macdonald à un correspondant, "mais j'ai bien peur qu'elle ne se considère pendant quelques temps plus comme un conscrit que comme un soldat volontaire [57]."

## VI

Le mois de janvier fut plus doux et plus clément que l'année précédente. Le ciel était bleu. Il faisait soleil et la neige avait des reflets bleutés. La santé de Macdonald était aussi bien meilleure qu'un an plus tôt. Il était optimiste. Presque toutes les perspectives d'avenir étaient bonnes. Dans son univers familial, l'avenir s'annonçait également heureux, même si les Macdonald étaient un peu craintifs. Agnes était sur le point d'accoucher. Mais rien dans cette grossesse ne lui rappelait les terreurs à demi oubliées des accouchements d'Isabella. Quelquefois Agnes avait des maux de tête et ne se sentait pas bien. Parfois, quand il rentrait du Conseil en fin d'après-midi, il se rendait compte qu'elle avait passé la plus grande partie de la journée allongée sur le sofa à lire un roman. Mais le plus souvent, elle se sentait bien dans sa peau, confiante, disposée à recevoir des visiteurs et à présider les repas lors des réceptions. Quelquefois, elle s'aventurait dehors et faisait une courte promenade avec lui ou bien il la persuadait de faire une promenade en voiture à travers la campagne enneigée. La bonne humeur de Macdonald contrastait étrangement avec son humeur de l'année précédente. Agnes notait avec joie qu'il était souvent "très gai" lorsqu'il venait la voir en revenant du travail [58].

En fait tout semblait aller bien. Partout, la Confédération semblait remporter la victoire. À Londres, Cartier et McDougall fondaient des espoirs de plus en plus grands sur les négociations avec la Compagnie de la Baie d'Hudson. Et, depuis Terre-Neuve, que Macdonald avait presque rayée comme partenaire possible au sein de l'Union, le lieutenant-gouverneur Anthony Musgrave lui écrivit pour lui signaler que ses ministres avaient l'intention réelle de s'occuper de la Confédération au cours de la prochaine session de la Législature. Macdonald se rendait bien compte qu'on aurait difficilement pu choisir un meilleur moment pour effectuer ce nouveau ralliement à l'Union. Il découragerait et méduserait les partisans de l'abrogation en Nouvelle-Écosse exactement comme l'entrée de Howe dans le gouvernement fédéral renforcerait le mouvement fédéraliste à Terre-Neuve. Macdonald était-il capable en 1869 de gagner à la fois l'île et la péninsule? Il commença à échafauder des plans. Il devait retarder jusque tard dans la saison la prochaine session parlementaire. Howe aurait ainsi le temps de se joindre au gouvernement et de gagner son élection partielle. Les délégués de Terre-Neuve pourraient venir à Ottawa négocier les termes de l'Union. Ainsi, si le Parlement se réunissait aux environs du 1er mars, il pourrait recevoir et avaliser le vaste et splendide programme d'expansion du Canada. "Quel fantastique programme ce sera", écrivit-il enthousiaste à Tupper, "nous nous rendrons au Parlement pour la prochaine session avec le ralliement de la Nouvelle-Écosse, avec Terre-Neuve qui se sera jointe volontairement à la Confédération et avec l'acquisition de la Baie d'Hudson" [59].

Le lundi 18 janvier, Howe, McLean et Rose arrivèrent de Portland. Le lendemain, Howe vint déjeuner au "quadrilatère". Il discuta avec Macdonald des affaires de Nouvelle-Écosse jusque tard dans l'après-midi. Le mercredi, Agnes offrit un diner de huit couverts en l'honneur des visiteurs de Nouvelle-Écosse. En quelques jours, ils réussirent à s'entendre sur des "conditions plus favorables". Comme Macdonald le confia à Tupper, malgré "tout le protocole", rien ne modifia l'essentiel de la position canadienne. La Nouvelle-Écosse se verrait traiter financièrement de la même façon que le Nouveau-Brunswick. Les subsides fédéraux alloués à la Nouvelle-Écosse seraient donc calculés sur la base du taux relativement généreux qui avait été consenti au Nouveau-Brunswick lors des conférences de Québec et de Londres. D'un certain point de vue, ces concessions étaient importantes. Par ailleurs, d'un autre point de vue, elles n'étaient que de simples ajustements rendus nécessaires pour pallier aux malheureuses disparités de l'accord original. Il était clair qu'à part ces nouveaux aménagements, le Dominion ne concéderait rien et que le gouvernement impérial ne sanctionnerait rien d'autre. Le 13 janvier, Granville envoya au Canada la dépêche que Macdonald désirait. Il refusait la demande de retraite de la Nouvelle-Écosse et répétait que le nouveau gouvernement libéral soutenait la Confédération. C'était la dernière carte dont Macdonald avait besoin pour remporter la partie: "Cette dépêche, émise par un gouvernement dont Bright est un des membres influents, coupe court aux derniers espoirs des partisans du retrait de la Nouvelle-Écosse. Elle justifie les pronostics de Howe et sa position [60]."

Le 30 janvier, il neigeait doucement. Howe revint au "quadrilatère" pour régler les derniers détails de l'arrangement. Après un déjeuner léger, Macdonald et lui se rendirent ensemble au bâtiment est. Howe y prêta serment et reçut le poste de président du Conseil. Macdonald fit une déclaration publique pour annoncer que le gouvernement comptait prendre des mesures d'assistance financière pour la Nouvelle-Écosse. Il ne lui était presque jamais arrivé de pouvoir dévoiler un succès aussi total ni aussi bien caché. Le soir, tout le monde commentait la merveilleuse nouvelle. Quand Macdonald revint à la maison, Agnes et lui passèrent un joyeux moment à se souvenir des épisodes les plus amusants de l'histoire du ralliement de la Nouvelle-Écosse. Agnes lui rappela que peu après leur mariage ils avaient rencontré Howe dans une rue de Londres.[61] Pendant quelques minutes, les deux adversaires politiques s'étaient taquinés et avaient blagué ensemble car ils étaient toujours restés en bons termes. "Bientôt" avait prédit Macdonald en riant "vous serez des nôtres." Howe avait répliqué: "Jamais! jamais! Vous devriez me prendre d'abord!" Eh bien! il était "avec eux" maintenant! La victoire était totale — ou plutôt elle le serait dès que Howe aurait gagné son élection partielle. Il était bien armé. Il emporta avec lui la dépêche de Granville et les "conditions favorables" de Macdonald. "Il rentrera à Halifax" écrivit fièrement Macdonald à Langevin "avec à la main la dépêche du gouvernement dont Bright est membre et qui coupe court à tout espoir de retrait de l'Union, et dans l'autre les concessions substantielles que nous lui avons accordées [62]".

Si Macdonald n'avait pas été inquiet au sujet d'Agnes, il aurait pu, après le départ de Howe pour la Nouvelle-Écosse, se sentir tout à fait détendu et satisfait. Mais l'accouchement d'Agnes approchait. Elle se déplaçait plus difficilement maintenant. Une fois, selon ses propres dires, elle s'était "traînée" jusqu'au bureau de son mari. Elle l'y avait trouvé en train de poser pour un sculpteur venu faire son buste. Tous deux étaient en train de plaisanter à propos de la bosse qui surplombait le grand nez du modèle. Macdonald accepta peu de longs engagements cet hiver-là. Il déclina l'invitation pour la réception que donnait le gouverneur général à Montréal. Il restait près de sa maison de Daly Street. Il protégeait sa femme et s'en occupait. Tôt, le dimanche 7 février au matin, elle le réveilla pour lui dire que la naissance était proche. Il la prit d'abord dans ses bras et la tint serrée longtemps pour la rassurer. Puis, les docteurs et les infirmières prirent la direction des opérations; et la longue lutte débuta. Elle se poursuivit pendant que l'aiguille faisait le tour complet du cadran. Aux petites heures, le lundi matin, Agnes et l'enfant qu'elle portait étaient en danger [63]. Agnes frôla la mort cette nuit-là et vint presque à l'accepter. Mais la joie envahit son corps épuisé quand elle entendit le premier cri — quand elle sut que l'enfant, qui allait être baptisée Mary, vivrait, et qu'elle-même survivrait aussi.

## Chapitre deux

# Menace à l'ouest

## I

Vers la fin de février, l'hiver qui avait été jusque-là si doux et si clément redevint soudain terriblement froid. D'énormes bancs de neige bloquaient les routes et les chemins de fer. Au début de mars, pendant une semaine, Macdonald ne reçut aucun courrier à ses bureaux du bâtiment est [1]. Il vivait dans un curieux état d'isolement, d'inactivité et d'impuissance, un peu à l'image du malheureux suspense des semaines précédentes. Pendant quelque temps, on put avoir l'impression que tout allait plus ou moins mal finir. Les compte rendus sur l'avance de Howe dans l'élection partielle qu'il disputait en Nouvelle-Écosse étaient contradictoires et un peu inquiétants. Les lettres de Cartier en provenance de Londres rendaient compte du résultat décourageant des négociations avec la Compagnie de la Baie d'Hudson. Macdonald se faisait beaucoup de soucis à cause de ses dettes envers la Commercial Bank. Il s'en faisait également pour sa petite fille Mary et pour Agnes qui semblait se remettre très lentement du terrible stress de l'accouchement. Ce n'est que le dimanche 11 avril qu'Agnes eut la permission de retourner à l'église et qu'ils purent s'agenouiller côte à côte pleins de reconnaissance dans l'église de St. Alban [2]. Sa femme allait de nouveau mieux. Mais comment Macdonald aurait-il pu assurer réellement la sécurité de sa petite famille tant qu'il n'aurait pas réussi à résoudre le difficile problème du règlement de ses dettes? Il savait depuis quelque temps déjà que la Banque mercantile du Canada avait racheté et repris la gestion des affaires de la

Banque de Commerce. Mais les mois passaient et le bureau principal de Montréal n'avait toujours pas communiqué avec lui. Finalement, incapable de supporter l'attente plus longtemps, Macdonald écrivit directement à Hugh Allan, le grand armateur, qui était aussi président de la Banque mercantile. Allan répondit poliment. Il protesta qu'il avait laissé tout le dossier en suspens en attendant, disait-il, "que vous décidiez vous-même qu'il vous convenait de le faire ressortir" mais, en même temps, Allan espérait et escomptait de façon non équivoque un règlement définitif de l'affaire [3]. Il fit même plus. Quelques jours plus tard, il présenta le montant total des dettes de Macdonald. Elles se chiffraient à 79 590 dollars et onze cents [4]. Les conséquences de ses absences de Kingston, ses dettes, et les emprunts encore plus massifs de Macdonnell se retournaient contre Macdonald — et contre Macdonald seul.

Il ne voyait pas la moindre lueur d'espoir au bout du tunnel. Il vivait dans un état de tension constante, essayant vainement de trouver ça et là des éléments de solution à ses problèmes. Toute son allure extérieure en était affectée et, pourtant, même s'il avait toujours essayé et le plus souvent avec succès de dissocier sa vie privée et sa vie publique. Il était déprimé, même si avec le printemps sa bonne fortune politique lui était revenue. Le 9 avril, deux jours avant qu'il n'aille en action de grâces avec Agnes en l'église de St. Alban, Granville avait câblé à Sir John Young que les dirigeants de la Compagnie de la Baie d'Hudson avaient finalement accepté de ratifier les clauses pour la cession du Territoire de Rupert. Moins de deux semaines plus tard, le 23 avril, le télégraphe apportait la bonne nouvelle de l'élection de Howe avec une majorité de près de quatre cents voix. Le Parlement reprit ses travaux. Les conservateurs se retrouvèrent joyeux et confiants. Ils étaient maintenant plus nombreux à cause du ralliement des Néo-Écossais. À peine huit mois plus tôt, Macdonald avait dit à Rose qu'il devait rester au Canada pour préparer toute une série de projets de loi en vue de la session parlementaire toute proche. Une série de projets de loi! Macdonald avait en fait une liste fort substantielle de mesures à proposer au Parlement. "Des conditions plus favorables" pour la Nouvelle-Écosse, l'acquisition du Nord-Ouest, des dispositions pour l'éventuelle entrée de l'Île-du-Prince-Édouard au sein de la Confédération: toutes ces choses pouvaient être annoncées dans le Discours du Trône.

Mais ce n'était pas tout! Un mois à peine après le début de la session, il devint assez probable qu'une autre province, Terre-Neuve, allait bientôt venir se joindre à la Fédération. Le 24 mai, jour anniversaire de la Reine, les délégués de l'Île arrivèrent à Ottawa. Au début de juin, on annonça que les deux parties étaient d'accord sur les conditions d'une union. "Nous espérons clôturer la session cette semaine", écrivit triomphalement Macdonald à Sir Hastings Doyle le 16 juin. "Elle aura été très importante. Nous avons annexé en douceur et presque sans nous en apercevoir toute la région qui s'étend d'ici jusqu'aux Montagnes Rocheuses, de même que Terre-Neuve [5]." "Toute la région qui s'étend d'ici jusqu'aux Montagnes Rocheuses"! C'était un empire en soi. Mais il avait ses limites. Au-delà des Rocheuses, se trouvait la Colombie britannique. Et cette Colombie britannique qui jusque-là n'avait été qu'un élément négligeable dans l'univers mental de Macdonald, se mit pour la première fois à l'intéresser un peu plus. Après l'acquisition du Nord-Ouest, l'entrée de la province du Pacifique dans la Confédération devenait politiquement du domaine du possible. Macdonald commença à évaluer ses chances. Ils allaient avoir besoin en Colombie britannique d'un nouveau gouverneur, "un homme habile à la barre" capable de remplacer Seymour qui n'était de toute évidence pas très sympathique à la cause. Qui, mieux qu'Anthony Musgrave aurait pu remplir le poste? Musgrave finissait juste son mandat à Terre-Neuve. Il avait déjà prouvé qu'il était acquis à la Confédération en y soutenant avec succès le mouvement d'union [6].

Mais à ce moment-là, le poste important que devait combler Macdonald n'était pas celui de gouverneur de Colombie britannique, mais celui de gouverneur des nouveaux Territoires du Nord-Ouest. Selon "l'Acte pour le gouvernement temporaire du Territoire de Rupert", un lieutenant-gouverneur et un conseil restreint devaient l'administrer. Ils devaient entrer en fonction très rapidement car la date du transfert des pouvoirs avait été fixée au 1er décembre 1869. Qui serait le premier gouverneur du territoire canadien de Rupert, nouvellement acquis? Macdonald, comme il en avait l'habitude, laissa reposer la question quelque temps dans sa tête, mais depuis le début il en connaissait la réponse. En fait, il avait déjà choisi son homme. C'était William McDougall, l'ancien Clear grit, le libéral qui était entré au gouvernement de coalition en même temps que George Brown et qui avait occupé le poste de ministre des Travaux publics dans le premier Cabinet de la Confédération. McDougall n'avait pas été un collègue facile [7]. Sa haute stature, sa carrure puissante, son maintien rigide, sa forte mâchoire, sa moustache et ses cheveux noirs et abondants, son élégance et son air de majesté ne passaient pas inaperçus dans les réunions de la société mondaine canadienne. En public, ses manières étaient posées et courtoises. En Chambre, il parlait avec retenue et se montrait respectueux des autres. Pourtant, en réalité, McDougall était un individualiste assez sec et ombrageux. Il n'avait pas trouvé l'association politique tout à fait à son goût. Il avait, c'était prouvé, changé d'allégeance plusieurs fois et avec beaucoup de facilité. Son importance au sein du Cabinet de coalition n'était plus aussi grande qu'avant, mais il en semblait lui-même totalement inconscient. Les réformistes, ses partisans politiques, appuyaient de plus en plus tièdement le gouvernement. Pourtant McDougall continuait de parler, d'écrire sur un ton sec et autoritaire, comme s'il représentait une foule de gens. Il refusa de se rallier à la proposition raisonnable que fit Macdonald de ramener de trois à deux le nombre de libéraux ontariens au sein du Cabinet. Il lui compliquait la vie quand il s'agissait de combler les postes des ministres libéraux qui démissionnaient. McDougall devenait tout à la fois plus fatigant et moins utile.

Macdonald en avait peut-être un peu assez du compagnonnage politique de McDougall. Il est bien possible qu'il ait été prêt à trouver un moyen élégant de se débarrasser honorablement d'un collègue difficile. Mais il n'était pas dans la nature de Macdonald de le nommer à un poste aussi important que celui de lieutenant-gouverneur du Territoire de Rupert à cause d'arguments aussi personnels. Macdonald était conscient que la situation dans le Nord-Ouest exigeait que son premier administrateur fût compétent. À plus d'un titre, McDougall était un bon choix. Il avait publiquement défendu l'expansion vers l'Ouest dès 1850. En compagnie de Cartier, il avait négocié les derniers arrangements avec la Compagnie de la Baie d'Hudson pour le transfert du Territoire. Le ministère des Travaux publics avait sous sa direction, avec l'assentiment des autorités d'Assiniboia, envoyé des équipes pour construire des routes et arpenter les abords de la rivière Rouge. Dans l'esprit du public, son nom avait longtemps été associé au Nord-Ouest. Il en savait probablement plus sur le sujet que n'importe quel autre homme public canadien. Cette nomination dut paraître d'assez peu de conséquences aux yeux de Macdonald. Au moment où, vers la fin de la session, il offrit finalement le poste de gouverneur des Territoires du Nord-Ouest à McDougall, il ne pouvait se douter que l'avenir allait lui réserver des problèmes. Au début de juillet, McDougall accepta et tout le monde sembla satisfait.

La démission de McDougall fut un soulagement. Mais elle eut une autre utilité. Elle aida à procéder à un remaniement ministériel général, rendu plus que jamais nécessaire au sein du Cabinet fédéral. McDougall était le second ministre libéral à quitter le gouvernement depuis le début de l'année. Par ailleurs John Rose, le vieil ami et le complice des débuts de Macdonald, l'aimable et amusant compagnon de route, le complice de fugues si nombreuses annonça à la fin de la session qu'il allait quitter le Canada pour commencer une carrière de banquier privé en Angleterre. Sur le plan personnel, son départ fut certainement la plus lourde perte que Macdonald dut supporter. Pourtant ce départ ne créa pas de difficulté politique insurmontable. Les bons ministres des Finances étaient difficiles à trouver, c'est vrai, mais les réformistes véritables l'étaient plus encore. Il ne faisait aucun doute que les libéraux, en Chambre comme à travers le pays, avaient cessé au cours de la session passée de soutenir le gouvernement. Mais pour Macdonald le gouvernement avait débuté en 1867 sous la forme d'une coalition *bona fide* et il devait continuer à rester une coalition au moins jusqu'aux prochaines élections générales. Il lui fallait donc des libéraux. Mais où les trouver?

C'est alors que Macdonald pensa à Sir Francis Hincks. Hincks et lui étaient de vieux adversaires. Hincks avait succédé à Baldwin comme chef des réformistes du Canada-Ouest. Il s'était retiré de la scène politique canadienne peu après la formation de la coalition libérale-conservatrice de 1854. Il était alors entré dans l'administration coloniale britannique comme administrateur impérial. Il avait été gouverneur, d'abord de la Barbade et des Îles Sous-le-vent puis de la Guinée britannique. On l'avait promu au rang de chevalier, mais sans le nommer à un troisième poste. Hincks trouvait difficile de vivre en Angleterre avec la demi-pension à laquelle ses états de service lui donnaient droit. Il vint en visite au Canada [8]. Exactement quinze ans plus tôt, au cours de l'été 1854 il avait été l'ennemi politique le plus notoire de Macdonald. Ces anciennes querelles avaient un aspect embarrassant, mais pouvaient s'avérer très utiles. Elles permettaient au moins de rappeler aux Canadiens que Sir Francis Hincks avait été un dirigeant réformiste très en vue, dont les états de service au sein du Parti étaient aussi brillants que ceux de George Brown et meilleurs que ceux de tous les nouveaux libéraux qui occupaient les bancs ministériels. Ce petit homme vieillissant aux favoris en forme de côtes de mouton, sec et précis, avait représenté autrefois une force réelle dans la vie politique canadienne. Peut-être parviendrait-il à enlever à George Brown ses anciens partisans et à les persuader de soutenir le gouvernement de coalition! Macdonald se posait la question. Il se hâta de témoigner à Hincks une attention flatteuse. Il se rendit à Montréal pour le rencontrer. Il l'invita à Ottawa à loger au "quadrilatère" et organisa un grand dîner officiel en son honneur dans la capitale [9]. Hincks, Macdonald en était de plus en plus persuadé, ferait parfaitement l'affaire pour combler le poste réformiste vacant. La dernière de ses vraies inquiétudes semblait s'évanouir. On était au mois d'août et il partit pour Portland afin d'y "respirer l'air salé pendant quinze jours". Il avait du mal à se souvenir du moment où il avait pu prendre pour la dernière fois de véritables vacances.

## II

Au cours de l'été — probablement assez rapidement après la fin de la session — Macdonald avait envoyé à Hugh Allan une proposition détaillée pour s'acquitter de ses dettes envers la Banque mercantile [10]. Toutes les économies d'une carrière d'avocat commencée près de quarante ans plus tôt dans le bureau de George Mackenzie à Kingston allaient presque littéralement s'y trouver englouties. Macdonald essaya de rassembler le plus d'argent liquide possible, mais c'était loin d'être suffisant. Il dut se tourner vers la seule propriété foncière importante qu'il ait jamais été capable d'acquérir. C'était un vaste terrain situé à Guelph qu'il avait acheté plusieurs années auparavant. Le village avait grossi et Macdonald avait divisé sa propriété en lotissements domiciliaires [11]. Il proposa d'hypothéquer ce terrain — qui était son bien le plus important — ainsi que d'autres terres qu'il possédait au profit de la Banque mercantile pour rembourser sa dette. Allan n'accepta pas l'offre immédiatement. Il répondit à Macdonald qu'il soumettrait la proposition à son conseil d'administration et qu'il lui ferait part de la décision en temps opportun. Il n'y avait toujours pas de réponse de Montréal quand Macdonald partit en vacances à Portland. Il n'y en avait pas plus quand il en revint à la fin de la première semaine de septembre. Il était profondément inquiet. Il avait une autre dette à régler — heureusement bien moins importante — avec la Banque du Haut-Canada. Quelque temps auparavant, les administrateurs de cette banque avaient voulu le poursuivre en justice. S'ils reprenaient cette action et obtenaient un jugement, il lui serait pour ainsi dire impossible de maintenir légalement la proposition qu'il avait faite à Allan. Et si cet arrangement échouait, Macdonald ne savait que trop bien qu'il n'aurait plus aucun recours.

Pourtant ce n'était pas là le principal de ses soucis. Ce qui au début n'était qu'un vague soupçon était à présent devenu une affreuse certitude qui ne le quittait pas. Sa fille Mary était née plus de six mois plus tôt. L'accouchement avait été terriblement difficile. La mort l'avait presque reprise au moment de sa naissance — cette première lutte désespérée pour vivre avait-elle hypothéqué l'avenir? Macdonald avait attentivement regardé le bébé alors qu'il était couché, terriblement petit et fragile sur l'oreiller. Dès le début, sa curiosité se mêla d'inquiétude. Il avait parfois de brefs et terribles soupçons vite chassés par l'optimisme naturel de son caractère. Il était absurde, à l'âge qu'avait Mary, d'attacher de l'importance à ce qui semblait de petites anomalies de comportement, de minuscules défauts dans son apparence. L'enfant criait parfois à pleins poumons. Elle était agitée. Elle ne voulait pas dormir et les tenait éveillés de longues nuits, Agnes et lui. Ces sautes d'humeur, ces petits éclats d'un tempérament de bébé n'étaient certainement que les signes d'une croissance saine et normale. Macdonald s'en persuadait presque. Puis soudain, le doute le frappait en plein front comme un boxeur dont la défensive se serait relâchée. Pourquoi Mary ne bougeait-elle pas? Pourquoi ne remuait-elle pas, n'agitait-elle pas les bras et les jambes? Pourquoi n'essayait-elle pas de s'asseoir avec cet acharnement des enfants sains? Qu'est-ce qui expliquait cette hypertrophie effrayante de la petite tête qu'il remarquait toujours, même s'il voulait se rassurer et ne pas la voir. Quel que fût l'éclairage et l'angle sous lequel il la regardait, il se rendait compte que l'enfant avait quelque chose d'anormal, de terriblement anormal. Quoi au juste? Il ne le savait pas. Il prenait peu à peu affreusement conscience de cette infirmité. C'était un secret dont il ne parlait pas et qu'Agnes et lui partageaient.

Mais dès lors ce fardeau ne le quitta plus. Certains jours il semblait trop lourd à porter. Des années auparavant, il avait essayé de noyer ses problèmes en buvant à l'excès. Par la suite, il avait bu plus souvent quand il était heureux que quand il avait du chagrin. Depuis plus de deux ans, il ne s'était presque pas enivré. Lorsqu'il s'était marié et qu'il était rentré au Canada comme Premier ministre du nouveau Dominion, il avait de toute évidence essayer de changer totalement le style de sa vie privée. Il l'avait fait non tant pour lui ou pour son nouveau pays que pour Agnes. Une vie plus calme et régulière l'attendait. Il était sûr qu'Agnes allait y jouer le rôle principal.

Dès le début, il s'était rendu compte qu'Agnes était une femme distinguée qui saurait faire honneur à sa nouvelle situation. Avec le temps, il s'aperçut aussi qu'elle était profondément croyante et d'une morale très stricte. Elle luttait sérieusement pour l'amélioration morale des autres — aussi bien que pour la sienne. Et cette aspiration ne restait pas toujours un pieux sentiment intérieur. Quelquefois elle se traduisait par ce qui ressemblait fort à un ordre. Une volonté de fer se faisait sentir par éclair comme la lame d'une épée soudain tirée de son fourreau. Ces fois-là, Agnes pouvait sembler dominatrice et un peu pharisienne. Mais son intelligence critique et son enthousiasme joyeux et spontané pour la vie la préservait de toute arrogance morale. Il lui arrivait très fréquemment d'enfreindre ses propres règles et de faire fi des normes astreignantes qu'elle s'était ellemême fixées. Elle soumettait sa dévotion à une autocritique aussi sévère que désarmante. Elle ne se rendait que trop bien compte qu'elle confondait parfois le sens moral et le besoin de dominer. Elle confessait avec franchise à Macdonald l'ambiguïté de ses motivations. "Je m'aperçois souvent", écrivait-elle d'un ton contrit dans son journal, "que ce que j'avais pris d'abord pour un principe n'est en fait qu'une manifestation d'un égoïste besoin de domination [12]." Macdonald, de manière tolérante et réaliste comme il en avait l'habitude, essayait de la persuader de modérer ses tendances moralisatrices et de renoncer à s'auto-analyser sans cesse. Il était conscient de la fragilité de cette force apparente, mais il en connaissait aussi la grandeur. Il en était venu à compter beaucoup sur Agnes et sur les principes qui régissaient le cours de son existence.

Puis soudain — juste après son retour de Portland au début septembre — Macdonald recommença à boire beaucoup [13]. Allan ne lui avait pas répondu. Il se rendit compte aussi que la nomination de Hincks n'était pas, comme il l'avait cru, la meilleure solution pour régler la crise ministérielle. En septembre, Cartier insista pour essayer de persuader une dernière fois Galt de revenir au ministère. Après l'échec de cette tentative, Macdonald se rendit à Toronto pour discuter de ces nominations avec ses partisans de l'ouest. Il était très ennuyé de constater à quel point tout le monde s'opposait à la candidature de Hincks. À son retour à Ottawa, il eut la pénible surprise de constater qu'il n'avait toujours aucune nouvelle de la Banque mercantile. Il ne parvenait pas à procéder aux nouvelles nominations. Et pendant ce temps, les anciens ministres s'en allaient pour de bon. Le 28 septembre, Macdonald se rendit à la gare pour dire au revoir à William McDougall qui partait pour la rivière Rouge [14]. Le lendemain, John Rose vint spécialement de Montréal pour leur dire à tous adieu. "En écrivant la lettre ci-jointe, mon coeur était plus serré que je ne pourrais l'exprimer", déclara Rose en remettant sa lettre officielle de démission [15]. Pour Macdonald, c'était une partie de sa jeunesse qui s'en allait. Il se sentait toujours aussi malheureux et déprimé quand il repartit pour l'ouest afin de présenter ses hommages au prince Arthur, en visite au Canada, qui avait voyagé à travers l'Ontario en compagnie du gouverneur général. Malgré son entourage, Macdonald continua à boire sans se soucier des conséquences. Hewitt Bernard avait voyagé avec lui. Il rapporta que pendant tout leur voyage Macdonald souffrit de dépression et d'anxiété [16].

Puis la crise passa peu à peu. Elle prit fin, mais comme d'autres choses plus importantes qui étaient arrivées, elle avait marqué Agnes et les relations qu'il avait avec elle. Cette année-là, ils avaient affronté la tragédie ensemble. C'est elle qui avait incontestablement le plus souffert de la terrible déception causée par la venue au monde de son premier né. Son "nouvel espoir" s'était transformé en une cruelle frustration. La découverte de l'infirmité de son enfant fut pour elle un choc terrible que rien ne pouvait surpasser. De plus, le fait que son mari se soit de nouveau laisser aller à ses anciennes habitudes ne fit que confirmer son sentiment d'imperfection, l'impression d'avoir échoué. Jusque-là, leur vie commune avait été marquée par une série de petits triomphes dont elle se sentait responsable. L'amélioration de l'état de santé de son mari, le changement louable de ses habitudes le dimanche, la régularité croissante avec laquelle il fréquentait les offices religieux — elle les avait tous notés avec fierté. À présent, il lui fallait admettre sa défaite. Cet automne-là, elle avait de nombreuses raisons d'être triste. Un morne dimanche de novembre, alors que les premières rafales de neige assombrissaient le paysage, elle se remémora avec résignation les événements des douze mois écoulés: "Qu'est-ce qui a changé depuis ce jour de l'année dernière où j'écrivais tout comme aujourd'hui dans mon gros journal? se demandait-elle. Très peu de choses à vrai dire — et pourtant tellement de choses à la fois... Je devrais faire preuve de plus de sagesse, car j'ai moralement beaucoup souffert depuis la dernière fois que j'ai écrit ici. Le Seigneur seul, qui connaît tous nos coeurs, peut savoir à quel point depuis des semaines et des mois toute ma vie n'a été que tristesse et déception. J'étais trop confiante en mon pouvoir. J'étais trop orgueilleuse et présomptueuse, je m'imaginais que je pouvais réussir beaucoup de choses. J'ai lamentablement échoué. Je suis plus humble maintenant (...)[17]". C'est vrai, elle était plus humble. Elle était plus sage qu'avant. Elle commençait à mieux connaître cet homme complexe qui était son mari et qui de loin en loin semblait brusquement incapable de se contrôler, alors que le plus souvent l'abondance et la diversité des ressources de son caractère l'étonnaient toujours.

Entre-temps, Macdonald avait retrouvé son équilibre. La Banque mercantile avait accepté sa proposition. Il savait maintenant que s'il devait affronter l'avenir sans un sou, ce serait au moins sans disgrâce publique. La nomination de Hincks avait résolu l'embarrassante question du remplacement des ministres; Macdonald avait de nouveau le loisir d'étudier la scène politique, de faire des plans pour acquérir la Colombie britannique et l'Île-du-Prince-Édouard et d'évaluer les chances des forces favorables à la Confédération lors des toutes prochaines élections générales à Terre-Neuve. En tant qu'artisan de la fédération transcontinentale, toutes ces questions étaient sans nul doute de la plus haute importance pour lui. Mais c'était McDougall et le nouvel empire du Nord-Ouest qui retenaient l'attention du public. Macdonald se rendit compte que les affaires du Territoire de Rupert tenaient de plus en plus de place dans sa correspondance et dans ses pensées. Cependant, il ne voulait pas prendre de décision importante à propos du Nord-Ouest avant d'être mieux informé. C'est précisément pour cela qu'il avait envoyé McDougall dans l'Ouest avant même que le territoire n'eût été effectivement transféré sous juridiction canadienne. La mission de McDougall n'était pas une manifestation dure et prématurée d'autorité. Elle avait un objectif beaucoup plus modeste: celui d'étudier une situation mal connue. La loi au nom de laquelle McDougall avait été nommé portait le titre d'"Acte pour le gouvernement provisoire du Territoire de Rupert". Son gouvernement était donc essentiellement temporaire. Rien ne pouvait se faire, et en particulier aucun poste pour l'Ouest ne pouvait être pourvu, jusqu'à ce que les résultats de l'enquête de McDougall fussent publiés. "Afin de ne pas heurter les sentiments des habitants de la région de la rivière Rouge", écrivit Macdonald à un correspondant qui sollicitait un poste, "nous ne désirons procéder à aucune nomination avant que McDougall ait eu le temps d'étudier la situation et de faire son rapport [18]." Cette attitude prudente était sans nul doute des plus avisées et la mission exploratrice de McDougall était certainement un préliminaire plein de sagesse. Pourtant, Macdonald se sentait vaguement inquiet. "McDougall part avec une importante délégation", écrivit-il dans un de ses moments de doute. "Je ne pense pas qu'on puisse physiquement le molester, mais je prévois qu'il aura de nombreux problèmes. Il faudra faire très attention d'agir de façon à ce que ces peuples sauvages restent calmes (...) [19]."

Macdonald s'attendait donc un peu à certaines complications. Quand elles se produisirent, il ne les exagéra pas. Vers la mi-novembre, les journaux américains commencèrent à rapporter que les manifestants métis avaient empêché McDougall de pénétrer dans le territoire qu'il avait à administrer. Quelques jours plus tard, une dépêche et une longue lettre personnelle de McDougall lui-même donnèrent à Macdonald tous les détails de l'ignominieuse rebuffade qu'il avait dû subir. Le 30 octobre, le premier lieutenant-gouverneur canadien du Territoire de Rupert était arrivé à la frontière de la région dont il avait la juridiction. Il découvrit que la piste vers le nord lui était barrée. Un groupe bien organisé de *métis** continua son blocus armé malgré les protestations et les explications de la délégation canadienne. Le 2 novembre, les métis prirent effectivement le contrôle du territoire en s'emparant de Fort Garry, le poste de la Compagnie de la Baie d'Hudson. Il était encore trop tôt pour affirmer avec certitude que l'affaire était grave. Les journaux américains s'étaient de toute évidence livrés à leur sport favori qui consistait à exagérer toutes les difficultés du Canada et à se réjouir de ses malheurs. Mais malgré le peu de clarté et les outrances des premiers rapports, il était évident que le Canada venait de subir une honteuse humiliation. Que faire? Macdonald examina le problème. Il interrogea les gens et tenta de reconstituer les événements à partir de diverses sources. Une chose était indiscutable. Le Canada était en partie responsable de ce qui était arrivé. Le docteur Schultz et le "groupe canadien" installé à rivière Rouge, de même que Dennis Snow, Mair et les autres Canadiens, ingénieurs et constructeurs de route envoyés sur place avant la cession effective du territoire avaient fait plus que Macdonald aurait pu l'imaginer pour exaspérer la population indigène. "Vous devez neutraliser ces messieurs", écrivit-il sèchement à McDougall, "ou ils causeront des problèmes sans fin [20]." Stoughton Dennis s'était montré "indiscret", Snow et Mair "offensants" et la population "n'aimait pas" Schultz et son groupe et "ne (lui) faisait pas confiance". Ils avaient réussi à se comporter de telle façon que les métis craignaient l'instauration de la souveraineté canadienne.

Macdonald se rendit compte que les critiques contre ces Canadiens étaient malheureusement justifiées. Mais en même temps, il se mit à réaliser que le manque de discrétion de ces quelques hommes n'avait pas été le seul déclencheur du mouvement de révolte des métis. Les métis n'étaient pas le seul groupe opposé ou peu enthousiaste à l'idée d'une expansion des limites frontalières canadiennes. L'affaire était beaucoup plus compliquée et plus dangereuse. Ce qui était vrai, c'est que les métis français formaient l'avant-garde active du mouvement. Ils avaient un sens très aigu de la communauté. Ils croyaient sincèrement en la validité de la notion de *nation métisse**. C'est ce qui avait inspiré leur action. L'organisation semi-militaire qu'ils avaient formée pour chasser le bison leur avait permis de prendre efficacement l'initiative. Il était évident, par ailleurs, qu'ils n'avaient pas agi seul ni de façon tout à fait spontanée. Au contraire, comme Macdonald commençait à le soupçonner, d'autres groupes importants peu sympathiques ou franchement hostiles au Canada avaient toléré, sinon encouragé leur résistance. Dans sa lettre personnelle datée du 31 octobre, McDougall avait évoqué la "complicité apparente" de quel-

---

* N.D.T.: en français dans le texte.

ques missionnaires de la vieille France. La passivité des représentants de la Compagnie de la Baie d'Hudson semblait tout aussi équivoque. Il ne faisait aucun doute que les citoyens des États du Nord-Ouest des États-Unis s'intéressaient à l'affaire avec une curiosité et une satisfaction assez inquiétante. Le Canada, se trouvait en fait en plein milieu d'un réseau d'intérêts et d'antagonismes très divers centrés sur le Nord-Ouest. À cause d'un malheureux concours de circonstance, aucun responsable ou aucun notable de la petite colonie n'était disposé ni prêt à défendre les intérêts canadiens.

William Mactavish, le gouverneur de Fort Garry, était gravement malade. Alexandre-Antonin Taché, l'archevêque de Saint-Boniface avait quitté le territoire quelque temps auparavant pour assister au Concile du Vatican à Rome. Les chefs britanniques et canadiens-français étaient absents, empêchés d'agir ou peu enclins à le faire. Par contre, un groupe d'agents américains, qui ne criaient pas fort, mais qui avaient plus d'influence que le "groupe canadien", essayaient par tous les moyens possibles de tirer un avantage politique des troubles de rivière Rouge. Leur objectif n'était rien moins que l'annexion totale ou partielle du Nord-Ouest britannique aux États-Unis. Ils occupaient tous des postes stratégiques qui leur facilitaient la tâche [21]. W.B. O'Donoghue, un Américain d'origine irlandaise fort sympathique au mouvement fenian devint trésorier du gouvernement provisoire de rivière Rouge. Aux premiers temps de la révolte, il était très proche de Riel. Le général Oscar Malmros, consul américain à Winnipeg, et le colonel Eros Stutsman, agent du trésor au bureau américain des douanes de Pembina, furent tous deux pendant quelque temps conseillers personnels des dirigeants rebelles. Le major Henry Roberson, un annexionniste d'origine américaine dirigeait le *New Nation*, le seul journal dont Riel permit la publication dans la colonie. Aux États-Unis, un groupe de journalistes, de politiciens et de dirigeants des compagnies de chemin de fer, dont Jay Cooke, le riche promoteur du Northern Pacific Railroad, soutenaient ces hommes et tout le mouvement en mettant à leur disposition leur influence politique, leur argent et leurs moyens de propagande. Et derrière tout le monde, il y avait le gouvernement des États-Unis qui n'avait jamais réglé son contentieux avec la Grande-Bretagne à propos des revendications de l'Alabama, et qui regardait tout le Nord-Ouest avec beaucoup de curiosité et d'intérêt. Le gouvernement américain s'intéressa dès le début aux troubles de la rivière Rouge. J.W. Taylor, qui jouissait de la plus grande autorité aux États-Unis en ce qui concernait le Nord-Ouest britannique, fut nommé agent secret avec comme mission d'informer le Département d'État du développement de toute l'affaire.

Macdonald soupçonnait l'existence de ces manoeuvres américaines. Mais sur le coup, c'est la Compagnie de la Baie d'Hudson qui retint son attention. Jusqu'au transfert effectif, c'est elle qui restait la seule autorité légale dans la région. La malheureuse maladie de Mactavish constituait-elle une excuse suffisante pour manquer à ce point d'intérêt pour l'affaire et faire preuve d'une telle irresponsabilité? C'était curieux et Macdonald se montrait très sceptique. Il ne connaîtrait jamais le contenu du rapport que Malmros fit au Département d'État, selon lequel bon nombre des employés de la Compagnie de la Baie d'Hudson souhaitaient l'annexion du territoire aux États-Unis. Macdonald n'allait jamais savoir non plus — ce que Donald Smith, principal représentant canadien de la compagnie confirmera plus tard à son président, Sir Stafford Northcote — que les accusations de déloyauté des employés de la compagnie étaient tout à fait fondées et qu'en particulier, John Mactavish était "sans aucun doute ligué avec Riel" [22]. Macdonald ne disposait pas de preuves irréfutables. Mais l'incroyable silence et la passivité de l'ensemble des administrateurs de la Compagnie de la Baie d'Hudson, depuis le bureau directorial à Londres jusqu'au plus petit poste établi sur le Territoire de Rupert suggéraient la mauvaise volonté, sinon la mauvaise foi. Macdonald découvrit que les autorités de Londres n'avaient envoyé à leurs subordonnés de Fort Garry aucune note officielle pour leur préciser la date du transfert de juridiction ni même pour leur signaler qu'un transfert devait effectivement avoir lieu. "Il appartenait à la Compagnie de la Baie d'Hudson", déclara-t-il avec indignation à George Stephen, "d'instruire ses représentants sur le Territoire de Rupert des accords, au fur et à mesure qu'ils étaient conclus à Londres [23]." La Compagnie n'avait rien envoyé: ni instructions ni renseignements officiels. À Fort Garry même, Mactavish et ses cadres, même s'ils étaient parfaitement informés de ce qui allait arriver, avaient gardé le même silence trompeur et provocateur. Macdonald écrivit à Cartier: "Il semble que personne n'ait expliqué qu'un accord était intervenu pour remettre le Territoire entre les mains de la Reine et pour expliquer que Sa Majesté le transférait au Canada, en gardant aux colons les mêmes droits que ceux dont ils disposaient avant. Tout ce que savent ces pauvres gens, c'est que le Canada a acheté la région à la Compagnie de la Baie d'Hudson et qu'ils nous sont cédés comme un troupeau de moutons (...)[24]." Dans ces circonstances, le mécontentement était inévitable. Mactavish devait être conscient de la tension qui croissait dans la colonie. Pourquoi n'avait-il pas usé de son autorité pour empêcher la crise? L'indignation de Macdonald augmentait. Il se demandait avec rage quelle était dans tout cela la part de la simple négligence et celle de la mauvaise foi.

Il fallait néanmoins que le gouvernement canadien agisse. Macdonald décida d'intervenir dans l'Ouest de la manière la plus patiente et la plus conciliante possible. En hiver, il était impossible physiquement d'y envoyer une expédition militaire, même si sur le plan politique elle eût été souhaitable dans un premier temps. Aucune troupe ne pourrait être acheminée avant le printemps à travers le territoire canado-britannique; et le gouvernement américain, si peu amical, ne permettrait certainement pas aux

Canadiens d'atteindre leur objectif en passant par les États-Unis [25]. Tout ce que pouvait faire le Canada était d'envoyer des émissaires pour rétablir le calme. Le gouvernement en choisit deux, le grand vicaire Thibault et le colonel Charles de Salaberry. Tous deux avaient déjà séjourné à la rivière Rouge. On les y renvoya avec mission de donner à ces hommes qu'ils avaient connus les explications et les assurances que la Compagnie de la Baie d'Hudson ne leur avait pas données elle-même. McDougall lui-même devait contribuer à apaiser l'énervement général. Il avait ordre de se montrer compréhensif et patient. Il allait bien sûr devoir rester dans la région et non pas rentrer piteusement au Canada. Il ne fallait pas qu'il essaie de franchir de force la frontière du Territoire de Rupert qui lui était interdite [26]. Son rôle était difficile et frustrant. McDougall n'allait certainement pas le trouver tout à fait à son goût. Pourtant c'est lui qui était là-bas, sur place! Le gouvernement allait devoir lui faire confiance et prier pour qu'il ne lui fasse pas défaut.

À l'Ouest, il allait falloir attendre. Macdonald décida que le gouvernement devait agir rapidement et efficacement à l'Est. Le Canada avait échappé de peu à la catastrophe. Son chef avait eu le regard perspicace de l'avocat pour trouver le seul chemin qui permette au gouvernement d'échapper à l'avalanche de responsabilités qui menaçait de l'ensevelir. Car le gouvernement pouvait encore y échapper! Il avait juste le temps. Ce n'était que le premier décembre que la Compagnie remettrait le Territoire à la Grande-Bretagne et que celle-ci le transférerait au Canada. Il restait plus d'une semaine avant la date fatidique! La Compagnie de la Baie d'Hudson restait toujours la seule autorité légale au Nord-Ouest. Le Canada n'avait pas encore versé les trois cent mille livres de compensation. John Rose avait installé ses nouveaux bureaux à Bartholomew House. "Nous sommes situés entre la Banque et les Rothschild, avait-il écrit, très fier de lui, nous sommes donc bien placés." Rose donc attendait impatiemment l'ordre de dédommager la Compagnie. Mais il y avait moyen d'arrêter le processus. Le Canada pouvait refuser d'accepter le transfert jusqu'à ce que la paix fût restaurée. Il renverrait ainsi toute la responsabilité de l'affaire au gouvernement impérial et à la Compagnie de la Baie d'Hudson. C'était la seule solution. Macdonald choisit de l'adopter. "Le Canada ne peut accepter le Nord-Ouest, câbla-t-il à Rose le 26 novembre, avant que le territoire ne soit pacifié. Nous avons avisé le ministère des Colonies de retarder la Proclamation (...). En attendant, il faut garder l'argent en dépôt et ne pas le verser [27]."

## III

Le soir du 1er décembre — jour où le transfert de juridiction aurait dû normalement avoir lieu — Macdonald, assis dans le boudoir du premier étage du "quadrilatère" à côté d'un feu de charbon aux braises rougeoyantes, lisait tranquillement un roman de Trollope [28]. La maison était très calme. Au début de la journée, le temps, après une période de pluie et de dégel, était redevenu très froid. Au dehors, la rue déserte semblait figée dans une immobilité glacée. Agnes rédigeait son journal. La vieille Madame Bernard et Hewitt jouaient au *backgammon* dans leur salon. La petite Mary n'avait pas pleuré de toute la journée. Elle dormait calmement dans son petit lit. En bas, dans la cuisine, les domestiques lisaient les journaux à la lueur de la lampe au kérosène tout en bavardant tranquillement. Macdonald avait l'esprit plus calme qu'il ne l'avait eu depuis plusieurs semaines. Cela faisait moins de quinze jours qu'Ottawa stupéfaite avait pris connaissance des premières nouvelles des troubles de la rivière Rouge. Macdonald avait réussi à maintenir le gouvernement canadien et à calmer l'inquiétude. Surtout, il avait réussi à la toute dernière minute à dégager le Canada de la responsabilité qui était sur le point de lui incomber. Le 1er décembre aurait pu être un jour sombre, chargé de malheurs. En fait, c'était devenu une journée de soulagement, de bonheur et de répit.

Tout bien sûr n'était pas encore réglé. Le ministère des Colonies s'était montré surpris et avait exprimé sa désapprobation devant le refus du Canada d'honorer ses engagements initiaux. Granville avait câblé à Sir John Young qu'aux termes de l'acte impérial, le transfert du territoire au Canada et le versement du prix d'achat devaient légalement suivre la cession du territoire à la Couronne. "Gouvernement par Compagnie devenu impossible, télégraphia-t-il, gouvernement par Canada seule solution, doit être mis en place promptement (...)[29]." Mais comment le mettre en place promptement, demanda Macdonald, alors que les métis s'opposent à la venue pacifique de McDougall? En plein hiver, une expédition militaire était hors de question. Pour le moment, toute tentative canadienne pour manifester son autorité, sans le secours des armes, ne servirait qu'à montrer la faiblesse du Dominion et à provoquer une intervention des États-Unis. "Je ne puis comprendre, écrivit Macdonald à John Rose, le désir du ministère des Colonies ou celui de la Compagnie, de charger le gouvernement du Canada de cette responsabilité, précisément en ce moment-ci. Ce serait faire entièrement le jeu des insurgés et des intrigants yankees qui, d'une certaine façon, influencent et dirigent le mouvement depuis St. Paul. Ce serait nous lancer dans une action dont nous ne pouvons mesurer les conséquences" [30]. Il était facile de concevoir une intervention du gouvernement américain. Il était tout à fait réaliste d'imaginer que le Canada risquait de perdre son héritage dans le Nord-Ouest.

"Notre position est inattaquable", déclara Macdonald avec force. Granville fit marche arrière. "Nous ne pouvons forcer le Canada à accepter le Territoire s'il nous tourne le dos", écrivit-il avec réalisme dès qu'il entendit parler de la décision canadienne.[31] Avec le temps, il se convainquit qu'il n'était même pas souhaitable d'essayer de recourir à la persuasion. La responsabilité de ce qui se passait à la rivière Rouge incombait de nouveau, pour un temps tout au moins, à la Compagnie de la Baie d'Hudson et au gouvernement impérial. Macdonald était confiant qu'une action rapide et énergique serait prise. Il est même possible qu'il ait pensé que le gouvernement impérial décidât d'envoyer son propre lieutenant-gouverneur à la rivière Rouge et de transformer temporairement la région en une véritable colonie de la Couronne. Macdonald espérait certainement que la Compagnie de la Baie d'Hudson allait prendre les mesures les plus énergiques pour mettre fin à l'anarchie qui régnait dans son Dominion. Le gouverneur Mactavish à Fort Garry émit enfin une proclamation "énergique et bien pesée". Macdonald en tira une grande satisfaction. Il fut encore plus heureux quand Donald Smith, le principal représentant de la Compagnie au Canada, lui rendit visite pour lui offrir de coopérer loyalement avec lui afin de rétablir l'ordre dans l'Ouest. Smith était un Écossais de haute taille. Il était originaire de Speyside et n'avait que cinq ans de moins que lui. Son nez était presque aussi grand que celui de Macdonald. Il avait une longue barbe taillée en pointe, d'extravagants sourcils broussailleux et un regard calme, déterminé et perçant. Pourquoi ne pas le prendre au mot? Un homme compétent appartenant à la Compagnie de la Baie d'Hudson et qui se trouverait à Fort Garry pourrait au moins donner "un peu d'énergie" au faible Mactavish. Il y avait moyen d'envoyer Smith à Fort Garry, apparemment sur ordre de la Compagnie, et en même temps de le charger de pouvoirs plus étendus que ceux de Thibault et de Salaberry pour négocier le transfert pacifique du Territoire au Canada [32]. En quelques jours, tout fut réglé avec l'accord total de la Compagnie de la Baie d'Hudson. Au début de décembre, quelque temps seulement après le départ de ses prédécesseurs, Smith s'en alla lui aussi pour le Nord-Ouest.

Au cours de la première quinzaine de décembre, Macdonald devint de plus en plus optimiste. "L'insurrection n'a jamais été très puissante", écrivit-il à Archibald d'un air satisfait. "Les journaux américains l'ont terriblement exagérée. Ils étaient initialement notre seule source d'information [33]." Il avait certes de bonnes raisons de retrouver confiance, mais malgré tout il restait inquiet. Qu'allait faire McDougall, isolé comme il l'était à Pembina? Les réactions de son lieutenant-gouverneur pour l'Ouest pouvaient être imprévisibles. Dès le tout début, il avait tenté de lui faire comprendre que le Territoire de Rupert restait, jusqu'à son complet transfert un territoire étranger, sur lequel il ne pouvait pénétrer sans le consentement des autorités locales. C'était vrai même quand le Canada espérait en prendre le contrôle très rapidement. C'était d'autant plus vrai maintenant que le transfert de juridiction avait été retardé pour une pé-

*Archives publiques du Canada*

John A. Macdonald

riode indéterminée et de surcroît suite à la demande impérative du Canada lui-même.

Le pouvoir n'avait pas changé de mains. Il n'y avait même pas eu d'interrègne. Le gouvernement provisoire de Riel n'avait absolument aucun fondement légal. Mais McDougall n'avait, lui non plus, aucun droit de proclamer l'autorité de la loi canadienne. Si, simplement par impatience, il essayait d'exercer illégalement l'autorité ou s'il usait de la force, il bouleverserait le statu quo que Macdonald avait efficacement réussi à rétablir. Et il risquait d'être à l'origine d'une crise internationale que Macdonald essayait désespérément de prévenir. Ce dernier mit solennellement McDougall en garde: "Si vous tâchiez de créer un gouvernement, vous mettriez automatiquement fin à celui des autorités de la Compagnie de la Baie d'Hudson (...) Il n'existerait plus alors, si vous étiez incapable d'entrer dans le pays, aucun gouvernement légal et l'anarchie ne manquerait pas de s'installer. Dans ce cas, et quelle que soit la cause de cette anarchie, le droit des nations reconnaît aux habitants le droit de former un gouvernement *ex necessitate* pour protéger leurs vies et leurs biens. La *jus gentium* reconnaît certains droits souverains à pareil gouvernement. Ce qui risque de faire très bien l'affaire des États-Unis mais pas du tout la vôtre." [34] Il exagérait l'aspect juridique de la situation, peut-être de façon délibérée, afin d'intimider son lieutenant. McDougall était d'un caractère tellement impulsif et agissait souvent de manière tellement arbitraire! Le prestige du Canada, voulait qu'il ne soit pas prématurément rappelé. Il devait rester à la frontière du Territoire de Rupert. Macdonald ne pouvait calmer ses appréhensions. "J'ai bien peur, confia-t-il à Cartier qu'il ne choisisse pas la meilleure manière de régler les choses [35]."

Aucun autre homme que McDougall n'adopta jamais une ligne de conduite plus conforme aux craintes qu'on se faisait à son sujet. Il se mit à agir le plus durement possible avant même d'avoir reçu des instructions en réponse aux rapports qu'il avait envoyés concernant la résistance métis et choisit, sans en avoir reçu confirmation, de faire comme si le Nord-Ouest était devenu canadien le premier décembre. Le soir même où Macdonald était tranquillement installé à lire Trollope au coin du feu, son lieutenant pour l'Ouest décida de décréter, dans la plus complète illégalité, la juridiction canadienne sur les Prairies. McDougall émit une proclamation solennelle au nom de la Reine. Il y annonçait le transfert de juridiction du Territoire de Rupert et sa propre nomination comme premier lieutenant-gouverneur canadien de la région. En ce même jour funeste, il rédigea un document qui donnait au colonel Stoughton Dennis, qui était auparavant inspecteur, le pouvoir de mettre sur pied et d'équiper une force armée pour châtier les rebelles. Armé de ce formidable document, Dennis entreprit ce que Macdonald appela plus tard "une série de peu glorieuses intrigues" auprès des Indiens et auprès du "groupe canadien" de

Schultz. Le tout se termina le 7 décembre par la honteuse reddition de "l'armée" de McDougall devant une force écrasante de métis révoltés [36]. Louis Riel — cet homme que Macdonald avait salué au début comme un "type intelligent" — avait remporté une victoire complète. Il maîtrisait la situation bien mieux qu'avant. Il fit exactement ce que Macdonald avait prévu au cas où la tentative d'affirmer prématurément la souveraineté canadienne échouerait: le 8 décembre, Riel proclama la création d'un gouvernement provisoire à la Rivière Rouge.

Macdonald était presque désespéré. C'était Noël — la période la plus mal choisie de l'année ! "Les mauvaises nouvelles en provenance de l'Ouest" avaient complètement gâché les fêtes. Mais il n'y avait pas qu'elles. Au cours des dernières semaines, tout avait semblé mal tourner. Carter et ses amis pro-fédéralistes de Terre-Neuve, dont tout le monde avait tant espéré, avaient été battus à plate couture fin novembre au cours des élections générales de cette province. Il n'y avait maintenant plus aucun espoir que l'île fasse partie de la Confédération. Et l'union avec la Colombie britannique que Macdonald avait envisagée quelques mois plus tôt comme tout à fait possible, devait être reportée aux calendes grecques. Il était inutile de rêver à la côte du Pacifique avant que le Canada n'ait pris possession du Territoire de Rupert. Et Macdonald n'avait pas la moindre idée du moment où le transfert de juridiction pourrait s'opérer pacifiquement. Les émissaires canadiens — Thibault, de Salaberry et Donald Smith — étaient probablement arrivés à Fort Garry. Macdonald espérait encore qu'ils parviendraient à calmer les esprits, mais il était sûr qu'ils devraient faire face à une formidable opposition.

Le Canada ne se trouvait-il pas au creux de la vague? Les annexionnistes américains, se rendant compte que l'affaire était mûre, allaient faire tout en leur possible pour empêcher les Canadiens de prendre possession d'un territoire pacifié. O'Donoghue et les autres conseillers pro-américains conservaient toujours leur place dans les rouages du gouvernement provisoire. Le *New Nation* qui parut pour la première fois au début janvier 1870, se mit à faire une propagande vigoureuse en faveur de l'union de la colonie avec les États-Unis. Riel espérait clairement l'aide américaine. Déjà, sans aucune aide extérieure, il avait réussi à vaincre ceux qui s'étaient opposés par les armes à son autorité sur la colonie. La situation ne s'était-elle pas détériorée au point que les émissaires canadiens n'avaient plus le pouvoir de négocier la paix? "Au point où en sont les choses, écrivit tristement Macdonald à Rose, je doute qu'ils puissent pénétrer dans le Territoire ou qu'ils puissent rencontrer les insurgés [37]." Et même s'ils y étaient autorisés, ils auraient à affronter des hommes dont les prétentions avaient été encouragées et dont le pouvoir avait été confirmé grâce au comportement stupide et criminel de McDougall et de Dennis. "Tous deux, écrivit amèrement Macdonald, ont fait tout ce qu'ils pouvaient pour détruire notre chance de parvenir à un accord amical avec ces gens au caractère sauvage. Selon toute probabilité, la mission de nos émissaires est vouée à l'échec. Il ne nous reste plus qu'à attendre le printemps pour faire une démonstration de force [38]."

Une démonstration de force! Il avait gardé l'idée en réserve depuis le début. Maintenant elle s'imposait peu à peu à son esprit. Une expédition militaire était peut-être la seule façon sûre de régler cet épineux et difficile problème. Mais c'était un moyen désespéré et Macdonald en craignait les conséquences sur le plan international. Il était très conscient que depuis la frontière sud on observait attentivement ce qui se passait dans la région de la rivière Rouge. D'après ses informateurs, les fenians avaient des contacts avec les insurgés métis. Les "comploteurs yankees" du Nord-Ouest américain faisaient tout en leur pouvoir, grâce à leur argent et à leur propagande, pour exploiter les difficultés canadiennes. Ces annexionnistes, partisans de la guérilla, étaient en soi déjà assez dangereux. Mais ce qui l'était plus encore, c'était l'étrange intérêt du gouvernement américain pour ce qui se passait à Assiniboia. Hamilton Fish, secrétaire d'État américain se montra fort intéressé par les rapports qui lui parvinrent et qui décrivaient l'attitude pro-américaine des employés de la Compagnie de la Baie d'Hudson. Il chargea Motley, ambassadeur des États-Unis en Grande-Bretagne, de mieux se renseigner. À la fin de janvier, Motley soumit Sir Curtis Lampson, gouverneur adjoint de la Compagnie de la Baie d'Hudson, à un interrogatoire prolongé et étonnamment détaillé sur les opinions des employés de la Compagnie à propos de l'avenir politique de la colonie de la rivière Rouge. "Je suis convaincu, écrivit Lampson à Northcote, que cette affaire de la rivière Rouge intéresse beaucoup plus qu'on ne le croit le gouvernement de Washington et que la colonie pourrait s'engager dans une voie très différente de celle que nous prévoyions voici deux mois [39]."

Macdonald, bien sûr, ne sut rien de cette inquiétante conversation. Mais il soupçonnait fortement l'existence de telles manoeuvres diplomatiques. Il savait que les sympathies pro-américaines des employés de la Compagnie de la Baie d'Hudson et que le courant annexionniste si puissant au sein des réseaux d'influence du gouvernement Riel de Fort Garry intéresseraient Fish à coup sûr. Fish essayait d'acquérir l'Amérique du Nord britannique, en tout ou en partie, en recouvrant à des moyens "constitutionnels" pacifiques. Il avait demandé à Sir Edward Thorton, le diplomate britannique en poste à Washington si son gouvernement aurait objection à ce qu'il appelait "un vote libre" au Canada pour décider de la question d'une éventuelle annexion aux États-Unis! Tout signe de mécontentement, tout sentiment pro-annexionniste, où qu'il se produise en Amérique du Nord britannique, lui était bien sûr précieux. Il essayerait, Macdonald en était certain, d'exploiter les troubles de la rivière Rouge pour faire avancer son projet d'expansion territoriale pacifique. Ces "ignobles manigances" de Fish, elles inquiétaient Macdonald et en même temps elles le rendaient furieux [40]. "Je suis tout à fait persuadé" écrivit-il à Brydges du Grand Trunk Railway qui l'avait informé d'une autre conversation assez inquiétante avec un Américain, "non seulement à cause de cette conversation, mais aussi sur la foi d'informations qui me sont parvenues de Washington que le gouvernement des États-Unis est résolu à faire tout ce qui est en son pouvoir, excepté la guerre, pour prendre possessionvdes territoires de l'Ouest. Nous devons prendre des mesures énergiques et immédiates pour contrecarrer leurs plans [41]."

Mais quelles mesures y avait-il moyen de prendre? Le Canada pouvait-il entreprendre seul une expédition militaire? Macdonald savait que, pour le moment, il n'avait ni le prestige ni la force d'agir seul. Dans les circonstances, les risques d'une action isolée étaient énormes. Il fallait que le contingent militaire envoyé à l'Ouest soit une force mixte, comprenant à la fois des soldats de l'armée régulière britannique et des miliciens canadiens. Une opération militaire conjointe permettrait au gouvernement britannique de prouver au monde entier que le Royaume-Uni soutenait fermement le Canada dans son désir d'étendre sa juridiction sur tout le Nord-Ouest de l'Amérique britannique. Macdonald avait toujours été persuadé que seule une alliance anglo-canadienne pouvait permettre au Canada de garantir et de maintenir son existence politique autonome en Amérique du Nord. "L'Amérique du Nord britannique doit faire partie soit du système américain, soit du système britannique", écrivit-il franchement à un correspondant. "Il nous faudra un siècle encore avant d'être assez forts pour marcher seuls [42]." Les Canadiens n'étaient pas encore assez forts à l'époque. Ils avaient vraiment besoin de l'assistance militaire britannique dans le Nord-Ouest. Et pourtant c'était l'année où au Royaume-Uni les sentiments anticoloniaux et les tendances séparatistes avaient semblé se faire plus puissants.

L'attitude de la Grande-Bretagne inquiétait vraiment Macdonald. Il pouvait se permettre de traiter avec tolérance et mépris Galt et les quelques autres "fous de Montréal" qui souffraient parfois de légères crises "d'indépendantisme", mais les objectifs et les prises de positions politiques du gouvernement Gladstone étaient à considérer avec beaucoup plus de sérieux. Et ces positions l'inquiétaient. Dès le début, il s'était méfié de Gladstone et de ses collègues. Ses soupçons s'accrurent sans doute encore quand Rose lui écrivit de Londres qu'il avait été "très peiné de rencontrer des marques d'indifférence" là où il ne s'attendait pas du tout à en trouver [43]. Macdonald ne mesurait probablement pas à quel point cette "indifférence" était profonde. Il ne savait sûrement pas qu'au mois de juin précédent Granville était allé jusqu'à demander au gouverneur-général s'il n'y avait pas au Canada, un quelconque courant d'opinion favorable à une séparation amicale [44]. Macdonald aurait certes été horrifié d'apprendre que Sir Curtis Lampson était sorti de récentes conversations au ministère des Colonies avec la désagréable impression que "dans certains cas, la négociation avec les États-Unis est une solution à envisager" [45]. Macdonald ignorait sans doute tout cela. Mais il était tout à fait au courant du fait que Granville et Cardwell, le ministre de la Guerre libéral, avaient annoncé avec fracas leur intention de retirer immédiatement du Canada central toutes les troupes impériales qui y étaient stationnées. Les soldats réguliers partaient justement l'année où on en avait le plus besoin. Il ne fallait pas que tous s'en aillent. Certains au moins devaient rester pour faire partie du corps expéditionnaire qui serait envoyé dans l'Ouest. Il fallait prouver aux États-Unis la réalité de la solidarité anglo-canadienne sur le continent nord-américain. "Ce doit être devenu une idée fixe à Washington, écrivit-il à Rose, que l'Angleterre veut absolument se débarrasser de ses colonies. Mr Fish n'a même pas hésité à le dire [46]." Les soldats de l'armée régulière britannique s'ils étaient envoyés dans l'Ouest mettraient immédiatement un terme aux espoirs américains et seraient une garantie d'expansion pour le Canada.

## IV

Février était un mois d'anniversaires. Cela faisait trois ans que Macdonald avait épousé Agnes et un an que leur fille, Mary, était née. L'enfant était parvenu à l'âge où d'habitude l'énergie et l'intelligence connaissent leur premier développement important. Mais son premier anniversaire arriva et passa et les petites luttes et victoires du bébé qui auraient tellement réjoui le coeur de Macdonald se firent attendre et restèrent bien peu nombreuses. "Malgré ses treize mois et demi, elle reste étendue sans bouger couchée sur l'oreiller de son landau", écrivait Agnes dans son journal, "elle sourit quand elle me voit et gazouille doucement comme pour elle-même [47]." Elle pourrait peut-être marcher — il y avait encore un bon espoir — mais certainement sans grande vigueur. Elle pourrait faire beaucoup de choses, mais faiblement, imparfaitement. La taille anormale de sa tête était tristement évidente.

Macdonald revenait le coeur serré des visites qu'il faisait à la nursery. Sa vie privée n'avait été qu'échec sur échec. Cet hiver-là, il organisa l'arrangement prévu avec Allan et hypothéqua ses biens au profit de la Banque mercantile du Canada. Chez lui, ce n'était qu'inquiétude et tourment. Et au ministère, l'état d'incertitude et d'attente qu'il vivait depuis le début des troubles du Nord-Ouest ne semblait pas devoir cesser. McDougall revint à Ottawa "très abattu, mais en même temps très mal disposé" [48]. L'archevêque Taché, après d'importantes discussions théologiques à Rome, parvint à son tour dans la capitale. Il discuta longuement de l'imbroglio de l'Ouest et partit pour la rivière Rouge en qualité de quatrième émissaire du gouvernement canadien. Macdonald n'avait rien à faire que d'attendre les rapports de ces représentants qui séjournaient dans l'Ouest et la réponse britannique à sa demande d'aide militaire. C'est alors que s'ouvrit le Parlement. Le prince Arthur honora les cérémonies de sa présence. "Des festivités sans fin s'ensuivirent." Un débat sur le fiasco de la rivière Rouge était inévitable. McDougall avait préparé des explications complètes pour montrer comment la méchanceté et la stupidité des autres avait été la cause de son échec. Il profita de l'occasion pour lancer à gauche et à droite les accusations les plus folles. Huntington et Galt, les deux avocats d'une forme très particulière d'"indépendance", présentèrent des motions pour affirmer le droit du Canada de conclure un traité d'union douanière avec les États-Unis, et — comme l'expliqua avec mépris Macdonald à Rose — "toutes sortes de stupidités du même genre" [49]. Il n'avait vraiment pas grand-chose à craindre de l'Opposition. Les manoeuvres de McDougall et de Galt n'affecteraient probablement pas son plan de pacification de la rivière Rouge ni son projet. "Je contrôle totalement la Chambre", déclara-t-il à Rose en se vantant un peu, "et je puis en faire presque ce que je veux [50]."

Puis les nouvelles tant attendues commencèrent à arriver de la rivière Rouge. Macdonald les étudia et les réétudia, avec de plus en plus de crainte. En un sens, elles étaient rassurantes, encourageantes même, mais malgré tout elles le remplissaient d'inquiétude. Donald Smith avait atteint Fort Garry le 27 décembre. Il avait l'air d'avoir fait beaucoup de choses en peu de temps. En quelques semaines, il s'était arrangé pour exercer une influence considérable au sein de la colonie, il avait réussi à en appeler à toute la communauté de la rivière Rouge sans s'occuper de Riel. Le 19 janvier, un grand nombre de citoyens s'assemblèrent à Fort Garry pour l'entendre expliquer sa mission. Une seconde réunion eut lieu le 20 janvier. L'assistance y était encore plus nombreuse. L'assemblée décida d'organiser une réunion d'une délégation de vingt représentants des paroisses francophones et de vingt représentants des paroisses anglophones pour étudier les besoins de la colonie et les propositions de Smith. La délégation se réunit moins d'une semaine plus tard, le 26 janvier, et commença à dresser une liste — appelée "liste des droits" — des doléances et des souhaits d'Assiniboia. Le 7 février, les délégués la présentèrent à Smith. Smith les invita alors à envoyer des représentants à Ottawa pour discuter des affaires de la colonie avec le gouvernement canadien.

C'était un résultat positif. Mais qui n'avait pu être obtenu qu'après de longues explications et des débats prolongés à Fort Garry. Ces négociations prolongées avaient d'autres conséquences moins heureuses. Elles avaient éveillé la conscience politique des colons et affermi leurs institutions politiques improvisées. Jusque-là, seule la fraction francophone de la communauté avait accepté le gouvernement de Riel. Le dirigeant métis avait pressé la convention d'approuver et de soutenir le gouvernement provisoire. Les délégués anglais et écossais, après avoir obtenu — aussi incroyable que cela pût paraître — une sorte d'approbation du gouverneur Mactavish, acceptèrent de reconnaître le régime et d'élire Riel président. Tout cela était assez inquiétant. Peu après, une autre nouvelle encore plus inquiétante arriva. Le "groupe canadien" d'Assiniboia sur lequel on ne pouvait exercer aucun contrôle avait choisi le moment vraiment malheureux du triomphe politique de Riel pour se lancer dans une nouvelle tentative absolument suicidaire de résistance. Cette seconde aventure échoua aussi lamentablement que la première. Macdonald était profondément troublé. "La tentative stupide et criminelle de Schultz et du capitaine Boulton, écrivit-il gravement, pour reprendre le combat, a grandement augmenté la force de Riel. Par deux fois, il a réussi à écraser ceux qui tentaient de renverser son gouvernement. Les sympathisants américains vont commencer à dire que son gouvernement a acquis une légitimité et Riel s'en persuadera facilement lui-même [51]." Ce n'était que trop vrai. Riel était persuadé que son gouvernement était un gouvernement légitime, un gouvernement qui reposait sur la volonté populaire et qui avait résisté au choc de l'agression. Il était devenu ce que Macdonald avait toujours craint qu'il ne devînt, le gouvernement *de facto* à la rivière Rouge.

Macdonald ne doutait plus maintenant, de la nécessité d'une expédition militaire. De toute façon, l'affaire se terminerait probablement par une lutte armée. Que connaissait-il des intentions de Riel? Le métis agissait-il de bonne foi en envoyant des délégués négocier avec le gouvernement canadien? Ou était-il secrètement déterminé à poursuivre la lutte avec le secours américain, à fonder une république indépendante — à faire entrer la colonie de la rivière Rouge au sein de la Fédération des États-Unis? "Je ne puis m'enlever le désagréable soupçon, confiait Macdonald à Rose, qu'il envoie cette délégation juste pour gagner du temps, jusqu'à ce que l'été lui permette d'obtenir un soutien matériel des États-Unis [52]." Le Canada risquait, Macdonald s'en rendait compte, d'avoir à livrer une rude bataille. Il attendit impatiemment la réponse du gouvernement impérial. Elle n'arriva qu'après que de nombreuses discussions eussent eu lieu au sein du Cabinet libéral. Comme d'habitude, chaque fois qu'il s'agissait d'affaires canadiennes, Gladstone était plein de doutes et de réserves [53]. Pour finir, Granville balaya ces doutes sans grande cérémonie. "Je ne vois pour nous qu'une seule possibilité: celle de rester au côté des Canadiens, dit-il à son chef, et dans ce cas, ce qu'il y a de plus sûr est une démonstration rapide d'autorité [54]." Le 6 mars le câble officiel qui promettait l'assistance militaire britannique arriva à Ottawa [55]. L'offre était, bien sûr, assortie de conditions. La première de toutes stipulait que le Canada devrait accorder aux colons catholiques des conditions favorables. Ensuite, en même temps que l'expédition militaire, le Dominion devait accepter la juridiction sur le territoire. La question était réglée. Le Canada recevait une aide d'outre-Atlantique.

Macdonald était de plus en plus convaincu que cette aide serait indispensable. Avant la fin du mois, une autre nouvelle, des plus inquiétantes, arriva de la rivière Rouge. Riel avait prouvé une ultime fois que la force militaire était la seule assise solide de son gouvernement provisoire. Le 3 mars, un de ses prisonniers canadiens, un jeune homme turbulent du nom de Thomas Scott, fut accusé d'avoir pris les armes contre le gouvernement provisoire (délit dont les autres prisonniers étaient aussi coupables). Scott était également accusé d'avoir fait preuve d'insubordination et d'avoir frappé ses gardes. Un tribunal militaire jugea ses crimes de façon tout à fait sommaire et le condamna à la peine capitale. Scott fut exécuté dans les vingt-quatre heures. Riel avait peut-être décidé de faire peur à ses adversaires et de faire un exemple. Ou bien les gens sanguinaires qui l'entouraient lui avaient peut-être forcé la main. Mais quelles qu'en ait été les causes, l'exécution de Scott modifa complètement la question du soulèvement de la rivière Rouge. L'exécution découragea presque Macdonald de l'idée qu'on pourrait parvenir à un règlement pacifique [56]. Il doutait plus que jamais de la bonne foi de Riel. Il craignait que les métis ne se lancent dans une résistance désespérée. Et il n'était que trop conscient que l'exécution de Thomas Scott, contrairement à tout ce qui avait eu lieu depuis le soulèvement de Riel, avait provoqué une controverse politique passionnée au Canada central.

L'Ontario anglophone s'identifiait à Scott et au "parti canadien". La population réclamait l'envoi d'une expédition militaire à la rivière Rouge et insistait pour que le gouvernement ne négocie pas avec les émissaires des meurtriers de Scott. Le Québec francophone sympathisait instinctivement avec Riel et les métis. Les Québécois pensaient qu'il n'était pas nécessaire de recourir à la force et demandaient au gouvernement d'aboutir à un règlement pacifique en négociant avec les délégués de la rivière Rouge. Macdonald pouvait bien être furieux. Depuis le début, toute l'affaire de la rivière Rouge s'était compliquée du fait de ses incidences internationales. Maintenant elle se compliquait encore car elle servait de prétexte aux uns et aux autres pour exprimer leurs rancoeurs en ce qui concernait la vie politique intérieure canadienne. Macdonald prévoyait que la Chambre allait se diviser en fonction des origines ethniques de chacun. La scission était inévitable au Cabinet également. Les ministres ontariens et ceux des Provinces Maritimes allaient sans nul doute réclamer une expédition militaire, tandis que Cartier et Langevin allaient s'y opposer de toutes leurs forces. Macdonald se trouvait à coup sûr coincé entre les deux factions.

C'est à ce moment très mal choisi que parvint à Ottawa la rumeur d'un nouveau raid fenian. John O'Neill, qui était le chef fenian lors de la bataille de Ridgeway deux ans plus tôt, devait, selon les services d'espionnage de McMicken, envahir en force le Canada aux environs du 15 avril [57]. Une ultime complication était donc sur le point de se produire. Dans les circonstances, elle était inévitable. Macdonald s'y était attendu. Dès le début des troubles de la rivière Rouge, il avait craint que les fenians n'essaient de profiter des difficultés qu'éprouvait le Canada à l'Ouest pour lancer une attaque à l'Est. L'attaque allait bel et bien avoir lieu. Et elle allait avoir lieu au moment où la Grande-Bretagne annonçait publiquement le retrait des troupes impériales basées en Amérique du Nord britannique et au moment où elle assortissait sa participation dans l'expédition militaire dans l'Ouest d'une série de conditions et de clauses fort tatillonnes qui retardait l'exécution. Macdonald se sentait un peu le défenseur solitaire d'une ville assiégée. "Nous sommes heureux de savoir", écrivit-il à son vieil ami Lord Carnarvon, le 14 avril, veille du jour prévu pour le raid d'O'Neill, "que vous êtes un ami — je pourrais presque dire un ami bien nécessaire — car nous nous méfions terriblement des hommes qui gouvernent l'Angleterre (...) En ce moment, nous nous attendons d'un jour à l'autre à une formidable invasion des fenians, à laquelle le gouvernement des États-Unis ne s'opposera pas et que les fonctionnaires subalternes toléreront. Au même moment, nous devons envoyer une expédition militaire pour restaurer l'ordre dans le Territoire de Rupert. J'ai informé le gouvernement de Sa Majesté dans le détail de la menace constante que fait peser sur nous depuis cinq ans le groupe fenian. J'ai pris un soin tout particulier à le prévenir et à le mettre au courant des préparatifs de l'attaque que nous attendons aujourd'hui. Pourtant, c'est le moment que choisit le gouvernement britannique pour retirer tous ses soldats de chez nous et nous abandonner, victimes sans aucun secours, à la vindicte irlandaise et à l'hostilité américaine (...)" [58] Le reproche était amer. Le ton était peut-être un peu exagéré, car Macdonald désirait impressionner Carnarvon, mais compte tenu des circonstances il n'était pas totalement injustifié. La crise semblait sur le point de submerger Macdonald. "Nous devons pourtant y faire face de notre mieux", disait-il en terminant sa lettre à Carnarvon, "et nous avons l'intention, avec le secours de Dieu, de garder, si nous en sommes capables, notre pays loyal à la Reine et de le protéger contre les envahisseurs."

## V

Même l'arrivée des délégués de l'Ouest se fit dans l'agitation. Le 11 avril, les deux premiers d'entre eux, le père Ritchot et Alfred H. Scott arrivèrent à Ottawa. Deux jours à peine après leur arrivée, ils furent arrêtés et accusés d'avoir participé au meurtre de Thomas Scott. Ils furent arrêtés sur la foi de déclarations sous serment de jeunes patriotes ontariens qui sympathisaient profondément avec le "parti canadien" de la rivière Rouge [59]. Pendant que les deux délégués battaient de la semelle en prison et que Ritchot protestait avec indignation contre cette violation de leur immunité "diplomatique", un troisième délégué arriva à Ottawa. C'était le "juge" Black, greffier de la rivière Rouge. Aussitôt que possible, Macdonald eut avec lui un entretien privé et officieux. Black était un employé de la Compagnie de la Baie d'Hudson. C'était un homme modéré, très différent de Ritchot qui était un fanatique de Scott et qui était pro-américain.

Macdonald espérait que Black l'aiderait à diminuer l'ampleur des demandes que ne manquerait pas de lui faire la délégation si elle était complète. Il ne voulait pas reconnaître officiellement les délégués. Il aurait préféré les recevoir non comme des représentants du gouvernement provisoire de Riel, mais comme des délégués de la convention des populations du Nord-Ouest. Les négociations, Macdonald en était convaincu, devaient rester privées et officieuses. La seule base de discussion devait être la liste des droits adoptée par la convention après un long débat public.

Macdonald commença à se rendre compte qu'il allait probablement devoir céder sur plusieurs de ces points. Il ne négociait pas avec les représentants d'une véritable démocratie qui se serait trouvée aux frontières du Canada. Black, Ritchot et Scott n'étaient pas uniquement de simples représentants de la communauté de la rivière Rouge dans son ensemble. Ils étaient à la fois moins et plus. Ils étaient dans une très large mesure, mais sans qu'on puisse le déterminer avec précision, les agents d'un chef métis remarquablement astucieux et extrêmement autoritaire. Louis Riel était déterminé à utiliser le soulèvement de la rivière Rouge dans le seul intérêt de son propre peuple, celui des métis francophones. Tout l'Ontario était au courant maintenant (A.H. Scott l'avait révélé à un journaliste avant son arrestation): les délégués étaient venus avec une nouvelle "liste de droits" révisée et amendée [60]. Ni la convention ni "l'assemblée législative" du gouvernement provisoire, qui siégeait pourtant au moment du départ des délégués, ne l'avaient approuvée. Les francophones de l'exécutif l'avaient simplement préparée sans la soumettre à personne. Macdonald se rendit bien compte que les métis s'y montraient beaucoup plus exigeants que la première fois. Sur certains points essentiels, cette liste différait même totalement de la précédente. Elle demandait qu'Assiniboia entrât dans la Confédération en tant que province. Pourtant, à la convention, on avait étudié la proposition de donner à la région un statut provincial. Une majorité écrasante de délégués l'avait rejetée [61]. La communauté de la rivière Rouge, organisée de façon tout à fait démocratique ne voulait pas du statut provincial. Riel, par contre, en voulait, de même que les membres francophones de l'exécutif et leurs conseillers ecclésiastiques, l'archevêque Taché et le père Ritchot. Leur objectif était évident. Ils voulaient fixer le caractère et les institutions de la nouvelle province de l'Ouest au moment où les métis catholiques francophones étaient encore majoritaires, donc au moment le plus propice pour les protéger contre l'afflux prochain des colons protestants anglophones.

Macdonald se rendait compte qu'il allait être obligé d'accepter ce statut de province. Même si la première province de l'Ouest était une création absurdement prématurée, une organisation instable, et inutilement coûteuse à laquelle il ne s'était pas attendu et qu'il ne désirait pas. Cependant compte tenu de la politique canadienne, c'était apparemment inévitable. C'était le prix à payer si l'on voulait éviter l'expédition militaire. Cependant Macdonald doutait toujours de la bonne foi de Riel et avait peur de ses intentions. Malgré la présence des délégués et leur apparente bonne volonté, il estimait toujours que l'expédition militaire, était nécessaire. Il était renforcé dans son idée par l'appui total de Cartier. Son soutien était indispensable. Mais Cartier n'était pas seul. Derrière lui, lui assurant sa force politique, il y avait les députés québécois, son troupeau docile de *moutons** qui d'habitude le suivait toujours avec une parfaite soumission, mais qui commençait à manifester bruyamment sa nervosité. Les députés québécois, comme la plupart des autres Canadiens français, s'identifiaient émotivement à la cause de Riel. Ils s'opposaient au recours de la force contre son gouvernement. Selon la rumeur, ils avaient menacé de quitter Cartier en bloc si le gouvernement décidait d'envoyer une expédition militaire à la rivière Rouge [62].

Macdonald était tout à fait conscient qu'il n'y avait qu'un seul moyen de faire face à cette menace et d'assurer l'entrée d'Assiniboia dans la Confédération selon les termes qu'il avait lui-même fixés. Il suffisait qu'il s'appuie sur l'Opposition. Celle-ci était prête à exploiter la colère de l'Ontario protestante et anglophone, elle en était même impatiente. Avec le concours de l'Opposition, Macdonald pouvait se permettre d'ignorer les partisans de Cartier et d'autoriser l'expédition militaire. Il pouvait imposer comme seule base de négociation la liste des revendications approuvée par la convention. Tout cela était bien sûr en son pouvoir. Mais cela voulait dire aussi qu'il laissait tomber Cartier, qu'il détruisait le Parti libéral-conservateur et qu'il mettait fin à l'*entente** entre anglophones et francophones sur laquelle reposait la Confédération elle-même. Macdonald ne prit donc même pas la peine d'envisager cette possibilité. Il fallait qu'il soutienne Cartier à tout prix, ou presque. Il fallait lui accorder quelque chose pour qu'il puisse satisfaire son troupeau, et ceux-ci ne le seraient qu'à condition que Ritchot le soit. "Les francophones", nota un intelligent observateur de la scène politique à Ottawa, "veulent établir dans l'Ouest un pouvoir catholique et français pour contrebalancer l'influence prépondérante de l'Ontario [63]." Il n'y avait pas moyen d'y échapper. Il fallait accorder à l'Ouest le statut de province quels que soient les bénéfices que les Canadiens français pourraient ultérieurement en tirer. Il fallait absolument négocier sur la base des conditions exigeantes présentées par l'exécutif de la rivière Rouge.

---

* N.D.T.: en français dans le texte.

Le samedi 23 avril, la justice acquitta le père Ritchot et Alfred Scott [64]. Les négociations avec les trois délégués devaient commencer le lundi. Le dimanche soir, Agnes et Macdonald furent invités à un grand dîner à Rideau Hall [65]. Le dénouement de la crise était proche. L'enrôlement rapide de la milice avait, semble-t-il, intimidé les fenians, puisque rien de concret ne semblait confirmer que le raid de John O'Neill aurait effectivement lieu. Le gouvernement britannique, par contre, marchandait toujours ses conditions pour autoriser les soldats impériaux à partir pour le Nord-Ouest. Macdonald commençait à craindre que les Américains ne refusent de laisser passer le corps expéditionnaire par le canal du Sault Sainte-Marie, même si les Américains eux-mêmes avaient librement utilisé les canaux canadiens pour transporter leur matériel militaire au cours de la guerre civile. Macdonald se rendait compte avec tristesse du péril de la situation. Il savait que de nombreuses personnes l'observaient, qu'on lui jetait des regards curieux, interrogateurs, péremptoires et même franchement hostiles. Le ministère des Colonies avait dépêché Sir Clinton Murdoch pour superviser les négociations avec les délégués. Sir Stafford Northcote — un homme haut en couleur, jovial et curieux — nouveau gouverneur de la Compagnie de la Baie d'Hudson, s'était hâté de traversé l'océan pour protéger les intérêts de ses actionnaires. Il était présent au dîner qu'offrait Sir John Young, ce soir-là. Il interrogea poliment Macdonald pour obtenir certains renseignements. Un autre visiteur curieux se trouvait également à Ottawa. Celui-là n'avait pas été invité à Rideau Hall, mais, assez étrangement, il avait eu de longs entretiens privés avec les délégués de la rivière Rouge. Il s'agissait de J.W. Taylor, l'agent spécial du Département d'État américain. Taylor avait estimé que des affaires urgentes l'appelaient impérativement à séjourner dans la capitale du Canada [66].

Le lundi, Macdonald et Cartier rencontrèrent la délégation de la rivière Rouge au grand complet. Macdonald se rendit rapidement compte que ses pires craintes étaient en train de se réaliser. Ritchot était le plus intelligent des trois délégués. Il était à la fois autoritaire et opposé à tout compromis. Il menaçait de repartir pour le Nord-Ouest si le gouvernement canadien ne reconnaissait pas officiellement les délégués. Il refusait de négocier sur toute autre base que celle de la liste des droits dressée par le gouvernement provisoire. Il avait même apporté avec lui une version spéciale de cette liste, qui au moins en un point différait de celles de Black et de Scott. La version de Ritchot comportait une demande de créations d'écoles séparées destinées aux catholiques romains et financées à même les deniers publics. Ces écoles devaient être instaurées au prorata de la population [67]. Ce point ne se retrouvait sur aucune des listes précédentes. La convention de la population qui s'était tenue à Fort Garry n'avait pas fait mention d'écoles séparées. Il n'était même pas sûr que les membres francophones de l'exécutif en aient jamais autorisé la demande. Il était possible que Riel seul l'ait insérée, à l'instigation de ses conseillers religieux. En tout cas, quelle qu'ait été la façon dont on l'avait intégrée à la version Ritchot, ce dernier insista auprès d'Ottawa pour créer ces écoles séparées. Macdonald savait qu'il devait céder. Il n'avait aucun moyen de court-circuiter les délégués et d'en appeler directement à la population de la rivière Rouge dont les désirs manifestes semblaient trahis d'une manière aussi désinvolte. Si Macdonald remettait en doute la validité de la liste des droits que lui présentait Ritchot, il ne ferait que révolter les députés canadiens-français à Ottawa, mettre Cartier dans l'embarras et provoquer une querelle raciale. Macdonald céda. "Nos problèmes avec les délégués sont presque terminés", écrivit-il enfin à Sir John Young le mercredi 27 avril. "Après, nous allons pouvoir aborder la question militaire [68]."

La fatigue affaiblissait Macdonald. Mais la fatigue n'était pas seule en cause. Une sorte de désarroi général avait envahi son corps et son esprit. Depuis quelque temps, il ne se sentait pas bien du tout. D'habitude, cela n'allait pas très loin. Il se sentait vaguement mal dans sa peau. Mais à quelques plus rares occasions, ses symptômes étaient beaucoup plus précis et plus inquiétants. De temps à autre, il ressentait dans le haut du dos une raideur étrange et désagréable, comme si un de ses muscles ou plusieurs se tendaient de façon tout à fait artificielle. Une ou deux fois, une force terrible — comme s'il s'était trouvé pris dans un étau — lui avait impitoyablement écrasé cette partie du corps qui était la plus sensible. Il en était resté pantelant de douleur et de surprise. Sans nul doute, quelque chose n'allait pas. Il comptait voir un docteur à la fin de la session. Mais il y avait autre chose, plus grave encore et qu'aucun docteur, il le savait, ne pouvait probablement guérir. Il était presque sûr que Mary souffrait d'un mal incurable. Elle ne serait jamais une fillette ni une femme normale. Macdonald entrevoyait l'avenir avec une terrible et impitoyable lucidité. L'avenir allait être une suite interminable de traitements et de soins, de doutes et de déceptions, qui ne pourrait se terminer que dans le désespoir. Macdonald n'était même pas capable d'assurer la sécurité matérielle de cet être fragile et dépendant — pas plus d'ailleurs que celle d'Agnes, d'Hugh ou la sienne propre. Tout ce qu'il avait difficilement amassé dans la première moitié de sa vie, au prix d'efforts professionnels considérables avait été complètement englouti par le remboursement à la Banque mercantile... Macdonald était dégoûté de Riel, de la rivière Rouge et de ces interminables négociations. Les documents s'entassaient sur son bureau. Les délégués l'observaient d'un regard curieux et froid. Ils étudiaient laborieusement chaque clause, l'une après l'autre. On était le jeudi soir et le travail était sur le point d'être achevé. Le lendemain, ils allaient pouvoir finaliser la version définitive du projet de loi qui transformait Assiniboia en une nouvelle province: la province du Manitoba.

Macdonald franchit les couloirs de l'édifice parlementaire en direction du bar. Le lendemain matin, quand Sir John Northcote vint déjeuner, on le salua d'une phrase lapidaire et alarmante: "Mauvaise nouvelle! Sir John A. a fait une rechute [69]." Le vendredi, on aperçut plusieurs fois Macdonald aux abords de la Chambre ou à l'hôtel Russel, manifestement ivre et qui avait du mal à se tenir debout [70]. Northcote raconta à Disraeli que tout le monde s'attendait plus ou moins à ce que le premier ministre "craque" après la crise de la rivière Rouge. La plupart des gens eurent bien du mal à comprendre ou à imaginer les raisons pour lesquelles, il avait "craqué" avant. Pendant un jour au moins il essaya à la fois de continuer son travail et de satisfaire son irrépressible besoin d'alcool. Mais sans succès. Ses papiers étaient dans un désordre inextricable. Il se rendit compte dans la confusion de son esprit qu'il traversait une nouvelle crise. Il tâcha de se protéger comme il l'avait déjà fait souvent. "D'habitude", dit Northcote à Disraeli, "il se couche, ne reçoit personne et vide bouteille de porto sur bouteille de porto. On lui fait parvenir tous les documents. Il les lit mais il est conscient d'être incapable de faire quel que travail important que ce soit, alors il ne fait rien." Pendant au moins deux jours Macdonald ne fit rien. Le *Globe* commença charitablement à dénoncer son ivrognerie. Les journaux gouvernementaux attribuèrent la crise passagère au surmenage. Le vendredi, le samedi et le dimanche se passèrent. Le week-end prit fin.

Macdonald essaya de peine et de misère de s'en sortir. Après tout, le travail des six derniers mois était presque fini. Le corps expéditionnaire, renforcé de soldats réguliers britanniques dirigé par le colonel Garnet Wolseley, allait parti pour la rivière Rouge. Le projet de loi pour le Manitoba proposait un règlement politique de la situation dans le Nord-Ouest. La session tirait à sa fin. Il n'y avait plus grand chose à faire. Mais il était absolument essentiel que Macdonald le fasse lui-même. En son absence, tout allait mal en Chambre. Les ministres n'avaient personne pour les diriger. Ils se sentaient intimidés et peu sûrs d'être suivis. Ils tâtonnaient, hésitaient et ne savaient plus où ils allaient. "La Chambre se démoralise très vite, nota un observateur expérimenté, le gouvernement n'est plus capable de contrôler les députés [71]." Il n'y avait pas un instant à perdre. Macdonald s'en rendait compte. Il devait réapparaître en Chambre le plus vite possible. Le projet de loi était prêt, même si les députés n'en avaient pas encore reçu une copie imprimée. Dans l'après-midi du lundi 2 mai, Macdonald se rendit en Chambre pour donner sa première explication de l'Acte du Manitoba. Il était pâle. Il avait les traits tirés. Il avait l'air malade et d'ailleurs ne se sentait pas bien [72]. Sa voix, toujours faible au départ et très souvent peu audible en début de discours, semblait plus fragile encore que d'habitude. Mais il avait réussi à retrouver toute son habileté pour présenter son argumentation, tout son art et son ingéniosité pour déjouer les pièges et prévenir les critiques.

"La Chambre a très bien accueilli ce soir le projet de loi concernant la région de la rivière Rouge. Je suis sûr qu'il passera sans opposition sérieuse", écrivit-il le 4 mai à Sir John Young [73]. Le projet avait franchi l'étape de la première lecture. Macdonald était certain que le Parti était à nouveau uni et que la Chambre remplirait ses obligations. Le projet de loi devait toutefois faire l'objet d'un amendement important. En effet, les frontières de la nouvelle province assez curieusement tracées, excluaient la région de Portage la Prairie ou le "parti canadien" était le plus fort. McDougall et l'Oppostion s'étaient triomphalement attaqués à cette omission de taille. Le seul changement important consistait donc à agrandir les limites de la province. Le vendredi 6 mai, Macdonald attendit le débat sur la seconde lecture sans grande appréhension. On était au début de l'après-midi. Il était arrivé un peu avant de la Salle du Conseil. Un dernier visiteur venait de le quitter. Macdonald attablé à son bureau se préparait à y manger un déjeuner léger, comme souvent on lui en avait apporté au cours de cette session chargée de 1870. Il relaxa un peu tout en savourant cet instant de paix bienheureuse. C'est alors, sans crier gare, que la douleur s'abattit sur lui, comme un fauve implacable s'abat sur sa proie. Macdonald se leva tordu de douleur, crispé. Il essaya de surmonter le mal tout en sachant qu'il ne le pouvait pas. Quelque part dans son dos, une grande main de fer semblait se refermer inexorablement sur ses organes vitaux. Il sentit son esprit vaciller et tomba dans un vide obscur. Il s'agrippa à la table, oscilla sur ses talons, essaya de reprendre son équilibre et tomba de tout son long, sans pouvoir se retenir, en travers du tapis.

## Chapitre trois

# Pêche et diplomatie

### I

Appelé à son chevet quelques minutes plus tard, le docteur Grant trouva Macdonald inanimé. Il diagnostiqua des "calculs biliaires". De toute évidence, c'était le passage d'un calcul qui avait provoqué la terrible attaque. Le patient était dans un état extrêmement alarmant [1]. Son pouls battait à peine. L'intensité de la douleur qui l'avait terrassé l'avait presque rendu insensible. Le docteur Grant expliqua à Agnes effrayée qu'il était absolument hors de question de le transporter, avant quelque temps au moins. Il fallait qu'il reste étendu presque littéralement là où il était tombé. Le bureau où il avait travaillé, où il avait avalé ses repas en vitesse, où il avait presque tout fait excepté dormir, allait maintenant par un absurde retour des choses devenir aussi sa chambre. Il fallait y improviser sur-le-champ toute l'installation nécessaire à une chambre de malade. Ce genre de tâche convenait parfaitement à Agnes. Son dévouement à l'égard de son mari, son sens poussé du devoir, l'idée tenace qui lui traversait l'esprit que sa vie et celle de ses amies était par trop frivole, tout cela accrut ses forces et la prépara à mieux faire le travail qui l'attendait. Sous la direction du docteur Grant, elle assura le contrôle de la chambre du malade. Elle le veilla, attendit, prévint le moindre de ses besoins et redoubla d'attention avec une infatigable dévotion et un dévouement d'esclave. S'il n'en tenait qu'à la qualité de ses soins, Macdonald vivrait.

Pourtant, personne ne pensait vraiment qu'il survivrait. Au cours du mois de mai, il eut de brèves périodes de répit et des rechutes terribles pendant lesquelles son état resta presque toujours critique. Ses amis supposaient que leur vieux chef n'en avait plus pour longtemps. Ils commencèrent à s'enquérir discrètement de l'état de ses affaires et découvrirent avec stupéfaction qu'il était presque ruiné. Informé par une série de bulletins de santé très vagues, le public était convaincu que la mort n'était qu'une question de jours. À la fin du mois, il était toujours terriblement faible [2]. Les médecins abandonnèrent pratiquement tout espoir de guérison. Et c'est peut-être son état désespéré lui-même qui les poussa à profiter d'une brève période de répit pour le transporter en civière depuis son petit bureau du bâtiment est jusqu'aux appartements plus pratiques et plus agréables du Président, situés dans l'immeuble du Parlement. Dans une lettre amicale et remplie de sympathie Edward Blake appela ce déplacement la "marche vers la convalescence" [3]. Et ce le fut vraiment. Macdonald supporta bien ce petit déplacement du 2 juin. Le lendemain, il se portait mieux encore. Pendant tout le mois de juin, alors qu'Ottawa transpirait et suffoquait dans la chaleur d'un des étés les plus torrides de son histoire, l'état de Macdonald s'améliora peu à peu. Vers le milieu du mois, il avait définitivement surmonté la crise [4]. Il était sûr maintenant qu'il vivrait. Sa convalescence avait commencé. Il valait mieux quitter Ottawa à présent. La ville semblait en train de cuire sous la chaleur. Il faisait horriblement sec. Quelques semaines plus tard, les incendies de forêt qui l'encerclaient peu à peu allaient la couvrir d'un épais nuage gris de poussière et de fumée.

Le 2 juillet, Macdonald quitta finalement Ottawa en compagnie d'Agnes, de Mary et du docteur Grant. Il fallut le transporter à bord du *Druid*, qui leur fit lentement remonter le Saint-Laurent et les mena jusqu'aux brises fraîches qui traversaient le golfe. Le 8 juillet, ils finirent par accoster au quai Pope dans le port de Charlottetown sur l'Île-du-Prince-Édouard [5]. Le colonel Gray, qui avait reçu les membres de la Conférence de Charlottetown quelque six ans plus tôt, attendait amicalement sur le quai, avec sa voiture. On installa Macdonald dans un siège confortable et on le conduisit à terre. Puis, tous partirent doucement vers Falconwood, une confortable résidence qui se trouvait sur les côteaux de Hillsborough, dans les environs immédiats de Charlottetown. La demeure avait été aménagée pour recevoir temporairement le malade et sa famille. L'état de santé de Macdonald s'améliora rapidement. Au bout d'une semaine, il faisait de courtes promenades dans le domaine de Falconwood. Sa convalescence était entrée dans sa phase ultime. Il ne souffrait plus et était sur le point de se rétablir complètement. Pendant tout l'été, la guerre franco-prussienne secoua l'Europe. L'Angleterre envisageait l'avenir diplomatique avec appréhension. Pendant ce temps, Macdonald se reposait paisiblement dans la paix profonde de l'Île-du-Prince-Édouard. Les gens respectaient sa retraite temporaire. Il ne reçut que peu de lettres et envoya moins de réponses encore. Il passa plus de temps à lire les articles sur la guerre dans les périodiques anglais qu'il n'en passa à prendre connaissance des controverses féroces dont les pages des journaux canadiens étaient remplies. Au lieu de s'inquiéter des manoeuvres partisanes dans les circonscriptions, il lut les articles qui faisaient état des charges de cavalerie à Mars-la-Tour et à Gravelotte, et suivit l'inexorable encerclement de Sedan.

Le 16 septembre, la famille Macdonald quitta finalement Charlottetown. John A. avait presque retrouvé sa désinvolture d'antan quand il regagna le vapeur [6]. Sa guérison avait été surprenante. N'eût été la tragédie de la petite Mary dont l'infirmité devenait de plus en plus évidente, cet été 1870 aurait sans doute été l'un des plus heureux et des plus insouciants de la vie de Macdonald. L'enfant avait maintenant un an et demi. Sa terrible anomalie physique, la taille effrayante de sa tête, était plus visible que jamais. La lenteur de ses réactions à un âge où les autres bambins réagissent habituellement très vite, ne laissait aucun doute quant à la faiblesse de son esprit et de ses facultés. Pendant le voyage de retour à travers le golfe, elle tomba malade. Il fallut finalement la laisser à Québec, entre les mains de la vieille Madame Bernard. Agnes et Macdonald continuèrent seuls le voyage jusqu'à Ottawa. Ils descendirent du train le 22 septembre au matin. On avait installé un somptueux tapis sur le quai de la gare. Des dizaines de personnes se bousculèrent pour serrer la main de Macdonald [7]. L'accueil était cordial tout en étant respectueux. Macdonald revenait peut-être de l'autre côté de la mort.

À la maison, ils trouvèrent une épaisse pile de télégrammes, de lettres de félicitation et de cadeaux de toutes sortes dont un panier de raisins qu'avait envoyé Moll et le professeur Williamson et un costume de tweed canadien que lui offrait un de ses partisans conservateurs qui était manufacturier de vêtements. "Je me rends compte, lui répondit-il cordialement, que vous avez décidé en m'envoyant de tels habits de m'obliger à rester politiquement conséquent avec moi-même. Avec ce nouveau costume, tellement joli, j'ai perdu tout prétexte de tourner casaque!" [8] Macdonald avait le sourire. Il n'éprouva aucune difficulté à répondre rapidement à ce monceau de correspondance. Il était en train de refaire travailler ses muscles politiques qui étaient restés inactifs depuis des mois. Dans l'ensemble, ils étaient restés remarquablement souples. Il était heureux d'être là de nouveau. Il n'était pas encore bon pour le musée, Dieu merci! À la gare, son rétablissement apparemment total avait de toute évidence surpris tout le monde. On lui avait répété une bonne dizaine de fois avec enthousiasme qu'il n'avait jamais semblé en meilleure santé. La réalité, il la savait bien, n'était pas tout à fait aussi merveilleuse. Son rétablissement avait été extraordinaire. Les docteurs ne lui trouvaient plus aucun trouble organique. Mais il n'avait pas retrouvé toutes ses forces. Il fallait qu'il fasse attention pendant quelque temps. "Je ne ferai pas grand-chose pendant quelques mois, dit-il à sa soeur, à part de jouer le rôle de médecin conseil du gouvernement [9]."

## II

Macdonald reprit son vieux projet — celui de l'union de l'Amérique du Nord britannique — là où il l'avait laissé abruptement. Le moment était bien choisi pour réévaluer l'ensemble. En son absence, les forces qu'il avait mises en branle avaient continué leur petit bonhomme de chemin en direction des objectifs qu'il s'était fixés. À l'Est, il est vrai, aucun progrès n'avait été enregistré. L'Île-du-Prince-Édouard et Terre-Neuve avaient refusé les conditions plus favorables qui leur avaient été proposées. Compte tenu des circonstances, il était préférable de laisser reposer la question de leur entrée dans la Confédération. À l'Est, il faudrait attendre encore un peu. Mais à l'Ouest, par contre, l'expansion territoriale du nouveau Dominion allait bientôt se terminer par un triomphe. L'expédition militaire de la rivière Rouge avait atteint son objectif sans difficulté. L'occupation canado-britannique du Nord-Ouest était chose faite. La province du Manitoba avait été créée. Des délégués de Colombie britannique étaient venus à l'est et avaient accepté les dispositions que proposait le gouvernement canadien pour l'union de leur province et du Canada. Il restait bien sûr à faire ratifier ces dispositions par le Parlement du Dominion et par l'Assemblée législative de Colombie britannique. Et, même si l'affaire de la rivière Rouge avait de toute évidence été réglée de la façon la plus satisfaisante, il restait cependant un problème ennuyeux en suspens; la question d'une éventuelle amnistie pour les dirigeants de la rébellion, question que l'exécution de Scott avait singulièrement compliquée. Mais rien ne pressait. On pouvait laisser passer le temps, ce temps qui, comme pensait Macdonald, "guérit tous les maux". L'union avec la Colombie britannique était une question beaucoup plus urgente. Le Canada, aux termes de l'entente, avait accepté d'entreprendre la construction d'un chemin de fer vers le Pacifique dans un délai de deux ans. La ligne devait être terminée dans les dix ans qui suivraient la signature de l'Acte d'union. Macdonald écrivit à Musgrave, le lieutenant-gouverneur de Colombie britannique: "Toutes ces clauses sont, je pense, très raisonnables. Mais je crois qu'il faut s'attendre à une vive opposition au sein de notre Parlement dont les membres prétexteront que l'accord est trop libéral pour la Colombie britannique et qu'il représente une trop lourde charge pour le Dominion [10]." Macdonald estimait que la situation serait beaucoup plus favorable si la Législature de Colombie britannique acceptait immédiatement tels quels les termes du traité. Le Parlement du Dominion, quand il se réunirait à nouveau l'hiver suivant, hésiterait à changer un accord déjà approuvé par l'une des parties.

Tout cela était une question de tactique. Macdonald ne remettait pas vraiment en doute le succès final de l'opération. Les forces favorables à l'union transcontinentale de l'Amérique du Nord britannique n'avaient rien perdu de leur puissance. Ce qui inquiétait le plus Macdonald en ce début de l'automne 1870, n'était pas tant le problème de l'union de toutes les parties du pays que celui de la sécurité de l'ensemble. La Confédération, il le savait très bien, avait été dans une large mesure créée pour pouvoir faire face au danger potentiel que représentaient les États-Unis. Ce danger ne s'était pas encore concrétisé. Il n'y avait pas eu de mesures diplomatiques coercitives. Il n'y avait pas eu de guerre ouverte non plus. Pourtant, le péril était toujours présent. La guerre civile américaine avait engendré toute une série de différends et de querelles entre la Grande-Bretagne et l'Amérique britannique d'une part, et les États-Unis de l'autre. Les deux parties étaient mécontentes parce que rien n'était réglé. La Grande-Bretagne n'avait toujours pas versé la compensation réclamée par les États-Unis pour les dommages causés par l'*Alabama* et les autres croiseurs construits dans les chantiers navals britanniques. Le Canada n'avait jamais été dédommagé pour les ennuis et les dépenses que lui avaient causés les raids fenians, et leurs victimes non plus. Jusqu'en 1867, les relations Canado-américaines avaient été extrêmement mauvaises et depuis l'année de la création de la Confédération, la situation ne s'était guère améliorée. En 1870, et surtout pendant la maladie de Macdonald, les relations s'étaient encore dégradées. Macdonald savait pourquoi. C'était la simple conséquence du fait qu'en 1866 les Américains par souci de vengeance avaient décidé de dénoncer le traité de réciprocité.

Tant que le traité de réciprocité était en vigueur, les pêcheurs américains avaient toute latitude pour venir pêcher librement dans les eaux territoriales britanniques, c'est-à-dire dans la limite de trois milles à partir des côtes de l'Amérique du Nord britannique. Une fois le traité abrogé, ils ne le pouvaient plus. Les citoyens des États-Unis en étaient réduits d'un coup à se contenter des quelques privilèges que leur garantissait la Convention de 1818, aux termes de laquelle les bâteaux de pêche américains pouvaient entrer dans les baies et les ports de Nouvelle-Écosse, du Nouveau-Brunswick et de l'Île-du-Prince-Édouard "afin de s'y abriter, d'y réparer les avaries, d'acheter du bois, de se ravitailler en eau, à l'exclusion de toute autre raison" [11]. La Convention permettait donc aux Canadiens d'exclure de plein droit les Américains des zones de pêche côtière de l'Amérique du Nord britannique. Mais les provinces, conscientes du fait que les pêcheurs américains en étaient quasiment venus à considérer leurs privilèges passés comme des droits acquis et normaux, décidèrent de ne les limiter que de façon graduelle et conciliante.

Au cours des saisons 1866 et 1867, les provinces permirent aux bateaux de pêche américains de pêcher dans la limite des trois milles contre paiement d'une petite taxe. Les deux années suivantes, les nouveaux permis de pêche coûtaient un peu plus cher [12]. Les Américains abusèrent sans scrupules de ce système de permis. Lorsque le prix en augmenta, seul un petit nombre se soucia de s'en procurer. Macdonald décida de mettre fin à ce régime de faveur tellement mal apprécié. Par contre, il était tout à fait prêt à concéder aux Américains la permission de pêcher en eaux territoriales canadiennes en échange de tarifs préférentiels sur le marché américain, comme le prévoyait dans le temps le traité de réciprocité. Cependant, il ne voyait pas l'utilité de céder certaines richesses canadiennes à des gens déterminés à se les approprier pour rien. "Nous n'accorderons plus un seul permis de pêche", écrivit-il à Rose en janvier, "puisque le système n'a pas marché [13]." Au cours de l'été, pendant sa maladie, le gouvernement canadien avait équipé plusieurs garde-côtes pour surveiller les eaux territoriales. L'automne, quand il revint à Ottawa, il eut connaissance des protestations véhémentes du Département d'État américain qui s'élevait contre l'arraisonnement de quelques-uns de leurs bateaux de pêche. Les zones de pêche étaient donc redevenues un problème international.

Au moment de son retour, Macdonald avait décidé qu'il ménagerait ses forces. Il voulait, dans la mesure du possible, éviter de compromettre sa guérison complète en travaillant trop. Sa maladie, sa longue convalescence, sa longue absence d'Ottawa, tout concourait à donner à cette reprise de ses activités passées un air de nouveau départ. C'était un peu comme s'il commençait une nouvelle carrière. Il décida — comme pour marquer le début de ce nouvel épisode de sa vie — de quitter le "quadrilatère" dont le système d'écoulement des eaux était régulièrement défectueux. Il choisit une nouvelle maison, plus moderne, aux abords de la ville. "J'ai maintenant terriblement hâte de partir et de m'installer à Reynolds' House avant l'hiver", dit-il à David Macpherson au début de novembre. "Les égoûts de celle que j'occupe sentent tellement mauvais que je suis constamment obligé de la quitter [14]." Reynolds'House connue plus tard sous le nom de *Earncliffe*, où il allait passer les dernières années de sa vie, était une maison confortable, pleine de coins et de recoins. Elle avait de nombreux pignons et était bâtie à un peu plus d'un mille au nord-est de la ville sur une haute falaise bordée d'arbres bas. Elle surplombait la rivière Ottawa qui à cet endroit était assez large. Derrière elle, dans le lointain, se dressait la masse sombre des Laurentides. La maison était isolée et relativement peu accessible. Le matin, Macdonald n'était pas dérangé et les soirées se succédaient tranquilles. Il commença à se sentir de mieux en mieux. "Je suis grâce à Dieu en bonne santé et de bonne humeur", écrivit-il à un correspondant; "je pense que mon nouveau logis est plus intéressant que l'ancien [15]." Il essayait prudemment de ménager ses forces retrouvées. "Je ne fait guère de travail de bureau", dit-il à Archibald pour le rassurer, "mais ma présence au Conseil est absolument nécessaire [16]."

Au Conseil cet automne-là, le problème des relations canado-américaines en général et celui des zones de pêche, en particulier constituèrent les sujets de discussion les plus importants. Au cours de l'été, pendant sa convalescence, Macdonald s'était demandé avec quelque inquiétude si Peter Mitchell, le ministre de la Marine et de la Pêche, n'appliquait pas avec trop de rigueur la nouvelle politique d'exclusion des pêcheurs américains. Au cours de l'automne, il se rendit tout à fait compte que la Grande-Bretagne, dont le Canada attendait un appui diplomatique et un support moral pour appliquer sa politique de pêche, craignait plus que tout d'éventuelles complications avec les États-Unis. "Suite à l'action trop énergique du ministre de la Marine, j'ai reçu d'Angleterre à propos des zones de pêche un télégramme très désagréable. Je dois prendre moi-même l'affaire en main" [17], répondit-il à Alexander Campbell qui l'avait prié de prendre un nouveau congé.

Il était facile d'assouplir un peu la rigueur des politiques de Mitchell pour satisfaire les Anglais et calmer les Américains. Mais Macdonald n'avait pas la moindre intention de renoncer lâchement aux droits exclusifs du Canada en matière de pêche. Il était inquiet. Il pensait que l'intérêt de plus en plus grand de la Grande-Bretagne pour la question de l'exclusion des Américains des eaux canadiennes, ne présageait rien de bon. Il se demandait si ce n'était pas le reflet du désir britannique de parvenir à tout prix à un accord avec les États-Unis.

De fait, la Grande-Bretagne avait plus que jamais besoin de se réconcilier avec les États-Unis [18]. La guerre franco-prussienne avait mis l'Angleterre en fâcheuse posture en Europe. Dès la prise de Metz et à partir du moment où la défaite de la France avait semblé inéluctable, la Russie en avait profité pour dénoncer les clauses du Traité de Paris de 1856 qui lui interdisait de créer des bases navales ou militaires sur les bords de la mer Noire. L'Angleterre devait relever le défi seule sans l'aide de l'Europe. Et pourquoi, en une période aussi dangereuse, aurait-elle continué de courir le risque de complications avec l'Amérique? Une fois de plus, comme c'était déjà arrivé si souvent dans le passé, de malheureux événements qui se produisaient en Europe affaiblissaient en un moment crucial le front commun anglo-américain contre les États-Unis. Une fois de plus, Macdonald craignait, non sans raison, que les États-Unis ne profitent du désir de conciliation britannique pour obtenir des concessions qui s'avéreraient ruineuses pour le Canada.

Il savait que des personnalités républicaines importantes avaient réclamé la cession du Canada en tout ou en partie comme compensation pour les dommages causés par l'*Alabama*. Il savait également que Fish, le secrétaire d'État américain, avait réellement tenté, soi-disant parce qu'il s'inquiétait de la "liberté" de l'Amérique du Nord britannique, de persuader la Grande-Bretagne d'abandonner le Canada [19]. Macdonald ne croyait évidemment pas que le gouvernement Gladstone donnerait la moindre suite à cette manoeuvre évidente de l'impérialisme américain. Non, il n'y avait pas lieu de craindre un retrait de la Grande-Bretagne. Par contre, si la cession du territoire canadien semblait impensable, Macdonald pouvait-il être aussi sûr que les autres droits des Canadiens seraient adéquatement défendus? Au cours de l'automne, il devint évident que la Grande-Bretagne songeait sérieusement à créer une commission anglo-américaine pour s'occuper non seulement des problèmes de pêche, mais également de tous ses litiges encore en suspens avec la république américaine. Les droits canadiens en matière de pêche risquaient-ils d'être réduits parce qu'ils faisaient partie d'une négociation globale? Macdonald se montrait inquiet. La Convention de 1818, pensait-il, était le point faible que les États-Unis attaqueraient d'abord dans le but de diviser le Canada et la Grande-Bretagne. Au début de décembre, le président Grant adressa son message annuel au Congrès. Les craintes de Macdonald se virent brutalement confirmées. "Le gouvernement impérial", déclara le président, sur un ton mi-hostile mi-condescentant, "semble avoir délégué, en tout ou en partie, son contrôle ou sa juridiction sur les zones de pêche côtières à l'autorité coloniale connue sous le nom de Dominion du Canada. Cet agent à demi-indépendant, mais irresponsable a exercé le pouvoir qu'on lui avait délégué de manière inamicale (...) Nous espérons que le gouvernement de Grande-Bretagne comprendra qu'il est juste de renoncer aux prétentions étroites et inconsistantes que ses provinces canadiennes l'ont poussé à mettre de l'avant [20]."

## III

En 1871, le jour de la nouvelle année, Macdonald convoqua une autre réunion du Cabinet pour discuter de la sempiternelle question des zones de pêche. On était en plein hiver. La rivière Ottawa, qui deux mois plus tôt était si jolie avec ses eaux bleues, était maintenant figée, blanche de glace. De violents vents soufflaient du nord-ouest. Agnes écrivit dans son journal: "Notre cri de guerre, notre mot d'ordre, notre prière de chaque heure, ou plutôt de chaque instant, c'est d'allumer des feux toujours plus nombreux [21]." Reynolds' House avec ses arbres en bordure de la falaise, courbés sous la tempête, était sans aucun doute très exposée, mais elle était aussi une demeure spacieuse et confortable. À mesure qu'approchait la soirée du premier janvier 1871, il était heureux à la pensée d'y retourner, près des feux qui crépitaient, entre les meubles bien astiqués en prévision du défilé habituel des visiteurs du nouvel an. Il était presque l'heure de dîner lorsque Macdonald rentra chez lui. Les flocons tombaient en bourrasques. Ses épaules étaient blanches de neige lorsqu'il atteignit sa maison. À l'intérieur sur le buffet, il y avait des restes du sherry et de la soupe aux huîtres qu'Agnes avait offerts à ses invités. Plus de cent trente gentlemen était venus présenter aux Macdonald leurs souhaits du nouvel an! Agnes était encore toute énervée de l'agitation de la journée. Mais elle remarqua avec inquiétude les traits tirés de Macdonald: "(...) je pense que cette question de pêche américaine tracasse Sir John, écrivit-elle, J'imagine qu'il s'agit d'une affaire délicate et que l'Oncle Sam pourrait bien montrer les dents [22]." Il s'agissait d'une affaire délicate en effet. Le Conseil continuait de mettre au point l'argumentation canadienne à propos des zones de pêche et des raids fenians, comme si une perspective de règlement était en vue. Mais rien ne débloqua avant le second jour de février. C'est alors que Macdonald reçut une petite note assez significative du gouverneur général qui venait d'être anobli et de recevoir le titre de Lord Lisgar.

Macdonald se rendit en hâte à Rideau Hall. Il y avait sur le bureau du gouverneur général une dépêche décodée qui était tombée la veille. Elle venait du Bureau colonial: "Si Commission conjointe est créée pour étudier question pendante entre Royaume-Uni et États-Unis, Macdonald acceptera-t-il d'être le délégué du Canada ou acceptera-t-il Rose, ou faut-il nommer les deux?" [23] Les choses étaient claires maintenant. La tenue d'une commission conjointe était désormais presque sûre; et comme l'avait craint Macdonald, son ordre du jour risquait de ne comprendre que des questions d'ordre général, toutes liées les unes aux autres, et peut-être au détriment des droits et des intérêts canadiens. Macdonald ne savait pas encore de façon certaine, si l'interprétation britannique de la Convention de 1818 était identique à l'interprétation canadienne. Il ne savait pas non plus s'il pouvait compter sur un front commun canado-britannique pour la défense des zones de pêche côtières. C'était un point crucial. Il fallait le clarifier avant que les dispositions générales de la Commission ne fussent définitivement arrêtées. Il ne restait pas assez de temps pour envoyer une dépêche. Lisgar câbla le message suivant à Kimberley: "Important pour Canada savoir points d'accord et divergences avec Angleterre concernant droits de pêche [24]."

En attendant la réponse du ministère des Colonies, Macdonald étudia l'offre de Kimberley. Il ne l'aimait pas beaucoup. Son premier mouvement, comme il le dit franchement à Lisgar, avait été d'expliquer au gouverneur général qu'il valait mieux que le Canada ne soit pas représenté à cette Commission. Mais lorsqu'il avait essayé de rédiger une réponse du genre, il s'était immédiatement rendu compte que cela ne marchait pas. "Si les négociations avaient pour résultat de sacrifier les droits du Dominion, écrivit-il à Lisgar, il me faut tenir compte que le gouvernement d'ici serait sévèrement blâmé pour avoir permis de régler cette question en l'absence de tout représentant canadien et d'avoir laissé défendre nos intérêts par une commission composée exclusivement d'Américains et d'Anglais; les uns ayant des intérêts opposés aux intérêts canadiens et les autres ne s'intéressant que très peu ou même pas du tout aux affaires canadiennes [25]." Il fallait que le Canada soit présent, quels qu'en fussent les risques. Mais quelle délégation serait la meilleure? Fallait-il que Rose et Macdonald y soient ou bien qu'il n'y ait que l'un des deux?

Rose était un de ses meilleurs amis. Il avait participé à la vie politique canadienne pendant des années. Il n'avait remis son portefeuille de ministre des Finances que dix-huit mois plus tôt. Dès son retour en Angleterre, il avait servi le Canada de toutes sortes de manières. Il en avait été une sorte d'agent non officiel, sympathique et bien informé. Macdonald l'aimait beaucoup. Personnellement, dit-il à Lisgar, "je trouve qu'aucun autre collègue ne serait mieux désigné pour défendre les intérêts du Canada au sein de la commission". Mais cela n'était pourtant pas possible. Rose n'était pas Canadien de naissance et il avait quitté le pays pour résider en permanence au Royaume-Uni. De plus, il faisait partie d'un groupe bancaire anglo-américain qui avait d'importants intérêts aux États-Unis et qui à ce moment-là dépendait vitalement de la bonne volonté du gouvernement américain. D'un strict point de vue politique, il serait très dangereux pour le gouvernement canadien de parrainer sa candidature. Rose ne pouvait être l'unique représentant canadien, et il pouvait encore moins être accepté comme coreprésentant du Dominion [26].

Restait Macdonald. Son devoir était clair. C'est lui qui devait y aller. La perspective ne lui souriait guère. Mais un câble du ministère des Colonies avait au moins écarté certaines de ses appréhensions. La dépêche précisait la position impériale en matière de zones de pêche. Kimberley avait répondu aux questions canadiennes: "Sans vouloir présumer de l'issue des négociations sur ce point, nous estimons pour le moment que le Canada dispose d'un droit de pêche exclusif à l'intérieur de la limite des trois milles et que ce droit ne doit pas être cédé à moins de compensations valables [27]." Ce communiqué était tout à fait satisfaisant, même s'il était assorti d'un certain nombre d'autres remarques. Le ministère des Colonies souhaitait parvenir à un compromis en matière de pêche dans les golfes de moins de dix milles de large. Il considérait également que même si la Convention, prise au pied de la lettre, stipulait que les pêcheurs américains ne pouvaient se livrer au commerce dans les ports canadiens, c'était une position extrême qu'il fallait peut-être assouplir. Malgré ces détails, le communiqué était rassurant. Il serait donc possible, de défendre à Washington la juridiction canadienne sur les zones de pêche côtière. Les collègues de Macdonald attendaient sans doute de lui qu'il parte représenter le Canada.

Pourtant, il n'avait pas vraiment envie de partir. Il avait été gravement malade. Sa convalescence avait duré tout l'été. Pendant tout l'automne, il s'était abstenu de s'occuper de la routine administrative. Les forces qui lui manquaient quand il avait repris son poste en septembre dernier, ne lui était pas encore revenues. "*Entre nous**", écrivit-il à David Macpherson le 6 février, date à laquelle il n'avait pas encore pris la décision finale, "je ne me sens pas aussi fort qu'il le faudrait et je ne serais pas surpris d'avoir envie de m'entretenir de l'avenir avec mes amis [28]." Pour quelqu'un qui faisait allusion, même vaguement, à une possible retraite de la vie publique, la perspective de tractations diplomatiques astreignantes et probablement ingrates n'était vraiment pas attirante. "Mon séjour à Washington m'inspire une bonne dose d'inquiétude écrivit-il à Rose. Si tout se passe bien, j'en tirerai très peu de gloire; et si rien ne va, c'est moi qui en serai responsable, en ce qui concerne le Canada en tous cas [29]." La présence de Macdonald à Washington présentait certains risques. Son absence d'Ottawa en présentait aussi. S'il n'y était pas, le Parti risquait de subir toutes sortes de revers au Parlement. Et pourtant Macdonald n'hésita pas vraiment. En fait, il avait dû prendre sa décision dès le début: "(...) j'ai pensé, confiait-il à Rose, qu'après tout ce que le Canada a fait pour moi, je ne puis pas me soustraire à mes responsabilités."

Le lundi 27 février, accompagné d'Agnes, du colonel Bernard et du sous-ministre de la Marine et de la Pêche, Macdonald quitta Ottawa. Aucun officiel américain, aucun des membres britanniques de la Commission n'avait jugé nécessaire de venir l'accueillir à la gare. Sir Edward Thornton avait envoyé sa voiture et un de ses attachés. Les Canadiens furent bien vite installés confortablement à l'hôtel Arlington [30]. Au cours des quelques premiers jours, il y eut toute une série de dîners, de réceptions, de visites de courtoisie aux délégués américains et aux officiels du Département d'État, suivies de visites officielles au Sénat, à la Chambre des représentants, et de longues et affables conversations avec d'aussi notoires anglophones et partisans de l'annexion du Canada aux États-Unis que Charles Summer, Benjamin Butterworth et Zachariah Chandler. C'était la première fois que Macdonald rencontrait Hamilton Fish, le secrétaire du Département d'État américain qui était aussi le chef de la délégation américaine à la Haute Commission. Fish était un homme d'aspect assez flegmatique au long visage solennel et à la forte mâchoire encore élargie par une barbiche. Il était peut-être plus tenace que vif d'esprit. Malgré tout, il était beaucoup plus habile que ses quatres compatriotes de la délégation américaine qui tous étaient plutôt ternes.

Ses collègues britanniques intéressaient probablement beaucoup plus Macdonald. Il les connaissait presque tous, au moins vaguement de réputation. Il en connaissait un ou deux pour les avoir déjà rencontrés personnellement. Il avait peut-être déjà vu Thornton. Thornton était un homme assez rébarbatif, atteint de dyspepsie. Il était ambassadeur de Grande-Bretagne à Washington et venait de loin en loin en visite à Otta-

* N.D.T.: en français dans le texte.

*Archives publiques du Canada*

Secrétaire des commissionnaires britanniques — John A. Macdonald — Montague Bernard

Sir Stafford Northcote — Comte de Grey and Ripon — Sir Edward Thornton

Les membres britanniques de la Commission, Washington, 1871

wa. Macdonald avait eu l'occasion de voir Sir Stafford Northcote, le seul conservateur britannique de la Commission, quand ce dernier était venu défendre les intérêts de la Compagnie de la Baie d'Hudson au moment des négociations avec les délégués de la rivière Rouge. Il ne connaissait ni les autres membres de la Commission ni son secrétaire, Lord Tenterden. Montague Bernard, professeur de droit international à Oxford, petit homme mince, tiré à quatre épingles, était un lointain parent d'Agnes. Il avait l'air d'un érudit à la veille de prendre sa retraite. Il était amical et agréable. Le comte de Grey and Ripon*, chef de la délégation britannique, était celui qui paraissait physiquement le plus distingué. C'était une personnalité élégante et attirante. Il avait l'air d'un chef. Son front était haut et large. Le tracé de sa bouche et de son nez était net et bien prononcé. Ses yeux sombres enfoncés dans leurs orbites, son regard perçant reflétaient son assurance, sa détermination et son autorité.

La présence de Macdonald — qui était sans conteste un homme d'état colonial — au sein du groupe représentait une innovation un peu gênante. Pour la première fois, un habitant de l'Amérique du Nord britannique participait d'égal à égal à une négociation menée par l'Empire aussi globale. Tous les participants — mais et Macdonald sans doute moins que les autres — en étaient tout à fait conscients. En toute connaissance de cause, les ministres britanniques, Gladstone, Granville et Kimberley, avaient pris une décision révolutionnaire. Les hauts commissaires ainsi que de nombreux officiels britanniques considéraient avec un certain scepticisme et un peu d'inquiétude cette innovation hardie. Sir Edward Thornton ne cachait pas qu'il aurait préféré comme cinquième délégué John Rose qui, après tout, s'était refait une respectabilité en regagnant l'Angleterre [31]. Dès le début, Lord Grey avait eu tendance à considérer Macdonald comme quelqu'un qui faisait partie d'une espèce étrange et indéfinissable, quelqu'un dont les habitudes le surprenaient et dont il craignait qu'il ne fût malveillant de nature. Macdonald avait amené avec lui deux fonctionnaires de l'administration canadienne. Ce simple fait faisait craindre aux autres qu'il n'ait la prétention de réclamer un statut particulier. Fish avait d'ailleurs demandé qu'on précise la position de Macdonald! "Je profiterai de l'occasion que m'offre la question posée hier par Fish", écrivit Grey d'un ton paternaliste et condescendant, "pour faire comprendre à Macdonald qu'il est ici, non comme représentant du gouvernement canadien, mais bien du gouvernement britannique. Son statut est identique à celui des autres membres de la Commission. Je vous télégraphierai s'il me crée le moindre problème. Kimberley devra peut-être s'en mêler pour qu'il reste tranquille [32]." Les coloniaux ne pouvaient se permettre aucun écart. Il fallait que Macdonald sache clairement où était sa place, et qu'il y reste. Grey espérait que le Canada ne tenterait pas de profiter de l'impor-

* Pour les chapitres trois et quatre, le comte de Grey and Ripon apparaît sous le nom de Grey simplement.

tante concession qui lui avait déjà été faite. Il avait instinctivement peur que le Dominion n'essaie de faire prévaloir ses propres doléances aux dépens de l'intérêt général de l'Empire. Ses craintes étaient exactement contraires aux propres appréhensions de Macdonald. Le Canadien avait peur de voir sacrifier les droits de son pays au nom de l'entente anglo-américaine. L'Anglais craignait que l'intransigeance des revendications canadiennes ne compromît la sécurité de l'Empire. La situation était curieuse, équivoque et potentiellement lourde de conflits. Les conflits ne manquèrent pas de se produire.

## IV

Le dimanche 5 mars, juste après l'office religieux, Grey se rendit à l'hôtel Arlington spécialement pour y rencontrer Macdonald. Il avait quelque chose de désagréable à lui raconter. La veille au soir, à la fin d'un dîner chez Grey, Fish avait pris son hôte à part et l'avait informé que la délégation américaine ne souhaitait pas de discussion prolongée sur la nature et l'ampleur des droits exclusifs de pêche du Canada. Par contre, les Américains étaient disposés à acheter ces droits, quels qu'ils fussent. Ils avaient l'intention, dès la fin des préliminaires officiels, de faire une offre pour se les acquérir à perpétuité [33]. C'est à cause de cette étonnante information qu'en ce dimanche matin, Grey s'était précipité à l'hôtel Arlington. Macdonald apprit la nouvelle avec surprise et inquiétude. D'où, se demandait-il, pouvait bien venir cette embarrassante idée d'acheter les zones de pêche côtière? Qui l'avait suggérée? Il ne le savait pas, mais c'était son propre chef, Lord Lisgar. Le gouverneur général du Canada s'était hasardé à faire part à Thornton de l'idée d'accorder aux Américains la liberté de pêcher pour un certain nombre d'années en échange d'un dédommagement annuel en espèces. Thornton, supposant tout naturellement que Lisgar n'aurait pas émis pareille suggestion, même dans une lettre personnelle, sans l'assentiment de ses ministres, en avait officieusement discuté avec Fish [34]. Fish avait sauté sur l'idée avec enthousiasme et l'avait faite sienne. Pour Macdonald, cette idée de vente était inattendue, malvenue et inquiétante. Il eut la désagréable sensation — qu'il allait d'ailleurs ressentir à plusieurs reprises au cours des négociations — d'être habilement et rapidement manipulé et placé dans une position qu'il n'aimait pas et qu'il n'avait jamais voulu occuper. En ce dimanche de mars, il n'y avait pas grand-chose à faire sinon à asséner à Grey toute une série d'arguments qui militaient contre la vente et pour des concessions commerciales. Le Cabinet canadien, dit-il solennellement au chef de la délégation, "n'a même pas étudié la question de céder son droit sur les zones de pêche en échange d'une rétribution en argent" [35]. Au contraire, continua-t-il, le Cabinet canadien a mis tous ses espoirs en la conclusion d'un accord sur les échanges commerciaux qui soit aussi proche que possible de l'ancien traité de réciprocité.

Grey écouta son collègue canadien avec une impatience croissante. Il avait vite éprouvé une légère antipathie envers Macdonald. Dès le début, les manières réservées, prudentes du Canadien l'avaient inexplicablement impatienté. À la fin de la première réunion des délégués britanniques, il en était arrivé à la conclusion que Macdonald créerait beaucoup de problèmes par son obstination à défendre les droits canadiens. Très satisfait de lui-même et de manière un peu enfantine, Grey confia à Granville que les délégués britanniques avaient décidé de rembourser les frais de Macdonald à même les fonds de l'Empire, car dit-il, "il ne serait pas bon de permettre au gouvernement du Dominion de revendiquer le droit à la parole du fait qu'il a lui-même pris en charge ses frais de voyage et de séjour" [36]. Grey s'attendait à de l'opposition. Elle n'allait pas se faire attendre. Macdonald demandait un vaste accord de libre échange de la part des États-Unis en contrepartie de la possibilité qu'ils auraient de pêcher en eaux canadiennes. Fish, lors de leur conversation du samedi soir, l'avait carrément informé qu'il était tout à fait impossible de persuader le Congrès d'accepter cette entente. Ce qui était possible, comme Grey en était déjà persuadé, c'était un accord en fonction duquel le Canada autoriserait la pêche sur ses côtes, l'utilisation de ses canaux et la navigation sur le Saint-Laurent contre quelques concessions douanières et une somme appréciable d'argent. Selon Grey, c'était un marché intéressant. Il allait bien sûr essayer d'obtenir des Américains ce que Macdonald souhaitait. Mais si cette tentative échouait — et il était à peu près certain d'un échec — alors il voulait commencer à négocier immédiatement la vente des zones de pêche. Il écrivit sans délai à Granville pour lui demander l'autorisation d'agir ainsi, quoi qu'en pensât Macdonald. "(...) je m'attends à ce que Macdonald se montre très exigeant, affirmait-il un peu irrité, et je pense avoir de la difficulté à l'amener à accepter des conditions modérées [37]."

Le lendemain, les Américains présentèrent officieusement leur proposition révolutionnaire. Grey répondit au nom des délégués britanniques que la vente des zones de pêche, et particulièrement une vente à perpétuité, était malvenue et que le Canada préférait de loin un accord commercial en échange de ses droits. Apparemment, le front britannique était toujours uni, mais quand les délégués de Sa Majesté se réunissaient entre eux, Macdonald pouvait difficilement ne pas remarquer les regards de désapprobation glacée dont il était l'objet. Il était devenu évident que ses collègues passaient autant de temps à négocier avec lui qu'avec leurs homologues américains. Son malaise croissait. Quelles étaient les intentions réelles des autres délégués britanniques? Entendaient-ils vendre les zones de pêche aux États-Unis malgré les protestations solennelles émises à maintes reprises en conférence? Il ne savait pas, il n'avait aucun moyen de savoir — car on le tenait complètement à l'écart des discussions familières et confidentielles des appartements de "célibataire" de la rue "K"

— que ses collègues avaient déjà décidé de lui forcer la main. Mais, au dernier moment, une sorte de sixième sens politique l'avertit de la proximité d'un danger. Il décida d'en appeler directement au gouvernement britannique sans tenir compte de collègues peu sympathiques à sa cause. Il ne pouvait naturellement pas communiquer directement avec Granville, le ministre des Affaires étrangères, c'était le privilège de Grey. Il devait contacter le gouvernement britannique par le biais du gouverneur général à Ottawa et le ministère des Colonies. Il se servirait comme excuse de la dernière dépêche de Kimberley, datée du 16 février, concernant les zones de pêche côtière qu'on lui avait fait parvenir à Washington. "Câble devrait être envoyé en réponse dépêche", télégraphia-t-il à Charles Tupper à Ottawa. "Canada considère zones de pêche côtière sa propriété et affirme qu'elle ne peuvent être vendues sans son consentement [38]."

Il était grand temps. Le lendemain 9 mars, les Américains, comme Grey s'y attendait, rejetèrent la proposition britannique d'accord commercial réciproque en échange des zones de pêche et proposèrent plutôt d'acheter celles-ci pour un certain nombre d'années. Cette fois cependant, ils avaient adouci leur proposition et pour la rendre moins difficile à avaler, ils l'avaient assortie de quelques concessions tarifaires. Fish laissait entendre, pour répondre aux voeux de Macdonald, qu'en plus de paiement en espèces, il serait sans doute possible d'amener le Congrès à réduire ou même à abroger les taxes sur un petit nombre de biens de consommation usuels: le charbon, le sel, le poisson salé et le bois de chauffage [39]. L'offre était judicieuse et assez habilement préparée pour obtenir l'adhésion des délégués britanniques de la Commission. Fish s'en était rendu compte lors de ses précédentes conversations avec Thornton et Grey. Son succès dépassa ses espérances. Grey et ses collègues anglais, avec cette rapidité et cette désinvolture caractéristiques de toutes leurs décisions quand il s'agissait du Canada, se convainquirent sur-le-champ qu'une offre meilleure était impensable. Cependant, ni Macdonald, ni les ministres canadiens à Ottawa n'en furent fort impressionnés [40]. Le charbon, le sel, le poisson salé et le bois de chauffage! Le bois de chauffage par-dessus le marché! Cette petite liste tout à fait chiche n'avait rien à voir, même de loin, avec l'accord généreux qu'ils avaient escompté. Le Cabinet canadien rejeta l'offre américaine révisée et Macdonald fit part de ce refus à ses collègues de Washington.

Il eut à affronter leur désapprobation à peine voilée. La réponse de Kimberley était arrivée à temps. "Nous n'avons jamais eu l'intention", avait-il précisé d'un ton définitif, "de vendre les zones de pêche du Canada sans son consentement [41]." Macdonald garda ces mots réconfortants en poche, prêt à les sortir en cas de besoin. Il n'eut pas à attendre longtemps. Grey avait lui aussi reçu une réponse, une réponse qui le satisfaisait amplement et qui faisait suite au câble du 7 mars qu'il avait envoyé à Granville. Granville l'autorisait à discuter de la vente des zones de pêche et avait même exprimé sa préférence pour une vente à perpétuité [42]. Grey jubilait. L'autorité suprême de l'Empire s'était prononcée *ex cathedra*. Il s'estimait capable de venir à bout de cet entêté de Macdonald. Dès qu'il en eut l'occasion, il lui lut solennellement le surprenant message. Les autres délégués britanniques écoutaient, l'air approbateur et intéressé. Mais assez étrangement, l'hérétique, lui, ne semblait ni mortifié ni ébranlé. Au lieu de capituler, il se mit au contraire à lire avec affectation une seconde déclaration émanant de la même autorité suprême et qui différait de la première au point même de lui être opposée. Grey était mystifié et contrarié [43]. Un moment donné, il pensa même que Macdonald avait falsifié le câble de Kimberley! Mais ce soupçon ridicule ne le satisfit pas longtemps. La surprise et le choc étaient énormes. "L'argument est sans réplique", comme l'écrivit Macdonald à Tupper dans une brève note qui trahissait sa satisfaction. Il avait déjoué toutes leurs manoeuvres. Cela constituait sa première victoire importante de la conférence.

Pourtant, avait-il réussi à gagner autre chose qu'un avantage temporaire? Il pouvait naturellement forcer ses collègues à demander aux Américains de nouvelles offres en échange des zones de pêche. Mais Grey et les autres allaient-ils accepter de bon gré ce qui ressemblait fort à un veto canadien à leurs agissements? N'allaient-ils pas essayer plutôt de dissiper immédiatement cette apparente contradiction de la politique britannique et tourner la situation à leur avantage? "Lord Grey, écrivit Macdonald à Tupper, est certainement en train de communiquer avec Lord Granville pour clarifier le désaccord apparent entre sa position et celle de Lord Kimberley [44]." C'était tout à fait exact. Grey avait écrit au ministère des Colonies une lettre dans laquelle il exprimait sa surprise et sa réprobation. À quoi le gouvernement britannique avait-il pensé? Et devant l'imbroglio qu'il avait lui-même provoqué, ce même gouvernement devait à présent réconcilier ces deux positions politiques, qui même si elles se justifiaient toutes deux, étaient en fait contradictoires. Gladstone et ses collègues ne voulaient pas vendre les biens du Canada sans son consentement, mais en même temps ils souhaitaient de toutes leurs forces parvenir à un règlement global avec les États-Unis. Autrefois, le problème aurait pu être insoluble. Mais le gouvernement Gladstone était un gouvernement novateur en matière coloniale. Il découvrit très vite une façon de s'en sortir. Une clause spéciale du traité sauvegardait le principe du consentement canadien: toutes les dispositions concernant le Dominion ne prendraient effet qu'après leur ratification par le Parlement canadien. Le Canada aurait le dernier mot, mais on ne lui permettrait pas de perturber les négociations de Washington. Grey reçut l'autorisation de négocier un accord concernant les zones de pêche sans aucune restriction quant au dédommagement que pourrait recevoir le Canada en échange de ses biens.

Macdonald était contrarié et surpris. Il ne s'était pas attendu à une solution du genre. Il était sans nul doute important pour l'avenir que le

Canada ait le pouvoir de ratifier les clauses qui le concernaient, mais ce n'était pas le type de pouvoir dont il souhaitait disposer sur le moment. Macdonald avait eu un pouvoir décisionnel important aussi longtemps que son propre consentement donné de vive voix à ses collègues britanniques en cours de conférence avait équivalu au consentement du Canada. Il était possible à présent de mener les négociations, de faire des arrangements et même, comme c'était à prévoir, de signer un traité sans son approbation! Pour exprimer son désaveu, il ne restait au Canada que le recours aux moyens publics et officiels. Les voies officielles, Macdonald en était conscient, étaient risquées et aléatoires. "Si une majorité de mes collègues, expliqua-t-il à Tupper, décidait à un moment donné d'accepter des conditions que je désapprouve, je devrais, soit protester, soit me retirer, soit continuer à faire partie de la Commission en espérant que le Canada ne ratifiera pas le traité. Si je choisis la première solution, les Américains découvriront l'existence d'une divergence d'opinion et, en fait, d'un conflit entre le Canada et l'Angleterre. Et cela, les Américains ont hâte de le découvrir car ils pourront profiter de nos querelles pour apporter des arguments au groupe en Angleterre qui considère les colonies comme un fardeau et qui souhaite s'en débarrasser. Si je continue à siéger au sein de la Commission, on m'attaquera pour avoir sacrifié sans raison les droits du Canada. Je serai obligé de voter au Parlement contre un traité que j'ai moi-même contribué à réaliser [45]." Était-ce possible? Était-il concevable que le Canada dénonce un accord qu'avait accepté son principal partenaire dans l'Empire? Avait-il même la possibilité de démissionner de la Commission ou de refuser de signer le traité? Macdonald l'ignorait. Il se rendait compte que sa capacité à influencer les négociations diminuait rapidement et inéluctablement.

## V

Les travaux de la Commission avaient atteint leur rythme de croisière. Au début, Macdonald avait apprécié le travail à cause de sa nouveauté. Le mois de mars à Washington était très doux et le changeait agréablement de la grisaille qui caractérise la fin de l'hiver à Ottawa. Pendant quelque temps, la vie politique et les milieux du Capitole représentèrent pour lui un heureux changement. Dès le départ, les distractions avaient été très nombreuses. "Ces réjouissances interminables, se plaignait Grey, nous rendent la vie impossible. Nous travaillons tout le jour et mangeons toute la nuit. Un journaliste plaisantin a même écrit que nous n'étions pas une haute commission conjointe mais une haute commission des rôtis* — la plaisanterie amuse beaucoup les habitants de Washington [46]." Cela devait amuser un peu aussi les délégués britanniques, car ils acceptaient le sobriquet de "rôtis de première catégorie" et appelaient leurs secrétaires et leurs assistants les "côtelettes". Toutes ces plaisanteries ne parvenaient cependant pas à leur faire oublier les trop nombreuses réceptions. "Même en ce temps de carême, grognait Macdonald, les invitations pleuvent de partout et nous ne pouvons les refuser [47]." Il pensa tout d'abord que c'était le seul désagrément d'une vie par ailleurs fort plaisante. Mais il changea vite d'opinion. Le climat, qu'il avait trouvé si clément les premiers jours, commença à lui paraître "débilitant". Un mois après son arrivée, Macdonald avait hâte de rentrer chez lui. "J'en ai vraiment assez de Washington", écrivit-il au colonel Gray vers la fin mars. "Tout le monde ici s'est montré très courtois depuis mon arrivée, mais j'aimerais retrouver mon travail [48]."

Ce mal du pays était facilement compréhensible. Le travail qu'il avait à faire lui procurait de moins en moins de plaisir. Les délégués britanniques ne semblaient pas près d'aboutir à un accord avec les Américains. Par contre, ils étaient dangereusement près d'en arriver à se disputer entre eux. Les États-Unis avaient, pour l'instant retiré leur offre de "compensation en argent" agrémentée de quelques concessions tarifaires. Ils s'étaient apparamment alignés sur la position canadienne et semblaient préconiser un arrangement de caractère strictement commercial. Ils proposaient à présent comme base de négociation la libre entrée sur le marché américain du charbon, du sel, de toutes les espèces de poissons et de diverses catégories de bois en provenance du Canada [49]. Macdonald était toujours extrêmement mécontent. La seconde offre ressemblait à s'y méprendre à la première. On était très loin de l'ancien traité de réciprocité qui permettait à tous les produits naturels canadiens sans exception de circuler librement sur le marché américain. Macdonald pouvait-il renoncer à l'atout commercial canadien le plus important en échange de quelques insignifiantes concessions? Pour lui, c'était impossible. Mais ses collègues anglais se laissèrent cette fois encore aussi rapidement convaincre. Pour la troisième fois, ils décrétèrent qu'il était impossible d'obtenir mieux. Macdonald voulait un accord de type commercial. Il s'agissait pourtant bien d'un accord commercial! Et malgré tout, Macdonald s'obstinait à le refuser! Les Anglais ne comprenaient pas. Mais maintenant ils n'avaient plus besoin de comprendre. L'autorisation expresse de Granville leur permettait d'échanger les zones de pêche contre n'importe quelle compensation qu'ils jugeaient raisonnable, sans avoir à tenir aucun compte des protestations de Macdonald. Il était

---

*N.D.T.: Jeu de mots intraduisible entre "Joint High Commission" et "High Commission on joints". En anglais, "a cut from the joint" signifie un morceau de rôti.

temps de mettre un terme à cette situation absurde. Les délégués anglais décidèrent de présenter une offre ferme aux États-Unis; celle-ci correspondait en gros à la suggestion américaine de laisser entrer librement le charbon, le sel, le poisson et le bois canadien.

Macdonald avait déjà protesté verbalement. Il réitéra ses protestations dans une longue lettre assez officielle à Grey [50]. Le document ne faisait pas allusion aux efforts précédents des délégués britanniques pour obtenir une compensation raisonnable en échange du droit de pêche dans les eaux territoriales canadiennes. Il se concentrait plutôt sur la dernière proposition. La lettre de Macdonald jugeait la proposition insuffisante et prédisait que le Parlement canadien n'hésiterait pas un instant à la rejeter. Grey s'emporta. Une désagréable dispute éclata au cours de laquelle le chef de la délégation britannique accusa ouvertement son collègue canadien de "fausse représentation" [51]. Macdonald céda. Il n'avait nullement l'intention d'offrir une aussi belle chance à un homme décidé à le placer dans une position fâcheuse. Il retira la lettre contestée et la remplaça par un court mémorandum officieux dans lequel il expliquait succinctement la position canadienne. Le mémorandum fut envoyé au gouvernement britannique pour information. Une nouvelle lutte d'influence pour faire pencher le verdict du ministère des Colonies semblait sur le point d'éclater. Macdonald avait fait tout son possible, mais il était probablement moins optimiste que la fois précédente. Sa position avait été sérieusement affaiblie quand Granville avait décidé de donner carte blanche à Grey pour les négociations. Et il était certainement conscient — ce qui était d'ailleurs tout à fait exact — que Grey dans chacune des lettres personnelles qu'il envoyait en Angleterre, attaquait ses arguments, dépréciait ses objections, contestait ses mobiles, critiquait sa conduite et pressait le gouvernement britannique de l'obliger à se taire.

Pourtant — comme Macdonald s'en doutait aussi, avec raison — ses opinions étaient beaucoup plus appréciées à Whitehall qu'à Washington. Grey et ses collègues britanniques furent choqués et stupéfaits d'apprendre que le Cabinet Gladstone ne percevait pas la vérité aussi purement et simplement qu'ils la percevaient eux-mêmes dans leurs appartements de "célibataires" de la rue "K". En fait, l'horrible incident de la protestation officielle de Macdonald à Grey sembla laisser Gladstone complètement froid. Il dit carrément à Granville qu'après l'avoir lue il n'avait pas plus envie de museler le Canada qu'avant. "Nous ne devrions pas laisser entamer notre crédit", précisa-t-il, "ni même permettre que notre Commission fasse pencher la balance ne serait-ce que d'un fil. Si nous accablons le Canada ou si nous semblons l'accabler, nous le paierons cher, et très longtemps. Le Canada aura peut-être la tentation de dire: "puisqu'il faut faire des cadeaux aux États-Unis à nos dépens, pourquoi ne pas les faire nous-mêmes et en tirer tout le bénéfice" [52]." En vertu de toutes ces considérations, il semblait préférable d'être très prudent et de ne pas trop se presser. Gladstone ne voulait pas que ses trop zélés négociateurs à Washington "l'obligent" à accepter l'accord. Il informa Granville que le Cabinet était d'avis de soutenir Macdonald encore quelque temps à propos de la question des zones de pêche [53]. Granville reconnut que "Macdonald semble avoir plus d'arguments que ses confrères délégués ne veulent bien l'admettre..." [54]. En conséquence, ils expédièrent un nouveau câble qui fit une fois de plus froncer les sourcils à Grey. Le gouvernement britannique n'avait pas l'intention d'obliger le Canada à accepter la dernière offre américaine de libre circulation du charbon, du sel, du poisson et du bois.

C'était incroyable, mais Macdonald venait de gagner. Il s'était attendu à une défaite définitive alors qu'il venait de remporter temporairement une nouvelle victoire. La lutte cependant était loin d'être achevée. Grey et ses collègues croyaient sérieusement que l'orgueil et l'obstination de Macdonald compromettaient un traité de paix juste et nécessaire. Ils se préparèrent les lèvres serrées et l'air déterminé à vaincre sa résistance. La délégation britannique était partagée entre le ressentiment, le soupçon et la rancune. Les relations ambiguës qui régnaient entre les cinq hommes étaient une source inévitable des malentendus. L'Angleterre et le Canada venaient d'entamer le long et difficile processus de redéfinition de leur mandat respectif en matière de politique étrangère. Les délégués britanniques à Washington, sans expérience et trop facilement exaspérés, faisaient les frais de cette innovation hardie de la diplomatie impériale. En tant que représentant d'un État, Macdonald considérait que sa tâche était de défendre et de promouvoir d'importants intérêts nationaux, spécifiques et particuliers. Et c'était bien à cette conception de la place du Canada au sein de l'Empire que le gouvernement Gladstone avait publiquement adhéré. En théorie, les libéraux britanniques affirmaient toujours qu'ils étaient favorables à l'émergence d'un séparatisme colonial. Mais en pratique, aussi longtemps que durerait l'Empire, ils avaient instinctivement tendance à le considérer comme une seule entité diplomatique, sous le contrôle exclusif et complet de la Grande-Bretagne.

Pour Grey et ses collègues britanniques, le comportement de Macdonald semblait contre nature et presque indécent. Il n'était pas normal qu'un subalterne essayât effectivement de recourir à des moyens diplomatiques pour s'opposer à eux et défendre les intérêts particuliers de son pays. Lord Lisgar avait appris à Grey que Macdonald était l'inspirateur de certaines réponses d'Ottawa à ses propres télégrammes et qu'à plusieurs reprises le Cabinet canadien avait semblé prêt à accepter des conditions moins exigeantes que celles énoncées par Macdonald. Grey en était outré. Ce comportement ne trahissait pas, pour lui, une certaine habileté à mener à bien des négociations diplomatiques, mais révélait une conduite morale pour le moins "douteuse" [55]. "La sincérité" était tout à la fois une vertu dont Macdonald devait faire preuve vis-à-vis de ses collègues et une faveur que rien ne les obligeait à lui accorder. Grey ne sembla jamais penser que les confidences d'un colonial étaient quelque chose qu'il devait savoir se mériter. À une reprise au moins, il demanda à Granville de se montrer plus discret au sujet des lettres personnelles et des câbles qu'ils avaient l'habitude de s'envoyer: "(...) j'ai à mener avec Macdonald des négociations presque aussi difficiles qu'avec les délégués des États-Unis, écrivit-il, et il ne serait pas bon de m'interdire de vous télégraphier à titre personnel et à son insu [56]."

Dans cette atmosphère tendue et désagréable, Macdonald et les autres délégués britanniques continuaient leur travail. Lors des réunions plénières de la haute commission conjointe, Grey avait l'air de faire son possible pour persuader les Américains d'améliorer leur dernière offre, mais en privé il s'efforçait d'amener les gouvernements britannique et canadien à conclure l'accord le plus vite possible. Le Cabinet Gladstone s'était montré étrangement compréhensif dès qu'il s'était agi de sauvegarder les intérêts du Canada. De même il avait fait preuve d'un inexplicable respect envers les opinions de Macdonald. Pour préserver la paix, il était indispensable d'enlever au Cabinet ses illusions insensées. Macdonald avait eu un comportement égoïste et irresponsable. Il était têtu. Il fallait lui montrer où se trouvaient ses véritables intérêts. Grey et ses collègues anglais se mirent à la tâche avec un sérieux redoutable. Quelquefois, racontait avec humour Macdonald à Tupper, "ils me sermonnent". Quelquefois ils lui écrivaient de longues lettres pour le mettre en garde et lui faire la leçon. De plus en plus souvent, à mesure que le temps passait, les Britanniques utilisaient un savant dosage de menaces et de chantage à peine voilé. Grey s'efforçait de démontrer à Macdonald que si "des conséquences déplaisantes" devaient résulter de l'échec des négociations, "le peuple anglais ne sera pas très enclin à aider les Canadiens à s'en sortir" [57]. Mais pour contrebalancer ces perspectives sinistres et de mauvais augure, Grey faisait souvent des allusions d'un genre très différent. "J'ai eu avec Macdonald une conversation qui, je l'espère, l'a impressionné", écrivit-il à Granville. "J'ai utilisé le terme "conseiller privé" un peu comme s'il m'avait échappé. J'ai laissé entendre que j'aimerais personnellement voir un jour conférer cet honneur à un ministre colonial éminent. Je n'ai bien sûr compromis personne et je crois être arrivé à mes fins [58]." Le colonial "dur, besogneux et gourmand", pour reprendre les épithètes très peu flatteurs de Robert Lowe, n'allait certainement pas rester insensible à la perspective de ces honneurs qu'on lui faisait miroiter!

Et pourtant Macdonald ne réagit pas. Il s'en tint à sa position. Le gouvernement britannique l'avait soutenu. Le gouvernement britannique estimait, comme lui, que la libre circulation du poisson, du charbon, du bois et du sel canadien n'était pas un dédommagement suffisant pour le droit de pêcher le long des côtes du pays. Macdonald était bien décidé à ne pas sacrifier les richesses canadiennes. Il était en train de négocier pour obtenir des États-Unis des tarifs plus avantageux et de nouvelles concessions quand, soudain, toute la base de discussion se modifia d'un coup. Le 15 avril, Fish informa Grey que la dernière proposition américaine, que les délégués britanniques n'avaient toujours pas acceptée, ne tenait plus, car d'importants groupes d'intérêts avaient fait pression sur le Congrès américain pour ne pas l'entériner. Fish était obligé d'en revenir à sa proposition initiale. Il proposait d'acheter le droit de pêche en zone côtière, non plus à perpétuité, mais pour un certain nombre d'années et à un prix qui serait fixé ultérieurement par arbitrage. Par contre, les États-Unis étaient prêts à concéder la libre entrée du poisson canadien sur les marchés américains. Macdonald était profondément contrarié. Ses collègues britanniques au contraire, parvenaient difficilement à cacher leur joie. Macdonald, faisaient-ils remarquer hypocritement, "était allé trop loin". Il avait "lâché la proie pour l'ombre" [59]. Ils se faisaient un plaisir de lui faire comprendre qu'il était nécessaire de prendre une décision. Cette nouvelle offre américaine était aussi probablement la dernière. La conférence touchait à sa fin. La plupart des questions inscrites à l'ordre du jour étaient réglées. Il ne restait plus que cet ennuyeux problème des zones de pêche côtière canadiennes. Que faire?

Macdonald savait que la crise était proche. Il avait remporté certaines victoires tactiques, mais il était maintenant bloqué. Sa position était vulnérable à l'extrême et en lui-même il s'attendait à échouer. Malgré tout, il décida de rester sur ses positions. Sa volonté n'avait apparemment pas faibli. Avec l'accord unanime du Cabinet canadien, il rejeta la dernière offre américaine. Il ne voulait pas d'un règlement en espèces fixé par arbitrage et assorti de la libre entrée aux États-Unis du poisson canadien. Macdonald rappela à ses collègues que la haute Commission conjointe avait été créée à l'instigation du Canada en vue de parvenir par voie diplomatique à un accord sur les points litigieux de la Convention de 1818. "Le Canada", expliqua-t-il à ses collègues, "espérait recevoir l'autorisation de garder la juridicition exclusive sur ses zones de pêche côtière s'il ne pouvait obtenir de compensation satisfaisante, quitte à ce que la Commission réglât le problème des caps et de l'accès aux ports, seuls véritables points de litige [60]." Grey était horrifié. Il était impensable que les travaux de la Commission aboutissent à ce genre de conclusion! Il fallait accepter l'offre américaine. Il fallait soit persuader Macdonald soit le forcer à donner son accord. Grey lutta pour persuader l'entêté. Il en perdit même son sang-froid. Il sermonna le Canadien comme un instituteur en colère. Il lui fit comprendre quels étaient ses devoirs de délégué! Mais il se rendit rapidement compte de la futilité de ses diatribes. Il y avait une meilleure méthode. Le dimanche 6 avril, après le service religieux, Grey exactement comme il l'avait fait six semaines auparavant, se présenta à l'hôtel Arlington pour tâcher de faire entendre raison à Macdonald.

Pendant la plus grande partie de l'entretien, Grey exposa dans un long et sérieux plaidoyer les raisons pour lesquelles le Canada devait accepter les dernières propositions américaines. Macdonald avait déjà entendu ces arguments à maintes reprises. Ce n'est que vers la fin de la conversation que Grey annonça quelque chose de neuf! Une possibilité, à ses yeux merveilleuse et formidable, que le gouvernement Gladstone avait autorisée quelque temps plutôt, mais qu'il avait soigneusement gardée pour lui afin de s'en servir si, comme à présent, le besoin s'en faisait sentir. Dès février, au moment où la Commission avait été instituée, Gladstone lui-même avait émis l'idée de donner à Grey "le moyen d'aplanir toutes les difficultés qui pourraient surgir entre le Canada et nous en cours de négociation, en demandant une compensation pour les dommages occasionnés par les raids fenians" [61]. À l'époque, les Anglais espéraient encore amener les États-Unis à rembourser les pertes canadiennes. Mais il semblait de plus en plus certain que les États-Unis réussiraient à éviter de payer quoi que ce soit. À la suite d'un singulier oubli dans la correspondance officielle qui avait fixé le thème des discussions, les Américains affirmaient à grand renfort de preuves que les raids fenians ne figuraient aucunement à l'ordre du jour des travaux de la haute commission conjointe! C'était très étrange! Le meilleur ministère des Affaires étrangères du monde avait-il commis une erreur? Les Canadiens ne devaient jamais recevoir ni explication ni excuse. Mais le Cabinet britannique autorisa Grey à "faire allusion" devant Macdonald à la possibilité d'une compensation impériale [62]. De toute évidence, le moment était arrivé de faire de telles "allusions". À la fin de la longue conversation qu'il eut en ce dimanche matin à l'hôtel Arlington avec son collègue, Grey mit celui-ci au courant de l'offre du gouvernement britannique.

Macdonald accepta la propostion avec reconnaissance. Mais cela ne contribua pas à lui faire changer d'attitude à propos du schéma d'arrangement américain concernant les zones de pêche côtière. Il protesta. Ses protestations et celles de son gouvernement, furent câblées en Angleterre. Il appartenait maintenant au gouvernement britannique de trancher. Macdonald gardait espoir. Mais en même temps il était à peu près sûr de la décision de la Grande-Bretagne. Il n'était que trop conscient du désir de ses collègues de s'en tenir à l'offre américaine. Il s'attendait à ce qu'ils pressent le gouvernement britannique d'accepter. Malgré tout, Macdonald aurait difficilement pu imaginer la hâte presque désespérée avec laquelle Grey et les autres essayèrent de convaincre le cabinet Gladstone. Ils avaient déjà essayé d'en appeler au gouvernement britannique. Ils avaient essayé les exhortations. Maintenant la longue liste de télégrammes personnels qu'ils lui faisaient parvenir constituait un véritable ultimatum. "Si vous ne nous soutenez pas contre Macdonald, télégraphia Grey à Granville, il ne voudra rien entendre et je ne vois aucune chance de parvenir à un accord [63]." Cette triste prédiction partagée par l'ensemble des délégués, à l'exception de Macdonald bien sûr, comme Grey prit soin de le préciser, devait suffire pour que le gouvernement britannique y réfléchisse à deux fois. Gladstone et ses collègues avaient hâte de mettre un terme à une négociation par ailleurs couronnée de succès. Apparemment rien ne parviendrait à satisfaire les Canadiens. Gladstone après avoir attentivement lu les dernières protestations de Macdonald et des membres du Cabinet canadien, les déclara "complètement déraisonnables" [64]. Il n'était plus possible de continuer à soutenir Macdonald. Restait cependant la promesse de Kimberley de ne pas vendre les droits de pêche en eaux canadiennes sans le consentement du Canada. C'était un point délicat malgré la clause qui stipulait que le Parlement du Dominion devait ratifier l'entente. Il y eut une réunion spéciale du Conseil des ministres pour débattre de la question. Les délégués britanniques se morfondirent encore pendant plusieurs jours. La réponse qu'ils attendaient avec tant d'impatience finit par arriver. Ils ne pouvaient que s'en réjouir. Grey recevait instruction de céder le droit de pêche en eaux canadiennes d'une part contre un dédommagement en argent dont le montant serait fixé par voie d'arbitrage et d'autre part contre la libre entrée du poisson canadien en territoire américain.

## VI

"Votre télégramme concernant les zones de pêche est arrivé", câbla triomphalement Grey à Granville. "Macdonald a cédé avec une telle bonne grâce que c'en était presque risible [65]." Cette interprétation de l'attitude de Macdonald était singulièrement optimiste. Elle était plus révélatrice de l'état d'esprit de Grey lui-même que de celui de Macdonald. Apparemment — et pour l'instant du moins — Macdonald avait accepté. Mais en dedans de lui son exaspération avait atteint son paroxysme. Il avait l'impression de s'être dépensé inutilement et d'avoir échoué. Il écrit à Tupper: "Quand est arrivé d'Angleterre le message qui autorisait le recours à l'arbitrage pour fixer la valeur de nos zones de pêche, j'avoue que mon premier mouvement a été de remettre à Lord Grey pour qu'il la transmette à Lord Granville ma démission en tant que délégué, fondé de pouvoir et plénipotentiaire [66]." Son premier mouvement trahissait son dégoût et sa colère. Mais cela ne dura même pas toute la nuit. Le lendemain matin, il avait décidé de rester membre de la Commission, ne fût-ce que pour protéger et veiller aux intérêts canadiens pendant la dernière phase des négociations. "Il est heureux, que j'aie agi ainsi, expliqua-t-il à Tupper, sinon les clauses auraient été encore plus défavorables." Elles l'étaient déjà beaucoup. Il n'y avait aucun dédommagement pour les raids fenians. Les Américains avaient obtenu à perpétuité la libre circulation sur le Saint-Laurent (à l'exclusion des canaux qui seuls le rendaient navigable sur toute sa longueur) en échanges de droits identiques sur trois lointains cours d'eaux en Alaska. Et, parmi toute la série de produits naturels canadiens, seul le poisson pouvait être vendu librement sur le marché américain. "Voilà les clauses, se plaignit amèrement Macdonald à Tupper, nous n'y avons rien gagné." Il était profondément blessé: "Jamais, dans toute ma vie publique, déclara-t-il à Alexander Morris, je ne me suis trouvé dans une position aussi désagréable et je n'ai eu un travail aussi déplaisant à faire que celui qui m'occupe ici en ce moment [67]."

Quelle serait l'attitude de Macdonald maintenant que les tractations étaient achevées? Lorsqu'il avait décidé de ne pas démissionner de la Commission, il n'avait en fait que retardé une autre décision, plus difficile encore. Devait-il ou non signer le traité? "Il est sûr que le Canada", dit-il à Tupper, "rejettera le traité *in toto*." Macdonald laissa par ailleurs clairement entendre à Alexander Morris qu'il se préparait lui-même à le dénoncer publiquement. S'il le signait, comment pourrait-il conserver son droit moral à la liberté d'action? Comment se défendre des accusations d'inconséquence et de manque de franchise qui risquaient de lui porter un préjudice politique irrémédiable? Le moyen le plus facile, le plus simple et le plus parfaitement efficace de ne pas se voir accusé d'avoir contribué à trahir les intérêts de son pays était tout simplement de refuser de signer. C'était ce qu'il avait pensé faire d'abord et que bon nombre de ses collègues canadiens auraient préféré qu'il fît. Mais Grey lui fit cérémonieusement et solennellement part d'une série d'objections fort sérieuses. Macdonald, comme tous les autres délégués britanniques, était un plénipotentiaire du gouvernement impérial. Il agissait au nom du gouvernement impérial et le gouvernement impérial venait de lui ordonner de signer le traité. "(...) j'hésite, écrivit Macdonald à Francis Hincks, ce serait un précédent pour un délégué de refuser d'obéir aux ordres de son supérieur [68]." Sur le plan politique aussi, le geste serait extrêmement dangereux, car il pouvait avoir pour résultat le rejet du traité par le Sénat américain. Si cela se produisait, l'arrangement concernant l'*Alabama*, qui avait été si difficile à ménager, serait lui aussi remis en question. Décidément Macdonald ne pouvait accepter une si lourde responsabilité! Il fallait qu'il appose sa signature au bas du traité.

Mais était-il obligatoire de signer sans fournir d'explication et sans donner de commentaires? Il fallait bien sûr obéir aux ordres du gouvernement britannique. Mais n'existait-il pas, se demandait tristement Macdonald, un moyen de prouver au monde en général et aux Canadiens en particulier, qu'en contresignant le traité, il se contentait de faire son devoir de délégué de l'Empire sans hypothéquer du tout sa liberté future en tant que membre du gouvernement canadien? Ne serait-il pas possible, suggéra-t-il à Grey, d'insérer un paragraphe dans l'un des protocoles pour préciser que le délégué canadien avait signé pour obéir aux ordres de la Reine, mais qu'il considérait le traité comme très défavorable à son pays. Grey rejeta sèchement la suggestion. C'était impossible. Macdonald devait se contenter de signer, un point c'est tout. Il n'y avait de toute évidence qu'une solution. Si les objections de Macdonald ne pouvaient être consignées sur le traité ou sur ses annexes, il n'avait d'autre recours que de les signifier par écrit et de les envoyer aux autres personnes concernées. Grey accepta rapidement l'idée. Il promit de lui répondre dans une lettre que Macdonald pourrait utiliser à Ottawa. Macdonald se mit en devoir de rédiger des documents officiels destinés à Lord Granville et au gouverneur général dans lesquels il précisait sa position.

La discussion qui eut lieu au début mai fut pour Macdonald la dernière occasion de s'entretenir un peu longuement du traité avec Grey. Avant qu'ils ne se séparent, Macdonald lui demanda une dernière fois d'insister auprès du gouvernement britannique pour honorer rapidement la promesse que lui avait faite le chef de sa délégation: celle de dédommager le Canada pour les raids fenians. "Je l'ai donc pressé, expliqua Macdonald à Cartier, de s'en occuper de façon à ce que tout soit réglé dès son retour en Angleterre. Il me l'a promis et m'a bien remercié d'avoir agi comme je l'ai fait [69]." Grey avait peut-être exprimé verbalement sa reconnaissance à Macdonald, mais dans le fond, il lui gardait rancune. J'ai lutté, se disait-il pour parvenir à un accord susceptible de sauvegarder les intérêts de tout l'Empire. Macdonald s'était obstinément opposé à Grey. Il avait adopté un point de vue strictement canadien. Il avait usé de méthodes, Grey en était convaincu suite aux révélations de Lord Lisgar, pour le moins sournoises. Lord Lisgar avait eu l'occasion de prendre connaissance de certaines correspondances personnelles entre Macdonald et ses collègues canadiens. Il en citait de larges extraits dans les lettres qu'il envoyait à Northcote à Washington [70]. En général, les comptes rendus du déroulement des travaux rédigés par Macdonald étaient précis, modérés et honnêtes. Mais il s'était permis quelques remarques irrespectueuses qui avaient offensé ses collègues britanniques. Plus s'accumulaient les preuves que Macdonald avait choisi une position semi-indépendante, plus croissait le ressentiment de Grey. Il lui semblait monstrueux que le Canadien ait osé défendre des intérêts spécifiquement canadiens en utilisant des méthodes qui, même si elles étaient tout à fait habituelles en Grande-Bretagne et dans d'autres États souverains, étaient totalement inadmissibles de la part d'une colonie. En réalité, le "nationalisme" colonial en matière de diplomatie équivalait donc plus ou moins à une "trahison" de la Grande-Bretagne. "(...) Macdonald", écrivit Grey à Granville dans une autre de ces lettres personnelles que son collègue canadien n'aurait jamais la moindre chance de citer, "a agi vis-à-vis de nous à peu près comme un traître [71]."

Macdonald avait foi en les promesses qui lui avaient été faites. Il pensait que le Canada avait consenti à des sacrifices qui méritaient une récompense. Mais Grey ne se sentait pas lié du tout. La conduite de Macdonald avait été tout simplement déplorable. S'il voulait vraiment obtenir certains "honneurs", il n'avait qu'à faire entériner le traité par le Parlement canadien. Jusqu'au moment où ce serait vraiment fait, tout pouvait rester en suspens. Quelle chance que Grey se soit montré si discret en faisant ses petites allusions! "Je me suis contenté, assura-t-il de nouveau à Granville, de lui faire miroiter la possibilité d'admettre occasionnellement d'éminents hommes d'États canadiens au sein du Conseil privé anglais, mais tout au long de la conversation qui a été courte, j'ai très prudemment évité de dire quoi que ce soit qui puisse me compromettre ou compromettre qui que ce soit [72]." Non! Grey ne s'était pas compromis. Il ne devait rien à Macdonald. Et Macdonald n'obtiendrait rien. Tous les délégués, tous les secrétaires — les "rôtis" et les "côtelettes" — avait été extrêmement coopératifs et utiles. Tous sans exception avaient bien servi le gouvernement britannique. Sauf Macdonald. "Macdonald nous a tous surpris", dit-il à Granville pour conclure. "J'ignore s'il est ou non vraiment compétent. Mais je suis sûr que c'est un des plus obscurs toquards qui ait jamais prit part à une course. Il est évident qu'il a toujours obstinément joué son propre jeu, sans jamais en démordre. Il mérite une récompense s'il obtient l'aval du Parlement colonial pour la clause du traité que ce dernier doit ratifier. S'il ne l'obtient pas, il ne devrait rien recevoir [73]."

Le 8 mai, à dix heures du matin, par une belle journée de printemps, Macdonald se rendit au Département d'État pour assister à la cérémonie de clôture de la Conférence. Tous les hauts commissaires et tous les secrétaires étaient présents. La plupart des employés du Département étaient également venus assister à la cérémonie qui à cause de sa solennité sortait de l'ordinaire [74]. Des bouquets multicolores de fleurs printanières égayaient la salle. Sur une table de côté, les organisateurs avaient préparé une collation assez inhabituelle, mais appétissante: fraises et glace. Tout le monde se sentait content. Tout le monde avait le sentiment du devoir accompli. Tout le monde, sauf Macdonald. Quelque chose était sur le point de se faire qu'il ne pouvait empêcher et avec laquelle il était en désaccord. Un peu tendus, les délégués bavardaient entre eux. Ils s'échangeaient photographies et autographes. Un commis maladroit et très nerveux était en train d'opposer les sceaux sur les deux précieuses copies du traité. Tenterden, ce secrétaire tellement efficace, ne l'aida guère quand il lui versa quantité de cire brûlante sur les doigts. Une fois le travail terminé, le pauvre homme ne put retenir ses larmes. Voilà! c'était fini. Les copies étaient prêtes. Il ne restait plus qu'à apposer solennellement les signatures. Macdonald, était le plus jeune des membres de la délégation britannique. Il fut l'un des derniers à signer.

— Voilà! murmura-t-il à Fish en prenant la plume, comment s'en vont nos zones de pêche!

— Mais vous recevez une bonne compensation, répliqua rapidement Fish.

— Non, rétorqua Macdonald avec un cynisme joyeux. Nous vous les donnons. Voilà la signature!

Il signa en ajoutant l'habituelle petite fioriture sous le "d" final de son nom, puis il quitta la table.

— Nous les avons perdues, dit-il lentement [75].

## Chapitre quatre

# Plans pour l'avenir

### I

Macdonald ne revint pas à Ottawa en conquérant. Il savait qu'il n'avait rien d'un conquérant et il ne voulait pas qu'on fît semblant de le recevoir en conquérant. On attend d'un conquérant qu'il accepte les tributs et qu'il fasse rapport de ses exploits. Il ne souhaitait aucun tribut et ne voulait pas faire rapport. Au fond de lui-même, il se rendait bien compte que le premier Parlement du Dominion du Canada approchait inexorablement de son terme. Dans un peu plus de douze mois, il faudrait aller en élections générales — des élections générales qui pourraient être fatales à son gouvernement en raison du caractère impopulaire du traité de Washington. Il fallait absolument à Macdonald un peu de répit. Il ne voulait pas abattre ses cartes tout de suite. Pour gagner un temps précieux, il avait fait demander aux éditorialistes des journaux conservateurs qui lui étaient fidèles, la *Gazette* de Montréal, le *Leader* de Toronto, le *Times* et le *Citizen* d'Ottawa, et à d'autres, de s'abstenir pendant au moins quelques jours d'émettre quelque opinion que ce fût sur le traité. Pendant ce temps-là, les chefs de la Réforme et les journaux grits, qui étaient sûrs que Macdonald allait défendre le résultat des travaux de la haute commission conjointe, se dépêcheraient comme d'habitude d'attaquer le traité violemment et sans réfléchir. C'était exactement ce que voulait Macdonald. Il fallait que le Parti grit ne puisse plus changer de position. Il fallait qu'il soit paralysé par ses déclarations hâtives, mais sur lesquelles il ne pourrait plus revenir sans risquer le désastre. "Il est donc extrêmement important, écrivit Macdonald à Alexander Morris, que Brown et le *Globe* se prononcent de façon irrémédiable contre le traité [1]." Pendant ce temps, Macdonald aurait une possibilité de manoeuvre et le temps voulu pour en étudier les dispositions du traité.

Quoi qu'il décidât, le temps représentait pour lui un atout précieux. À Washington, au cours des derniers jours de la négociation, quand il eut pris conscience de son échec et de sa défaite, Macdonald avait clairement laissé entendre, autant dans ses lettres que dans ses propos, qu'il s'opposerait publiquement aux dispositions relatives aux zones de pêche. Mais, malgré ce qu'il en avait dit, avait-il jamais complètement rejeté la possibilité d'avoir un jour à défendre le traité en vue de préserver l'alliance anglo-canadienne qui seule avait permis au Canada de survivre sur le continent nord-américain? De toutes manières, la meilleure politique en ce moment consistait sans aucun doute, à garder prudemment le silence. S'il en arrivait finalement à la conclusion qu'il valait mieux dénoncer le traité, Brown et les grits se trouveraient dans une position fausse sans avoir aucun espoir de s'en sortir. Si, au contraire, il se rendait finalement compte que le Canada n'avait pas d'autre choix que d'accepter les termes de l'accord, il pourrait mettre à profit ce délai qu'il se ménageait pour raffermir sa propre position et améliorer les chances de défendre cette cause hasardeuse. Avec le temps, la violence avec laquelle les journaux canadiens dénonçaient le traité s'atténuerait d'elle-même. Il fallait du temps pour permettre au Congrès américain d'approuver le traité. Il en fallait aussi pour que le gouvernement canadien parvînt à un accord satisfaisant avec le gouvernement britannique concernant les dédommagements promis en compensation des raids fenians. En six mois, les choses avaient le temps de se clarifier et Macdonald pouvait améliorer ses chances. En attendant, ses collègues et lui décidèrent de garder le silence le plus total.

Ainsi donc, alors que le débat sur les injustices du traité de Washington agitait tout le pays, Macdonald ne fit pas le moindre commentaire sur les intentions du gouvernement canadien. Il ne refusait bien sûr pas de donner son opinion personnelle sur le traité non plus que de faire savoir à quel point le pays se sentait profondément trahi. Il envoyait lettre sur lettre à Lisgar et à Grey, les unes plus pessimistes que les autres. Il y affirmait que la violence du mouvement d'opposition populaire dépassait tout ce qu'il avait pu imaginer et qu'il ne savait pas encore s'il pourrait contrôler ce déchaînement. "Au Canada, l'opposition au traité s'est accru et s'accroît encore, expliqua-t-il à Grey. J'ignore où cela va nous mener. La population commence à se méfier profondément du gouvernement impérial. On discute de chaque clause du traité avec rancoeur et colère [2]." Macdonald était intarissable quand il s'agissait de décrire les terribles difficultés auxquelles il avait à faire face. Par contre, il ne fit jamais ni publiquement ni privément la moindre allusion à la voie que le gouvernement comptait suivre.

"La position du gouvernement est très simple, précisait-il à un correspondant, le traité nous satisfait pleinement, excepté en ce qui a trait au droit de pêche en zones côtières. En ce qui concerne ces zones de pêche, le gouvernement s'estime libre d'agir comme il l'entend [3]." Il avait signé le traité, rappela-t-il à Grey — et signé tout en conservant expressément sa liberté d'action future — simplement parce que le gouvernement britannique avait donné à ses délégués instruction de le signer. Le gouvernement britannique avait donc accepté de prendre la responsabilité du traité. Si ce gouvernement désirait que le Parlement canadien ratifiât les clauses qui concernaient l'Amérique du Nord britannique, il lui appartenait d'expliquer et de justifier de façon satisfaisante la solution qu'il avait imposée[4]. "Il appartient au gouvernement métropolitain de s'expliquer, écrivit Macdonald à Gowan. Après avoir étudié sérieusement les arguments du gouvernement de Sa Majesté, nous déciderons de la ligne politique que nous adopterons sur la question et nous la soumettrons au Parlement au cours de la prochaine session [5]." En d'autre termes, si la Grande-Bretagne attendait du Canada qu'il participât à sa réconciliation avec les États-Unis, le gouvernement impérial devait donner plus d'atouts au gouvernement canadien. Et, comme Macdonald le rappela à Grey, une des premières clauses à faire en ce sens était d'honorer la promesse de dédommagement pour les raids fenians.

Macdonald savait exactement ce qu'il souhaitait comme dédommagement. Il ne voulait pas d'argent liquide. Il voulait que la Grande-Bretagne garantisse une partie des sommes importantes qu'il faudrait emprunter pour construire la ligne de chemin de fer transcanadienne qui irait jusqu'au Pacifique. À la fin de l'hiver, pendant qu'il séjournait à Washington, le Parlement avait ratifié les termes de l'entrée de la Colombie britannique au sein de la Confédération. La bataille avait été rude. Alexander Morris la décrivit comme la lutte la plus dure qu'ait eu à mener le Parti depuis le début de la Confédération[6]. Le 20 juillet, à quelques courtes semaines de là à peine, la Colombie britannique allait devenir la sixième province de l'Union. Le gouvernement canadien s'était engagé à commencer la construction d'un chemin de fer en direction du Pacifique moins de deux ans après l'entrée de la nouvelle province au sein de la Confédération et à le terminer dans les dix ans qui suivraient.

L'engagement était énorme. Il est vrai que Sir Georges-Étienne Cartier, peu après que la Chambre eût ratifié les termes de l'Union, avait introduit au nom du gouvernement une résolution pour expliquer sinon préciser tout à fait comment le Canada comptait s'y prendre pour le réaliser. Selon cette résolution, c'étaient des compagnies privées et non le gouvernement, qui devaient construire la ligne. Le gouvernement contribuerait au projet en lui allouant tous les terrains dont il aurait besoin et en lui octroyant un financement, mais celui-ci ne pourrait en aucun cas constituer "une surcharge malvenue pour les ressources et la prospérité du

Dominion". Était-ce une interprétation valable du contrat. C'était plutôt douteux. Mais, même dans le cas contraire, le Dominion se trouvait pris avec une lourde responsabilité, tout à fait clairement définie. Il fallait choisir une compagnie. Pour que le projet réussisse, il fallait choisir une compagnie commerciale, assez respectable pour agir au nom de la nation et digne de recevoir le soutien financier de la nation. Le projet était peut-être le plus ambitieux de tous les projets nationaux. Très vite, Macdonald et ses collègues devraient choisir, et bien choisir, entre divers petits groupes de capitalistes qui étaient en train de s'associer et qui allaient bien vite entrer ouvertement en compétition pour décrocher le permis de construire le chemin de fer canadien du Pacifique. L'un de ces groupes s'était d'ailleurs déjà manifesté. Macdonald n'était pas rentré à Ottawa depuis plus de six semaines et la Colombie britannique n'était même pas encore membre de l'Union qu'une première société de promoteurs de chemins de fer s'était présentée à son bureau à la fin d'une étouffante journée de juillet.

C'était un petit groupe de sept personnes [7] composé de quatre Canadiens — deux juristes de Toronto et deux "capitalistes" assez peu crédibles, Waddington et Kersteman, qui se révélèrent vite avoir plus de bagout que de ressources financières. Macdonald était sans doute parfaitement conscient que ces hommes n'étaient pas les plus influents. Seuls les trois Américains comptaient vraiment. Il s'agissait de Hurlburt, de New York, de Charles Smith et G.W. McMullen, tous deux de Chicago. Ils avaient le soutien d'un certain nombre de banquiers et d'entrepreneurs américains bien connus. Macdonald rencontrait McMullen pour la première fois. McMullen était un ex-Canadien. Il avait grandi dans le comté de Prince Edward et était parti à Chicago prendre le contrôle de l'*Evening Post*. Il s'intéressait à diverses entreprises de construction de voies maritimes et de chemins de fer. Macdonald se montra naturellement affable avec ses visiteurs, mais il leur dit franchement qu'il n'y avait absolument rien à faire pour le moment. "Nous avons rencontré ces gentlemen américains venus de Chicago", dit-il à George Jackson quelques jours plus tard, "mais leur démarche était prématurée. C'est ce respectable vieux fou de Waddington qui les a malencontreusement pressés d'agir [8]."

Le gouvernement ne pouvait agir sans avoir effectué des repérages géographiques à travers le pays. Il fallait également l'autorisation du Parlement. Et pour le moment, rien n'avait été entrepris en ce sens. Par ailleurs, Macdonald éprouvait une certaine méfiance instinctive pour une association où les Américains étaient aussi majoritaires. Il se rendait compte toutefois de l'importance de l'entrevue, même si elle n'avait pu déboucher sur rien de concret. Le gouvernement allait très rapidement devoir passer un accord avec un groupe de financiers du même genre que celui qui était venu le voir. C'est en partie pour cela qu'il voulait régler la question du dédommagement britannique en compensation des raids fenians. Le traité, l'endossement de l'emprunt et le chemin de fer du Pacifique constitueraient autant de formidables facteurs de développement pour le pays et permettraient à coup sûr de vaincre l'Opposition. Macdonald attendit sans s'inquiéter l'offre de l'Angleterre, l'offre qui allait récompenser le Canada de ses sacrifices et qui allait le récompenser, lui, de sa soumission.

Mais la réponse qu'il reçut lui procura une violente surprise. La première dépêche du ministère des Colonies était une dissertation paternaliste et hautaine sur les bénéfices qu'allait tirer le Canada du traité de Washington. Il n'y avait pas la moindre allusion à un éventuel dédommagement pour les raids fenians. Lord Kimberley y fit allusion quelques jours plus tard dans une lettre personnelle adressée à Lisgar, mais de manière surprenante et désagréable à l'extrême. "Quelles sont les intentions de Sir John A. Macdonald? demandait Kimberley au gouverneur général. S'il est disposé à faire tout en son pouvoir pour faire entériner le traité, nous sommes prêts à le soutenir en ce qui concerne les raids fenians, mais il doit bien comprendre qu'il n'a aucune chance d'obtenir des concessions dans le genre d'une garantie d'emprunt pour le chemin de fer du Pacifique. (...) nous pouvons prendre en considération les plaintes concernant les raids fenians puisque le traité n'en fait pas mention, mais il ne faut pas que Sir John A. Macdonald soit sous l'impression que nous ferons d'autres concessions [9]." En fait, il ne s'agissait de rien d'autre que d'un méchant marchandage. Lisgar communiqua la lettre à Macdonald. Celui-ci en fut déçu et exaspéré. Que voulait dire Lord Kimberley par "de nouvelles concessions"? Pourquoi le ministère des Colonies ergotait-il maintenant alors qu'il s'était solennellement engagé à verser un dédommagement pour les raids fenians? Macdonald avait considéré que cette promesse était un engagement inconditionnel. Il semblait qu'en Angleterre on estimait maintenant qu'elle était liée à la ratification du traité par le Parlement canadien. Il se rendait compte que ce n'est plus les Anglais qui étaient ses obligés, mais celui qui devait faire approuver le traité d'abord.

Macdonald n'en était encore pas tout à fait conscient, mais le gouvernement Gladstone éprouvait à son égard un mélange de haine, de méfiance et de froide hostilité. Il s'était montré hostile au traité avec les États-Unis. Il n'avait pas voulu démordre de ses positions. Il avait employé des méthodes inacceptables de la part d'un colonial. Lettre après lettre, Grey et Lisgar s'étaient évertués à le déprécier et à critiquer sa conduite. Une ultime et stupéfiante révélation vint clore la liste progressive des défauts de Macdonald. Lisgar ne s'était jamais gêné pour citer en toute liberté de larges extraits des communications personnelles que faisait Macdonald à ses collègues d'Ottawa. Des phrases entières, de pleins paragraphes étaient repris, hors de leur contexte, afin de montrer le Premier ministre canadien sous son jour le plus défavorable. Lisgar finit par transcrire un dernier extrait d'une lettre confidentielle que Macdonald aurait envoyée à Hincks dans les tout derniers jours de la Conférence de Washington. "Notre véritable politique, aurait écrit Macdonald, est de faire croire à l'Angleterre que nous ne signerons pas le traité. Elle a tellement envie d'éviter toute cause possible de litige avec les États-Unis que nous pourrons l'amener à nous faire des offres généreuses [10]."

Cette surprenante citation dont prirent connaissance quelques membres du Cabinet Gladstone provoqua des commentaires acerbes. "Si je comprends bien, écrivit Kimberley, Macdonald entend jouer un jeu que l'on pourrait qualifier de fourbe pour le moins [11]." Gladstone était tout aussi définitif. "J'espère, écrivit-il, que les offres généreuses que Sir John A. Macdonald à l'intention de nous extorquer équivaudront à *Nihil* [12]." Kimberley résuma parfaitement l'opinion de ses collègues en citant la Bible: "C'est en vain qu'on tend le filet pour capturer l'oiseau [13]." La suspiscion et la mesquinerie devinrent de mise chaque fois qu'il s'agissait du Canada. Le Cabinet britannique décida de rapatrier immédiatement les troupes basées dans les garnisons du Dominion. Il décida en outre de ne rien faire pour honorer sa promesse concernant les raids fenians jusqu'à ce que Macdonald ait publiquement pris position; et enfin il affirma que ce dernier ne recevrait aucune distinction honorifique tant qu'il n'aurait pas réussi à convaincre le Parlement canadien d'entériner le traité [14]. Kimberley écrivit: "Dans son cas, le moyen le plus sûr est de le payer lorsqu'il aura obtenu de bons résultats [15]."

Macdonald n'était pas au courant de tout cela. Mais l'incroyable question que posait Kimberley dans sa lettre était en soi suffisamment révélatrice. Vers la fin de juillet, Macdonald se mit en devoir de rédiger une longue lettre personnelle adressée à Lord Lisgar, mais qui était en fait une réponse à Lord Kimberley. Quelle serait sa position concernant le traité? "Il serait plus pertinent de poser la question suivante: quelle sera la position du gouvernement canadien?", écrivit Macdonald. Il promit que le Cabinet se réunirait dès la fin des vacances et étudierait la question "sous tous ses angles". Mais il prit soin également de rappeler au gouverneur général que le Conseil avait déjà exprimé ses objections à propos des dispositions relatives aux zones de pêche et avait déjà mentionné que le Parlement canadien ne les ratifierait sans doute pas. "Le Conseil à ma connaissance, poursuivit Macdonald, n'a pas changé d'avis (...) permettez-moi de vous demander d'insister auprès du Gouvernement de Sa Majesté pour qu'il prenne conscience à quel point il est urgent de nous donner des assurances satisfaisantes concernant le dédommagement pour les raids fenians et l'annonce de la résiliation du traité. J'espère que le gouvernement impérial n'éprouvera pas la tentation de lier ce dédommagement à notre ratification du traité. Si cela se produisait, j'estimerais qu'il y a un fossé qui nous sépare et j'abandonnerais immédiatement toute idée d'influencer mes collègues ou le peuple du Canada pour qu'ils acceptent le traité [16]."

C'était parler clairement! Quelques jours après avoir achevé sa lettre, Macdonald partit pour Rivière-du-Loup. Il avait vraiment besoin de vacances. Il laissait derrière lui une divergence de vues qui allait bientôt dégénérer en querelle ouverte. Le ton condescendant, temporisateur des messages qui arrivaient d'Angleterre l'exaspéraient. Lisgar et Kimberley, de leur côté, étaient énervés par ce qu'ils considéraient comme une attitude évasive et désinvolte de sa part. "Nous vivons sans aucun doute une crise sérieuse entre la colonie et la métropole, écrivit gravement Kimberley à Lisgar, mais je ne désespère pas d'en arriver à un règlement satisfaisant [17]." La lettre de Macdonald lui avait bien sûr été transmise. Il la qualifia de "très peu satisfaisante". Vers la fin de septembre, Kimberley câbla sa réponse. Il eut recours à un moyen de communication assez formel en envoyant une dépêche secrète au gouverneur général. Il confessa à Lisgar que sa dépêche pouvait "prêter à controverse". C'était le moins qu'on puisse dire. Le secrétaire aux Colonies commençait par accepter la version de Macdonald à propos de la promesse de Grey relative aux raids fenians. Mais il poursuivait en rappelant que cette compensation "ne constituait en rien un précédent" et qu'il fallait qu'elle "entre dans le cadre d'un grand accord final entre la Grande-Bretagne et les États-Unis". Comment Macdonald pouvait-il dès lors prétendre que la promesse de Grey était inconditionnelle? "Selon sa propre argumentation", poursuivait Kimberley d'un ton qui se voulait convaincant, "les assurances qu'à données Lord Ripon concernant un dédommagement pour les raids fenians dépendaient du règlement de tous les autres points de litige avec les États-Unis (...) J'ai du mal à imaginer comment on pourrait considérer que tous les problèmes entre la Grande-Bretagne et les États-Unis sont réglés si le Canada dénonce une importante partie du traité et si la question des zones de pêche n'est pas résolue. Le gouvernement de Sa Majesté compte honorer strictement sa promesse, mais il refuse absolument d'admettre qu'on puisse interpréter une promesse conditionnelle comme une promesse inconditionnelle (...) [18]." Il fallait donc continuer d'entendre que la promesse était conditionnelle. De plus Kimberley sous-entendait, sans insister de façon trop dogmatique, que la condition ne serait rien moins que la ratification du traité par le Parlement du Dominion.

## II

Macdonald ne se hâta pas de répondre. On était en automne, mais le Congrès américain ne s'était pas encore réuni. Il disposait donc d'un temps de répit qu'il pouvait consacrer à ses affaires personnelles et à sa propre vie publique. Son bureau d'avocats, qui s'appelait maintenant

Macdonald et Patton, était sur le point de quitter Kingston pour Toronto. À la fin de cet automne-là, Macdonald déménagea de nouveau avec sa famille. Sa nouvelle maison, située dans la banlieue est d'Ottawa, se trouvait dans ce quartier qu'on allait appeler par la suite Sandy Hill. Il dut en prendre possession avant qu'elle ne fût complètement terminée. En novembre, il dut garder le lit à cause d'une sérieuse angine provoquée probablement, pensait-il, par ce déménagement prématuré [19]. "J'ai traversé une période de malchance", écrivit-il un peu plus tard à son vieil ami Alexander Campbell. "À peine débarrassé de mon angine, j'ai dû aller voir le dentiste. Il m'a tellement abîmé la bouche qu'il a fallu utiliser le bistouri, la sonde et me brûler [20]." Macdonald n'avait jamais eu une santé de fer. Il souffrait constamment de toute une série de petits maux et de légers malaises. Il savait maintenant, un an après sa convalescence à l'Île-du-Prince-Édouard, que la terrible maladie de 1870 l'avait marqué pour la vie. Il n'avait cependant pas la moindre intention de renoncer à l'objectif qu'il s'était fixé. "(...) je crois avoir encore certaines ressources, dit-il à son ami Gowan, je désire vraiment mener à bien le projet de Confédération avant de tirer ma dernière révérence au public canadien devant lequel j'ai joué mon rôle si longtemps [21]." Il était sûr au fond de lui qu'il avait à jouer un rôle historique précis. Son sens créateur le poussait à achever le travail qu'il avait commencé, qu'il savait être en grande partie son oeuvre et qu'il était décidé à réaliser dans le moindre détail aussi parfaitement qu'il l'avait imaginé en lui-même.

Cet automne-là, il mesura ses chances électorales. Dans la province de Québec, Cartier était devenu très impopulaire auprès de la population anglophone de Montréal qui jusque-là l'avait toujours chaleureusement appuyé. Au Manitoba, une malheureuse tentative d'évasion avortée d'un certain nombre de fenians ramena le personnage de Riel sur le devant de la scène, raviva la vieille campagne en faveur de l'amnistie de tous les opposants politiques qui avaient participé à la révolte de la rivière Rouge et, en Ontario, provoqua un nouveau déferlement de colère protestante et francophobe. L'Ontario était la province la plus peuplée et du point de vue politique la plus puissante, c'était le fief personnel de Macdonald. Mais c'est là que les conservateurs semblaient avoir le plus de difficulté et semblaient le plus faible. Les agriculteurs ontariens ne tiraient aucun avantage du traité de Washington. La résurgence des troubles au Manitoba avait une nouvelle fois scandalisé les Orangistes ontariens. Mais il y avait pire. Le gouvernement provincial à Toronto était dirigé par John Sandfield Macdonald, cet ancien adversaire de Macdonald devenu par la suite son allié. Ce gouvernement l'avait toujours vigoureusement appuyé depuis la création de la Confédération. Or de toute évidence, il était en train de perdre du terrain. Les attaques des libéraux provinciaux se faisaient de plus en plus violentes. À la fin de cet automne-là, après avoir subi un revers à la Chambre provinciale, Sandfield Macdonald démissionna. Edward Blake forma le nouveau gouvernement réformiste. "Inutile de préciser, écrivit Macdonald, que je considère la défaite de l'administration Sandfield comme un événement très malheureux, dont on ne peut prévoir les conséquences [22]." Les conséquences allaient en être probablement très malheureuses aussi. Sandfield avait perdu le pouvoir au moment où Macdonald avait le plus vitalement besoin de son appui. Une défaite au niveau provincial ne laissait rien présager de bon quant à une éventuelle victoire au fédéral.

Macdonald avait grand besoin de nouvelles politiques, de politiques positives et populaires. Mais ses nouvelles politiques — l'emprunt garanti et la construction du chemin de fer du Pacifique — étaient toutes deux bloquées. Au début de l'automne, les promoteurs américains Smith et McMullen revinrent à Ottawa. Ils avaient cette fois un nouvel associé canadien de plus d'importance. Il s'agissait d'Hugh Allan, l'armateur montréalais à la barbe blanche. Allan était propriétaire d'une ligne de transatlantiques qui portait son nom. Il venait d'être élevé au rang de chevalier pour services rendus au commerce transatlantique. "Allan s'est associé à des capitalistes américains, écrivit Macdonald à un ami journaliste. Le groupe demande au gouvernement canadien l'autorisation de construire notre ligne de chemin de fer du Pacifique. Le gouvernement est bien sûr heureux de recevoir de telles demandes. Elles prouvent l'intérêt que l'on porte à l'entreprise et en démontrent la valeur. Mais jusqu'à présent, nous ne sommes arrivés à aucune conclusion. Soyez sûr que nous veillerons à la sauvegarde des intérêts canadiens et que nous ne permettrons à aucun groupe américain d'en prendre le contrôle [23]." Il était évidemment impossible de passer quelque accord que ce soit avec un consortium financier sans en référer au Parlement. Mais lors de ses entretiens avec les membres du groupe d'Allan, autre chose retint Macdonald. Il était inquiet de la prédominance toujours évidente au sein du groupe du capital américain et de l'absence totale de toute participation financière ontarienne. Allan représentait la haute finance de Montréal, mais Toronto était la rivale jalouse et agressive de Montréal. De plus, Toronto était la capitale de l'Ontario, et tout cela se passait au moment où la faiblesse politique de Macdonald y était des plus alarmantes.

C'était cependant le traité qui restait le problème politique le plus embarrassant. Macdonald continuait de se montrer réticent. Sa politique en était une d'expectative. Pendant tout l'automne, il ne fit aucune apparition publique. Il savait que s'il acceptait de participer à des dîners-bénéfice, il lui faudrait parler, et parler du traité "et cela ruinerait toute la politique que j'ai menée durant l'été" [24]. À tous égards, il valait mieux qu'il attende et se taise, qu'il se taise parce qu'il se sentait incertain, peu sûr de lui et en difficulté. Mais, en même temps, il était absolument indispensable que les gouvernements canadien et britannique en arrivent à un accord sur le dédommagement des raids fenians avant l'ouverture de la dernière session du Parlement canadien à la fin de l'hiver ou au début du printemps 1872. À la fin de novembre, Macdonald termina sa réponse aux protestations du ministère des Colonies. Le ton de sa missive était un peu plus conciliant que celui de la longue lettre qu'il avait écrite à Lisgar en juillet. Il y répétait que tout le monde détestait le traité. Il y décrivait sa position extrêmement délicate. Par contre, il admettait que le mouvement d'opposition populaire avait sensiblement baissé. Il laissait entendre qu'il gardait espoir de voir le traité ratifié si le gouvernement britannique renforçait la position du gouvernement canadien. Il niait avec véhémence que la promesse de compensation pour les raids fenians eût jamais dépendu d'actes qu'il aurait eu à poser, lui, ou d'actions futures du Parlement canadien. On lui avait fait cette promesse en cours de négociation. Elle avait pour but de faire avancer les choses en l'invitant à ne pas soulever la question des raids fenians et à accepter les clauses concernant les zones de pêche avec lesquelles il aurait pu être en désaccord. Si les interminables discussions n'avaient pas abouti, alors Macdonald était prêt à admettre que la promesse aurait pu être considérée comme nulle et non avenue. "Mais, rappelait-il à Lord Kimberley, le traité a bel et bien été conclu. Excepté celle des raids fenians, toutes les questions ont été réglées dans la mesure où les deux gouvernements pouvaient les régler. Je considère donc que la promesse du gouvernement de Sa Majesté est devenue absolue et inconditionnelle [25]."

La longue et solide argumentation de la lettre fit peut-être plus d'effet sur les membres du gouvernement Gladstone qu'ils ne voulurent l'admettre. Bien sûr, ils n'avaient pas changé d'opinion à l'égard de Macdonald. Ils s'en méfiaient toujours. Ils trouvaient difficile, confiait Kimberley à Lisgar, de lui faire confiance après tout ce qui s'était passé[26]. Mais au même moment, il était tout aussi difficile de nier la valeur de ses arguments et de minimiser les difficultés auxquelles il faisait face. Le ministère des Colonies qui jusque-là s'était montré intraitable et glacial finit par s'assouplir. Lord Kimberley fit part à Gladstone du fait que le gouvernement britannique devait peut-être envisager de remplacer le versement en argent par une garantie sur l'emprunt des chemins de fer et qu'il "ne fallait pas lier notre dédommagement pour les raids fenians à la ratification du traité de Washington par le Parlement canadien" [27]. Trois jours plus tard, le Cabinet britannique se réunit pour étudier le problème de la compensation. Gladstone informa la Reine "qu'il serait plus efficace de donner au gouvernement canadien le pouvoir de garantir la Législature, que le Parlement étudierait la question de la compensation indépendamment de la position que cette Législature pourrait adopter concernant le traité" [28]. Trois jours plus tard, le ministère des colonies envoya à Lord Lisgar les dépêches et les lettres personnelles qui faisaient état de cette proposition [29].

Elles parvinrent à Ottawa au cours de la troisième semaine de janvier. Le gouvernement canadien fit preuve de la même célérité que le cabinet Gladstone. Macdonald avait eu beaucoup de mal à maintenir l'unité de son Cabinet. Il avait eu de la difficulté à faire accepter à ses collègues — et à accepter lui-même d'ailleurs — les sacrifices qu'impliquait le traité. Avec le temps, et voyant qu'aucune décision ne se prenait, Lisgar avait fini par croire que "ce n'était pas Sir John A. Macdonald qui tâchait de convertir ses collègues, mais les plus compétents d'entre eux qui tâchaient de le convertir, lui" [30]. Macdonald avait eu du mal à oublier les difficultés dans lesquelles le traité l'avait plongé. Il n'avait pas pardonné non plus les affronts qu'il avait dû subir à Washington. Mais le gouvernement britannique semblait s'être departi de sa colère olympienne. Il avait prouvé qu'il souhaitait parvenir à un compromis et faire certaines concessions à propos des demandes canadiennes. Il écrivit une nouvelle fois à Lord Lisgar. Il y rappela son attitude passée et ne put s'empêcher de laisser percer son sentiment de victoire. "J'ai alors décidé, comme vous le savez, rappelait-il au gouverneur général de demander instamment à mes collègues de ne pas tirer de conclusions trop hâtives, de laisser la presse discuter librement du traité et de laisser faire le temps de telle sorte que le Congrès puisse adopter une législation libérale en matière de tarifs douaniers et que le gouvernement de Sa Majesté puisse prendre une décision concernant la question feniane. Ainsi, nous avons de bonnes raisons d'accepter le traité malgré ses désavantages (...) J'ai donc réussi à sauvegarder notre unité. J'ai amené mes collègues à m'écouter. Finalement, ils se sont ralliés à mes vues. D'où, le mémorandum de samedi [31]." Le "mémorandum de samedi" était une décision du Conseil de défendre le traité devant le Parlement en échange d'une garantie britannique pour l'emprunt destiné aux chemins de fer et aux voies maritimes.

## III

Une fois la décision prise, Macdonald partit pour l'ouest. Il se rendit à Toronto. C'était sa première tournée pré-électorale en Ontario. Il devait essayer, si cela lui était possible, de réparer les dégâts causés par la défaite de Sandfield Macdonald. Il devait faire quelques arrangements spécifiques et redonner courage à ses amis. Pendant trois semaines, il accomplit de nombreux déplacements dans les régions de Toronto, d'Hamilton et de Kingston. Il eut des dîners avec des évêques catholiques. Il s'efforça de regagner l'appui de la hiérarchie religieuse que Sandfield Macdonald avait perdu. Il s'adressa à des commerçants, à des banquiers, à des industriels pour obtenir des fonds et créer à Toronto un journal conservateur vraiment respectable. Le *Globe* de George Brown faisait la loi depuis tellement d'années que les conservateurs n'osaient même plus les compter. Et au contraire au moment où le besoin d'une presse pro-gouvernementale forte se faisait de plus en plus sentir, les journaux conservateurs semblaient de plus en plus médiocres. "Le *Leader* ne vaut plus rien (...), se plaignait Macdonald, le *Telegraph* n'est rien d'autre qu'un journal de ragots. Le plus vite il disparaîtra, mieux ce sera [32]." Les conservateurs avaient besoin de quelque chose de neuf, d'un journal distingué qui ferait autorité, et qui serait agréable à lire. Le *Mail*! Macdonald avait fort à faire: il planifiait l'organisation du nouveau journal; il menait les négociations pour le chemin de fer du Pacifique. Il s'efforçait de convaincre les évêques catholiques de lui faire confiance. Il tâcha de les persuader qu'il donnerait au groupe catholique un certain nombre de postes au gouvernement et des emplois dans la fonction publique. "Les prêtres catholiques ont un désir fou d'avoir des représentants au Parlement, fit-il remarquer, c'est le meilleur moyen de les avoir [33]." Il était certain de s'être assuré le soutien des évêques de London et de Kingston, "et je crois, ajoutait-il, que l'archevêque nous est favorable aussi, même si à cause de son caractère un peu spécial, il est difficile de dire combien de temps durera la bonne impression que j'ai faite sur lui" [34]. La tournée dans l'Ouest avait été difficile, mais assez satisfaisante. "J'ai travaillé dur ces dix derniers jours ici, écrivit-il de Toronto, mais j'ai redonné courage à nos amis et dans l'ensemble je suis satisfait des arrangements qui ont été conclus [35]."

Pendant ces quelques jours où il s'occupait de politique locale, ce domaine qu'il connaissait tellement bien, il en était presque venu à oublier cette malheureuse, sombre, triste et humiliante affaire du traité de Washington. Il s'était dit que c'était une affaire classée ou presque. Mais soudain, à l'improviste, toutes les délicates questions internationales que le traité avait apparemment réglées se posèrent à nouveau. Au début de 1872, le comité d'arbitrage, créé conformément aux clauses du traité de Washington pour évaluer les dommages de l'*Alabama* se réunit à Genève et commença ses premières audiences. Tout le monde en Angleterre et au Canada était consterné. Les États-Unis présentèrent un cahier de réclamation qui portait non seulement sur les pertes "directes" causées par l'*Alabama*, mais aussi sur tous les préjudices "indirects" et "consécutifs" car, affirmaient les Américains, l'*Alabama* avait contribué à une prolongation de la guerre! Le gouvernement britannique n'avait à aucun moment accepté ces plaintes exagérées. Les délégués britanniques à la haute commission de Washington avaient tous compris que les États-Unis avaient accepté de ne pas y revenir au moment de l'arbitrage. Les États-Unis n'avaient pas tenu parole! Le Cabinet Gladstone se prépara à la contre-offensive. Il était sûr que l'arbitrage serait bloqué si les Américains persistaient à présenter leurs demandes de dédommagement pour les dommages "indirects". L'accord si difficilement conclu pour régler le problème de l'*Alabama* était remis en question. La vaste réconciliation diplomatique des États-Unis et de l'Empire britannique était tout entière menacée.

Il était évident, aux yeux de Macdonald — et de tous ceux qui suivaient de près l'affaire — que cette volte-face modifiait complètement la question de la ratification canadienne du traité. Jusque-là, c'était surtout le Canada qui avait reproché sa mesquinerie à la diplomatie américaine, qui avait protesté contre les sacrifices qui lui étaient demandés et qui avait fait comprendre qu'il lui serait impossible de ratifier le traité. À présent, les positions étaient inversées. C'était la Grande-Bretagne elle-même, qui, en refusant que se poursuive l'arbitrage concernant l'*Alabama*, pouvait détruire le traité en tout ou en partie. Et si la Grande-Bretagne décidait effectivement d'agir de la sorte, le plus puissant argument en faveur de la ratification canadienne — l'obligation d'une solidarité impériale, le besoin d'une entente anglo-américaine — perdait, pour le Canada tout au moins, une grande partie de sa signification. Pourtant, pour le gouvernement Gladstone harassé, l'argument restait valable. Car il souhaitait sauver ce qu'il pouvait de l'accord afin de ne pas se faire accuser d'avoir dénoncé le traité dans son entier. La Grande-Bretagne craignait doublement la non-ratification canadienne. "Il est plus que jamais dans notre intérêt, affirma Kimberley à Gladstone, de nous entendre avec le gouvernement canadien, si c'est possible [36]." John Rose, pour sa part, rapporta que les cercles officiels de Londres avaient accueilli la proposition d'emprunt garanti "de façon beaucoup plus favorable que je ne l'aurais cru" [37].

Ce revirement de situation dut certainement procurer à Macdonald un plaisir un peu ironique. C'était au tour de la Grande-Bretagne de se sentir inquiète et embarrassée. Le Cabinet Gladstone débattit gravement du nouveau problème et de ses implications au Canada. "Quelle a été la réaction canadienne à la question de l'*Alabama*?" demanda Kimberley à Lisgar dans un télégramme personnel [38]. Le Canada consentirait-il à ratifier les articles du traité relatifs aux zones de pêche, même si l'arbitrage concernant l'*Alabama* échouait? Kimberley affirmait que c'était l'intérêt du Canada de le faire [39]. Il était impossible, laissait entendre John Rose, que les ministres prennent quelque décision que ce soit au sujet de l'emprunt garanti avant d'être sûrs des intentions canadiennes. Ces allusions, ces appels pressants n'impressionnèrent pas Macdonald. On ne l'amènerait pas facilement à faire des déclarations rassurantes. Le Conseil canadien fit la sourde oreille et ne réagit pas. Il se contenta de faire une déclaration très générale de solidarité au Royaume-Uni. Lisgar s'était attendu à ce que les Canadiens fournissent très rapidement des assurances complètes. Leur imprudente lenteur le mit hors de lui. "Tout est la faute, grogna-t-il, de la réticence jalouse de Sir John A. Macdonald et de son habitude invétérée de s'en remettre à la Providence [40]." Le Cabinet canadien rappela poliment au ministère des Colonies qu'il n'avait toujours pas reçu de réponse définitive à sa demande d'emprunt garanti [41]. À moins de recevoir une réponse satisfaisante, il était de toute évidence incapable de rien faire. Accablé de soucis, Kimberley promit de répondre dans les meilleurs délais. C'est à ce moment-là qu'on décida de retarder l'ouverture du Parlement canadien jusqu'au début avril. Ce délai, espérait-on, permettrait à la question de se régler toute seule.

Mais, que la dernière session s'ouvre tôt ou tard, le mandat du Parlement tirait inexorablement à sa fin. Dans très peu de mois, Macdonald devrait faire face à des élections générales. Le problème de la compensation pour les raids fenians n'était pas réglé. Il lui était donc impossible de mettre au point un programme politique complet. Mais, dans les autres secteurs, il tâcha de parachever son programme. Le *Mail* allait bientôt commencer à paraître. C'est lui qui dorénavant serait le porte-parole distingué et puissant de la vérité conservatrice. Macdonald discuta longuement avec T.C. Patteson, son rédacteur en chef, de l'appellation, de la nature et du programme du Parti conservateur. L'épithète "conservateur" semblait, comme c'était déjà arrivé souvent, un peu inadéquat. Il n'était bien sûr pas possible de l'abandonner tout à fait. "Je crois néanmoins, écrivit-il à Patterson, qu'il faudrait dans la mesure du possible laisser le mot "conservateur" en veilleuse. Notre parti devrait s'appeler le Parti d'union. Nous soutenons l'union avec l'Angleterre contre tous les annexionnistes et tous les indépendantistes. Nous sommes pour l'union de toutes les provinces d'Amérique du Nord britannique, y compris l'Île-du-Prince-Édouard et Terre-Neuve, malgré les anticonfédérés de tout bord(...) Que pensez-vous, par exemple, d'un nom comme "Parti constitutionnel d'union"? [42] " Macdonald en quelques mois venait de décrire le grand programme national qu'il avait entrepris près de dix ans plus tôt et qu'il voulait mener à terme: l'union et l'expansion de l'Amérique du Nord britannique dans le cadre et sous la protection d'une alliance anglo-canadienne.

C'était au départ un programme politique. Mais cela devint également très vite un programme économique. Le peuple canadien s'était engagé dans la grande entreprise de peupler le Territoire de Rupert. Il s'était aussi attelé à une tâche tout aussi importante: la construction d'une ligne de chemin de fer transcontinentale qui irait jusqu'au Pacifique. Un fort courant nationaliste sous-tendait ces deux grands projets. Le décevant traité de Washington, avec toutes les concessions qu'il avait impliquées, n'avait fait qu'accroître le désir de bâtir une économie canadienne au service des Canadiens. Le traité avait mis un terme une fois pour toutes à l'espoir tenace de renouveler les traités de réciprocité. Les États-Unis, qui semblaient ouvertement décidés à annexer le Canada, avaient refusé toutes les propositions de libre-échange. Ils avaient opposé une fin de non-recevoir définitive juste au moment où les manufactures canadiennes, qui avaient connu un rapide essor au cours de la guerre civile américaine, étaient plus puissantes, plus diversifiées et plus ambitieuses que jamais. Les industriels constituaient l'avant-garde d'une armée de mécontents. Pour le moment, elle n'était pas organisée. Mais ses effectifs étaient potentiellement très grands. Elle pouvait compter dans ses rangs une masse de plus en plus nombreuse de Canadiens dont le sentiment nationaliste croissait et que révoltait cette tentative avouée de briser leurs espoirs. Ils croyaient en la valeur de leurs propres ressources et étaient décidés à développer leur économie nationale indépendamment des États-Unis et même, si nécessaire, en utilisant les mêmes mesures coercitives que les États-Unis avaient employées contre eux. Cette armée était nombreuse, elle allait certainement le devenir encore plus. Elle attendait qu'un dirigeant politique en prenne le commandement.

Macdonald décida d'en prendre la direction. "La protection des manufactures est une chose délicate", avait-il déclaré à Robert Brown, minotier d'Hamilton, au mois de décembre précédent, "mais il y a moyen, je pense, de s'en occuper de façon à faire échec à l'Opposition grit [43]." En février, lorsqu'il était allé à Toronto pour sa première tournée dans l'ouest, il s'était rendu compte que les fermiers ontariens qui avaient beaucoup misé sur le traité de Washington, mais n'avaient rien obtenu, étaient tous décidés à se venger des États-Unis. "Il est vraiment surprenant, déclara-t-il à George Stephen, de voir à quel point s'est développé dans l'ouest un courant d'opinion favorable aux manufactures nationales. Je suis sûr de pouvoir en tirer grand profit l'été prochain [44]." Les espoirs de Macdonald étaient grands. Mais il ne servait à rien — il ne servirait jamais à rien — de se hâter. Le Canada dépendait encore trop de l'exportation de ses matières premières et de l'importation de produits manufacturés pour préconiser de façon généralisée et excessive une politique de protection tarifaire. Le mot "protectionnisme" lui-même devait encore pour quelque temps rester tabou. Malgré tout, le courant d'opinion favorable au nationalisme économique était puissant. Avec un sens très sûr du slogan juste, Macdonald employa la formule de "Politique nationale" que d'autres avant avaient utilisée à l'occasion, mais jamais de manière systématique. "Le journal", dit-il à Patteson du *Mail*, "doit soutenir la politique nationale en matière de tarifs. Tout en évitant d'employer le mot "protectionnisme", il faut préconiser un réajustement des tarifs douaniers de façon à aider nos manufactures et nos industries [45]."

Industrialisation à l'Est et colonisation à l'Ouest: c'étaient là deux politiques nationales en étroite corrélation. La construction d'un chemin de fer transcontinental totalement canadien était le troisième grand objectif de son programme. Le chemin de fer constituerait le lien physique entre les deux autres projets. Au cours de l'hiver, le projet de chemin de fer avait évolué rapidement. Mais Macdonald n'était pas trop satisfait. Au début de mars, le groupe de Sir Hugh Allan, la Canada Pacific Railway Company, présenta au gouvernement une proposition préliminaire. Allan ne s'était malheureusement toujours pas débarrassé de ses associés américains, McMullen, Smith, Jay Cooke et consorts qui, pour la plupart, s'intéressaient de très près à une entreprise américaine concurrente, la

Northern Pacific Railway. Et, ce qui était peut-être encore plus dommage, Allan n'avait manifestement pas réussi à intéresser à son projet les capitalistes de Toronto ou même d'autres capitalistes importants de Montréal. Brydges, de Montréal, ancien directeur général du Grand Trunk Railway et David L. Macpherson, dirigeant du groupe des promoteurs torontois, avaient tous deux refusé de s'associer à l'entreprise en alléguant que les Américains y exerceraient un contrôle absolu. Macpherson, non content de ne pas s'associer à l'entreprise d'Allan, créa même très rapidement une société rivale, l'Interoceanic Railway Company qui à son tour présenta un projet de construction d'une ligne ferroviaire du Pacifique.

Que faire? Comment Macdonald pouvait-il trancher en faveur des Montréalais ou des Torontois? Hugh Allan, qu'il connaissait beaucoup moins bien que Macpherson, était de toute évidence le plus âgé, le plus expérimenté, celui qui jouissait du plus grand prestige international. Macpherson était un ami personnel de Macdonald, un ami fidèle et dévoué. L'année précédente, quand Macdonald avait été si gravement malade et qu'on avait découvert à quel point l'état de ses finances était catastrophique, c'est Macpherson qui avait présidé le petit comité qui avait réussi à collecter plus de soixante-sept mille dollars et qui les lui avait remis "en témoignage d'estime" [46]. Macpherson était un ami et Macdonald voulait faire tout en son pouvoir pour l'aider. De plus, Macpherson était un bon conservateur. Ses associés de l'Interoceanic et lui constituaient un pouvoir financier réel. Et surtout, ils venaient de Toronto. Ils représentaient des intérêts de la métropole et de la province que Macdonald avait le devoir de promouvoir et qu'il ne pouvait ignorer sans courir de sérieux risques. Il fit tout ce qu'il put pour aider Macpherson. Il lui répondit dès qu'il reçut le projet de l'Interoceanic Company. Il releva les quelques faiblesses du projet par rapport au plan d'Allan [47]. Il ne voulait pas que Macpherson échoue. Mais il savait au fond de lui-même que l'Interoceanic Company ne recevrait pas la charte. Pas plus d'ailleurs qu'Allan et ses dangereux associés américains. Les deux compagnies seraient éliminées si elles restaient chacune de leur côté. Par contre, si elles fusionnaient, elles devenaient immédiatement acceptables. La solution était toute simple. Les douteux amis américains d'Allan seraient obligés de se retirer. Macpherson et son groupe de Torontois prendraient leur place. La solution au problème était une fusion des groupes d'intérêts de Toronto et de Montréal, dit-il à Rose, "et Allan sera, je pense, obligé de laisser tomber ses collègues yankees" [48].

Mais Allan ne voulait absolument pas laisser tomber ses "collègues yankees". Macdonald avait espéré qu'Allan se rallierait à son point de vue. Il n'en fit rien. Allan prit la seule décision inexplicable d'une carrière, par ailleurs parfaite. Homme mûr, couronné de succès, qui avait réussi sans se mêler de politique et qui, avec son titre de chevalier, sa grande demeure de Ravenscray et sa flottille de transatlantiques, était au faîte d'une carrière éminemment respectable, se laissa aller tout à coup, dans un moment de vanité et d'aveuglement, à jouer un double jeu et à se lancer dans l'intrigue et le mensonge. Allan était parfaitement conscient, lorsqu'il vint à Ottawa en début de session, que le Premier ministre, le gouvernement tout entier, et la grande majorité des députés des deux partis était totalement opposés à ce que des intérêts américains de quelque importance fussent mêlés au chemin de fer transcanadien. C'était tellement clair qu'il avait donné instruction à son avoué, J.J.C. Abbott, de rédiger les statuts de sa compagnie de façon à ce que tous les étrangers fussent exclus du conseil d'administration. Extérieurement, Allan semblait disposé à accepter scrupuleusement l'opinion publique. Mais en secret il n'avait pas coupé les ponts avec ses associés américains. Il n'hésita pas le moins du monde à s'opposer au désir manifeste de la nation. De la même manière, Allan était également disposé à faire tout en son pouvoir pour tirer le plus grand bénéfice possible du projet gouvernemental de fusion des deux groupes financiers.

Tout au long de la session, le gouvernement prit grand soin de garder une position de neutralité absolue. Les deux compagnies rivales furent incorporées avec des statuts presque identiques. Un troisième projet de loi donnait pouvoir au gouvernement d'octroyer des terrains et des fonds à celle des deux compagnies qui obtiendrait finalement la charte. Un choix difficile semblait inévitable. Dès le départ, le Cabinet espérait éviter le dilemme en procédant rapidement à la fusion des deux sociétés compétitives. Allan se déclara tout à fait prêt à accepter la fusion si elle se faisait à ses propres conditions. Et ses conditions n'étaient rien moins que la présidence de la compagnie, pour lui, assortie du contrôle financier de la société — contrôle qu'il partagerait secrètement avec ses associés américains. Il comptait obliger le gouvernement à accepter. Il avait déjà choisi le point faible sur lequel il comptait faire pression. C'était Cartier. Cartier était en assez mauvaise posture. Sa popularité déclinait. Il avait déjà perdu le soutien des anglophones de Montréal et, dans les circonstances, il serait assez facile de lui aliéner ses vieux partisans canadiens-français. Cartier était toujours l'avoué du Grand Trunk Railway. Cette compagnie dont les principales lignes se trouvaient sur la rive sud du Saint-Laurent, était tout naturellement, pensait-on, hostile au projet de construction d'une nouvelle ligne qui, de Québec à Montréal suivrait la rive nord du fleuve, avant de se poursuivre jusqu'à Ottawa. Mais la ligne de la rive nord était populaire à Montréal. Il y avait facilement moyen de la rendre plus populaire encore. Allan était président du Northern Colonization Railway, le prolongement ouest de la ligne de la rive nord qui reliait Montréal à Ottawa. Il s'empara de tout le projet et en devint le principal supporteur. Il engagea des journalistes canadiens-français pour vanter les mérites de la ligne de la rive nord. Il paya des politiciens canadiens-français pour en parler en public. Il commença à distribuer généreusement de l'argent liquide à gauche et à droite. "Il est indispensable de distribuer de l'argent sous la table. Il faut payer comptant" [49], écrivit-il à son ami Smith de Chicago. Il se mit à payer de plus en plus de monde. L'opposition à Cartier se mit à gronder de plus en plus fort.

Sur le moment, Macdonald ne se rendit pas exactement compte de ce qui se passait. Il n'était pas conscient du fait que Cartier était dans une situation de plus en plus précaire, ni surtout que c'était la méchanceté qui était à l'origine de tout. En fait, Macdonald se sentait confiant et de bonne humeur. La session se déroulait selon ses voeux. Et le Parti venait tout juste d'avoir une chance énorme. Tout au long de l'hiver, les syndicats canadiens — leur nombre était en lui-même significatif de l'industrialisation croissante au Canada — avaient activement revendiqué une réduction des heures de travail. Depuis Ottawa, Macdonald avait observé ce qui s'appelait le "Mouvement pour les neuf heures" avec curiosité et intérêt, comme un animal en alerte, le museau tendu, flairant sa proie ou le danger. Montréal, Toronto et Hamilton étaient évidemment les centres de l'agitation ouvrière. Le *Globe* de George Brown était imprimé et publié à Toronto. Le syndicat des typographes y était bien organisé. Il se mit en grève vers la fin mars. Mais par une chance extraordinaire, le *Mail* n'avait pas encore paru. Il ne fut donc pas mêlé à la controverse. Par une chance plus grande encore, le propriétaire du *Leader*, ce journal conservateur que Macdonald avait décrit avec tant de mépris quelque temps plus tôt, accorda aux grévistes ce qu'ils réclamaient. Le *Leader* continua de paraître et soutint vigoureusement dans ses pages le mouvement des neuf heures de travail.

Tout cela était déjà très satisfaisant; mais il y eut encore mieux. Le Parti conservateur bénéficia d'une autre chance inespérée, à savoir la conduite hautaine de George Brown. Brown prit la tête du mouvement des maîtres-imprimeurs qui combattaient la grève. Il écorcha les grévistes dans ses colonnes et le peuple le soupçonna d'avoir inspiré ou organisé l'arrestation des vingt-trois grévistes accusés de conspiration. Dès le début de leur procès, un état de chose regrettable, presque honteux fut révélé au public. Les législatures du Canada n'avaient évidemment jamais eu à régler de problèmes syndicaux. Au Canada, la seule loi qui régissait le monde du travail était la *Common Law*. Aux termes de la loi, les vingt-trois typographes arrêtés, du simple fait qu'ils avaient appartenu à un syndicat et qu'ils s'étaient mis en grève, furent déclarés coupables d'avoir fait partie d'une association illégale qui visait à nuire au commerce. George Brown avait apparemment gagné, mais sa victoire était impopulaire et ne correspondait pas à ce qu'il aurait voulu. Le public l'accusait d'avoir exhumé des précédents légaux qui n'avaient plus cours pour attaquer malhonnêtement des adversaires plus faibles que lui [50].

Macdonald comprit immédiatement l'avantage qu'il pourrait en tirer. Il s'était déjà intéressé à l'industrie. Il voyait maintenant comment épouser la cause des travailleurs. Il avait instinctivement le sens de cette démocratie de type tory que Disraeli allait préciser un peu plus tard. Comme par magie, il avait la chance de récompenser les travailleurs et de mettre les réformistes en échec. Les circonstances auraient difficilement pu être plus favorables. Il avait le moyen d'agir. L'année précédente, Gladstone avait tiré les syndicats de Grande-Bretagne d'une situation à peu près aussi ambiguë en faisant adopter la Loi sur les syndicats et l'Acte d'amendement au code criminel. Il suffisait à Macdonald de transposer les deux lois britanniques de 1871 en les adaptant aux conditions spécifiquement canadiennes. L'orthodoxie de la législation Gladstone ne pourrait être remise en question. Elle ferait taire toutes les critiques. La situation devait procurer un immense plaisir à Macdonald. Il était capable de confondre George Brown en utilisant William Ewart Gladstone! Il était capable de museler le disciple en utilisant la dernière révélation du maître!

Pendant ce temps-là, les longues et complexes négociations en vue du dédommagement des raids fenians, avaient enfin abouti. Le 16 mars, le gouvernement Gladstone offrit de garantir un emprunt canadien de deux millions cinq cent mille livres destiné aux chemins de fer et aux voies maritimes. Les Canadiens avaient émis l'objection qu'ils ne pourraient ratifier les clauses du traité de Washington relatives aux zones de pêche avant que l'imbroglio de l'*Alabama* ne fût résolu. Le gouvernement Gladstone leur suggéra donc de ne rendre la ratification effective qu'après qu'un ordre en conseil eût été passé [51]. Le Conseil canadien essaya de se livrer à un marchandage de dernière minute, tenta d'augmenter le montant de l'emprunt, hésita et tergiversa encore, mais après l'ouverture du Parlement, le 11 avril, le long exercice de patience et de persuasion de Macdonald approcha de sa fin. Il avait beaucoup plus de difficulté à convaincre ses collègues que Lisgar et Kimberley ne l'avaient pensé au moins au début. Les Anglais en général et le ministère des Colonies en particulier reçurent un véritable choc quand Joseph Howe, un des ministres du Cabinet que Lisgar pensait favorable au traité de Washington, profita d'un discours au Young Men's Christian Association d'Ottawa, pour se lancer dans une vive dénonciation des "efforts diplomatiques récents de l'Angleterre pour acheter sa paix au prix de nos intérêts" [52].

Après cette vive sortie qui aboutit presque à la démission de Howe, les Britanniques s'enlevèrent de l'idée que certains collègues de Macdonald, zélés et loyaux, faisaient tout en leur possible pour le persuader de ratifier les clauses relatives aux zones de pêche. Quelques jours après l'ouverture de la session, Macdonald écrivit à John Rose: "Après de nombreux mois de travail et d'anxiété, j'ai réussi à rallier mes collègues. Nous nous sommes finalement mis d'accord pour présenter au Parlement durant cette session un projet de loi ratifiant les clauses relatives aux zones de pêche, avec une clause qui en suspend l'entrée en vigueur jusqu'à ce qu'un ordre en conseil soit passé; en contrepartie, le gouvernement de Sa Majesté nous garantit notre emprunt jusqu'à concurrence de deux millions et demi [53]."

Macdonald n'avait sans doute jamais espéré aboutir à une autre solution. "La principale raison qui m'a toujours permis de battre Brown", confia-t-il à Mathew Cooks Cameron, "est d'avoir été capable d'envisager les choses à long terme. Brown, lui, n'a jamais pu résister à la tentation d'une victoire temporaire." [54] Macdonald n'était pas homme à se laisser séduire par un triomphe ou une revanche temporaires. Le long terme l'emportait toujours. Il savait se fixer des objectifs lointains. Tirant profit de toutes les leçons du passé, il était capable d'envisager de façon réaliste l'avenir. Son manque de courtoisie prémédité à Washington, le long marchandage avec le ministère des Colonies, l'exaspérant soupçon que quelqu'un tâchait secrètement, comme il le confia à Rose, de minimiser ses difficultés, n'étaient, dans une perspective à long terme, que d'inévitables petites frictions, semblables à des heurts entre individus d'une même famille, cette famille qui, seule permettait au Canada de survivre en tant que nation distincte et indépendante en Amérique du Nord. Il fallait de temps en temps savoir faire des concessions. Certaines affaires étaient moins bonnes que d'autres. Et même ce qui semblait un énorme sacrifice diplomatique aux yeux de certains Canadiens peu avertis n'était en définitive qu'un tribut bien peu élevé en regard du maintien de l'alliance anglo-canadienne qui était la réalité sous-jacente au lien impérial, et qui était aussi la condition et le garant de l'autonomie du Canada sur le nouveau continent.

Macdonald croyait que cette alliance pourrait durer indéfiniment. Même s'il n'avait jamais fait totalement confiance en la loyauté de Gladstone, Lowe, Cardwell et Bright. Il se disait que, dans l'actuel Cabinet, certaines personnes, selon les paroles de Lord Kimberley, ne "se gênaient pas pour émettre ouvertement leurs opinions". Pour eux, l'Angleterre avait tout intérêt à se débarrasser de ses colonies [55]. Pourtant les soupçons de Macdonald, même s'ils étaient fondés, n'avaient jamais diminué sa foi en la permanence de l'association avec l'Empire. Les "Little Englanders", partisans de la petite Angleterre, étaient assez influents depuis quelque temps au sein de la classe dirigeante britannique. Pourtant, comme Macdonald avait de bonnes raisons de le supposer, même les plus extrémistes des "Little Englanders" étaient conscients de la justesse de certaines revendications, de la réalité de certaines loyautés et de certains devoirs historiques. Gladstone lui-même avait admis que l'entente ne serait jamais dissoute unilatéralement. "Si la séparation doit se faire, qu'elle se fasse, écrivit Kimberley, mais je ne m'associerai jamais à une action qui viserait à provoquer la séparation dans le ressentiment [56]." Les ministres britanniques actuels n'étaient, Macdonald s'en rendait compte, que les acteurs provisoires de cette vaste et complexe épopée impériale, qui avait conféré sa grandeur à l'Angleterre et qui ne pourrait jamais se terminer dans la honte, même aux yeux de ses critiques les plus durs. Par-delà le gouvernement Gladstone, il y avait l'Angleterre et son peuple. Il y avait tout ce que les Britanniques avaient pensé, dit et fait pour l'Amérique du Nord britannique, tous leurs efforts, leur audace, leur sagesse et leur magnanimité politiques: Brock qui avait conduit ses volontaires sur les hauteurs de Queenston, Mackenzie qui s'était démené pour atteindre le nord et l'embouchure de son grand fleuve, le colonel By qui avait creusé un canal en pleine forêt jusqu'à la rivière Ottawa et Carnarvon qui s'était levé en Chambre des Lords pour la première lecture de l'Acte de l'Amérique du Nord britannique.

Le 3 mai était un jour de printemps triste et froid. Macdonald prit la parole pour proposer la ratification des clauses du traité de Washington qui concernaient le Canada. Son préambule fut plutôt piètre et peu éloquent [57]. Il commençait souvent mal ses discours. Sa voix était hésitante et difficilement audible. Ce jour-là, la difficulté technique du sujet, les circonstances politiques embarrassantes qui l'avaient entouré, contribua peut-être à la mauvaise performance de l'orateur. Ce n'est qu'après la pause de midi que Macdonald commença à se réchauffer. Il en avait presque fini avec les longs attendus. Il avait donné toutes les explications juridiques. Il maîtrisait maintenant son sujet. Il parla pendant deux heures et demie. Il défendit chaque clause du traité. Il insista sur les sacrifices auxquels consentait la Grande-Bretagne. Il décrivit le profit que le Canada pouvait tirer d'une paix anglo-américaine. Il termina son discours par certains commentaires personnels qui constituaient à la fois une défense de sa propre conduite et un appel à ses compatriotes pour qu'ils fassent preuve de maturité et de bon sens. "Pendant douze mois, dit-il à la Chambre, je n'ai rien dit. Je suis resté silencieux jusqu'à ce jour. Je pensais qu'il valait mieux laisser débattre librement de la question. On a jugé sévèrement mon attitude. Mais si le gouvernement s'était montré favorable au traité, on l'aurait accusé de trahir le peuple canadien. Si le gouvernement s'était opposé au traité, on aurait accusé le Premier ministre de contrevenir aux intérêts de l'Empire. Quelle qu'ait été notre décision, nos adversaires guettaient, prêts à nous attaquer. Mais "le silence est d'or", M. le Président, et j'ai gardé le silence. Je crois qu'après y avoir réfléchi à deux fois, le pays est maintenant d'accord avec le gouvernement qui, lui aussi, a laissé mûrir la question. Nous nous présentons donc au peuple canadien et lui demandons, par l'entremise de ses représentants, d'accepter le traité, de l'accepter avec toutes ses imperfections, de l'accepter pour la paix et pour le plus grand bien de ce vaste Empire dont nous faisons partie [58]."

## Chapitre cinq

# Chantage

## I

La courte fin de session fut une suite ininterrompue de succès. La Chambre adopta le traité de Washington avec une large majorité de cent vingt et une voix pour et cinquante-cinq contre. Tous les nouveaux projets passèrent sans grande difficulté: la loi sur les syndicats, l'abrogation des droits de douane pour le thé et le café, la réforme de la carte électorale qui allouait à l'Ontario par suite du dernier recensement six nouveaux sièges. "Notre session a été un vrai triomphe", écrivit Macdonald à Rose. "Nous n'avons pas subi le moindre échec. L'Opposition est totalement démoralisée et je pars en campagne avec de bons espoirs de réussir en Ontario [1]." Tous les préparatifs étaient terminés. Macdonald avait choisi le terrain le plus favorable. Il avait pris les meilleures dispositions possibles. Même sa campagne de séduction auprès des autorités catholiques commençait à porter fruit. "Je ne puis vous cacher", écrivit chaleureusement l'archevêque Lynch en guise de conclusion à sa lettre rassurante, "que (maintenant que je vous connais), je garde encore espoir de faire de vous un bon catholique [2]." Cette lettre fit beaucoup plaisir à Macdonald! Les cieux au-dessus de la patrie ontarienne semblaient lui être favorables. À l'étranger, la tempête qui menaçait à l'horizon des relations anglo-américaines s'était soudain éloignée comme par enchantement. Les États-Unis retirèrent leurs réclamations pour les dommages "indirects", l'arbitrage concernant l'*Alabama* se poursuit tranquillement à Genève tout en suivant son cours légal. Le règlement pacifique entre l'Empire britannique et les États-Unis était sauf!

La paix et la sécurité étaient assurées à ce Canada transcontinental tout nouveau. Cette période coïncida fort heureusement avec un changement de gouverneur général. Lord Lisgar, le gouverneur, était arrivé sous le nom de Sir John Young, un "simple Bart" pour reprendre ses propres termes. Il allait céder sa place à "un homme de haut rang, de la souche la plus pure", le comte de Dufferin. La présence de Lisgar au poste de gouverneur général avait coïncidé avec l'expansion politique rapide du jeune Dominion et le règlement de ses différents les plus importants avec les États-Unis. Lord Dufferin était aussi compliqué et flatteur que Lisgar était simple et direct. Dufferin allait devoir présider à une tâche plus calme, celle de l'organisation de la nation. Le Dominion n'avait pas encore atteint sa forme définitive. Terre-Neuve et l'Île-du-Prince-Édouard n'en faisaient pas encore partie. Mais l'importance de leur entrée dans la Confédération n'était rien en regard de l'acquisition du Territoire de Rupert ou de l'union avec la Colombie britannique. La période d'expansion fulgurante était terminée. Ce qui restait à faire, maintenant que les États-Unis avaient accepté l'idée de l'existence d'une nation transcontinentale au nord de ses frontières, était d'unifier ce vaste territoire et d'en faire un peuple travailleur et prospère. C'était dans ce but, pour fixer sa rapide victoire, pour accélérer l'expression de l'identité nationale à peine esquissée que Macdonald désirait un autre mandat de cinq ans. "Je suis, comme vous pouvez vous en douter, écrivit-il à John Rose, extrêmement désireux de remporter les prochaines élections; non par intérêt personnel, mais parce que la Confédération est encore toute neuve et qu'elle aurait encore besoin de cinq ans avant d'être vraiment forte [3]." Il faudrait, bien sûr, beaucoup plus de cinq ans pour peupler l'Ouest et créer à l'Est une industrie vraiment puissante. C'étaient de vastes projets à long terme qui dépendaient pour réussir de nouveaux apports humains et de nouveaux investissements. Le gouvernement et le Parlement canadien étaient incapables de les mener à bien en se contentant de légiférer. Le chemin de fer du Pacifique était une affaire tout à fait à part. Pour que la Colombie britannique et le Dominion restent associés, il fallait le finir avant dix ans. C'était la seule façon de prouver au monde que le Canada avait l'esprit d'entreprise et qu'il disposait de véritables ressources.

Macdonald voulait commencer vite. Le chemin de fer du Pacifique était son plus grand travail et constituait une de ses politiques les plus importantes, mais à six semaines des élections, le chemin de fer était aussi devenu sa plus grande source d'inquiétude. L'Interoceanic Railway Company et la Canada Pacific Railway Company continuaient de se faire la guerre. Macdonald se rendait compte qu'il serait difficile, avant le début des élections, de mettre un terme à cette rivalité stupide et de persuader Macpherson et Allan de s'unir. Les difficultés qui l'attendaient étaient énormes. Macpherson doutait toujours de la bonne foi d'Allan. Il le soupçonnait de ne pas s'être détaché de ses associés américains. Macpherson n'était évidemment pas d'humeur à consentir à quelque compromis généreux que ce soit. Apparemment, Allan ne l'était pas non plus. Allan semblait gonflé d'ambition. Un sentiment de puissance de plus en plus fort s'était emparé de lui. Macdonald avait-il suffisamment d'influence pour forcer Allan à faire les concessions qui permettraient d'obtenir le soutien de Macpherson? Il en doutait sérieusement. Au cours des deux derniers mois, ses chances d'imposer une réconciliation aux deux promoteurs et de fusionner leurs compagnies rivales avaient sensiblement diminué, il s'en rendait bien compte maintenant. La force de Macdonald à Montréal et pour tout ce qui concernait Montréal équivalait à peu près à la force ou à la faiblesse de Georges-Étienne Cartier. Cartier, le compagnon querelleur, autoritaire d'autrefois n'était plus, loin s'en faut, celui qu'il avait été. Cartier, en ce début d'été 1872 était amoindri physiquement et politiquement.

Allan avait, en fait, choisi sa victime avec une ruse extraordinaire. Cartier n'allait pas bien. Il souffrait de divers symptômes inquiétants. Certaines parties de ses membres étaient enflées. Il semblait gravement malade. Mais il avait décidé malgré tout de se présenter aux élections dans la circonscription de Montréal-est. Montréal et ses environs constituaient son empire politique. Montréal-est était son vieux fief, c'était vrai. Mais il était vrai aussi que dans Montréal-est, Allan s'était arrangé pour décupler l'intérêt du public vis-à-vis de la ligne ferroviaire de la rive nord et du Northern Colonization Railway. Allan était devenu une véritable force politique. Il combattait Cartier. Cartier, comme Macdonald, s'était montré très soupçonneux à son égard et vis-à-vis de ses liens avec les Américains. "*Aussi longtemps que je vivrai et que je serai dans le ministère*", dit-il à une délégation qui était venu lui demander son opinion concernant le projet favori d'Allan de fusionner le Canada Pacific et le Northern Colonization Railway, "*jamais une sacrée compagnie américaine n'aura le contrôle du Pacifique*"*.[4] Il s'était rendu compte du défaut principal du projet d'Allan: il n'était ni national ni canadien. Mais à Montréal-est, personne ne pouvait croire que l'avoué du Grand Trunk Railway pouvait être impartial. Le tonnerre des critiques si typiquement explosives, si typiquement anti-américaines de Cartier, disparut avant d'avoir commencé à gronder. Vers la fin de juin, il était vraiment évident pour la plupart des gens, si ce ne l'était pas pour Cartier lui-même, qu'il n'avait aucune chance de gagner à Montréal-est si Allan et les intérêts ferroviaires qu'il représentait n'étaient pas apaisés d'une manière ou d'une autre. "J'entends de tous côtés", écrivit Alexander Campbell à Macdonald au début de juin, "qu'il faudra accorder la ligne de la Côte Nord à Allan pour que Cartier puisse se présenter à Montréal-est."[5]

Macdonald était prêt à se rendre à Toronto pour l'ouverture de la campagne. Le chemin de fer du Pacifique était son plus grand sujet d'in-

---

* N.D.T.: en français dans le texte.

quiétude, mais c'était loin d'être son seul souci. Il s'attendait à ce que les élections générales en Ontario soient la plus rude bataille de sa vie politique. Il était prudemment préparé. Il avait bénéficié de plusieurs vrais coups de chance, mais il était obligé de reconnaître que c'était en Ontario, plus qu'ailleurs dans la Confédération, que le gouvernement paierait le plus chèrement la moindre de ses erreurs et la plus petite de ses malchances: Riel, le peuplement du Manitoba, le marchandage avec la Colombie britannique, les tristes omissions du traité de Washington. En Ontario, la nouvelle administration provinciale avait triomphé de John Sanfield Macdonald. Elle avait hâte aussi de battre le Parti conservateur fédéral. Elle ferait peser tout son poids, tout son pouvoir, toute son influence dans la bataille. Il était très possible que Macdonald fût battu. Il était même possible qu'il fût battu d'avance. Et même si l'avenir était incertain, sa présence, Macdonald en était certain, serait constamment nécessaire au plus fort de la bataille. Dans sa campagne dans les régions du centre et de l'ouest de l'Ontario, il faudrait reprendre dans ses harangues *plus d'Americano*, comme il disait. Cela signifiait deux gros mois de campagne électorale épuisante. Il n'avait jamais eu à le faire depuis le début de sa longue carrière de vingt-sept ans de vie politique. Il espérait n'avoir jamais à recommencer. Mais il se persuadait que cette fois c'était vraiment nécessaire et qu'il ne pouvait y échapper. "Je souhaiterais seulement, dit-il à Rose, être physiquement un peu plus fort. Je ne crois pas craquer en cours de route. Dans toutes les autres provinces, nous nous en sortirons, je crois, avec une écrasante majorité [6]."

## II

Au cours de la première semaine de juillet, Agnes et lui s'installèrent à Toronto pour un long séjour estival. Macdonald laissa à Alexander Campbell le soin de s'occuper de sa propre élection à Kingston. Il avait des questions plus générales et plus importantes à régler. La plus importante de toutes était sans doute la fusion des deux compagnies ferroviaires du Pacifique. Le meilleur moyen de parvenir à une entente à l'amiable était sans doute une rencontre des principaux intéressés. Macdonald comptait jouer le rôle d'intermédiaire bénévole entre les deux parties. À peine installé au Queen's Hotel, il écrivit à Montréal pour inviter Allan et Abbott à participer à Toronto à une réunion avec Macpherson. Macdonald avait décidé des grandes lignes de l'arrangement qu'il souhaitait imposer. Le conseil d'administration de la société fusionnée devait être, du point de vue gouvernemental, politiquement justifiable. Aucun conseil d'administration ne pourrait l'être s'il ne reflétait pas la prééminence de l'Ontario. Pour être acceptable, le Conseil devrait comporter treize membres dont cinq seraient nommés par Macpherson, quatre par Allan et le reste par le gouvernement, qui en choisirait un, dans chacune des provinces.[7] Il fallait insister sur ce point pour respecter les intérêts de Macpherson et de l'Ontario. Pour le reste, Macdonald ne voulait pas intervenir dans les détails de la fusion. Il en laissait le soin aux principaux intéressés, avec l'espoir qu'ils pourraient parvenir à un accord à l'amiable. Ses espoirs furent vite déçus. Allan, c'était triste mais c'était peut-être la meilleure preuve de son sentiment de puissance, estima ne pas être en mesure d'accepter l'invitation de Macdonald. Abbott, son avoué, fit seul une brève apparition à la réunion du Queen's Hotel. Dès qu'il commença à discuter en détail de la fusion, une importante divergence de vue se fit jour. Macpherson refusait absolument d'accepter qu'Allan fût désigné à l'avance président de la compagnie [8]. Allan de son côté ne voulait pas laisser à Macpherson la possibilité de nommer plus de membres du conseil d'administration que lui. Il n'y eut ni compromis ni accord. À peine commencée, la réunion tourna en queue de poisson. La première tentative de Macdonald en vue d'une fusion venait d'échouer.

Le soir de ce jour-là qui était le 11 juillet, Macdonald se rendit avec Agnes au Music Hall de Toronto. Il respectait ainsi une autre de ses promesses, une promesse qui allait lui permettre de jouer avec éclat son nouveau personnage "d'ami des travailleurs". Deux semaines plus tôt, il avait reçu une lettre à l'ortographe et à la ponctuation plutôt hésitantes. Elle provenait de John Hewitt, secrétaire à la correspondance de l'Assemblée des syndicats torontois. Les syndicats canadiens souhaitaient offrir un spectacle à Lady Macdonald, "modeste témoignage de notre reconnaissance pour les efforts auxquels vous avez consenti en vue de promouvoir les intérêts de la classe ouvrière de ce Dominion" [9]. Les ouvriers offrirent un élégant coffret en or à Agnes. La remise du cadeau fut suivie d'un discours louangeur qui exposait les efforts du syndicat des typographes pour faire progresser le mouvement des neuf heures. Le discours faisait allusion à l'arrestation "brutale et inattendue" des vingt-trois typographes "à l'instigation du propriétaire d'un journal dont le mauvais caractère le pousse à poursuivre jusqu'à la mort ceux qui se mettent en travers de son chemin" [10].

Macdonald remercia l'assemblée des travailleurs au nom de sa femme et au sien propre. Il promit que toute suggestion des syndicats concernant la législation canadienne du travail serait "promptement et attentivement étudiée". Il termina en s'identifiant avec humour à la sympathique assemblée qui se trouvait devant lui: "(...) le sujet devrait particulièrement m'intéresser", dit-il alors que les spectateurs riaient et manifestaient leur approbation, "étant donné que je suis moi-même un travailleur. Je sais que je travaille plus de neuf heures par jour, et je pense aussi être un véritable artisan. Voyez l'Acte de la Confédération dont j'ai concouru à mettre au point la charpente. Vous admettrez que je suis assez bon menuisier. Et pour ce qui est de constituer des cabinets, j'ai autant d'expérience que Jack et Hay eux-mêmes [11]." Le discours obtint un énorme succès. La réunion se termina par une ovation. À l'extérieur, le public improvisa un cortège. La voiture qui transportait Sir John, Lady Macdonald, Beaty, propriétaire du *Leader* et McCormick, président de l'assemblée des syndicats, se fraya un chemin triomphal à travers les rues. "Les ouvriers", écrivit fièrement Macdonald à Alexander Campbell le lendemain matin, "sont actuellement mes ardents partisans [12]."

Hamilton, l'"ambitieuse cité" à l'entrée du lac Ontario, était l'étape suivante de la tournée. Macdonald et Hincks avaient décidé d'y rendre public un important point du programme gouvernemental. Macdonald s'apprêtait à quitter Toronto le lendemain matin quand il reçut un inquiétant télégramme de Sir Hugh Allan: "Il est très important, disait le message, dans l'intérêt de Sir George et dans celui du gouvernement que la question du chemin de fer du Pacifique soit réglée sans délais. Je n'envoie pas ce télégramme par intérêt personnel. Je tiens à vous aviser qu'une tempête se prépare [13]." Ce qui était arrivé n'était que trop clair. Abbott avait immédiatement informé Allan du rejet de ses demandes et de la fin abrupte de sa réunion avec Macpherson la veille. Sir Hugh avait décidé de faire lui-même pression. Il utilisait les menaces, des menaces de bas étage, de toute évidence, et dénuées de subtilité. Mais son pouvoir était réel. Macdonald sentit soudain qu'il était l'objet d'une tentative de pression de la part de quelqu'un de plus fort, de moins scrupuleux qu'il n'en avait jamais rencontré jusque-là. Avant son départ, il eut juste le temps de demander une faveur à Macpherson. Pour préserver la paix, serait-il d'accord pour aller voir Allan à Montréal, puisqu'Allan ne voulait pas venir le voir à Toronto? Le seul espoir était une rencontre effective des deux principaux intéressés. Macpherson y consentit à contrecoeur. Une fois cette assurance donnée, Macdonald put se décider à partir.

Hamilton était une cité industrielle, déjà orientée vers l'industrie lourde du fer et de l'acier. Sa population s'était rapidement accrue au cours des quelques dernières années. Macdonald avait décidé de donner à Hamilton un des six nouveaux sièges que la réforme de la carte électorale allouait à l'Ontario. Le député de la ville au dernier Parlement était grit. Mais Macdonald était décidé à récupérer l'ancien siège et à remporter le nouveau. Il pensait avoir de bonnes chances grâce à son nouveau programme. La loi sur les syndicats lui ferait gagner les voix des ouvriers d'Hamilton. Il avait déjà laissé entendre clairement aux industriels de la région que la suppression des taxes sur le thé et le café obligerait le gouvernement lors de la prochaine session à proposer un accroissement des taxes à l'importation sur les articles que le Canada était capable de produire[14]. Le 13 juillet, au cours d'une grande assemblée populaire organisée en ville, Hincks et Macdonald annoncèrent pour la première fois la politique conservatrice de protection conjoncturelle [15]. Deux jours plus tard à

Brantford, autre ville industrielle en pleine expansion, Macdonald réitéra le même genre de déclaration. Il décrivit fièrement la croissance industrielle du pays au cours des dernières années et insista sur le fait que, indépendamment du libre-échange et d'autres théories économiques, le Canada devait avoir une politique commerciale protectionniste "bien à lui" [16]. Le "protectionnisme conjoncturel" et la "politique nationale" étaient les deux principaux thèmes des discours de Macdonald et de Hincks pendant leur tournée à travers l'ouest de la province. Le 16 juillet, ils étaient tous les deux à London. Puis il se séparèrent et Macdonald se rendit à Stratford.

Il se trouvait toujours dans l'ouest de l'Ontario quand les mauvaises nouvelles commencèrent à lui parvenir. Il y avait une lettre de Campbell, responsable de sa campagne électorale à Kingston. Il y avait toute une série de lettres et de télégrammes, de plus en plus pressants et inopportuns de Macpherson, d'Allan et de Cartier. Campbell lui écrivait pour lui dire que Carruthers serait son adversaire réformiste à Kingston et qu'on s'attendait à ce que la lutte fût serrée. Tout le monde espérait qu'il allait venir s'installer au British American Hotel et "livrer bataille comme dans le temps" [17]. Il se sentait comme un commandant en chef responsable de la coordination des opérations militaires qu'on invitait tout à coup à se retirer pour affronter un seul ennemi en combat singulier. C'était un nouveau contretemps, mais il était obligé d'aller à Kingston au moins pour l'assemblée de mise en candidature. De ce côté, tout était clair. Mais ce qui l'était moins, ce qui était même tout à fait obscur, c'était la façon dont il pourrait se sortir du délicat imbroglio de l'affaire du chemin de fer du Pacifique. Macpherson avait fait tout ce qu'il avait promis. Il était allé à Montréal et, dans l'après-midi du 18 juillet, il avait longuement discuté de toute la question avec Allan. Il avait apparemment accepté la fusion et avait même accepté un accroissement du nombre de membres du conseil d'administration. Il était d'accord pour qu'Allan et lui en désignent un nombre égal et que le gouvernement nomme les autres. Mais il continuait à refuser catégoriquement d'accepter que Sir Allan fût nommé à l'avance président. Il insistait pour que le choix du président et du vice-président revienne au conseil d'administration une fois que celui-ci serait formé [18].

Les négociations avaient pris un tour nouveau. Rien n'était réglé, mais un accord était possible si seulement Allan pouvait se décider à faire quelques concessions. Et ce dernier semblait apparemment prêt à accepter des compromis. Mais apparemment seulement. Car il était secrètement déterminé à obtenir satisfaction. Il insista pour qu'on fasse clairement comprendre aux membres du conseil d'administration, nouvelle formule, nommés par le gouvernement, qu'ils devaient l'élire président. De plus, une majorité de plus de cinquante pour cent des actions, devaient revenir à ses "amis" [19]. Compte tenu des circonstances, Macdonald savait qu'il était dangereux, et peut-être fatal, d'accéder à de telles demandes. Mais elles n'étaient plus le fait d'Allan seul. Cartier les avait maintenant reprises à son compte. À la veille des élections, il avait enfin pris conscience de l'état désespéré de sa situation et il était prêt à baisser pavillon devant l'homme qui avait eu raison de lui. Le 19 juillet, il télégraphia à Macdonald qui se trouvait à Stratford et lui fit un compte rendu de la rencontre qu'avaient eue la veille Macpherson et Allan. Cartier pressait Macdonald de conclure l'affaire "compte tenu des élections en Ontario et au Québec" [20]. Trois jours plus tard, Macdonald se trouvait à Toronto. Il se dépêchait pour être capable de se rendre à Kingston le jour de la mise en candidature. Il reçut un second télégramme de Cartier qui lui transmettait cette fois le dernier ultimatum d'Allan. Le message d'Allan était clair: "Si le gouvernement s'engage à nommer des membres du conseil d'administration favorables à mon élection à la présidence et à répartir les actions comme je l'ai demandé dans ma lettre d'hier, alors je serai satisfait." Et Cartier avait ajouté un post-scriptum désespéré et mal venu: "Question pourrait donc être immédiatement réglée entre Macpherson et lui. Important qu'elle le soit sans retard." [21]

Mais Macdonald, même si le sort de Cartier en dépendait, ne désirait pas régler la question aux conditions imposées par Allan. Il n'accorderait rien avant d'avoir eu une autre conversation avec Macpherson, ce qui pour le moment n'était pas possible. Macpherson se trouvait toujours à Montréal. Macdonald se rendit en hâte à Kingston. Le stress moral et physique auquel il avait été soumis au cours des dernières semaines ne se fit sentir que le jour de la présentation des candidats. Debout sur l'estrade, devant une foule nombreuse et bruyante, il perdit totalement son sang-froid face à Carruthers, son adversaire et, comme le dirent discrètement les journaux "il y eut un léger contretemps".[22] Macdonald ne pouvait quitter Kingston. La lutte se faisait de plus en plus acharnée et l'issue de la bataille semblait de plus en plus serrée. Il télégraphia à Macpherson pour le prier de s'arrêter à Kingston à son retour de Montréal. Le 26 juillet, les deux hommes se rencontrèrent. Macdonald pressa Macpherson d'accepter qu'Allan, pour des raisons politiques, devînt président. Macpherson continuait de se méfier d'Allan et de ses amis américains, de même que de la sinistre influence qu'ils pouvaient exercer. Mais il ne sembla pas vouloir rejeter complètement l'idée qu'Allan dût assumer la présidence. Il semblait décidé à attendre jusqu'après les élections pour prendre une décision finale. Macdonald sauta sur l'occasion. Il télégraphia à Cartier pour l'autoriser à assurer Allan "que le gouvernement usera de son pouvoir pour lui assurer la présidence". Pour les autres détails, il faudrait attendre jusqu'après les élections [23]. Macdonald n'avait fait finalement qu'une promesse, celle de nommer Allan à la présidence. Et cela se justifiait compte tenu de l'âge d'Allan, de son expérience et de son prestige.

Macdonald termina son télégramme à Cartier sur un mot impératif: "Réponse"! Mais il attendit quatre jours. Puis, le 30 juillet, un télégramme de Cartier et une lettre de Sir Hugh le choquèrent profondément. Il se rendit compte qu'Allan n'était toujours pas satisfait et qu'il avait profité de la faiblesse du pauvre Cartier pour lui extorquer d'ultimes concessions. La présidence, la seule promesse que Macdonald pensait réalisable, ne suffisait pas à Allan. Il voulait plus. Il insistait pour que ses amis et lui détiennent une nette majorité d'actions et disait "que le gouvernement devait user de son influence en leur faveur". De plus, il exigeait maintenant que la charte soit octroyée à sa propre compagnie, la Canada Pacific Railway Company, si les négociations en vue de la fusion n'aboutissaient pas dans un délai de moins de deux mois [24]. Dans ce dernier coup de poker, il avait poussé ses demandes à leur limite extrême. Mais il avait aussi appâté les politiciens avec des arguments des plus séduisants. À la demande expresse d'un Cartier affolé, il avait répondu qu'effectivement "les amis du gouvernement pouvaient s'attendre à recevoir une aide financière pour les élections en cours". Il avait accepté une liste de "besoins immédiats" destinés à Cartier, à Langevin et à Macdonald. La somme totalisait soixante mille dollars.

Macdonald, regardait le télégramme avec surprise et appréhension. Il avait désespérément besoin d'argent. Dans la mêlée électorale, les forces rivales essayaient de s'attirer le vote populaire. Les demandes de fonds arrivaient de partout en Ontario. Mais il était tout à fait impossible de céder aux demandes d'Allan. Il fallait dénoncer sur-le-champ tout l'accord que le malheureux Cartier s'était senti obligé d'accepter à cause de sa position précaire. Pendant les premiers moments de nervosité, Macdonald décida qu'il n'avait qu'une seule chose à faire: se rendre lui-même immédiatement à Montréal. Il commença même à préparer son départ. Il donna en toute hâte les instructions de dernière minute à Campbell pour mener sa campagne en son absence. Puis il se ravisa. En pleine campagne électorale! Comment pouvait-il quitter Kingston en pareil moment! On était le 31 juillet. C'était le lendemain 1er août que le scrutin devait commencer. Il ne lui restait que quelques heures pour raffermir ses chances. Il ne pouvait pas partir, pas maintenant du moins! Il télégraphia pour rejeter les demandes exagérées d'Allan, dénoncer la dangereuse entente à laquelle Cartier avait été acculé et ramener l'accord aux termes de son télégramme du 26 juillet.

Le lendemain matin, aux toutes premières heures du scrutin, la réponse tant attendue de Cartier finit par arriver. "Vu Sir Hugh, télégraphiait Cartier. Il retire lettre qu'il vous a envoyée, puisque vous n'êtes pas d'accord et accepte comme base d'arrangement télégramme que vous m'avez adressé et dont je lui ai remis copie [25]." C'était assez clair. Un autre télégramme d'Allan, dont les termes étaient à peu près semblables confirma les propos de Cartier. Macdonald se sentit fort soulagé en cette chaude matinée d'août. La journée se passa tranquillement. Le vote se poursuivit, et Macdonald retrouva sa bonne humeur: à la fin de la journée, les résultats étaient de sept cent trente-cinq voix pour Macdonald et de six cent quatre pour Carruthers [26]. Il avait remporté la circonscription de Kingston avec une importante majorité de cent trente et une voix. Il se sentait libéré, libéré de la bataille qu'il avait menée pour sa propre élection, libéré des menaces d'Allan et de ses inquiétudes personnelles quant à la fusion des compagnies qui réaliseraient la ligne de chemin de fer du Pacifique. Il se sentait libre de retourner à Toronto et de reprendre les commandes de ses troupes pour le reste des élections générales, car la plupart des batailles électorales dans l'ouest de l'Ontario n'avaient pas encore eu lieu. Il était libre! Et il avait de l'argent comme jamais il n'avait espéré en avoir. Il avait refusé les demandes exagérées d'Allan. Mais Allan n'avait pas retiré ses offres de financement pour les élections. Macdonald disposait d'une somme de vingt-cinq mille dollars déposée à son compte à la Banque mercantile du Canada. Il n'en utilisa pas le moindre dollar pour sa propre élection à Kingston. Mais avant de quitter Kingston pour Toronto, il en avait déjà distribué une grande partie à certains candidats conservateurs importants de l'Ontario.

À Toronto, il se replongea dans le dur labeur d'une élection située en plein mois d'août. Il n'avait jamais travaillé si fort, ni de façon aussi soutenue, dans une bataille aussi incertaine. Le gouvernement gagna quelques grosses victoires populaires qu'il sut exploiter. Witton, l'"ouvrier" et Chisholm, son ami conservateur, remportèrent les deux nouvelles circonscritpions de Hamilton. De plus, les conservateurs s'emparèrent de deux des trois sièges de Toronto. Mais dans son ensemble, l'Opposition remportait une circonscription après l'autre. Macdonald se rendait compte à quel point ses fautes et ses échecs l'avaient rendu impopulaire. Il connaissait la puissance de la machine électorale libérale dans la province. Il savait que les grits avaient investi d'énormes sommes d'argent (il les estimait à plus d'un quart de million de dollars) dans la bataille. Comme un général, jetant désespérement ses dernières troupes dans la mêlée, il distribua les fonds de sa propre campagne à travers l'Ontario avec une imprudente générosité. Déjà il avait approché Abbott, l'avoué d'Allan, pour obtenir une nouvelle contribution de dix mille dollars.Hincks en avait reçu deux mille, Carling mille cinq cents, Stephenson, Grayson Smith et Ross mille chacun [27]. Il ne savait pas exactement où allait l'argent. Il semblait qu'il ne pouvait rester dans la course sans pouvoir offrir constamment du vin ou de l'alcool. Les jours passaient, tous pareils, épuisants de fatigue et de travail. Macdonald savait seulement que l'argent filait avec une incroyable rapidité. Il était en train de le dépenser. Il l'avait dépensé. Et de nouveau (combien de fois exactement était-ce arrivé?) il se rendait compte qu'il lançait un nouvel appel au secours à Abbott: "J'ai de nouveau besoin de dix mille dollars", télégraphia-t-il le 26 août. "Sera la dernière demande. Ne me faites pas défaut. Réponse aujourd'hui [28]." Abbott répondit le jour même. C'était oui!

Les derniers bureaux de scrutin se fermèrent. Six jours plus tard, le 1er septembre, Macdonald était de retour à Ottawa. Il avait accepté au moins quarante-cinq mille dollars d'Allan. C'était une somme énorme. Mais ce n'était même pas tout ce qu'avait donné Allan à la caisse du Parti conservateur, comme Macdonald le découvrit à sa grande consternation. Cartier avait reçu quatre-vingt-cinq mille dollars, près du double de ce qu'il avait lui-même accepté. Cartier et Langevin avaient reçu à eux deux la somme totale de cent dix-sept mille dollars [29]. Macdonald sentit un frisson de gêne. Le Parti conservateur s'était placé dans une situation ambiguë des plus dangereuses. Il est vrai que Macdonald en échange n'avait fait qu'une promesse, la promesse de nommer Allan président de la compagnie. Mais il avait accepté des sommes dont l'importance laissait prévoir d'autres entreprises beaucoup moins légitimes. Alors qu'il était sur le point de conclure un contrat qui, sur le plan national, était de la plus haute importance, un contrat de plusieurs millions de dollars, le gouvernement s'était lourdement endetté pour des raisons strictement partisanes, auprès d'un des principaux capitalistes avec qui il était en train de négocier.

## III

Et quel profit avait tiré le Parti conservateur de cette alliance équivoque et douteuse? Pas grand-chose, car étrangement, Allan sembla dès le début poursuivi par une sinistre et habituelle malchance. Bien sûr, il n'avait pas été le seul à contribuer à la caisse électorale conservatrice et, bien sûr aussi, l'argent à lui seul ne suffisait pas pour gagner des élections. Mais la chance n'avait guère souri aux conservateurs aux élections de 1872! Ils avaient remporté les élections, mais c'était uniquement grâce aux sièges des Provinces Maritimes et de l'Ouest. Macdonald pensait remporter quarante-deux des quatre-vingt-huit circonscriptions de l'Ontario. C'était une vision beaucoup trop optimiste. Au Québec, où Allan avait dépensé le plus d'argent et où il semblait avoir le plus d'influence, Langevin et Cartier n'avaient réussi à assurer au Parti qu'une faible majorité de soixante-cinq sièges. Cartier lui-même se fit battre dans Montréal-est, une circonscription qui, Macdonald le savait très bien, n'était pas *rouge** du tout et qu'un autre conservateur aurait pu facilement remporter. Il était curieux de constater que l'influence politique d'Allan avait été absolument incapable de calmer la tempête populaire qu'il avait lui-même contribué à soulever contre Cartier. Le pauvre avait pris de tristes engagements pour rien. Il n'avait cédé que pour subir une défaite qui dut lui sembler plus amère encore, car sa splendide vitalité d'autrefois était minée par la maladie. Macdonald était présent à Montréal le jour où le

*N.D.T.: en français dans le texte.

médecin apprit à Cartier qu'il était atteint de la maladie de Bright. Il essaya d'empêcher son vieux collègue de se fatiguer et s'efforça de hâter son départ pour l'Angleterre où Cartier devait se faire traiter par le successeur de Bright, spécialiste des maladies rénales. Mais il ne croyait pas que le plus éminent de ses coéquipiers canadiens-français puisse jamais reprendre son siège au Conseil. "Je ne puis dire à quel point j'en suis peiné, écrivit-il à Lord Lisgar, nous nous sommes battus côte à côte depuis 1854 et n'avons jamais eu de différend sérieux [30]."

Pourtant, la défaite et la maladie du malheureux Cartier, pour lesquelles il ne pouvait rien de toute manière, n'étaient pas ses principales préoccupations du moment. Ce qui le tracassait surtout, c'était la fusion de l'Interoceanic Company avec la Canada Pacific Railway Company, fusion compliquée par les assurances secrètes qu'il avait données à Allan. Il lui avait promis la présidence. Il devait à tout prix tenir parole. Sir Hugh n'avait peut-être pas assuré à Cartier et à Langevin une victoire écrasante au Québec, mais il les avait tout au moins sauvés d'une humiliante défaite. Ils insisteraient sans aucun doute pour que le gouvernement honore intégralement et scrupuleusement ses engagements. Satisfaire le Québec était une "nécessité politique", Macdonald le savait, mais comme il le savait aussi, c'était également une "nécessité politique" de se concilier l'Ontario. Et, puisque la présidence d'Allan était maintenant une "chose acquise" que rien ne pouvait changer, la première chose que Macdonald avait à faire était de persuader Macpherson d'accepter l'inévitable, dans l'intérêt de l'Ontario, dans l'intérêt du chemin de fer et dans l'intérêt du gouvernement. Il savait que la tâche serait rude. Il se rendit rapidement compte qu'il en avait sous-estimé la difficulté. Il reprit les négociations là où il les avait abruptement abandonnées au mois de juillet précédent. Il s'aperçut qu'entre-temps l'opposition de Macpherson s'était encore radicalisée. Pourquoi, demandait Macpherson avec indignation, le gouvernement se sent-il obligé de faire des concessions à Allan? Allan l'avait déçu pendant les élections. Allan n'avait même pas été capable de sauver le pauvre Cartier de la défaite.

Macdonald fit de son mieux. Il écrivit deux longues lettres pour essayer de raisonner Macpherson. Il lui fit remarquer qu'Allan avait certains droits à revendiquer la présidence du simple fait de son âge. Il lui expliqua que tous les membres du Cabinet avaient reconnu qu'ils ne pouvaient nier la justesse de ses prétentions. On ne pouvait, conclut Macdonald, rejeter un projet, par ailleurs excellent sous de nombreux aspects, comme Macpherson l'admettait lui-même, simplement "parce que Sir Hugh se trouve à la tête du conseil d'administration" [31]. Mais Macpherson ne se laissait pas amadouer. Il était furieux. Il avait été blessé dans sa fierté. Il rétorqua avec colère à Macdonald que les manoeuvres d'Allan n'avaient été, du début à la fin, rien "qu'une gigantesque et insolente escroquerie, la plus grande opération antipatriotique jamais tentée dans ce

Dominion" [32]. Macpherson laissait entendre à nouveau que dans de telles conditions l'Interoceanic Company n'accepterait jamais la fusion. Et très rapidement, un refus officiel vint confirmer les assertions de Macpherson. "J'ai reçu ce matin," câbla Allan à Macdonald le 4 octobre, "une lettre du secrétaire de l'Interoceanic Railway Company de Toronto. Ils refusent catégoriquement de participer au projet de fusion [33]."

C'était une fin de non-recevoir définitive. Mais Macdonald ne se sentait pas encore disposé à abandonner. Il pensait avoir trouvé un moyen de faire changer d'attitude aux capitalistes de Toronto qui refusaient tout compromis. Les associés américains d'Allan constituaient l'une des objections légitimes de l'Interoceanic. Macpherson craignait avec raison que le Pacific Railway, sous la présidence d'Allan, ne tombât inévitablement sous la coupe des plus dangereux rivaux du Canada. Macdonald lui-même avait eu les mêmes objections et les mêmes craintes. Il se dit que s'il pouvait les éliminer une fois pour toutes, à la satisfaction générale, Macpherson devrait céder, en toute modestie et le projet pourrait progresser avec succès. Le Canada Pacific se devait de clarifier complètement sa position assez ambiguë. Il aurait d'ailleurs déjà dû le faire. Le gouvernement lui-même pouvait intervenir. Il pouvait insister pour inclure à la charte des clauses qui empêcheraient que des étrangers puissent prendre le contrôle du chemin de fer. Mais le gouvernement ne pouvait convaincre Macpherson sans l'aide d'Allan. Allan devait ouvrir tous ses livres. Il fallait une réponse franche, convaincante et détaillée au mémorandum dans lequel l'Interoceanic Company avait expliqué pourquoi elle ne voulait pas la fusion.

C'est à ce moment-là, quelques jours après que Macpherson eût à nouveau réitéré officiellement son refus, rendant ainsi tout accord impossible, que Macdonald reçut une lettre du président de la Canada Pacific Railway [34]. Allan protestait de sa bonne foi. Il se voulait tout à fait rassurant. Pourtant, sa lettre était en même temps curieusement inquiétante. Allan rappelait à Macdonald que c'était Hincks qui la première fois l'avait informé de la visite des Américains à Ottawa et que c'était lui qui lui avait suggéré de prendre contact avec eux. Macdonald était gêné parce que la lettre sous-entendait que l'association d'Allan avec les Américains avait reçu la sanction préalable du gouvernement. C'était gênant, mais ce n'était pas le point le plus inquiétant de la lettre. Il était maintenant tout à fait clair que Sir Hugh malgré ses dénégations solennelles n'avait pas encore rompu définitivement avec les Américains! Il avait bien dit à Macdonald qu'il leur avait laissé entendre à quel point l'opinion publique canadienne était opposée à toute personne liée au Northern Pacific Railway. Il leur avait bien expliqué qu'il était de plus en plus difficile d'impliquer des intérêts américains dans la construction d'une ligne de chemin de fer canadienne. Il affirmait qu'il avait fait tout ce qu'il avait pu pour préparer "en douceur" la prochaine dissolution de leur association. Mais il était évident que le dernier pas n'était pas encore fait. Allan s'empressait d'assurer Macdonald qu'il était sur le point de le faire. Il comptait dire à ses amis américains que leur association devait être dissoute à cause de l'opposition à laquelle elle se heurtait dans l'opinion publique canadienne.

Macdonald examina la lettre d'Allan avec scepticisme. Elle faisait naître presque autant de questions qu'elle fournissait de réponses. Elle laissait planer le doute sur la bonne foi d'Allan. Elle amenait à penser que les Américains pourraient se livrer à de redoutables représailles. Pourtant, sur le coup, Macdonald pouvait ne pas trop tenir compte de ces inquiétudes. Dans l'ensemble, la lettre d'Allan restait satisfaisante. Une semaine plus tard, Allan et les principaux membres canadiens de son conseil d'administration répondirent officiellement aux accusations de l'Interoceanic Railway Company. Ils protestaient solennellement de leur innocence. Ils affirmaient qu'ils n'avaient jamais envisagé de s'associer à des capitalistes américains ni de demander leur aide. Pour Macdonald, ces assurances étaient claires et définitives. Il décida de s'y fier pour poursuivre sa politique. Si Macpherson s'entêtait à ne pas admettre ces nouvelles protestations de l'indépendance financière de Sir Hugh, d'autres capitalistes ontariens respectables se laisseraient convaincre. Et si la fusion des deux compagnies s'avérait impossible, alors le gouvernement créerait une nouvelle société, avec un conseil d'administration de treize membres, choisis dans les six provinces et n'ayant pas été mêlés aux rivalités passées. La question de la présidence restait à régler. Pendant un moment, Macdonald caressa l'idée de nommer un nouveau président. Mais, non! c'était impossible. Il ne pouvait revenir sur la promesse qu'il avait faite à Allan. Mais ne pouvait-il la changer, juste un peu? Allan ne pouvait-il pas être nommé président "provisoire"? "Provisoire" était un terme qui lui plaisait. Macdonald ne pouvait-il pas convaincre Macpherson d'accepter la présidence provisoire de son rival?

Au début de novembre, Macdonald prit le train pour Toronto. Trois semaines plus tôt, Campbell et Hewitt Bernard avaient été envoyés en éclaireurs. Ils avaient échoué [35]. Macdonald voulait tenter un dernier effort personnel pour convaincre Macpherson. Confortablement installé au Queen's Hotel, entouré de ses vieux amis torontois, loin de la morne routine administrative d'Ottawa, Macdonald commença à boire beaucoup. Une longue série de brandys-soda accentua sa bonne humeur et sa cordialité à mesure qu'approchait la cruciale rencontre avec Macpherson. Il fit tout son possible pour persuader les collègues écossais de Macpherson, les hommes d'affaires ontariens qui lui étaient associés. Il entretint Macpherson de son projet de présidence "provisoire". Il promit que le chemin de fer ne pourrait tomber sous le contrôle financier des Américains, car le gouvernement garderait un droit de veto sur la distribution des actions pendant les cinq premières années de la nouvelle compagnie. Macpherson se montra intraitable. Pendant un court moment, il hésita, c'est vrai. Mais dès qu'il se rendit compte que la "présidence provisoire" signifiait en fait présidence pour un an, il redevint froid et se refusa à tout compromis. Une année entière! C'était beaucoup trop. En un an, Allan pouvait mener l'entreprise à la faillite et il le ferait sûrement [36]. Dans ces conditions, Macpherson ne voulait pas y être mêlé. C'était l'impasse. Macdonald réalisa que sa longue et vaine tentative pour convaincre le président de l'Interoceanic Railway avait définitivement échoué.

Il repartit pour Ottawa, abattu et fatigué. Il n'avait pourtant pas tout perdu. Comme il en informa Lord Dufferin, il avait réussi à réunir suffisamment de fonds ontariens pour n'être pratiquement pas touché par le refus de Macpherson [37]. Il pouvait maintenant se lancer dans la création d'une nouvelle compagnie avec de bonnes chances de réussir. Mais ce serait une tâche ingrate et difficile. Et d'autres périls l'attendaient. Allan avait laissé entendre assez clairement qu'il lui serait compliqué à ce stade de se défaire de l'emprise des Américains. Hincks avait raconté à Macdonald qu'une rumeur circulait à Montréal selon laquelle Allan avait versé d'énormes sommes d'argent pendant les élections en échange d'une importante promesse que lui aurait faite Cartier à propos du chemin de fer du Pacifique [38]. Une promesse de Cartier! Macdonald se rendit compte avec une certaine surprise qu'il n'avait jamais su exactement ce qu'était cette promesse. Cartier et lui s'étaient entendus par télégramme pour que son câble du 26 juillet fût la "base" de l'accord entre Allan et le gouvernement. Mais le rapace avait-il réussi à lui extorquer quelque autre concession compromettante? Macdonald l'ignorait. Il ne pouvait être sûr qu'Allan ne présenterait pas une autre reconnaissance de dette signée par Cartier. Macdonald ne pensait pas revoir Cartier. Mais il savait que la responsabilité de tout ce qu'avait dit ou fait Cartier au cours de ces semaines cruciales à Montréal lui incomberait à lui et à lui seul!

"Nous avons décidé d'étudier l'affaire du Pacitif Railway mardi prochain" [39], écrivit-il à Langevin le 28 novembre. "Je prévois de très dangereux écueils, c'est pourquoi j'insiste pour que vous soyez présent ce jour là." Au début de décembre, Allan et quelques-uns des membres de son conseil d'administration vinrent à Ottawa pour discuter des termes de la charte. Macdonald essaya de se montrer optimiste. "(...) nous créons la meilleure compagnie possible", écrivit-il joyeusement à Cartier quelques jours avant Noël. "Les treize membres du conseil d'administration ne sont pas encore tous choisis, mais ils seront tous installés pour le jour de l'an! " [40] La veille du premier janvier, Macdonald, dans son bureau du bâtiment est, mettait au point les détails de l'accord, quand on lui apporta une carte de visite. Il y jeta un coup d'oeil. C'était le visiteur qu'il craignait de rencontrer depuis des mois: George W. McMullen, le propriétaire du *Chicago Post*, l'actionnaire du Northern Pacific Railroad, le principal associé américain de Sir Hugh Allan. Il attendait dans l'antichambre pour lui présenter ses voeux de fin d'année! Bonne année! Comment pouvait-elle l'être maintenant?

# IV

McMullen resta deux longues heures dans le bureau de Macdonald. Il avait beaucoup à dire. Il le dit avec prudence et en pesant ses mots. De toute évidence, cet homme savait ce qu'il voulait et était déterminé à l'obtenir. Il était conscient de son pouvoir et toute son attitude montrait qu'il n'avait aucune intention de faire des compromis. Comme tout maître chanteur digne de ce nom, il exhiba force documents. Il montra le premier contrat passé entre Allan et ses associés américains. Il montra certaines lettres d'Allan. Sûr de lui, il lut gravement à haute voix certains des extraits les plus accablants des documents. Macdonald écoutait en silence.

Il était médusé. D'innombrables preuves confirmaient ses doutes et ses craintes les plus graves à propos d'Allan et de sa façon d'agir. Allan avait commis des erreurs monumentales et pire même que des erreurs! Tout s'était passé comme si l'aspect gigantesque et l'importance du projet du chemin de fer avait amplifié chacun de ses défauts et de ses faiblesses, lui avait fait conféré à ses vices et à lui une dimension extra-naturelle. Cet Écossais pondéré et discret s'était transformé en une sorte d'empereur romain ivre de pouvoir et ayant perdu tout sens de la mesure. Les lettres que détenait McMullen étaient autant de preuves irréfutables de l'ambition, de la ruse, de la vanité, de l'incroyable indiscrétion et de l'incroyable duplicité d'Allan. Ce dernier s'était vanté d'avoir triomphé de Cartier; il avait fait un rapport complètement fallacieux de l'accord passé entre le gouvernement et lui; il avait raconté avec force détails une histoire des plus compromettantes et des plus dangereuses faite de vérités, de demi-vérités et de vagues insinuations. Pendant tous ces longs mois durant lesquels il avait promis de se détacher de ses collègues américains, il n'avait en réalité rien fait pour leur annoncer que leur association allait venir à terme. Il avait même eu le formidable culot de réclamer à McMullen le remboursement des trois cent quarante-trois mille dollars qu'il avait versés dans le seul but d'assurer sa propre élection à la présidence d'une compagnie de chemin de fer dont il promettait par ailleurs que ses associés américains seraient exclus. Pendant des semaines, des mois, il avait mené ce double jeu hypocrite. Il avait attendu le 24 octobre, plus de quinze jours après la solennelle déclaration d'intention qu'il avait faite à Macdonald, pour laisser entendre à McMullen que leur association devait être dissoute.

Macdonald étudia rapidement la situation. Il n'était pas le moindrement obligé de protéger Allan. Allan l'avait grossièrement trompé. Il était inexcusable. Quant à son associé qui s'était laisser duper, Macdonald pouvait bien lui témoigner de la sympathie. Il dit à McMullen que si tout ce qu'il venait d'affirmer était exact, on s'était vraiment habilement servi de lui. Par contre, il lui fit bien comprendre que les torts qu'il avait subis ne pouvaient être réparés que par Allan seul. Ce détachement bienveillant n'impressionna pas McMullen le moins du monde. Selon lui, le gouvernement canadien était profondément impliqué dans l'affaire. Il fit calmement remarquer que les lettres prouvaient qu'il y avait eu corruption: Sir Hugh Allan et le Cabinet avaient passé un marché fort peu honnête. Macdonald nia que ses collègues et lui se fussent laissé acheter; McMullen rétorqua d'un ton cassant qu'en ce cas Allan était sans doute un plus grand escroc encore que ne l'imaginaient les Américains puisqu'il réclamait le remboursement d'une somme de près de quatre millions de dollars qu'il n'avait jamais dépensée. Macdonald ne répondit pas. Il ne servait à rien de discuter. McMullen commença à présenter ses exigences: ou bien, le gouvernement permettait un accord entre Allan et ses associés américains, comme prévu originellement, ou bien le gouvernement excluait Allan du conseil d'administration de la nouvelle compagnie [41]. Macdonald était sidéré. Il répondit sèchement qu'il ne pouvait faire ni l'un ni l'autre. Comme il s'y attendait, McMullen devint alors très désagréable. Ses collègues et lui n'avaient aucunement l'intention de servir de tremplin pour permettre à Sir Hugh Allan d'obtenir de l'avancement. Si le gouvernement canadien persistait à choisir Allan comme président, s'il lui permettait de manquer à la parole donnée à ses collègues américains d'une façon aussi malhonnête, alors le public canadien prendrait rapidement connaissance de tous les faits.

Macdonald ne pouvait qu'essayer de gagner du temps. Il devait, dit-il, consulter Allan et Abbott, l'avoué d'Allan. McMullen acquiesca. Il prit congé, mais il était sûr qu'il allait revenir. Ce n'était que le prologue et non la conclusion d'une épineuse affaire. Macdonald commença à se renseigner discrètement. Il apprit d'Allan que McMullen lui avait déjà réclamé de l'argent, la coquette somme de deux cent cinquante mille dollars, en compensation de l'expertise que lui avait fournie les Américains et du temps qu'ils avaient déjà consacré au projet. Ce montant comprenait aussi le remboursement des petites avances qu'ils avaient faites à la caisse politique d'Allan.[42] Allan était indigné. Il trouvait ce montant tout à fait déraisonnable. Cet homme, disposé à gaspiller des centaines de milliers de dollars pour assurer sa nomination à la présidence d'une compagnie de chemin de fer refusait à présent de risquer une petite somme d'argent pour sauver cette même compagnie d'un désastre probable. L'avarice soudaine et l'obstination d'Allan étaient assez inquiétantes. Mais même s'il avait été disposé à se conformer sur-le-champ aux exigentes demandes des Américains, cela suffirait-il vraiment à Allan pour acheter sa paix? Les Américains allaient-ils se contenter d'argent? Voulaient-ils autre chose?

Quelque chose de plus important? Voulaient-ils se venger d'Allan ou du gouvernement lui-même? Macdonald ne le savait pas.

Une chose était sûre. Les Américains ne lâcheraient pas. À la fin de janvier, le vindicatif McMullen revint faire un tour au bâtiment est, accompagné cette fois de deux associés, Smith et Hurlburt [43]. Ils discutèrent de la même chose, exhibèrent les mêmes documents, émirent les mêmes protestations. Macdonald admit de bonne grâce la justesse des doléances des Américains. Il leur dit qu'à leur place il intenterait sans nul doute un procès à Sir Hugh. Mais ceci dit, lui-même ne ferait aucune concession. Il n'était pas prêt à admettre que le problème concernait le gouvernement. Le projet de création d'une nouvelle compagnie de chemin de fer pour la ligne du Pacifique était trop avancé. Il n'y avait plus moyen, même s'il l'avait voulu, de revenir en arrière. Tout ce qu'il pouvait leur suggérer était qu'ils rencontrent Allan et Abbott et essaient de parvenir à un règlement à l'amiable. Macdonald s'inclina pour signifier à ses visiteurs la fin de leur entretien. Il avait le coeur plein de pressentiments. Tout au long du mois de février, pendant qu'il préparait la nouvelle session parlementaire et réouvrait les négociations en vue de l'union avec l'Île-du-Prince-Édouard, Macdonald se prit à espérer, à espérer de toutes ses forces qu'Allan et ses amis américains étaient parvenus à s'entendre. Les jours passaient. Il n'entendait plus parler de rien. Il commençait presque à reprendre confiance. C'est alors, vers la fin de février, qu'il reçut la mauvaise nouvelle. Dans une longue lettre lourde de menaces, Charles M. Smith, principal associé de McMullen à Chicago, annonçait sèchement qu'aucun accord n'était intervenu et que les Américains étaient décidés à obtenir satisfaction non seulement de Sir Hugh Allan, mais aussi du gouvernement canadien. "C'est Sir Hugh Allan qui nous a contacté et non l'inverse, écrivait Smith. Seul le gouvernement avait l'adresse de notre société. Nous ne pouvions considérer la visite de Sir Hugh comme une visite de courtoisie. Pour nous, il agissait au nom du Cabinet et nous l'avons accueilli comme son représentant [44]."

Macdonald savait que le dénouement était proche. Il fallait agir immédiatement. Il ne fallait en aucun cas permettre à Allan de partir en Angleterre pour tenter vainement de rassembler des capitaux alors que cette énorme épée de Damoclès était suspendue au-dessus de leurs têtes. McMullen devait se rendre à Montréal un jour ou deux plus tard. C'était probablement leur dernière chance de s'entendre avec lui et de le calmer. Macdonald écrivit en hâte à Hincks qui s'apprêtait à quitter le ministère et qui habitait Montréal, pour lui demander instamment de réunir immédiatement les principaux intéressés et d'user de toute son influence pour qu'ils parviennent à un accord. Hincks le rassura tout de suite. L'affaire était enfin bien partie. Trois jours plus tard, une seconde lettre de Hincks réconforta Macdonald. On l'avait secrètement informé au cours d'un dîner en l'honneur du départ d'Allan pour l'Angleterre, occasion plus qu'ironique, qu'un arrangement était intervenu entre les deux parties. "Je n'en connais pas les détails, continuait Hincks, car à table, toute conversation a été impossible. Mais j'ai été assez satisfait de l'assurance qui m'a été donnée d'un règlement tout à fait acceptable [45]."

Macdonald acquiesça. Lui, aussi, d'une certaine manière, était "assez satisfait" d'en savoir le moins possible sur le type d'arrangement conclu. Comme l'avait dit Hincks, il était absolument essentiel que le gouvernement ne puisse jamais être accusé d'avoir eu "quelque responsabilité que ce soit dans un règlement avec X". Pourtant, Macdonald désirait secrètement connaître la vérité. La rapidité avec laquelle toute l'affaire s'était réglée semblait bien suspecte. McMullen était-il vraiment satisfait? Les Américains allaient-ils vraiment laisser tomber? Macdonald était sceptique. Il craignait McMullen et se méfiait profondément d'Allan. "Entre nous, écrivit-il à John Rose, Allan semble avoir totalement perdu la tête. Il a commis une série de bévues surprenantes. Son imprudence a provoqué d'innombrables problèmes dont la compagnie n'est pas prête de sortir. Il est le plus mauvais négociateur que j'ai vu de ma vie [46]." C'était un terrible constat porté sur un homme à qui Macdonald et le pays étaient maintenant indissociablement liés. Toute l'histoire du chemin de fer n'avait été qu'une longue suite de mésaventures. Le nouveau conseil d'administration, avec son système compliqué de représentation provinciale proportionnelle et son manque de capitaux presque total, était une fraude monumentale. Tout dépendait du succès d'Allan à Londres; or Allan, comme Macdonald ne le savait que trop bien maintenant, était un homme orgueilleux, maladroit et en qui il ne pouvait avoir confiance. Le chemin de fer et le gouvernement n'étaient pas sortis du bois! Macdonald risquait de devoir admettre que sa politique ferroviaire avait échoué. À Montréal, d'après une rumeur persistante, il était sûr que le gouvernement serait défait au cours de la prochaine session. Pourtant tout était calme. McMullen avait cessé ses visites d'intimidation, C.M. Smith n'avait plus envoyé de lettre de menace. Allan et Abbott étaient partis pour l'Angleterre et, à Montréal, leurs bureaux semblaient plongés dans un calme inhabituel.

Mais, et bien sûr Macdonald l'ignorait, le bureau d'Abbott n'était pas aussi calme que cela. Après six heures, alors que tous les employés étaient partis souper, il régnait parfois dans l'étude de l'avoué de Sir Hugh Allan une activité difficilement explicable.[47] Deux hommes, l'un jeune, l'autre plus âgé, se déplaçaient discrètement dans les pièces désertes. On aurait pu croire qu'il s'agissait d'employés puisque le plus âgé des deux hommes ouvrait la porte extérieure avec une clé. Il s'agissait peut-être d'un secrétaire particulier d'Abbott. On aurait été d'autant plus porté à le croire qu'il effectuait son curieux travail avec une étrange rapidité et une méticuleuse efficacité. Il fouillait dans les dossiers d'Abbott, parcourait rapidement mais soigneusement les registres du courrier, les blocs de sténo, les liasses de lettres et de télégrammes reçus. Le plus jeune qui était de toute évidence un subalterne, assistait son supérieur dans ses recherches. Puis, ils remettaient très minutieusement le tout à sa place et partaient sans bruit. Le plus jeune sortait le premier et hélait une voiture. Tous deux s'y engouffraient et la voiture s'enfonçait dans l'obscurité.

## V

Macdonald occupait son siège en Chambre quand soudain, sans crier gare, l'opposition passa à l'attaque. Les vagues rumeurs qui faisaient état de possibles difficultés pour le gouvernement venaient de se concrétiser. Le 2 avril, Lucius Seth Huntington, député de Shefford au Québec, se leva et proposa la création d'une commission de sept membres pour enquêter sur les circonstances qui avaient conduit à attribuer la charte du Canadian Pacific Railway à la compagnie de Sir Hugh Allan.[48] Huntington était un personnage important au sein de l'Opposition même s'il ne jouissait pas d'une grande autorité, "un homme sans grande capacité politique", avait dit confidentiellement Lord Dufferin au secrétaire aux Colonies, "mais le plus agréable orateur du Canada". [49] Huntington était au sommet de sa carrière politique. Il justifiait sa demande d'enquête par deux accusations, toutes deux très graves en soi, mais aggravées encore du fait de leur association. Il affirmait que la Canada Pacific Railway Company, organisation apparemment canadienne, était en réalité financée par des capitaux américains. Il affirmait en outre que son président, Sir Hugh Allan, avait avancé d'importantes sommes d'argent, y compris des capitaux américains, aux ministres canadiens pour financer leur campagne électorale et qu'en échange ces derniers lui avaient promis d'accorder à sa compagnie le contrat de construction de la ligne de chemin de fer.

Huntington lut lentement et d'une voix forte le texte de sa résolution. Puis, sans faire aucun effort pour donner plus de poids à ses accusations, il se rassit. Quel jeu jouait-il? Certains, dont Lord Dufferin, supposèrent qu'il espérait provoquer de véhémentes protestations de la part des ministres et les entraîner ainsi dans un débat improvisé où l'Opposition aurait tous les avantages. Mais Macdonald n'allait pas se laisser avoir aussi facilement. Il ne daigna pas dire un mot lui-même. Il imposa le silence absolu à ses partisans. Les députés furent appelés à voter. La proposition Huntington, considérée comme un vote de confiance, fut rejetée par une majorité de trente et une voix, une des plus importantes majorités obtenues jusque-là au cours de cette session. "J'ai été très satisfait du vote", rapporta Macdonald à Cartier toujours absent, "mais le Conseil a pensé que nous ne pouvions en rester là. Aussi, dès le lendemain, j'ai annoncé que j'étais d'accord pour créer un comité. Il est heureux que nous ayons choisi cette ligne de conduite. Nos amis étaient vraiment mal à l'aise... Une enquête leur paraissait tellement étouffante qu'ils avaient peur des conséquences qu'elle aurait pu avoir pour eux dans leurs circonscriptions [50]."

Le 8 avril, moins d'une semaine après les premières accusations portées par Huntington, Macdonald se leva pour proposer la création d'un comité de cinq membres [51]. Les trois conservateurs élus pour en faire partie étaient Blanchet, McDonald de Pictou et John Hillyard Cameron, le vieux rival de Macdonald à la direction du Parti. Blake et Diron représentaient l'Opposition. Tout le monde savait d'avance que la commission d'enquête serait composée de deux membres provenant de l'Opposition et de trois délégués du gouvernement. La Chambre s'attacha à étudier le mandat du comité plutôt que sa composition. La session était assez avancée. L'enquête demanderait certainement beaucoup de temps. Le Parlement ne devait-il pas tâcher de s'assurer que l'enquête pût continuer après la prorogation? Et cette commission, particulièrement importante, ne devait-elle pas être habilitée à recevoir des témoignages assermentés? Tout le monde à la Chambre, autant la majorité que l'Opposition, était d'accord sur ces deux points.

Macdonald se rendit cependant bien vite compte que certaines difficultés techniques allaient les rendre irréalisables. D'une part, aucun comité de la Chambre des Communes ne pouvaient survivre à la prorogation du corps qui l'avait constitué; d'autre part, il était loin d'être sûr que le Parlement canadien ait la juridiction requise pour permettre à une commission parlementaire de recevoir des témoignages sous serment. L'article dix-huit de l'Acte de l'Amérique du Nord britannique donnait au Sénat et à la Chambre des Communes du Canada les mêmes privilèges, les mêmes pouvoirs et les mêmes immunités que ceux dont jouissait la Chambre des Communes impériale au moment de l'Union. En 1867, la Chambre britannique n'avait malheureusement pas encore estimé utile d'autoriser une seule de ses commissions spéciales à recevoir des témoignages assermentés. Cela suffisait pour que Macdonald ait de sérieux doutes quant à la compétence canadienne en la matière. Mais d'autres, dont John Hillyard Cameron et certains personnages importants de l'Opposition, estimaient que cela ne posait aucun problème. Macdonald céda. La Chambre adopta avec une grande célérité le "Projet de loi sur l'assermentation" [52]. Macdonald fit taire ses doutes et se conforma à l'avis général. Il se montra également très accommodant en ce qui concernait la poursuite du travail de la commission. Au début, il proposa de transformer dès la prorogation la commission parlementaire en commission royale d'enquête. On lui objecta que "cela placerait immédiatement la commission sous contrôle gouvernemental". Macdonald découvrit alors une autre solution ingénieuse à laquelle il n'y avait rien à redire. Le Parlement ne serait pas prorogé. Il ajournerait simplement ses travaux jusqu'à l'été, jusqu'au moment auquel il serait sûr que la commission aurait achevé son enquête. Il se réunirait alors une dernière fois, pour une séance tout à fait formelle, avec le Président et le quorum requis, uniquement pour entendre officiellement le rapport [53].

Macdonald était très ennuyé. Pendant tout le débat portant sur la constitution de la commission et sur ses pouvoirs, il s'était anxieusement demandé quelle pouvait être la meilleure défense du gouvernement. Il se disait, bien sûr, que les accusations d'Huntington reposaient essentiellement sur les échanges de correspondance entre Allan et McMullen. McMullen, il le savait maintenant, avait accepté d'Allan à la suite du chantage qu'il lui avait fait, un premier versement de vingt-cinq mille dollars. Mais cela ne l'avait pas empêché quelques semaines plus tard de conclure un autre marché avec les libéraux à qui il avait vendu les mêmes documents. Dès le début, Macdonald s'était méfié de McMullen. Il l'avait considéré comme un maître chanteur. Et McMullen avait répondu à ses pires attentes en les doublant tous deux, Allan et lui. Les lettres allaient à coup sûr discréditer Sir Hugh. Mais Macdonald ne pensait pas qu'elles feraient tomber le gouvernement à moins, bien sûr, que d'autres preuves ne viennent les étayer. Huntington en avait-il d'autres? Macdonald l'ignorait. Le député de Shefford ne semblait pas pressé de venir témoigner devant la nouvelle commission. Il attendit plusieurs semaines avant de remettre soudainement à John Hillyard Cameron, qui présidait celle-ci, la longue liste de témoins qu'il avait l'intention de faire convoquer. Macdonald, dès qu'il en prit connaissance, comprit que l'enquête serait minutieuse et fouillée. Le problème de la défense du gouvernement se posait avec de plus en plus d'acuité. De toute évidence, il aurait lui-même à expliquer longuement et en détail le rôle qu'il avait joué dans toute cette affaire. Quand les témoins d'Huntington commenceraient à être entendus et que l'enquête progresserait sérieusement, Macdonald devrait agir très vite pour assurer sa propre défense. Mais comment faire une déclaration officielle quand il ignorait ce qu'allait dire l'imprévisible et peu fiable Allan? L'explication du gouvernement devait prendre pour fondement le témoignage d'Allan. Allan devait parler le premier, sinon il risquait de saboter ou de contredire la défense de Macdonald. Or il était impossible qu'il parle le premier puisqu'il se trouvait en Angleterre. Par simple prudence, ne fallait-il pas suspendre toute l'enquête jusqu'à son retour? [54]

Une fois de plus, comme si souvent dans le passé, face aux difficultés ou au danger, Macdonald essaya d'abord de gagner du temps. C'était presque toujours utile, et dans ce cas précis, cela semblait absolument essentiel. De plus, un simple souci d'équité pouvait justifier la suspension des travaux de la commission. Trois des principaux intéressés étaient absents. L'enquête risquait donc d'être "partiale" et déloyale. Pour toutes ces raisons, Macdonald décida d'en demander le report. Il était une des principales personnes visées par l'accusation. Il comparut donc devant la commission et fit un long plaidoyer pour défendre Cartier et Abbott tous deux absents et membres du Parlement. Après sa comparution, par une majorité de trois voix contre cinq, la commission décida de recommander aux Communes l'ajournement de ses activités jusqu'au 2 juillet, date présumée du retour de Cartier et d'Abbott. Le lendemain 6 mai, la recommandation fut présentée en Chambre. Macdonald la défendit avec acharnement. [55] Juger des hommes en leur absence, explosa-t-il avec indignation, n'est qu'une parodie de justice. Les pires criminels du pays, ceux qui sont accusés des crimes les plus odieux ont le droit d'obtenir un report de leur procès jusqu'au moment où ils s'estiment prêts à répondre aux accusations. Pourquoi les ministres de la Couronne au Canada ne pourraient-ils bénéficier de semblable privilège? Si l'enquête se poursuivait, Cartier et Abbott n'auraient aucune chance de répondre ou de réfuter les calomnies dont ils étaient l'objet, avant la réouverture du Parlement au mois de février suivant.

La Chambre décida d'accepter la recommandation de la commission. On ajourna l'enquête jusqu'au 2 juillet. Mais entre-temps survint un nouvel avatar qui rendait la reprise de l'enquête presque impossible à cette date. Le 7 mai, Kimberley envoya un câble pour signifier que les conseillers juridiques de la Couronne avaient jugé *ultra vires* la loi sur l'assermentation adoptée par le Parlement canadien [56]. Macdonald avait joué franc jeu avec ses adversaires. À deux reprises au moins, il avait ouvertement fait état de ses doutes quant à la compétence du Parlement canadien pour adopter la loi sur les serments. L'Opposition avait agi de façon irréfléchie. Elle avait eu trop confiance. Une fois de plus, Macdonald avait à reprendre l'initiative de toute l'affaire. Le gouvernement impérial allait évidemment refuser d'entériner la loi sur les serments. La commission ne pourrait continuer à enquêter selon les dispositions prévues initialement par le Parlement. Par ailleurs, il serait tout à fait injuste pour les accusés de reporter toute l'enquête jusqu'à la session suivante. Il y avait donc les meilleures raisons du monde de créer une commission royale pour achever le travail que le comité allait devoir abandonner. Macdonald avait toujours personnellement préféré une commission royale. Il était maintenant obligé de la créer. Huntington, Dorion et Blake avaient été tactiquement battus une fois de plus.

Mais ces petites victoires tactiques n'apportaient pas la moindre satisfaction à Macdonald. Les détails n'avaient pas d'importance. L'échec colossal et ruineux de toute l'entreprise du chemin de fer du Pacifique était la seule chose qui comptait vraiment. Si, malgré tout ce qui était arrivé, Allan avait été capable de trouver des fonds sur le marché financier de Londres, alors l'essentiel aurait été sauf. Macdonald savait maintenant qu'il y avait peu d'espoir de trouver des investissements sérieux en Angleterre. Les nouvelles en provenance de Londres n'avaient rien d'encourageant. John Rose introduisait les Canadiens auprès de ses amis et de ses connaissances, mais il pensait d'Allan que c'était "le plus piètre négociateur que j'aie rencontré" [57]. Allan lui-même n'avait d'autre choix que de rendre compte du refus des plus importantes firmes financières: Glyns, Barings et Rothschilds. Aucune ne voulait être mêlée au projet. Rose, informait tristement Allan, "nous a répété que notre mission n'avait aucune chance de réussir" [58]. Macdonald était du même avis. Le chemin de fer sous sa forme actuelle était un projet classé. Et s'il avait eu un jour certaines chances à Londres, elles étaient définitivement compromises par la publication intégrale en Angleterre du récit de ce qu'on commençait déjà à désigner sous le nom de "scandale du Pacifique". "La City" ne voulait pas s'en mêler. Macdonald était battu.

Il était battu et il était seul. Le 20 mai, Rose envoya un télégramme à Ottawa pour annoncer la mort de Cartier. Sir Georges était mort à Londres. Il avait lutté contre la maladie jusqu'au bout avec ce courage patient et têtu qui avait été le sien pendant les centaines de crises politiques qu'il avait dû affronter. L'homme dont l'amour pour le Canada était devenu une sorte d'obsession aveugle et qui continuait à s'enquérir des moindres nouvelles en provenance de la terre natale alors que ses forces déclinaient peu à peu, était parti pour un plus long et plus étrange voyage que celui qu'il avait escompté. Car il s'était "toujours proposé" de revenir au Canada le 29 mai [59]. Les projets, les tactiques qu'ils avaient partagés, les rudes batailles qu'ils avaient menées côte à côte en Chambre, les longues soirées joyeuses, avec Cartier qui chantait d'une voix forte ses chansons françaises, les interminables discussions sur la destinée commune des deux peuples fondateurs du Canada qui s'était concrétisée grâce à l'Acte de l'Amérique du Nord britannique, les débuts de la Confédération, tout cela était terminé. Tout cela s'achevait précisément au moment où la Chambre allait ratifier l'union avec l'Île-du-Prince-Édouard et où toute l'Amérique du Nord britannique, à la seule exception de Terre-Neuve, allait former une seule vaste Confédération. Cartier avait failli être témoin de l'union de toutes les provinces. Mais il ne la verrait pas. Il était parti trop tôt. Très ému, Macdonald eut du mal à lire en Chambre le télégramme de Rose [60]. Il était seul maintenant, car il ne connaîtrait plus jamais quelqu'un de la stature de Cartier. Il était seul au moment où le fardeau des responsabilités se faisait plus lourd. Macdonald ne se sentait pas bien depuis le début de la session. Il était surmené. Il était épuisé et accablé de soucis.

C'était beaucoup trop pour lui, "et par conséquent" comme l'écrivit Lord Dufferin à Kimberley, "depuis quelques jours Macdonald a abandonné ses habitudes de tempérance. Il a été amené à prendre plus de stimulants qu'il n'en faut à son étrange caractère. C'est réellement tragique de voir un homme aussi supérieur atteint d'une infirmité si purement physique et contre laquelle il lutte avec toute la force du désespoir jusqu'à se retrouver anéanti dans un état de complète hébétude (...)" [61] Macdonald était effectivement anéanti. Les funérailles solennelles de Cartier furent célébrées en grande pompe à Montréal le 13 juin. Il prit conscience de l'ampleur de sa solitude. Quelques jours plus tard, il se rendit à Québec pour le baptême de la dernière née des Dufferin, Victoria Alexandrina Muriel May. Il avait manifestement beaucoup bu. "Les funérailles de Cartier ont été un trop dur choc pour lui, écrivit Dufferin, il allait très mal. Il n'était pas dans son état normal. Il était plutôt hagard. Mais il s'arrangea pour être tout à fait bien le matin du jour où il devait paraître en public à l'église [62]." Macdonald était épuisé. Il n'en pouvait plus d'angoisse et de travail. Il avait essayé en vain de démissionner, expliqua-t-il à Dufferin, en prétextant le surmenage et son mauvais état physique [63]. Mais ses collègues lui firent clairement comprendre que s'il démissionnait, c'en était fait du gouvernement déjà durement secoué. Macdonald reprit contenance. Il fit un effort sur lui-même comme il venait de le faire pour le baptême du bébé Dufferin et comme il l'avait fait tant et tant de fois auparavant. Il devait tenir bon.

## VI

Macdonald se rendit à Montréal pour la reprise des travaux de la commission d'enquête sur "le scandale du Pacifique". Il voulait être sur place. Le 2 juillet, jour de la première séance de la commission qui siégeait à la Cour d'appel de Montréal, Macdonald écrivit au président, John Hillyard Cameron, pour lui rappeler que le gouvernement impérial avait rejeté la loi sur l'assermentation et pour lui réitérer l'offre, déjà faite en Chambre, de constituer une commission royale pour poursuivre l'enquête. [64]

Macdonald n'assista bien sûr pas aux travaux de la commission, pas plus d'ailleurs qu'aucun autre membre du gouvernement. Mais les audiences étaient publiques et les journaux les rapportèrent tout à fait librement. Très vite Macdonald fut au fait des débats qui avaient occupé cette première journée. La commission était profondément divisée sur l'attitude à adopter face au désaveu impérial. Cameron, McDonald et Blanchet soutenaient qu'il fallait suspendre les travaux puisque la commission contrairement aux souhaits de la Chambre ne pouvait recevoir aucun témoignage assermenté. Blake et Dorion n'étaient pas du tout du même avis. Pour eux, l'enquête devait se poursuivre exactement de la même façon que s'étaient poursuivies toutes les autres enquêtes parlementaires du genre par le passé [65]. La querelle se prolongea tout l'après-midi. Au cours de la seconde séance, le 3 juillet, la commission décida (par trois voix contre deux comme d'habitude) d'ajourner ses audiences jusqu'à la prochaine réunion du Parlement le 13 août.[66] Le président lut alors la lettre de

Macdonald qui offrait de transformer le comité en une commission royale, une commission qui devrait faire rapport au Parlement. Blake et Dorion ne voulurent rien entendre. Tard ce soir-là, Macdonald reçut leur refus officiel. "Je crois, écrivit Blake, que ce serait un dangereux précédent de laisser un gouvernement nommer une commission d'enquête pour étudier des accusations portées contre lui. Les membres de cette commission se trouveraient soumis à l'autorité et au contrôle de l'accusé [67]."

Macdonald avait été mis en échec. Mais l'Opposition aussi. L'enquête était totalement bloquée. Toute l'affaire ressemblait à un interminable échec et mat. En fait, et Macdonald le savait, là n'était pas le fond du problème. Huntington et ses amis avaient encore la possibilité d'agir. Il leur suffisait de poser un geste aussi simple que spectaculaire. Ils n'avaient qu'à divulguer à la presse certaines des preuves qu'on ne leur avait pas permis de présenter en commission. Il devenait de plus en plus clair que c'était exactement ce qu'ils avaient l'intention de faire. Dans le courant de l'après-midi du 3 juillet, la rumeur commença rapidement à se répandre que les lettres d'Allan avaient été rachetées à McMullen pour vingt-cinq mille dollars et qu'elles paraîtraient dès le lendemain matin dans le *Herald*. Il n'y avait pas un instant à perdre. Ce soir-là, Macdonald rencontra Allan. Il lui dicta fermement la conduite à suivre. Si des preuves vraiment accablantes paraissaient le lendemain dans la presse, Allan devait riposter par une déclaration officielle pour préciser "dans le détail ses relations avec le gouvernement, son rôle dans l'affaire du chemin de fer et des élections (...)" [68]. Sir Hugh n'était pas en position de refuser. Il accepta. Macdonald se sentit un peu rassuré. Si, comme on le racontait, c'était bien la correspondance Allan-McMullen qui allait être publiée le lendemain, Macdonald s'estimait en mesure d'en évaluer exactement l'impact. Il était parfaitement au courant du contenu des lettres. Leur publication discréditerait gravement Allan, mais ne causerait pas la défaite du gouvernement. Les lettres lui feraient sans doute du tort, mais un tort qui pouvait être largement circonscrit si Allan, s'appuyant sur des documents irréfutables, y répondait par une longue déclaration.

Le lendemain 4 juillet, le *Herald* de Montréal et le *Globe* de Toronto publièrent une grande partie des preuves d'Huntington. La rumeur publique avait vu juste, Macdonald aussi. C'était bien la correspondance Allan-McMullen, rien de plus et, en fait, un peu moins même! Il y manquait deux documents mais des plus significatifs: les deux lettres écrites à l'automne 1872 par lesquelles Sir Hugh coupait toute relation avec les Américains. Comme Macdonald l'expliqua à Dufferin, "on les avait omises de la façon la plus hypocrite". Il n'avait jamais pensé que des hommes comme Huntington, Dorion et Blake pussent dissimuler de façon aussi éhontée une partie de la vérité. Mais il se rendit compte que la manoeuvre, une fois dévoilée, concourrait rapidement à discréditer l'Opposition. Il fut assez satisfait de la longue explication publiée dans la journée du 4 juillet sous la signature d'Allan. "Abbott, déclara Macdonald à Lord Dufferin, a très habilement rédigé l'affidavit. Il a fait admettre sous serment au vieux gentleman que ses lettres étaient mensongères [69]." C'était triste mais inévitable. Allan avait causé sa propre ruine et sérieusement compromis les autres. Il était fini. Il fallait maintenant concentrer tous les efforts à défendre les autres à tout prix.

Le 5 juillet, les journaux publièrent la déclaration sous serment d'Allan avec preuves à l'appui. Au grand soulagement de Macdonald, cela fit du bien. L'énervement populaire était en train de baisser. "L'affaire Huntington", écrivit-il trois jours plus tard, "se termine en queue de poisson comme je le prévoyais [70]." Il agissait bien sûr un peu comme celui qui siffle dans le noir pour se donner courage, mais en même temps il avait certaines bonnes raisons de retrouver confiance. L'affidavit d'Allan prouvait que Macdonald lui avait demandé d'annuler les concessions faites par Cartier le 30 juillet 1872 et prouvait aussi que le gouvernement avait forcé Sir Hugh à rompre avec ses associés américains. C'était un bon point pour Macdonald. Par ailleurs, on commençait à mettre en doute le bien-fondé de l'attitude de l'Opposition du fait du refus de Blake et de Dorion d'accepter la commission royale que proposait le gouvernement et du fait de la procédure peu élégante employée pour divulguer la correspondance Allan-McMullen. Le verdict n'était pas rendu, mais la balance semblait pencher un peu plus en faveur de Macdonald.

Dans ces circonstances, ce qu'il avait de mieux à faire, c'était de prouver qu'il souhaitait une enquête approfondie. Il fallait créer rapidement une commission royale d'enquête, de préférence avant la reprise des travaux de la session parlementaire le 13 août. La réunion du 13 août, à l'origine simple affaire de procédure, revêtait une signification plus grande. En Chambre, afin de ne pas faire perdre de temps aux députés et pour éviter les frais, Macdonald avait insisté pour que le Parlement se réunisse uniquement *pro forma* afin de prendre connaissance du rapport du comité. Mais il n'y avait plus de rapport. Au lieu du rapport, il y avait toute une série de faits extrêmement troublants que la Chambre pourrait se montrer désireuse d'étudier, en partie parce que son propre comité n'avait plus le loisir de le faire. L'Opposition avait déjà commencé à mener bataille pour que le Parlement ne fût pas prorogé en ce fatal 13 août. Macdonald secouait la tête. La prorogation aurait lieu, exactement comme convenu. Mais, en même temps, Macdonald ne voulait absolument pas donner l'impression de vouloir éviter l'enquête. Il devait créer la commission royale immédiatement avant ou immédiatement après la séance du 13. Il lui restait plus d'un mois. Il était tendu et épuisé. Le soleil de juillet lui pesait. Après tout ce qui était arrivé, il avait vraiment besoin de vacances. Il se réfugia à Rivière-du-Loup dans sa modeste maison de campagne du bord du fleuve.

Il y était paisiblement installé quand, le 18 juillet, l'Opposition tira sa seconde salve à bout portant. Ce jour-là, le *Globe* de Toronto, le *Herald* de Montréal et l'*Événement* de Québec publièrent simultanément une deuxième série de révélations fracassantes. [71] Il y avait d'abord un long article de McMullen qui décrivait ses relations avec Allan et le gouvernement. Il y avait ensuite une lettre d'un sénateur canadien, A.B. Foster, qui soutenait McMullen. Et enfin, reproduits en caractères sombres et froids, il y avait les télégrammes que Macdonald et Cartier avaient envoyés à Abbott au cours des derniers jours fiévreux d'août 1872. "Urgent. Personnel." Les mots accusateurs sautaient aux yeux de Macdonald. "Il me faut dix mille dollars de plus. Ce sera la dernière fois. Ne me faites pas faux bond. Réponse." Comment diable l'Opposition avait-elle pu mettre la main sur ces preuves terriblement incriminantes? Avait-on pris connaissance de ses propres dossiers? Avait-on fouillé dans les bureaux d'Abbott pendant son absence en Angleterre? Macdonald secouait la tête. Il était stupéfait. Il n'avait jamais pensé même dans ses moments de plus profond abattement que l'Opposition était en mesure de faire d'aussi affreuses révélations. Rien de pareil ne lui était jamais arrivé. "C'est un de ces malheurs accablants, confessa-t-il à Lord Dufferin, dont on dit qu'ils arrivent au moins une fois dans la vie d'un homme. Sur le coup, j'ai été plutôt secoué (...) [72]." Effectivement il était plus "secoué". Il était terrassé. Terrassé et battu.

Pourtant, il fallait agir. Le lendemain, il rassembla ses forces et prit le train à Rivière-du-Loup pour Québec. Alexander Campbell avait télégraphié depuis Montréal pour suggérer qu'une rencontre ait lieu entre Langevin, Macdonald et lui-même à Québec. Tous trois examinèrent tristement la catastrophe qui s'était abattue sur eux [73]. Campbell, qui venait d'arriver de Montréal, fut capable d'éclaircir un peu le mystère. Le vol avait eu lieu dans les bureaux d'Abbott pendant qu'il était en Angleterre avec Allan. George Norris, secrétaire particulier d'Abbott, avait fouillé dans les dossiers de son employeur, avait copié ses documents personnels et avait vendu le tout, comme si c'était une simple transaction commerciale, aux libéraux de Montréal. Il serait peut-être possible d'amener Norris à passer aux aveux, de le faire traduire en justice pour vol, de montrer que l'Opposition s'était servie d'un procédé méprisable pour obtenir ses informations [74]. Macdonald pouvait mener la bataille dans le propre camp de l'ennemi. Mais comment justifier de façon positive sa propre conduite? Tout le monde savait qu'il fallait de l'argent pour mener une campagne électorale et que des sommes importantes se dépensaient de façon relativement légitime. Tout le monde savait également que dans l'univers politique anglo-saxon, les partis politiques avaient l'habitude de recevoir de substantielles contributions de leurs riches partisans et qu'au Canada, où n'existaient ni club de parti, ni organisation de parti permanente, c'étaient les leaders politiques qui distribuaient d'habitude ces fonds destinés aux campagnes électorales. Tout cela était vrai. Il n'y avait là nulle matière à délit. Mais Macdonald savait très bien que ce n'était pas de cela dont on l'accusait. On l'accusait d'avoir accepté des fonds de la part de l'homme même avec qui il était en train de négocier un contrat de la plus grande importance pour l'intérêt national. Et à cela, comme Langevin et lui s'en rendaient malheureusement compte, il était difficile d'opposer une défense efficace. Ils préparèrent un "démenti" qui parut dans la presse quelques jours plus tard. Ils se disaient que le parti ne devait pas se laisser gagner par la panique au point d'être amené à la déroute. Le gouvernement devait s'efforcer de garder le contrôle de cette explosive situation. Macdonald comptait insister pour qu'on mette sur pied la Commission d'enquête. Il voulait résister jusqu'au bout et ne pas céder devant l'Opposition qui, de plus en plus, combattait la prorogation du 13 août.

Toutes ces mesures n'étaient que de simples palliatifs. En fait, Macdonald se trouvait confronté à un désastre politique inévitable et immédiat. Il ne pouvait rien y faire. Pendant les quelques semaines qui suivirent, il se laissa totalement aller. Il avait beaucoup bu à Montréal pendant les premiers jours de juillet et, maintenant que c'était devenu une habitude dans ses moments de tension, il chercha de nouveau refuge dans l'alcool pour échapper à cette crise, la plus désespérée de toute sa carrière. Il passait ses journées complètement ivre, tantôt conscient et profondément déprimé, tantôt tout à fait abruti par l'alcool. "(...) Sir John A.", confia Dufferin un peu plus tard à Kimberley, "a vécu ces derniers temps dans un terrible état [75]." Vers la fin de juillet, comme la réunion du Parlement approchait rapidement, les appels de ses amis se firent de plus en plus pressants. C'est alors qu'il finit par se reprendre. Il contacta Dufferin qui effectuait dans les Provinces Maritimes une tournée en tant que vice-roi et fit les arrangements requis pour la nomination des trois membres de la commission royale d'enquête. Dufferin comme d'habitude, se montra courtois, chaleureux et amical, mais il était évident qu'il prenait la situation très au sérieux. Il lui fit part de son opinion. Il était, selon lui, impossible d'ajourner le Parlement jusqu'en hiver comme d'habitude. Il fallait inévitablement tenir une session en début d'automne [76]. De plus, et c'était peut-être le point le plus inquiétant de la réponse de Dufferin, celui-ci lui annonça son intention de rentrer à Ottawa pour assister à la réunion du 13 août. Or, quand Macdonald l'avait vu la dernière fois au début de l'été, les deux hommes avaient convenu que le gouverneur déléguerait ses pouvoirs puisqu'il s'agissait d'une rencontre purement formelle. En période de crise, il ne pouvait y avoir de délégation de pouvoir. Et Dufferin comptait revenir.

Le bref et soudain sursaut d'énergie venait de prendre fin. Macdonald n'avait jamais tout à fait cessé de boire. Il se remit à boire énormément. Dans moins de quelques jours, il allait devoir affronter le Parlement et l'opinion publique. Ses ennemis allaient jeter sur lui leurs regards moqueurs et triomphants. Macdonald s'accrochait désespérément à ces derniers moments de répit, de solitude. Déjà dans le passé, en semblable occasion, il avait toujours essayé de s'isoler, d'"exclure tout le monde", selon les termes de Sir Stafford Northcote. À présent, plus que jamais, il souhaitait être seul, se retirer dans un coin pour lécher ses blessures, comme un chien battu et humilié. Rivière-du-Loup était une petite colonie estivale bourgeoise. Partout, il y sentait sur lui le poids de regards indiscrets. Il entendait les chuchotements malveillants. Un jour, il ne fut plus capable de le supporter. Il prit la fuite. Il quitta sa modeste fermette et prit le Grand Trunk Railway jusqu'à Lévis. Personne ne savait où il était. Agnes affolée ignorait où il se cachait et dans quel état il se trouvait. Pendant quelques jours, il resta, comme Dufferin horrifié en informa plus tard Kimberley, "perdu avec un ami dans les environs de Québec" [77]. Les membres de l'Opposition toujours à l'affût d'informations, finirent par apprendre qu'il n'était pas chez lui. C'était une nouvelle intéressante dont il y avait moyen de tirer profit! Cette fois, il suffisait de laisser faire la rumeur. Au début d'août, ils répandirent le bruit que Macdonald s'était suicidé [78]. Dufferin qualifia la manoeuvre d'"infâme".

## VII

Le dimanche 10 août, le suicidé revint à Ottawa. Il avait réussi une fois de plus à reprendre le dessus. Certains observateurs le trouvèrent pâle et affaibli. Macdonald attendit l'arrivée de Lord Dufferin avec la plus grande anxiété. Le gouverneur n'atteignit la capitale que le matin du mercredi, le jour où le Parlement devait reprendre ses travaux. Macdonald chercha à le voir au plus vite. Était-il possible qu'à la dernière minute il y ait des changements dans ce qui avait été convenu? Le nombre croissant de personnes opposées à la prorogation avait-il influencé Dufferin? Macdonald savait que les chefs de l'Opposition avaient préparé une pétition contre demandant qu'on s'oppose à "toute tentative de retarder l'enquête ou d'en retirer la juridiction aux Communes". Richard Cartwright était chargé de cette pétition. Il affirmait que dix des partisans du gouvernement l'avaient également signée en plus, bien sûr, de l'opposition libérale dans son ensemble.

Au sein même du Cabinet conservateur, certains éléments s'élevaient contre tout nouveau report de l'enquête. Mais Macdonald ne voulait en rien changer sa position. De toute manière, il était trop tard pour changer de stratégie. À peine un tiers des députés conservateurs se trouvaient à Ottawa. L'Opposition avait rassemblé toutes ses forces. Toute modification au programme risquait d'être fatale au gouvernement Macdonald. Au nom du gouvernement, ce dernier présenta donc à Dufferin la demande de prorogation immédiate du Parlement, tel qu'annoncé précédemment aux Communes au nom du gouverneur général [79].

Macdonald dut sans doute pousser un profond soupir de soulagement dans l'instant qui suivit. Dufferin ne voyait aucune raison de ne pas se conformer à l'avis de ses ministres responsables. Il accepta la prorogation, mais à la condition expresse que le Parlement se réunisse six à huit semaines plus tard. Il fallut une seconde réunion en début d'après midi, réunion à laquelle assistaient tous les ministres du Cabinet solennellement réunis, pour que le gouverneur général consente à prolonger l'ajournement jusqu'à dix semaines plus tard, qu'il pourrait ramener à huit s'il le jugeait utile. Il n'y avait plus besoin d'avoir peur. La position du gouverneur général était claire. Il jouait magnifiquement son rôle. La réponse impromptue qu'il avait faite à Cartwright et aux autres pétitionnaires avait été soigneusement pesée. Il décréta la prorogation avec sa dignité habituelle. Il y eut un concert de protestations aux Communes. Trente-cinq députés seulement, Macdonald en tête, suivirent le Président jusqu'au Sénat.[80] L'épisode avait été exaspérant. Il avait mis les nerfs à rude épreuve. Mais c'était terminé. Le Parlement était prorogé, comme Macdonald avait dit qu'il le serait. Le lendemain, la Commission royale était créée. Day, Polette et Gowan en faisaient partie. Macdonald disposait d'environ deux mois. Deux mois pendant lesquels la Commission avait le temps de terminer l'enquête, pendant lesquels aussi l'agitation populaire diminuerait sans nul doute. Macdonald avait assez de temps pour contre-attaquer.

Le 4 septembre, la Commission d'enquête ouvrit ses audiences dans les édifices parlementaires à Ottawa. Jusqu'à la fin du mois, elle tint une séance de travail par jour. Macdonald était très occupé. Il avait décidé que, pour veiller à ses intérêts, le gouvernement devait être représenté à chaque audience. D'autres ministres, Campbell et Langevin en particulier, lui donnèrent un coup de main, mais Macdonald mena lui-même la plupart des contre-interrogatoires. Il voulait faire ressortir, si possible, que le gouvernement n'avait jamais rien promis à Allan sinon la présidence de la compagnie, qu'il l'avait même finalement obligé à rompre avec ses associés américains et que les fonds électoraux que les membres du gouvernement avaient acceptés de lui étaient exactement pareils aux autres contributions du genre qui se versaient lors d'élections en Grande-Bretagne et en Amérique du Nord. Macdonald souhaitait également montrer qu'Huntington et ses amis avaient eu recours à des moyens fort peu honorables pour obtenir leurs preuves. L'Opposition s'était acoquinée avec des maîtres chanteurs et des voleurs. Elle s'était servi de documents volés. Ah! s'il pouvait contre-interroger Huntington et McMullen! S'il pouvait persuader George Norris, le secrétaire particulier d'Abbott, de révéler la manière dont les télégrammes avaient été volés, ou si la persuasion échouait, s'il pouvait l'obliger à le faire.

Mais ces espoirs demeurèrent vains. L'Opposition et ses hommes de main utilisèrent la méthode la plus simple pour se soustraire au contre-interrogatoire de Macdonald. Ils se tinrent soigneusement à l'écart de toute l'enquête. Les accusateurs décidèrent dans leur morale élevée qu'ils n'aimaient pas du tout l'idée de se trouver confrontés aux accusés. Huntington affirma que c'est à la Chambre des Communes seule qu'il devait rendre des comptes. Il refusa de reconnaître la compétence de "quelque tribunal d'exception ou de quelque instance inférieure que ce soit". Il déclina l'invitation de la Commission de mener l'audition des témoins dont il avait lui-même demandé qu'ils comparaissent [81]. Un messager spécial convoqua G. W. McMullen et Charles M. Smith, mais ils restèrent prudemment à Chicago. Quant au sénateur A. B. Foster qui, selon Macdonald, était l'intermédiaire par lequel les lettres d'Allan dont disposait McMullen étaient tombées entre les mains des chefs libéraux, il décida modestement d'éviter la publicité malvenue qui entourait les travaux de la Commission. George Norris, dès qu'il reçut le *sub poena* du secrétaire de la Commission, quitta tout à fait précipitamment son domicile pour St. Albans dans le Vermont où il se cacha pendant quelques jours [82]. Il avait été bien payé, il espérait un "poste dans la fonction publique" dès que l'Opposition serait au pouvoir. Il se vantait même, si cela ne se produisait pas, que "de nombreux libéraux" à Montréal sauraient s'occuper comme il faut de lui. Un détective le suivit jusqu'à St. Albans et continua de le talonner sur son chemin de retour jusqu'à Montréal. Mais pas plus l'intimidation que la persuasion ne réussirent à l'émouvoir. Il avait décidé de s'abstenir de toute déclaration. On ne pouvait le forcer à comparaître devant la commission. Avec regret, Abbott fit comprendre à Macdonald qu'il était inutile d'essayer de le poursuivre en justice [83]. Pour finir, ils durent se rabattre sur Alfred Cooper, un employé de bureau de J. A. Perkins, qui avait aidé Norris à copier les documents. Il était trop tard pour faire comparaître Cooper devant la Commission mais cela aurait pu être utile. Cooper se rendit néanmoins à Ottawa au début d'octobre. Il rendit compte en détail à Macdonald de tout ce qu'il savait de l'affaire. Ce dernier estimait que cela pourrait lui servir au cours de la prochaine session parlementaire [84].

Le Parlement devait se réunir le 23 octobre. L'enquête était terminée. Macdonald se rendait compte qu'il envisageait la nouvelle session avec moins d'appréhension qu'il ne l'aurait cru deux mois plus tôt. Il ne s'était bien sûr pas tout à fait débarrassé de ses doutes ni de ses craintes. Dans un coin reculé de son cerveau, il y avait l'idée lancinante que toutes les preuves contre lui n'avaient pas encore été dévoilées, que Cartier avait peut-être fait une autre promesse à Allan ou que lui-même, au cours des journées d'énervement et de confusion de la campagne électorale d'août 1872, avait peut-être envoyé un autre télégramme à Abbott dont il ne se souvenait plus. Mais après enquête approfondie, c'était très peu probable. Le scandale avait été révélé au public jusque dans ses moindres détails. Tout ce dont on pouvait accuser Macdonald avait été dit et répété à satiété. Il est vrai que le *Globe* et les autres journaux réformistes ne cessaient de dénoncer le caractère "terriblement peu satisfaisant et peu sérieux" de l'enquête et qu'ils prédisaient clairement que, dès l'ouverture de la session, l'Opposition réclamerait une nouvelle enquête parlementaire plus efficace. [85] Ces menaces ne dérangèrent pas fort Macdonald ni son chef, le gouverneur général. Selon Dufferin, une nouvelle enquête aurait pour principal résultat de mettre à jour les "vilaines manoeuvres" de l'Opposition [86]. Le pire était passé. Dufferin avait prédit que le dévoilement de toute l'affaire provoquerait une "fantastique réaction". Macdonald pensait qu'elle pourrait bien maintenant tourner en sa faveur. Le gouverneur général, de toute évidence, lui était sympathique. Il demanda à Macdonald de rédiger une défense qu'il pourrait utiliser au cours des échanges de correspondance avec l'Angleterre. Le 9 octobre, Macdonald termina le long mémorandum confidentiel dans lequel il expliquait quel avait été son rôle. Le Parlement devait se réunir à nouveau une quinzaine de jours plus tard. Il en attendait la réouverture presque avec plaisir. "Le Discours du Trône prêtera à controverse et sera l'objet d'un débat serré, confia-t-il à Dufferin, mais je crois que cela n'ira pas plus loin [87]." Il était impossible, en politique, de jouer au prophète, mais Macdonald ne pensait vraiment pas que son gouvernement puisse être renversé.

Le dimanche 19 octobre, quatre jours avant la réouverture du Parlement, Macdonald perdit brutalement sa belle sérénité. Le vendredi précédent, Dufferin était rentré de son congé à Québec. Il avait rencontré Day et les autres membres de la commission. Il avait passé le samedi à étudier très minutieusement leur rapport officiel. Mais tout cela était une affaire de routine qui ne laissait prévoir en rien la stupéfiante lettre que Macdonald reçut du gouverneur général le dimanche. La lettre commençait sur un ton rassurant. Elle passait en revue les différentes accusations dont Macdonald avait été innocenté. Mais elle en restait là. La suite était beaucoup moins agréable. "(...) il est tout aussi indiscutable et évident, poursuivait Dufferin, que vos collègues et vous ont reçu d'énormes sommes d'une personne avec qui vous étiez en train de négocier au nom du Dominion et que vous les avez distribuées dans les circonscriptions de l'Ontario et du Québec, et utilisées à des fins interdites par la loi. En agissant de la sorte, je suis intimement persuadé que vous n'avez fait que vous conformer à une tradition solidement établie et que vos adversaires politiques ont probablement recouru à des pratiques identiques. Cependant, vos responsabilités exceptionnelles de ministre de la Justice, garant officiel et protecteur des lois, et votre rôle dans cette affaire ne peuvent fatalement qu'affecter votre position de ministre [88]." Macdonald avait les yeux rivés sur la conclusion de la phrase: "(...) ne peuvent fatalement qu'affecter votre position de ministre." Il est vrai qu'après cette phrase gênante, Dufferin redisait à Macdonald combien il lui était personnellement attaché et à quel point il était convaincu de sa compétence et de son sens patriotique. Même tout à fait sincères, ces assurances ne changeaient en rien le fond de la lettre. Le gouverneur général venait très consciemment de lui donner un avertissement. En tant que gardien suprême de la Constitution, avait-il l'intention d'intervenir? Si oui, Macdonald ne devait-il pas démissionner sur-le-champ?

Le lendemain, à midi trente, il rencontra son chef. Ce fut une curieuse entrevue, à la fois pénible et d'une extrême politesse, une rencontre pleine de tact pendant laquelle les deux partenaires jouèrent leur rôle avec une parfaite correction. Dufferin détestait la tâche qui lui revenait. Il en était venu à éprouver un grand respect pour son Premier ministre. Un respect plus affectueux et peut-être moins critique même que celui qu'éprouvait son Premier ministre vis-à-vis de lui. Macdonald trouvait parfois un peu "exagérée" la façon de parler du gouverneur général qui employait toujours force compliments. Dufferin, généreux de caractère et romantique de tempérament, s'était laissé presque complètement conquérir par ce colonial exceptionnel, tellement prévenant et attentionné et dont les façons d'agir étaient si séduisantes. Cet homme lui semblait de loin supérieur à ses contemporains, tant par sa compétence que par son sens patriotique élevé: "Sir John est de loin l'homme le plus compétent du Canada", avait-il confié à Kimberley moins d'un an après son entrée en fonction. Le temps n'avait pas altéré son opinion [89]. Dufferin avait attendu avec "une vive impatience" que Macdonald se défende des "odieuses accusations" dont il était l'objet depuis que le "scandale du Pacifique" avait éclaté. Il ne s'était persuadé que lentement et à regret que quelque chose, vraiment, n'allait pas. Mais une fois parvenu à cette conclusion, la haute idée qu'il se faisait de l'intégrité politique le poussa à agir, autant dans l'intérêt de Macdonald que dans le sien propre. "J'en étais peu à peu arrivé à croire, expliqua-t-il à Kimberley, que, dans certaines circonstances, il pût devenir de mon devoir d'intervenir et d'empêcher l'esprit partisan d'imposer sa loi de force au Parlement et au pays [90]." Dufferin ne pouvait permettre à ses ministres de rester en poste en disposant d'"une majorité parlementaire qui s'était adonnée à la corruption". C'était la cause de la lettre et de l'entrevue. Dufferin voulait mettre Macdonald en garde et se réserver une certaine liberté de manoeuvre.

Macdonald était très troublé. Il est possible qu'il ait eu envie de faire part à Dufferin de ses sentiments profonds. Mais, dans les faits, il se montra "très digne, infiniment courtois et tout à fait maître de lui". Il est vrai qu'il reprocha un peu à Dufferin d'avoir attendu tant de temps avant de lui faire part de cette décisive déclaration. Dufferin lui rétorqua qu'il lui avait paru nécessaire d'attendre le mémorandum confidentiel du Premier ministre. De plus, il avait voulu rencontrer personnellement les membres de la Commission et avoir le temps d'étudier les preuves officielles. Macdonald accepta volontiers l'explication. Sa première réaction après avoir reçu la lettre, confia-t-il à Dufferin, avait été de présenter sa démission. Dufferin répondit que sa lettre n'était pas un désaveu, mais une mise en garde. Il voulait éviter une humiliation à son Premier ministre et, s'il devait tomber, il espérait que sa défaite lui serait imputable à lui et à lui seul. Exactement comme dans sa lettre, il refit avec infiniment de précautions le tour de la situation. Il avait été prouvé hors de tout doute que le gouvernement n'avait eu aucun rapport répréhensible avec les Américains et qu'il n'avait pas non plus modifié la charte du Canadian Pacific Railway pour servir les intérêts de Sir Hugh Allan, après que ce dernier lui eût versé un pot-de-vin. Mais il restait la quatrième accusation d'Huntington: Macdonald et d'autres ministres avaient reçu d'Allan d'importantes sommes d'argent destinées à leur caisse électorale. Dufferin fit remarquer que ce fait-là était prouvé et qu'il fallait l'admettre. Macdonald avait la possibilité d'admettre ce blâme minimum et de battre honorablement en retraite. S'il se décidait à agir ainsi, il lui serait facile de se réhabiliter et même de reprendre très rapidement le pouvoir. Le gouverneur général insista plusieurs fois pour bien lui faire comprendre qu'il ne souhaitait pas intervenir. Il ne comptait intervenir que si Macdonald persistait à braver le verdict et si, pour finir, il réussissait à contourner le veto parlementaire d'extrême justesse et en employant toutes sortes de manoeuvres.

Le lendemain, mardi 21 octobre, Macdonald et son Cabinet envisagèrent de démissionner. Tôt le mercredi, Alexander Campbell rencontra l'un des principaux fonctionnaires d'un ministère. Il lui dit confidentiellement que la situation était "tendue". Il ajouta que Sir John devait le matin même retourner à Rideau Hall pour rencontrer le gouverneur général [91]. Macdonald ne comprenait pas la raison de cette seconde et étrange convocation. Il était passablement énervé quand il entra dans le bureau de Dufferin. Il fut évident dès le départ que le gouverneur avait à s'acquitter d'une tâche beaucoup plus agréable que deux jours plus tôt. Le courrier d'Angleterre, expliqua-t-il à Macdonald, était arrivé le mardi soir. La valise diplomatique contenait certaines lettres personnelles de Kimberley. Dans l'une d'elles, le secrétaire aux Colonies exposait le principe suivant: il appartenait au Parlement canadien de décider s'il voulait retirer ou non sa confiance aux conseillers du gouverneur général [92]. Dufferin admit magnanimement que s'il se fiait à cette opinion il était plus "lié par le Parlement" qu'il ne l'avait à prime abord pensé. Macdonald pouvait considérer la lettre précédente "en un certain sens, comme non avenue, même si naturellement", ainsi que le rapporta ultérieurement le gouverneur général à Kimberley, "je n'ai nullement renoncé à ma liberté d'action (...) pour l'avenir" [93].

La crise immédiate était surmontée. Macdonald décida que le ministère devait s'accrocher et faire face à la tempête. Il était même assez confiant. Dufferin rapporta que le gouvernement était "fier comme Artaban" le jeudi 23 octobre, à l'ouverture du Parlement. Après un ajournement au lundi suivant, le débat sur le Discours du Trône commença. Selon Dufferin, les conservateurs "jubilaient" et prédisaient avec confiance qu'ils disposeraient d'une majorité de seize à dix-huit voix. Macdonald, comme le raconta le gouverneur général à Kimberley, "vint prendre le départ, souriant et dispos". Cette bonne humeur et cette confiance durèrent quelque temps. Puis, un changement de plus en plus marquant se fit sentir. Macdonald se mit à accuser le coup. La tension du débat devint de plus en plus forte. Il commença à perdre ses partisans un à un. Sa majorité n'était plus aussi certaine qu'il l'avait prévu. Pire, la tactique des libéraux lui échappait complètement et le rendait fou. Blake, le meilleur orateur réformiste, l'homme qui connaissant dans le détail les plus obscures complications du "scandale" n'avait pas encore parlé. Que pouvait bien signifier son silence? Attendait-il volontairement de ne parler qu'après son principal adversaire? Qu'est-ce qui pouvait bien motiver pareille manoeuvre? Blake était-il encore en possession d'une maudite preuve, d'un document qui n'avait pas encore été dévoilé et qui compromettrait définitivement le gouvernement? Attendait-il que Macdonald ait terminé sa défense pour asséner un coup final qui mettrait les conservateurs en déroute et ferait tomber le gouvernement? Cela avait été la peur secrète de Macdonald depuis des mois. À présent, elle le paralysait. Macdonald n'avait pas oublié que la presse d'Opposition, après la publication de ses télégrammes personnels à Abbott, avait insinué qu'elle ferait de "nouvelles révélations". Dans un moment d'ivresse, avait-il au cours de la campagne électorale du mois d'août, expédié un autre télégramme incriminant à Abbott dont il aurait perdu mémoire [94]? Ou bien Cartier, acculé au pied du mur, avait-il été obligé de faire une dernière promesse à Allan qui ne cessait de le tourmenter?

Macdonald ne disait mot. Le débat l'épuisait. Le stress était constant, intolérable. Il était profondément démoralisé. Mais il avait décidé de ne pas parler. L'affolement de ses partisans se transformait peu à peu en colère. Ils le suppliaient de faire la déclaration que tout le monde attendait et de clore le débat alors qu'il leur restait encore une chance de gagner. Dufferin pensait que s'il avait parlé à temps, il aurait pu diviser la Chambre sur la question du Discours du Trône et l'emporter avec "majorité confortable", à défaut de la majorité de dix-huit voix dont Macdonald pensait disposer au début. Mais, ce dernier, livide et ébranlé, restait assis en silence. Son regard lourd semblait fasciné par le dernier coup terrible qui restait encore à tomber et qu'il devait, d'une façon ou d'une autre, réussir à parer. Pendant ce temps, sa majorité continuait de diminuer régulièrement. Elle tomba à huit voix, puis à six, et finalement le vendredi, dernier jour d'octobre, elle se réduisit à deux voix. Le vendredi après-midi, Macdonald retourna voir le gouverneur général. De toute évidence il avait beaucoup trop bu; mais il était tout à fait cohérent et ce qu'il avait à dire était clair, et vraiment surprenant. Il confia à Dufferin consterné sa peur que Blake ait gardé en réserve une ultime et écrasante révélation [95]. À sa connaissance, il n'existait pas d'autre document compromettant et il n'avait aucune idée de l'éventuel contenu d'un tel document s'il existait. Il se rendait compte que ses chances diminuaient d'heure en heure, mais malgré tout c'était Blake qui devait parler d'abord. Macdonald n'osait tout simplement pas prendre la parole avant lui.

Le lundi, après un week-end de réflexion, Macdonald semblait décidé à rester toujours aussi dangereusement passif. Apparemment, il n'avait rien changé à sa décision. Il était physiquement moins en forme que d'habitude. Il était pâle, hagard, étonnamment faible. La façon confuse et inefficace dont il dirigeait ses troupes offrait un étrange contraste avec son habituelle autorité et son sens du leadership en Chambre. Ses partisans et le gouverneur général étaient au désespoir. "(...) Il a eu une première escarmouche avec Blake, raconta Dufferin à Kimberley. Il s'agissait d'une discussion à propos de la présentation de mes dépêches au Parlement. Il a dit exactement le contraire de ce qu'il fallait, a commis deux ou trois grosses bévues, m'a compromis, et a montré à tous qu'il avait les idées assez peu nettes, comme Tupper, son collègue et médecin l'a admis devant moi [96]." Le spectacle était désolant. Tout le monde en parla pendant la pause de midi. Qu'allait-il arriver? À ce rythme catastrophique, la longue agonie de la semaine précédente se terminerait bien vite. Le gouvernement dérivait peu à peu vers les écueils, pendant que son gouvernail ivre oscillait au hasard d'un côté puis de l'autre.

Puis soudain, comme la Chambre s'était réunie à nouveau ce soir-là, Macdonald changea complètement. Il s'était rendu compte qu'il était inutile et fou d'attendre plus longtemps. Il commençait à comprendre ce que d'autres soupçonnaient depuis des jours: Blake avait attendu, non parce qu'il voulait lui asséner un ultime et sensationnel coup de grâce, mais simplement pour rendre son adversaire le plus nerveux possible et le laisser craquer de lui-même. Blake avait failli réussir, se dit amèrement Macdonald. Mais il allait lui montrer qu'il n'était pas si facile que cela de remporter une victoire morale sur lui. Sa défense, ni plus ni moins préparée que ses autres discours, était prête dans son esprit. Il sentait la confiance lui revenir. Il avait la Chambre devant lui. En haut, les galeries étaient pleines à craquer. Tous attendaient. Ils l'attendaient, lui et lui seul. Ils n'allaient pas être déçus. Il était sur le point de parler, et de parler de son mieux. Il s'était levé, les traits tirés, le visage livide. Son corps maigre paraissait étrangement fragile. Les applaudissements crépitèrent. L'ovation dura un bon moment. Puis le silence se fit, comme un lourd fardeau qui tombait sur la grande salle. Macdonald vit le dernier député en retard se glisser sur la pointe des pieds vers son siège et les reporters sortir leur bloc-notes. Lady Dufferin était penchée au-dessus de la balustrade des galeries. Agnes ne le quittait pas des yeux. Ses traits sombres trahissaient son inquiétude. Macdonald s'humecta les lèvres. C'était une sorte de tic nerveux dont il avait pris l'habitude. Voilà! il allait parler. Il était neuf heures du soir.

*Archives publiques du Canada*

Lady Macdonald

# VIII

"Je laisse à la Chambre, en toute confiance, le soin de juger. Je suis prêt à accepter l'un ou l'autre verdict. Je suis capable de supporter la décision de cette Chambre, qu'elle soit en ma faveur ou qu'elle me soit contraire; mais qu'elle soit pour ou contre moi, je sais, sans vouloir me vanter, car même mes ennemis admettront que je ne suis pas vantard, que personne dans ce pays n'a donné plus de son temps, plus de son énergie, plus de sa santé, plus de son intelligence et de son pouvoir, quels qu'ils soient, pour le bien du Dominion du Canada [97]."

C'était fini. Il avait parlé pendant près de cinq heures. Puis tout alla très vite. Il y eut un tonnerre d'applaudissements. Blake esquissa un début de réponse. Les travaux furent ajournés. Des mains se serrèrent. Des députés se congratulèrent. Certains lui promirent leur soutien inconditionnel. Tout était fini. Il était deux heures et demi du matin. Macdonald se retrouva à l'extérieur. Il traversa le canal et regagna en voiture sa maison de Chapel Street. Au coin des rues, de petits groupes discutaient avec animation. Dans de nombreux foyers, les lampes à gaz allaient continuer de brûler pendant un bout de temps, assez longtemps pour que parents et amis puissent commenter un à un les divers points du discours qu'ils venaient d'entendre. À Rideau Hall, le gouverneur général attendait impatiemment. Sa femme, accompagnée de ses invités, arriva vers trois heures du matin. Pendant deux heures, Lady Dufferin reprit avec gestes à l'appui, la longue argumentation de Macdonald.

Le lendemain, ce dernier était littéralement malade de fatigue. Il vint en Chambre pour la session de l'après-midi. Très peu de temps après, il fut obligé de se retirer. Pendant plusieurs heures, il resta couché sur un divan dans une des salles de commission [98]. Il n'entendit que quelques mots de la réponse de Blake. Il ne se rendait que vaguement compte de ce qui se passait. Mais à travers les brumes de sa semi-conscience, il commençait à réaliser que son discours avait été un succès foudroyant. C'était, quelles qu'en fussent les conséquences politiques, un triomphe personnel, une victoire personnelle. Le lundi, à six heures, il était, il le savait, un chef indécis, confus, peu séduisant. "Pourtant, trois heures plus tard", comme le confia Lord Dufferin en privé à Kimberley, "il se leva, pâle, hagard, l'air tellement fragile qu'on avait l'impression qu'une simple chiquenaude pouvait le renverser. Il prononça un discours décisif et réussit à électriser la Chambre [99]." Il avait de nouveau réussi. Il avait puisé sa force dans ces réserves profondes dont ni lui ni personne ne connaissait les limites. Il s'était repris. Il avait regagné, et même consolidé, l'affection et la loyauté des Canadiens. Les félicitations lui parvinrent de tous les coins du pays. Même Rideau Hall, qui devait en principe se montrer tout à fait impartial, était ardemment, sinon publiquement, pour Macdonald. Lady Dufferin écrivit à Lady Macdonald pour lui faire part de son enthousiasme. Le gouverneur général raconta: "Tous mes amis anglais débordaient d'enthousiasme ce matin, en prenant leur petit déjeuner à Rideau Hall [100]."

Macdonald avait remporté un triomphe personnel. Mais il savait, même après avoir prononcé son discours, qu'il ne pourrait éviter la défaite politique. Il avait repris le commandement. Mais il ne pouvait empêcher la débâcle. Les défections continuaient. Le mardi, deux autres partisans l'abandonnèrent, dont Donald A. Smith. Le mercredi 5 novembre lors d'une réunion du Cabinet, les ministres et lui admirent qu'ils ne pouvaient plus espérer obtenir la majorité et qu'il valait mieux se déclarer battus. Ce matin-là, Macdonald attendit Lord Dufferin pour lui présenter sa démission et celle de ses collègues. À trois heures et demie, la Chambre venait à peine de se réunir quand Macdonald lui annonça le résultat de son entretien avec le gouverneur général: "Son Excellence m'a donc chargé d'annoncer qu'il avait accepté la démission de la présente administration et m'a autorisé à vous faire savoir qu'il a demandé à M. Mackenzie, chef de l'Opposition, de former un gouvernement [101]." C'était fini. Quelques minutes plus tard, la Chambre ajourna ses travaux. Moins de quarante-huit heures plus tard, il aurait rassemblé ses effets personnels et dit au revoir aux membres de son équipe. Il allait quitter le bâtiment est pour retrouver sa vie privée.

Son gouvernement était battu et son projet de chemin de fer anéanti. Qui avait gagné? Certainement pas Macpherson ni l'Interoceanic Railway Company, car son projet avait été emporté dans la même débâcle que celui d'Allan. Pas non plus le Parti libéral. Les libéraux avaient acquis le pouvoir, mais ils n'y étaient absolument pas préparés. Ils allaient devoir l'exercer dans des conditions fort peu favorables. Encore moins le Canada, car la consolidation du pays grâce à la ligne de chemin de fer transcontinentale avait été reportée à une date indéfinie. Le véritable vainqueur était McMullen. C'étaient les membres du conseil d'administration du Northern Pacific Railroad, l'inévitable compétiteur du Canadien Pacifique qui gagnaient et eux seuls avaient gagné. Ils avaient réussi à discréditer un Premier ministre canadien, à renverser un gouvernement canadien et à humilier un grand parti canadien. Mais surtout, ils avaient réussi à faire retarder (et pour combien de temps?) la construction d'un chemin de fer qui seul permettrait de défendre le nord-ouest canadien contre la domination économique des États-Unis. La Colombie britannique resterait un avant-poste isolé du Pacifique. Les Prairies désertes devraient attendre longtemps leurs colons. Et les crêtes des Laurentides qui s'étendaient vers le nord-ouest sur des kilomètres et des kilomètres allaient encore rester sauvages et vierges.

## Chapitre six

# La croisée des chemins

### I

Le 6 novembre, le lendemain de la démission du gouvernement, Macdonald rencontra le caucus des députés conservateurs [1]. S'il ne s'y attendait pas vraiment, il espérait tout au moins que la rencontre permettrait de choisir un nouveau chef. Il existait toutes sortes de raisons, des raisons valables, solides, irréfutables, pour qu'il passe la main à ce moment-là. Il avait commis de grandes et de petites erreurs. Il ignorait bien sûr qu'un ami aussi proche qu'Alexander Campbell avait déclaré en privé que le gouvernement ne serait pas tombé "si Sir John A. s'était tenu droit ces quinze derniers jours" [2]. Mais il pouvait lire dans les yeux de maint député la réprobation tacite vis-à-vis de la ligne de "faible défense" qu'avait adoptée le gouvernement. Il se rendait également compte que ses mauvais calculs des quinze derniers jours ne représentaient qu'une petite partie de la longue et lourde liste de griefs qui pouvaient l'empêcher de devenir le nouveau chef du Parti libéral-conservateur. Il avait dirigé le Parti pendant près de vingt ans. Il avait réussi à le tirer d'innombrables mauvais pas, mais il l'avait conduit finalement à une véritable catastrophe. Après deux décennies de lutte permanente, beaucoup éprouvaient du ressentiment à son égard. Son succès prolongé lui valait la jalousie et la haine, et son échec final lui attirait la calomnie et la réprobation. Au contraire d'un homme plus jeune, il était prisonnier du passé. Et le passé, avec toutes ses luttes, l'avait épuisé. Dans deux mois, il allait avoir cinquante-neuf ans. Il avait bien mérité de se reposer. Il fit face, l'air grave, aux rangs serrés des conservateurs silencieux et attentifs. Il leur demanda pour le bien du pays et dans l'intérêt du Parti de choisir comme chef un homme plus jeune.

Le caucus refusa. Avec autant de sérieux que celui dont Macdonald faisait preuve, les députés conservateurs réaffirmèrent qu'ils préféraient continuer à se battre sous ses ordres. Cette déclaration de fidélité unanime le toucha. Même si on pouvait l'attribuer à la générosité, au désir de ne pas l'abandonner juste au moment où il était abattu, elle le toucha, elle le toucha profondément. Il se garda pourtant, en cet instant où il se sentait rasséréné et plein de gratitude, de prendre un engagement définitif. Il déclara aux conservateurs qu'il continuerait à diriger le Parti aussi longtemps qu'ils pensaient qu'il pourrait lui être utile. De toute évidence, lui-même avait pensé et continuait de penser qu'il n'avait plus qu'un rôle temporaire à jouer. Quelques jours plus tard, à l'occasion d'un dîner officiel offert en son honneur et en celui des ministres démissionnaires au Russel's Hotel d'Ottawa, il revint sur la question de sa retraite et de la direction du Parti avec la même franchise dont il avait fait preuve lors de la réunion du caucus: "Je ne puis rester beaucoup plus longtemps," dit-il franchement à ses auditeurs. "Vous trouverez au sein du Parti des jeunes hommes que vous serez fiers de suivre avec la fidélité sans faille avec laquelle vous m'avez toujours suivi. J'espère que notre Parti donnera le jour à un gouvernement fort, couronné de succès. Cela je n'en doute pas! Mais j'espère, quant à moi, ne plus jamais faire partie d'aucun gouvernement [3]."

Macdonald voulait un chef jeune. Il voulait une politique à long terme orientée vers l'avenir. Les libéraux conservateurs avaient essuyé une terrible humiliation. Dans quelques mois, car il était maintenant sûr qu'une élection générale aurait lieu bientôt, ils subiraient sans doute une terrible défaite. Selon toutes probabilités, il faudrait des années avant que le Parti ne reprenne confiance en lui-même et ne regagne l'estime et les faveurs du peuple canadien. La seule chose que le Parti ne pouvait se permettre, disait Macdonald avec insistance, et le caucus était d'accord, c'était de risquer son faible regain de popularité en menant une opposition partisane et irresponsable. "Vous verrez", dit-il à ses auditeurs du Russel's Hotel en leur décrivant la position des futurs conservateurs, "que nous ne jouerons pas le même jeu que la précédente Opposition (...) Vous ne nous verrez jamais nous opposer à un projet de loi utile à la nation pour le seul plaisir de nous y opposer. Je ne crois pas que nous soyons souvent poussés à bout, car leurs bonnes mesures seront aussi rares et clairsemées que les apparitions d'un ange; mais elles en seront d'autant plus appréciées. Et, en conséquence, nous les soutiendrons. En ce qui me concerne, ce n'est pas une vague promesse. Je l'ai déjà prouvé [4]."

Macdonald l'avait déjà prouvé en effet au moment du gouvernement Macdonald-Sicotte. La pieuse résolution de ne pas se livrer à une "opposition factieuse" était une attitude qui convenait tout à fait bien à un parti humilié. Cela représentait une forme acceptable de repentir public et en même temps c'était probablement la décision la plus sage que pouvait prendre le Parti conservateur. Pendant quelque temps, il valait vraiment mieux pour les conservateurs qu'ils restent tranquilles. Le Parti avait besoin de temps pour se remettre de la défaite et pour se réorganiser en vue de la victoire. Le temps devait leur permettre de reprendre haleine, et c'était indispensable. Le temps pouvait aussi plus vite que prévu plonger leurs adversaires dans l'embarras. La situation économique en cette fin d'automne 1873 était peu reluisante. Si la chute du gouvernement conservateur était inévitable, elle aurait difficilement pu se produire à un moment plus propice. Après le boom de la guerre franco-prussienne qui avait eu lieu au printemps en Europe, New York, à la fin de septembre, avait connu un inquiétant crash financier. Pendant les deux mois précédents, toute une série de firmes industrielles et commerciales avaient fait faillite, le commerce avait ralenti et les prix à la consommation étaient tombés. Personne ne se rendait compte qu'il s'agissait du début de la "Grande dépression" de la fin du dix-neuvième siècle. Mais tout le monde savait que le Canada, comme le reste du monde occidental, devait sans doute s'attendre à vivre des moments très difficiles. Il était heureux pour les conservateurs qu'ils n'y fussent pas mêlés. Ils avaient déjà suffisamment de problèmes. Le Parti ne pouvait espérer passer à l'offensive avant des mois, voire des années. Pour le moment, tout ce que les conservateurs pouvaient espérer, c'était de tenir le coup, de supporter la situation, de survivre et d'attendre patiemment des jours meilleurs.

Les problèmes commencèrent presque aussitôt. En décembre, une élection partielle eut lieu à Toronto et le public canadien eut, pour la première fois, l'occasion de montrer à quel point il désapprouvait moralement les conservateurs. Les libéraux étaient soutenus par un petit groupe de jeunes agents publicitaires patriotes et fervents qui dénonçaient le caractère partisan et la corruption des moeurs politiques canadiennes. Ils avaient baptisé leur formation: "Le Canada d'abord". Le candidat réformiste, Thomas Moss, remporta facilement la circonscription. Cette défaite en combat singulier laissait deviner avec une malheureuse exactitude le balayage libéral dont les conservateurs allaient faire les frais le mois suivant. Les élections générales eurent lieu au milieu de l'hiver 1874. Les conservateurs ne réussirent à sauver que soixante-dix sièges environ [5]. "Nous avons rencontré l'ennemi", écrivit C. H. Mackintosh, du *Citizen* d'Ottawa, à Macdonald, "et il nous a vaincus [6]." Un petit groupe de vieux routiers survécurent à cette déroute fulgurante. Il restait un dernier bastion, mais il avait quasiment perdu son chef. On annonça d'abord que Macdonald avait gagné par une très faible majorité à Kingston devant son vieil adversaire Carruthers. Le nombre de voix de majorité importait peu. La victoire seule important. Mais à la grande consternation des conservateurs, cette victoire fut immédiatement et âprement contestée. Une pétition officielle circulait qui accusait Macdonald de corruption et d'autres malversations électorales. [7] Il allait peut-être finir par remporter le siège, mais une longue et exaspérante bataille juridique s'annonçait avant qu'il réussisse à prouver son bon droit.

Pendant plusieurs semaines après les élections, Macdonald resta cloué au lit, affligé d'une mauvaise grippe qu'il avait attrapée pendant cette campagne électorale qu'il avait dû mener en plein hiver. À Kingston, il avait livré bataille en expliquant à nouveau qu'il se faisait vieux et donc qu'il se contenterait d'appuyer loyalement le prochain gouvernement libéral-conservateur sans toutefois vouloir en faire partie. Ses concitoyens croyaient fermement en son prochain retrait de la vie politique. Tout le monde, y compris le gouverneur général, commençait à parler de sa carrière au passé. On jetait déjà un regard rétrospectif comme si sa retraite était chose faite. "Il serait prématuré de prévoir l'avenir", écrivit prudemment Dufferin à propos de son ancien Premier ministre, "mais cela me ferait de la peine de penser que sa carrière politique est achevée. Il est vrai que sa santé est très précaire. Sans cela, il est sûr qu'il pourrait jouer à nouveau un rôle de premier plan, car il est incontestablement le meilleur homme d'État au Canada [8]." Cette opinion généreuse laissait transparaître le regret. Mais ce regret était-il justifié? Au cours de la courte première session du nouveau Parlement, Macdonald se contenta d'attendre. Il se garda d'intervenir et de s'engager. Quand vint l'été, il partit passer de longues vacances à Rivière-du-Loup. Les appels pressants de ses partisans ne réussirent pas à le faire bouger. Il dit à Tupper que les conservateurs de Toronto lui demandaient instamment de venir assister à une ou deux réunions, mais qu'il ne s'en sentait vraiment pas l'envie. "Mes jours de combat sont terminés, je crois", écrivit-il [9].

Chef provisoire d'une armée qui avait subi une grande défaite, Macdonald n'était pas d'humeur à se lancer dans des raids aventureux. À Russel's Hotel, il avait mis les conservateurs en garde contre l'excès d'esprit partisan. Il continuait d'obliger ses troupes à se taire et à garder une position strictement défensive. Il ne changea pas d'attitude, même à l'été 1874, lorsque fut soulevé une question d'intérêt national et à propos de laquelle, Macdonald en était convaincu, le nouveau gouvernement commettait une grave erreur. Le débat public qui s'ensuivit dut pourtant lui donner envie d'intervenir. Macdonald aurait pu dire que le gouvernement se trompait en ayant la présomption d'être capable, en ce qui concerne le traité de Washington, d'obtenir des Américains plus de concessions qu'il n'en avait lui-même obtenues. Les libéraux avaient toujours été portés à mettre sur le compte de la faiblesse de Macdonald et de ses piètres talents de diplomate la session du droit de pêche en zones côtières en échange d'une contrepartie en argent. D'après eux, il aurait été possible de conclure un traité de réciprocité tout à fait satisfaisant, mais il aurait fallu avoir un bon négociateur! Un libéral aurait pu l'obtenir. Il aurait suffi de lui en laisser la chance! Et justement, par un heureux hasard, il restait encore une chance. La somme exacte à payer par les Américains restait encore à fixer. L'arbitrage n'avait pas eu lieu. Les libéraux envoyèrent George Brown, diplomate solide et très optimiste, à Washington. Il avait pour mission de transformer cette vente au rabais en un accord commercial profitable. Fish était encore secrétaire d'État. Il aurait difficilement pu se montrer moins intéressé, moins coopératif et moins enthousiaste qu'il ne le fut pendant ces nouvelles négociations. Le projet de traité qui en résulta et qui fut rendu public au cours de l'été était vraiment l'oeuvre personnelle de Brown. Aux termes de ce traité, les taxes américaines et canadiennes à l'importation seraient, pour une vaste gamme de produits depuis les produits manufacturés jusqu'aux matières premières, progressivement réduites, sur un laps de temps de plusieurs années. Du point de vue de ce nouveau Canada industriel, dont Macdonald avait évoqué l'émergence lors des élections de 1872, le traité prêtait particulièrement à controverse. À peine fut-il rendu public que les associations d'industriels canadiens et les Chambres de commerce commencèrent à le critiquer violemment et en détail. [10]

Cela semblait une excellente occasion, particulièrement pour un Parti qui avait, au cours des élections de 1872, fait sien le slogan de "politique nationale" et tant parlé de protectionnisme conjoncturel. Tupper, sanguin et impétueux comme d'habitude, avait hâte de prononcer des discours qui dénonceraient publiquement le traité. Macdonald se montra plus prudent et ne sortit pas de sa réserve. Il admettait avec Tupper que l'accord était mauvais, qu'il méritait d'être condamné. Mais en même temps, il croyait qu'il fallait laisser au mouvement populaire d'opposition le temps de se développer librement en dehors de tout parti et pensait que les conservateurs ne devaient pas se hâter de s'en servir trop ouvertement. "Les Chambres de commerce et les associations industrielles, rappela-t-il à Tupper, se sont opposées au projet sans aucune référence politique. Certains des principaux journaux grits ontariens sont contre. Les grits sont divisés. Il suffirait que les dirigeants de l'Opposition se servent du traité pour tâcher de se bâtir un capital politique et les rangs libéraux se resserreraient." Les conservateurs feraient bien, pensait-il, de faire clairement comprendre que le rejet du traité ne signifiait pas pour eux une défaite du gouvernement. Si cela se produisait, les conservateurs en tireraient profit, exactement comme l'ensemble de la nation. "L'Opposition gagnerait beaucoup à choisir la voie du patriotisme, rappela-t-il à Tupper, et prouverait ainsi que les paroles que j'ai dites au nom du Parti étaient sincères au moment où j'ai affirmé que nous avions pour devise: le pays d'abord et le Parti ensuite. Si nous agissons ainsi, nous en tirerons beaucoup, je pense, et dans peu de temps [11]."

C'était peut-être une voie patriotique. C'était sans aucun doute une politique prudente, sinon timorée. Tout au long de l'automne, l'opposition populaire au projet de traité s'accrut et Thomas White, conservateur de Montréal, essaya même d'en faire un objectif du Parti [12]. Tupper jouait le rôle de critique financier de l'Opposition. Comme son chef le lui avait suggéré, il restait très discret et très silencieux quand on abordait le sujet. Au début de l'automne, Macdonald discuta du projet de traité avec le gouverneur général. Il se montrait toujours "très prudent et modéré". Il en critiqua certains aspects. Il pensait qu'une échelle dépressive graduelle des taxes à l'importation pour la circulation des produits de part et d'autre de la frontière serait défavorable au Canada. Il semblait penser que cela amènerait la faillite au moins des petites entreprises industrielles canadiennes. Cependant, comme le gouverneur général s'en rendit compte, son ex-Premier ministre ne semblait toujours pas avoir envie de se lancer dans une croisade nationaliste pro-canadienne passionnée. "J'ai l'impression, concluait Dufferin avec perspicacité, que Macdonald attend de voir si les opposants au projet de loi seront assez forts pour qu'une alliance avec eux en vaille la peine (...)" [13]

Une telle attitude sembla timide et timorée, à la fois sans imagination et peu attirante. "Sir John Macdonald et son parti", écrivit le 8 décembre Dufferin à Carnarvon, le nouveau secrétaire aux Colonies, "sont en complète déroute. Personne ne s'attend à ce qu'ils se ressaisissent au cours de la présente session [14]." Un an après avoir quitté le pouvoir, les conservateurs n'avaient quasiment rien fait pour sortir de la passivité désespérante où les avait plongés leurs revers successifs. En novembre, Macdonald subit une autre humiliation cuisante et personnelle. La longue affaire de l'élection contestée de Kingston finit par se retourner contre lui. Il se retrouva sans siège. La nouvelle élection eut lieu le mois suivant. Elle se déroula sans bruit, presque comme un acte honteux, sans discours et sans frais, sans rien qui pût provoquer l'enthousiasme. Macdonald se présenta de nouveau contre Carruthers et fut élu [15]. Mais sa majorité, plus faible qu'elle ne l'avait jamais été, n'était que de dix-sept voix! Il avait réussi à l'emporter mais de justesse. Après une année de malheurs, son prestige n'avait jamais été aussi bas.

Apparemment, il ne semblait pas s'en soucier. Sur le coup, Macdonald semblait dégoûté de la vie politique, de ses exigences perpétuelles et de son stress constant. Il avait hâte d'en sortir. Ses projets étaient faits depuis longtemps. Il garda sa maison d'Ottawa, peut-être parce qu'il était difficile de vendre une propriété en période de dépression économique, et peut-être aussi parce qu'il voulait vivre dans un endroit tranquille où il pourrait récupérer avant de passer à l'étape suivante de sa vie. Il savait parfaitement ce que serait cette étape. Il était décidé à déménager très bientôt à Toronto avec sa famille et à reprendre son métier d'avocat là où il l'avait laissé tant d'années auparavant. Il avait déménagé son étude à Toronto, pour y suivre son principal client, la Trust and Loan Company. Les associés, Macdonald lui même, Patton, Robert M. Fleming et

Hugh John Macdonald, étaient installés dans l'immeuble de la Trust Company au 25, Toronto Street. [16] Dès qu'il eut terminé sa scolarité à Osgoode Hall, Hugh travailla dans le cabinet de son père. Il avait vingt-trois ans. C'était un jeune homme cordial et plein de charme. Il avait hérité de la sociabilité et de l'aisance de son grand-père paternel et aussi, dans une certaine mesure, de son esprit d'entreprise et de son indépendance [17]. Macdonald escomptait qu'Hugh un jour lui succéderait comme l'un des associés seniors de l'affaire. L'avenir du bureau juridique et de la famille Macdonald semblait paisiblement assuré. Le déménagement à Toronto n'était qu'une étape naturelle dans un plan mûrement préparé. Tout cela avait un air rassurant et définitif.

## II

Mais les apparences étaient étrangement trompeuses. Au début de l'année 1875, le cours apparent des événements semblait écarter Macdonald à tout jamais des affaires publiques. Mais sous ce courant, il y en avait un autre, souterrain, peu perceptible et qui l'entraînait exactement en sens inverse. Les conservateurs, encouragés par toute une série de circonstances favorables, reprenaient confiance et réclamaient un leadership fort. Mais il y avait plus: le nouveau gouvernement libéral s'était immédiatement heurté à des difficultés qui avaient accentué ses divisions et mis à nu sa faiblesse, invitant presque l'Opposition à passer à l'attaque. Tout le monde, bien sûr, savait que ce n'était ni leur force ni leur mérite qui avait amené les libéraux au pouvoir à l'automne 1873. Ils s'y étaient retrouvés parce qu'ils représentaient la seule alternative possible et que le violent mouvement national d'opposition et de blâme vis-à-vis du régime conservateur les y avaient catapultés. À maints égards, le Parti réformiste restait un parti ontarien et non un parti véritablement pan-canadien. En Nouvelle-Écosse, le Parti n'avait plus de chef véritable depuis la défection de Howe. Au Québec, ses membres étaient en butte à l'hostilité ouverte des prêtres et des évêques ultramontains, déterminés à supprimer le "libéralisme" sous toutes ses formes. Le Parti essayait de se transformer en une organisation véritablement nationale. Il avait pris le pouvoir au moment où la dépression économique compliquait terriblement tous les problèmes. Achever la Confédération était la grande tâche qui attendait tout gouvernement canadien. En cette période de déflation et de crise financière, c'était de toute évidence une tâche plus difficile à réaliser qu'elle ne l'avait été auparavant.

Tous ces éléments étaient intéressants. Mais il y avait autre chose du côté libéral qui intéressait Macdonald plus que tout. Étant lui-même un chef, tous les problèmes de direction l'intéressaient au plus haut point. La question du haut commandement grit l'avait toujours fasciné. Il avait passé des années à l'étudier. Cela s'était avéré payant pour lui. C'était un problème complexe, aux multiples ramifications. Depuis toujours, beaucoup plus qu'une véritable organisation politique nationale ou provinciale, le Parti de la réforme n'avait été qu'une association assez peu formelle de groupes séparatistes, d'individualistes passionnément indépendants, qui ne faisaient que difficilement l'unité et uniquement aux moments les plus durs de l'attaque. Les libéraux, en fait, n'avaient jamais résolu le problème du leadership. Brown était celui qui s'en était le plus approché. Entre 1854 et 1858, il avait connu des années extraordinaires. Il était alors en pleine possession de ses énormes ressources physiques et se trouvait au faîte de sa triomphale popularité politique. Brown, à ce moment-là représentait une force terrible dont le monde politique canadien n'avait jamais jusque-là connut d'équivalent. Pourtant, il avait échoué. Il était resté un simple dirigeant régional. Il n'avait pas réussi à atteindre une envergure nationale. Il n'était pas parvenu à unir les divers groupes, fiers et intraitables, qui représentaient le réformisme de la province du Canada pour en faire une machine de guerre homogène et efficace. Selon Macdonald, son échec était dû finalement aux défauts de son propre caractère impulsif et indiscipliné. Brown s'était dépensé en vain. Il vivait maintenant à l'écart dans l'honorable anonymat du Sénat. Alexander Mackenzie, qui lui avait succédé à la tête du Parti, était devenu Premier ministre du nouveau gouvernement réformiste. Il lui était revenu la difficile entreprise de créer un Parti réformiste à l'échelle nationale. Réussirait-il là où Brown avait échoué?

Au début, il sembla que Mackenzie était un chef modéré et qu'il parviendrait à unir les éléments disparates de son Parti. Il semblait sur le point de réussir ce que tous les autres chefs de la Réforme, y compris George Brown, avaient raté. Mackenzie était de toute évidence un homme honnête. Pendant les débats, il se montrait sensé, direct, caustique et agressif, sans jamais toutefois se laisser emporter par ses convictions ou ses antipathies. Mackenzie semblait posséder en lui le bon dosage d'esprit d'autorité et de sens de la conciliation. D'un certain âge, déjà, frêle, la barbiche grisonnante et en désordre, il avait l'air svelte, froid et sévère d'un Écossais. Il avait les yeux bleus et le regard direct. Il était sans nul doute capable d'imposer le respect et de ramener à l'ordre ses partisans turbulents et capricieux. Il ressemblait à un tweed écossais solide et pratique, capable de garder la forme, de ne pas s'user, de durer deux fois plus longtemps que d'autres étoffes plus élégantes. C'est ce qui aurait dû être vrai. Malheureusement ce ne le fut pas. Un certain nombre de personnes, y compris cet observateur assez peu impartial, placé à un poste stratégique qu'était Lord Dufferin, se rendirent vite compte que la réalité était un peu différente. "Peu à peu, je me suis mis à avoir peur, écrivit-il à Lord Carnarvon, je doute que mon Premier ministre soit assez fort pour occuper le poste qu'il occupe. Il est honnête, travailleur et intelligent mais peu doué. Il n'a pas de sens de l'initiative et ne parvient pas à exercer d'ascendant [18]." Le jugement était brutal et réaliste et le gouverneur général n'était pas le seul à le porter. D'autres étaient du même avis, même certains réformistes et (Macdonald le constatait avec plaisir), ils ne se gênaient pas pour cacher leur opinion. Il commençait à se rendre compte que le bon vieux temps était revenu, que le Parti libéral était toujours aussi désespérément divisé et que les incompatibilités de caractère, les jalousies et les antagonismes auxquels il était tellement habitué risquaient une fois de plus de faire tomber le gouvernement réformiste.

Le nouveau régime avait mal commencé. Le pauvre Mackenzie avait réussi de peine et de misère à former un Cabinet et celui-ci était composé d'un groupe d'hommes plutôt ternes et peu impressionnants. Holton n'en faisait pas partie. Huntington, le "voleur de lettres", refusa d'abord un poste, et Dorion, le vieux dirigeant des "rouges", démissionna au bout de quelques mois pour devenir juge en chef de la Province de Québec. Ces défections étaient sérieuses. Mais le cas le plus consternant fut celui d'Edward Blake, député de South Bruce. De l'avis général, Blake était le réformiste le plus compétent. C'était un homme sérieux, d'une grande noblesse d'esprit, extrêmement érudit et très intelligent; tout le monde le considérait comme le meilleur atout du nouveau gouvernement. Pourtant il avait démissionné de son poste au début du printemps 1874 après ne l'avoir occupé que très peu de temps et juste au moment où le gouvernement canadien envoyait J. D. Edgar à l'Ouest pour y négocier un nouvel accord avec la Colombie britannique concernant la construction de la ligne de chemin de fer du Canadien Pacifique. Au début, cette démission hâtive fit naître des doutes quant aux aptitudes de Blake à se conformer aux tâches éprouvantes et ingrates qui sont celles de tout parti au pouvoir au Canada. Sa santé n'était pas très bonne. Il considérait la routine administrative quotidienne comme abrutissante pour l'esprit. Intellectuel réservé, sensible et émotif, il lui arrivait de souffrir profondément des attaques, tout comme il lui arrivait presque aussi facilement de blesser les autres par son attitude distante et hautaine. Ses arguments recherchés, les nuances subtiles de sa pensée laissaient ou désarçonnaient quelquefois ses amis politiques. Il exprimait des opinions radicales et audacieuses sans apparemment se soucier de la ligne conventionnelle du Parti. On soupçonnait que ni George Brown ni Alexander Mackenzie ne l'approuvaient totalement et qu'il réagissait à la désapprobation de ses deux personnages importants en leur opposant un mépris assez peu amical.

Dès le début, Macdonald avait fondé de grands espoirs sur Blake. Au début de 1874, plusieurs mois avant sa démission, les dirigeants du Parti conservateur s'étaient rendu compte avec plaisir de l'attitude de défi de Blake vis-à-vis des chefs libéraux. "Blake n'est bien sûr pas avec nous", fit joyeusement observer Patterson à Macdonald en février, "mais cela ne fait de tort à personne de commencer à croire qu'il l'est. Tout cela concorde à miner leur stabilité [19]." C'était exact. Les gens commençaient à spéculer sur la loyauté de Blake envers son parti. Dès qu'il eut démissionné du gouvernement, ils passèrent rapidement des spéculations aux soupçons. En octobre 1874, ces soupçons devinrent des certitudes. Ce mois-là, à Aurora dans l'Ontario, Blake prononça un discours passablement déconcertant. Du coup, tout le monde se rendit immédiatement compte qu'une révolte sérieuse venait d'éclater au sein du Parti de la Réforme [20].

Macdonald avait tendance à considérer les discours du genre de celui prononcé à Aurora, comme des choses ennuyeuses et plutôt inutiles. Mais il se rendit compte que cette fois il y avait quelque chose à tirer à cet exercice théorique et abstrait. Le discours allait sans doute amener une vive hostilité de la part d'Alexander Mackenzie et de George Brown. C'était un discours de bon étudiant sérieux et "progressiste", amalgame de presque toutes les idées vaguement avancées de l'époque, depuis la réforme du Sénat jusqu'à la représentation proportionnelle. Blake avait repris un bon nombre des idées émises dans cette autre oeuvre d'étudiants qu'était le manifeste de la "Canadian National Association", la nouvelle organisation des jeunes partisans du Canada First. Et plus intéressant encore: selon le *Globe* et selon son propriétaire George Brown, le discours semblait refléter par endroits l'influence de Goldwin Smith, un radical, ancien professeur d'histoire à Oxford, et le plus véhément de tous les théoriciens anticolonialistes de Manchester. Smith était arrivé récemment à Toronto. En Angleterre, il avait critiqué les liens impériaux en se plaçant du point de vue de la mère patrie pour qui ces liens représentaient un fardeau trop lourd. Au Canada, il poursuivit ses attaques en adoptant cette fois le point de vue de la colonie qui aspirait à devenir une nation. Il prit la tête d'un groupe de jeunes membres de Canada First. Ensemble, ils en vinrent à espérer que Blake dirige le mouvement en faveur de l'autonomie canadienne. Blake était un nationaliste, respectueux des lois et de la Constitution, profondément préoccupé par les derniers symboles de la subordination du Canada au Parlement et au gouvernement impériaux. Mais en ce qui concernait cette autre forme de nationalisme qui mettait de l'avant l'expansion territoriale et l'unité du pays, Blake en était tout aussi dépourvu que n'importe quel villageois ontarien animé seulement par l'esprit de clocher. Il était tout à fait opposé à toute autre proposition généreuse susceptible de faire plaisir à la Colombie britannique. Macdonald le considérait sans doute comme un "*little Canadian*". Le discours d'Aurora fut tout à fait révélateur des deux éléments de sa pensée: son peu de confiance à l'égard du lien impérial et sa peur d'un développement transcontinental. Le discours allait certainement déplaire à Brown, lui qui, vingt ans plus tôt, avait réussi à grand peine à extirper les idées séparatistes et républicaines du grand Parti réformiste qu'il était en train de constituer. Le discours allait également sérieusement embarrasser Mackenzie, qui se rendait compte que le ralliement de la Colombie britannique à la Confédération était un impératif national de la plus haute importance.

Macdonald étudiait le personnage de Blake et ses idées avec un intérêt curieux. À partir du moment de sa démission, l'ex-ministre, occupa une place spéciale et privilégiée dans toutes ses spéculations politiques. C'est à l'influence de Blake que pensait Macdonald lorsqu'il dit à Tupper "que le projet de traité de réciprocité ne devait pas servir de prétexte au Parti conservateur pour attaquer l'administration Mackenzie de front"; le groupe de Blake, faisait-il observer à Tupper, "serait alors certainement amené à voter contre le traité, et donc à éliminer Brown sans toutefois éliminer le gouvernement" [21]. Selon Macdonald, il pouvait être très rentable de cultiver assidument Blake, de jouer sur les capacités de Blake, sur son prestige et sur l'importance de ses partisans. Une petite jalousie bien entretenue pouvait s'avérer un ingrédient merveilleux dans le domaine politique. Les occasions ne manqueraient pas pour l'encourager. L'une des premières occasions se présenta au moment où, en début de session, Mackenzie se leva tristement pour expliquer la démission de ses deux principaux ministres, Dorion et Blake.

Macdonald était de l'humeur la plus joyeuse. Il dit à la Chambre que le gouvernement qui s'était présenté au pays un an plus tôt était en fait un gouvernement Mackenzie-Blake. Les libéraux devaient leur succès aux élections en grande partie à cause des talents bien connus et de la compétence de Blake. À peine les élections gagnées et le nouveau gouvernement fermement mis en place, Blake avait démissionné de façon tout à fait inexplicable. N'était-ce pas tout simplement de la fausse représentation? "Tout le monde connaît, poursuivit Macdonald, le principe de ce qu'on appelle la vente par catalogue. L'administration a parcouru le pays et a demandé: Voulez-vous acheter ce tissu? Il est excellent. Une de ses principales qualités que toutes les bonnes ménagères sauront apprécier, c'est qu'il est composé d'un fil solide provenant tout droit de South Bruce! Le peuple de ce pays a été bercé par l'illusion qu'il avait acheté un bon tissu qui ne ternissait pas au soleil, qui résistait au vent et à toutes les intempéries. Mais à peine l'étoffe achetée, le peuple a découvert qu'on en avait retiré le fil le plus solide et, comme peut le remarquer l'honorable député de South Bruce, que le gouvernement de ce pays a usé de fausse représentation pour s'attirer les faveurs du public. Les gens ne manqueront pas de dire: nous voilà pris de nouveau avec le même vieux tissu brun, comme d'habitude [22]."

# III

Les divergences de vue entre le "vieux tissu brun" et "le fil solide qui provenait de South Bruce" était le seul facteur discordant d'un état de chose qui par ailleurs semblait devoir durer. Depuis l'automne 1873, c'était le seul élément nouveau et prometteur. Il ouvrait d'intéressantes perspectives. Mais ce n'étaient que des perspectives. Macdonald n'avait nullement l'intention de modifier la ligne de conduite prudente qu'il s'était assignée à ses collègues et à lui pendant la triste période qui avait suivi la démission de son gouvernement. Pour lui, c'était un fait acquis qu'il ne dirigeait plus que temporairement le Parti conservateur et que le parti avait tout intérêt à ne pas afficher sa faiblesse et à ne pas s'attirer une plus grande réprobation publique encore en jouant un jeu partisan au Parlement. C'étaient deux raisons suffisantes pour attendre et pratiquer une politique de prudence. La possibilité d'une querelle ouverte entre les réformistes de Mackenzie et les libéraux de Blake en était évidemment une troisième. Mais il ne servait à rien que les conservateurs essaient d'exploiter trop rapidement cette division interne. Une intervention prématurée ne servirait de toute évidence qu'à amener Blake et Mackenzie à faire front contre l'ennemi commun. Non, il fallait laisser la pomme de la discorde mûrir lentement sans intervenir. Il fallait que les conservateurs attendent.

Macdonald attendit pendant toute la session de 1875. Il en était presque heureux. Il prit moins souvent la parole et parla moins longtemps que Tupper. Ses interventions portaient souvent sur des aspects secondaires des questions à l'ordre du jour et non sur le fond du débat. Il se contentait souvent d'émettre de simples commentaires moqueurs sur le comportement du ministère en général ou de lancer de petites flèches railleuses pour envenimer les relations entre Mackenzie et Blake, son lieutenant impétueux et indépendant [23]. Au cours de cette session, peu de sujets l'amenèrent à pratiquer une réelle opposition. Le plus important fut sans conteste le projet de loi sur la Cour suprême du Canada, introduit en fin de session par Fournier, un Canadien français assez terne qui occupa brièvement le poste de ministre de la Justice.

L'idée d'une Cour suprême canadienne intéressait Macdonald au plus haut point. La création de celle-ci, de même que l'assimilation des droits fonciers et civils dans les provinces soumises au common law, et le transfert de ces juridictions au Parlement fédéral étaient dans son esprit absolument nécessaires pour parachever le grand projet de Confédération. Au cours des sessions de 1864 et 1870, il avait lui-même présenté des projets de loi pour instaurer la Cour suprême [24]. Le Discours du Trône qui avait ouvert la funeste session de l'automne 1873, faisait également état d'un troisième projet de loi qui allait dans le même sens. Tous ses efforts avaient échoué. Immédiatement après la création de la Confédération, les provinces étaient devenues rapidement et mystérieusement jalouses de leurs droits. Et ce n'était pas le seul fait des Canadiens français, mais aussi des représentants des provinces anglophones. Cet état d'esprit avait fait obstruction à tout le programme. Il n'y avait presque pas d'espoir que les lois foncières et les droits civils fussent un jour assimilés. Pendant quelque temps, on put même croire que la création d'une Cour suprême serait elle aussi indéfiniment retardée. Mais soudain la situation changea. Le projet de loi était presque sûr de passer puisque c'était Fournier, un Canadien français, qui le parrainait et puisque les réformistes disposaient d'une confortable majorité.

En réalité, ce projet de loi était celui de Macdonald. Il ne faisait que reprendre les grandes lignes de ses avant-projets de 1869 et 1870. Macdonald le soutint donc de son mieux au cours des diverses étapes de son passage devant les Communes. Il n'y avait en fait qu'un seul élément du projet de loi sur la Cour suprême avec lequel Macdonald était en désaccord et assez étrangement, cet élément ne figurait pas dans le projet originel de Fournier. Il avait été introduit en troisième lecture sous forme d'un amendement. Cet amendement précisait que les verdicts de la nouvelle Cour suprême du Canada seraient définitifs et sans appel, même auprès de "toute cour d'appel créée par le Parlement de Grande-Bretagne et d'Irlande, habilitée à entendre les appels et pétitions adressés à Sa Majesté en Conseil, à l'exception des droits que pouvait exercer gracieusement Sa Majesté en vertu de sa prérogative royale" [25]. C'est Irving, un député libéral, qui présenta l'amendement, Fournier se leva aussitôt pour l'endosser. Dès lors, la nouvelle clause devint partie intégrante du projet gouvernemental. Macdonald y fit immédiatement opposition.

Pourquoi le dérangeait-elle à ce point? À cause de la fin de l'amendement Irving, "à l'exception des droits que pouvait exercer gracieusement Sa Majesté en vertu de sa prérogative royale", il semblait bien qu'il était toujours possible de faire appel à la souveraine en conseil. Et c'est ce qui pour finir devint l'interprétation correcte de la loi. Mais, à l'époque, Macdonald et d'autres contemporains interprétaient différemment l'amendement. Ils interprétaient la nouvelle clause (l'amendement Irving devint la quarante-septième clause du projet de loi sur la Cour suprême) comme une clause qui empêchait tout appel devant une cour britannique, à l'exception de quelques causes extraordinaires. Ces fausses appréhensions s'expliquent facilement si l'on songe à la grande réorganisation du système judiciaire qui était alors en cours au Royaume-Uni [26]. Lord Selborne, dans son projet de loi sur le système judiciaire de 1873, avait prévu de créer une grande Cour d'appel, où devait être transférées toutes les juridictions de la Commission judiciaire du Conseil privé aussi bien que celles des autres cours d'appel et celles de la Chambre des Lords. Si, conformément à ce projet, le nouveau tribunal était devenu la seule Cour d'appel du Royaume-Uni, la clause quarante-sept du projet de loi sur la Cour suprême du Canada aurait sans nul doute empêché d'y pouvoir faire appel. C'était la crainte de Macdonald. Mais finalement cette crainte, justifiée à l'origine, s'avéra sans fondement. Le projet originel de Lord Selborne ne se réalisa jamais et la Commission judiciaire du Conseil privé garda sa forme historique et son ancienne juridiction.

Aux termes de la loi, le droit de faire appel à la souveraine en conseil était un et indivisible. Il ne pouvait y avoir de distinction, comme l'avaient supposé Macdonald et d'autres Canadiens, entre un appel ordinaire et un appel spécial. Pour finir donc, la dernière phrase de la clause quarante-sept maintenait sans y rien changer le droit de faire appel à la souveraine en conseil et la pratique de recourir à la Commission . Dans les douze mois qui suivirent, il devint évident que la tentative du gouvernement Mackenzie d'empêcher les appels avait été réduite à rien du fait de l'abandon d'une partie du projet britannique de réforme judiciaire. Mais en mars 1875, on ne l'avait pas encore compris. Macdonald attaqua l'amendement Irving à la lumière des données et des interprétations d'alors. Il l'attaqua avec véhémence et à plusieurs reprises. Ce débat le touchait de toute évidence beaucoup plus que tout autre débat de la session. Il dénonça vigoureusement l'amendement Irving. C'était "une surprise pour la Chambre à qui l'amendement a été présenté avec une hâte indécente" [27]. Macdonald dit carrément aux députés que cet amendement amènerait probablement le gouvernement impérial à opposer son veto au projet de loi et qu'en Angleterre cette clause litigieuse serait sans nul doute considérée comme un signe de l'impatience croissante du Canada à l'égard du lien impérial. Une des conséquences ultimes de l'adoption de cet amendement pourrait bien être la "séparation du Dominion d'avec la mère patrie". "Ceux qui n'aiment pas le lien colonial", déclara fièrement Macdonald à la Chambre, "en parlent comme d'une chaîne, mais c'est une chaîne en or", et lui, en tout cas, restait fier d'en porter les fers [28].

Il ne se lançait que rarement dans des déclarations solennelles du genre. Mais jamais il ne s'était gêné pour être lui-même, pour dire clairement le fond de sa pensée sur des questions qui lui semblaient importantes. Mais attaquer la loi en évoquant le lien impérial ne correspondait pas exactement à la tactique qu'il avait choisi d'adopter. Son véritable jeu consistait à attendre patiemment que se développent les points de discorde entre Mackenzie et Blake et d'y contribuer discrètement s'il en avait la possibilité. En ce sens, le projet de loi sur la Cour suprême ne lui était d'aucune utilité car, même si Blake n'avait que très peu pris part au débat, il était de toute évidence favorable au projet qui manifestement représentait un progrès constitutionnel et une affirmation du statut national. Les meilleures chances de désaccord ouvert entre Blake et Mackenzie se trouvaient ailleurs, à savoir dans le domaine de l'expansion territoriale et de l'intégration économique. Mackenzie devrait présenter avant la fin de la session un plan qui permettrait le ralliement de la Colombie britannique. Les termes de ce plan, Macdonald le savait, seraient à coup sûr plus généreux que ceux qu'Edgar avait été autorisé à fixer au printemps de 1874. La province n'avait jamais vraiment pris l'offre Edgar très au sérieux. Walkem, le Premier ministre de la Colombie britannique, était passé par-dessus le gouvernement canadien pour faire appel directement à Lord Carnarvon et au ministère des Colonies. Et Carnarvon que Mackenzie soupçonnait, à juste titre, de n'être pas impartial dans l'affaire, mais qu'il dut accepter à contrecoeur, commença à mettre au point les termes d'un nouvel accord entre la Province et le Dominion [29]. La date de réalisation du chemin de fer du Pacifique fut repoussée à 1890. Par contre, le gouvernement fédéral se voyait obligé de poursuivre ses études et d'effectuer des dépenses ferroviaires d'au moins deux millions de dollars par an en Colombie britannique même. De plus, il devait immédiatement construire une ligne entre Esquimalt et Nanaimo, sur l'île de Vancouver. Mackenzie accepta ces conditions. Le 19 mars, il présenta à la Chambre des Communes le projet de loi pour la ligne de chemin de fer Esquimalt-Nanaimo. C'était le moment qu'attendait Macdonald. Quelle allait être la position de Blake, Blake qui avait déclaré à Aurora que les propositions d'Edgar constituaient d'ultimes concessions au-delà desquelles il n'y avait pas moyen d'aller, Blake qui avait annoncé que si les habitants de Colombie britannique optaient pour la séparation, il était prêt à les laisser partir?

Macdonald attendit avec curiosité et intérêt la suite des événements. Pendant quelque temps, les querelles internes des libéraux semblèrent devoir prendre de fort prometteuses proportions. Les dirigeants réformistes se conduisaient comme les membres d'une famille composée d'individus excentriques et individualistes qui découvrent cinq minutes avant l'arrivée de leurs invités à un dîner officiel qu'ils sont plongés dans une furieuse querelle de famille. Intérieurement déchirée entre la sagesse d'un compromis et le luxe d'une bataille ouverte, Mackenzie et Blake continuaient de jouer le jeu parlementaire. Jusqu'à la fin de mars, il sembla que Mackenzie était toujours décidé à résister. Il avait fini par se dire que le ralliement de la Colombie britannique était plus important que le ralliement de Blake. Allait-il être capable de convaincre son propre parti, le Parlement et la nation tout entière que c'est lui qui dans l'intérêt national avait raison? Blake et d'autres libéraux importants se prononcèrent et votèrent contre le projet de loi Esquimalt-Nanaimo, mais les Communes l'adoptèrent assez facilement. Mais au moment où il s'y attendait peut-être le moins, il eut à subir un échec brutal et cuisant. Au dernier moment, alors que la session était presque terminée, le Sénat rejeta le projet de loi. Il était évident que les sénateurs libéraux avaient contribué à ce rejet.

Macdonald n'avait que très peu participé au débat. Il ne voyait pas la nécessité d'intervenir dans la dispute entre dirigeants réformistes, pas plus qu'il ne serait intervenu dans une querelle entre mari et femme. Il avait voté pour le projet de loi Esquimalt-Nanaimo même si la plupart de ses partisans aient voté contre. Mais il était tout à fait conscient des conséquences importantes que risquait d'entraîner le rejet du projet. D'abord, il y avait risque de conflit entre la Colombie britannique et le Dominion, et par ailleurs la scission au sein du Parti libéral risquait de s'accentuer et de devenir irrémédiable. Une crise réelle dans la vie politique du nouveau Canada transcontinental donnerait aux conservateurs une excellente chance de se reprendre. Mais les libéraux, face à la crise, s'efforceraient certainement de régler leurs différends. Si le Sénat avait adopté le projet de loi Esquimalt-Nanaimo, Mackenzie aurait sans doute eu tendance à aller de l'avant et à défier Blake. Une pareille attitude était devenue difficile voire impossible. Il fallait absolument conclure un nouvel accord avec la Colombie britannique. Mackenzie allait avoir besoin de l'appui de tous pour y parvenir. Il fallait s'assurer le soutien du groupe de Blake. Il allait donc presque certainement devoir parvenir à un accord avec Blake. Moins de quelques semaines plus tard, il était évident qu'il y était parvenu. Le 19 mai, Blake réintégra le Cabinet comme ministre de la Justice. Les rangs libéraux s'étaient de nouveau resserrés. Macdonald dut en venir à la désagréable conclusion que si le gouvernement réformiste devait tomber, ce ne serait pas à cause de ses divisions internes, mais à cause d'attaques extérieures. En la circonstance, quelle devrait être la stratégie conservatrice? Comment régler le problème du leadership?

## IV

Cet automne-là, après un autre été long et paisible à Rivière-du-Loup, Macdonald déménagea à Toronto. Au cours des dix-huit derniers mois, il y avait passé une bonne partie de son temps, mais chaque fois comme invité ou locataire, et jamais comme maître de maison. Son nom figurait discrètement dans l'annuaire de la ville sans qu'y fût précisé son domicile et avec la mention: "d'Ottawa et de Toronto". Il finit par y déménager de façon définitive. La famille Macdonald qui venait d'arriver s'installa dans une maison qui appartenait à T. C. Patteson du *Mail* de Toronto. Elle se trouvait du côté est de la rue Sherbourne, un peu au nord de la rue Carlton [30]. La bâtisse était longue et basse. Elle avait une austère façade de briques grises et un seul pignon au-dessus de l'entrée principale. Un grand terrain légèrement vallonné l'entourait. La rue Sherbourne n'était en fait qu'un chemin de terre fort paisible. Au nord-est vers la rue Parliament, s'étendaient les terrains communaux où Patteson faisait faire l'exercice à ses chevaux. Cette maison de la rue Sherbourne était assez confortable et assez tranquille, mais Macdonald y avait aménagé avec un bail de courte durée. Il ne comptait pas s'y installer en permanence. Il avait l'oeil sur une vaste propriété qui se trouvait dans la rue St. George, près de University College, dans un quartier résidentiel très distingué, même s'il était un peu moins à la mode que la rue Jarvis. La maison de la rue St. George allait sans doute représenter un investissement important. Mais tout n'était-il pas définitivement réglé? Il était tout à fait décidé à s'établir définitivement à Toronto. Son étude légale y avait sa maison-mère. Il avait dans la ville des dizaines d'amis et d'innombrables relations d'un commerce fort agréable. Un de ses anciens collègues au sein du Cabinet conservateur, Charles Tupper, s'était lui aussi installé à Toronto et y avait repris l'exercice de la médecine. Ils étaient deux à s'installer dans une sorte de semi-retraite confortable. Et pourquoi pas?

Macdonald vieillissait. Ils vieillissaient tous. Il était conscient de ses soixante ans. Certains signes ne trompaient pas et lui rappelaient que le temps passait. Les choses changeaient. De nouveaux problèmes inconnus et gênants se faisaient jour. "Nous vieillissons tous", disait-il à son beau-frère, le professeur Williamson, "et nous avons bien mérité de nous reposer [31]." Sa soeur Margaret, épouse de Williamson, fut sérieusement malade cet automne-là. Macdonald n'aimait pas beaucoup l'idée que les Williamson, et sa soeur Louisa en particulier, continuent de vivre hiver comme été à Heathfield, dans l'ancienne et vaste maison de ferme relativement isolée, à quelque distance de Kingston. Ce serait mieux, pensait-il, qu'ils aient tous "un logement décent en ville" pour l'hiver [32]. Il comprenait les problèmes des gens qui vieillissaient, car ils étaient proches des siens, même s'il ne l'admettait pas toujours. La jeunesse le laissait toujours beaucoup plus perplexe. Mary, l'enfant qu'avait eu Macdonald à un âge déjà avancé, n'avait pas les mêmes besoins ni les mêmes exigences que les autres jeunes. Elle était l'exception tragique à toutes les règles de la croissance et de la vie. Elle se déplaçait en chaise roulante. Il fallait la soutenir lorsqu'elle se tenait debout. Chez elle, toutes les phases significatives du développement humain ne s'étaient produites qu'imparfaitement, difficilement et parfois même pas du tout. Macdonald s'intéressait à la santé de l'enfant, s'inquiétait de ses maladies, de la difficile apparition de ses nouvelles dents par exemple. Presque tous les après-midi, dans le calme qui précédait le souper, elle restait immobile, péniblement prostrée, pendant qu'il lui racontait une histoire ou lui lisait un livre.

À cette époque, Hugh aussi posait des problèmes à Macdonald. Le jeune homme avait été habitué très tôt à une certaine indépendance du fait des circonstances particulières de sa vie familiale. Après l'adolescence, il avait continué à suivre son petit bonhomme de chemin avec cette assurance tranquille et cette confiance en soi qui le caractérisaient. Il avait, c'est vrai, accepté docilement de travailler dans l'étude Macdonald-

Patton, d'abord comme stagiaire, puis comme dernier associé. Mais tant que Macdonald était resté à Ottawa et que Patton était le chef réel du bureau de la rue Toronto, ce lien professionnel ne rapprocha pas le père et le fils. Depuis des années, Hugh avait son propre logement en ville. Il menait l'existence agréable et bien remplie d'un célibataire dont on recherchait la compagnie et d'un jeune homme bien connu en ville. À l'automne 1875, la famille Macdonald arriva rue Sherbourne. Macdonald se rendit vite compte que son fils était maintenant un homme. Il s'aperçut qu'Hugh était très populaire, qu'il avait une foule d'amis et qu'il savait se débrouiller en ville avec la facilité d'un poisson dans l'eau. Il découvrit également autre chose qui le surprit et le consterna beaucoup plus. Il découvrit qu'Hugh était sur le point de se marier.

Il n'aimait pas l'union qu'Hugh se proposait de contracter. Il le dit à son fils de cette façon franche et directe qui lui était caractéristique, mais très vite, il devint tout à fait clair qu'Hugh n'avait pas la moindre intention de changer de décision. Il était de toute évidence contrarié et attristé, car il avait bon caractère et ne désirait faire de peine à personne; mais il était tout aussi évident qu'il était déterminé à vivre sa vie comme il l'entendait. Il ne comptait pas céder et Macdonald ne voulait pas se laisser convaincre. L'atmosphère dans les bureaux de l'immeuble de la Trust and Loan Company devint de plus en plus tendue jusqu'à devenir franchement insupportable. Par ailleurs, Hugh en était déjà peut-être venu à la conclusion qu'il valait mieux pour lui ne pas subir la grande ombre tutélaire et protectrice de son père. Il annonça son intention de quitter Macdonald et Patton au début de 1876 et de s'établir à son compte. "J'espère aussi", écrivait-il à la fin de la lettre dans laquelle il faisait part de sa décision à son père, "que vous savez, quel que soit l'endroit où je planterai ma tente, à quel point je reste disposé à faire ce que vous me demanderez et à faire tout mon possible pour promouvoir vos intérêts. Même si je pense que vous agissez très durement avec moi concernant mon mariage, je ne doute pas que de votre point de vue, vous devez avoir raison. Je ne pourrai certainement jamais oublier toutes vos bontés à mon égard ni toutes les faveurs que vous m'avez consenties dans le passé [33]." Hugh faisait de son mieux pour contenir sa colère. Mais Macdonald était trop blessé et trop ennuyé pour lui répondre gentiment. Il lui envoya une note sèche et froide pour lui faire savoir qu'il avait reçu sa lettre et qu'il acceptait sa démission. [34] En d'autres circonstances et s'il avait été d'humeur différente, il aurait sans doute été le premier à admettre qu'il n'y avait rien de plus banal et de plus courant que ce rôle de père autoritaire qu'il était en train de jouer en essayant de s'interposer entre deux amoureux courageux et fidèles. Macdonald vieillissait. Tout cela faisait partie d'un processus irréversible: la montée bruyante des nouvelles générations, le déclin, fort mal accepté, des plus anciens que lui, la retraite de ses contemporains et même la sienne propre.

Il avait dit qu'il allait partir. Il avait dit le plus officiellement possible et sans équivoque qu'il espérait et souhaitait se retirer de la vie politique. Mais il y avait deux ans de cela et il se trouvait toujours à la tête du Parti conservateur. Il est vrai que bon nombre de gens n'avaient pas encore levé le verdict d'exil politique auquel ils l'avaient condamné après le scandale du Pacific Railway. Il est également vrai que même un collègue et ami aussi proche qu'Alexander Galt avait déclaré ouvertement dans une lettre rendue publique au début de septembre qu'il pensait que le choix de Macdonald comme chef de l'Opposition avait été "une grave erreur" [35]. Galt avait bien sûr du mal à oublier sa jalousie et le ressentiment qu'il avait éprouvés en 1867. Au cours des derniers mois, son vieux chef l'avait sérieusement mécontenté une fois de plus. Au contraire de Galt, Macdonald avait catégoriquement refusé de se soumettre romantiquement aux vieux principes conservateurs. Alarmé par l'activité politique croissante des prêtres ultramontains du Québec, Galt avait cherché à obtenir l'appui de Macdonald pour mener une violente croisade anticléricale. Macdonald, même si l'idée lui souriait, s'était montré extrêmement circonspect. De toute évidence, le Parti conservateur bénéficiait (il aurait été difficile de préciser dans quelle mesure) de l'influence des ultramontains. Mais tout aussi évidemment, l'intérêt du Parti conservateur n'était qu'une des nombreuses bonnes raisons pour empêcher de faire renaître l'ancien et épineux débat sur les relations entre l'Église et l'État.

"Vous remarquerez", écrivit avec intelligence Macdonald, qui faisait ainsi preuve d'une plus grande connaissance des affaires européennes et de la politique de l'Église catholique romaine que Galt ne se soucierait jamais d'en avoir, "que le mouvement ultramontain dépend de la survie de deux vieillards, le pape et l'évêque Bourget (au Canada). Il ne fait aucun doute que les milieux catholiques influents ne souhaitent pas que le prochain pape soit untramontain. En réalité, l'Europe a absolument besoin d'un pape libéral capable de surmonter la scission au sein de l'Église et de ramener les vieux catholiques au bercail [36]." Pour toutes ces raisons, Macdonald avait conseillé la patience. Galt, comme d'habitude, avait trouvé le conseil fort peu avisé. Il le confirma dans son idée que Macdonald était incompétent. À la première occasion, il le fit savoir. La franchise de son vieux collègue blessa Macdonald. Mais avait-il le droit de se sentir blessé lui qui, moins de deux ans plus tôt, avait lui-même déclaré publiquement qu'il n'était plus capable d'occuper le poste de chef?

En vérité, à l'automne 1875, sa situation sur la scène politique canadienne en général et au sein du Parti conservateur en particulier, était devenue bizarrement ambiguë. En novembre 1873, il avait demandé à ses partisans de choisir un homme plus jeune. En novembre 1875, par contre, toute allusion à son prochain retrait avait temporairement cessé. C'est vrai qu'il était venu à Toronto décidé à reprendre sa vie professionnelle et sociale. Mais il était tout aussi vrai qu'à l'automne 1875, Macdonald apparaissait en public de plus en plus fréquemment et prenait plus souvent la parole. Deux ans plus tôt, personne n'aurait pu imaginer cela. Au mois de février précédent, il avait écrit à Dalton McCarthy, un jeune avocat de Barrie plein de promesses, pour le presser, dans son propre intérêt aussi bien que dans celui du Parti, de se présenter à l'élection de North Simcoe. "La réaction s'est certainement apaisée (...)", affirmait-il d'un ton persuasif [37]. Les événements de la dernière session l'avaient-il persuadé que l'attitude d'attente qu'il avait lui-même conseillée devait être immédiatement modifiée? Pensait-il que le moment était venu de passer à l'offensive? Avait-il changé ses objectifs personnels? Ou cette activité dont il faisait de nouveau preuve n'était-elle que le fruit du hasard qui avait voulu que plusieurs élections partielles se déroulent en même temps et que de toutes parts lui parvinssent des invitations à prendre la parole qu'il pouvait difficilement refuser?

Les élections partielles de cet automne-là provoquèrent un intérêt plutôt inattendu. Elles firent mieux. Elles raffermirent les espoirs conservateurs. Une victoire à Toronto! Une défaite à Montréal! À première vue, il ne semblait pas y avoir de quoi faire naître grand enthousiasme. Mais les résultats réconfortèrent de façon extraordinaire les conservateurs. D'abord, il était tout simplement bon de se battre contre les grits. Ensuite, il était excellent d'avoir gagné un siège à Toronto où les conservateurs avaient perdu les trois circonscriptions lors des dernières élections. Même à Montréal, les conservateurs se sentirent encouragés. La défaite de Thomas White eut un épilogue curieusement réconfortant, un peu à la manière d'une histoire triste qui au dernier moment finit bien. Macdonald se rendit à Montréal pour participer au dîner offert à White en guise de consolation après sa défaite. Ces réceptions offertes aux candidats battus, avec leur lot d'excuses transparentes et leurs prophéties vaniteuses, étaient le plus souvent extrêmement déprimantes. Le dîner offert en l'honneur de White ne le fut pas. Macdonald, dans un discours qui fut le clou de la soirée et à un point que le comité organisateur n'imaginait même pas, se mit à fustiger le Parti de la Réforme et les résultats de son administration avec la fureur d'une nouvelle recrue et l'habileté d'un vieux routier [38]. On n'avait pas entendu une telle descente en règle depuis des années. Que présageait-elle? Signifiait-elle que Macdonald avait accepté l'idée de diriger de nouveau son Parti de façon permanente? Beaucoup de ceux qui avaient confiance en l'avenir le félicitèrent. Quelques autres, moins nombreux, qui avaient du mal à lui pardonner son inactivité et son attentisme récents furent bien obligés de lui témoigner leur reconnaissance. Mackenzie Bowell lui écrivit pour lui dire qu'il était très heureux d'apprendre que Macdonald avait fait sentir aux grits qu'il n'était pas encore "politiquement mort". Et il ajoutait: "Et je suis heureux de savoir aussi que vous avez rompu votre incompréhensible silence [39]".

# V

Mais comment Macdonald pouvait-il réellement rompre le silence? Même s'il acceptait sans le dire de prolonger pendant quelque temps sa direction "provisoire", comment pourrait-il renoncer à la prudente politique défensive et attentiste à laquelle il se conformait depuis deux ans? Les petites choses ne l'avaient jamais beaucoup intéressé, pas plus que les fautes vénielles ni les scandales mineurs. Il voulait quelque chose d'important. Et ce quelque chose d'important, il fallait le trouver dans la politique globale de l'administration réformiste, et dans le programme mis de l'avant par Mackenzie et ses collègues pour mener à bien l'émergence d'une nation distincte et autonome dans la partie nord du continent nord-américain. Mackenzie avait de toute évidence échoué. Après deux années de pouvoir, son échec n'était que trop évident. Son impopularité croissante, ses revers de plus en plus nombreux, sa malchance réelle n'étaient que trop manifestes. Pourtant Macdonald devait être capable de voir plus loin. Il devait découvrir les vraies erreurs positives de Mackenzie. Il lui fallait offrir des alternatives à ses mauvais choix politiques. Il lui fallait persuader le peuple canadien d'accepter sa propre version de l'intérêt national. Mais comment être déjà sûr de l'endroit exact où il devait porter ses coups?

Il y avait une faille évidente. Blake, successeur de Fournier, allait certainement défendre et soutenir le "little canadianism" simplet, implicite dans l'amendement au projet de loi sur la Cour suprême de Fournier. Macdonald décida de frapper de toutes ses forces à cet endroit précis. Dans notre politique, le point majeur est le lien qui nous unit à la Grande-Bretagne", dit-il à Montréal aux invités du dîner offert en l'honneur de White. "Je suis sujet britannique, né sujet britannique et j'espère mourir sujet britannique [40]." Le lien avec la Grande-Bretagne était un héritage culturel précieux. Mais c'était aussi un moyen politique de défense absolument indispensable. Derrière les quelques signes insignifiants d'une survivance de l'ancienne relation coloniale, il existait la réalité d'une alliance diplomatique et militaire qui seule permettait au Canada de maintenir son indépendance et son autonomie sur le continent nord-américain. Les États-Unis représentaient toujours un danger potentiel très grand du seul fait de cette indépendance et de cette autonomie. Avant la guerre civile américaine, rappela Macdonald à ses auditeurs, le Canada bénéficiait d'une certaine protection du simple fait que les États du sud s'opposaient avec force à l'annexion de nouveaux territoires du nord. Mais à présent la confédération sudiste avait été écrasée. Le dernier obstacle à l'expansionnisme américain avait été levé et tout le peuple américain croyait comme vérité d'évangile qu'il était de son destin de conquérir le continent tout entier.

Le Canada ne pouvait échapper à ce péril qu'en s'alliant avec les

Britanniques. C'était grâce à l'alliance britannique seule que le Canada serait capable de bâtir son nord-ouest et de consolider ses dominions transcontinentaux. Alliance ! C'était le mot que Macdonald avait utilisé le plus fréquemment au cours de la dernière décennie pour décrire les relations futures qu'il entrevoyait entre le Royaume-Uni et le pays qu'il avait voulu baptiser Royaume du Canada. L'Angleterre, il le pensait tout naturellement, resterait toujours le "pouvoir central", tandis que le Canada, comme l'Australie, la Nouvelle-Zélande et l'Afrique du Sud resteraient des "nations satellites". Mais ces nations satellites cessaient d'être des colonies. Elles devenaient des puissances alliées et associées au Royaume-Uni. Ce serait commettre une grave erreur que de croire que ce serait promouvoir leur unité que de leur ménager une forme de représentation au sein du Parlement impérial ou créer une nouvelle législature fédérale qui régirait tout l'Empire. En fait, ce ne serait là, non marcher en direction de l'avenir, mais bien revenir vers le passé. Les nations britanniques satellites seraient "axées autour d'un pouvoir central", mais néanmoins elles resteraient à jamais des "nations séparées". À Toronto, Macdonald qualifia la reine Victoria de "reine du Canada" [41]. À Montréal, il dit à ses auditeurs que l'Angleterre, le Canada et les autres royaumes satellites seraient unis sous un même souverain, devraient allégeance à la même couronne et seraient "liés les uns aux autres par une alliance offensive et défensive" [42].

L'alliance allait permettre d'assurer l'expansion et la consolidation du Canada à une échelle vraiment transcontinentale. C'était l'objectif fondamental de Macdonald, et la construction de la ligne de chemin de fer en direction du Pacifique était le meilleur moyen d'atteindre cet objectif. Les libéraux n'avaient pas été capable de faire progresser sérieusement le projet de chemin de fer transcontinental. C'était le second point de l'attaque de Macdonald contre le gouvernement Mackenzie. Le scandale du Pacific Railway avait fini par être embarrassant du fait même de son trop grand succès. Le scandale avait détruit la corporation ferroviaire que dirigeait Sir Hugh Allan; mais il semblait aussi parfois avoir détruit le projet de chemin de fer lui-même. Le projet avait sombré dans les débris du naufrage. Quand les libéraux essayèrent de le ranimer, plusieurs éléments leur compliquèrent la tâche: la dépression économique, la querelle avec la Colombie britannique et la vision par trop régionaliste avec laquelle certains des ministres envisageaient l'idée même d'un Canada transcontinental. Le gouvernement Mackenzie ne parvenait pas à persuader de nouveaux groupes de capitalistes de reprendre le projet là ou Sir Hugh Allan l'avait laissé. En période d'austérité financière, il ne pouvait pas trop insister pour que le chemin de fer devienne un projet gouvernemental. Le seul plan valable que Mackenzie fut capable de mettre au point consistait à construire le chemin de fer par tronçons en fonction des possibilités financières gouvernementales et, en attendant, d'utiliser le plus possible les transports fluviaux et routiers.

C'était loin d'être une politique héroïque. Macdonald ne manqua pas de la comparer à la politique qu'on l'avait empêché de mener à bien. Le projet conservateur, dit-il à ses auditeurs de Toronto aurait peuplé l'Ouest et fait marcher rondement les affaires canadiennes même en période de dépression. Le projet libéral n'était pas un vrai projet de ligne de chemin de fer, mais un projet de "petits bouts" de ligne [43]. Pourtant, mais personne au sein du Cabinet réformiste n'en semblait vraiment conscient, le chemin de fer transcontinental continuait d'être une nécessité vitale pour la nation: "Tant que la ligne vers la Colombie britannique et le Pacifique ne sera pas construite", dit-il à ses auditeurs lors du dîner de Montréal, "le mot Dominion ne sera que l'expression d'une vague entité géographique (...) En fait jusqu'à ce que nous soyions reliés par le lien de fer, comme nous avons relié la Nouvelle-Écosse et le Nouveau-Brunswick grâce à l'Intercolonial Railway, nous ne serons pas un Dominion [44]."

La colonisation de l'Ouest et le chemin de fer du Pacifique étaient ses deux principales options politiques sur le plan national. La protection de l'industrie canadienne était en train de redevenir la troisième. Au cours de l'été 1874, le projet de traité Brown-Fish avait ravivé toute la question de la politique commerciale canadienne. À ce moment-là, Macdonald était resté silencieux, écartelé entre son désir de faire échouer le traité et celui d'exploiter les divisions au sein du Parti réformiste. Mais au début de 1875, avant que le Parlement canadien eût abordé la question, le Sénat américain rejeta le projet d'accord. Il devint clair que la troisième tentative faite par le Canada depuis le début de la Confédération pour tâcher de renouveler l'ancien traité de réciprocité avait échoué aussi complètement que les précédentes. Il n'y avait plus aucune raison de cacher ses opinions. Le Parti conservateur avait au contraire tout intérêt à sauter sur l'occasion pour préciser sa position. En 1875 en effet, la dépression commençait à paralyser le pays et amenait les Canadiens à s'intéresser passionnément à leur avenir économique.

Macdonald sentit le vent de l'opinion tourner. Le débat public sur la politique commerciale amorcé avec la publication du projet de traité Brown-Fish se poursuivit de façon de plus en plus houleuse et véhémente à mesure que la Grande-Bretagne et les États-Unis déversaient une partie de leur surplus sur le marché canadien et à mesure que le nombre de faillites et le taux de chômage augmentaient. À la fin de novembre, l'Association des industriels ontariens tint une réunion spéciale qui eut un grand succès. La réunion avait pour objectif de dégager un consensus en vue d'obtenir un accroissement des taxes à l'importation [45]. En janvier, la Chambre de commerce du Dominion, organisme conservateur plus influencé jusque-là par les importateurs que par les industriels du pays décida de soutenir une politique protectionniste [46]. Depuis longtemps, le Parti conservateur avait déjà pris définitivement position. Les déclarations de Macdonald à propos de la politique commerciale canadienne avaient été plus laconiques et moins excessives que celles de Tupper, J.B. Robinson et Thomas White, les deux candidats conservateurs aux élections partielles de Toronto et de Montréal.[47] Mais ses idées sur le sujet ne faisaient aucun doute. À Toronto, Macdonald attaqua le premier budget libéral ("Il a fait la fortune des chemins de fer en raison de toutes les délégations qui durent prendre le train pour venir protester contre lui."). Macdonald affirmait que l'augmentation des taxes à l'importation prévues au budget imposait de lourdes charges supplémentaires au consommateur sans offrir de protection correspondante aux industriels canadiens [48]. À Montréal, il rappela à ses auditeurs que la politique de protectionnisme conjoncturel avait été introduite pour la première fois par le gouvernement libéral conservateur en 1858-1859 avec le projet Cayley-Galt. Le Parti, déclara-t-il, continue de croire que les taxes à l'importation doivent être appliquées de façons à protéger les producteurs nationaux. C'était aussi, dit-il avec insistance, un des points de divergence profonde entre grits et conservateurs.[49]

Le dernier point était crucial. Macdonald et d'autres conservateurs étaient de plus en plus soucieux de bien le faire comprendre. Il ne faisait aucun doute que le Parti conservateur avait opté pour une politique de protectionnisme conjoncturel. La seule question était de savoir si le Parti réformiste ne serait pas bientôt amené lui aussi à l'adopter. Au cours de tous les débats précédents concernant la politique commerciale, les réformistes s'étaient toujours montrés très clairement opposés aux taxes à l'importation. Mais à travers le pays la population demandait de plus de plus qu'on appliquât des taxes à l'importation en représailles contre les États-Unis. Les réformistes semblaient perdre quelque peu leur raideur monolithique et paraissaient prêts à assouplir leurs positions en ce qui concernait le libre-échange et la pratique des taxes sur le revenu. Les candidats réformistes aux élections partielles de Montréal et de Toronto allèrent même plus loin et se prononcèrent ouvertement pour le protectionnisme. Blake lui-même s'intéressait prudemment au "producteur national" [50]; et Mackenzie, qui avait déclaré lors d'un séjour en Écosse que "les principes de Richard Cobden étaient les principes même de la civilisation", annonça dès son retour au Canada que son gouvernement étudierait la possibilité d'accroître les taxes à l'importation si les finances publiques semblaient le requérir. [51]. Furieux, Macdonald et les conservateurs se rendaient maintenant compte que, sous la pression des "protectionnistes libéraux" des principales villes canadiennes, les réformistes étaient sur le point de tirer avantage du courant d'opinion publique qui se développait en faveur du protectionnisme. Tout au long de cet automne-là, les conservateurs tentèrent désespérément de convaincre les électeurs que le Parti réformiste, malgré les déclarations intempestives de quelques-uns de ses membres, était résolument partisan du libre-échange et qu'il n'en fallait rien attendre pour résoudre l'actuelle crise économique. Au dîner offert en l'honneur de White, Macdonald ridiculisa les "trois visages économiques" de Mackenzie: libre-échange à Dundee, protectionnisme conjoncturel à Sarnia, protectionnisme total à Montréal [52]. Mackenzie déclarerait n'importe quoi pour obtenir de nouveaux suffrages. Seule la conduite franche des conservateurs pouvait inspirer confiance.

Le Parti réformiste restait cependant capable de démentir ces prédictions par trop confiantes. Le ferait-il? L'incertitude dura tout l'automne. Elle continua pendant l'hiver. Tupper croyait que le gouvernement Mackenzie avait finalement prit conscience de sa situation précaire et qu'il était prêt à risquer un coup pour s'en sortir [53]. Macdonald entendit raconter une histoire incroyable: l'administration aurait été sur le point de laisser totalement tomber le Pacific Railway juste pour tirer crédit des millions de dollars d'économie qui en résulteraient [54]. À Montréal, Workman le nouveau député libéral qui avait battu White, annonça tout à fait sûr de lui que le budget que présenterait en février Richard Cartwright, le ministre des Finances, comporterait un accroissement important des tarifs douaniers [55]. Macdonald et Tupper étaient convaincus que les libéraux étaient réellement décidés à augmenter les taxes à l'importation, même si par la suite Cartwright démentit catégoriquement qu'une telle décision ait jamais été prise. Les conservateurs de toute manière n'y pouvaient rien. Ils avaient déjà pris position de façon irrévocable. Un long article soutenant le protectionnisme conjoncturel parut dans le *Mail* deux jours avant que Cartwright ne rendît son budget public [56]. Macdonald et Tupper pouvaient en critiquer certains détails, mais non le fond. Les grits s'étaient montrés trop habiles. La plus grande chance électorale des conservateurs venait de leur échapper.

Mais était-ce vraiment si sûr que cela? À mesure qu'approchait le 25 février, jour fixé pour la présentation du budget Cartwright, de plus en plus de groupes de pression se faisaient entendre à Ottawa. Une délégation de la "Protectionist Association" arriva de Montréal [57]. On en attendait une autre de Toronto. Mais ces envoyés spéciaux, ces représentants du monde extérieur n'étaient pas les seuls qui faisaient tout leur possible pour influencer la politique du gouvernement. Au moment même où les membres des lobbies industriels étaient poliment reçus dans les bureaux ministériels, Alfred Jones et les députés libéraux de Nouvelle-Écosse, partisans de bas tarifs douaniers, menaçaient carrément en caucus de ne pas suivre le gouvernement. La matin du 25 février, l'avis général sur la colline parlementaire était que les libéraux étaient divisés et que le gouvernement sous la pression des réformistes de Nouvelle-Écosse avait dû modifier sa politique commerciale [58]. En se rendant en Chambre ce matin-là, Macdonald et Tupper s'attendaient sans doute à ce qu'il y ait une légère augmentation des taxes à l'importation dans l'intérêt du trésor public. Mais on se rendit compte que Cartwright avait rejeté même cette petite modification. Il s'en tenait sans en démordre à la politique en vigueur jusque-là. Il dit

*Archives publiques du Canada*

John A. Macdonald

à la Chambre qu'il considérait "la moindre augmentation des taxes comme un véritable mal en soi". "Ce n'est pas le moment de faire des expériences", annonça-t-il catégoriquement.[59]

"Ce n'est pas le moment de faire des expériences." Le ministre des Finances aurait-il pu prononcer une phrase plus inepte et plus provocatrice? On vivait une époque de profonde dépression économique, une période de chômage et de misère aiguë, et les Canadiens déconcertés étaient prêts à utiliser les moyens fiscaux qu'on avait si longtemps utilisés contre eux. C'étaient à présent des millions de voix qui réclamaient que l'on réglât la crise. Macdonald avait trouvé sa cause. Il battrait le gouvernement Mackenzie en prônant une politique nationale de protection. La politique nationale lui permettrait de se venger de l'humiliation qu'il avait dû subir au moment du scandale du Pacifique et de renverser le verdict des élections générales de 1874.

## Chapitre sept

# Les terrains de pique-nique de l'Ontario

### I

C'est avec circonspection que Macdonald accueillit ce changement de position. Il en était heureux, mais restait prudent. C'est Tupper qui réagit le premier à la présentation du budget. Il ne proposa aucun amendement aux résolutions Cartwright [1]. Il revint aux simples députés, en particulier aux libéraux protectionnistes, de présenter les premières contre-propositions à la politique fiscale du gouvernement. Ils étaient obligés d'intervenir, dirent-ils, parce que les conservateurs n'étaient pas capables de proposer une alternative immédiate. Ils demandaient à Macdonald de prendre position. Et l'un d'eux, Devlin de Montréal centre, prophétisa que si le chef de l'Opposition acceptait de prendre la tête du mouvement en faveur du protectionnisme, il "récupérerait" toute la délégation parlementaire de la région de Montréal [2]. Le piège était un peu gros, Macdonald l'évita avec intelligence. "J'ai entendu la menace, la terrible menace! répondit-il en plaisantant. Les députés de Montréal se proposeraient de passer à l'Opposition! Je n'ai pourtant pas vu le visage de mon honorable ami, le Premier ministre, changer. Il n'a pas semblé très effrayé (...) j'ai même cru voir un sourire, un sourire calme et doux, se dessiner sur le visage de mon honorable ami qui connaît bien son pouvoir. Mon honorable ami de Montréal centre me fait penser au vieux Pistol: il est capable de parler de façon courageuse, mais aussi de tenir des propos hypocrites

(...) Si les affirmations de mon honorable ami de Montréal, qu'elles soient préméditées ou accidentelles, ne dérangent même pas le gouvernement, c'est que ce gouvernement est sûr de rester en place beaucoup plus longtemps que ne le désire l'Opposition ou même que ne le requiert le bien du pays (...) Mon honorable ami de Montréal centre m'a prévenu que si je n'acceptais pas son offre sur-le-champ il serait inutile par la suite de tenter de lui jeter mon filet. Monsieur le Président, il m'est déjà arrivé d'attraper d'étranges poissons, mais je craindrais que mon honorable ami, comme il le fut d'ailleurs au cours de la précédente session quand il était assis de ce côté-ci de la salle, ne soit un poisson trop rebelle pour que je l'attrape jamais [3]."

L'insubordination des libéraux protectionistes était intéressante. Elle était une autre manifestation des divisions croissantes qui se faisaient jour au sein du Parti de la Réforme. Le soutien de ces rebelles pouvait être utile. Mais Macdonald, s'il avait à les récupérer, les récupérerait en posant ses propres conditions et non en se soumettant aux leurs. Et le projet qu'il mettrait de l'avant, serait certainement plus vague et plus général que tout ce qu'ils pouvaient suggérer. Il trouvait leurs amendements incomplets et impartiaux, car ils se concentraient sur les usines et négligeaient l'agriculture. Macdonald promettait quelque chose de plus satisfaisant, mais il attendit le 10 mars, deux semaines après le discours de Cartwright, pour présenter la résolution qui devint l'amendement officiel de l'Opposition. Les termes en étaient très prudents. Il avait employé le mot "protection", mais sans insister. Il ne demandait pas d'instaurer de "taxes douanières protectionnistes", mais se contentait de réclamer, de façon plus modeste et plus inoffensive, un "réajustement des tarifs". La motion de l'Opposition déplorait que le budget Cartwright n'ait pas prévu un réajustement capable "non seulement de résorber la stagnation économique déplorée dans le gracieux Discours du Trône, mais d'encourager et d'offrir aussi la protection voulue aux manufactures et aux industries en difficulté, aussi bien qu'à l'agriculture du pays" [4].

Les intentions de Macdonald étaient claires. Il espérait pouvoir occuper une position centrale et tenir compte aussi des intérêts des divers secteurs d'activité du pays. Sa résolution visait à promouvoir les intérêts, divergents parfois, des manufacturiers et des producteurs du secteur primaire. Elle cherchait à réconcilier les concepts assez contradictoires de revenu et de protection. Macdonald basait son argumentation sur une prémisse à laquelle souscrivaient tous ses contemporains: il était impossible dans un pays aussi neuf que le Canada de créer un impôt sur le revenu ou d'instaurer d'autres formes d'impôts directs; et par conséquent les taxes à l'importation pouvaient seules assurer un revenu à l'État. Les taxes à l'importation, très élevées, pouvaient seules financer la construction des routes, des canaux et des chemins de fer nécessaires aux débuts du pays. Les travaux publics étaient essentiels pour l'expansion et la consolidation du Canada. En période de récession, ils avaient l'avantage supplémentaire de donner du travail aux chômeurs. Freiner ou retarder maintenant de telles entreprises en vue de réduire les dépenses publiques auraient, affirma Macdonald à la Chambre, des conséquences "tout à fait lamentables". Il était vital et nécessaire d'avoir de l'argent et il n'y avait qu'un moyen de l'obtenir. "Nous devons donc nous en remettre à nos douanes", résumait-il, "c'est la source principale de nos revenus ultérieurs. Quoi de plus raisonnable que d'ajuster nos tarifs douaniers pour en tirer des revenus qui nous permettront de faire face à nos engagements et de développer nos ressources. Nous devons instaurer des taxes à l'importation sur tout ce que nous sommes capables de produire nous-mêmes [5]."

"Tout ce que nous sommes capables de produire nous-mêmes"! L'expression ne couvrait pas seulement les produits manufacturés, mais également les produits agricoles. Une des premières tâches à laquelle s'attela Macdonald fut de prouver au pays et aux Canadiens que la politique de "protection conjoncturelle" favorisait leurs intérêts, autant que ceux des industriels. Il était bien sûr exact, et Macdonald l'admettait volontiers, que le Canada exportait du blé et de la farine et que le prix de ces denrées était établi en fonction de leurs cours sur le marché international de Liverpool. Mais, selon lui, le grain de provende se plaçait dans une autre catégorie tout à fait différente. Il y avait moyen de le protéger, comme il l'était déjà aux États-Unis. Cette protection ouvrirait au paysan canadien son propre marché local. En même temps, la protection des manufactures permettrait à l'industrie canadienne de se développer et d'élargir son marché. Pour le moment, les industries canadiennes n'en étaient qu'à leur début. L'économie canadienne, en fait, correspondait exactement à cette situation économique hypothétique qui justifiait, comme l'avait affirmé John Stuart Mill, l'établissement de tarifs de protection. Le Canada, d'une part, était perméable au dumping des produits américains; les États-Unis, d'autre part, avaient su se protéger d'une manière satisfaisante des importations canadiennes malgré les efforts répétés du Dominion en vue de négocier un nouveau traité commercial avantageux pour chacun des deux partenaires. Macdonald acheva son argumentation en rappelant la triste réalité de la récession économique: "Le Discours du Trône nous apprend que le commerce stagne. Il nous informe également que ce n'est pas notre faute, mais que c'est la conséquence directe de la dépression commerciale qui a cours dans le pays voisin. Voilà ce que les honorables messieurs d'en face ont conseillé à Son Excellence le gouverneur général de dire devant cette Chambre! Si c'est exact, j'affirme que pour le gouvernement il n'existe pas de moment plus légitime, plus propice, plus sage pour intervenir! [6]."

C'était tout. "Jamais, depuis le règlement de ces questions importantes que furent les Biens du Clergé et la tenure seigneuriale", déclara l'éditioraliste de la *Gazette* de Montréal, "la ligne des partis n'a été aussi clairement exprimée, ni divisée par un principe aussi net et aussi facile à comprendre que lors des dernières discussions et du vote récent [7]." Macdonald avait choisi une position relativement vague et donc facile à défendre. Le gouvernement réformiste avait été acculé à une politique rigide qui lui laissait très peu de champ de manoeuvre. Les conservateurs venaient d'enregistrer leur principal succès de la session. Mais il y avait plus. À d'autres égards, leurs chances continuaient de s'améliorer. Les malheureuses divisions du Parti réformiste s'accentuaient, marquées parfois de querelles ouvertes, fort satisfaisantes pour l'Opposition. Les libéraux protectionnistes critiquaient ouvertement la politique fiscale du gouvernement. Au cours du débat sur le Discours du Trône, Luther Holton, le plus ancien libéral anglophone du Québec somma Huntington de s'expliquer. Ce dernier avait attaqué l'ultramontanisme du clergé catholique en assemblée publique lors de l'élection d'Argenteuil. "La sortie de Holton", écrivit Macdonald à Dalton McCarthy, "a achevé le gouvernement Mackenzie au Québec et si Huntington reste au Cabinet, j'ai l'impression que le gouvernement perd toute crédibilité aux yeux des catholiques romains de l'ensemble du Dominion [8]."

Les perspectives étaient bonnes même si la situation ne justifiait pas encore d'enthousiasme délirant. La chance avait de façon inattendue servi les conservateurs. La politique de "protectionnisme conjoncturel" semblait fort heureusement pour eux devenir de plus en plus populaire. Mais elle n'avait pas encore fait ses preuves. Et pour le reste, rien de ce que Macdonald avait essayé de préconiser au cours de l'automne précédent, n'avait été très rentable jusque-là. Aucun des nouveaux projets de loi qui avaient prêté à controverse, comme par exemple le projet de création de Cour suprême, n'avait réussi à raviver l'intérêt du public pour le lien impérial. La question du Canadien Pacifique était devenue si complexe et si délicate que Macdonald et Tupper qui essayaient tout à la fois de soutenir le projet et de critiquer le gouvernement finirent par se réfugier derrière une argumentation des plus compliquées. En cette période de difficulté financière et de baisse de la recette publique, la Colombie britannique qui avait réussi à séduire les Canadiens du centre quelques années plus tôt, était devenue un insupportable fardeau. Le gouvernement se sentait de moins en moins lié par la promesse de construire une ligne de chemin de fer transcontinentale et de plus en plus, on avait tendance à condamner cette entreprise comme tout à fait insensée. Quelle serait la position des conservateurs? Ils ne pouvaient désavouer une promesse à laquelle ils avaient lié le pays. Ils ne voulaient pas cependant défendre les engagements de plus en plus coûteux qu'avait pris le gouvernement Mackenzie dans ses efforts maladroits pour tâcher à contrecoeur de satisfaire la Colombie britannique. C'était l'impasse. Macdonald et Tupper devaient se contenter d'insister sur les avantages de l'ancien projet conservateur, abandonné par suite du scandale du Pacifique, et qui visait à confier à l'entreprise privée la construction de la ligne. Ce projet aurait été moins coûteux et aurait eu plus de succès que la construction par tronçons et à la charge du gouvernement préconisée par Mackenzie. Macdonald croyait en cette ligne de chemin de fer. Il croyait en l'intégration de la Colombie britannique. Il avait foi en la Confédération et en l'unité du pays. Il est bien possible qu'il ait trouvé difficile de critiquer les efforts laborieux, mais bien intentionnés de Mackenzie. Ou peut-être simplement n'avait-il pas grand-chose à dire sur le sujet. C'est Tupper, plus véhément et plus prolixe que d'habitude, qui prit le plus la parole au nom des conservateurs.

Cependant, malgré ses moments de découragement, le goût de Macdonald restait inchangé. Il comptait battre les réformistes et ramener les conservateurs au pouvoir. Et ensuite? Était-il vraiment revenu sur sa décison de se retirer? Au cours de l'hiver et du printemps, certains indices prouvèrent qu'il n'avait pas changé d'idée depuis l'automne 1873. En avril, sa soeur Margaret, épouse du professeur Williamson, mourut. Elle n'avait que dix-huit mois de plus que lui. Tout au long des années où il avait été absent de Kingston, Macdonald s'était efforcé de maintenir le même lien avec ses deux soeurs. Mais Margaret, tout naturellement, occupait une place spéciale dans son coeur. Ils avaient grandi ensemble. Au cours de cette période lointaine et à demi oubliée qu'ils avaient passée à Hay Bay et à Kingston, ils avaient partagé des jeux, vécu des expériences où "bébé Louisa" n'avait évidemment pas de part. "Margaret est mon amie la plus intime et la plus ancienne, écrivit-il à Williamson. Elle l'a été toute ma vie [9]." Elle était morte à présent. Devait-il considérer son décès comme un de ces rappels, une de ces tapes significatives sur l'épaule que le temps semblait lui donner si souvent à ce moment-là? Ne valait-il pas mieux que Louisa, Williamson et lui-même admettent l'approche de la vieillesse et changent de vie pendant qu'il en était encore temps? Ne valait-il pas mieux passer la main et renoncer aux tâches et aux responsabilités qui avaient été celles de leur jeunesse? À Toronto, il s'était installé dans sa vie professionnelle avec le soupir d'aise de quelqu'un qui se cale dans un bon fauteuil. Située dans un cadre de verdure, tout près d'University College, et entourée de champs au nord et à l'ouest, sa nouvelle maison de la rue St. George était enfin presque habitable. Une véritable armée de menuisier et de peintres avait envahi le bâtiment. Chaque jour, Agnes remontait la rue boueuse pour aller surveiller les travaux.[10] Macdonald espérait qu'en mai la maison serait prête.

Le printemps arriva et les Macdonald déménagèrent. Soir et matin, Macdonald faisait entre la rue St. George et la rue Toronto le trajet qui séparait sa vie familiale et sa vie professionnelle. Mais il était incapable de s'installer. Il ne voulait pas s'installer. De plus en plus intéressés, les journaux continuaient de débattre des mérites du "protectionnisme conjoncturel". L'été succéda au printemps. Les premiers vrais tests de popularité de la nouvelle politique commerciale conservatrice approchaient à grand pas. Des élections partielles étaient prévues pour la première semaine de juillet dans les deux circonscriptions d'Ontario-nord d'Ontario-sud. Les deux candidats conservateurs étaient les frères Gibbs. Le Parti avait une nouvelle politique. Mais il avait besoin d'un nouvel instrument, d'une nouvelle méthode de présentation de ses politiques aussi neuve, frappante et attrayante que l'étaient les politiques elles-mêmes. Par chance, et presque au dernier moment, les conservateurs la découvrirent. Une petite délégation de l'association libérale conservatrice de Toronto se présenta au bureau de Macdonald par une chaude journée de juin. En collaboration avec les conservateurs de Ontario-nord, l'association comptait organiser un pique-nique politique à Uxbridge le 1er juillet à l'occasion du neuvième anniversaire de la Confédération. Macdonald accepterait-il de venir s'adresser à la foule?

## II

Le samedi 1er juillet, à huit heures du matin, un train spécial du Toronto and Nipissing Railway quitta la gare de la rue Berkeley en direction d'Uxbridge [11]. La journée était assez incertaine. De lourds nuages obscurcissaient l'horizon. Mais ce risque de mauvais temps n'affecta en rien le succès de l'excursion. Trois ou quatre cents pique-niqueurs libéraux-conservateurs et leurs femmes avaient pris place dans le train. Un petit groupe d'invités de marque occupait le wagon de queue, décoré d'un épais tapis rose, de meubles et de boiseries de noyer. Il y avait Agnes et Macdonald ainsi que John Beverley Robinson, nouveau député conservateur de Toronto-ouest et divers responsables de l'association libérale-conservatrice de Toronto. Charles Tupper et William McDougall qui faisaient campagne dans Ontario-sud n'étaient pas là. Mais ils avaient prévu de regagner le nord en voiture par les chemins de campagne et on espérait qu'ils arriveraient à temps pour le pique-nique.

Il était onze heures environ quand le train atteignit Uxbridge. Pendant la dernière heure du voyage, le ciel s'était assombri et il commença à tomber une sorte de crachin peu après l'arrivée. C'était vraiment décourageant. Cela augurait mal pour l'après-midi, mais cela ne diminua en rien l'enthousiasme tapageur de la réception qui fut faite à Macdonald. Deux fanfares, dont une était venue de Markham, entonnèrent avec fracas une marche militaire sur le quai de la gare. Les badauds formèrent une vaste demi-cercle pour attendre et applaudir. Le président de l'association libérale-conservatrice d'Ontario-nord lut un discours de bienvenue. Macdonald y répondit aimablement en son nom et au nom des autres invités. Puis, ils montèrent tous en voiture et le cortège, fanfare en tête, remonta lentement les rues en franchissant des arcs de triomphe qui portaient les inscriptions "bienvenue" et "victoire". Il leur fallut près d'une demi-heure pour atteindre le bois situé de l'autre côté du village et appelé Elgin Park où le pique-nique devait avoir lieu. De longues tables, aux nappes fraîchement repassées et empesées avaient été dressées sous les grands ormes pour ces très sérieux pique-niqueurs qui étaient venus malgré le temps maussade, bien décidés à déjeuner en pleine nature, plutôt que d'étouffer dans une salle à manger d'hôtel. Les tables étaient chargées de ces plats substantiels et de ces friandises qui font les délices d'un bon repas. Il y avait du poulet froid, de la langue, des aspics de jambon, des soufflés milanais, des montagnes de fraises, des sandwiches aux oeufs, des charlottes russes, des tartes au sucre, au fromage et toutes sortes d'autres gâteaux et pâtisseries. Il y avait de grands pots de jus de citron glacé, de liqueur de framboise et d'innombrables bouteilles de vin.

Il était midi passé. Avant les discours, principal événement de la journée, il y aurait un intermède d'environ une heure pour permettre aux pique-niqueurs de manger. Macdonald déjeuna sous un ciel capricieux, tour à tour menaçant et ensoleillé. Il passait d'une table à l'autre, quittait un groupe pour un autre, bavardait, serrait des mains, se faisait présenter tout le monde, accueillait en souriant les salves d'applaudissements. C'était bien les Canadiens! Ils étaient venus, comme en vacances, pour se détendre et bavarder, pour se voir, mais surtout pour le voir. Pour saluer cette occasion mémorable, cet événement mi-mondain mi-sérieux, ils avaient mis leurs plus beaux vêtements. Ils l'accueillaient avec un curieux mélange de respect comme celui qu'on doit à un monarque régnant, et de joyeuse familiarité, comme pour un ami très cher. La foule qui s'était assemblée était représentative de la communauté. Elle constituait une véritable tranche de la nation, un échantillon de la population urbaine, villageoise et campagnarde.

Ils étaient tous là, depuis le jeune et élégant avocat venu de Toronto par le train spécial, avec son gilet de brocart et son pantalon à carreaux à la dernière mode, jusqu'au fermier costaud et barbu de Greenback ou de Black Water, avec sa longue veste noire du dimanche et son vieux haut-de-forme. Il y avait la femme du bourrelier de Port Perry, vêtue de sa robe de taffetas ornée de satin, couleur tabac, que la couturière était venu faire à domicile sur une machine à coudre "Little Wanzer". Il y avait la femme du banquier élégamment vêtue d'une robe boutonnée dans le dos faite sur mesure à Toronto ou à Londres, avec ses boutons de perle cendrée, comme c'était alors à la mode, avec ses plis, sa dentelle et sa frange de chenille. Macdonald les salua tous. Il serra la main des jeunes garçons qui portaient des canotiers à larges bords, des culottes et de longues chaussettes noires et qu'on lui amenait rouges d'embarras. Il salua des petites filles habillées de tailleurs de taffetas ornés de noeuds et de franges miniatures, répliques exactes de ceux que portaient leurs mamans. Il se pencha gentiment sur des bébés enveloppés dans de longues robes aux broderies compliquées. Il eut un mot gentil pour presque tout le monde. Il connaissait tant de noms, se souvenait de tant de visages et de tant d'incidents divers qu'habituellement, en l'espace d'une poignée de main ou d'un salut, l'existence entière de son interlocuteur prenait miraculeusement forme dans son esprit. Il connaissait les Canadiens mieux que personne avant lui, et mieux que personne, après lui, ne les connaîtrait jamais.

Mais il était maintenant plus d'une heure et demie. Macdonald escalada les marches de pin de l'estrade dressée pour la circonstance. Un grand nombre d'orateurs et d'officiels accompagnés de leurs femmes l'occupaient déjà. Devant lui, il y avait une foule de plusieurs milliers de personnes joyeuses et impatientes, allongées dans l'herbe ou assises sur les chaises qu'avaient apportées en nombre insuffisant l'association conservatrice. Tous attendaient les mots d'ordre et les distractions de l'après-midi. Il y avait des acres et des acres de chapeaux: hauts-de-forme de soie, petits chapeaux féminins seyants, dont les plis s'emmêlaient, comme le voulait la mode, aux boucles des cheveux, bonnets démodés aux couleurs vives, melons bombés, canotiers de paille et, ça et là, comme une autre sorte d'énorme chapeau, de providentiels parapluies et des parasols aux franges roses. Tout en observant la foule et en écoutant la longue série de discours d'introduction, Macdonald jetait de temps en temps un coup d'oeil discret vers le ciel. Il était toujours aussi gris et incertain. Tupper qui avait la voix rauque d'avoir déjà trop parlé fut bref. McDougall qui, bien conscient que son discours ne pouvait être qu'un lever de rideau, le fut presque autant. Il y avait eu quelques gouttes de pluie, mais rien de plus. Quand Macdonald se leva pour parler à son tour, l'averse ne s'était toujours pas décidée à tomber.

Il était au meilleur de sa forme. Il parla avec aisance, en choisissant le ton familier de la conversation. Il fit des blagues, raconta des histoires et accepta de bonne grâce quelques interruptions, comme si c'était des répliques auxquelles il s'attendait. Le plan de son discours, s'il en avait un, semblait extrêmement souple. Pourtant, derrière la bonne humeur et l'apparente jovialité de ses paroles se cachait un objectif clair et agressif. Chacun des mots qu'il prononçait était destiné à mettre les libéraux sur la défensive. Les libéraux, dit-il à ses auditeurs, revenaient toujours sur la vieille histoire du scandale du Pacifique uniquement pour dissimuler le simple fait que le public jugeait leur gouvernement. De nombreux tests concrets avaient prouvé la faiblesse et l'inanité de l'administration Mackenzie. Son incompétence était devenue flagrante puisqu'elle n'avait pas su relever le défi. La présence de quelques protectionnistes au sein du Parti de la Réforme ne devait pas faire oublier que le gouvernement refusait de prendre ses responsabilités en matière économique. "La grande question qui se pose au pays maintenant, dit-il en insistant, est de savoir comment se débarrasser le mieux possible de l'actuelle récession commerciale. Il est inutile de se tourner vers M. Mackenzie, car il est partisan du libre-échange (...) et il est tout à fait inutile de voter pour un homme qui se dit protectionniste, à moins qu'il ne s'affirme également prêt à voter pour renverser tout gouvernement opposé au protectionnisme [12]."

En retournant à Toronto, par cette longue soirée d'été, Macdonald pouvait se sentir légitimement satisfait. Une forte averse était tombée après la fin de son discours, mais au lieu de courir s'abriter les spectateurs étaient restés pour assister à la fin de la réunion. D'un point de vue mondain, le rassemblement avait été un succès complet. Mais, et c'était beaucoup plus important, il avait également été un énorme triomphe politique, comme en attestèrent vite les élections partielles du 5 juillet. À South Wellington, où les conservateurs présentaient un homme dont les principes protectionnistes étaient plus sûr que sa loyauté envers le Parti, les réformistes gagnèrent; mais dans les deux circonscriptions d'Ontario-nord et sud, T.N. et W.H. Gibbs furent triomphalement élus. Ce soir-là, Macdonald se rendit au United Empire Club, créé pour être le contrepoids conservateur du National Club des membres de Canada First et des libéraux de Blake. En ce mercredi soir, le bâtiment était illuminé et résonnait de joyeux cris de victoire. "Y eut-il jamais victoires aussi éclatantes que celles d'Ontario-nord et sud", écrivit-il avec joie à Tupper deux jours plus tard. "Nos amis m'écrivent que W. H. doit son triomphe au pique-nique d'Uxbridge. Il a gagné dix-huit voix à Uxbridge seulement (...) L'enthousiasme était intense ici, mercredi soir. Le United Empire Club semblait magnifique, illuminé comme il l'était depuis le toit jusqu'à ses fondations (...) Les grits ont par accident choisi la journée d'hier, lendemain des élections, pour tenir une grande assemblée de réorganisation du Parti. Nos succès les alarment. G. B. les sermonne. Jamais aucun groupe d'hommes aussi déprimés ne s'est rassemblé, n'a été plus conspué, ne s'est fait plus moquer de lui en traversant les rues." [13]

Macdonald exagérait bien sûr. Mais c'était presque vrai. Un peu partout, on avait de plus en plus l'impression que la chance toujours imprévisible et qui longtemps s'était montrée défavorable, venait enfin de tourner définitivement. Macdonald avait trouvé son thème: une façon de résoudre la récession en modifiant la politique fiscale. Pour l'expliquer, il avait trouvé sa méthode: le pique-nique politique. Dans toute la province, les libéraux-conservateurs étaient en effervescence. On eut dit des soldats appelés à l'action ou des chômeurs excités à l'idée de reprendre le travail. Pendant plus de deux années, les conservateurs avaient végété dans l'apathie et le découragement. Ils reprenaient courage et espoir. Ils avaient un thème et un moyen de le faire connaître. On avait bien sûr déjà organisé des pique-niques politiques, mais ils étaient restés des événements d'intérêt local, isolés et occasionnels, dénués d'une signification globale. Le pique-nique d'Uxbridge était différent. On se mit à l'imiter à travers toute la province. Uxbridge fut le premier d'une longue suite de pique-niques. Le 27 juillet, il y en eut un à Colborne dans le comté de Northumberland. Macdonald prit la parole devant une foule immense évaluée à plus de cinq mille personnes venues de Belleville, Port Hope et Cobourg [14]. Le 9 août, il était à Guelph et Fergus, le 23 août à St. Catharines; et une semaine plus tard, le 30 août à Milton dans le comté de Halton [15]. Les pique-niques se faisaient habituels, réguliers et fréquents. Ils étaient devenus, pour les clans conservateurs, le moyen de s'amuser et de se rencontrer.

Le sixième pique-nique se tint à Woodstock et Ingersoll [16]. Le village d'Eastwood se trouvait à cinq milles à l'est de Woodstock, sur la route du gouverneur, et c'est également là, dans un parc bien boisé, que se dressait Vansittart House, la confortable maison de campagne en briques rouges, aux murs extraordinairement épais et aux fenêtres doubles que T.C. Patteson avait acquise récemment. Macdonald et Agnes furent ses invités. Patteson, dans l'élégant cabriolet importé qu'il avait acheté lors de la vente des biens de Sir Allan MacNab, vint à Woodstock chercher Tupper, McDougall et les frères Gibbs pour les amener dîner à Vansittart House. Macdonald but beaucoup de vin et, en cours de soirée, devint bruyamment jovial. Sa bonne humeur avait duré tout l'été. Jusque-là, les pique-niques avaient attiré de grandes foules et suscité un enthousiasme débordant. Il ne doutait pas que celui du lendemain serait tout aussi réussi que les précédents. Il ne fut pas déçu. Le mercredi 6 septembre, un cortège constitué de tous les véhicules possibles et imaginables, victorias, calèches, landaus, cabriolets, charrettes anglaise et voitures à bancs, avançait lentement, aux sons éclatants de quatre fanfares, sur la route qui menait de Woodstock à Ingersoll, où il était prévu que se prononceraient les discours.

C'est à Belleville, moins d'une semaine plus tard, que se tint le plus formidable pique-nique de tous [17]. Les réformistes qui se rendaient enfin compte du peu d'efficacité de leurs railleries face aux succès mondains sans précédent des conservateurs, entreprirent à leur tour d'organiser une série de pique-niques libéraux concurrents. Mackenzie, Blake et Cartwright accusèrent Macdonald à qui mieux mieux et lui lancèrent toutes sortes de défis du haut de leurs estrades estivales. Comme les discours se tenaient à moins de quelques jours d'intervalle, les terrains de pique-nique de l'Ontario devinrent une sorte de vaste forum provincial où les accusations et les réponses se succédaient presque à la même vitesse, avec le même à-propos et la même exactitude que s'il s'était agi d'un débat entre deux personnes. Chaque partie luttait de plus belle à mesure que s'achevait la saison et qu'approchait la fin de septembre. Chaque clan essayait de surpasser l'autre en attirant des foules plus nombreuses, en organisant des festivités plus spectaculaires et en prononçant des discours de plus en plus incisifs. C'est à Belleville que les conservateurs déployèrent le plus d'énergie. Près de quinze mille personnes s'y trouvaient, dit-on, le 12 septembre. Même si les journalistes réformistes affirmèrent que ce chiffre énorme était honteusement exagéré, il n'en restait pas moins que la foule était immense, plus nombreuse que toutes celles qui s'étaient rassemblées à Belleville depuis la visite du prince de Galles, plus de quinze ans auparavant. Macdonald exultait. Et l'une des choses qui lui fit le plus plaisir fut de recevoir une lettre de félicitations de Hugh.

Hugh s'était marié et était retourné à Kingston, sa ville favorite, pour pratiquer le droit. Mais il avait également repris la correspondance affectueuse qu'il entretenait avec son père comme si la rupture de l'automne précédent n'avait jamais eu lieu [18].

Septembre marqua la fin des pique-niques. Macdonald se prépara à passer agréablement le premier automne et le premier hiver de sa vie dans sa maison de la rue St. George. Il pouvait se détendre et faire le point. Les pique-niques avaient prouvé la puissance et la popularité de sa nouvelle politique de nationalisme économique. Ils avaient tiré les conservateurs de leur torpeur et leur avaient insufflé une nouvelle vitalité dans tous les coins de la province. Tous avaient porté fruit. Mais n'avaient-ils pas eu une autre conséquence également, beaucoup moins facile à admettre celle-là? N'avaient-ils pas permis au libéraux-conservateurs de l'Ontario de revendiquer John A. Macdonald comme chef politique? Dans ses premiers discours de l'été, il avait fait quelques allusions discrètes et indirectes à son âge. Il avait évoqué le besoin de sang neuf et d'un autre chef pour diriger le Parti. Mais à mesure que la saison avançait, à mesure qu'il s'échauffait au travail et qu'il se laissait prendre par la compétition, ces allusions se firent moins fréquentes. À la fin de la campagne estivale, il avait repris espoir et se trouvait dans un état de bien-être qu'il n'avait pas connu depuis des années. Quand Lord Dufferin vint à Toronto en janvier pour y prononcer une série de discours, Macdonald parla au gouverneur de sa bonne santé et de sa bonne humeur [19]. Mais était-il pour autant capable de diriger encore le Parti? Était-il capable d'assumer même temporairement un poste de responsabilité, celui qui permettrait aux conservateurs de se réinstaller au pouvoir? En janvier 1877, il eut soixante-deux ans. Il était presque un vieil homme. Il ne se sentait pas vieux, loin de là. Mais son âge était bien réel. Et cela lui était apparu récemment, dans toute son évidence, avec la mort de l'homme qui était presque exactement son contemporain, John Hillyard Cameron.

La mort de Cameron était aussi tragique par sa brutalité que sa vie l'avait été du fait de ses revers et de ses luttes sans fin [20]. Il s'était épuisé en vains efforts pour faire face aux lourdes obligations contractées vingt ans plus tôt au moment de la récession de 1857. Il mourait alors que certaines de ses dettes étaient toujours impayées et que sa famille avait de sérieux problèmes matériels.[21] Pour Macdonald, cette mort était de mauvais augure et lourde de signification. Cameron n'était pas le premier des contemporains de Macdonald à mourir. Macdonald était même le seul survivant de ce petit groupe de conservateurs qui s'étaient rassemblés autour du "doux William" Draper en cette période troublée du début des années 1840. William Boulton, "Bill l'universitaire", comme l'avait un jour surnommé le *Globe*, était mort moins de trois ans plus tôt, mais Sherwood, l'arrogant Sherwood, toujours prêt à se lancer dans toutes sortes d'intrigues, était enterré depuis plus de vingt ans déjà. Ils avaient tous deux fait partie de la vie de Macdonald, mais plus que tous les autres, c'est Cameron qui avait fait la carrière la plus parallèle à la sienne. Il se souvenait de Cameron, l'hôte prospère et chaleureux des Meadows dans les bonnes années, avant son revers de fortune. Il se souvenait de la gentillesse de Rose Cameron qui s'occupait de Hugh les jours où Isabella restait allongée, complètement prostrée, dans leur logement de Wellington Place. Il se souvenait de tout cela et de plus encore, l'époque où ils étaient assis tous deux dans un recoin obscur du magasin d'Owen McDougall dans la rue Store où John Cruickshank avait ouvert son école d'"enseignement classique et général", près de cinquante ans plus tôt. Il revoyait la pièce encombrée, les bureaux, les formes des objets, les enfants, Cameron et lui-même qui étaient alors des grands et qu'on disait pleins d'avenir, assis comme des seigneurs à l'avant de la classe.

Cameron était parti. Autrefois, Cameron et lui s'étaient disputés les faveurs de Draper. Après avoir examiné les mérites de chacun, Draper les avait tous deux reconnus comme ses héritiers. N'était-il pas temps pour Macdonald de commencer à considérer le problème de sa propre succession? Depuis peu, il considérait le jeune Dalton McCarthy, l'avocat de Barrie, avec la même sollicitude et la même bienveillance dont Draper avait autrefois fait preuve envers lui. Il avait pressé de façon flatteuse McCarthy de se lancer en politique: "Nous qui sommes dans l'Opposition, nous voulons un juriste qui sache bien se défendre pendant les débats", avait-il écrit à McCarthy dès février 1875, "et vous auriez une chance qui ne se représentera peut-être jamais d'obtenir immédiatement le statut de parlementaire [22]." Près de deux ans plus tard, en décembre 1876, la circonscription de Cardwell devint vacante et McCarthy accepta de s'y présenter. Cette élection était considérée comme relativement sûre, mais Macdonald soutint le candidat de toute son influence et Tupper dont il pensait qu'il avait "un talent insurpassable pour les discours électoraux" se rendit à Cardwell pour faire profiter McCarthy de son énergie et de son expérience des campagnes électorales [23]. McCarthy fut élu. Il était, Macdonald en était convaincu, un vrai patriote, capable et intelligent. Dans quelques années, si les conservateurs étaient ramenés au pouvoir, il serait peut-être ministrable. Mais, vu la situation politique du moment, les possibilités étaient encore lointaines. McCarthy devait faire ses preuves. Et si Macdonald parvenait à persuader ses partisans de le laisser se retirer ou trouvait le courage de démissionner de lui-même, son successeur immédiat devrait être un vétéran et la personnalité de ce vétéran ne faisait aucun doute: c'était Charles Tupper qui serait son successeur lorsque le gouvernement Mackenzie serait renversé et quand les conservateurs reviendraient au pouvoir. Macdonald décida en lui-même qu'il vaincrait personnellement les réformistes. Il devait renverser le verdict des élections de 1874. Ce serait le dernier acte de sa vie politique. Après, il pourrait se retirer.

## III

Les conservateurs arrivèrent à Ottawa pour la session de 1877 avec la confiance d'une équipe de football qui a gagné tous les matches de la série ou d'une troupe de théâtre de retour d'une tournée triomphale en province. La session fut houleuse, pleine de discussions acerbes, d'accusations, de révélations, de scandales et de toutes sortes de péripéties. Depuis qu'Huntington avait lu ses fameuses résolutions au printemps 1873, les conservateurs brûlaient de venger l'humiliation qu'ils avaient dû subir à cause du scandale du Pacifique. Ils avaient presque fini par croire qu'une victoire sur les réformistes serait incomplète si elle ne s'accompagnait pas aussi du dévoilement d'un scandale libéral aussi répugnant, ou presque, que celui qui avait entraîné leur propre ruine. Ils attendirent, brûlants d'impatience, que s'offre à eux la chance de pouvoir porter une accusation morale. Ils pensèrent enfin l'avoir trouvée au cours de la session de 1877. Ils réclamèrent une série d'enquêtes parlementaires sur le patronage et sur la façon dont les contrats gouvernementaux avaient été alloués. Ils portèrent des accusations contre un certain nombre de libéraux importants, y compris le président de la Chambre. Ces révélations effarantes auraient dû intimider ou museler les réformistes. Au contraire, rouges d'indignation, hurlant "*tu quoque*", ils portèrent à leur tour le même genre d'accusations contre les conservateurs. Ils réussirent même à plonger Macdonald dans l'embarras en révélant le fait extrêmement troublant que pendant les deux années qui avaient suivi son départ du gouvernement, il avait gardé le contrôle d'une partie assez importance des fonds destinés aux services secrets [24]. Macdonald fut obligé de rembourser une somme prélevée sur ces fonds. Le gouverneur général plissait le nez, d'un air de profond dégoût. "Cette session n'a pas été satisfaisante du tout, dit-il à Carnarvon, les deux partis se sont éclaboussés de boue [25]."

Le déshonneur était partagé. Mais le prestige des conservateurs restait plus grand. Les objectifs des conservateurs semblaient plus précis, même si des deux côtés certaines importantes questions de politique nationale restaient sans solution. Le problème du chemin de fer du Pacifique avait divisé et affaibli les libéraux. Macdonald n'osait pourtant pas attaquer franchement et directement ses adversaires sur la question. Au cours du pique-nique d'Ingersoll, il avait dit à ses auditeurs qu'il ne croyait pas que la Colombie britannique fasse scission: il était personnellement sûr, leur affirma-t-il, "que le sentiment du peuple était si fort qu'à la prochaine élection générale, il prouverait que les provinces de l'Est désiraient garder leur fidélité envers leurs concitoyens de l'Ouest" [26]. Pourtant, il avait officieusement fait part à Dufferin du fait que, selon lui, la fameuse "résolution de taxation" adoptée à l'époque où le Parlement acceptait les termes de l'union avec la Colombie britannique, n'était qu'un vernis qu'on avait appliqué sur l'entente originale limitant les obligations financières qui en résultaient pour le Canada [27]. En Chambre, Macdonald n'intervint en rien pour que l'on consente aux sacrifices requis pour satisfaire la Colombie britannique. Il se contenta de garder un silence prudent sur l'ensemble de la question. Pourtant, ce mutisme et les argumentations verbeuses et compliquées de Tupper eurent un effet politique certain. Les critiques des conservateurs contre la politique ferroviaire du gouvernement, tout en n'était pas assez agressives pour éveiller les soupçons du Canada central, étaient néanmoins suffisantes pour qu'ils se gagnent la reconnaissance de la Colombie britannique: "Je ne pense pas", écrivit J.H. Gray à Macdonald depuis Victoria, "que les gens d'ici aient eu beaucoup de regrets lorsque votre administration a été renversée. À tort ou à raison, ils estimaient en effet avoir été leurrés. Mais si le gouvernement actuel tombait, il y aurait des cris de triomphe et des feux de joie, car les gens ici pensent qu'on a foulé aux pieds leurs intérêts, qu'on les a traités sans considération et qu'on les a trompés [28]."

Ces petites victoires restaient modestes. Le plus grand succès des conservateurs se trouvait dans leur nouvelle politique de "protectionnisme conjoncturel". Macdonald avait fait des propositions si générales qu'on ne pouvait que très difficilement les attaquer. Il avait espéré tirer profit de sa modération et sa souplesse. Mais il ne s'était pas vraiment attendu à tirer un autre avantage, peut-être plus important, du fait de l'extrême rigidité de ses adversaires. Pourtant, c'est ce qui arriva. Plus les conservateurs se montraient accommodants, plus les budgets de Cartwright se firent restrictifs et doctrinaires. En 1877, il annonça deux nouvelles taxes indirectes sur la production canadienne de malt et de bière. En contrepartie, la seule augmentation des tarifs douaniers qu'il proposa fut une petite taxe supplémentaire limitée à l'importation du thé, que naturellement les Canadiens ne pouvaient pas produire [29]. C'était exactement le genre de taxe à l'importation qu'affectionnaient les partisans du libre-échange. Rien n'aurait pu mieux correspondre aux principes les plus rigides de cette théorie économique, criait Macdonald même si la mesure "avait été prise par un des plus furieux partisans du libre-échange, par un des plus fanatiques admirateurs de ce que Carlyle appelait la "triste science" [30] ". Il devenait de plus en plus clair que les réformistes avaient choisi le plus mauvais moment de la récession pour adopter un zèle et un dogmatisme semblables à ceux de gens récemment convertis à une nouvelle religion. Ils s'étaient déclarés en faveur du *laissez-faire** à un moment où Macdonald pouvait dénoncer cette attitude comme une apathie criminelle. Macdonald avait beau jeu d'accuser les réformistes d'être des "mouches du coche", de faire comme si les remèdes économiques étaient inutiles, alors qu'ils n'avaient aucun palliatif à proposer. Lui, Macdonald, avait proposé un remède, un remède que le nationalisme rendrait plus puissant. Il avait dit à ses auditeurs des pique-niques qu'il avait foi dans le principe du "Canada aux Canadiens". Il avait fait appel à leur sens de plus en plus développé de l'unité nationale et à leur désir contrarié de vivre dans un climat économique sain.

Vers la fin de la session, Macdonald était dans le meilleur état d'esprit possible. Dans son impétueuse poussée vers l'avant, le Parti avait à plusieurs reprises en cours de session trébuché soudain, mais chaque fois il avait réussi à se reprendre très vite et était reparti de plus belle. Les conservateurs savaient qu'ils harcelaient les libéraux. Ils étaient conscients que dans l'esprit du public, le Parti libéral était devenu la bête traquée et qu'ils étaient eux-mêmes la meute lancée à ses trousses. Le gouverneur général, lorsqu'il examinait les probabilités politiques futures, partageait l'opinion du public que l'avenir verrait le déclin des libéraux: "Ils ont certainement perdu du terrain plus vite qu'il n'est normal", déclara-t-il à Lord Carnarvon [31]. Pour lui, leur fatigue et leur tension nerveuse présageait de leur défaite future. Il écrivit au secrétaire aux Colonies: "Blake est malade; le surmenage, l'énervement et l'irritabilité ont eu raison de lui. Quand à Mackenzie, il ressemble à une chiffe mouillée, assez molle pour qu'on puisse l'étendre sur une corde à linge [32]."

Macdonald regardait ses adversaires épuisés et harcelés de toute part avec un intérêt plein de sympathie et presque avec pitié. Son propre état physique et mental était excellent. La dure campagne de l'année précédente aurait pu le fatiguer, mais il ne se sentait pas fatigué du tout. Il ne s'était jamais senti mieux. Selon le docteur Grant et le docteur Tupper, cette sensation de bien-être qu'il avait retrouvée était due à une nette amélioration de son état physique. Les médecins, déclara-t-il à Lord Dufferin l'avaient assuré que "son état physique avait beaucoup changé ces derniers temps et que pendant quelques années son état de santé général s'améliorerait sans doute" [33]. Le gouverneur général avait lui-même noté de légères différences tout à fait significatives. Au cours de la longue session, malgré toutes les réceptions et les cérémonies officielles, pas une fois Macdonald n'avait pris trop de vin. L'ancien Premier ministre avait été au mieux de sa forme et s'était très bien conduit pendant toute la session de 1877. Après l'ajournement, lorsqu'il vint poliment faire sa visite d'adieu à Dufferin, il avait l'air confiant, insouciant et plein d'un entrain juvénile.

Macdonald commençait à avoir l'impression d'être un souverain qui

---

*N.D.T.: en français dans le texte.

a déjà été proclamé roi et qui n'attend que les formalités de son couronnement pour régner. Son voyage de retour souleva presque autant d'enthousiasme qu'un voyage royal. Une grande réception l'attendait à Toronto [34]. Une énorme foule de gens venus l'accueillir se bousculait sur le quai de la gare de la rue Berkeley, dans les rues avoisinantes et même sur les toits des wagons de marchandises immobilisés. Cinq cents porteurs de torche accompagnèrent le cortège qui escorta sa voiture à travers le centre de la ville, devant les magasins et les maisons qui scintillaient de lumières et de banderoles éclairées. Lorsqu'il sortit sur le balcon de l'Empire State Club pour s'adresser à la foule, d'innombrables feux éclairaient la nuit printanière si bien qu'il pouvait voir les gens se presser les uns sur les autres jusqu'à l'autre bout de la rue King. "Dix mille personnes sont venues m'accueillir ici mercredi dernier", écrivit-il à A.J. Macdonnell. C'avait été un accueil royal qui ne pouvait se comparer qu'à l'accueil réservé à un souverain! "Il n'y a pas eu de pareille réception", continuait-il fièrement en se servant de la comparaison devenue familière, "depuis la venue du prince de Galles en 1860" [35].

Macdonald était pressé de se mettre au travail. "Je suis convaincu qu'il n'y a pas de temps à perdre, confia-t-il gravement à A.J. Macdonnell, puisque nous irons en élection avant la prochaine session (...) Les grits s'organisent et pourraient faire une percée de dernière heure comme ils l'ont déjà fait. Il n'y a pas un moment à perdre [36]." Il était exact que le mandat du gouvernement qui avait été élu durant l'hiver 1874 n'expirerait pas avant dix-huit mois. Même si les conservateurs continuaient à réclamer joyeusement la dissolution du Parlement, personne ne pouvait être sûr qu'il y aurait des élections générales avant la session suivante. Mais le temps passait rapidement. L'heure était peut-être venue. C'est le Parti tout entier qui devait être mis sur un pied de guerre pour être prêt à passer à l'action. Il fallait organiser soigneusement la seconde série de piqueniques de façon à couvrir le plus de terrain possible et d'en tirer le plus de bénéfices possibles dans le minimum de temps. Une semaine après son retour d'Ottawa, Macdonald rencontra Tupper pour préparer la campagne d'été.

Tupper serait son bras droit. Tupper était son successeur probable. Il était temps de le présenter officiellement aux habitants de l'Ontario qui jusqu'à l'été précédent n'avaient jamais eu vraiment la chance d'apprécier son agressivité et ses qualités d'orateur. Au début de juin, les deux amis se rendirent à Kingston pour assister à la réunion qui devait ouvrir la série des assemblées estivales. Présenté à la foule comme le successeur probable de Macdonald à la tête du Parti conservateur, Tupper prononça le principal discours de la soirée [37]. Les vieux amis de Macdonald et ses partisans dévoués avaient envahi l'hôtel de ville. Ces gens refusaient de croire un mot de ce qui avait provoqué le discrédit de leur favori. Pour eux, tout le scandale du Pacifique était une calomnie sans fondements. "Les politiques d'assassinat moral ne peuvent abattre Sir John, l'homme d'État le plus compétent du Canada", annonçait loyalement une longue banderole accrochée à l'un des murs. C'était comme amener un ami à la maison et le présenter à la famille. À mesure que Macdonald s'échauffait, il se montrait de plus en plus confiant et se laissait aller à faire des prophéties. Voilà longtemps, leur dit-il, qu'il désirait se retirer de la vie publique; et ses amis avaient longtemps refusé de le laisser faire. Il promit aux habitants de Kingston: "Jusqu'au moment où mes amis me diront qu'ils pensent que j'ai servi assez longtemps, aussi longtemps qu'ils penseront que je puis leur être de quelque utilité, je puis vous affirmer qu'en retour, à cause de tout ce qu'ils ont fait pour moi, il n'est que juste que je ne les laisse pas tomber. Depuis longtemps, je souhaite quitter mon poste et je suis sûr que vous direz, après avoir fait ce soir connaissance de mon ami, l'honorable Charles Tupper, que lorsque je me retirerai, c'est l'homme qui pourra me remplacer [38]."

C'est moins d'une semaine plus tard, le 12 juin, que les pique-niques commencèrent. La tournée se fit à partir de l'ouest et du nord de Toronto, dans une zone géographique assez restreinte, et les pique-niques se promenèrent de London, Brampton, Gorrie et Orangeville jusqu'à Markham. Mais ce n'était que le prélude à des engagements plus ambitieux et de plus grande envergure. Tupper partit pour la Nouvelle-Écosse avant la fin du mois et Macdonald était prêt à se lancer dans une expérience politique nouvelle, si nouvelle en fait qu'on pouvait la qualifier d'aventure politique. Il avait déjà pris la parole à Québec même et à Montréal; mais jamais dans d'autres parties du Québec. Le Québec était le territoire de Cartier et de Langevin, non le sien. Et le 4 juillet encore, au moment où il quittait Montréal par le train de l'après-midi pour Sherbrooke, sa tournée devait, selon les prévisions, se limiter aux Cantons de l'Est à prédominance anglophone [39]. Certains politiciens du Québec, White, Masson, Chapleau et Langevin l'accompagnèrent pour lui donner un coup de main pendant le périple. À Saint-Hyacinthe, premier arrêt sur le chemin de Sherbrooke, Chapleau prit la parole pour lui en français. Il y eut d'autres arrêts et d'autres discours à Actonvale et Richmond. La nuit était tombée bien avant qu'ils n'atteignent Sherbrooke. Mais Sherbrooke était bondée de monde et illuminée. "Sandy n'est pas un homme, au contraire de notre Sir John", proclamait une banderole. Une autre affirmait que "les grits ont amené les charançons et Sir John A. la prospérité". Il y eut ce soir-là un long cortège de voitures à travers les rues. Le lendemain matin, Macdonald partit à travers la campagne. La région était jolie avec ses petits lacs et ses hautes collines. On avait prévu tout un programme de déplacements en train ou en voiture, de pique-niques, de dîners et d'innombrables discours. Macdonald ne revint à Montréal qu'au soir du samedi 7 juillet. Le succès y fut triomphal. Cinq mille porteurs de torches défilèrent dans les rues. Le cortège atteignit le carré

Dominion à onze heures du soir. Une foule évaluée à cinquante mille personnes y salua l'homme politique par un tonnerre d'applaudissements [40].

En juillet et août, Macdonald prit du repos et essaya d'évaluer avec ses amis les effets de la première phase de la campagne. "Une vague de fond semble se dessiner ici en notre faveur", écrivait Dalton McCarthy à Tupper qui se trouvait alors en Nouvelle-Écosse, "les actions de l'Opposition ont monté et elles continuent de monter d'une façon tout à fait extraordinaire. La réception de Montréal semble avoir été le couronnement de tout. Mackenzie et compagnie sont repartis dans la capitale, de fort méchante humeur (...)" [41] Qu'allaient faire Mackenzie et compagnie, se demandait Macdonald avec intérêt. Au début de mai, il s'attendait à ce que les élections générales aient lieu à la fin de l'été ou au début de l'automne. Mais le mois d'août arriva sans qu'il y ait le moindre signe d'élections. Mackenzie partit prononcer une série de discours en Nouvelle-Écosse. S'agissait-il d'une tournée de reconnaissance? Quelle sorte de réception allait être faite à Mackenzie? Macdonald n'avait aucune raison de s'inquiéter. "Je n'ai jamais assisté à une réunion aussi triste, à l'exception de quelques funérailles", lui écrivit McLean à propos d'une assemblée du Parti réformiste à Truro [42]. Devant de tels signes d'impopularité, Mackenzie oserait-il choisir de dissoudre le Parlement? Ne repousserait-il pas les élections générales jusqu'après la prochaine session du Parlement, en espérant le retour de temps meilleurs? C'était possible, et même probable. Pourtant, Macdonald avait entendu une autre rumeur tout à fait différente: les réformistes auraient l'intention de faire appel au pays en janvier. Mais il ne pouvait en être certain. Il décida qu'il fallait que les assemblées conservatrices se poursuivent triomphalement pendant tout le mois d'octobre. Il écrivit à Tupper pour lui demander de revenir lui donner un coup de main pour les pique-niques d'automne. "Je suis complètement débordé par ces trucs infernaux", dut-il admettre malgré lui [43].

Et réellement, il l'était! Les pique-niques l'éloignèrent si souvent de Toronto en ce début d'automne que Mary lui écrivit sous la dictée, pour lui demander de revenir: "Sans vous, la maison semble si triste et si solitaire, disait-elle, et mon histoire du soir me manque beaucoup (...) cher père, quand donc allez-vous rentrer?" [44] Pendant tout le mois de septembre et pendant la première partie d'octobre, il ne rentra que pour une très courte période. "Je souhaiterais, plaise au ciel, avoir votre vitalité, lui écrivit son vieil ami John Rose, mais je ne pourrais pas plus affronter ce que vous affrontez que je ne serais capable de gagner le paradis [45]." Macdonald lui-même prenait un air mi-désinvolte et mi-amusé pour s'étonner de son énergie. "Depuis mon expérience dans les Cantons de l'Est, confia-t-il à A.J. Macdonnell, je commence à me faire une haute idée de ma propre endurance [46]." Il s'efforça de convaincre ses organisateurs pour que les assemblées où il devait prendre la parole ne se succèdent pas quotidiennement. Il leur fit comprendre qu'il avait absolument besoin de périodes de repos. Mais trop souvent, ces quelques précieuses heures étaient occupées à des conférences, à des discussions privées, à des déplacements en voiture ou à de longs et fatigants voyages en train. Il se rendit au nord jusqu'à Lindsay, Barrie et Owen Sud. Il se rendit à l'extrême-ouest de la province dans le comté d'Essex et à son extrême-est à Dundas et Glengarry. Au début d'octobre, au moment où il quittait l'Ontario du sud-ouest pour rentrer chez lui à Toronto, le beau temps qui l'avait accompagné dans de si nombreuses assemblées finit par se gâter. Sa voix qu'il n'avait pas assez ménagée se fit rauque et faible. La pluie inonda Chatham le 10 octobre et St. Thomas le 12 octobre. Deux jours plus tard, à Hagersville, dans le comté d'Haldimand, Macdonald ne put faire qu'un discours très bref [47]. La tournée venait de connaître un léger revers. Mais elle finit quand même de façon triomphale. À Hamilton, où devait se tenir la dernière grande assemblée, le soleil brillait à nouveau de tout son éclat. On eut dit un jour d'été. Agnes vint de Toronto pour l'y retrouver. Elle reçut un collier et prononça elle-même le discours de remerciement. La foule était plus nombreuse que toutes celles qui s'étaient réunies jusque-là, hormis celle de Montréal [48].

## IV

Macdonald mena bataille agressivement au cours de la dernière session du troisième Parlement du Canada. Sur le plan international, ce fut une période de tension et de colère. La guerre parlementaire canadienne se déroulait à un moment où le danger d'un vrai conflit armé s'estompait. Une nouvelle fois, vingt ans après la guerre de Crimée, la Grande-Bretagne se trouvait confrontée à la possibilité très réelle d'être mêlée à la querelle qui opposait la Russie et la Turquie.

À la fin de janvier 1878, Disraeli, ordonna à la flotte de la Méditerranée de traverser les détroits et de faire route vers Constantinople. En Angleterre, ce défi lancé aux armées russes en marche, rencontra un énorme soutien populaire. Pendant quelques semaines, un affrontement à très grande échelle sembla possible. Le Canada, qui avait maintenant des côtes sur deux océans, était beaucoup plus conscient de la dangereuse proximité de la Russie, cet immense pays nordique, qu'il ne l'avait été à l'époque de la guerre de Crimée. Au cours de l'hiver et du printemps, la rumeur courut à plusieurs reprises à travers le Dominion que la Russie allait attaquer par mer et par terre. En juin, quand le congrès de Berlin se réunit pour régler une nouvelle fois les affaires du sud-est de l'Europe, l'agitation se calma soudain. Mais ce fut la première crise internationale sérieuse qu'ait vécue le Canada depuis la Confédération.

L'affaire remua beaucoup de monde. Macdonald en fut profondément affecté. En 1871, il avait fondé une force armée canadienne permanente créant les deux premières unités d'artillerie. Il se rendait compte que la crise en cours était une occasion favorable pour renforcer et élargir cet embryon d'"armée permanente". "En période de paix, pareille proposition serait impopulaire", écrivit-il à Sir Stafford Northcote, "l'Opposition du moment y ferait obstacle et aucun gouvernement ne pourrait la faire passer. Pourtant je suis convaincu que le moment est arrivé de créer une armée régulière, liée de près à l'armée impériale et préparée de façon à acquérir le même niveau de formation et la même discipline. Sans cela, le Canada n'apportera jamais rien à la puissance de l'Empire et restera cause d'inquiétude et source de faiblesse [49]."

Il attendait impatiemment de reprendre le pouvoir. Le pouvoir lui permettrait d'atteindre toute une série d'objectifs. Mais il ne pouvait l'obtenir qu'à l'issue de la bataille qui approchait. Il avait confiance et sentait à la fois que l'échéance était terriblement proche et qu'il ne lui restait que quelques mois pour accroître ou gaspiller ses chances de succès. Il était énervé et tendu à l'extrême. Tout le monde du côté conservateur semblait atteint de la même fièvre et du même mal. Ce fut une session extraordinaire, pendant laquelle on n'adopta aucune législation constructive, mais qui fut remplie de discussions acerbes et d'attaques personnelles violentes. "L'Opposition, au cours de cette session, fait preuve d'un machiavélisme démoniaque", écrivit sévèrement Alexander Mackenzie, comme s'il dénonçait quelque manifestation du péché originel. "Je n'ai jamais rien vu de semblable [50]."

Même Macdonald semblait avoir changé. Il était étrangement différent de l'homme effacé, contrit et vieillissant qu'il avait été quatre ans plus tôt. À certains moments, il ressemblait beaucoup plus au jeune politicien jovial et emporté qui buvait sec et qui avait combattu George Brown, quinze et même vingt ans plus tôt. Sa sociabilité et sa civilité ne le quittaient jamais vraiment cependant. Il était intervenu à plusieurs reprises pendant les débats pour arrondir les angles et demander à la Chambre de retrouver son sens de la dignité. Il plaisantait à l'occasion. Il racontait des blagues. Il se moquait aimablement de Mackenzie à cause de la fréquence étourdissante de changements au sein de son Cabinet, y compris au moment de la seconde démission, définitive cette fois, de Blake. Quand "Joe" Rymal, humoriste attitré de la Chambre renonça à ses inoffensives plaisanteries pour se lancer dans des critiques plus acerbes contre les pique-niques conservateurs de l'été précédent, Macdonald se contenta de rétorquer en racontant une de ces anecdoctes du dix-huitième siècle qu'il aimait tant. Le comportement de Rymal qui avait renoncé à son humour habituel lui rappelait, confia-t-il à la Chambre, l'histoire qui était arrivée à Bowell, la fois où le docteur Johnson et lui étaient allés au théâtre et avaient vu une fort méchante comédie. Les spectateurs chahutèrent et Boswell imita les meuglements d'un veau avec tant de bonheur que les spectateurs l'encouragèrent en lui criant *encore, encore**. Boswell salua deux ou trois fois. Pris d'orgueil, il s'enhardit à imiter d'autres animaux. Du coup, tout le monde cessa d'applaudir. Ce fut l'échec complet. "Mon cher Boswell", lui avait dit Johnson en se tournant cérémonieusement vers son ami, "contentez-vous donc de faire le veau [51]."

Tout cela était très amusant. Mais ces boutades n'étaient qu'occasionnelles. Au contraire, quelque chose de plus dur et de plus primitif se fit entendre à maintes reprises. Macdonald essaya de toutes ses forces d'accuser Vail, représentant de la Nouvelle-Écosse au sein du Cabinet, d'avoir agi de façon déloyale à l'époque du mouvement sécessionniste. Macdonald détestait Vail. Il détestait encore plus Donald Smith, car Donald Smith, son agent et son confident à l'époque des troubles de la rivière Rouge, s'était joint aux rangs réformistes à l'automne 1873 au moment de la crise provoquée par le scandale du Pacifique. Smith parrainait un projet de loi gouvernemental pour autoriser que l'exploitation du nouveau tronçon de la ligne de chemin de fer du Pacifique entre Winnipeg et Pembina fût accordée à une compagnie américaine qui serait dès lors capable d'assurer les communications directes entre le Manitoba et l'Est. Le projet de loi ne précisait pas le nom de cette compagnie, mais le gouvernement révéla qu'il avait négocié avec un groupe de capitalistes dirigé par George Stephen de la Banque de Montréal, qui était en train de prendre le contrôle de la St. Paul and Pacific Railroad. Selon l'opinion publique, et c'était d'ailleurs tout à fait juste, Donald Smith était membre du groupe Stephen. Macdonald accusa Smith de conflit d'intérêts et accusa le gouvernement de récompenser le soutien politique de Smith d'une façon scandaleuse [52]. L'attaque était mûrement préméditée, mais sa violence soudaine n'avaient rien d'exceptionnel. Tous les contrats, tous les chapitres de toutes les allocations furent durement critiqués ou contestés. Le débat sur les tarifs douaniers s'éternisa. Puis soudain, comme si Mackenzie n'avait pas déjà suffisamment de problèmes à Ottawa, une importante crise constitutionnelle éclata à Québec. Les conservateurs, Macdonald en tête, sautèrent sur cette nouvelle occasion tombée du ciel avec l'intention évidente de l'exploiter à fond.

C'était une affaire un peu spéciale. Letellier de Saint-Just, qui venait d'être nommé lieutenant-gouverneur de la province de Québec avait dissous son gouvernement conservateur *Bleu**, dirigé par de Boucherville, sous prétexte qu'il négligeait délibéremment et de façon continue de s'acquitter de ses fonctions. Le 11 avril, dans un long discours bien articulé, Macdonald attaqua violemment ce renvoi en alléguant que c'était une violation du principe de gouvernement responsable [53]. Mackenzie, dans sa réponse, affirma que les affaires politiques purement provinciales du

---

* N.D.T.: en français dans le texte.

Québec ne concernaient pas le Parlement du Canada. Il espérait mettre fin au débat le plus rapidement possible. Mais les conservateurs avaient tout aussi envie de le prolonger. Aussi, comme le gouvernement ne voulait pas ajourner les débats ni permettre un troisième jour de discussion, ils décidèrent de poursuivre la discussion toute la nuit du vendredi 12 avril et toute la journée du lendemain jusqu'à six heures du soir. Le débat fut de plus en plus absurde, dénué de sens et embrouillé. Macdonald qui avait dirigé l'attaque des conservateurs toute la nuit du vendredi, prit une bouteille de sherry et quelques huîtres tôt le samedi matin et alla se coucher sur un divan dans une salle de commission. Le lundi, le *Globe* expliqua qu'il s'était retiré parce qu'il était tout "simplement ivre, dans le sens clair et ordinaire du terme". Il était inévitable que certains des chefs conservateurs se lèvent en Chambre pour réfuter ces calomnies sans fondement [54]. Il était tout aussi inévitable aussi que le fameux débat sur l'affaire Letellier en reçoive une nouvelle publicité.

C'était déjà beaucoup. Mais le pire n'était pas encore arrivé. Le caractère scandaleux de cette session extraordinaire atteint son paroxysme le tout dernier jour, au moment où l'huissier à la verge noire était déjà en route pour inviter les Communes à assister à la cérémonie de clôture de la session dans la salle du Sénat. La veille au soir, Macdonald avait réitéré son accusation et avait répété qu'on avait essayé de faire passer le projet de loi sur le tronçon de chemin de fer de Pembina uniquement pour récompenser Donald Smith du "soutien servil" qu'il avait apporté au gouvernement. Le dernier après-midi, dès que la Chambre se réunit, Smith indigné se leva pour réfuter ces accusations. Il affirma qu'il n'avait jamais demandé ni reçu de faveur d'aucun gouvernement et que lors du scandale du Pacifique il avait décidé de voter contre le gouvernement conservateur uniquement pour une question de conscience. Tupper rejeta ces arguments, Macdonald les qualifia de mensongers. Dans un échange de plus en plus bruyant, qui dura jusqu'aux tout derniers instants de la session, les deux chefs conservateurs et Smith discutèrent furieusement des événements qui avaient précédé la chute du gouvernement conservateur en 1873. Tupper, colérique et autoritaire comme toujours, se fit plus entendre dans la mêlée que son chef. Il criait encore à son adversaire: "Lâche, misérable, sale menteur!" quand le sergent d'armes annonça l'arrivée de l'huissier. Mais ce fut Macdonald qui eut le dernier mot, le dernier mot vraiment enregistré de la session: "Ce Smith", cria-t-il avec véhémence après que le Président eût ordonné de faire entrer l'huissier à la verge noire, "c'est le plus grand menteur que j'aie jamais rencontré!" [55]

Macdonald aurait pu se croire revenu dans ce bon vieux capharnaüm qu'avait été l'Assemblée législative de la province du Canada. Il aurait pu se croire redevenu le jeune Macdonald qui, blanc de passion, avait dénoncé George Brown en cette terrible nuit du 26 février 1856! Au moment où la session s'achevait, au moment où la probabilité d'une élection en début d'automne devenait de plus en plus évidente, il semblait comme un jeune homme avoir retrouvé sa détermination, son audace, son désir de vaincre à tout prix. "Si nous échouons en Ontario au cours de la prochaine élection", écrivit-il à A.J. Macdonnell, "alors, adieu à tous les espoirs pour le Parti conservateur! Moi, le premier, j'abandonnerai la lutte, désespéré [56]." Il s'agissait de consentir à un suprême effort. Il y mit toute sa force et toute son énergie, sans vraiment penser à sa santé. Il fallait avant tout préserver la cohésion du Parti. Le Parti devait rester uni. Il ne fallait permettre aucun schisme, aucune "cassure". "Comme les chasseurs de la fable, plaida-t-il, il ne faut pas vendre la peau de l'ours avant de l'avoir tué. Il faudra que nous unissions nos efforts pour tuer l'ours." Pendant tout cet été, alors que la température elle-même semblait complètement perturbée et que les périodes d'intense chaleur alternaient étrangement avec des jours d'averse et de terribles tempêtes, Macdonald s'en tint à la tâche qu'il s'était assigné. Au tout début de la saison, et pendant la première quinzaine de juillet, les conservateurs tinrent plusieurs assemblées monstres et organisèrent plusieurs fêtes en plein air au cours desquelles il prit la parole [57]. Cette année-là, ils n'avaient pas l'intention d'organiser une aussi vaste ni aussi ambitieuse série de pique-niques que l'année précédente. Macdonald resta à Toronto pendant une grande partie de l'été. Il s'occupa de sa volumineuse correspondance, présida des assemblées et eut d'interminables conversations privées. Il était le théoricien et le stratège du Parti conservateur, celui qui en improvisait les tactiques, celui qui en arbitrait les conflits. Il était le prophète de sa victoire.

Le 17 août, le *Canada Gazette* annonça la dissolution du troisième Parlement du Dominion et la tenue d'élections générales le 17 septembre, exactement un mois plus tard. Du coup, le rythme de la campagne s'accéléra une dernière fois. Macdonald commença à noter dans son emploi du temps déjà surchargé les derniers discours qu'il accepterait de prononcer. Le 21 août, il prit le train de nuit pour Kingston [58]. La situation dans sa vieille circonscription l'inquiétait. Il avait déjà battu Stewart, l'un de ses deux adversaires probables, mais l'autre, Gunn, était un inconnu et on le disait dangereux. Dalton McCarthy avait entendu dire que les grits se vantaient que Kingston allait voter contre Macdonald. Il demanda à son chef de se présenter à Cardwell où il devrait à peine se montrer, et où ses amis pourraient faire campagne à sa place [59]. Macdonald étudia la proposition, hésita, puis pour finir refusa. Il s'en tiendrait à Kingston. "La tâche ici sera rude, admettait-il, mais les chances sont bonnes [60]." Le 22 août, par un soir chaud et lourd, il parla pendant deux heures à l'hôtel de ville de Kingston.[61] Avant la fin du mois, il eut le temps de se rendre à l'ouest jusqu'à Toronto et à l'est jusqu'à Cornwall, de revenir à Kingston et d'y reprendre la parole, par une autre soirée de chaleur oppressante et étouffante et d'y faire preuve de ce que les journaux appelèrent sa "vigueur retrouvée" [62].

Quelles étaient les chances du Parti conservateur? Serait-il vraiment capable de venger la défaite de 1874? Tilley dont le mandat de gouverneur général du Nouveau-Brunswick venait de se terminer juste à temps, évaluait avec froideur et réalisme les chances du Parti dans sa propre province. "En examinant la situation telle que je puis la percevoir aujourd'hui, écrivait-il à Macdonald, nous pouvons espérer diviser le Nouveau-Brunswick, et j'avoue franchement que cela suffirait pour me satisfaire." [63] Les taxes à l'importation sur la farine et le charbon qui profitaient aux minotiers ontariens et aux propriétaire de mines de Nouvelle-Écosse n'étaient pas populaires dans la province. Tilley admettait que le Nouveau-Brunswick était un dangereux "point faible" pour l'Opposition. Mais d'un autre côté, il était convaincu que les conservateurs pouvaient être sûrs d'avoir la majorité dans l'ensemble des Provinces Maritimes. Tupper était d'accord. "L'opinion publique est avec nous, rapporta-t-il à Amherst, et je serais fort déçu si nous ne faisions pas mieux que ce que je vous ai promis (...)" [64] Plus de seize des vingt et un sièges de Nouvelle-Écosse, voilà ce que prédisait Tupper. Selon Langevin, dans le district de Québec, les conservateurs gagneraient de dix à quinze ou seize sièges [65]. Presque partout on était optimiste. Et en Ontario? C'est en Ontario que Macdonald avait mené les batailles les plus difficiles et connu la plus grande défaite de sa carrière. Que ferait l'Ontario? Certains prédisaient que la majorité réformiste serait simplement réduite, d'autres affirmaient que les deux partis se retrouveraient à peu près nez à nez. Seuls, quelques-uns, comme Dalton McCarthy et Macdonald lui-même, croyaient réellement tout au fond de leur coeur que les conservateurs emporteraient une nette majorité des sièges ontariens. Pourtant, il hésitait à parler. Il avait la crainte presque superstitieuse de prévoir les événements. Il n'était pas dans sa nature d'essayer de prophétiser les résultats, que ce fût dans les provinces ou dans l'ensemble du pays. Agnes, qui non sans raison voulait savoir si elle aurait à organiser un déménagement pour Ottawa deux mois plus tard, ne parvint à lui arracher une estimation honnête que très tard dans l'été.

"Si nous nous débrouillons bien, lui répondit-il laconiquement, nous aurons une majorité de soixante sièges; sinon de trente." [66]

Macdonald se trouvait à sa permanence électorale de Kingston, la nuit du 17 septembre, quand les premières élections eurent lieu [67]. Alexander Gunn le battit par cent voix contre quarante-quatre. Pour la première fois, en trente-quatre ans de vie politique Kingston avait abandonné son enfant. Macdonald ne pouvait s'empêcher d'éprouver du regret, mais au bout de quelques heures son triomphe noya ce regret comme une goutte d'eau se fond dans l'océan. Toute la province, tout le pays s'était prononcé en sa faveur. Il avait juré de vaincre les grits et il les avait complètement battus. Il avait repris le pouvoir. Il s'était vengé de sa défaite de 1874.

## Chapitre huit

# La mise en oeuvre du plan

### I

"J'attends d'être convoqué, écrivit Macdonald à Goldwin Smith, (*entre nous**) Lord Dufferin m'a dit lorsqu'il était ici, de préparer mon sac de voyage [1]." C'était la fin de sa liberté, la fin de sa vie tranquille et presque insouciante dans la maison de la rue St. George. "Je suis en bonne santé", dit-il à sa soeur Louisa pour la rassurer, mais je n'ai pas encore retrouvé toutes mes forces [2]." Il s'était sans doute surmené pendant l'élection. Il passa ses dernières semaines à Toronto dans une oisiveté qui lui fit du bien. Il en profita pour écrire de nombreuses lettres et pour réfléchir longuement à son programme et à son nouveau gouvernement. Politiquement, les augures auraient difficilement pu être meilleurs. Les résultats de l'élection générale avaient été favorables aux conservateurs dans toutes les provinces, sauf au Nouveau-Brunswick. Son échec à Kingston était compensé par son élection dans les deux circonscriptions de Marquette au Manitoba et de Victoria en Colombie britannique. Son choix était facile puisque l'une des premières tâches à laquelle devrait s'atteler son gouvernement serait d'apaiser la Colombie britannique. Il serait député de Victoria. Aux Communes, sa majorité était presque aussi importante que celle qu'il avait dû affronter lui-même au cours de la triste et décourageante session de 1874. "J'avais décidé de renverser le verdict de 1874", déclara-t-il fièrement à Cyril Graham, et j'ai réussi, à la grande joie de mon coeur [3]."

---

* N.D.T.: en français dans le texte.

Le 9 octobre à une heure et demie, Macdonald rencontra à Ottawa le gouverneur général. C'était sa première rencontre officielle avec lui depuis près de cinq ans. C'était aussi presque la dernière. Le mandat de Dufferin était pratiquement terminé. Il avait passé une bonne partie du printemps et de l'été à une série de réceptions d'adieux. Il avait été obligé de rester pour attendre les résultats des élections générales. La mise en place d'un nouveau gouvernement allait être le dernier acte de son mandat de gouverneur. Il accueillit Macdonald chaleureusement. Il lui dit, avec peut-être un peu trop d'exagération que "d'un strict point de vue personnel, le plus grand de ses désirs venait d'être exaucé" [4]. Macdonald, dans une lettre personnelle à Tupper décrivit avec froideur l'accueil du gouverneur général en le qualifiant d'un peu "exubérant"; mais en même temps la bonne opinion qu'avait de lui Dufferin l'impressionnait et il appréciait à leur juste valeur les services éminents que ce dernier avait rendus au Canada. Il les appréciait tellement qu'au cours du printemps précédent il s'était aventuré à écrire à Sir Stafford Northcote pour lui suggérer de prolonger de deux ans le mandat du gouverneur général [5]. Cette suggestion n'avait rien donné. Dufferin allait rentrer en Angleterre quelques semaines plus tard. Mais il avait été un bon ami de Macdonald et un bon ami du Canada. Il était important de conserver son soutien.

Cette rencontre officielle fut des plus agréables, Macdonald se montra le plus courtois et le plus prévenant possible. Cependant, comme d'habitude il sut rester prudent. Il était impatient d'expliquer à Dufferin le programme conservateur pour le rassurer sur les intentions de son parti. Il décrivit la nouvelle politique du gouvernement en quelques traits rapides et simples [6]. Au printemps précédent, Macdonald avait confié à Sir Stafford qu'il avait l'espoir de jeter "les bases d'une armée permanente". Le projet s'était précisé et il suggéra à Dufferin de créer une petite force armée permanente de trois bataillons. Il dit au gouverneur général que la ligne de chemin de fer du Pacifique "l'intéressait au plus haut point" et qu'il avait hâte de faire redémarrer le projet, en en faisant une entreprise commerciale privée, selon le schéma qu'avait toujours préféré les conservateurs. Macdonald admit de bonne grâce que les chances d'intéresser une compagnie privée au projet en cette période de récession étaient extrêmement minces. Il fit comprendre au gouverneur qu'il avait l'intention de demander au gouvernement britannique de garantir un emprunt pour le chemin de fer, même s'il était tout à fait conscient que le moment où le gouvernement canadien envisageait d'augmenter ses taxes à l'importation n'était pas le moment le plus opportun pour demander une garantie financière aux autorités de l'Empire. Macdonald semblait soucieux d'assurer le gouvernement britannique que le Canada ne sombrerait pas trop profondément dans le "péché économique" du protectionnisme. Il dit à Lord Dufferin que le gouvernement avait décidé d'augmenter les taxes à l'importation de vingt à vingt-cinq pour cent, mais pensait accorder à l'Angleterre un tarif préférentiel équivalant à environ un quart ou un cinquième de ces augmentations, et qu'il souhaitait soumettre toutes ses propositions fiscales au gouvernement britannique avant de les présenter au Parlement canadien. Il termina en insistant, peut-être pas assez pour satisfaire pleinement Dufferin, que jamais, ni dans aucun de ses discours, ni dans aucune de ses propositions relatives aux tarifs douaniers, il n'avait voulu préconiser les principes du protectionnisme intégral.

Les deux hommes abordèrent ensuite la question de la composition du nouveau gouvernement. Dufferin s'enquit auprès de Macdonald des nominations qu'il comptait faire. Macdonald répondit au gouverneur général que son Cabinet n'était pas encore "choisi de façon définitive". Ce fut la seconde tâche à laquelle il s'attela. La plupart des vétérans reçurent un portefeuille. Les violentes attaques de Tupper contre la politique ferroviaire du gouvernement Mackenzie justifiaient Macdonald de confier à celui-ci le ministère des Travaux publics. Le retour de Tilley à son ancien poste de ministre des Finances permettrait de calmer les craintes des Provinces Maritimes à propos de la politique fiscale du nouveau gouvernement. L'Île-du-Prince-Édouard reçut une place au Cabinet en la personne de J.C. Pope. Le Nouveau-Brunswick où le résultat des élections avait été si décevant par rapport aux autres provinces, dut se contenter d'un portefeuille au lieu des deux portefeuilles qu'il détenait avant. En guise de consolation, on lui alloua également la présidence du Sénat. John O'Connor représentait les catholiques du centre du Canada et un autre Pope, John Henry, sans aucun lien de parenté avec la famille Pope de l'Île-du-Prince-Édouard, représentait la minorité anglophone de la province de Québec. Langevin qui n'aurait jamais, comme Cartier, toute la confiance de Macdonald, était devenu le chef des ministres francophones. L'Ontario était représentée au sein du Cabinet par un contingent respectable, mais assez terne dont Alexander Campbell était la personnalité la plus ancienne.

Macdonald lui-même se réserva le poste de ministre de l'Intérieur. C'était un portefeuille assez nouveau créé en 1873 et qui avait la responsabilité de gérer tous les aspects importants du programme canadien d'expansion vers l'Ouest [7]. Le magnifique et nouvel objectif qui justifiait la mise en place de ce ministère était évidemment la promotion de la colonisation dans l'Ouest. À l'automne 1878, quand Macdonald en prit la direction, le ministère était enfin parvenu au point où il pouvait effectivement s'atteler à la tâche qui lui revenait. Les problèmes qui s'était fait jour de façon dramatique, avant même l'acquisition du Territoire de Rupert, semblait enfin résolus. En 1876, les protestations des métis et d'autres squatters qui revendiquaient des terres dans la nouvelle province du Manitoba avaient été en grande partie réglées. En 1877, le gouvernement avait signé le dernier des sept traités avec les Indiens, mettant ainsi fin à leurs droits de propriété sur le nord-ouest canadien. Les Prairies étaient prêtes à recevoir un peuplement blanc. Macdonald devait veiller sur ce vaste empire et l'ouvrir tout grand à la colonisation. En avril cette année-là, lors d'un débat en Chambre, il avait admis franchement qu'il n'était pas très familier avec les clauses du Dominion Lands Act de 1872 qui servait de fondement juridique à toute cette entreprise d'occupation et de peuplement de nouvelles terres [8]. Le détail des activités du ministère de l'Intérieur ne lui était peut-être pas familier, mais à aucun moment il n'en sous-estima l'importance. Elle était énorme et tout à fait évidente. Le ministère des Finances, celui des Travaux publics et le ministère des l'Intérieur étaient les trois ministères que touchait particulièrement cette gigantesque entreprise qu'était l'expansion canadienne. Tupper défendrait la ligne de chemin de fer du Pacifique. Tilley présenterait les nouvelles taxes à l'importation. En ce qui concernait le peuplement de l'Ouest, troisième volet de la grande entreprise nationale, il aurait un porte-parole politiquement plus puissant que les deux autres.

C'est le 19 octobre que la composition du Cabinet, quasiment complétée, fut rendue publique. Le gouvernement commença à se mettre au travail. Macdonald avait été si longtemps tenu à l'écart de l'exaspérant travail de la routine administrative et des petites frustrations quotidiennes du gouvernement qu'il en était presque venu à les oublier. Mais il ne fallut pas grand temps pour que les besognes ingrates ne viennent à nouveau imposer au fil des jours leur monotone ennui. Une multitude de partisans conservateurs dévoués et sans travail se hâtaient de présenter leur candidature pour occuper des postes dans la fonction publique canadienne. "Cinq années d'opposition ont bien affamé nos amis", fit remarquer Macdonald à Dalton McCarthy, "et ils m'ennuient tous à réclamer des postes. Les grits ont envahi les différents services et il n'y aura pas de postes vacants avant un bon bout de temps [9]." Il était habituellement assez facile de décourager les importuns qui venaient quémander du travail. Il suffisait de leur envoyer une lettre laconique, mais pleine de sympathie, ou de leur accorder une courte entrevue pour les réconforter. Malheureusement comme Macdonald le découvrit bien vite, certains problèmes politiques se posaient de manière extrêmement pressante au gouvernement et il était impossible de s'en débarrasser aussi facilement. Rose, qui était resté agent financier du Canada sous le gouvernement Mackenzie, écrivit en hâte à Macdonald, en insistant sur l'urgence de la situation, pour lui rappeler que dans quelques mois le gouvernement canadien devrait honorer ses obligations à Londres pour un montant global de plus de trois millions de livres [10]. De toute évidence, il fallait trouver un nouvel emprunt. De toute évidence aussi, un gouvernement qui avait juré de faire tout en son pouvoir pour limiter la crise devait savoir faire preuve d'imagination et se montrer convaincant au moment où il adopterait ses premières mesures économiques. Macdonald, fort heureux, fit sienne une des idées avancées par les réformistes, mais qu'ils n'avaient jamais concrétisée. Sir A. T. Galt avait été anobli et s'était taillé une excellente réputation de diplomate après avoir siégé à la Commission des zones de pêche en 1877. On l'enverrait négocier des traités commerciaux avec les principaux pays d'Europe occidentale [11]. La mission de Sir Alexander serait double, pensait Macdonald. Tout d'abord, elle permettrait d'élargir la sphère d'influence du commerce canadien; ensuite, elle témoignerait de l'intention du Canada de prendre une part de plus en plus active à la conduite de sa propre politique étrangère.

La migration translantique débuta vers le milieu de novembre. Dufferin fit ses adieux et s'en alla. Galt et Tilley partirent pour Paris, Londres et Madrid. Macdonald, quant à lui, était sur le point de se rendre à Halifax où le nouveau gouverneur général, le marquis de Lorne, fils du duc d'Argyll, et sa femme la princesse Louise étaient attendus vers la fin du mois. La nomination comme gouverneur d'un noble dont l'épouse était une princesse, (la reine faisait ainsi cadeau au jeune Dominion d'un fils), était le plus bel hommage que la Grande-Bretagne ait jamais consenti à celui-ci. Dufferin, dès qu'il l'avait appris, avait immédiatement réitéré son ancienne suggestion et demandé que le Canada fût transformé en vice-royaume. [12] Le nouveau secrétaire aux Colonies. Sir Michael Hicks Beach, sans se soucier du fait que les États-Unis pourraient ne pas aimer ce titre, transmit la suggestion de Dufferin à Lord Beaconsfield avec la mention "favorable" [13]. Mais les mêmes raisons qui avaient empêché le Canada de devenir royaume en 1867, l'empêchèrent de devenir vice-royaume en 1878. Dans les deux cas, on eut peur des réactions républicaines. L'espoir d'un nouveau titre s'était envolé; mais l'arrivée d'une vraie princesse était une certitude. Lors de sa première entrevue avec Dufferin, Macdonald étudia le problème de l'étiquette et promit de faire construire un wagon spécial pour les nouveaux et distingués occupants de Rideau Hall.

Les wagons royaux étaient destinés à la famille royale. Quant à lui, il fit le voyage jusqu'à Halifax dans des conditions beaucoup plus modestes. "Nous ne voyagerons pas jusqu'à Halifax comme des princes, mais comme de simples mortels", répondit-il avec une certaine aigreur à un importun qui cherchait sans doute une place pour une excursion qu'il imaginait particulièrement fastueuse [14]. Il n'y aurait qu'un simple wagon pullman, expliqua-t-il, qui par ailleurs serait certainement bondé et rempli d'officiels qui devaient prêter serment à Lord Lorne. Après deux semaines de travail intense, Macdonald était épuisé. Il avait besoin d'un peu de repos pendant le voyage. C'est avec soulagement, et avec quelques bouteilles de brandy, qu'il s'installa dans le train de l'Intercolonial Railway. Tupper, Brydges, Hugh Allan et un secrétaire fort affable étaient aussi du voyage. En joyeuse compagnie, Macdonald commença à boire un peu trop et un peu trop fréquemment. L'arrivée à Halifax et l'évidente obligation de faire bonne figure dans la maison du lieutenant-gouverneur où il était invité à loger jusqu'à l'arrivée du bateau de Lord Lorne, auraient dû le modérer un peu. Mais il semblait se moquer comme de l'an quarante de ses devoirs mondains. Il garda la chambre, sans se soucier le moins du monde de la magnifique hospitalité dont faisait preuve le lieutenant-gouverneur Archibald. Il continua à boire au grand embarras de toute la maisonnée, y compris de la timide et curieuse Miss Archibald. Les heures, les jours passèrent. On attendait le bateau. Finalement, on annonça son arrivée. La cérémonie d'accueil, avec son faste et sa solennité, était imminente. C'est finalement Miss Archibald qui se résigna à faire ce que son père considérait sans aucun doute comme au-dessous de sa dignité et au-dessous de celle de son hôte. Elle se précipita, terriblement énervée, chez le secrétaire et implora son aide. Le secrétaire arriva. Il frappa hardiment contre la porte close et entra. Macdonald, pâle, l'air hagard, paraissant plus mort que vif, était couché. La courtepointe était jonchée d'un amas de livres, de documents et de journaux. Le secrétaire bafouilla son important message. Le bateau du gouverneur général, dit-il d'une voix chevrotante, approchait du port et Macdonald devait se lever et se préparer à le recevoir.

Macdonald s'assit dans le lit, regarda le sécrétaire d'un air de profond dégoût et lui montra la porte d'un doigt vengeur.

— Fiche le camp, s'écria-t-il.

## II

En vérité, Macdonald semblait un bien étrange homme d'État, en ce milieu de l'ère victorienne. Avec son tact et sa bienveillance habituels, Lord Dufferin avait essayé de justifier les regrettables crise de "faiblesse passagère" de son Premier ministre en alléguant l'excès de travail, l'anxiété et le chagrin. Lord Kimberley, le secrétaire aux Colonies avait tendance à prendre la chose d'une manière plus brutale et plus positive. Mais il avait pourtant confessé que le souffle lui avait presque manqué quand il avait lu le compte rendu qu'avait fait Dufferin de l'incroyable comportement de Macdonald pendant les derniers jours de crise du scandale du Pacifique. Il déclara stupéfait: "Il aurait dû vivre au bon vieux temps où les politiciens étaient portés sur la bouteille et où l'une des tâches du secrétaire au Trésor était, dit-on, de garder son chapeau pour permettre au premier Lord de se "rincer le gosier" avant de parler [15]." Le "bon vieux temps" ne s'était peut-être pas évanoui aussi complètement que Lord Kimberley semblait le croire. Les particularités qui étaient bien vite devenues légendaires de la vie politique au dix-huitième siècle — politiciens avinés, électeurs ivres et faciles à acheter, corruption, intimidation, violence ouverte — survécurent en Angleterre autant qu'au Canada pendant une bonne partie du règne de la bonne Reine. Ils survécurent, mais plutôt comme des vestiges d'une ancienne façon de faire qui nécessitaient de plus en plus de mise dans les cercles politiques. Macdonald acceptait cette nouvelle exigence. Mais dans sa jeunesse, il avait connu l'apogée d'un style plus ancien et plus baroque. Et dans les milieux austères, policés et provinciaux d'Ottawa ou de Toronto, à certains moments, il semblait encore bizarrement ne pas être à sa place.

D'où était-il donc? Le commentaire de Lord Dufferin: "Sir John est réellement un homme de l'univers", faisait allusion à ses connaissance et à son expérience cosmopolite [16]. Il se sentait tout à fait à l'aise dans des milieux tout à fait différents. Il connaissait et aimait plusieurs sortes de climat mental et d'environnement physique. Il lisait beaucoup, vagabondant librement dans le temps et dans l'espace; et ses innombrables anecdotes, dont l'échantillonnage partait de l'histoire tout à fait convenable, en passant par celle qui l'était un peu moins, pour se terminer par l'historiette franchement scabreuse, il les puisait assez fréquemment dans les contes des pays lointains ou l'histoire du passé. Il comparait Mackenzie au Mikado qui avait le prestige et Blake au Taïcoun qui avait le pouvoir [17]. Au cours du débat sur la politique nationale, il dit cyniquement à la Chambre que les industriels canadiens qui souhaitaient des mesures protectionnistes le faisaient penser à la femme indienne qui avec sagesse, pensait du whisky qu'"un peu trop était juste assez" [18]. Son côté un peu fruste, campagnard de l'ouest accentuait certaines de ses anecdote, mais en général elles étaient assez subtiles et assez agréables. Il recueillait toujours des bons mot dans les biographies, les journaux et les mémoires du dix-huitième et du début du dix-neuvième siècle. Il aimait répéter certain commentaire grossier et teutonique du vieux George V sur l'un de ses généraux ou rappeler tel ou tel échange amusant entre Lord Melbourne et Sidney Smith, ou reprendre à son compte une habile argumentation de Charles James Fox pour défendre le système parlementaire malgré ses inefficacités et ses inconvénients [19]. Et quand il voulait illustrer la forme de représailles à exercer pour contrer le mépris commercial des Américains, il citait, assez librement, la fameuse dépêche en vers de Cannings à la Haye: [20]

> En matière de commerce, la faute des Hollandais
> Est de donner trop peu et de trop demander
> Quel que soit le profit les Français sont contents.
> Au cul des Hollandais, collons donc vingt pour cent
> (*Choeur*) vingt pour cent, vingt pour cent.
> (*Choeur des officiers des douanes anglais et des douaniers français*)
> (*Anglais*) Au cul des Hollandais, collons donc vingt pour cent
> (*Français*) Vous frapperez Falck avec vingt pour cent.

Lord Kimberley l'avait classé parmi les politiciens "portés sur la bouteille" du dix-huitième siècle. Mais il semblait assez souvent qu'il aurait été plus à sa place sous le règne de George III et de George IV, pendant cette période qui s'était achevée en 1832 avec l'adoption du Reform Bill. Il en avait la grâce, la courtoisie, l'intelligence, le sens de la raison et le manque d'hypocrisie. "C'est un habile et charmant causeur, un homme distingué, avec d'excellentes manières et à l'esprit très prompt." Selon Lord Dufferin, il semblait avoir tous les traits de cette époque où la conversation était un art et où la bonne éducation était de mise [21]. Il avait un caractère libéral et généreux. Quant au pauvre Mackenzie, d'après le gouverneur général près de partir, il avait cette "étroitesse d'esprit et cette absence de sublime générosité inhérentes à un homme à moitié éduqué". Macdonald, par contre, avait toujours été "d'un tempérament facile, d'un caractère doux et généreux". Macdonald ne s'était jamais trop pris au sérieux, pas plus lui que ses affaires. À cette époque où la politique était devenue une affaire plus sérieuse, il continuait de penser, comme en cet insouciant dix-huitième siècle, que la politique ne devait pas être l'affaire de professionnels techniquement instruits mais plutôt d'amateurs doués. Il réussissait moins par l'étude ou par sa compétence que par son tact, sa perspicacité et son imagination; ce que Dufferin appelait "sa grande faculté à séduire les gens". Dans ce domaine, où les hommes de l'ère victorienne croyaient admirer les hommes qui étaient capables de se montrer virilement francs et directs. Macdonald se montrait plus raffiné et plus subtil. Il excellait à cacher ce qu'il pensait et à adopter les idées des autres. On le soupçonnait de reprendre, comme si c'était tout naturel, les idées de son dernier visiteur simplement pour faire parler le suivant. "Vous êtes quelquefois bizarrement crédule, je pense", déclarait Alexander Campbell en un moment de totale exaspération, "ou bien vous cachez quelque arrière-pensée que vous n'expliquez pas, je ne le sais jamais [22]." Cette apparente franchise, cet air de simplicité affectée, cette habitude d'adopter sans aucun scrupule les idées des autres, cette habileté à se faire évasif et à toujours retarder les choses n'étaient pas aux yeux de certains de ses contemporains les traits les plus singuliers de son caractère. Tout cela n'était certainement pas dû seulement, pensaient-ils, aux déceptions qu'il avait vécues et qu'ils connaissaient bien. Ce dont ses contemporains ne pouvaient être sûrs, c'était du sérieux de ses motivations. Pour ces critiques du milieu de l'ère victorienne, il semblait presque incroyable qu'un homme qui appréciait si manifestement la vie, qui faisait si souvent preuve d'un manque total de respectabilité et de sérieux, qui paraissait toujours sur le point de laisser tomber un travail sérieux, ou un repos bien mérité pour se lancer dans d'autres compensations vides de sens, puisse vraiment revendiquer qu'on le considérât comme un grand homme d'État de son pays. Il semblait si peu fait pour la tâche qu'il avait entreprise! Il assumait beaucoup trop joyeusement la fonction de Premier ministre! Pour beaucoup, il ne faisait aucun doute que c'était un déguisement et que Macdonald était un comédien.

Par moments, et pas seulement dans les salons de thé réformistes ou après la prière du soir dans les foyers libéraux, on portait contre lui l'irréfutable et terrible accusation de légèreté. Macdonald aurait pu être le fantôme de quelque gentilhomme grand buveur du dix-huitième siècle, qui, après avoir hanté si longtemps et si impudemment les couloirs du Parlement au dix-neuvième siècle se serait vu condamné à reprendre forme humaine. Son nouvel environnement ne semblait pourtant ni le désorienter ni le confondre. Si certains de ses contemporains le considéraient comme un personnage déplacé venu d'une période sauvage et peu recommandable, il semblait quant à lui tout à fait à l'aise dans l'univers qui l'entourait. Il s'entendait parfaitement bien avec ses concitoyens canadiens. Il était évident qu'il aimait son pays d'adoption. Il le comprenait profondément. Il mettait toute son imagination au service de ses besoins nationaux. Et quand il s'agissait de cela, son sérieux contrastait étrangement avec sa légèreté habituelle. Il renonçait à ses attitudes d'homme de la Régence. Il perdait son étourderie fort peu victorienne. Il est vrai qu'il considérait avec un sourire sceptique et avec tolérance les imperfections humaines et les pouvoirs des gouvernements. En d'autres temps, il aurait sans doute pu croire simplement que l'État devait se contenter de maintenir la paix et de protéger les frontières. Il aurait pu répéter après Lord Melbourne, chaque fois que l'on demandait au gouvernement d'intervenir: "Mais laissez donc les choses aller!" Mais l'époque qu'il vivait n'était pas celle de l'Angleterre des années 1830. Il était au Canada dans les années 1870. Et le Canada était un pays neuf, immense, peu développé mais potentiellement riche et puissant. On n'y avait pas encore fait grand-chose. Tout restait à réaliser. Pour cette génération, le seul effort valable était un énorme effort positif de la part de l'État. La seule tâche pertinente de cette époque était la construction d'une nouvelle nation à l'échelle du continent.

Macdonald était devenu le constructeur d'une nation. L'union fédérale de l'Amérique du Nord britannique était en grande partie son oeuvre. Il avait créé le gouvernement central le plus fort possible. Il avait maintenu les institutions parlementaires britanniques. Grâce à l'aide diplomatique et militaire de la Grande-Bretagne, il s'était efforcé d'étendre le territoire de cette nouvelle nation jusqu'à ses ultimes limites transcontinentales. Seule Terre-Neuve restait à l'écart. Il espérait encore, comme il l'avait rappelé à Sir Stafford Northcote le printemps précédent, compléter son projet en y intégrant Terre-Neuve. Mais à part l'une des deux provinces insulaires, toute l'Amérique du Nord britannique formait maintenant pour de bon une seule entité. Les États-Unis et la Grande-Bretagne en avaient officiellement reconnu la légitimité. Il restait maintenant à intégrer les diverses parties éparses de cet immense pays en y construisant des chemins de fer, en amenant des colons à s'installer sur ces vastes terres inoccupées, en diversifiant et en consolidant son économie par la création de multiples entreprises commerciales. C'était le travail qu'il avait entrepris en 1871 et dû brutalement abandonner en 1873 après le scandale du Pacifique. Après cinq longues années, il s'était remis à la tâche. Elle n'était toujours pas achevée. Elle s'était même compliquée avec le temps à cause de la dégradation de la situation économique et à cause du sentiment croissant de frustration et d'échec à travers le pays.

Macdonald était couché sur son lit en désordre dans la maison du lieutenant-gouverneur Archibald en cette journée de la fin de novembre 1878. Les sons agaçants qui étaient tombés des lèvres du secrétaire s'ordonnaient à présent dans sa tête pour former un message cohérent de la plus haute importance: il devait se lever tout de suite; un nouveau gouverneur général allait arriver; un nouveau gouvernement, dont il était le chef, venait d'être nommé. C'est de nouveau à lui qu'il incombait de mener à bien tout le programme d'intégration nationale et de développement qu'il avait dû abandonner cinq ans plus tôt dans la honte et le dégoût. Beaucoup des détails de ce programme lui échappaient. Il n'était pas plus compétent pour les mener à bien que n'importe quel amateur peu informé. Il n'avait aucun goût pour l'économie ni aucune formation dans ce domaine. Il reconnaissait avec franchise et en souriant qu'il n'avait aucune compétence dans le domaine commercial. Les longues critiques extrêmement techniques et tout à fait détaillées de la politique ferroviaire du gouvernement libéral le dépassaient. Les détails de la construction de la ligne de chemin de fer du Pacifique ne l'intéressaient pas, mais personne ne comprit jamais mieux que lui l'importance vitale du projet. "Jusqu'à ce que cette énorme entreprise soit achevée", avait-il dit à Sir Stafford Northcote, "notre Dominion ne sera rien de plus qu'une simple expression géographique. Nous nous intéressons autant à la Colombie britannique qu'à l'Australie, ni plus ni moins! Une fois le chemin de fer terminé, nous deviendrons un grand pays uni où le commerce interprovincial sera très important et où nous aurons des intérêts communs [23]."

Une fois de plus, la façon d'atteindre son objectif et la conscience de cet objectif se firent clairs et précis. Macdonald se leva et se mit à s'habiller rapidement. Lord Lorne allait arriver d'un moment à l'autre. L'imminence de l'arrivée du gouverneur général était une sorte de rappel péremptoire de l'urgence de sa grande tâche. Il n'y avait pas de temps à perdre. Il avait eu une chance et l'avait perdue. Puis, grâce au hasard, à son talent et à ses efforts soutenus, il s'était mérité le droit à une seconde chance. Mais il lui avait fallu cinq ans. Il avait déjà près de soixante ans maintenant. La seconde chance serait aussi la dernière. Elle était arrivée *in extremis*. Elle ne pourrait être, c'était naturel, aussi bonne, aussi favorable que la première. C'était la dernière qu'il aurait jamais. Elle l'attendait. Et le gouverneur général avec qui, dans un dernier effort, il aurait à travailler pendant les cinq prochaines années allait arriver. Leur association était sur le point de débuter. Il rectifia son noeud de cravate et, pâle, mais droit et confiant, quitta la pièce.

# III

Les augures semblaient favorables. Le nouveau gouvernement et le nouveau gouverneur général s'installèrent ensemble à Ottawa. Les objectifs immédiats semblaient sur le point de se réaliser. Tilley réussit à obtenir un emprunt sur le marché de Londres grâce à une conjoncture favorable, une conjoncture exceptionnellement favorable, insista Rose [24]. Galt sur le point de quitter l'Angleterre pour entreprendre des négociations commerciales avec la France et l'Espagne semblait extrêmement satisfait de la façon dont se présentait sa mission. Hewitt Bernard devait l'accompagner à Paris et Madrid. Ils avaient trouvé à se loger dans ce même hôtel londonien où, en 1866, les délégués de l'Amérique du Nord britannique avaient mis au point le projet de Confédération. "Nous sommes dans vos anciennes chambres du Westminster, écrivit joyeusement Galt, et selon moi, c'est un présage de succès [25]." Pendant quelque temps, ce bon présage sembla vouloir se vérifier. Le ministère aux Colonies se montra agréablement prévenant. Les fonctionnaires du Foreign Office furent aimables et coopératifs. Les véritables difficultés surgirent lorsque les émissaires impatients et pleins d'espoir atteignirent Paris. Le Foreign Office semblait avoir mal informé Lord Lyons, l'ambassadeur britannique. Ce dernier se montra tout à fait froid et peu enclin à aider le plénipotentiaire canadien. Il ne fit même pas preuve à son égard de la "courtoisie d'usage". Il "m'a traité", rageait Galt, hypersensible, "avec un manque de courtoisie flagrant" [26].

Macdonald esquissa un demi-sourire. Les sautes d'humeur de son vieux collègue, il le savait bien, étaient toujours des plus éphémères. De fait, un peu plus de quarante-huit heures plus tard, les premières impressions parisiennes de Galt avaient totalement changé [27] : il se mit à couvrir Lord Lyons de louanges pour son hospitalité et son précieux soutien, mais attristé et surpris, il se rendit compte que la difficulté de conclure des traités commerciaux avec des nations étrangères n'était pas entièrement imputable à la lenteur et au soi-disant désintérêt du Foreign Office. Il découvrit que les Français avaient un goût prononcé pour le protectionnisme. Les Espagnols s'inquiétaient pour leurs colonies. Tout serait lent et très difficile, Galt commençait à s'en rendre compte et Macdonald était prêt à l'admettre aussi. Pourtant ce dernier n'avait pas la moindre intention de renoncer à prendre l'initiative dans la conduite des relations commerciales du Canada. Le succès limité de Galt était un argument, non pour abandonner sa mission, mais bien pour la poursuivre. Il fallait peut-être transformer la nomination temporaire de Galt en poste permanent. Plus de dix ans après le début de la Confédération, peut-être était-il temps pour le Canada de nommer un fonctionnaire qui aurait un statut diplomatique et un rang élevé et qui pourrait résider en permanence à Londres et s'occuper de promouvoir les intérêts canadiens en Angleterre et dans le reste de l'Europe.

C'étaient des questions importantes. Il faudrait les régler vite. Mais l'affaire la plus pressante, le problème du moment, était sans conteste la question des tarifs que Tilley devrait présenter au moment du dépôt de son budget. La politique du "protectionnisme conjoncturel" avait été le principal engagement politique des conservateurs et, selon toute probabilité, la cause principale de leur succès électoral. Il fallait honorer cette promesse dès la première session. À la fin de décembre, quand Tilley revint enfin d'Angleterre, les ministres se mirent à étudier sérieusement le projet. À partir du début de janvier, ils eurent d'interminables séances de travail avec les représentants de plus en plus exigeants de la Manufacturer's Assocation [28]. Lentement, en étudiant cas par cas, une nouvelle échelle de taxation fut mise au point. Macdonald, dans l'ensemble, ne prit que peu de part à ces discussions techniques. Seule la politique globale l'intéressait. Les détails étaient du ressort du ministère de Tilley. Peu à peu, les détails se clarifièrent et il devint évident que la politique globale du gouvernement venait de prendre un tour nouveau.

Quelles seraient les nouvelles dispositions tarifaires? Pendant la campagne électorale, Macdonald avait été le plus souvent, sinon toujours, d'une grande prudence et d'une grande modération quand il s'était agi de politique fiscale. Une fois, au moment le plus chaud de la bataille, il avait même affirmé publiquement qu'il n'avait jamais proposé l'"accroissement des taxes à l'importation mais leur simple réajustement" [29]. En octobre, lorsqu'il avait accepté de former le gouvernement, il avait dit très catégoriquement à Lord Dufferin que son objectif n'était pas le protectionnisme; et lorsqu'il était revenu d'Halifax avec Lord Lorne, il avait insisté sur le fait que la presse britannique se trompait en supposant que le gouvernement canadien voulait autre chose que des tarifs douaniers susceptibles d'assurer un revenu au pays [30]. Ses protestations étaient tout à fait justifiées. Les droits de douanes étaient la principale source de recette fiscale du Canada pour la simple raison que les autres formes de taxation, y compris l'impôt sur le revenu, étaient alors considérées comme impossibles à appliquer au Canada. Il fallait absolument trouver de l'argent. Le nouveau gouvernement s'était engagé à mener à bien des entreprises extrêmement coûteuses. Il avait promis d'achever les grands projets nationaux que Mackenzie et ses collègues n'avaient pu terminer. Pour réussir, il lui fallait des sources de revenu plus importantes. Le "réajustement" tarifaire qui permettrait de trouver les fonds dont le pays avait besoin était en fait un "réajustement" à la hausse. C'étaient les besoins de l'État qui dictaient pareille augmentation, mais en même temps l'augmentation répondait largement aux besoins des industriels. Les taxes à l'importation permettraient au gouvernement et à l'industrie de coopérer à la création d'une économie canadienne transcontinentale. À mesure que l'hiver passait, les pressions tant au Parlement que dans le public se firent de plus en plus fortes en faveur d'une augmentation sensible des taxes à l'importation. Les tendances de la politique gouvernementale se firent de plus en plus claires et précises.

Ce gouvernement s'était en fait engagé dans un programme commercial fortement nationaliste [31]. Il avait rejeté les théories économiques britanniques et s'était inspiré des pratiques fiscales américaines imprégnées d'un esprit d'indépendance et de sens de la compétition. Les nouveaux taux *ad valorem* étaient assez élevés. Ils étaient dans de nombreux cas assortis de taxes spécifiques qui, à la différence des taux *ad valorem*, avaient pour objectif d'accroître la protection des produits canadiens en période de chute des prix. L'idée du taux préférentiel de vingt à vingt-cinq pour cent accordé à la Grande-Bretagne dont Macdonald avait discuté avec Dufferin et Lorne, fut pour le moment abandonnée. On n'y renonça qu'une fois la nouvelle échelle de tarification fort avancée. Au début de janvier, Tilley avait demandé à Lord Lorne de s'enquérir auprès du gouvernement britannique pour savoir si celui-ci aurait quelque objection au taux préférentiel projeté [32]. Les Britanniques répondirent sans s'engager. Il est vrai que sur un plan théorique, ils n'éprouvaient que peu d'attirance pour des taxes différentielles quelles qu'elles fussent. Mais ces deux raisons ne furent pas les seules qui amenèrent les Canadiens à changer de position. Le gouvernement canadien s'était rendu compte que, en Grande-Bretagne aussi bien qu'en France et en Allemagne, la grande dépression agricole avait suscité dans ces pays un regain d'intérêt pour la protection de l'agriculture. La France et l'Allemagne s'apprêtaient à appliquer des taxes pour protéger leurs agriculteurs de l'importation à bas prix de céréales américaines. Et si Lord Beaconsfield, le vieux défenseur des lois sur le grain, faisait la même chose? Si le Royaume-Uni imposait des taxes sur l'importation des céréales, le Canada et la Grande-Bretagne seraient alors en mesure de s'échanger des tarifs préférentiels pour leurs marchés respectifs. Et, comme Macdonald et les conservateurs l'avaient espéré en vain pendant des années, les deux pays pourraient conclure un accord commercial réciproque avantageux pour chacun des partenaires. La perspective était séduisante. Elle l'était d'autant plus qu'un tarif préférentiel consenti à la Grande-Bretagne ne manquerait pas de provoquer des représailles de la part des États-Unis. Tilley était franchement effrayé à l'idée que les Américains pourraient taxer de façon prohibitive les importations de bois canadien [33]. Le gouvernement canadien se rétracta. Au début de février, quand le gouverneur général tenta une dernière fois de sauver l'idée d'un taux préférentiel, Macdonald et Tilley refusèrent. Ils souhaitaient discuter avec la Grande-Bretagne de concessions tarifaires mutuelles. Ils étaient prêts, même sans espoir de compensation, à accorder à l'Angleterre des taux favorables pour ses produits manufacturés. Mais ils pensaient qu'il était politiquement dangereux de donner à la Grande-Bretagne un taux préférentiel sans rien obtenir en échange. Ils étaient d'avis qu'il fallait y renoncer pour le moment [34].

Le Parlement s'ouvrit le 13 février. Il faisait extrêmement froid. Le ciel était bleu, complètement dégagé. Le sol était couvert de neige, "un temps royal" disaient les journaux et qui convenait tout à fait à la princesse qui dirigeait maintenant les destinées de Rideau Hall [35]. Les trains restaient bloqués par des bancs de neige pendant des heures avant d'arriver à destination. Malgré ces retards, Ottawa était plein de monde. Depuis des années, il n'y avait pas eu un tel remue-ménage, ni tant d'agitation dans la capitale. Le jour de la séance d'ouverture, Macdonald conduisit lui-même son "modeste cabriolet" jusqu'à la grande entrée du bâtiment central. Il était au meilleur de sa forme, incisif, clair et amusant, quand il se leva quelques jours plus tard pour intervenir dans les débats en réponse au Discours du Trône [36]. Il pouvait se permettre d'avoir confiance. La principale mesure législative de la session portait sur la nouvelle tarification. Il croyait pouvoir prédire que sa nouvelle politique recevrait un accueil extraordinaire. Il avait plusieurs atouts: un gouverneur bienveillant, une importante majorité parlementaire et, dans le Canada tout entier, un électorat impatient et rempli d'espoir. Cette situation tout à fait favorable ne comportait qu'une seule inconnue. Il ignorait quelle serait l'attitude de l'Angleterre vis-à-vis des nouveaux tarifs. L'attitude de l'Angleterre le préoccupait. Ce pays était tellement important pour la réalisation de tous ses projets d'avenir qu'il ne pouvait se permettre un seul instant de prendre ses réactions à la légère.

Il s'attendait naturellement à ce que le gouvernement britannique exprimât sa désapprobation de principe envers un système tarifaire protectionniste. Il ne croyait pas que la Grande-Bretagne puisse s'opposer aux nouvelles taxes à l'importation, mais il ne pouvait pourtant pas prendre son aval pour acquis. Il avait promis de présenter ses propositions fiscales au ministère des Colonies pour approbation avant de les soumettre au Parlement canadien. Il devait le faire. Mais le temps pressait. Les délégations d'industriels se succédaient toujours à Ottawa. Tilley, les yeux rougis d'avoir trop travaillé, se penchait toujours sur les barèmes compliqués. Ce n'est qu'au dernier moment que Lorne put télégraphier les nouveaux tarifs douaniers à Londres pour que les autorités impériales les examinent [37]. La réponse télégraphique parvint à Ottawa quarante-huit heures à peine avant le jour prévu pour la présentation du budget Tilley. Cette réponse était typique des réactions anglaises! Résigné, Sir Michael Hicks Beach prenait acte de cette irrémédiable erreur économique et informait Lord Lorne que le gouvernement de sa Majesté déplorait le fait que la conséquence de la mise en place du nouveau système semblât devoir être une augmentation des taxes à l'importation, déjà fort élevées. "Le gouvernement estime néanmoins, poursuivait-il, qu'il appartient au Parlement du Dominion de décider de la politique fiscale du Canada, compte tenu des restrictions et obligations prévues dans les traités [38]." C'était évidemment la seule réponse possible. Whitehall avait exprimé son regret et sa désapprobation. D'autres grognements et d'autres protestations viendraient probablement de Birmingham, Manchester et Glasgow. Mais Tilley était en train de mettre au point un mémorandum détaillé destiné à prouver aux industriels britanniques que le gouvernement canadien, en fixant des taxes spécifiques à chaque produit, avait essayé de leur donner un avantage discret mais réel sur leurs rivaux américains [39]. Une fois ce mémorandum terminé, n'y avait-il pas lieu d'oublier discrètement la question?

Macdonald s'était attendu à vivre une session sans histoire. En ce qui concernait ses propres politiques, tout allait bien. Mais l'affaire Letellier qui n'était en soi qu'un petit problème d'ordre local, provoqua une tempête de première importance et des remous presque aussi graves que s'il s'était agi d'une question politique d'intérêt national. Les conservateurs du Québec, malgré l'échec de la motion de censure introduite pendant le précédent Parlement, continuaient à nourrir la haine la plus féroce à l'égard de leur lieutenant-gouverneur libéral. Loin de diminuer, leur fanatisme et leur détermination à avoir sa tête semblaient en réalité s'être accrus du fait, gênant du point de vue constitutionnel, qu'il avait pris un nouveau Premier ministre, Joly. Ce dernier, en acceptant le poste, avait endossé la responsabilité du renvoi de De Boucherville. Jusque-là, Joly avait réussi à garder la majorité au sein du Parlement provincial. Au début de décembre, J.A. Chapleau écrivit à Macdonald pour protester contre les actions du lieutenant-gouverneur et demander qu'on le chasse de son poste. Les quarante-sept députés conservateurs du Parlement du Québec étaient tout à fait favorables à ce renvoi [40]. Le mois n'était pas fini qu'une délégation québécoise se rendit à Ottawa et présenta la même demande avec plus d'insistance encore [41]. Il était inévitable que la question rebondisse de nouveau au Parlement fédéral. En début de session, Ouimet réintroduisit la motion de censure présentée par Macdonald l'année précédente. Le 13 mars, la veille de la présentation du budget, les Communes l'adoptèrent avec une écrasante majorité de cent trente-six voix pour et cinquante et une contre [42].

Que faire? Macdonald se trouvait dans une situation des plus inconfortables. D'après lui, le lieutenant-gouverneur du Québec avait agi de façon arbitraire. Il dit à Lord Lorne qu'à son avis Letellier "avait agi aussi mal qu'un homme pouvait le faire" [43]. En plus du peu d'estime que Macdonald portait à ce lieutenant-gouverneur en tant qu'individu, le poste qu'il occupait ne lui inspirait pas non plus une vénération extrême. Macdonald ne pensait pas qu'il fallait surestimer l'importance politique des lieutenants-gouverneurs. Il avait toujours eu tendance à considérer les provinces comme de simples institutions municipales subordonnées au pouvoir central. Pour lui, les lieutenants-gouverneurs étaient de simples "fonctionnaires du Dominion". Mais en même temps, il savait très bien que depuis le début de la Confédération, les affaires provinciales avaient été régies par le "principe bien compris de gouvernement responsable" et que, dans un système de gouvernement responsable, la responsabilité des actes du lieutenant-gouverneur revenait à ses conseillers constitutionnels. Pour cette raison, il était enclin à laisser la Législature du Québec et l'électorat québécois régler la querelle qui opposait Letellier à ses anciens ministres. Les ministres anglophones du Cabinet auraient également préféré ne pas se mêler d'une affaire qui, au sens strict, ne les concernait pas. Mais les ministres canadiens-français, avec ce que Lord Lorne qualifiait d'"emportement latin", insistaient pour que Letellier fût démis de ses fonctions. Macdonald résistait, mais il ne pourrait résister indéfiniment. Il confia en privé au gouverneur général qu'"il était impossible de faire comprendre à des Français les principes du gouvernement constitutionnel" [44]. Il n'essaya pourtant pas de profiter de l'affaire Letellier pour tâcher d'enseigner de force les règles parlementaires à ses collègues québécois. Vers la fin du mois, le Cabinet décida finalement de conseiller le renvoi du lieutenant-gouverneur. Le 29 mars, Macdonald fit part de cette décision à Lord Lorne.[45]

Macdonald ne fut pas surpris de la réaction du gouverneur général, car il avait discuté avec lui en détail de toute l'affaire dans le train qui les avait ramenés d'Halifax. Lord Lorne n'était pas prêt dans l'immédiat à se conformer aux conseils du Cabinet [46]. L'esprit vindicatif et partisan des ministres et députés canadiens-français le consternait. Le renvoi de Letellier lui semblait contraire aux principes de gouvernement responsable et lui semblait une immixtion indue dans les affaires provinciales. Il demanda à Macdonald de coucher par écrit les raisons qu'il avait de lui conseiller une solution aussi radicale. Il était certain, et Lorne en était conscient, qu'il devrait finir par céder, sans quoi il courrait le risque de provoquer une crise constitutionnelle beaucoup plus sérieuse que celle que Letellier avait lui-même provoquée. Macdonald n'avait aucune envie d'amener le Cabinet à faire pression sur son chef réticent. Il médita la question pendant quelques jours. Le 2 avril, il revint et se servant du fait que l'affaire Letellier soulevait un problème sans précédent dans les relations fédérales-provinciales, il suggéra d'en appeler au gouvernement britannique pour régler la question. Le gouverneur général accepta bien volontiers [47]. Lorne n'aimait pas l'idée de discuter de questions officielles avec son Premier ministre dans des documents qui devaient être rendus publics, mais il était d'avis que quelqu'un de responsable devrait sérieusement faire la leçon au gouvernement canadien et lui montrer le peu de sagesse constitutionnelle de la solution qu'il se proposait d'adopter. Le recours à l'Angleterre lui semblait tout à fait commode. Et, pour d'autres raisons, c'était également l'avis de Macdonald. Macdonald voulait du temps. Un délai de quelques mois ou même de quelques semaines, pouvait permettre la chute de Joly, le retour triomphal des conservateurs québécois au pouvoir et par conséquent supprimait toute raison d'exécuter politiquement Letellier. La chose était tout à fait possible, et peut-être trop! Les Canadiens français étaient trop décidés, trop énervés et trop méfiants pour accepter de nouveaux délais. Ils se rendirent peut-être compte de son désir de retarder les choses. Toujours est-il qu'ils insistèrent pour envoyer Langevin à Londres afin qu'il presse le gouvernement britannique de prendre une décision dans les meilleurs délais [48]. Macdonald céda. Lorne céda. Et Langevin, accompagné de J.J.C. Abbott, prit le bateau.

Pendant ce temps, l'interminable débat sur les tarifs douaniers se poursuivait. Tous les arguments possibles et imaginables avaient déjà été présentés maintes fois, en diverses occasions, depuis le début du grand débat de l'hiver 1876. Mais la discussion se poursuivait inlassablement. "Un autre jour de débat stérile sur les tarifs (...)", rapporta Macdonald à Lorne le 28 mars, quinze jours après la présentation du budget Tilley [49]. Mais il fallut plus d'un mois encore avant la fin des travaux en commission et avant que le projet ne franchisse l'étape de la première lecture. Macdonald ne participa que très peu à ces longues délibérations. Il ne finit par intervenir qu'au moment du débat relativement bref après la troisième lecture du projet de loi. C'était le genre d'occasion qui l'avait toujours tenté. Alexander Mackenzie, comme s'il en avait assez lui aussi de discuter de la question, consacra la plus grande partie de son discours final sur la tarification à passer en revue certains points constitutionnels et certaines théories économiques mises de l'avant par des auteurs comme John Stuart Mill et Goldwin Smith. Macdonald rétorqua que Goldwin Smith, qui avait prononcé un discours fort éloquent pour soutenir les conservateurs à la veille de l'élection de 1878, était un ancien partisan repenti du libre-échange qui avait fini par renouer avec son libéralisme doctrinaire après l'expérience amère de cinq années de règne libéral. Le souvenir de ces cinq terribles années, dit-il avec force, amènerait le peuple canadien à chercher refuge dans "la forteresse" du conservatisme pour bon nombre de lustres à venir. Il se peut, poursuivit-il, que dans un avenir lointain, du haut de sa froide impartialité, quelque témoin objectif regardant au-dessous de lui constate qu'au Parlement canadien la position des partis a été modifiée. Mais ce spectacle-là, conclut-il, ne se donnera pas à voir de son vivant. Mackenzie se leva aussitôt. Un sourire mince apparut entre ses lèvres serrées, puis s'évanouit.

— Je ferai simplement remarquer, dit-il laconiquement, que l'honorable Macdonald ne veut pas dire qu'il doit regarder en dessous de lui pour nous voir. Pour nous voir, il ferait mieux de lever les yeux vers nous.

Les députés se mirent à rire. Mais Macdonald ne permit pas à Mackenzie d'avoir le dernier mot: "Quoi qu'il en soit, je garde toujours un oeil sur mon honorable ami!" répondit-il en souriant et l'incident fut clos [50]. Cette nuit-là, le projet de loi sur les tarifs douaniers fut adopté en troisième lecture.

Macdonald avait tenu promesse. La première session du nouveau Parlement se terminait en triomphe. Et, comme John Carling le lui assurait en privé, son prestige n'avait jamais été aussi grand [51]. Mais les nouvelles tarifications n'étaient qu'un début. La partie la plus difficile du programme conservateur n'avait pas encore été abordée. Il n'y avait plus de temps à perdre. Macdonald prévoyait un été fort chargé. Le Parlement avait donné son autorisation pour que s'ouvrent de nouvelles négociations en vue de la construction de la ligne de chemin de fer du Pacifique. Le Cabinet avait décidé de créer un gros bureau canadien à Londres. Cette agence devait avoir un caractère permanent. Tilley, Tupper et Macdonald, la délégation canadienne la plus impressionnante à traverser l'océan depuis 1866, partirent pour l'Angleterre à la fin de juin pour discuter de cette question et de bien d'autres avec les autorités impériales. Agnes comptait aller en Angleterre avec son mari. La petite Mary devait passer l'été à Rivière-du-Loup. Deux servantes dévouées s'en occupaient. Agnes quitta Ottawa pour Montréal le matin du 26 juin [52]. Macdonald avait espéré bien sûr s'embarquer avec sa femme. Mais au dernier moment, il dut retarder son départ à cause du renvoi imminent de Letellier. Le retard ne serait que de quelques jours. Il prendrait le prochain bateau. Il était tout heureux à l'idée de pouvoir bientôt se reposer. Mais soudain le destin le frappa. Quelques heures seulement après le départ d'Agnes, il attrapa le choléra. La terrible maladie s'accompagnait de crampes douloureuses et de spasmes qui lui rappelèrent les horribles souffrances qui près de dix ans plus tôt l'avaient presque conduit à la mort [53].

Les hommes de science, les docteurs Grant et Tupper, prirent énergiquement la situation en main. Les domestiques effrayés le soignèrent de leur mieux. Pendant ces chaudes et étouffantes journées de juillet, il resta couché dans la maison vide de Sandy Hill. Il faisait tout son possible pour se rétablir et était inquiet pour l'avenir. Il se rappelait que moins de deux ans plus tôt, il s'était vanté de sa bonne santé auprès de Lord Dufferin et de l'amélioration définitive de son état physique. Il avait fait confiance aux médecins et ces derniers s'étaient trompés. Tout comme eux, il s'était beaucoup trop fié au bien-être temporaire qu'il avait connu pendant les années où il se trouvait dans l'Opposition. Mais à l'époque, ne se sentait-il pas mieux en grande partie parce qu'il était libre de toute responsabilité? Dans quelle mesure cette nouvelle crise était-elle le résultat de l'effort et du surmenage des huit derniers mois? La disparition des crampes effrayantes le rassura. Il se rétablit du choléra assez vite. Mais ses forces ne lui revinrent pas immédiatement. Il essaya de surmonter sa faiblesse, exactement comme il essayait d'en oublier la triste signification. Serait-il jamais capable d'achever la tâche à laquelle il s'était attelé? Il n'aurait sûrement jamais dû accepter le poste qu'il occupait. Il était revenu au pouvoir, contre son propre jugement, poussé par une force intérieure irrépressible. Il s'était rendu compte que lui seul pouvait mener à bien les projets dont le Canada avait alors besoin. Il s'était rendu compte que le peuple canadien estimait que lui seul était capable d'y parvenir. Il était revenu et, huit mois plus tard, la maladie le terrassait de nouveau. Comment aller de l'avant en toute confiance? Mais par ailleurs, comment abandonner la tâche? Il ne se sentait pas très fort et savait qu'il n'avait pas beaucoup de temps.

## IV

Macdonald prit le bateau à Québec le 26 juillet, près d'un mois plus tard que prévu [54]. Le lundi 4 août, il était confortablement installé à *Picadilly* au Batt's Hotel, dans Dover Street [55]. La saison était très avancée. La Chambre allait être prorogée. Tout le monde pensait aux vacances et à la chasse. Comme John Rose l'expliqua à Agnes avec regret: "Le monde entier s'envole." En fait, il restait si peu de jours avant l'exode général que ceux qui voulaient recevoir les Macdonald durent véritablement se battre pour les inviter. Rose qui comptait quitter Londres la semaine d'après pour la campagne écossaise, fixa sans tarder la date d'un dîner en l'honneur de son vieil ami. La réception devait avoir lieu le jeudi 7 août. "C'est une affaire tout à fait improvisée, expliqua-t-il, mais à pareille époque, c'est ce que j'ai pu faire de mieux [56]." Pour que sa femme Charlotte et lui puissent voir un peu les Macdonald avant de partir pour l'Écosse, il les invita à passer le week-end suivant dans sa maison du Surrey, Loseley Park. Ce samedi soir à Loseley aurait pu être très agréable. Mais ce même soir, le secrétaire aux Colonies, Sir Michael Hicks Beach, homme fort occupé, avait aussi prévu recevoir le Premier ministre canadien [57]. C'était sa seule soirée libre, confessa-t-il avec embarras. Il s'était engagé à inviter quelques amis pour qu'ils rencontrent Macdonald. Lord Beaconsfield devait être présent. En fait, Lord Beaconsfield ne vint pas, car, expliqua-t-il à Hicks Beach, la Reine "l'avait convoqué à Osborne" [58]. De toute évidence, compte tenu des circonstances, le secrétaire aux Colonies avait fait de son mieux. Le monde politique conservateur devait être largement représenté à table lors de son dîner. Macdonald présenta ses excuses aux Rose et dîna ce soir-là chez les Hicks Beach à Portman Square.

Tard dans la matinée, ce même jour, il avait eu un premier et long entretien privé avec Sir Michael dans ses bureaux du ministère. Il était assez énervé. Comme toujours par le passé, il pensait que l'accueil que l'Angleterre réservait à ses projets avait énormément d'importance. Et cette fois, il le savait bien, ses propositions étaient assez audacieuses. D'après ce que lui avait dit Lord Lorne et d'après ce qu'il pressentait lui-même, il n'avait aucune raison de se montrer trop confiant. Pourtant, il gardait espoir. Pour la première fois depuis 1868, il devait négocier à Whitehall avec des conservateurs et non plus avec des libéraux. Son chef, Lord Lorne, avait écrit bien avant son arrivée à Disraeli lui-même pour lui demander de faire en sorte que son Premier ministre reçoive un accueil favorable et pour que les projets canadiens soient étudiés avec sympathie. "Sir John Macdonald", avait-il écrit avec tact, "est peut-être le dernier homme d'État canadien à tourner entièrement ses regards vers l'Angleterre et dont on peut être sur qu'il est tout dévoué aux intérêts de l'Empire en dépit du nouveau système de taxes à l'importation qui n'est pas conforme aux doctrines commerciales britanniques récentes [59]." Macdonald s'empressa d'expliquer au secrétaire aux Colonies que ces taxes avait été instaurées dans le seul but de garantir un revenu à l'État et de mettre terme au déferlement des produits américains sur le marché canadien. Même sous sa forme présente, la loi, "à cause d'un système assez complexe de classification des importations", avantageait, discrètement mais indubitablement, les industriels britanniques. Ces avantages pourraient s'accroître encore si la Grande-Bretagne acceptait le principe de réciprocité [60]. Macdonald commença donc par proposer un système préférentiel impérial. Ensuite, il introduisit une demande d'aide financière britannique pour la construction du Canadien Pacifique [61]. Il essaya de faire comprendre à Sir Michael que le chemin de fer constituerait à travers les territoires britanniques la première route sûre capable de relier le Pacifique à l'extrême-est du pays. C'était en fait une vaste entreprise impériale qui méritait un plus grand soutien britannique que n'en avait connu la construction du chemin de fer intercolonial ou le transfert de juridiction des territoires de la Compagnie de la Baie d'Hudson.

Hicks Beach se montra intéressé et ne réagit pas de façon tout à fait négative. Mais en même temps il ne se montra pas très encourageant. Déjà, à l'occasion de deux discours prononcés au début du printemps, Lord Beaconsfield s'était prononcé publiquement contre la réintroduction d'un tarif de protection en faveur de l'agriculture britannique. La France et l'Allemagne voulaient défendre leurs agriculteurs en frappant les produits agricoles étrangers de taxes à l'importation, mais la Grande-Bretagne, à ce carrefour historique de sa politique commerciale, décida d'adopter la position inverse. Il n'y aurait pas de nouvelles lois sur les céréales. Il n'y avait donc aucune possibilité de ménager pour le grain un taux préférentiel impérial. Un accord commercial de réciprocité anglo-canadien était absolument exclu. Il y avait toujours moyen de discuter de la possibilité que le gouvernement impérial garantisse l'emprunt du Canadien Pacifique même si, pour le moment, le secrétaire aux Colonies semblait douter que ces discussions puissent aboutir de façon positive. Le gouvernement conservateur, confia-t-il à Macdonald, était harcelé par l'obstruction systématique pratiquée aux Communes. L'Opposition se servirait certainement au maximum de l'impopularité des nouveaux tarifs canadiens en Angleterre pour combattre tout projet d'aide au Dominion que pourrait préconiser le gouvernement. Même si le Cabinet britannique acceptait de parrainer le projet, il serait presque impossible de faire passer une mesure législative pour garantir l'emprunt avant la fin de la session [62]. Il valait peut-être mieux reporter toute l'affaire jusqu'après la prorogation, peut-être même jusqu'après les élections générales qui approchaient à grands pas. Résigné, Macdonald accepta la suggestion. Il s'était attendu, d'après ce que lui avait dit Lord Lorne avant son départ du Canada, à ce que le secrétaire aux Colonies se montrât peu favorable à sa proposition [63]. Insister maintenant risquait d'amener un refus définitif [64]. Il préférait attendre et reprendre plus tard toute la question.

Macdonald devait pour le moment se contenter de ce qui lui avait été dit, et c'était peu. Le lendemain matin, il se rendit à Guildford où se trouvait la maison de campagne de Rose [65]. Loseley Park était une autre preuve de plus, si vraiment il y en avait eu besoin, de la réussite de cet homme habile et affable qu'était John Rose. La maison était une vieille et spacieuse demeure de pierres, construite vers l'année 1560 à l'époque où, sous l'influence de la Renaissance, la tradition gothique se modifiait rapidement. Des lignes plus sobres, un plus grand équilibre avaient remplacé l'asymétrie de la période féodale. La maison était historiquement intéressante. Elle avait appartenu à Sir William More, parent de Sir Thomas More, chancelier d'Henry VIII. Le grand hall était magnifiquement décoré de panneaux de marqueterie sculptés et peints qui provenaient du fantastique palais d'Henry VIII à Nonsuch. Il y avait déjà beaucoup de monde à Loseley dont les Galt et Hewitt Bernard lorsqu'arriva enfin le retardataire. Macdonald allait bien s'amuser. Ces réceptions l'amusaient toujours. Mais il avait une autre raison plus particulière d'être heureux de l'invitation des Rose à passer chez eux le week-end. Lors de sa longue conversation avec Sir Michael, il avait abordé un troisième projet: celui de créer une représentation "diplomatique" canadienne à Londres [66]. Il y tenait énormément. Mais, en même temps, il sentait qu'il pouvait difficilement prendre quelque décision définitive que ce fût avant d'en avoir parlé en détail à John Rose. C'était la courtoisie la plus élémentaire, en même temps qu'un simple témoignage d'amitié. Comme Rose pensait partir le mardi suivant pour ses vacances en Écosse, il fallait lui parler tout de suite.

Assis dans la fraîcheur et le clair-obscur de la bibliothèque de Loseley, Macdonald se rendait compte que cette conversation ne serait pas facile, et peut-être même franchement pénible. Il en était malheureux.

Rose était l'un de ses meilleurs amis. Il avait pendant des années servi loyalement et de son mieux le gouvernement canadien. Il en avait été l'agent confidentiel à Londres. Dès l'automne 1869, immédiatement après sa démission du poste de ministre des Finances canadien, Rose avait été "accrédité auprès du gouvernement de Sa Majesté comme gentleman possédant la confiance du gouvernement canadien". Six ans plus tard, sous le régime d'Alexander Mackenzie, il avait été nommé au poste nouvellement créé de commissaire financier du Dominion du Canada [67]. Deux gouvernements l'avaient employé et avait apprécié ses services discrets. Mais il y avait difficilement moyen de nommer comme premier chef d'une "mission" canadienne créée officiellement à Londres un Écossais devenu résident permanent d'Angleterre. Son nom n'avait même pas été évoqué. Le premier choix du gouvernement canadien était Galt. Galt, Macdonald ne le savait que trop, était ambitieux et sensible à la rivalité des autres. Il essaierait d'étendre le plus possible les limites de son mandat de diplomate. Rose, par contre, avait dans le monde financier des relations que Galt ne pourrait songer à se faire rapidement. Macdonald pensait donc avoir trouvé une façon de retenir les services de Rose. Il y tenait. Par conséquent, c'est avec une extrême circonspection qu'il aborda devant son vieil ami le sujet du "ministre résident" canadien à Londres.

Le lendemain matin, quand il reprit son train pour la capitale, Macdonald était sûr qu'il pourrait compter sur Rose. Ce dernier avait acquiescé à regret, sinon franchement à contrecoeur [68]. Macdonald avait dû faire preuve envers lui de délicatesse et de prudence. Au ministère des Colonies, Macdonald pouvait se montrer plus direct et plus franc. Ce qu'il voulait proposer sortait sans nul doute de l'ordinaire. Mais le Canada tel qu'il avait réussi à le créer était également une entité unique dans l'univers colonial britannique. "Le Canada", comme le soulignait Galt dans un mémorandum verbeux et ronflant, "a cessé d'occuper la position d'une simple possession de la Couronne. Il s'est doté d'un gouvernement central puissant et à qui sont déjà subordonnés sept systèmes exécutifs et législatifs locaux et auxquels s'en ajouteront bien d'autres du fait du développement des vastes régions comprises entre le lac Supérieur et les montagnes Rocheuses [69]." Le Canada était devenu extrêmement important. Il développait son identité et son caractère propres. La mise en place de nouveaux tarifs douaniers était une autre preuve indiscutable que ses intérêts, maintenant essentiellement différents de ceux du Royaume-Uni, demandaient à être promus différemment et défendus de façon spécifique. Il fallait à Londres un nouveau représentant de haut niveau — "ministre résident" était le meilleur titre — capable d'être le porte-parole du Canada auprès du gouvernement impérial et capable de promouvoir les intérêts du Dominion dans les chancelleries d'Europe.

Macdonald était conscient de l'enjeu. Il se rendait compte que sa proposition signifiait l'extension de la juridiction du gouvernement colonial responsable à un domaine jusque-là inoccupé: celui des Affaires étrangères. Il savait, comme le savait le gouverneur général, que c'était "le début d'une relation délicate, car le Canada désirerait de plus en plus conclure lui-même ses propres traités" [70]. Macdonald ne désirait pas briser l'unité diplomatique de l'Empire. Elle était encore essentielle au Canada. Il croyait, tout comme le gouverneur général, qu'il pouvait être possible "pendant encore un bon nombre d'années d'ôter au Canada le désir d'avoir des représentants diplomatiques bien à lui dans les pays étrangers". Mais l'unité diplomatique impériale ne pourrait durer longtemps si le Canada n'était pas satisfait. Et le Canada ne serait satisfait que si on donnait à ses intérêts et à ses représentants la place de choix et la considération que le pays souhaitait maintenant qu'ils aient. "Au plus vite, on traitera le Dominion en pouvoir associé plutôt qu'en dépendance", écrivit Macdonald dans un paragraphe incisif à la fin du mémorandum de Galt, "au plus vite, le Canada assumera toutes les responsabilités qui incombent à cette position, y compris sa participation à la défense de l'Empire dans quelque lieu et à quelque moment qu'il soit attaqué. La situation de la Hongrie au sein de l'Empire d'Autriche pourrait à certains égards être considérée comme analogue." Il s'arrêta un moment, regarda songeusement la dernière phrase et, lentement, la biffa. Même raturés, les mots suggéraient bien ce qui était le fond de sa pensée sur le sujet.

Que ce but ultime fût atteint ou non, il était indubitable que la nation qu'il était en train de créer jouissait maintenant en Angleterre d'un prestige nouveau et beaucoup plus grand. Macdonald acceptait les marques de courtoisie et les honneurs qu'on lui rendait comme un hommage au Canada. Mais il était une distinction honorifique au moins qu'il ne pouvait s'empêcher de considérer autrement que comme une reconnaissance de ses mérites personnels. Huit longues années plus tôt, le comte de Grey lui avait discrètement laissé entendre à Washington que le titre de conseiller privé impérial pouvait exceptionnellement être attribué à certains hommes d'États coloniaux particulièrement éminents. On avait finalement décidé de le nommer membre du Conseil privé pour le récompenser des services rendus lorsqu'il avait siégé à la haute commission conjointe de 1871. Mais pour se voir conférer cet honneur, le récipiendaire devait prêter serment lors d'une réunion du Conseil. Il avait évidemment été impossible à Macdonald de venir en Angleterre avant d'avoir gagné les élections de 1872. La récompense devait être un triomphe post-électoral. Le sort, malheureusement, en avait décidé autrement. Les élections de 1872 eurent pour conséquence non de le faire admettre au sein du Conseil privé impérial, mais bien d'entraîner sa disgrâce publique une fois révélé le scandale du Pacifique. Quand on eut pris connaissance en Angleterre de toute l'ampleur et de l'énormité de l'affaire, la distinction que l'on s'apprêtait à conférer à Sir John Macdonald fit l'objet d'un réexamen perplexe et scandalisé. "Toute l'affaire", admit Lord Kimberley devant Monsieur Gladstone était "très délicate" [71]." Monsieur Gladstone acquiesca. La Reine pouvait-elle revenir sur son consentement? C'était bien difficile. Mais il était encore plus difficile au gouvernement de Sa Majesté de se placer dans une situation ambiguë en paraissant récompenser la corruption. Sir John Macdonald pouvait difficilement venir en Angleterre et demander à être admis au sein du Conseil privé. Si, par malheur, il le faisait, son imprudence susciterait des "discussions fort déplaisantes". Il faudrait lui demander d'attendre.[72]

Il avait donc attendu. Il avait attendu six longues années. Il venait maintenant chercher sa récompense. Le triomphe qu'il avait remporté aux dernières élections avait effacé sa disgrâce. Le peuple canadien lui avait réitéré son estime et son affection. Cette fois, il ne pouvait plus y avoir de doutes ni de réserves. Il n'y avait plus la moindre raison d'attendre. Le jeudi 14 août, tôt le matin, dix jours après avoir débarqué en Angleterre, Macdonald prit le train pour Osborne. À deux heures de l'après-midi, au cours d'une réunion à laquelle assistaient le duc de Northumberland, le duc de Richmond, le grand chancelier et Monsieur Cross, secrétaire à l'Intérieur, il prêta officiellement serment et devint membre du Conseil privé de Sa Majesté [73]. La Reine le reçut en audience. Le soir, le nouveau conseiller privé qui pouvait maintenant faire précéder son nom du titre de "Right Honourable" était de retour à Londres et dînait à Onslow Square avec les Scott, des parents d'Agnes.

Macdonald était heureux de cette nouvelle distinction honorifique et du fait que ce fût un gouvernement conservateur qui ait fini par la lui donner. Il était honoré de la réception flatteuse dont Agnes et lui avaient fait l'objet à Londres. Agnes, bien sûr, était enchantée. "Cela t'amuserait de voir à quel point Agnes est fière (...)", écrivit-il joyeusement à sa soeur Louisa [74]. Ils allèrent maintes fois au théâtre et assistèrent à de nombreux dîners. Ils passèrent un week-end agréable à Highclere Castle, comme invités de Lord Carnarvon. Lord Monck et Lord Dufferin leur envoyèrent de chaleureuses invitations à venir les voir chez eux en Irlande, mais ils durent finalement les décliner à regret. Ce fut, comme il le dit à sa soeur, une très agréable succession de "mondanités". Mais le séjour connut son apothéose au début de septembre alors qu'il tirait déjà à sa fin. "Lord Beaconsfield m'a demandé aujourd'hui de vous transmettre un message (...)", écrivait Sir Michael. "Il désirerait vous inviter à dîner et à passer la nuit à Hughender lundi prochain. Il espère que ce jour vous conviendra [75]." Macdonald fut à la fois surpris et ravi. Disraeli n'était pas apparu au dîner des Hicks Beach. Il avait abandonné tout espoir de le rencontrer. Beaconsfield était un vieil homme. Dès la fin de la session, il s'était retiré à la campagne pour se reposer à Hughenden Manor. Mais, et c'était nouveau pour un Premier ministre britannique, il se sentait obligé de traiter avec certains égards un "chef canadien". La Reine, malheureusement, n'avait pas invité Macdonald à dîner à Osborne le jour où il était devenu conseiller privé. En ville, toutes les grandes maisons étaient fermées. Les Salisbury étaient partis pour Dieppe. "Cela me contrarie", avait écrit Beaconsfield embarrassé à Lord Lorne, "car je sais bien qu'il aurait fallu fêter et mieux recevoir vos ministres, mais que faire d'hôtes qui viennent à Londres au mois d'août [76]." Il n'y avait qu'une chose à faire et il le savait. Il invita Macdonald à venir à Hughenden et Macdonald accepta avec joie.

Hughenden Manor se trouvait dans les Chiltern Hills, près du bourg de High Wycombe. Macdonald s'y rendit par le dernier train de l'après-midi, le lundi 1er septembre. La voiture de Lord Beaconsfield l'attendait à la gare du Great Western Railway. Hughenden se dressait sur la hauteur, surplombant son parc, une petite église et son cimetière. Construite vers 1780, la maison avait une architecture simple et sobre. Ses fenêtres à guillotine étaient agréablement espacées. C'était une demeure de style typiquement géorgien. Elle était bâtie de briques rouges et les pierres d'angle bleues constituaient sa seule particularité. Mais Disraeli était un fervent partisan du style gothique alors à la mode. Il avait fait transformer le bâtiment pour lui donner un faux air Tudor. À l'intérieur, il y avait un boudoir assez lourdement décoré, orné de rideaux damassés bleu et de meubles rococo français ainsi qu'une petite salle à manger plutôt laide, où Macdonald dîna seul avec Disraeli et Daly, son jeune secrétaire. Après le dîner, ils montèrent au fumoir, sorte de bibliothèque secondaire, située à l'étage supérieur. Ils y restèrent à bavarder jusque tard après minuit [77].

"Il est distingué, agréable et très intelligent; c'est un homme considérable (...)", écrivit Disraeli le lendemain dans une lettre à Lady Bradford [78]. Ce n'était pas un mince hommage que ce jugement rendu par un vétéran à un autre vétéran. Macdonald était sans aucun doute en train de se faire une nouvelle réputation et son pays, un nouveau prestige. La visite en Angleterre touchait à sa fin. Macdonald avait de bonnes raisons de se sentir assez satisfait de ses résultats. Il est vrai, et il l'admettait à regret, qu'il n'avait atteint aucun des trois objectifs pour lesquels il était venu à Londres. Le gouvernement britannique ne pouvait de toute évidence pas accepter les tarifs préférentiels. L'étude de la possibilité de garantir un emprunt pour le chemin de fer et d'accepter la présence d'un ministre canadien résident à Londres avait été reportée à plus tard. Par contre, Tilley n'avait éprouvé aucune difficulté à emprunter trois autres millions de livres pour ses besoins immédiats. Et d'après les réponses que l'on avait faites aux Canadiens dans la City, il semblait probable qu'ils trouveraient assez facilement des capitaux à des taux raisonnables pour construire le Canadien Pacifique. Londres était plongée dans le découragement de la dépression, mais en même temps, et Macdonald le sentait, il y avait un respect nouveau à l'égard du Canada et un nouvel intérêt pour son avenir. Il emporta cette agréable impression outre-atlantique en même temps que le souvenir chaleureux de son agréable visite à Lord Beaconsfield. Le 23 septembre, il était revenu dans sa nouvelle maison d'Ottawa, Stadacona Hall, située sur Sandy Hill. [79]

## V

Les effets furent presque immédiats. Ce qu'ils attendaient, lui et d'autres, depuis cinq longues et terribles années, était en train de se réaliser. La situation commençait à s'améliorer. Les premiers signes de changement furent, de l'avis général, timides et discrets. Ils attendaient l'évolution de la situation avec scepticisme et anxiété. Macdonald avait attendu si longtemps. Tout dépendait tellement d'une reprise économique qu'il ne pouvait se permettre de se laisser aller un seul instant à de faux espoirs. Et pourtant, à mesure que ce long automne, doux et doré de 1879, s'écoulait tranquillement, il finit par admettre en lui-même que le rétablissement économique était devenu une miraculeuse certitude. Tout le prouvait. La récolte avait été excellente. Les prix montaient. Le volume des importations diminuait lentement alors que celui des exportations croissait régulièrement. "Le commerce se rétablit merveilleusement (...)", écrivit fièrement Lorne à Hicks Beach [80]. Les ministres exultaient. Macdonald savait que l'avenir de son gouvernement venait de se voir radicalement modifié. Un an après son accession au pouvoir, les faits venaient justifier son programme commercial. La prospérité croissante accélérait le triomphe de sa politique nationale. Pour un temps, le temps que durerait cette chance, il pourrait réussir presque n'importe quoi avec succès. Il réussirait peut-être même, et ce serait la chance suprême, à inciter une compagnie commerciale à reprendre le gigantesque projet de construction du Canadien Pacifique.

Si seulement Macdonald avait pu se sentir en meilleure forme physique! Malgré le repos en Angleterre, il ne s'était toujours pas tout à fait remis de la crise soudaine et brutale de l'été précédent. Ses forces ne lui étaient pas totalement revenues. Il semblait se fatiguer facilement. Ce n'était rien de bien sérieux, mais son état le déprimait. Par moment, il lui prenait une envie soudaine et irrépressible de démissionner. Tout l'automne il attendit avec impatience la décision du gouvernement britannique relative à la proposition canadienne d'envoyer un ministre résident à Londres. Il se persuada presque que la réponse serait favorable. Il était presque sûr de pouvoir compter sur la bonne volonté de Beaconsfield. En septembre, peu après son retour au Canada, Beaconsfield, dans un discours prononcé à Aylesbury avait parlé du Canada assez longuement et assez favorablement. Macdonald fut très heureux de se rendre compte que le Premier ministre britannique avait su si rapidement et si efficacement se servir des informations qu'il lui avait communiquées le soir de son séjour à Hughenden. Macdonald écrivit à Disraeli une lettre de remerciements sincère et chaleureuse [81]. Les conservateurs britanniques venaient incontestablement d'inaugurer une ère nouvelle de l'histoire coloniale. Ils n'auraient certainement aucune difficulté à percevoir les besoins du "royaume associé" du Canada ni à se rendre compte que des "puissances alliées" telles que le Canada et la Grande-Bretagne avaient vraiment besoin d'instaurer des liens "semi-diplomatiques". Pourtant il leur fallait, semblait-il, un temps incroyablement long pour se décider. Octobre passa. À la fin de novembre, le gouverneur général convoqua Macdonald, Tupper et Tilley, les trois ministres qui étaient allés en Angleterre l'été précédent, et leur fit part d'une longue dépêche de Sir Michael Hicks Beach [82].

Macdonald ne put s'empêcher d'être un peu déçu. La dépêche n'était ni discourtoise dans sa forme, ni négative dans son contenu [83]. Elle témoignait simplement d'un manque de compréhension et d'imagination face à la situation nouvelle qui était en train de se développer. Pourtant, de toute évidence, les ministres britanniques pensaient avoir été très loin pour satisfaire les demandes canadiennes et ils étaient en fait allés assez loin. Ils accueillaient favorablement la nomination d'un nouveau "représentant canadien". Ils prévoyaient que ses services pourraient être précieux à la fois pour le Canada et pour l'Angleterre, mais ce fonctionnaire ne pouvait avoir, disaient-ils avec politesse mais avec insistance, rang de véritable diplomate: "(...) sa situation", précisait la dépêche de Sir Michael "est plus analogue à celle d'un fonctionnaire de l'Intérieur qu'à celle d'un ambassadeur en poste dans une cour étrangère." Son principal mandat serait de traiter avec le ministère des Colonies pour tout ce qui a trait aux affaires canadiennes. Si les intérêts canadiens se trouvaient impliqués dans quelque négociation avec une puissance étrangère, il appartiendrait évidemment au secrétaire du Foreign Office d'utiliser ou non les bons offices de ce représentant. Pour toutes ces raisons évidentes, il était donc difficile de lui reconnaître même un statut "quasi diplomatique". Le titre de "commissaire canadien" ou "Commissaire du Dominion" correspondrait mieux à sa situation réelle que le titre un peu surfait que suggérait le gouvernement canadien.

Macdonald comprenait bien l'argumentation sous-jacente à ce document prudent et bien intentionné. Le gouvernement britannique avait peur de laisser ne fût-ce qu'un semblant d'autonomie en matière de politique étrangère à un pays dont il se sentait encore politiquement responsable aux yeux du monde. Comme Lord Salisbury l'indiquait avec insistance à Lord Lorne: "Il reste absolument vrai que s'ils sont attaqués, l'Angleterre doit les défendre." Le corollaire inévitable de cette responsabilité était "que l'Angleterre doit décider de ce que doit être leur politique étrangère" [84]. Plus que tout autre, insistait Hicks Beach, le gouvernement britannique se soucie des opinions canadiennes et souhaite consulter le Canada au moment de négociations impériales où ses intérêts sont en jeu. "Mais, poursuivait-il, le Dominion ne peut en même temps négocier indépendamment avec des puissances étrangères et tirer profit de ces négociations en alléguant qu'il fait partie de l'Empire [85]." Un gouvernement colonial ne peut avoir de communications officielles directes avec des puissances étrangères. Ces puissances ne l'accepteraient certainement pas. Le gouvernement britannique non plus.

Macdonald était un peu déçu, mais il n'avait pas l'impression d'avoir subi un échec sérieux. Il faisait seulement face aux inévitables incompréhensions qui attendent tout innovateur politique. C'était une question de mots plutôt que de faits. Dans toutes les lettres qu'il envoya à ses supérieurs en Angleterre, le gouverneur général essaya de s'assurer que les désirs de ses ministres n'étaient pas mal interprétés. "Aucun homme sensé ici, écrivit-il au marquis de Salisbury, n'a désiré conduire tout seul des négociations. On souhaite uniquement que les intérêts de ce que Sir J. Macdonald appelle "ce royaume satellite de l'Empire britannique" soient compris comme les intérêts d'une nation qui est partie intégrante d'un tout [86]." Une politique étrangère distincte pour le Canada! Voilà bien la dernière chose que Macdonald souhaitait! Pour lui, l'unité diplomatique de l'Empire britannique restait à la fois la réalité et un idéal. Mais au même moment, il était convaincu que seule la reconnaissance de la pluralité existant au sein de l'Empire permettrait à celui-ci de connaître une unité diplomatique réelle et efficace. Les droits de douane dont la juridiction avait été transférée du gouvernement britannique au gouvernement canadien, les tâches qu'assumait le Canada, qui avait hérité de la moitié du continent nord-américain, depuis le début de la Confédération, tout cela était d'une importance tellement évidente et devenait tellement lourd que, comme le faisait remarquer le Conseil canadien dans sa réponse officielle à la dépêche qu'avait envoyée Hicks Beach en novembre, "les discussions qui les entourent et leur règlement doivent faire l'objet de concertation et obtenir l'assentiment des deux parties. Dès lors, pense-t-on, ces relations ont acquis un caractère quasi diplomatique (...)" [87]

L'autorité suprême de la Grande-Bretagne n'était pas remise en question. En réalité, comme le soulignait le Conseil canadien, il serait plus juste maintenant de définir le gouvernement impérial "comme le représentant du Royaume-Uni plutôt que celui de l'Empire dans son ensemble". Il fallait ajuster le système diplomatique de l'Empire pour tenir compte de ces réalités irréversibles. La politique étrangère de l'Empire devait devenir une entreprise collective dans laquelle le Canada et chacun des autres grands gouvernements coloniaux auraient l'influence que leur conféraient leur force et leur importance. Les intérêts canadiens devaient devenir un des sujets majeurs de préoccupation de la diplomatie britannique. Les représentants canadiens devaient donc jouer un rôle croissant dans la conduite de cette diplomatie. Le gouvernement canadien, par le moyen de "communications constantes et confidentielles", devait à tout moment être bien informé de tout ce qui se passait en matière de politique étrangère. "Il y a deux points essentiels: un soutien adéquat et une égalité de chances. Si nous les accordons", écrivait Lord Lorne à Salisbury, "nous pouvons espérer que les hommes d'État d'ici continueront à se montrer satisfaits du système actuel [88]."

Le rapport officiel du Conseil privé ainsi que les lettres et dépêches du gouverneur général faisaient état dans le détail de la réaction canadienne au point de vue britannique. Macdonald tenait à ce que l'argumentation canadienne fût détaillée. Mais il n'avait pas du tout l'intention de se quereller avec le gouvernement britannique à ce propos. Le nouveau représentant canadien à Londres ferait lui-même ses preuves. Les actes valaient mieux que les mots. Il était inutile de se chamailler sur l'importance de son poste avant de le créer. Macdonald avait gagné l'essentiel. Il avait réussi à faire accepter son nouveau fonctionnaire par le gouvernement britannique. Il était dès lors assez disposé à faire des concessions. Il était même disposé à faire des concessions sur le titre de ce nouveau représentant. Il voulait bien reculer, mais juste un peu. Le gouvernement canadien avait proposé d'abord le titre de "ministre résident". Le gouvernement britannique ne l'avait pas accepté parce que de toute évidence, il évoquait trop clairement un quelconque statut diplomatique. Les Canadiens n'étaient pas content du "représentant du Dominion" ou "représentant canadien", pâles alternatives suggérées par le ministère des Colonies. Ils proposèrent un nouveau titre: "haut commissaire du Canada à Londres". Le gouvernement britannique étudia la suggestion quelque temps sans réagir. Puis, le dernier jour de janvier 1880, le ministère des Colonies répondit qu'il préférait, à moins que le Canada ne considère la chose comme très importante, le titre de "Commissaire spécial" car il était, d'après les Anglais, plus approprié.[89]

Macdonald ne voulut rien savoir de cette dernière proposition. Il dit carrément à Lord Lorne que Galt n'allait pas en Angleterre dans un but spécial, "mais pour représenter globalement les intérêts du Canada en général". "Ministre résident" était selon lui le meilleur titre possible, et puisqu'il faudrait de toute manière un jour y arriver, pourquoi ne pas le donner tout de suite? "Il me semble", écrivit-il à Lord Lorne sur un ton fort peu aimable, "que le titre que nous donnons à notre agent ne devrait pas préoccuper à ce point le gouvernement impérial. Nous pourrions tout aussi bien l'appeler "nonce" ou "*legate a latere gubernatoris*", si nous en avions envie. Il appartient évidemment au gouvernement impérial de fixer le statut de notre agent en Angleterre, quel que soit le titre sous lequel il se présente. Puisqu'on fait objection au titre de "ministre résident" je crois que nous devons opter pour celui de "haut commissaire" [90]." Les Canadiens s'en tinrent là. Ils souhaitaient évidemment que le gouvernement britannique réétudie la possibilité de donner le titre de "ministre résident". Si c'était impossible, ils étaient disposés à accepter la seconde suggestion qu'ils avaient faite: celle de "haut commissaire du Canada à Londres". Le 7 février, une semaine avant l'ouverture du Parlement canadien, le ministère des Colonies télégraphia que "le titre de haut commissaire sera reconnu sous le Grand Sceau du Canada" [91].

C'était réglé et aussi bien que Macdonald pouvait le souhaiter. Il vènait de réaliser un nouveau point de son programme. Le Canada était prospère à l'intérieur et reconnu à l'étranger. Pendant les mois d'hiver, et en janvier, alors qu'il se préparait à la seconde session parlementaire de ce gouvernement couronné de succès qu'il dirigeait, Macdonald retournait l'idée de la retraite. Il ne se sentait pas encore très bien. Il avait besoin de repos et le méritait. Après une année de pouvoir, son équipe était plus solidement en place qu'en octobre 1878. Il pouvait maintenant quitter son poste. Le moment était bien choisi. Il tenta de sonder ses amis. Qu'en pensaient McCarthy, Galt et Rose? Malheureusement McCarthy, Galt et Rose ne le prirent pas très au sérieux. McCarthy, de toute évidence, considérait que Macdonald était simplement fatigué et qu'il avait besoin de repos. Il l'invita à venir passer quelques jours à Barrie [92]. Galt qui venait lui-même de passer récemment un examen médical rassurant, fit observer avec phisolophie que pour tous deux, la mécanique commençait à s'user. "Pourtant, comme le veut le vieux dicton", concluait-il plein d'entrain, "mieux vaut s'user que rouiller [93]." Rose, c'était son tempérament, fut peut-être plus compréhensif. Pourtant, même lui semblait ne pas vouloir croire en la décision de Macdonald. "Je ne suis pas surpris, reconnut-il, que vous ayez envie de vous reposer. Même si j'ai six ans de moins que vous, j'éprouve la même envie. Les inquiétudes et les responsabilités semblent s'amplifier à mesure que l'on vieillit. Mais vous êtes un cas! C'est un véritable miracle que vous ayez survécu et gardé toute votre énergie et votre vigueur malgré les tâches incessantes et ardues qui se sont imposées à vous. Je ne suis pas, loin s'en faut, l'homme que vous êtes et j'en serai encore plus loin dans six ans [94]."

C'était à la fois flatteur et un peu exaspérant. Tout le monde semblait compter sur son incroyable vitalité. Tout le monde semblait sûr qu'il resterait en poste indéfiniment. Il renonça temporairement à l'idée de se retirer même si cela continua à lui effleurer l'esprit pendant qu'il se préparait tranquillement pour la nouvelle session. Le Parlement s'ouvrit le 12 juin. La Chambre des Communes reprit de façon tout à fait ordinaire ses activités habituelles. Un dîner d'adieu était prévu en l'honneur de Galt deux jours avant son départ. Très impatient, comme d'habitude, ce dernier avait pris un peu prématurément toutes ses dispositions pour prendre le bateau le 26 mars. Macdonald pensait à ce dîner. Le dimanche matin 21 mars, il prit place à l'église St. Alban. Il n'entendit jamais la fin de l'office religieux. Soudain, avec la même absence mystérieuse et effrayante d'avertissement, il s'écroula lourdement, frappé par un nouvel accès de faiblesse. On l'aida à sortir de l'église [95]. Sa voiture le ramena rapidement à Stadacona Hall.

Le bon docteur Grant, appelé en hâte, se montra gentiment rassurant. L'attaque en elle-même n'était pas sérieuse. Les journaux y firent à peine allusion. Macdonald put retourner en Chambre presque immédiatement. Vu de l'extérieur, les choses allaient continuer quelque temps comme si rien ne s'était passé. Mais vu de l'extérieur seulement! L'attaque l'avait terriblement secoué. Il y avait survécu, comme il avait survécu à d'autres attaques. C'était hélas une preuve supplémentaire et indéniable que son état de santé empirait régulièrement. Il ne pouvait continuer. Il devait se retirer maintenant pendant qu'il en était encore temps. À peine quelques semaines plus tôt, il avait dû prononcer au nom du gouvernement l'éloge funèbre de Luther Holton mort subitement. Holton, doyen des députés anglophones du Québec, avait presque exactement le même âge que lui. Allongé sur le sofa et récupérant peu à peu en ce dimanche matin de mars, il prit une pénible décision. Tupper le représenterait au dîner offert en l'honneur de Galt et le lendemain le 25 mars, le Cabinet étudierait le problème de la chefferie du parti.

La lettre de Macpherson lui parvint avant la réunion du Conseil. Macpherson, ministre sans portefeuille, qui avait été malade et qui récupérait lentement, s'était rendu compte qu'il ne pourrait assister à la réunion du Cabinet. Il avait passé la matinée du 24 mars à coucher par écrit ses réflextions après la révélation stupéfiante que lui avait faite Macdonald le soir d'avant. La lettre de Macpherson était extrêmement solennelle. Elle témoignait de sa profonde préoccupation. "La décision que vous dites avoir prise après y avoir mûrement réfléchi, écrivait-il, me semble tellement lourde de conséquences pour le Parti conservateur et le pays que je me permets de croire qu'elle est impossible. La consternation qu'elle causerait au Parlement et à travers tout le Dominion dans les rangs conservateurs, serait égale à celle qui régna à Saint-Petersbourg après l'explosion du palais d'hiver [96]." En ce moment, insistait lourdement Macpherson, la retraite de Macdonald était tout à fait impensable. Il y avait moyen de le décharger. La majorité conservatrice était assez importante pour qu'on puisse lui apporter toute l'aide dont il avait besoin. Mais il ne pouvait se retirer en cours de session. Il ne devait pas même penser se retirer avant plusieurs années.

Le lendemain, Macdonald rencontra le Cabinet. Tous ses membres eurent la même réaction que Macpherson. Les autres ministres répétèrent les mêmes mots que Macpherson. Ils firent état de la même consternation et manifestèrent la même incrédulité. En les voyant craintifs et suppliants, Macdonald se rendit compte qu'il devait céder. Il avait pris la décision de se retirer immédiatement de façon impulsive, alors qu'il était encore sous le coup de la faiblesse. Comment pouvait-il se retirer en plein milieu de session? Les Communes n'avaient pas encore adopté le projet de nomination d'un haut commissaire du Canada à Londres. En Angleterre, une élection générale allait avoir lieu une semaine plus tard. Le retour possible de Gladstone et des libéraux au pouvoir pouvait compliquer la tâche de Galt et l'embarrasser. Galt était impulsif et imprévisible. Il faudrait le diriger prudemment pendant des semaines. Le travail de Macdonald n'était pas encore achevé. Les choses n'étaient jamais vraiment terminées. Il restait tant à accomplir. Et surtout, il restait à bâtir la ligne de chemin de fer du Pacifique.

Le chemin de fer était un élément essentiel pour parvenir à bâtir le Canada qu'il espérait bâtir. Le chemin de fer permettrait de peupler les prairies de l'Ouest et de promouvoir l'industrie de l'Est. Il assurerait l'intégration nationale aussi bien que le développement économique national. Le chemin de fer représentait l'avenir. Le destin! Le chemin de fer avait contribué une fois à la défaite de Macdonald. Son Parti et lui avaient été plongés dans le pire désastre de leur carrière. Le parachèvement triomphal du chemin de fer était un cadeau qu'il devait offrir à chacun des trois éléments de cette indivisible trinité: le Canada, le Parti conservateur et lui-même. Tout le pays était en train de revivre. La prospérité était revenue. La confiance renaissait. Les chances de succès étaient maintenant plus grandes que jamais. Comment dès lors pouvait-il renoncer?

## Chapitre neuf

# Un contrat pour le rail

### I

C'est à ce moment-là que George Stephen réapparut dans le décor. Macdonald le connaissait déjà, bien sûr. Il le connaissait pour la simple raison qu'il connaissait tous ceux qui avaient quelque importance dans le monde canadien des affaires. Et George Stephen était incontestablement important. Depuis son arrivée au Canada en 1850, alors qu'il n'était qu'un jeune Écossais de vingt et un ans, Stephen avait eu une carrière fulgurante. Il avait commencé modestement comme jeune associé d'une maison d'importation de Montréal. Peu à peu il avait acquis d'importants intérêts dans diverses branches de l'industrie canadienne: les textiles, l'acier et le matériel ferroviaire roulant. En 1876, et c'était la plus haute distinction que pouvait accorder la communauté canadienne des affaires, il avait été nommé président de la Banque de Montréal. Stephen était grand et mince. Il avait un long visage ovale qu'il maintenait un peu penché vers la poitrine. Ses deux yeux rêveurs étaient profondément enfoncés dans leur orbite. Sa barbe épaisse et ses moustaches tombantes semblaient accentuer son air de pondération mélancolique et attentive. Personne ne doutait de son bon sens ni de sa sagesse financières. S'il en avait été autrement, il ne serait certainement pas devenu président de la Banque de Montréal. Mais son prestige ne reposait pas seulement sur sa réputation de prudence, de probité et sur son sens du travail. Il avait un air de distinction qui n'était pas uniquement extérieur. Il était un peu dandy et avait employé un valet de pied pendant quelque temps. Mais intérieurement également, son esprit se distinguait par son audace et son originalité. Il faisait confiance à ses premières impressions. Il se fiait à ses intuitions. Il était courageux, décidé et terriblement entreprenant. Il avait le sens des réalités présentes tout en étant résolument tourné vers l'avenir [1].

Le départ de John Rose avait laissé un vide dans le cercle des amis hommes d'affaires de Macdonald. George Stephen ne devait pas le combler immédiatement. Macdonald finit par bien le connaître, même s'il n'y eut ni véritable intimité, ni affection entre eux. Leurs relations, une association agréable et stimulante sur le plan intellectuel, se poursuivirent sans nuages jusqu'à ce que ne l'affecte fort étrangement une autre relation de Stephen, une relation familiale cette fois. Donald A. Smith, l'employé de la Compagnie de la Baie d'Hudson qui était allé à la rivière Rouge en 1869 comme représentant du gouvernement canadien et qui, en 1879, avait abandonné Macdonald lors de la crise du scandale du Pacifique, était le cousin germain de George Stephen. Comme dans toute famille écossaise, les liens de famille étaient très forts entre eux. Autre chose encore rapprochait Smith et Stephen. Ils devinrent de bons amis, et en affaires, d'excellents associés. Ils s'enrichirent ensemble, sans que l'un devînt plus riche que l'autre. Les connaissances et l'expérience de l'un complétaient celles de l'autre. Les principaux investissements de Stephen se trouvaient dans la vallée du Saint-Laurent, tandis que ceux de Smith étaient situés de l'autre côté du lac Supérieur. C'est par l'intermédiaire de Smith que Stephen commença à s'intéresser aux chemins de fer et au nord-ouest.

Les événements s'enchaînèrent de façon tout à fait naturelle et inévitable. Donald Smith était souvent obligé de faire le long trajet de Montréal à Winnipeg quand il s'occupait des affaires de la Compagnie de la Baie d'Hudson. La question des communications entre l'est et le nord-ouest canadien l'intéressa de plus en plus. Un jour peut-être, dans un avenir encore lointain, un grand chemin de fer canadien irait jusqu'au Pacifique et offrirait aux voyageurs un système de transport transcontinental entièrement canadien. Le scandale du Canadien Pacifique et la récession avaient retardé ce formidable projet. Pour combien de temps? L'Ouest canadien devrait-il attendre que des circonstances plus favorables permettent de reprendre ce grand projet? Ou bien y avait-il une façon plus simple de mettre sur pied des voies de communication, même provisoires, en direction des colonies de la rivière Rouge et de la Saskatchewan. Smith était fermement convaincu que oui. Les bases de ce système provisoire étaient déjà jetées ou sur le point de l'être. Le gouvernement Mackenzie avait construit un tronçon de la future ligue du Canadien Pacifique entre Winnipeg-sud et Pembina, sur la frontière internationale. De son côté, un chemin de fer américain qui portait le titre ambitieux de St. Paul and Pacific Railroad, se frayait doucement et difficilement un chemin vers le nord en direction du Canada. Le St. Paul and Pacific, comme son grand rival, le Northern Pacific, et comme le Canadien Pacifique lui-même, avait connu une série de difficultés financières pendant les années de récession. Smith se demandait s'il n'était pas possible d'en prendre le contrôle à bas prix, de persuader le gouvernement canadien d'accorder à la compagnie un bail pour l'utilisation du tronçon Winnipeg-Pembina et de réaliser ainsi la jonction ferroviaire entre l'est et l'ouest du Canada, même si la ligne passait en territoire américain.

Smith présenta de façon persuasive cette proposition à Stephen. Celui-ci fit le voyage jusqu'à St. Paul et prit le chemin de fer pour essayer les lignes du St. Paul and Pacific. Il décida de se lancer dans l'entreprise avec son cousin. Son apprentissage du financement et de la gestion des chemins de fer de l'ouest débuta à un moment des plus favorables et avec les meilleurs associés possibles. Donald Smith connaissait mieux l'ouest que n'importe quel Canadien de l'époque. James H. Hill, né au Canada, et son associé, N.W. Kittson qui devinrent tous deux membres de la nouvelle compagnie, avaient une grande expérience des transports dans le nord-ouest. Richard B. Angus, premier directeur général de la société avait occupé un poste identique pendant des années à la Banque de Montréal. Cette alliance étroite et efficace combinait l'expérience pratique et le pouvoir financier. Pendant les quelques années qui suivirent, la société s'engagea sans difficulté sur la voie du succès. Elle acheta le St. Paul and Pacific Railroad et pour indiquer plus clairement son véritable objectif, la rebaptisa en St. Paul, Minneapolis and Manitoba Railway. On prolongea rapidement la ligne vers le nord en direction de la frontière canadienne. Pendant ce temps, les promoteurs, dont Donald Smith se fit l'avocat enthousiaste et imprudent à la Chambre des Communes, commencèrent à négocier avec le gouvernement Mackenzie pour obtenir un bail d'explotation du tronçon Winnipeg-Pembina [2].

C'est à ce moment-là qu'intervint Macdonald. Il avait les meilleurs raisons politiques et personnelles d'attaquer ce bail. C'était un point faible de la politique ferroviaire du gouvernement Mackenzie. De plus, depuis le scandale du Canadien Pacifique, Macdonald avait joyeusement décrété que Donald Smith était son ennemi. Le dernier jour houleux de la session 1878, Tupper et Macdonald tombèrent à bras raccourcis sur le projet de bail et sur son défenseur. À cette époque, ils n'avaient bien sûr pas le pouvoir d'empêcher le gouvernement Mackenzie de céder le tronçon de Pembina au St. Paul, Minneapolis et Manitoba Railway. Mais cet automne-là, le gouvernement Mackenzie perdait le pouvoir. Macdonald et les conservateurs avaient l'occasion de se venger de Donald Smith et de ses amis. Ils firent exactement ce à quoi on pouvait s'attendre. Ils obtinrent du Parlement l'autorisation de changer de politique. Ils se passèrent des services du St. Paul, Minneapolis and Manitoba Railway et firent d'autres arrangements temporaires pour la gestion du tronçon Pembina.

Assez curieusement, l'épisode semblait devoir s'arrêter là. La colère de Macdonald était apparemment apaisée. Mais, la bonne fortune de Stephen, Smith et Hill ne semblait pas en avoir souffert pour autant. Après la fin de toutes les querelles qui avaient entouré le tronçon Pembina, les Canadiens commencèrent de plus en plus à se rendre compte qu'un nouveau chapitre extrêmement palpitant dans l'histoire de leur nord-ouest venait de débuter. Au début de décembre 1878, un premier train quitta Saint-Boniface pour Winnipeg, de l'autre côté du fleuve, et St. Paul. La colonisation s'était accentuée des deux côtés de la frontière. Les deux parties du nouveau réseau ferroviaire avaient prospéré. Au cours de l'automne 1880, la compagnie de Stephen qui opérait sous sa nouvelle raison sociale depuis un peu moins d'un an, publia triomphalement un premier rapport annuel. Il révélait un profit considérable qui provenait du trafic ferroviaire, mais aussi de la vente des terres. Stephen qui, quelques années plus tôt, était aussi ignorant de l'ouest que peu intéressé par les chemins de fer, se révélait soudain aux yeux des Nord-Américains comme un vétéran habile et heureux des transports dans l'ouest. Il avait réussi à prolonger la ligne de chemin de fer à travers la prairie jusqu'au coeur du nord-ouest, grâce à une généreuse allocation de terres que lui avait consentie la Législature du Manitoba et grâce à une réduction prudente des charges fixes de sa compagnie réorganisée. Stephen avait ouvert tout un empire au peuplement. Pour que les espoirs des Pères de la Confédération puissent se réaliser un jour, il fallait consentir exactement le même effort, mais prodigieusement multiplié, dans le nord-ouest canadien. Stephen n'avait-il pas prouvé qu'il en était capable? Tous ceux qui s'intéressaient au projet du Canadien Pacifique et qui avaient dû si longtemps réprimer leurs espoirs finirent par penser à lui. Un avenir nouveau semblait s'ouvrir à Stephen. Il commençait à prendre conscience de son destin. Et Macdonald aussi.

## II

Au printemps de 1880, Macdonald se trouvait à mi-chemin de son mandat. Près de deux ans s'étaient écoulés depuis les élections de 1878. Il lui restait encore deux bonnes années avant de se soumettre à nouveau au verdict du peuple canadien. Il avait obtenu d'assez bons résultats. Il avait réussi à parachever une bonne partie de son programme. Même les critiques les plus sévères ne pouvaient plus mettre en doute la prospérité retrouvée. Tout le Canada en éprouvait une intense satisfaction. À l'étranger, en Grande-Bretagne et aux États-Unis, les deux pays les plus importants pour les affaires extérieures canadiennes, la situation, même si elle était moins bonne qu'au pays, n'était cependant pas suffisamment grave pour provoquer des inquiétudes sérieuses.

Il est vrai que les dernières élections générales en Angleterre avaient ramené Gladstone au pouvoir pour la seconde fois et que la campagne présidentielle américaine toute proche avait une nouvelle fois amené les républicains et les démocrates à se livrer avec héroïsme chacun de leur côté à leur sport favori qui consistait à titiller la queue du lion britannique. Le gouvernement et le Congrès américains se trouvaient, comme c'était toujours le cas en période pré-électorale, sur un pied de guerre. Il y avait eu une protestation parce qu'un groupe d'Indiens de l'Ouest s'étaient réfugiés de l'autre côté de la frontière avec le Canada. Les États-Unis avaient déposé une plainte parce qu'un bateau de pêche américain avait été saisi dans Fortune Bay au large de Terre-Neuve. Les Américains avaient annoncé que le traité Bulwer-Clayton conclu en 1850, par lequel la Grande-Bretagne et les États-Unis s'étaient officiellement engagés à assurer conjointement le contrôle du futur canal de Panama, n'était plus valide parce qu'incompatible avec l'esprit de la doctrine Monroe. Macdonald refusa de se laisser alarmer par cette impressionnante série de coups de gueule. "J'ai connu de nombreuses élections présidentielles aux États-Unis", expliqua-t-il sur un ton fataliste à Lord Lorne, "à chaque fois les deux partis essayaient de rivaliser de patriotisme et à chaque fois ce patriotisme consistait à intimider l'Angleterre. C'est la raison pour laquelle les Américains se lancent dans d'hargneuses discussions à propos de l'affaire de Fortune Bay. C'est aussi la raison pour laquelle ils disent vouloir abroger le traité Bulwer-Clayton et menacent de supprimer les clauses concernant les zones de pêche du traité de Washington et c'est enfin la raison pour laquelle ils protestent contre l'histoire de Sitting Bull et de ses Sioux. L'Angleterre doit se contenter de temporiser jusqu'après les présidentielles. Puis tout rentrera dans l'ordre jusqu'au printemps 1884 où ces questions, ou d'autres, seront de nouveaux ramenées sur le tapis pour répondre aux mêmes objectifs [3]."

L'Angleterre comptait plus. L'attitude que prendraient le gouvernement britannique et le monde financier britannique était extrêmement importante pour la réalisation de la seconde phase du programme d'expansion nationale vers l'Ouest préconisé par Macdonald. La simple attitude du peuple britannique face au Canada, refuge possible pour les émigrants, pouvait faire réussir ou avorter le projet. Pour les quelques années ou les quelques décades à venir, le rôle du haut commissaire du Canada à Londres était extrêmement important. C'est pourquoi il avait créé ce poste à ce moment précis et c'est aussi pourquoi Galt s'était rendu en hâte en Angleterre. Macdonald avait entière confiance en la compétence de son nouveau haut commissaire, mais la personnalité de Galt l'amusait toujours. "Certains traits de son caractère vous amuseront, s'ils ne vous ennuient pas", écrivit-il à Lord Lorne sur un ton badin en lui faisant parvenir le gros paquet de lettres que Galt lui avait envoyées de Londres [4]. Galt avait la manie d'écrire des lettres. C'était un romantique à la plume facile qui déversait ses états d'âme sur le papier. Depuis le moment où il avait débarqué en Angleterre, il avait vécu toute une série d'états d'âme différents. Les périodes d'espoir, de doute, de dépression, d'encouragement, d'anxiété et d'énervement s'étaient succédées. Il s'inquiétait pour son logement, sa famille, ses frais, son "statut" au sein du "corps diplomatique". Le délicat problème de son entrée dans la société du Tout-Londres officiel le préoccupait. Il fut estomaqué d'apprendre qu'il fallait une autorisation spéciale de la reine pour que soit admise à la Cour sa seconde femme, soeur de sa première épouse décédée. Avec une précipitation tout à fait remarquable, il en vint à la conclusion que le nouveau gouvernement Gladstone était froidement opposé au poste de haut commissaire du Canada et que le secrétaire aux Colonies, ainsi d'ailleurs que tout son ministère, ne lèverait pas le petit doigt pour donner plus de poids à son poste.[5]

Macdonald faisait toujours la part de l'exagération dans les crises et les effusions de Galt. Galt, expliqua-t-il sans faire de phrases au gouverneur général, était porté à se montrer légèrement "impatient". "Ses lettres montrent à quel point il est impulsif", poursuivit-il. "Lord Kimberley n'est pas précisément connu pour la cordialité de ses manières et Galt en est immédiatement venu à la conclusion que le gouvernement lui était hostile. J'imagine que la remarque de Mr Gladstone qui lui a dit qu'il était heureux que le Canada se soit décidé à créer le poste, a dû le rassurer. Et la triste affaire de l'admission de Mme Galt à la Cour a connu un dénouement heureux [6]." La reine, en effet, en était arrivée à la conclusion très sérieuse que, puisque le second mariage de Galt avait été contracté aux États-Unis où les mariages avec la soeur d'une épouse décédée étaient tout à fait légaux, le cas de Lady Galt devait être considéré comme une exception à la règle. Madame Galt fut donc admise à la cour. Nombre des problèmes de Galt, sinon tous, trouvèrent leur solution ou furent oubliés avant même que leur victime ne reprenne sa plume agile. Macdonald pouvait se permettre d'accueillir avec désinvolture ces petites alarmes et ces petits découragements chroniques. Mais il eut d'autres déceptions plus sérieuses liées cette fois au mandat même du haut commissaire. "Entrevue totalement insatisfaisante avec le ministère des Colonies concernant émigration", câbla Galt le 7 juin. "Aucun espoir d'aide.[7]" L'échec était de taille et tout à fait déconcertant. La première fonction de Galt en Angleterre était d'intéresser le peuple britannique au Nord-Ouest canadien et d'obtenir l'aide du gouvernement britannique pour en faciliter le peuplement. Le mandat de Galt était clair: "Le développement du Territoire du Nord-Ouest est le sujet qui doit intéresser le plus le haut commissaire en Angleterre [8]."

Le développement des Territoires du Nord-Ouest était devenu le principal souci de Macdonald. Pour un Premier ministre dont le programme politique était l'expansion nationale à l'échelle du continent, le peuplement de la prairie canadienne était évidemment une des plus grandes tâches. Tout le travail préliminaire avait été fait. Les droits de propriété des autochtones s'étaient éteints. Les Indiens, en tous cas la plupart, avaient été relocalisés dans des réserves. Au cours de l'hiver 1879, on avait mené de nombreuses enquêtes et étudié très sérieusement les revendications des métis qui prétendaient avoir eux aussi un droit de propriété secondaire sur le sol qu'ils n'étaient prêts à céder qu'en échange d'octrois de terres supplémentaires ou de subventions [9]. Toutes les voix autorisées de l'Ouest s'étaient fermement prononcées contre la politique expérimentée avec des succès très divers dans le cadre de la loi sur le Manitoba et qui consistait à accorder aux métis des titres de propriété négociables. Autrefois quand l'Ouest était libre, les métis pouvaient très bien se défendre eux-mêmes. Mais l'implantation de la civilisation nord-américaine les désarçonnaient et les rendaient extrêmement vulnérables. Selon ceux qui connaissaient l'Ouest, leur donner des titres de propriété négociables en ferait la proie des spéculateurs financiers sans leur apporter aucun bénéfice permanent. Les témoignages négatifs étaient impressionnants tellement ils étaient unanimes. Mais personne ne s'entendait sur la politique que devait adopter le Dominion. Les revendications des métis restaient donc un problème restreint, mais insoluble et agaçant.

C'était l'une des quelques rares complications, très rares, Macdonald pouvait s'en vanter à juste titre, à venir perturber la gestion et l'action du Canada sur cette immense portion du continent qui lui était revenue après la cession des territoires de la Compagnie de la Baie d'Hudson. Alors qu'une bonne partie de l'expansion américaine vers le Pacifique s'était faite lentement, sans préparation et au hasard, le Canada par contre était capable d'organiser et de préparer d'avance la presque totalité du processus de peuplement. La politique fédérale de propriété foncière dans l'Ouest se fondait sur un système de concession de terres agricoles gratuites, comparable à celui des États-Unis, mais dont les termes et les conditions étaient un peu moins sévères. L'arpentage de la région se poursuivait rapidement et efficacement. Le système de mesure très précis se fondait sur le système astronomique [10]. La terre était prête, ou presque, à être occupée. Il fallait maintenant des colons et de bons moyens de transport. Le gouvernement canadien avait dépensé d'énormes sommes pour faire sa propagande sur l'immigration et il était prêt à en dépenser encore. Galt était l'incarnation vivante de ce nouveau et considérable effort pour attirer l'attention des peuples de Grande-Bretagne et d'Europe sur le Canada et sur la partie ouest du pays non encore habitée. L'immigration était une nécessité vitale. Mais il ne servait à rien de faire venir des immigrants si on ne pouvait les amener sur place, transporter leurs effets et plus tard acheminer leur produits. À ce moment-là, Winnipeg était le poste le plus avancé du système de communications. On ne pouvait en rester là. Il fallait transporter les immigrants plus à l'ouest vers les vallées de la Saskatchewan. Et il n'y avait qu'un moyen d'y parvenir: construire le chemin de fer du Pacifique.

Ici encore Macdonald eut de la chance. Pendant sept longues années, malgré toutes les incitations extrêmement intéressantes de son gouvernement, et ensuite celles du gouvernement Mackenzie, aucun capitaliste sérieux ne s'était présenté pour promouvoir la construction du Canadien Pacifique. Macdonald en était presque venu à la triste conclusion que même si la crise économique venait à se résorber, personne ne se proposerait plus jamais pour construire la voie ferrée. Puis soudain au moment où la situation devint véritablement critique et au moment où les échéances venaient d'être repoussées à leurs limites extrêmes, les offres se mirent à affluer. À ce stade, elles avaient un caractère embryonnaire, relativement vague. Dans certains cas, il s'agissait beaucoup plus d'ébauches que d'offres réelles. Mais pendant tout cet heureux mois de juin 1880, elle continuèrent à arriver discrètement. Galt rapportait que les actionnaires de la vieille Canada Company montraient un curieux intérêt pour le projet du Canadien Pacifique. Selon les rumeurs, Brassey, promoteur ferroviaire anglais dont le succès était fabuleux, avait pris des renseignements. Le 22 juin, alors que le Cabinet canadien étudiait la question, Macdonald reçut un télégramme d'un certain Lord Dunmore. Ce dernier annonçait qu'il arrivait d'Angleterre et qu'il se trouvait à New York. Il comptait se rendre le plus vite possible à Ottawa et y déposer une offre pour la construction du chemin de fer.[11] Après ces longs mois de découragement, il était tout à fait réconfortant de se rendre compte que le projet suscitait soudain tant d'attention et d'intérêt. Mais il y avait mieux, les Britanniques n'étaient pas les seuls à s'intéresser au chemin de fer. Le gouvernement avait reçu une autre proposition, une proposition canadienne cette fois. Elle émanait de Duncan McIntyre qui avait pris le contrôle du Canada Central Railway, un chemin de fer qui devait selon les prévision relier Ottawa au lac Nipissing et qui à terme permettrait donc de prolonger l'éventuel Canadien Pacifique vers l'est jusqu'aux installations portuaires de Montréal [12]. Duncan McIntyre était chargé de mener les négociations, mais personne n'ignorait qu'il était le porte-parole des directeurs du St. Paul, Minneapolis and Manitoba Railway. Derrière lui, et dominant tous les autres, il y avait George Stephen.

Macdonald avait à prendre la décision la plus importante de la seconde partie de sa carrière. La première fois, il avait mal choisi, il avait choisi Hugh Allan, et ç'avait été le désastre. Macdonald avait maintenant gagné le droit de choisir une seconde fois. Le moment était venu. Et cette fois, il ne pouvait pas se permettre d'erreur. Il ne fallait pas qu'il se presse. Chaque détail importait. Il fallait étudier en profondeur tous les aspects du problème. Il décida de réserver son jugement jusqu'à la fin.

Son impartialité totale surprit ses collègues pendant les longues journées de discussion au Cabinet. Macdonald trouvait des qualités à chaque projet. Lorsqu'il faisait allusion à Lord Dunmore, personnage affable et aristocratique, il se faisait toujours extrêmement déférent. "Vous avez parlé de Lord Dunmore", écrivit Campbell sur un ton accusateur et surpris, "comme si son nom donnait plus de poids à la proposition qu'il vous a faite en son nom et en celui de M. Brown. Il me semble précisément que ce genre de procédé, je veux dire: mettre un noble de l'avant, est plus souvent le fait d'escrocs et de filous que d'hommes d'affaires sérieux disposant de véritables capitaux. Lord Dunmore, si je comprend bien, en plus d'être désargenté est plus que probablement la dupe de quelque fripon [13]."

C'était sans doute vrai, tout au moins en partie, se disait Macdonald. Lord Lorne l'avait sérieusement mis en garde. Il lui avait affirmé que Dunmore était un spéculateur bien connu qui avait "très bon coeur, peu de tête et pas d'argent" [14]. Une société qui cherchait à impressionner de crédules coloniaux en leur envoyant un tel émissaire était sans nul doute suspecte. Fallait-il pour autant rejeter Puleston, Brown and Company, la société dont Dunmore était le porte-parole? Macdonald découvrit que personne à Ottawa ne pouvait lui fournir aucune information sérieuse sur Puleston, Brown and Company. C'était un autre élément d'incertitude qui venait compliquer une situation qui l'était déjà passablement. Tout portait à croire que les Britanniques allaient faire de nouvelles offres. Le bruit se mit à courir qu'Andrew Onderdonk, qui avait construit le tronçon du Canadien Pacifique en Colombie britannique pour le compte du gouvernement allait lui aussi présenter un projet [15]. Tout le monde connaissait la grande expérience et les talents de Stephen ainsi que la puissance financière qu'il représentait. Certains membres du Cabinet souhaitaient conclure immédiatement un accord avec sa compagnie. Mais McIntyre et Stephen demandaient une subvention de vingt-six millions et demi de dollars et une concession de trente-cinq millions d'acres de terres. Était-ce acceptable à ce stade des négociations? Y avait-il moyen de prendre une décision sans étudier les autres propositions?

Macdonald se rendit compte qu'il pouvait être très dangereux de se décider tout de suite. Le Cabinet décida que la subvention maximum au-delà de laquelle il ne pouvait aller était de vingt millions de dollars assortis d'une concession de trente millions d'acres [16]. McIntyre et Stephen refusèrent catégoriquement d'envisager une subvention inférieure à celle qu'ils avaient demandée. C'était une impasse dont aucune des deux parties ne souhaitait sortir. Le 5 juillet, McIntyre écrivit à Macdonald pour l'informer que sa société "désirait que le dossier fût considéré comme clos pour le moment" [17]. *Pour le moment.* Les mots étaient significatifs. Une phase des négociations venait de prendre fin. Mais il ne s'agissait que de la première phase. Le Cabinet avait décidé de suspendre les négociations pour les reprendre en Angleterre.[18] Il avait nommé une commission constituée de Macdonald, Tupper et John Henry Pope pour aller à Londres y étudier en détail les diverses offres. Macdonald décida de partir la semaine suivante, c'est-à-dire le 10 juillet. Il savait que Duncan McIntyre partait le même jour et voyageait sur le même bateau. Au moment de quitter Québec, il reçut un message rassurant de George Stephen. "Bien que je sois en dehors de la course pour le moment, lui écrivait celui-ci, si quelque chose outre-atlantique vous amène à penser que, tout bien considéré, notre proposition est meilleure pour le pays que toutes celles que vous obtiendrez là-bas, je pourrais, si vous communiquez avec moi, la renouveler et peut être alors réduire quelque peu la concession de terres que je demandais initialement [19]."

Macdonald arriva à Londres et s'installa au Westminster Palace Hotel le 19 juillet [20]. Agnes ne l'accompagnait pas. Elle était restée à Rivière-du-Loup avec Mary. Le voyage de Macdonald était cette fois de caractère technique et pratique. Il y eut peu de loisirs, peu de soirées au théâtre ou au concert. Il y eut moins de dîners officiels encore et moins de fins de semaine agréables et détendues dans les maisons de campagne de ses amis anglais. Macdonald était venu négocier un contrat pour le Canadien Pacifique. Il n'était pas venu rencontrer les fonctionnaires du ministère des Colonies. La seule activité de quelque importance politique de tout son séjour fut sa comparution devant la Commission royale pour la défense des possessions et du commerce extérieur britanniques. Créée en grande partie à la suite de la menace russe de 1878, un des objectifs principaux de cette commission était d'étudier le partage des responsabilités impériales et coloniales en matière de défense. Macdonald fit une intervention prudente et peu compromettante. La crise russe était bien loin. Il était sur le point de négocier un très important et très coûteux contrat ferroviaire. Il ne pouvait courir pour le moment le risque de prendre de lourds engagements militaires. Il sentait que le moment n'était pas venu de mettre à exécution le plan qu'il avait conçu en 1878 d'élargir le petit noyau d'armée permanente canadienne qu'il avait créé. Même s'il avait souvent parlé d'"alliance" entre le "pouvoir central" et le "royaume satellite" du Canada, au contraire de la plupart des membres de la Commission, il ne se sentait pas pressé de définir avec plus de précision les obligations respectives de la colonie et de la métropole. À son avis, il existait déjà entre l'Angleterre et le Canada un engagement moral de défense réciproque. Les charges précisées lors de la Conférence de 1865 et les arrangements de 1871 au moment du retrait des troupes impériales hors du Canada constituaient selon lui un traité officieux pour la défense de l'Amérique du Nord britannique. Macdonald ne croyait pas qu'à ce moment précis ces engagements puissent être étendus ou généralisés. En période de paix, il serait probablement très risqué, de poser la question d'une contribution possible du Canada à une hypothétique guerre européenne dans laquelle la Grande-Bretagne se trouverait engagée. Il vaudrait beaucoup mieux, dit-il aux membres de la Commission, reporter cette discussion jusqu'à ce qu'un vrai conflit s'annonce ou soit imminent [21].

Cette comparution devant la Commission fut le seul intermède important dans le cours des négociations sur le chemin de fer. Macdonald s'en tint strictement, obstinément, à la mission qui l'avait amené en Angleterre. Il s'était, comme il le précisa à sa soeur Louisa, donné de six semaines à deux mois d'absence pour régler des affaires. Il était important d'agir vite. Il réussit à voir John Rose, et rencontra Sir Michael Hicks Beach, l'ex-secrétaire aux Colonies, dont il était venu à apprécier hautement les conseils. Le vendredi de la première semaine qu'il passa à Londres, il eut une longue conversation avec Sir Henry Tyler, président de la Grand Trunk Railway Company [22]. C'était une simple mesure de prudence que de donner au Grand Trunk une dernière chance d'entrer dans la course. Mais il devint très vite évident, si jamais on avait pu en douter, que le Grand Trunk n'était pas intéressé et ne pouvait s'intéresser sérieusement au projet. Tant que le vieux chemin de fer s'en tenait à sa stratégie originelle, il était naturel que l'extension de ses lignes, au départ de Sarnia, se fasse vers Chicago et l'Ouest en passant au sud des Grands Lacs. Brydges, directeur général du Grand Trunk avait écrit en 1872 à l'époque où Allan et Macpherson se disputaient la première charte du Canadien Pacifique: "Je ne crois pas quant à moi qu'on réalise avant longtemps une ligne de chemin de fer en direction de Fort Garry à travers le territoire britannique [23]." Huit ans plus tard, Macdonald se trouvait dans le bureau de Sir Henry Tyler et la direction du Grand Trunk ne pouvait toujours pas concevoir qu'une ligne de chemin de fer puisse passer au nord des Grands Lacs. En fait, cela réglait la question. Macdonald était prêt à faire des compromis sur divers points. Mais il n'avait aucune intention de faire le moindre compromis concernant l'itinéraire du Canadien Pacifique. Ce chemin de fer resterait un chemin de fer national. La ligne devait traverser le territoire canadien, et le territoire canadien seul!

Le Grand Trunk Railway renonça. Le groupe Onderdonk décida qu'il ne pouvait entrer en compétition en si peu de temps [24]. Les autres offres, dont on avait tant parlé, ne se matérialisèrent pas. C'était, ou cela semblait devenir une simple compétition entre Puleston, Brown and Company d'une part et McIntyre et ses associés de l'autre. Puleston, Brown and Company qui, vus d'Ottawa semblaient former une société un peu douteuse, semblaient avoir depuis Londres plus de poids et plus de sérieux. Lord Dunmore, l'affable pair désargenté disparut discrètement à arrière-plan. J. A. Puleston semblait être un personnage beaucoup plus important et plus influent. Il prit énergiquement la direction des négociations au nom de sa compagnie. Le jour même de l'arrivée de Macdonald à Londres, il emmena le visiteur canadien dans les bureaux du président à la Chambre des Communes et le présenta à toute une série d'amis très importants. On racontait qu'il avait beaucoup d'appuis dans la City. Il pouvait apparemment compter sur le soutien de certains banquiers européens influents: le baron Erlanger, Monsieur Demère de la Société générale et les Reinach de Paris et Francfort. Tous ces noms conféraient à sa société un air cosmopolite et respectable. Son projet était assez complexe, mais d'un point de vue politique il était séduisant à plusieurs égards. La subvention en espèces qu'avait d'abord demandée Puleston était considérablement inférieure à celle que réclamaient McIntyre et Stephen. De plus, Puleston accepta finalement de la remplacer par une garantie gouvernementale, pour un certain nombre d'années, sur un emprunt à vaste échelle qu'il se proposait de lancer. La proposition était séduisante, très séduisante. L'un des derniers jours d'août, Macdonald rédigea un câble destiné à Tilley: "Marché presque conclu avec Société générale de Paris, comparable à London and Westminster Bank, pour dix-neuf millions espèces et trente-deux millions terrain. Espèces pourraient être remplacées par garantie sur intérêts d'un emprunt équivalent, pour maximum vingt ans. Dépôt vingt millions livres. Conseil d'accord? Réponse urgente [25]."

Pourtant, au dernier moment il hésita et n'envoya apparemment pas le câble. Quelques jours plus tard, le 2 septembre, Puleston rapporta que la Société générale avait décidé de se rétracter [26]. Ce refus, comme il le reconnut lui-même, faisait échouer tout son projet. Macdonald avait-il jamais vraiment pensé sérieusement que Puleston puisse devenir le principal promoteur d'un chemin de fer national canadien transcontinental? Certains, dans la City, en doutaient. "En termes clairs", écrivit avec colère l'un des partisans de Puleston à Macdonald, "on a dit que les dés étaient pipés dès le début, que le groupe qui obtiendrait le contrat était choisi d'avance et que Puleston, quoi qu'il fît, n'avait aucune chance de l'obtenir. On a dit beaucoup d'autres choses du même genre [27]." C'était peut-être en partie vrai. Puleston n'était certainement pas indispensable. Ses soutiens financiers importaient plus que lui. Et, comme l'avenir le prouverait, il y avait moyen de les obtenir sans qu'il fût dans le décor.

Mais il y avait plus, Puleston était un banal promoteur, tandis que Stephen était un homme aux capacités exceptionnelles qui venait de remporter d'éclatants succès dans une entreprise identique. De plus, Stephen s'était identifié de très près à sa terre d'adoption, et Macdonald voulait un vrai Canadien pour diriger le projet. Les négociations avec Puleston étaient peut-être en partie sérieuses. Mais dès le début d'août, Macdonald et ses collègues avaient repris leurs longues négociations avec McIntyre. Le 12 août, le groupe Stephen-McIntyre offrit de construire le chemin de fer contre une subvention de vingt-cinq millions de dollars et la concession de vingt-cinq millions d'âcres de terres [28]. Vers la fin d'août, alors que Puleston était finalement éliminé, Macdonald parvint rapidement à un accord avec les Canadiens. Le matin du vendredi 4 septembre, il rencontra McIntyre et les deux Rose, John et son fils Charles, pour fixer les termes provisoires du contrat [29]. Cet après-midi-là, il expédia à Ottawa le câble pour lequel il était venu en Angleterre et que tous ses collègues attendaient: "Meilleurs termes possibles, y disait-il, vingt-cinq millions espèces et vingt-cinq millions acres(...) Quatre collègues d'accord ici. Espère vous serez d'accord. Secret absolu. Réponse urgente. Télégraphier Tilley. Embarque jeudi prochain [30]."

# III

C'était fait. Malgré le long et pénible labeur de l'été et l'écrasante responsabilité qu'il venait de prendre, Macdonald se sentait exalté par ce qu'il venait de réaliser. "Mon voyage aller retour en Angleterre a été très agréable", rapportait-il laconiquement à sa soeur, "mais j'ai été obligé de travailler très dur. Heureusement, j'ai réussi. Je suis en bonne santé et mon moral est bon [31]." Tout le monde semblait de bonne humeur. Tous les principaux intéressés semblaient contents. Georges Stephen lui écrivit pour lui souhaiter chaleureusement la bienvenue au pays et l'assurer que selon lui il n'y aurait aucune difficulté à parvenir à un accord final. "Quel que soit l'arrangement, lui écrivait-il, je veux qu'il soit *juste* et *honorable* pour le gouvernement aussi bien que pour nous-mêmes. Je ne veux pas qu'on perde un *seul jour* dans la préparation du contrat ni dans les procédures d'incorporation [32]." L'accord préliminaire avait été signé avant que la délégation canadienne ne quittât l'Angleterre. Un peu plus d'un mois plus tard, le 21 octobre, à Ottawa, Tupper, Stephen et quelques-uns des principaux intéressés apposèrent leur signature sur le plus grand contrat de l'histoire des transports canadiens.

Stephen devait être le premier président du chemin de fer. Dès le début, il apparut comme le personnage clé du groupe. Duncan McIntyre qui avait joué un si grand rôle dans les négociations préliminaires en était le premier vice-président, et Richard B. Angus, le premier directeur général. Les autres directeurs du St. Paul, Minneapolis and Manitoba Railway, Hill, Kittson et Donald A. Smith étaient tous des membres importants de la nouvelle compagnie, même si, pour des raisons politiques évidentes, le nom de Smith ne figurait pas au contrat, une omission qui de façon tout à fait inattendue rendit Smith furieux. Smith était d'un caractère emporté et, comme l'écrivit Stephen ulcéré, en cette circonstance, "il s'est comporté comme un bébé". La seule firme financière de Londres associée au groupe était celle de Sir John Rose, Morton Rose and Company. Morton Bliss and Company, la plus ancienne des deux firmes Morton, et John S. Kennedy and Company, qui avait joué un si grand rôle dans le financement du St. Paul, Minneapolis and Manitoba Railway représentaient New York. Un groupe franco-allemand, dirigé par la compagnie Kohn et Reinach de Francfort et Paris et comprenant la Société générale française étaient assez réduits, mais Macdonald croyait que la présence de noms européens lui permettrait de se concilier l'opinion publique du Canada français. Il y attachait donc une grande importance [33]. Mais la méfiance et l'obstination des Européens posèrent plus d'un problème. Ils acceptèrent finalement de signer le contrat à la seule condition, ce qui augurait plutôt mal, que Stephen reprenne leurs parts s'ils décidaient, après plus mûre considération, de se retirer.

Macdonald s'était engagé, et profondément engagé. Il avait tout misé en choisissant les hommes qui lui semblaient convenir le mieux. À toute autre considération, il avait préféré la compétence, l'énergie et l'expérience. Les rivalités personnelles et les intérêts régionaux qui avaient tant compté lors des négociations avec Allan et Macpherson, huit ans plus tôt n'avaient pas eu d'influence véritable cette fois. Il avait tenu à tout prix à ce que Kohn, Reinach et leurs associés français fussent présents. C'était là sa seule concession aux tactiques et aux manoeuvres de la politique canadienne. Il avait mis de côté ses inimitiés personnelles. Il avait renoncé à toute apparence de logique politique. Par le passé, il avait attaqué le St. Paul, Minneapolis and Manitoba Railway, en alléguant que c'était une société étrangère et peu recommandable dont la prospérité reposait sur les ruines d'un véritable chemin de fer canadien transcontinental. Il avait dénoncé publiquement Donald Smith et l'avait traité de "plus grand menteur qu'il ait jamais vu". Et pourtant, il venait de conclure un accord avec ces mêmes personnes qu'il avait demandé à la Chambre des Communes de chasser. Stephen, Angus et McIntyre étaient tous Montréalais. Le groupe d'origine ne comportait aucun Torontois. Les libéraux ne manqueraient pas de le souligner pour entraîner ainsi plus facilement une partie de l'électorat ontarien à soutenir l'Opposition. Blake et ses partisans n'auraient aucune difficulté à renverser les rôles qui avaient été les leurs au cours des deux dernières années et à adopter l'attitude même de Macdonald vis-à-vis des directeurs du St. Paul, Minneapolis and Manitoba Railway. Ils s'efforceraient de faire passer Stephen et ses amis pour une bande d'hommes dont seul le nom n'était pas américain, pour des gens, qui à l'instar de McMullen huit ans plus tôt, tâcheraient de s'approprier le Canadien Pacifique pour servir leurs intérêts personnels qui n'avaient rien à voir avec l'intérêt du pays. De toute évidence pourtant, Stephen, Smith et Angus n'étaient pas des promoteurs américains qui essayaient de conquérir le marché canadien du chemin de fer, mais bien des entrepreneurs canadiens qui avaient réussi à conquérir les États-Unis. C'était une différence de taille que les libéraux allaient sans doute essayer de faire oublier en la noyant sous les mensonges. Il ne servait à rien de chercher à se cacher l'évidence. Le projet tout entier était vulnérable sur nombre de points.

Pourtant ce n'était pas ces faiblesses qui étaient les plus importantes,

Macdonald le savait. Le point le plus faible du projet était beaucoup plus fondamental. La réalisation d'une ligne de chemin de fer jusqu'au Pacifique, qui traverserait le seul territoire canadien était tout aussi formidable que la création du Dominion du Canada lui-même. Le Dominion et le chemin de fer allaient rencontrer tous deux les mêmes difficultés extrêmes car leur objectif ultime était identique. Le premier objectif du Canada était de parvenir à une existence politique indépendante sur le continent nord-américain. La première fonction du Canadien Pacifique était de contribuer à ce but, d'aider à construire une économie et une société vraiment nationales qui seules permettraient d'atteindre cet objectif ambitieux. Les plus puissants rivaux du chemin de fer, comme du Canada lui-même, ses ennemis les plus dangereux se trouvaient sur le continent nord-américain. Le Canadien Pacifique, tel que ses promoteurs l'avaient conçu, était le concurrent direct de tous les systèmes ferroviaires américains transcontinentaux et du Northern Pacific en particulier. Toute association étroite ou importante du Canadien Pacifique avec des promoteurs ferroviaires ou des financiers américains, compromettrait le projet ou même en ruinerait la spécificité et les objectifs comme l'avait jadis tristement démontré l'histoire de Sir Hugh Allan. Ni la compagnie, ni le gouvernement qui la subventionnait ne pouvaient songer à accepter des investissements américains trop importants. Ni la compagnie, ni le gouvernement ne pouvaient s'attendre à trouver de véritables alliés ou un soutien franc et honnête en Amérique du Nord, à l'extérieur des frontières du Dominion. Le Canadien Pacifique, de par sa conception, était un concurrent à l'échelle continentale. Les chemins de fer américains étaient ses ennemis naturels. Le monde de la haute finance britannique était son allié naturel.

Pourtant, au début tout au moins, les financiers britanniques avaient refusé de jouer leur indispensable rôle. L'alliance anglo-canadienne, garante de l'indépendance canadienne en Amérique du Nord, existait bien au niveau politique. Mais dès qu'il s'agissait de finances, cette alliance ne pesait pas lourd. Whitehall, sous le régime Gladstone, considérait le Canada avec une indifférence polie. La même attitude prévalait dans la City où les entreprises canadiennes étaient considérées avec scepticisme et accueillies avec méfiance. Seule Morton, Rose and Company, une compagnie assez petite et peu connue, s'était jointe au groupe initial canadien du chemin de fer du Pacifique. Au début, aucune maison financière britannique importante ne soutint ni n'encouragea le projet. Et, pendant des années, une société au moins ayant son siège social à Londres, la Grand Trunk Railway Company fit jouer toutes ses influences pour combattre l'entreprise. Les grands centres financiers anglophones, Londres et New York, étaient soit indifférents, soit hostiles au Canadien Pacifique. La presse en Angleterre comme aux États-Unis oscillait entre le mépris le plus hautain et la malveillance militante. Le *Times*, qui n'avait même pas encore envisagé l'éventualité d'envoyer un correspondant à Ottawa, faisait montre d'"une indifférence et d'un dédain moqueurs" pour tout ce qui était canadien, comme le constata Lord Lorne, scandalisé et surpris [34]. Les agences de presse américaines, comme le prouvait largement leur façon de réagir, ne manquaient jamais une occasion de minimiser les réalisations canadiennes ni d'exagérer les problèmes et les difficultés du Dominion.

À l'étranger, il y avait donc peu de soutien. Le soutien devait venir de l'intérieur. Et à l'intérieur, c'était la nation elle-même qui pouvait seule offrir le secours requis. Au Canada, et Macdonald avait de bonnes raisons de le savoir, les chemins de fer et la politique étaient inévitablement liés. La subvention de vingt-cinq millions de dollars et la concession de vingt-cinq millions d'acres de terre rendaient en fait la compagnie et le gouvernement copropriétaires de l'énorme patrimoine du nord-ouest. Et ce n'étaient là que les premiers engagements d'une association qui allait devenir de plus en plus étroite avec le temps. Le gouvernement comptait sur le chemin de fer pour réaliser ses objectifs nationaux. Le chemin de fer dépendait du gouvernement dont il tirait son soutien financier et sa protection politique. Aux termes du contrat, le chemin de fer était exempté de presque toute forme de taxation. Il avait l'autorisation d'importer hors taxe les matériaux dont il avait besoin. Il avait la liberté de construire toutes les lignes secondaires qu'il jugeait utiles. Une des clauses les plus controversées du contrat le protégeait entièrement de toute concurrence venue du sud de la frontière. Cette fameuse clause portait la mention suivante: "Pendant vingt ans, à compter de cette date, le Parlement du Dominion ne délivrera aucun permis de construire des voies ferrées au sud du Canadien Pacifique, sauf pour des lignes en direction du sud-ouest ou à l'ouest du sud-ouest; de la même façon, aucune ligne ne sera construite à moins de quinze milles du 49e degré de latitude [35]."

Stephen accorda, dès le début, une énorme importance à cette clause appelée "clause de monopole". Il la considérait comme l'expression sur le plan ferroviaire de ce grand principe de politique nationale qu'était le protectionnisme. "Quelle serait, pensez-vous", écrivit-il franchement à Macdonald trois jours avant la signature du contrat, "la position du CPR ou de ceux qui en sont propriétaires et qui ont charge de le faire fonctionner s'il se heurtait à Winnipeg ou en tout autre point situé plus à l'ouest, à une ou plusieurs lignes qui se dirigeraient vers la frontière des États-Unis? Dans pareil cas, quel serait le sens de la ligne du CPR de Winnipeg à Ottawa? Aucun homme sensé ne donnerait le moindre dollar pour toute la ligne à l'ouest de Winnipeg. Il est inutile que j'insiste. Il doit être clair, pour vous, que *toutes les lignes sans exception*, au sud du CPR et se dirigeant vers la frontière, doivent appartenir au CPR et être sous son contrôle, sinon le CPR sera étouffé. Si certains de mes amis en doutaient, je préférerais ne pas m'associer à eux. Je n'ai pas besoin de vous le dire: maintenant que cette affaire m'intéresse, je n'aimerais pas être obligé de l'abandonner [36]."

Macdonald s'en rendait compte, il ne serait pas bon d'amener Stephen à abandonner. Depuis les treize ans que durait la Confédération, sa compagnie était la seule compagnie valable susceptible de réussir qui se fût présentée à lui pour demander l'autorisation de construire le chemin de fer. Il fallait lui faire des concessions. Ces concessions étaient essentielles pour que cette compagnie réussisse sur le plan économique. Mais en même temps, et Macdonald s'en rendait compte, chaque concession rendait sa tâche beaucoup plus difficile sur le plan politique. Les privilèges, les pouvoirs, les exemptions du chemin de fer étaient tels que l'Opposition pouvait facilement les présenter comme un monopole gigantesque et écrasant. Les termes mêmes du contrat pouvaient servir pour donner de la compagnie l'image d'un État dans l'État. Pourtant sur le coup, cela ne restait qu'un contrat, une réalité qui n'avait qu'une existence fragile sur papier. Des années allaient passer, bien des choses allaient se produire avant que le chemin de fer ne prenne la forme concrète d'un long serpent d'acier qui traverserait le pays. Jusqu'à ce que le Pacifique soit atteint, l'association nécessaire mais embarrassante entre le gouvernement et le chemin de fer devait se poursuivre. Macdonald devait porter deux fardeaux. Il resterait dépendant et inquiet jusqu'au parachèvement de l'énorme entreprise. Il ne pouvait renoncer avant que le Canadien Pacifique ne fût terminé. Survivrait-il à l'épreuve? Il se faisait vieux. Sa santé n'était pas très bonne. Mais il avait trouvé en George Stephen un collaborateur extraordinairement doué. Il l'avait choisi de propos délibéré. Son choix était même meilleur qu'il n'aurait pu le penser. Stephen était peut-être le plus grand génie créateur de toute l'histoire financière canadienne.

## IV

La société ne pouvait rien faire avant d'être incorporée et avant que sa charte ne lui fût accordée. Stephen importunait Macdonald pour que le Parlement se réunisse le plus vite possible. La session s'ouvrit le 9 décembre, deux bons mois plus tôt que d'habitude. Tout au long des épuisantes négociations de l'été et l'automne, la santé de Macdonald était restée étonnamment bonne. Mais maintenant la tension commençait à se faire sentir. Il tomba de nouveau malade [37]. Au début, il ne fit que peu de cas de ses malaises. Il assura Louisa que ce n'était qu'une crise de foie et s'en prit aux "erreurs des journalistes" qui amplifiaient toujours ses maux les plus légers [38]. Le docteur Grant lui conseilla pourtant de ne pas assister aux cérémonies d'ouverture du Parlement et le gouverneur général envoya un aimable billet à Macdonald pour le prier de suivre les conseils de son médecin [39]. C'est Tupper, ministre des Chemins de fer et des canaux qui, le 14 décembre, prit la parole pour demander l'adoption des deux résolu-

Tiré de *Recollections of Sixty Years in Canada* de Tupper

Sir Charles Tupper

tions de base du projet de chemin de fer, soit l'approbation de la subvention en espèces et la concession de terres au Canadien Pacifique [40]. Macdonald était présent pour écouter la première présentation officielle du projet gouvernemental, mais il ne prit pas la peine d'être là lorsque Blake et Cartwright attaquèrent longuement et passionnément le contrat. Il n'était pas encore tout à fait rétabli au moment de l'ajournement de la Chambre pour la brève périodes des Fêtes. Hugh, sa femme et leur petite fille Daisy vinrent passer leurs vacances de Noël à Ottawa [41]. Macdonald vit sa fille Mary, qui ne deviendrait jamais tout à fait adulte, s'amuser avec sa petite-fille, pourtant bien plus jeune. Ce court répit lui fit un peu de bien. Il dit à sa soeur qu'il allait "assez bien maintenant". Mais quand la Chambre reprit ses travaux, beaucoup trop vite, le 4 janvier, il suivit les ordres du docteur Grant et pendant quelque temps resta le plus possible chez lui, en évitant de s'exposer au froid [42].

Pendant ce temps, l'opposition au projet de contrat avait gagné en force et violence. L'exemption de taxe dont bénéficiait la compagnie, le privilège qu'elle avait d'importer des matériaux hors taxe, son contrôle sur tout le trafic du nord-ouest, étaient les points vulnérables de l'accord qui inquiétaient même des membres du Cabinet originaires de l'Ontario aussi valables que Campbell et Macpherson. Blake, Cartwright et Laurier continuaient d'attaquer ces concessions assez difficiles à défendre. Mais l'Opposition ne limitait pas ses attaques aux éléments du contrat contestables de l'avis général. La critique était à la fois plus positive et plus fondamentale. Une fois encore, comme au moment de la bataille sur les taxes à l'importation, les libéraux s'opposaient de façon fondamentale à toute l'idée que se faisait Macdonald de l'avenir du Canada. À l'idée de politique nationale, ils opposaient le principe du libre-échange international. Au chemin de fer totalement canadien, ils opposaient maintenant l'idée d'un système de transport à l'échelle continentale. Ce serait une folie monstrueuse, soutenaient Blake et Cartwright, que de construire un chemin de fer dans cette région sauvage et dépourvue de richesse qui se trouvait au nord des Grands Lacs. Il fallait renoncer sur-le-champ à cette idée absurde et criminelle née du nationalisme. Il fallait que le Canadien Pacifique se fraie un chemin en territoire américain et au sud des Grands Lacs [43].

Sa position continentale et antinationale donna au Parti libéral ses principaux alliés et lui fournit ses meilleurs arguments dans la bataille prolongée qu'il mena contre le projet du Canadien Pacifique. L'itinéraire que bénissaient publiquement les dirigeants libéraux était celui que le Grand Trunk Railway avait toujours défendu, celui que les compagnies de chemin de fer américaines existantes, au nombre desquelles le St. Paul, Minneapolis and Manitoba, s'étaient déjà approprié. Les puissants intérêts qui, aux États-Unis et en Angleterre, étaient déterminés à s'opposer à un chemin de fer transcontinental canadien aidèrent Blake et ses partisans.

Les grandes agences de presse américaines commencèrent à rendre compte de la plus flatteuse façon des discours de l'Opposition loyale de Sa Majesté à Ottawa. Le Grand Trunk Railway dont l'influence en Angleterre était considérable et qui disposait de nombreux appuis dans les journaux de Québec et d'Ottawa, fit tout son possible pour que les critiques des libéraux contre le Canadien Pacifique reçoivent la plus grande publicité possible. "Rapports dans presse anglaise mentionnent seulement agissements Opposition", câblait John Rose consterné depuis Londres. "Aucune mention autre côté. Suggère voir Associated Press [44]." Macdonald dut sourire avec tristesse. Il avait déjà connu la même situation bien souvent. L'Associated Press fournissait sans doute à l'Angleterre toute une série de câbles partisans et peu flatteurs. Il était très possible d'imaginer qu'en secret le *Globe* de Toronto, le *Times* de Londres et l'Associated Press américaine fussent devenus d'officieux et très efficaces alliés pour attaquer le Canadien Pacifique et le gouvernement qui avait parrainé le projet. Mais que faire? Macdonald avait souvent essayé de trouver en Angleterre une oreille impartiale qui puisse juger du Canada sans parti-pris. Il avait échoué.

L'opposition libérale atteint son sommet vers le milieu de janvier, au moment où une offre rivale et véritablement plus intéressante fut déposée pour construire le chemin de fer. Elle venait d'un groupe de capitalistes canadiens qui pour la plupart résidaient en Ontario et qui se disaient prêts à accepter une subvention en espèces moins importante et une concession de terres moindre que ce qu'avaient demandé Stephen et ses associés. Les nouveaux soumissionnaires se déclaraient prêts à se passer de toutes les exemptions et de tous les privilèges qui avaient soulevé tant de critiques contre le contrat originel. Pour Macdonald, cette proposition était une manoeuvre frauduleuse évidente et le résultat d'une politique partisane. Il n'avait que peu participé au débat jusque-là. Par contre, le lundi 17 janvier, dès que Tupper eut officiellement présenté la nouvelle offre à la Chambre, il se leva pour défendre longuement le projet gouvernemental et pour calmer les doutes croissants de ses partisans. Il commença par rappeler les prises de position de l'opposition libérale jusqu'au moment où cette nouvelle offre avait été présentée. "Ces messieurs d'en face, dit-il, nous ont joué tour à tour la tragédie, la comédie et la farce. Monsieur le président, tout a commencée par la tragédie. On a prétendu que le contrat était excessif et la somme d'argent à verser énorme. Nous donnions toutes les terres du nord-ouest (...) c'était la tragédie (...) La comédie, c'est que chacun des discours de ces honorables messieurs a prouvé que l'an dernier, ou celui d'avant, ils pensaient noir ce qu'ils disent aujourd'hui blanc (...) Et enfin, monsieur, ils donnent dans la farce. Aujourd'hui, ils choisissent la farce. La tragédie et la comédie ont assez bien réussi; mais, devant cet auditoire impartial, la farce, j'en ai peur, pour employer une expression de théâtre, aura du mal à passer [45]."

Il fit tout son possible pour qu'elle ne passe pas. La nouvelle proposition, affirma-t-il, est une imposture sans fondement mise au point à Ottawa par des gens qui étaient plus politiciens que capitalistes et qui pensaient plus à la politique qu'aux transports. Par certains aspects, cette offre paraissait, c'est vrai, meilleure que le projet présenté par le gouvernement. Mais il était facile d'expliquer pourquoi: les irresponsables auteurs de cette nouvelle proposition n'avaient pas le moindre espoir d'être choisis pour construire le chemin de fer. Ils pouvaient promettre n'importe quoi. Ils étaient parfaitement libres de présenter les conditions les plus absurdes. On pouvait rejeter dédaigneusement la plus grande partie de ce nouveau projet, car c'était du bluff pur et simple. Les seuls points qui lui donnaient un semblant de pertinence étaient précisément ceux que tout patriote canadien devait rejeter de façon catégorique. La nouvelle offre, déclara Macdonald, ne visait pas du tout à construire un chemin de fer transcontinental canadien, mais un tronçon de chemin de fer relié aux réseaux américains et qui permettrait aux États-Unis de s'approprier tout le commerce du nord-ouest canadien. "M. le Président, dit-il pour conclure, toute l'affaire ne vise qu'à faire échouer le projet du Canadien Pacifique. Je puis me fier à l'intelligence de cette Chambre et au patriotisme de ce pays. Plus même qu'à son patriotisme, je puis me fier à son bon sens, pour que soit approuvé le seul projet susceptible de nous donner tout ce que nous désirons, le seul projet qui puisse satisfaire nos légitimes et loyales aspirations, qui puisse nous donner un grand Canada, uni et riche, un pays en constant progrès et en constant développement, et non pas nous rendre tributaires des lois américaines, des chemins de fer américains, des servitudes américaines, des douanes américaines, des transports américains, de tous ces trucs petits et grands auxquels ont recours les chemins de fer américains pour essayer de détruire notre itinéraire [46]..."

"Votre discours", lui écrivit de Toronto J.A. Donaldson le 18 janvier, "a été le seul sujet de conversation dans toute la ville aujourd'hui (...) Les bouchons de champagne ont sauté comme un feu d'artifice continu [47]." Macdonald avait fait un gros effort, car les appels pressants de Stephen et l'énervement de ses partisans l'avaient convaincu qu'un gros effort était nécessaire. Une fois encore, il avait mystérieusement réussi à tirer du fond de son être toute la force dont il avait besoin. "J'étais heureusement en pleine forme et en bonne santé lorsque j'ai parlé, dit-il à Galt, je l'ai fait comme je l'aurais fait il y a vingt ans [48]." Les propos élogieux de ses amis et la satisfaction personnelle qu'il tira de son discours l'aidèrent à continuer. Il espérait toujours tenir le coup jusqu'à la fin de la session. Mais chaque jour sa santé se détériorait. La nécessité de faire adopter le projet de loi sur le Canadien Pacifique était devenu une véritable obsession. "Il m'a fallu tout mon temps, confia-t-il à Galt, uniquement pour redonner courage à ceux qui dans les deux Chambres se faisaient hésitants." Les attaques de l'Opposition étaient de plus en plus sauvages, féroces et continues. "Il était six heures du matin quand je suis arrivé chez moi après la séance à la Chambre", écrivit-il à Lord Lorne le 26 janvier [49]. Le lendemain, les libéraux passèrent toute la nuit à proposer une longue série d'amendements des plus futiles à la motion principale de Tupper. La séance de la Chambre ne fut levée qu'à huit heures du matin [50].

Ce rythme épuisait Macdonald, mais il parvint à le garder. Et, le 1er février, les Communes adoptèrent finalement le projet de loi par cent vingt-huit voix pour et quarante-neuf voix contre. Le lendemain, les télégrammes et les câbles de félicitations commencèrent à affluer. Même le baron Reinach envoya ses félicitations. Mais le message qui fit peut être le plus plaisir à Macdonald fut celui d'Alexander Morris qui vingt ans plus tôt avait prêché la création d'une grande Amérique du Nord britannique et qui en juin 1864 avait aidé Brown et Macdonald à créer la coalition qui avait abouti à la Confédération. "J'écris pour vous féliciter", lui déclarait chaleureusement Morris, "du second triomphe de cette partie de votre vie, le second triomphe après celui de la Confédération. Vous avez maintenant créé le lien qui permettra d'unir indissolublement les provinces et qui nous garantit un avenir et une nationalité britanniques [51]."

C'était terminé, mais la tâche l'avait presque totalement épuisé. Il avait par miracle réussi à rester en bonne santé pendant ces semaines cruciales. Mais soudain la maladie vainquit sa résistance et le terrassa. "Les longues sessions ont fini par avoir raison de moi, écrivit-il à Galt, et j'ai dû garder le lit pendant quinze jours. Je commence seulement à me traîner de ci de là [52]." Il fut incapable d'être présent lorsque le gouverneur général donna solennellement l'assentiment royal au projet de loi, ce projet qui aux yeux de beaucoup, entraînerait probablement la ruine financière et politique de tous ceux qui l'avaient conçu. Alexander Campbell, qui était resté vigilant et avait surveillé les derniers ajustements faits aux termes du projet, se hâta de rapporter à Macdonald le dernier épisode de l'histoire: "Cela vous fera du bien, lui écrivit-il, de savoir que la question du Canadien Pacifique est complètement réglée. Le gouverneur général est venu hier. J'ai pensé qu'il serait plus respectueux d'aller à Rideau Hall plutôt que de lui écrire et je l'ai trouvé assez bien disposé [53]." Lord Lorne avait présidé à l'inauguration d'une nouvelle grande politique nationale du Dominion transcontinental. "Le CPR est enfin un fait acquis", écrivit Macdonald malade et alité à Galt. "Accord royal donné, charte royale accordée dans le cadre de la loi, compagnie organisée, reste maintenant à Stephen et Compagnie à prouver ce qu'ils savent faire [54]."

La première bataille était terminée. Mais elle lui avait coûté très cher. Elle avait sérieusement compromis sa santé et avait duré terriblement longtemps. Stephen, impatient, était parti en Angleterre pour trouver des fonds et encourager le mouvement d'immigration. Il continuait à prétendre dans ses lettres et dans les télégrammes coléreux et violents qu'il envoyait que la "folle" obstruction du "maléfique" Blake et de ses partisans avait retardé d'un an toute l'entreprise du chemin de fer. Macdonald n'était pas enclin à prendre trop au sérieux les exagérations passionnées de Stephen. Par contre, il était conscient que le programme de mise en valeur de l'Ouest avait certainement été retardé. Il était indispensable d'organiser une immigration à grande échelle. Celle-ci était indispensable au succès du Canadien Pacifique et à la réussite de ses propres plans. La conjoncture était bonne. En cette année où les valeurs boursières grimpaient et où l'économie retrouvait un rythme de croissance sain, les immigrants envahiraient sans aucun doute l'ouest comme jamais ils ne l'avaient fait auparavant. Macdonald avait hâte de mettre au point un grand projet concerté et bien articulé de peuplement, en collaboration avec le gouvernement britannique et le Canadien Pacifique. Avant de quitter l'Angleterre au mois de septembre précédent, il avait remis un long mémorandum confidentiel à ce sujet au secrétaire aux Colonies.

Il avait compté sur Galt pour faire progresser le dossier. Mais Galt le déçut. Le haut commissaire avait passé l'automne et l'hiver à essayer vainement d'intéresser le Cabinet britannique à la création d'une société d'immigration subventionnée par le gouvernement anglais. En fin de compte, il en vint à la triste conclusion que Gladstone ne consentirait jamais à investir un seul denier public dans le projet [55]. Stephen, moins facile à décourager, n'eut pas plus de succès. Pour finir, lui aussi décida qu'il valait mieux laisser la campagne en suspens pendant quelque temps pour la reprendre à l'automne. "Il faut du temps", écrivit-il avec résignation, "pour créer quelque chose dans ce pays si lent [56]." Une autre saison venait de s'achever et tout un volet de la politique de Macdonald en vue du développement de l'Ouest avait à peine été abordé. Pourtant ses collègues et lui semblaient épuisés. Tupper était malade. John Henry Pope était malade. Galt, dégoûté du climat anglais, du coût de la vie en Angleterre et de ses lamentables échecs auprès du gouvernement anglais demandait avec insistance qu'on lui permit de démissionner de son poste.

Et le pire, c'est que Macdonald lui-même ne parvenait pas à se rétablir. Le Parlement fut prorogé le 21 mars et il assista à la séance de clôture. "La semaine dernière nous avons tenu une réunion du caucus avant de nous séparer, écrivit-il à Tupper, l'atmosphère était des plus enthousiastes et je les ai sermonnés pour qu'ils travaillent plus au niveau de leurs comtés [57]." Ce fut son dernier grand effort de la saison. Quelques jours après la cérémonie de clôture, il eut soudain une rechute sérieuse. "Sans raison apparemment", écrivit-il un peu plus tard à Tupper, "la maladie m'a brusquement terrassé, pouls à 49, une grande douleur et des problèmes de foie et d'intestin [58]." Le docteur Grant semblait vraiment très alarmé. Certaines des complications de la maladie de Macdonald dépassaient ses compétences. C'est la raison pour laquelle il avait peut-être tendance à se montrer pessimiste et décourageant. Il ne cessait de s'inquiéter nerveusement de l'état de santé de son malade. Il lui découvrait de nouveaux symptômes et parvenait à de nouveaux diagnostics de plus en plus inquiétants. Il dit franchement à son patient qu'il souffrait peut-être d'une affection cancéreuse de l'estomac et qu'il ferait bien de mettre ses affaires en ordre [59]. Macdonald était incapable de prendre ces tristes mises en garde au sérieux. Certains jours, il se sentait assez bien. Il lui arrivait de quitter sa chambre. Une fois au moins, les ministres se réunirent autour de la table de la salle à manger et tinrent un conseil de Cabinet à Stadacona Hall [60]. Mais l'amélioration de l'état de santé de Macdonald n'était ni continue ni régulière. Le temps passait. Mai succéda à avril et il se sentait toujours aussi affreusement faible et fatigué. Sa soeur Louisa vint de Kingston pour lui rendre une courte visite. Son état l'effraya. "Jusqu'aujourd'hui je n'avais jamais vu John ressembler à un vieil homme", écrivit-elle au professeur Williamson. "Ses cheveux maintenant sont presque gris [61]."

Agnes, Hugh et Louisa étaient convaincus qu'il devait partir en Angleterre dès qu'il serait assez fort pour voyager afin d'y bénéficier de meilleurs soins médicaux et afin d'y prendre un repos complet. Les ministres acceptèrent à l'unanimité. "Mes collègues, *en masse*,* insistent pour que je traverse la mer, écrivit-il à Tupper, et je pense le faire au milieu de mai." Son état, il s'en rendait compte, était beaucoup plus sérieux qu'il l'avait jamais été depuis la terrible maladie qui l'avait terrassé dix ans plus tôt. Pourtant, malgré sa faiblesse et la précarité de son avenir, Macdonald ne pensait pas le moins du monde abandonner sa tâche. Le *Globe*, avec sa tendre sollicitude habituelle, annonça qu'il était difficile maintenant d'espérer que Macdonald se rétablisse et qu'il partait pour une période illimitée "laissant le Parti sans chef et déchiré par les problèmes de sa succession". Macdonald autorisa C. W. Bunting qui avait réussi à prendre le contrôle du *Mail* de Toronto à réfuter publiquement ces insinuations [62]. En privé, il continuait de faire des projets pour l'avenir du pays et du Parti comme s'il espérait rester indéfiniment en poste. Il supplia Tupper de rentrer en hâte, car il était inquiet de la performance des conservateurs dans les prochaines élections qui devaient avoir lieu dans les Provinces Maritimes [63]. Il assura Stephen qu'il avait l'intention de profiter de son séjour en Angleterre pour avoir une longue conversation avec Bright, Gladstone et W. E. Forster, le secrétaire aux Affaires d'Irlande, à propos de l'immigration [64].

Moins d'un an plus tôt, il était fermement décidé à démissionner. Mais à présent, même si son état physique était pire qu'avant, l'idée de la retraite ne traversait apparemment plus son esprit. C'était étrange mais c'était ainsi. Le Canadien Pacifique avait d'une certaine façon affermi sa détermination. Il ne voulait pas admettre qu'il était un homme fini. Il ne pouvait laisser tomber Stephen. Il resterait jusqu'au moment où il serait

---

*N.D.T.: en français dans le texte.

sûr que le chemin de fer serait terminé. “En ce qui me concerne, dit-il à Tupper, ma seule ambition consiste à veiller à ce que notre politique ne soit pas remise en question et à faire en sorte que la politique nationale et le CPR soient sauvegardés de 1883 à 1888 [65].”

Macdonald s'embarqua à Québec le 21 mai. Huit jours plus tard, il était à Liverpool.

## V

Les conclusions du médecin qu'il consulta furent les premières conséquences bénéfiques de son voyage. Le docteur Andrew Clark ne voulut pas que Macdonald se déplace pour venir le voir. Il vint lui-même au Batt's Hotel. Le 1er juin, il l'examina longuement et en détail. L'examen se révéla meilleur que tout ce qu'il pouvait espérer. Clark dit à Macdonald et à Galt qui, inquiet, se tenait un peu en retrait, qu'il n'y avait aucun signe de maladie organique et qu'il n'en craignait pas vraiment. Le médecin admit cependant que Macdonald souffrait d'un grand dérangement fonctionnel. “Je souffre”, rapporta Macdonald à Tupper après l'examen, “de catarrhe de l'estomac et d'une tendance générale à la goutte, sans toutefois avoir la goutte [66].” Clark lui prescrivit un régime strict et simple sans autre forme de traitement. Après la longue épreuve qu'il venait de traverser, le plus important pour lui était de se reposer.

Mais le repos était bien la dernière chose dont Macdonald pouvait espérer bénéficier, s'il restait dans cet hôtel de Londres à la merci de toute une série de visiteurs. Galt lui conseilla de quitter la ville le plus vite possible [67]. Agnes et Hewitt Bernard commencèrent à chercher hors de la ville un endroit convenable où il pourrait trouver la solitude dont il avait besoin. Pour finir, ils louèrent pour quelques mois Denmark House, une maison meublée située à Upper Norwood. Cette banlieue était paisible et tranquille. L'air y était pur et il était facile de se rendre à Londres. Comme Macdonald l'expliqua à Lord Lorne, lorsqu'il pleuvait il pouvait se promener dans le Crystal Palace tout proche [68]. Au moment où ils emménagèrent, Macdonald était toujours extrêmement faible. Comble de malheur, il avait attrapé un mauvais rhume à son arrivée en Angleterre et ne semblait pas pouvoir s'en défaire [69]. Pendant quelque temps, Clark lui rendit visite tous les jours et continua à l'examiner régulièrement au stéthoscope. Le docteur était de toute évidence inquiet, mais il affirmait toujours que les choses iraient bientôt beaucoup mieux.

Juillet arriva. Macdonald était en Angleterre depuis près de six semaines et la catarrhe de sa poitrine et de son estomac le gênait toujours. “Je suis le régime que m'a prescrit le docteur Clark par écrit, écrivit-il à Alexander Campbell, j'évite autant que possible toutes les invitations, à moins d'y être vraiment obligé [70]." Mais ces obligations semblaient assez nombreuses. Le duc d'Argyll donna un dîner en l'honneur des Macdonald et ils déjeunèrent avec la princesse Louise, marquise de Lorne, qui était en visite en Angleterre. Il y eut d'autres réceptions chez les Gladstone et les Salisbury. "Vous direz que la liste est assez longue pour un malade (...)", admit-il à l'intention de Campbell. Mais le malade semblait profiter de ces agréables diversions presque autant que de la vie calme et régulière d'Upper Norwood. Son état de santé fit des progrès réguliers et rapides. Il reprit le genre de vie qu'il avait adopté lors de ses précédents séjours en Angleterre et qu'Agnes et lui appréciaient tant. Il participa à des dîners, alla au théâtre, rencontra ses amis et ses connaissances des deux partis politiques. Il assista à une réception royale et à un bal d'État. Le temps fut sec, ensoleillé et même quelquefois très chaud pendant une bonne partie de l'été. Il y eut des garden-parties, des week-ends à la campagne, de somptueuses réceptions avec la Draper's Company et le Lord Maire. Le 21 juillet à Wimbledon, il participa à une fête en l'honneur de l'équipe canadienne de tireurs d'élite qui avait gagné la coupe Kolapore la veille.[71]

Mais même au milieu de ce repos si durement gagné, Macdonald ne négligeait pas les intérêts du Canada. L'immigration restait son principal souci. Il en parla longuement avec Kimberley. Il essaya d'en glisser un mot à Gladstone. Il se rendit à Lansdowne House pour en discuter officieusement avec le marquis de Lansdowne et un groupe de grands propriétaires terriens irlandais. Il demanda au cardinal Manning le soutien de la hiérarchie catholique irlandaise pour un projet d'émigration qui bénéficierait de l'aide gouvernementale et qui viserait l'Irlande du Sud [72]. Mais le gouvernement Gladstone n'était pas enthousiaste. Tout au plus acceptait-il, pour venir en aide à la colonisation outre-mer, de prévoir dans l'Irish Land Act une petite subvention pour aider les paysans irlandais qui le désiraient à immigrer. Les Canadiens trouvaient la somme prévue dérisoire. D'autant plus que tous les candidats à l'émigration pouvaient en bénéficier, aussi bien ceux qui avaient l'intention de s'établir à l'étranger que ceux qui désiraient s'installer dans les colonies britanniques. Lord Carnarvon suggéra que Macdonald assistât au débat sur le projet de loi en Chambre des Lords avec l'espoir que son témoignage puisse inspirer un amendement favorable au Canada. Mais au début d'août, la clause passa sans difficulté et sans modification, au grand désappointement de Carnarvon et de Macdonald, et à la grande colère d'un Galt totalement découragé [73].

Dans l'ensemble, cet été en Angleterre fut pourtant extrêmement joyeux. Presque tous les courriers du Canada apportaient des nouvelles rassurantes. Tupper menait une rude campagne électorale et se donnait à corps perdu pour remporter les élections partielles de Nouvelle-Écosse. Le 18 juin, victoires dignes de la bataille de Waterloo, selon l'expression de Macpherson, les conservateurs remportèrent les deux circonscriptions de

Colchester et de Pictou. Tupper et Tilley prononcèrent une série de discours après ces succès. Lors d'assemblées politiques au Nouveau-Brunswick, Tupper, qui ne sous-estimait jamais les conséquences bénéfiques de ses propres efforts, prédit avec confiance que "le Nouveau-Brunswick nous serait favorable s'il y avait une élection demain" [74]. "Les chances du gouvernement sont extraordinaires ici", assurait joyeusement Alexander Campbell à Macdonald, "nous remportons les élections, la prospérité continue aussi bien dans les affaires que dans les centres industriels et il y a toute raison de croire jusqu'à présent que la récolte sera bonne (...) [75]." Que pouvait désirer de plus Macdonald? Il n'y avait absolument aucune raison, insista le Cabinet à l'unanimité, pour qu'il rentre plus tôt que prévu. Tilley, Macpherson et Campbell, tous le pressaient de prolonger son séjour jusqu'au milieu d'octobre. "C'est ce qu'il y a de mieux à faire, lui écrivit Campbell, à la fois pour vous et pour le pays [76]."

Macdonald réserva néanmoins sa place de retour pour le 8 septembre. Il savait qu'il devait rentrer. George Stephen ne cacha pas sa joie d'apprendre son retour prochain. La satisfaction de celui-ci était significative. Le Canadien Pacifique venait à peine de se lancer dans la longue lutte et le long effort qui allait précéder son parachèvement. Il faudrait sans doute pour mener l'entreprise à terme les dix années prévues au contrat. Il se pouvait que Macdonald n'en voit jamais la fin. Mais il était décidé à veiller au progrès de sa grande création tant qu'il en était capable. Il fallait qu'il gagne les prochaines élections générales. Il lui fallait le pouvoir pendant cinq ans encore. "Mon seul plaisir à présent est le travail, avoua-t-il à Alexander Campbell, et il en sera de même jusqu'à la fin du chapitre [77]."

## Chapitre dix

# Les jours fastes

### I

Pendant le voyage de retour, Macdonald présida un concert donné sur le navire, le *Sardinian*. "Sa première apparition publique", annonçait fièrement le programme [1]. Quand le bateau accosta à Québec le samedi 17 septembre, ses yeux vifs et sa prestance convainquirent les Canadiens qu'il était plus déterminé que jamais. Tout le monde remarqua qu'il avait bien meilleure mine. Il avait retrouvé son ancien entrain. Il n'avait pas changé, comme les correspondants de presse en informèrent leurs lecteurs [2]. Il se dépêcha de regagner Ottawa. Il reprit contact avec sa facilité habituelle et sans le moindre effort avec les réalités du pays et l'état d'esprit de ses concitoyens. Il se rendit compte que sa santé retrouvée correspondait à la bonne humeur exubérante du pays tout entier. Loin de montrer des signes d'essoufflement, le boom économique était de toute évidence à son point culminant. Les immigrants avaient afflué dans l'Ouest pendant tout l'été. Le recensement décennal de l'été 1881 avait révélé que la population de la province du Manitoba était passée en dix ans de 18 995 à 65 594 habitants [3]. Une vraie folie de spéculation foncière, quelque chose d'étrangement nouveau dans l'histoire de l'Amérique du Nord britannique, s'était emparée de Winnipeg. Dans les villes de l'Est, même si celles-ci étaient plus calmes que le jeune Ouest survolté, les affaires étaient de toute évidence florissantes. David Macpherson, que Macdonald considérait comme un juge impartial en la matière, résuma le sentiment général et dit un peu à regret que ç'aurait été une bonne année pour tenir des élections générales. "Si les circonstances sont aussi favorables l'année prochaine, suggéra-t-il, pourquoi ne pas les organiser alors?" [4]

Et pourquoi pas? Macdonald commença à préparer la convention libérale conservatrice qui devait se réunir à Toronto à la fin de novembre. Ce devait être la première mise au point stratégique d'une campagne nationale qui se rapprochait. En même temps, il se mit à étudier en profondeur la situation du Canadien Pacifique. Les premières opérations de l'été étaient terminées. L'organisation créée grâce au génie de Georges Stephen était aux prises avec les problèmes fondamentaux de sa mission. Les décisions essentielles se prenaient une à une. La stratégie d'ensemble du chemin de fer devenait de plus en plus claire et précise. Il était évident qu'à l'extrême-ouest les directeurs envisageaient un itinéraire beaucoup plus méridional qu'il n'avait été initialement prévu [5]. Une ligne principale allant en direction de la future Calgary plutôt qu'en direction du futur Edmonton, aurait l'avantage à la fois de mieux protéger les intérêts canadiens en matière ferroviaire et leur faciliteraient la lutte dans leur rivalité avec les Américains pour s'approprier la circulation au sud de la frontière. Ce changement de direction nécessitait que l'on renonce à faire passer la ligne à travers la passe de Yellowhead et que l'on abandonne la route du nord relativement facile. Il fallait découvrir un nouveau chemin à travers les Rocheuses et les monts Selkirk. Ce fut l'innovation la plus osée, mais non la seule, de la compagnie pendant sa première année d'opération. Il y eut un autre changement presque aussi important au nord du lac Supérieur. Dans cette région, on avait d'abord prévu, suivant en cela le premier arpentage de Sandford Fleming, de pénétrer loin à l'intérieur des terres, au nord du lac Nipigon. Mais par souci d'économie et pour aller plus vite, Stephen et ses directeurs décidèrent de descendre plus au sud et de construire la voie ferrée le long du lac Supérieur. L'idée de départ, qui fut plus tard abandonnée, était de suivre le bord du lac d'un bout à l'autre, puis d'intégrer à la ligne principale le tronçon qu'ils avaient l'intention de construire en direction du Sault-Sainte-Marie. Ce changement radical, expliquait Stephen d'une manière persuasive, permettrait de diminuer les coûts et de gagner du temps [6]. Il permettrait peut-être à la compagnie d'atteindre le Pacifique en cinq ans seulement.

Macdonald était conscient des avantages du "nouveau départ" que proposait Stephen. Il avait été le partisan tenace et obstiné d'un tracé au nord du lac Supérieur. Il en avait soutenu la thèse sans aucune restriction comme si elle était absolument nécessaire pour le parachèvement d'un chemin de fer transcontinental national. Les officiels du Grand Trunk Railway avaient rejetée l'idée avec doute et scepticisme. Au début, même George Stephen ne la considérait qu'avec appréhension. Mais dans l'année qui suivit la signature du contrat, Stephen changea complètement d'avis. Dans l'enthousiasme de son travail, il commença à se rendre compte des potentialités énormes d'un itinéraire exclusivement canadien. "Je suis sûr que vous serez heureux de me l'entendre dire", écrivit-il à Macdonald, "car je ne pense pas, n'eut été *votre* ténacité, qu'une ligne au nord du Lac ait *jamais* été construite [7]." Macdonald avait toujours prétendu que c'était cette ligne qu'il fallait construire. Mais les coûts et l'effort que cela représentait étaient énormes. C'était une tâche qui risquait de durer interminablement, d'épuiser la patience des Canadiens, de ruiner la compagnie de chemin de fer et de détruire son propre gouvernement. Cette pensée lui avait hanté l'esprit. Mais à présent ne pouvait-il se défaire de ses craintes? L'itinéraire qui longeait le lac Supérieur pouvait diminuer de moitié le travail au nord de celui-ci. Il y avait moyen d'achever le chemin de fer en 1886.

Macdonald devint donc adepte du "nouveau départ" [8]. Ses chances et celles du chemin de fer s'en trouvaient améliorées. Mais en même temps, ce changement, ainsi que d'autres événements survenus depuis la signature du contrat, contribuait à rendre plus vive l'opposition au transcontinental canadien. Il devenait de plus en plus clair et de plus en plus sûr que ce train transcontinental allait devenir un véritable transcontinental canadien. Il allait atteindre l'océan Pacifique en traversant un territoire qui aurait facilement pu devenir le monopole du Northern Pacific. Il était obligé de se frayer un accès jusqu'à l'océan Atlantique à travers une région depuis longtemps colonisée et dominée jusqu'alors par le réseau du Grand Trunk. Pour ces deux compagnies rivales, il devenait chaque jour plus clair que le Canadien Pacifique serait un dangereux concurrent. En Ontario, au Québec et à Londres, le Grand Trunk se mit à mobiliser ses forces et à organiser sa propagande. La compagnie pouvait se permettre de prendre son temps, car elle était déjà solidement implantée dans les territoires contestés. Mais le Northern Pacific ne pouvait se permettre de perdre son temps aussi délibérément. Si le Northern Pacific ne réussissait pas à pénétrer rapidement au Canada, ses espoirs de s'emparer d'une part importante du trafic ferroviaire disparaissaient. Il devait agir, et agir immédiatement.

C'est avec un malaise croissant que Macdonald voyait prospérer le Northern Pacific. Il avait de bonnes raisons de s'inquiéter. Le chemin de fer qui pendant plusieurs longues années avait été ébranlé par de sérieuses difficultés financières, fut réorganisé, bénéficia de nouveaux capitaux et commença très rapidement à s'étendre en direction de l'ouest. Comme des tentacules, ses lignes commençaient à progresser en direction de la frontière internationale. Si le Northern Pacific réussissait à obtenir le soutien de quelque province canadienne qui manquait d'argent et qui disposait d'un réseau ferroviaire provincial, ou s'il pouvait prendre le contrôle de quelque compagnie ferroviaire canadienne dotée d'une charte et ayant une ligne à demi construite qu'elle souhaiterait vendre à bon compte, alors d'un bond il se retrouverait de l'autre côté de la frontière en territoire canadien. Macdonald savait qu'il y avait au Manitoba deux ou trois petits chemins de fer qui seraient faciles à relier au Northern Pacific sans que le Canadien Pacifique y puisse rien. Il savait aussi que la province de Québec dont les finances avaient été saines jusque-là connaissait maintenant de grosses difficultés budgétaires et désirait se débarrasser du fardeau de son réseau ferroviaire provincial, le Québec, Montréal, Ottawa and Occidental Railway. Chapleau, le Premier ministre de la Province, avait annoncé carrément qu'il avait l'intention de le vendre au plus offrant. Et s'il vendait les lignes du Québec au Northern Pacific?

C'était une perspective assez effrayante. Cela représentait une lourde menace pour le Canadien Pacifique, comme Macdonald le dit à Stephen. S'il acquérait le chemin de fer provincial du Québec, le Northern Pacific se trouverait en position de force au coeur du Canada central. Il posséderait la seule voie d'accès à l'océan Atlantique et s'il prolongeait ses lignes canadiennes à travers le nord de l'Ontario, à Sault Ste-Marie, il pourrait relier celles-ci à la partie américaine de son réseau. Tout cela était inquiétant. Mais ce n'était pas le seul malheur qui pouvait découler de ce déplorable transfert de biens canadiens à des Américains. Le Northern Pacific, en prenant en charge le fardeau financier d'un Québec en détresse, s'attirerait la confiance, non seulement de la législature provinciale, mais aussi des membres conservateurs du Parlement d'Ottawa. Il était dès lors possible que le bloc canadien-français à Ottawa s'efforce d'empêcher le gouvernement du Dominion de rejeter les législations que le Manitoba essaierait certainement d'adopter pour autoriser ses chemins de fer provinciaux à se développer jusqu'à la frontière internationale. "Les gens du Northern Pacific, écrivit gravement Macdonald à Stephen, sont très pressés de pénétrer au Manitoba et dans le nord-ouest et ils pensent qu'en venant à la rescousse de la Province au moment où les groupes financiers sont mal disposés, ils s'assureront un solide appui de la part du bloc québécois à la Chambre des Communes qui s'opposera à tout veto s'élevant contre une éventuelle législation provinciale manitobaine destinée à protéger les intérêts de la ligne du Northern Pacific" [9].

Il n'y avait qu'une seule chose à faire, Macdonald le savait. Il fallait empêcher rapidement et fermement les chemins de fer du Manitoba de se relier aux lignes du Northern Pacific. Il fallait persuader Stephen d'empêcher le Québec, Montréal, Ottawa and Occidental Railway de tomber entre les mains de son grand rival américain. Macdonald écrivit à Stephen pour le mettre au courant des sinistres rumeurs qui couraient. Il dit à Chapleau que le gouvernement du Dominion préfèrerait que ce fût le Canadien Pacifique qui acquît les lignes du Québec, soit en les achetant, soit en les louant [10]. Dans l'intervalle, le gouvernement, essayait avec rapidité et efficacité d'éviter toute incursion à travers la province du Manitoba sur le territoire du transcontinental canadien. En novembre, Charles Tupper, en tant que ministre des Chemins de fer et des canaux fit un rapport défavorable sur le Manitoba and South Eastern Railway. Au début de l'année suivante, sa charte ne fut pas renouvelée. Macdonald n'avait ni doute ni hésitation. Il fallait protéger le Canadien Pacifique et il faudrait le protéger longtemps des incursions en provenance du sud. Le Dominion était décidé à tenir bon. Il en avait le pouvoir. Et John Norquay, le Premier ministre du Manitoba, avait accepté en privé quelque temps auparavant de faire tout son possible pour empêcher les interventions de sa province qui iraient à l'encontre de la politique ferroviaire du Dominion [11]. "Quant aux cris contre le monopole", écrivit fermement Macdonald, "ils sont sans fondements."

Ils étaient sans fondements, mais ils étaient dangereux et susceptibles de poser des problèmes. Ce n'était pas le moment de se quereller avec la première province de la Prairie. Pourtant comment Macdonald pouvait-il l'éviter, compte tenu de ses choix en matière de politique nationale et de ses engagements envers le Canadien Pacifique? Cela faisait à peine trois ans que le Manitoba connaissait les commodités du transport à vapeur. La Province avait une vorace envie de chemins de fer. Il ne fallait pas espérer qu'elle continuât de se contenter de la ligne principale du Canadien Pacifique et de la ligne principale du St-Paul Minneapolis and Manitoba Railway. Les Manitobains voudraient certainement promouvoir la colonisation et encourager la compétition dans les transports en créant un véritable réseau de lignes de chemin de fer provinciales. Et nombre de ces lignes pourraient faire — ou être conçues pour faire — la jonction avec le Northern Pacific ou tout autre réseau américain. Combien de chartes le Manitoba accorderait-il à des chemins de fer qui se dirigeraient vers la frontière internationale? Combien de fois Macdonald pourrait-il user du pouvoir de refuser ces chartes? Il considérait l'avenir avec appréhension. Il commençait à se rendre compte que la résistance à son grand projet national serait probablement très grande et très diverse. Il s'était attendu à la compétition économique du Northern Pacific; mais il n'avait pas envisagé que cette compétition pût avoir un lien aussi étroit avec l'opposition politique des provinces canadiennes mécontentes et ambitieuses. Même en cette année de richesse et de prospérité, Macdonald se rendait compte du lent rassemblement des forces qui lui étaient opposées. Le Manitoba, il en était très conscient, était loin d'être la seule province mécontente. La Colombie britannique n'était pas encore tout à fait gagnée à l'idée de la Confédération. Le Québec nourrissait un mécontentement croissant. Mais la province la plus disposée à se rebeller était l'Ontario qui avait littéralement hissé le drapeau rouge de la révolte.

Macdonald était déterminé à se battre pour créer une nation unifiée et un pouvoir central fort. Il n'essaya pas d'éviter l'affrontement avec l'Ontario. En fait, il sembla même l'accueillir avec joie. Oliver Mowat, Premier ministre de la Province, l'ancien stagiaire de Macdonald, était un adversaire avec qui il avait toujours pris vraiment plaisir à se battre. À Toronto, le gouvernement provincial était un gouvernement riche, arrogant et puissant, conscient de l'étendue de son territoire et de l'importance de sa population. L'Ontario se montrait indépendant et revendicateur. Il était sûrement dans l'intérêt national de combattre cette attitude. Depuis trois ans, c'est-à-dire depuis son retour au pouvoir à l'automne 1878, Macdonald avait eu de plus en plus de difficultés à s'entendre avec le gouvernement d'Oliver Mowat. Les disputes avaient porté sur les limites territoriales de l'Ontario et sur l'étendue de la juridiction provinciale. Macdonald estimait que Mowat, en allouant des permis provinciaux d'alcool, avait outrepassé ses droits législatifs en matière de tempérance et de morale publique. Il était convaincu que l'Ontario, en essayant à tout prix d'étendre ses limites au nord et au nord-ouest, revendiquait des territoires sur lesquels il n'avait aucun droit légal ou historique et qui, s'il les obtenait, lui donneraient une prépondérance dangereuse au sein du Dominion. À la loi passée par Mowat en 1877 sur les permis d'alcool, il opposa une loi fédérale, le Canada Temperance Act, l'année suivante. Il refusa d'accepter la sentence arbitrale favorable à l'extension des frontières de l'Ontario qui avait été rendue avec une hâte étrange au cours de l'été 1878 par une commission qu'avait créée le gouvernement libéral, juste un mois avant qu'il ne quittât le pouvoir. Macdonald demandait que toute l'affaire fût portée devant la Commission judiciaire du Conseil privé qui pourrait rendre un jugement légal définitif [12]. Ces disputes s'éternisaient et devenaient de plus en plus exaspérantes. C'est alors que le gouvernement d'Oliver Mowat trouva une autre formidable raison de se plaindre. Au cours de la session de 1881, la législature provinciale avait passé une loi pour réglementer l'utilisation publique des rivières et des cours d'eau ontariens. Comme toutes les mesures législatives provinciales, cette loi fut envoyée à Ottawa et soumise au ministère de la Justice. L'Acte de l'Amérique du Nord britannique donnait au Dominion le pouvoir d'opposer son veto à toute mesure législative provinciale dans l'année qui suivait sa réception à Ottawa. Macdonald s'était toujours dit qu'il userait de ce pouvoir si l'intérêt national l'exigeait [13]. Pour lui — et c'était une de ses convictions les plus intimes — le Canada ne faisait qu'un et toutes ses constituantes avaient des intérêts communs, des droits semblables et des idéaux identiques. "Monsieur le Président", déclara plus tard Macdonald au Parlement au moment du débat pour le rejet de la loi sur les rivières et les cours d'eau, "nous ne sommes pas une demi-douzaine de provinces. Nous sommes un seul grand Dominion [14]." Le Canadien Pacifique présentait un intérêt concret pour tout le Canada. Les droits de propriété devaient être également protégés dans tout le pays. Il ne faisait aucun doute que la protection de ces droits et de ces intérêts contre tout empiètement provincial était un devoir auquel le gouvernement fédéral ne pouvait se dérober.

Selon Macdonald, la loi sur les rivières et les cours d'eau appelait une action énergique du Dominion. Il la considérait comme une mesure législative injuste [15]. Elle mettait à la disposition du public les barrages, les glissoires et autres "améliorations" que des propriétaires avaient construits à leurs frais pour leur bois de flottage. Le projet de loi avait été présenté au moment où un marchand de bois conservateur attaquait en justice un marchand de bois libéral parce que ce dernier avait utilisé des installations qui appartenaient au premier. La loi avait été adoptée par une Assemblée législative en majorité libérale où siégeait un cousin du marchand de bois libéral en question. Pour Macdonald, cette loi était arbitraire. Elle violait de façon outrageante les droits de propriété existants. "Le crédit et la bonne réputation du Canada", dit-il à Meredith, chef de l'Opposition conservatrice en Ontario, "sont, par la force des choses, du ressort du gouvernement et du Parlement qui représentent tout le pays. Quand sa principaple province adopte une loi de confiscation, cette mesure est préjudiciable à tous. Cette loi porte atteinte au crédit et aux intérêts de tous les hommes, de toutes les femmes et de tous les enfants de ce Dominion [16]." C'est pour toutes ces raisons que le gouvernement fédéral avait rejeté la loi sur les rivières et les cours d'eau. Immédiatement, une tempête de protestations déferla sur l'Ontario. Mowat ne semblait pas vouloir se laisser intimider et semblait décidé à ne pas céder sans réagir. De toute évidence, un nouvel affrontement venait d'éclater.

L'Ontario inquiétait Macdonald. Il y pensait beaucoup lorsqu'il se rendit à Toronto vers la fin de novembre pour assister à la convention provinciale des libéraux-conservateurs. Les élections générales étaient assez proches, aussi bien dans la Province que dans le Dominion. Il fallait que les délégués qui étaient venus par centaines de tout l'Ontario retournent dans leurs circonscriptions pleins d'ardeur et de combativité. Macdonald serra des mains, appela les délégués par leur nom, leur parla, les regarda avec sympathie et espoir alors qu'ils écoutaient ses discours et applaudissaient l'adoption des résolutions. À la fin des débats du second jour, ils s'entassèrent à près de mille dans le pavillon des jardins horticoles pour le dîner de clôture pendant lequel Macdonald devait prendre la parole. Des Union Jack couvraient les murs décorés de slogans, de portraits et d'armoiries. Au-dessus de l'estrade, une couronne et l'inscription "God Save the Queen" étaient éclairées au gaz. Les convives se levèrent comme un seul homme lorsqu'il entra et l'orchestre entama "*See the Conquering Hero Comes*".

Son discours portait sur la nation qu'il était en train de créer. Il avait transformé un rêve en réalité. Pour ses auditeurs, le succès miraculeux de sa politique était un argument de taille qui permettait de réfuter toute autre conception du Canada et de son avenir. Macdonald dénonça l'idée "d'indépendance" canadienne et l'idée de fédération impériale. Pour lui, c'étaient de mauvais objectifs. Le Canada devait rester ce qu'il était devenu, c'est-à-dire une nation autonome au sein du système impérial britannique. Et si le pays s'en tenait à cette option originelle, la seule vraiment viable, il était certain de devenir bientôt une véritable nation à l'échelle transcontinentale. Il compara ses propres politiques nationales à la politique commerciale et ferroviaire internationaliste de Mackenzie et de Blake. Il parla de ses projets de peuplement de l'Ouest. Il révéla pour la première fois le grand changement décidé dans l'itinéraire du Canadien Pacifique grâce auquel la compagnie espérait hâter l'achèvement du tracé qui passait au nord du lac. Le transcontinental tout entier, dit-il à son auditoire — et tout le pavillon applaudit furieusement — allait être achevé en cinq ans, et non pas en dix. "J'ai maintenant une chance, conclut-il avec fierté, si je reste en aussi bonne santé, plaise à Dieu, d'y voyager en personne avant de devenir un ange [17]."

## II

Tout en vaquant aux affaires intérieures et en préparant la prochaine session du Parlement et l'élection générale à laquelle il s'attendait, Macdonald jetait de temps en temps un coup d'oeil sur la situation internationale. L'horizon semblait assez dégagé. Il avait prédit qu'après les élections présidentielles américaines les rodomontades pré-électorales contre la Grande-Bretagne et le Canada cesseraient mystérieusement. Il avait presque eu raison. Presque, mais pas tout à fait. Les Américains avaient oublié la plupart de leurs croisades et de leurs revendications. Mais le futur canal de Panama, pour lequel les activités de De Lesseps avaient fait renaître un certain intérêt, constituait l'exception. Blaine, le nouveau secrétaire d'État, revendiqua un protectorat américain exclusif sur le canal en invoquant une violation du traîté Bulwer-Clayton. Cette prétention irrita Macdonald. Pendant quelque temps, il envisagea de rendre publique une déclaration du conseil qui protestait contre les prétentions de Blaine. "L'Angleterre était une puissance américaine, écrivit-il à Lord Lorne, à l'époque des Treize Colonies avant même que les États-Unis n'existent. Et maintenant le Canada est plus peuplé que ne l'étaient les États-Unis au moment de la proclamation de la Doctrine Monroe et (humainement parlant) il est appelé à un grand avenir. Il a précisément les mêmes intérêts à protéger que les États-Unis. Le gouvernement américain revendique le protectorat parce qu'il lui permet de protéger en toutes circonstances les communications maritimes entre les parties atlantique et pacifique de son territoire via le canal. La même nécessité existe pour le Canada [18]." Elle existait bien sûr. Mais le Canada, indépendamment de la Grande-Bretagne, avait très peu de pouvoir pour faire comprendre aux autres l'importance de ses besoins. L'idée d'une protestation du Conseil canadien fut abandonnée [19]. On préféra demander à Lord Lorne, lorsqu'il se rendit en Angleterre cet automne-là, de présenter le point de vue du Dominion à Lord Granville, du Foreign Office [20].

L'alliance anglo-canadienne restait la base de la politique étrangère de Macdonald, mais il serait difficile d'affirmer que l'entente fut cordiale sous le second gouvernement Gladstone. Elle avait un air de triste nécessité historique qui semblait empêcher toute tentative de coopération sincère. Macdonald n'appréciait pas le peu de sympathie et le froid détachement de Gladstone. Il sentait qu'il ne pouvait pas espérer tirer grand-chose de valable des libéraux. Il lui arrivait parfois même de penser avec tristesse qu'au mieux, on pouvait les empêcher de nuire vraiment au Canada. Pourtant, au fond de lui-même, il ne cessa de garder conscience du fait qu'il ne devait pas laisser cette attitude négative et défaitiste l'envahir et avoir un seul instant raison de lui. Il devait continuer à essayer, comme il l'avait déjà si souvent fait, d'intéresser la Grande-Bretagne au pays qu'il était en train de créer. Le Canada voulait des immigrants. Il lui fallait des capitaux. Dans les deux cas, la Grande-Bretagne était, selon lui, la source d'approvisionnement la plus sûre et la plus naturelle. Il fallait d'une façon ou d'une autre amener ce pays à croire au développement du nord-ouest canadien et à soutenir le Canadien Pacifique. Les muscles des immigrants britanniques, les capitaux des investisseurs britanniques, la coopération du gouvernement britannique étaient essentiels.

C'est en grande partie pour cela que Macdonald avait créé le poste de haut commissaire du Canada et envoyé Galt en Angleterre. Mais il commençait à se dire que Galt, malgré ses réels talents, ne réussirait peut-être pas aussi bien que prévu. Cet automne-là, après une tournée très divertissante mais extrêmement coûteuse dans l'ouest canadien, le haut commissaire avait repris son poste à Londres. Il y était reparti, mais sans grand enthousiasme et en ayant perdu une bonne partie de son zèle diplomatique ancien et de ses idées romantiques. À Londres, il recommença à vivre une triste série de situations inconfortables, de maladies, de déceptions et de frustrations. Pourtant, assez curieusement, ses peines ne semblaient en aucune façon affecter son irrépressible imprudence. Il était de retour à Londres depuis à peu près un mois quand il informa Macdonald qu'il avait l'intention de rouvrir avec Kimberley le dossier de l'aide gouvernementale à l'immigration et qu'il se proposait également d'entrer — comme partisan du protectionnisme bien sûr — dans la controverse un peu théorique qui avait alors cours en Angleterre et qui opposait "libre échange" et "bon échange" [21].

Macdonald était agacé. Gladstone pour qui la vérité du libre-échange était moins attaquable que celle des Écritures saintes, risquait d'être profondément offensé de la hardiesse et de l'outrecuidance de Galt. "Si je le perçois bien", écrivit Macdonald à Galt en exagérant délibérément la méchanceté de Gladstone pour effrayer son haut commissaire, "ce sont ses haines qui gouvernent Gladstone. Il est aussi rancunier qu'un singe. Dans un accès de colère, il pourrait dénoncer le Canada et son avenir, et mettre en évidence le danger qui pèse continuellement sur l'Angleterre du fait de la proximité du Canada avec les États-Unis et du fait que l'Angleterre est obligée de se battre pour nous. En fait, il est impossible de savoir ce qu'il peut faire (...)" [22] Un pamphlet en faveur du protectionnisme rédigé par le haut commissaire du Canada — intervention d'un colonial s'affirmant diplomate dans les affaires intérieures britanniques — était une énormité impensable. Quoique de nature à entraîner quelques désagréments [23], une réouverture prématurée du dossier sur l'immigration était naturellement beaucoup moins dangereuse. Macdonald était persuadé que, pour être accepté, un projet d'immigration appuyé par le gouvernement, même s'il avait pour objectif principal de diminuer le surpeuplement, la misère et les troubles d'Irlande, devait être précédé de démarches diplomatiques sérieuses et prudentes. Galt avait déjà fait de son mieux, mais les seuls efforts de Galt étaient de toute évidence insuffisants. Il lui fallait de l'aide. Macdonald pensait envoyer deux émissaires officieux ou semi-officiels. L'un était l'archevêque Lynch de Toronto qui, il l'espérait, pourrait gagner la confiance et le soutien de la hiérarchie catholique romaine d'Irlande; l'autre était George Stephen.

Au début de 1882, plein d'une superbe assurance, Stephen partit pour l'Angleterre. Avant de s'embarquer, il avait entrepris des négociations avec Chapleau en vue d'acheter ou d'obtenir un bail pour l'exploitation des chemins de fer provinciaux du Québec. Les dirigeants du Grand Trunk Railway n'appréciaient pas du tout le fait que le Canadien Pacifique ait acquis une ligne qui lui permettait à l'est d'aller au moins jusqu'à Montréal. Certaines des autres activités de Stephen les offensaient plus encore. Le Grand Trunk Railway regardait d'un oeil de propriétaire jaloux les territoires de l'Ontario du sud et du Québec. Quelquefois ses représentants laissaient même entendre que le terminus du Canadien Pacifique aurait dû rester à Callander, à l'extrémité est du lac Nipissing, à l'endroit exact que spécifiait sa charte. Callander, en fait, avait été choisi à l'origine comme point neutre à mi-chemin entre Toronto et Montréal. De toute évidence, le grand transcontinental national ne pouvait rester en suspens dans cette contrée sauvage de l'Ontario du nord. S'il y avait le moindre doute à ce sujet, il suffisait de lire les autres clauses de la charte qui permettait au Canadien Pacifique d'acquérir la ligne du Canada Central et "d'obtenir, garder, et assurer la gestion" d'autres chemins de fer depuis Ottawa jusqu'à la côte atlantique [24]. Les dirigeants du Grand Trunk Railway avaient du mal à accepter ces clauses. On pouvait, si le besoin s'en faisait sentir, permettre au Canadien pacifique, semblaient-ils dire, de dépasser Callander pour venir à Montréal. C'était tout ce qu'ils étaient prêts à concéder! Pourtant Stephen semblait déjà vouloir aller plus loin. Tout le monde savait que des associés et lui avait acquis des parts importantes dans plusieurs compagnies ferroviaires de l'Est, ce qui donnait au Canadien Pacifique un réseau compétitif qui, d'un côté, allait depuis Montréal jusqu'au sud-ouest de l'Ontario et, de l'autre, après avoir franchi le Saint-Laurent, qui pénétrait jusqu'au sud du Québec. La consternation et la fureur des directeurs du Grand Trunk s'accrurent encore. Leur opposition à leur jeune rival se fit plus véhémente et plus ouverte.

Il fallait reconnaître les faits, Macdonald le savait. Le Grand Trunk, malgré ses pieuses affirmations, était devenu l'ennemi avoué et impitoyable du transcontinental national. "Tyler a fait tout son possible *per fas et nefas*, écrivit avec colère Macdonald à Galt, pour nous enlever toutes nos chances de créer une compagnie en 1880 (...) J'ai entendu Tyler, lors d'un discours à la Trinity House, attaquer notre itinéraire du lac Supérieur et je sais qu'il tente d'empêcher la compagnie d'avoir accès au marché anglais. Si je vis assez longtemps, je rendrai à Sir Henry la monnaie de sa pièce [25]." Il y avait cependant difficilement moyen de mettre la menace à exécution, car le Grand Trunk Railway jouait un rôle important dans l'économie canadienne et Macdonald, même s'il l'avait voulu, était incapable de faire changer d'idée à ses directeurs. Par contre, il fallait contrer immédiatement la propagande du Grand Trunk en Angleterre où elle menaçait de porter gravement atteinte au Canadien Pacifique et au Nord-Ouest canadien. T.C. Patteson, l'ancien éditorialiste du *Toronto Mail*, avait déjà été envoyé à Londres pour répondre aux attaques sournoises de ceux que Stephen appelait les "mercenaires journaleux" à la solde du Grand Trunk. Stephen lui-même qui avait déclaré fièrement à Macdonald qu'il s'était rendu en Angleterre pour faire la publicité de ses terrains et non pour mendier de l'argent auprès des investisseurs britanniques, s'attela avec son énergie habituelle à la tâche de faire connaître le Nord-Ouest canadien et de montrer que c'était une terre d'accueil pour les émigrants britanniques. Curieusement, ses efforts restèrent sans effet. Il était presque impossible d'obtenir une publicité favorable au Canada dans la presse britannique. "Jumbo, le gros éléphant que vient d'acheter Barnum, déclarait Stephen dégoûté, intéresse beaucoup plus Londres que vingt colonies (...) L'émigration n'est pas populaire. Ils ont le sentiment instinctif de perdre leur puissance nationale si leur nombre diminue même quand l'émigrant s'installe dans une colonie britannique. Le véritable insulaire britannique déteste tout ce qui est fait en vue de promouvoir l'émigration. Il préférerait que les gens restent à lutter et quelquefois à mourir de faim plutôt que d'émigrer [26]."

S'il y avait un endroit où l'émigration pouvait se justifier, c'était bien dans ce pays surpeuplé et agité qu'était l'Irlande de la fin du siècle. Nation de fermiers et de paysans, elle avait beaucoup plus souffert que l'Angleterre du grand marasme de l'agriculture. La violence généralisée avait succédé à la misère. En deux ans, grâce à l'organisation de la Land League et au génie de Charles Stewart Parnell, le problème de l'Irlande rurale était devenu l'une des questions les plus impératives et les plus urgentes du moment. Le Coercion Bill de W.E. Forster était une tentative de solution. Le grand projet de réforme agraire en Irlande que présenta Gladstone à la session de 1881 en était une autre. Mais n'y avait-il pas, demandaient les Canadiens et certains impérialistes britanniques, une autre solution, une solution qui ne ferait appel ni à la coercition ni aux concessions, mais qui résoudrait le problème de la surpopulation et de la misère irlandaises en envoyant ses victimes vers une terre qui leur offrirait de meilleures chances? Depuis que Macdonald avait parlé au cardinal Manning, l'été précédent, il espérait persuader un prêtre canadien irlandais influent de se rendre en Irlande pour intéresser la hiérarchie de l'église catholique irlandaise à un vaste projet d'émigration qui bénéficierait de l'aide gouvernementale britannique. Il invita l'archevêque Lynch de Toronto à fonder dans le Nord-Ouest canadien une "nouvelle Irlande" — légèrement tempérée par des représentants d'autres nationalités britanniques [27]. À la fin de février, Lynch rapporta qu'il avait reçu la permission d'entreprendre sa mission en Irlande [28]. Ce serait probablement un émissaire coûteux. Il fit délicatement comprendre à Macdonald que pour de longs voyages, il se faisait généralement accompagner d'un secrétaire et d'un domestique. "Sa Grâce a besoin d'attention (...)" [29], fit remarquer Macdonald à Galt. Galt se mit en devoir de lui arranger une réception des plus courtoises dans le Londres officiel. Puis Lynch partit pour Dublin et Macdonald attendit anxieusement. Il se dit que l'état affligeant dans lequel se trouvait l'Irlande militait certainement en faveur de son projet. "Il me semble, écrivit-il à Galt, que Gladstone et Forster doivent être suffisamment désespérés maintenant pour penser que l'émigration est un bon remède [30]."

## III

C'est alors que survint un incident qui eut les effets les plus malheureux sur le projet d'émigration en particulier et sur l'ensemble des relations anglo-canadiennes en général. Le Parlement s'était ouvert comme d'habitude au milieu de l'hiver. C'était maintenant un secret connu de tous que cette session serait la dernière avant les élections générales. "J'imagine", avait écrit John Rose au début de février, "que vous profiterez de votre popularité et de votre succès croissant pour dissoudre le Parlement après la présente session [31]." C'était une décision sage, et la seule possible, Macdonald le savait. Sa popularité et sa réussite étaient à leur zénith. "L'argent afflue dans les caisses du trésor", écrivit le gouverneur général très satisfait au secrétaire aux Colonies, "vingt mille personnes, en provenance de l'Ontario seulement, se rendront sans doute dans l'Ouest cette année [32]." L'exode touchait nombre de vieilles familles canadiennes. La décision de Hugh de partir pour Winnipeg avec sa femme et leur petite fille, pendant l'été 1882, était à sa façon une contribution personnelle de la famille Macdonald à l'avenir plein de promesses du Nord-Ouest canadien [33]. Tout le monde, c'était sûr, était convaincu du succès de la politique nationale de protectionnisme. Pleins de fierté et d'enthousiasme, les Canadiens avaient accepté l'idée qu'ils appartenaient à cette nation transcontinentale à laquelle Macdonald donnait naissance grâce à quelques coups de sa baguette magique. Il était au faîte de sa réussite. C'était maintenant qu'il devait dissoudre l'Assemblée.

Tout le monde le savait. La session se déroula dans la tension et l'énervement de l'attente. Les jours passaient fébriles. Chacun faisait sa publicité et chantait ses propres louanges. Les deux côtés, et surtout l'Opposition, faisaient des déclarations, exposaient des principes de politique générale avec la plus grande ferveur et la plus grande conviction possibles. Le 14 avril, les Communes siégèrent toute la nuit pour terminer le débat sur le rejet du projet de loi sur les rivières et les cours d'eau de l'Ontario [34]. Au cours de la semaine suivante, il y eut deux autres débats qui durèrent moins longtemps. Les deux sujets étaient tout aussi intéressants. Blake proposa un amendement pour affirmer le droit du Canada à négocier ses propres traités commerciaux [35]. John Costigan, un député catholique irlandais présenta un groupe de résolutions sur la triste situation en Irlande qui, comme ces résolutions le faisaient respectueusement mais énergiquement remarquer, nécessitait que Sa Majesté restaure les droits civiques irlandais et accorde le Home Rule à l'Irlande [36]. La motion de Blake ravivait le vieux débat qui dix ans plus tôt avait opposé Galt et Huntington. Macdonald savait qu'elle fournirait des arguments aux anticoloniaux en Grande-Bretagne. Mais il se disait aussi que les conséquences des résolutions Costigan pouvaient être beaucoup plus graves, surtout en ce moment de l'histoire irlandaise qui semblait si mal choisi, et qu'elles pouvaient plonger Gladstone et son gouvernement libéral dans un accès de fureur vengeresse.

Comment s'opposer à Costigan? Costigan luttait contre le libéral Timothy Anglin, pour prendre la tête des catholiques irlandais du Canada de l'Est. Les voix des Irlandais catholiques aux prochaines élections étaient importantes; Macdonald savait que si Costigan ne soulevait pas la question irlandaise, Anglin ou un autre libéral le ferait sans doute à sa place et de manière beaucoup plus provocante. De plus, pour quelle raison aurait-il fallu considérer avec dédain les réflexions canadiennes sur la situation en Irlande? Pourquoi penser que ce n'étaient que des impertinences? Les Canadiens croyaient que leur expérience heureuse du système fédéral militait en faveur l'instauration du Home Rule en Irlande. Comme le fit remarquer Macdonald à Lord Lorne, il était normal qu'un pays qui avait souffert à plusieurs reprises des raids fenians se croie autorisé à s'intéresser à la solution du problème irlandais [37].

Macdonald s'attendait à des complications. Il y en eut. Il pensait que la motion Costigan avait été présentée à un mauvais moment; mais il ne pouvait prévoir l'horreur qui devait entourer ce tragique manque d'à-propos. La Chambre des Communes canadienne adopta les résolutions le 21 avril. Le 6 mai, à peine deux semaines plus tard, un nouveau vice-roi, Lord Spencer, et un nouveau secrétaire général pour l'Irlande, Lord Frederick Cavendish, arrivèrent à Dublin pour tâcher d'instaurer une ère de conciliation et de coopération. La nuit tombait sur ce jour de célébrations et de cortèges officiels lorsque Lord Frederick Cavendish et son sous-secrétaire permanent, Thomas Henry Burke, furent horriblement assassinés à Phoenix Park, tout près de la loge du vice-roi, par un groupe d'extrémistes irlandais qui se donnaient le nom d'"Invincibles". Même avant l'horrible tragédie de Phoenix Park, les résolutions Costigan avaient été assez mal accueillies en Angleterre. Mais, après le 6 mai, la demande de clémence qu'avait faite une Législature coloniale irresponsable en faveur de ces meurtriers d'Irlandais cessa d'être une simple impertinence pour devenir un véritable affront. "Le peuple de ce pays," écrivit froidement Lord Kimberley à Lord Lorne, "est resté merveilleusement calme devant cette énorme provocation, mais il n'est pas d'humeur à devenir le jouet de ceux qui cherchent à obtenir le suffrage irlandais pour gagner des élections au sein de législatures coloniales [38]." Gladstone et le secrétaire aux Colonies ne tentèrent pas de cacher leur mécontentement. La discussion sur le projet d'immigration irlandaise dégénéra en arguties futiles et orageuses [39]. Galt était furieux. Il déclara solennellement qu'il reviendrait au Canada l'été suivant. Il venait de démissionner pour la seconde fois!

Macdonald haussa les épaules. Il n'avait le temps ni pour les chagrins, ni pour les regrets. Galt avait un caractère insupportable et un plan d'immigration assistée paraissait un insoluble casse-tête. Les élections générales, dont tout dépendait, auraient lieu deux mois plus tard et Macdonald était déjà plongé dans les préparatifs. Le 28 avril, une semaine après l'attentat de Phoenix Park, il présenta à la Chambre des Communes un projet de loi qui aux yeux de ses partisans, sinon aux siens, aurait une influence décisive et favorable sur le résultat des élections [40]. C'était une loi qui proposait le redécoupage de la carte électorale rendu nécessaire suite aux résultats du recensement décennal de l'année précédente. Aux termes de l'Acte de l'Amérique du Nord britannique, chaque province, compte tenu du nombre de ses habitants, devait avoir proportionnellement le même nombre de sièges à la Chambre des Communes que le Québec qui avait droit à soixante-cinq sièges. Le recensement avait révélé que le Manitoba devait avoir une circonscription de plus et l'Ontario quatre. Or l'Acte de l'Amérique du Nord britannique ne prévoyait pas la façon d'opérer le découpage. En 1872, au moment où avait été effectué le premier remaniement de la carte électorale depuis le début de la Confédération, Macdonald avait expliqué que la population avait servi de base au remaniement, mais que d'autres facteurs — "intérêts, classes et localités" —

avaient également été pris en considération. Pour respecter le sentiment d'appartenance local, les limites des circonscriptions devaient suivre les limites communales et celles des comtés.[41] Lors du remaniement de 1882 au contraire, l'égalité numérique avait triomphé sur le patriotisme local. On ignora joyeusement les frontières locales en Ontario. À des fins électorales, certaines parties d'agglomérations urbaines furent librement transférées du comté auquel elles appartenaient à certains comtés voisins. Suite à ces remaniements complexes, chaque circonscription avait à peu près le même nombre d'électeurs. C'était l'objectif avoué de Macdonald. Mais il avait un autre objectif qui pour être secret n'en était pas moins aussi réel. Le remaniement de la carte électorale visait à avantager le Parti. Les électeurs libéraux seraient concentrés dans le moins de circonscriptions possibles, augmentant ainsi les chances d'un succès conservateur. En un mot, Macdonald avait l'intention de "posséder les grits" [42].

C'est un scandale! hurla l'Opposition au paroxysme de l'indignation. C'était, faisait observer le *Globe*, une tricherie politique si basse, si éhontée qu'elle contribuerait à donner à Macdonald "une réputation d'infamie pour l'éternité". Ces malédictions assez peu nouvelles laissèrent Macdonald indifférent. Il n'était ni ébranlé, ni repentant. "Je ferai sortir le whig de cet honorable monsieur", disait-il citant avec délectation la boutade de Pitt destinée à Fox, "si jamais il revient aux principes whigs [43]." L'incroyable était arrivé: les libéraux avaient abandonné l'ancienne doctrine réformiste de la représentation proportionnelle au taux de population. "(...) nous, la majorité des députés ontariens de cette Chambre", déclarait Macdonald avec une onction moqueuse, "nous menons la bataille pour la représentation proportionnelle à la population malgré les protestations indignées de ces honorables messieurs d'en face." C'était une position divertissante. De toute évidence, Macdonald ne prenait pas la bataille trop au sérieux et n'avait pas l'intention de la laisser se prolonger. Son discours de présentation fut bref. Il ne parla pas du tout lors du débat en seconde lecture. Il fit enrager ses adversaires en opposant un réalisme réconfortant à leurs prophéties lugubres. On ne peut transporter les électeurs, expliqua-t-il pour rassurer l'Opposition, avec la même facilité que si l'on transportait des choux. L'histoire des élections au cours des années 70 prouve que la fidélité politique des districts est un mythe. "Elle montre" conclut-il avec un bon sens souriant, "qu'il est absolument erroné de prendre au sérieux les soi-disant tendances politiques des localités. Cela ne veut rien dire [44]."

Macdonald espérait et croyait bien sûr que cela voulait dire quelque chose. Il devait gagner les élections de 1882. Il lui fallait encore cinq ans de pouvoir pour parachever le travail qu'il avait commencé. "Vous n'oublierez pas", lui rappelait Stephen de façon tout à fait réaliste, "que le gouvernement et le Canadien Pacifique sont deux partenaires dans la construction du chemin de fer national (...) [45]." C'était exact, mais ce chemin de fer national n'était que l'une des entreprises du gouvernement Macdonald. Il avait présenté son programme au peuple canadien. À ce stade crucial de l'histoire de la nation, Macdonald voulait que le peuple montre sa satisfaction en lui donnant une majorité écrasante. Il était incapable de mener à bien l'oeuvre immense qu'il avait entreprise sans la confiance populaire. Il fallait que le peuple se prononce massivement pour lui. Le jugement de la nation devrait confondre tous ses ennemis. Le verdict devait être rendu non seulement contre Blake, mais aussi contre son allié, Oliver Mowat, presque aussi dangereux que lui. Blake était contre le chemin de fer national et la politique nationale de protection. Il était partisan d'un réseau de transport à l'échelle continentale et favorable au libre-échange. Mowat combattait l'idéal d'un grand Dominion uni où les provinces auraient des droits spécifiques et qui pourrait étendre son territoire. Mowat remettait en cause le partage des juridictions qu'il avait mis au point à Québec près de vingt ans plus tôt. La prépondérance de l'Ontario constituait un risque pour l'équilibre économique et politique de tout le Dominion.

Les élections allaient avoir lieu dans moins d'un mois maintenant. Il se sentait assez fort pour les affronter. Ses vieux symptômes étaient réapparus au début du printemps. "Une crise semblable à celle du printemps dernier m'a mis en garde contre le surmenage", avait-il écrit à Lord Lorne au début d'avril, "je suis à la maison depuis samedi dernier. J'espère sortir demain [46]." Cette fois, il avait fait attention. Les précautions qu'il avait prises étaient suffisantes. Le 17 mai, quand la session et le Parlement arrivèrent à terme, Macdonald se sentait en forme et assez confiant. Aucune élection n'était jamais acquise bien sûr et il savait qu'en Ontario on lui mènerait une lutte féroce. Mais dans l'ensemble, ses intimes et lui-même attendaient la bataille le coeur assez léger. "Le résultat des élections ne fait aucun doute pour moi", écrivit Stephen avec confiance. "Je ne puis croire que le pays, maintenant plus prospère qu'il ne l'a jamais été, veuille changer ses dirigeants [47]." Macdonald ne le pensait pas non plus. Il était fort et il le savait. Les dernières manoeuvres de Blake venaient le confirmer. L'incontestable succès de la politique nationale protectionniste avait obligé le chef de l'Opposition à assouplir les principes de libre-échange très strict et rigides de Mackenzie et de Cartwright. Blake, et c'était une idée extrêmement agréable pour Macdonald, cherchait des échappatoires à propos des tarifs douaniers.

Macdonald était pressé de partir; de nombreux ministres avaient déjà quitté la ville, mais lui, et c'était assez significatif, y resta jusqu'au 25 mai, jour où la Société royale du Canada, première association savante du pays, tint sa première réunion dans la Salle du sénat. Enjoué, aimable, étrangement jeune, il se ressemblait à lui-même, au moment où, accompagné d'Agnes, il saluait les membres de la Société et écoutait le discours d'ouverture du gouverneur général [48]. Ils partirent le soir même pour

Kingston. Le lendemain après-midi, après une courte visite chez les Williamson et un déjeuner avec quelques intimes, ils repartirent pour Napanee où Macdonald devait prononcer le premier discours de sa campagne. Il avait décidé d'abandonner son siège de député de Colombie britannique et de se représenter en Ontario, non pas à Kingston, mais dans cette région du vieux district du Midland dont Kingston avait été autrefois la capitale. Il allait se présenter à Lennox où il avait passé son enfance. Et son premier discours, il comptait le faire à Napanee où près d'un demi-siècle plus tôt il avait créé une succursale de l'étude juridique de son maître, George Mackenzie.

Ce vendredi après-midi-là, ses admirateurs étaient nombreux. On avait choisi la plus grande salle de réunion de la ville pour tenir l'assemblée, mais elle s'avéra trop petite. On se rabattit en vitesse sur le théâtre. Mais lui aussi était trop exigu. Finalement, il s'adressa à l'immense foule rassemblée en plein air sur la place du marché. Il tomba quelques gouttes vers la fin du discours. Mais les gens ne bougèrent pas. La foule l'écouta en silence parler systématiquement de Blake, de Mowat, de politique nationale et des relations fédérales-provinciales. Les auditeurs étaient attentifs et plus encore: ils étaient intéressés, chaleureux et sympathiques. Par moments, la foule réagissait bruyamment. À mesure que se succédaient les éclats de rires et les applaudissements, la confiance de Macdonald croissait. Il avait eu raison. Cette fois, il était vraiment le maître du jeu. Blake s'était caché derrière l'écran du libre-échange. Il avait réussi à le débusquer. La chasse avait commencé. Blake, dit Macdonald à son auditoire, s'est rendu compte que le pays tout entier accepte avec enthousiasme la politique nationale. Blake sait qu'il doit changer d'idée. Mais il ne peut l'admettre. "Il a donc essayé de gagner du temps", dit-il à ses auditeurs qui buvaient ses paroles, "il a essayé d'avoir deux visages sous le même chapeau, ou comme le disait le marin yankee, de gagner le sud en se dirigeant vers le nord [49]."

Cette nuit-là, Macdonald prit le chemin de Toronto. Toronto était la capitale de son rival, Oliver Mowat. Il comptait y diriger la lutte pour emporter le centre et l'est de l'Ontario, cette région politiquement importante mais incertaine.

## IV

"La lutte en Ontario a été dure", écrivit Macdonald à Lord Lorne le 22 juin, deux jours après les élections. "Nous avons dû affronter les cris régionalistes et indépendantistes avivés par l'Opposition. Nous en sommes pourtant sortis vainqueurs [50]." Et c'est vrai: ils avaient vraiment gagné. Ils disposaient de cent trente-neuf sièges contre vingt-sept pour l'Opposition.

*Archives publiques du Canada*

Le Marquis de Lansdowne

Le Marquis de Lorne

Leur majorité n'avait été que légèrement grignotée. Ils avaient gagné dans toutes les provinces, à l'exception du Manitoba. En Ontario où il était essentiel de contrer le régionalisme vindicatif de Mowat, ils avaient perdu des sièges, mais conservaient toujours une confortable majorité. La défaite de certains des dirigeants libéraux les plus en vue affaiblirait certainement pour quelque temps les attaques de l'Opposition dans le futur Parlement. "La victoire est totale" écrivit triomphalement Tilley, dans une lettre expédiée du Nouveau-Brunswick [51]. Macdonald avait réussi son retour en Ontario. Il était heureux des résultats et heureux d'avoir résisté physiquement à la bataille. Il était cependant extrêmement fatigué. "Je suis totalement épuisé, écrivit-il à Lord Lorne; voyager jour et nuit et prêcher la bonne parole sur le terrain sans interruption est au-dessus des forces d'un homme de soixante-sept ans. Je vais pourtant me ressaisir vite [52]."

Il lui fallut malheureusement plus de temps qu'il ne le pensait pour se "ressaisir". Dix jours plus tard, il partit pour Rivière-du-Loup. À la fin de juillet il dut revenir à Ottawa pour une série de réunions du Conseil, au cours desquelles on nomma Joseph Chapleau ministre et au cours desquelles on procéda aux autres nominations nouvelles au sein du Cabinet. Ce bref retour dans la capitale durant la pleine chaleur torride de l'été se termina tristement par une nouvelle période d'abattement. "Comme je ne suis pas encore très bien", écrivit-il à Lord Lorne le 28 juillet immédiatement avant son départ, "j'ai l'intention de me montrer prudent jusqu'à mon arrivée à Rivière-du-Loup. Je compte rester allongé, car cela me fait du bien pour le moment [53]." À Rivière-du-Loup, Macdonald se rétablit lentement mais sûrement. Il s'était promis de vraies vacances paresseuses et agréables, des vacances assez longues pour lui faire oublier pendant quelque temps qu'il devrait rapidement et inexorablement reprendre le licou. Il eut de nombreux visiteurs. Il reçut un énorme courrier. Mais rien d'assez important n'arriva pour le déranger. On débattit la proposition anglaise de retirer la garnison impériale basée à Halifax pour l'envoyer en Égypte [54]. Macdonald discuta sérieusement avec Lord Lorne et le duc de Cambridge, commandant en chef des armées de l'Empire du cas malheureux du Major Général Luard, l'officier qui commandait la milice canadienne. C'était un militaire d'un certain âge, qui ne semblait pas bien comprendre qu'il était au service du gouvernement canadien et donc sous les ordres d'Adolphe Caron, le nouveau et énergique ministre de la Milice [55].

Ce n'étaient que des incidents mineurs. De petits problèmes dans une ambiance de satisfaction générale. Cet été-là, il semblait que rien ne parviendrait à faire obstacle au programme des conservateurs. Macdonald avait gagné les élections générales. Grâce au chemin de fer, il était en train d'édifier un Dominion transcontinental. À Londres, il venait juste de sortir vainqueur d'une importante manche dans la bataille constitutionnelle canadienne. Le 22 juin, deux jours après les élections générales, la Commission judiciaire du Conseil privé émit un verdict crucial concernant l'interprétation des pouvoirs du fédéral tels que stipulés dans l'Acte de l'Amérique du Nord britannique [56]. Un cabaretier prénommé Russel avait contesté devant la Commission judiciaire la validité de la loi sur la tempérance au Canada sous prétexte qu'elle était en contradiction avec le pouvoir de la province d'octroyer des permis d'alcool et de légiférer en matière de droit civil et de droit de propriété. Depuis des années, Macdonald affirmait que la loi sur la tempérance au Canada était bien de juridiction fédérale et que l'Ontario Licence Law était un abus de pouvoir provincial. Au début de la campagne électorale, quelqu'un lui avait demandé de préciser son opinion sur le sujet. Il avait répondu franchement et en termes tout à fait clairs. Il avait déclaré à Yorkville que l'Ontario Licence Act ne "valait pas le papier sur lequel il était écrit". Il avait ensuite promis, et il ne l'oublia pas, "que s'il remportait les élections, comme il en était persuadé, il dirait à M. Mowat, ce petit despote, qui essayait de contrôler tout le monde, depuis le simple huissier de tribunal jusqu'au cabaretier, qu'il ferait passer une loi à Ottawa pour redonner aux municipalités le pouvoir que le Licence Act leur retirait" [57].

Il était maintenant capable de tenir sa promesse. Il avait affirmé que le Canada Temperance Act était constitutionnel. Il s'était vanté de ce que ses interprétations des questions constitutionnelles étaient toujours exactes. On venait de le confirmer une fois de plus. Dans son verdict du procès Russel contre la Reine, la Commission judiciaire du Conseil privé, avait déclaré que le Canada Temperance Act était de juridiction fédérale [58]. Ce jugement reposait sur une interprétation très souple du pouvoir résiduaire du Dominion qui lui permettait de légiférer pour "la paix, l'ordre et le bon gouvernement du Canada" dans tous les domaines qui n'étaient pas exclusivement de compétence provinciale. La Commission judiciaire avait en fait décidé que la clause résiduaire permettait au Parlement fédéral de légiférer dans des domaines où l'intérêt national était en jeu, même s'il arrivait que de telles législations en viennent à interférer sur "les droits de propriété et les droits civils dans les provinces". Aucun jugement n'aurait pu satisfaire plus Macdonald. Pour lui, les pouvoirs résiduaires avaient toujours été un facteur déterminant du partage des pouvoirs au moment de la création de la Confédération. Désormais, il n'était plus soumis à la clause restrictive des "droits de propriété et des droits civils". Il pouvait poursuivre son programme de législation nationale en toute liberté. Il pouvait écarter de son chemin ce provincialiste gênant qu'était Mowat.

Ce fut un été heureux. Le Parti conservateur était victorieux. Ses choix en matière de politique nationale étaient de plus en plus populaires. Tout semblait devoir réussir. Le Canadien Pacifique faisait de surprenants progrès. C'était le point culminant de la longue liste de succès. Jamais on n'aurait pu imaginer ni même espérer qu'on réussirait à construire le chemin de fer aussi rapidement. Pour les Canadiens, cela tenait du miracle et en un sens c'en était un! Mais c'était un miracle provoqué par un facteur tout ce qu'il y a de plus humain. Le Canadien Pacifique s'était acquis les services d'un autre personnage extrêmement compétent. Macdonald avait trouvé en George Stephen un véritable génie financier. George Stephen avait découvert en William Cornelius Van Horne un vrai génie de la construction et Van Horne était devenu membre de la compagnie au début de 1882. Il avait résolument fait progresser à tout point de vue les travaux d'exploration, d'arpentage et de construction de la ligne. Tout au long de cet été-là, alors que Macdonald se reposait sous le chaud soleil de Rivière-du-Loup, les rapports triomphaux et rassurants ne cessèrent de se succéder. Le 19 août, Stephen télégraphia que la construction de la ligne sur la rive nord du lac Supérieur, à l'est de Port-Arthur, avait commencé et qu'un grand nombre d'hommes y travaillaient [59]. Cinq jours plus tard, il retransmettait une nouvelle encore plus extraordinaire qui lui était parvenue quelques minutes plus tôt de l'autre bout de la ligne: "Le major Rogers vient de m'apprendre qu'il a trouvé bon passage à travers chaîne des Selkirk. Pas de tunnel. Très bonne nouvelle [60]." C'était inespéré. En effet, pendant un an ils avaient dû suivre la route du sud. Ils venaient enfin de trouver un passage praticable à travers la masse des monts Selkirk qui barraient l'horizon de toute leur hauteur. Stephen et ses associés attiraient le succès. Pendant cette période dorée de l'entreprise, ils semblaient capables de tout réussir à volonté. Tout le monde s'émerveillait de la rapidité de la progression de la ligne. Une longue série de visiteurs importants, Galt, Tupper, Brydges du Grand Trunk Railway et Sir John Rose, se rendirent tous dans l'Ouest cet été-là. Ils se rendirent compte par eux-mêmes des merveilleux progrès de la construction et firent part de leur admiration à Macdonald: "La construction du chemin de fer est une entreprise tout à fait digne d'éloges", écrivit Galt depuis Qu'Appelle "et on la mène tambour battant. Brydges (qui ne peut être accusé de partialité) dit qu'il n'a jamais vu poser de voie de façon aussi bien organisée [61]."

Mais la vitesse et l'efficacité de la construction du chemin de fer accélérèrent l'émergence d'un nouveau et terrible problème, le problème financier. À partir de ce moment-là, l'argent ne cessa de hanter Macdonald et Stephen comme un fantôme implacable et menaçant. L'association du gouvernement et de la compagnie se fondait, Macdonald le savait très bien, sur des sources de revenu limitées et qui n'étaient pas intarissables, loin de là. L'immaturité financière du Canada conjuguée à l'indifférence ou à l'hostilité des investisseurs londoniens et new-yorkais, réduisait singulièrement l'appui que pouvait espérer le Canadien Pacifique. Un autre facteur, tout aussi important, en compliquait aussi le financement: les méthodes même de Stephen. Stephen était vulnérable face aux difficultés à court terme précisément parce que c'était un homme qui pensait à long terme. Dès le départ, son intention avait été claire: il voulait construire pour l'avenir. Il avait rejeté avec mépris cette pratique tout à fait courante à l'époque dans le financement des chemins de fer en Amérique du Nord, qui consistait à tirer profit le plus vite et le plus facilement possible des travaux de construction ou de l'émission d'obligations. "L'autre plan, celui que j'aurais suivi si nous étions parvenus à nous entendre", avait-il expliqué à Macdonald en juillet 1880, quand sa première offre de construire le chemin de fer avait été rejetée, "aurait été de limiter au maximum les emprunts de capitaux auprès du public (...) et de compter, pour rentrer dans nos frais et nous assurer un profit légitime, sur la croissance du pays et le développement de la propriété après l'achèvement complet des travaux [62]."

C'était en fait la stratégie qu'on avait adoptée. Macdonald pensait qu'elle garantirait la force future du chemin de fer. Malheureusement, au départ, elle impliquait aussi une grave période de faiblesse. La vente des actions ordinaires,les versements graduels de la subvention gouvernementale et les cessions de terrains au fur et à mesure de l'avancement des travaux permettaient à la compagnie de construire la ligne et de fonctionner. Vingt-cinq millions d'actions ordinaires seulement avaient été vendues, à moins de cinquante pour cent de leur valeur au pair. Il fallait emprunter pour permettre l'aide gouvernementale en terrains et en argent. Il était inévitable qu'au départ une lourde charge pesât sur les principaux partenaires de l'association, mais à mesure qu'apparaissait peu à peu l'aspect gigantesque de l'entreprise, cette charge devint plus lourde que ne l'avait prévu Stephen. "La voie va coûter beaucoup plus cher que nous ne l'avions calculé", dit-il à Macdonald à la fin d'août, immédiatement après son retour d'une visite dans le Nord-Ouest [63]. Au cours des mois de septembre et d'octobre, alors que les travaux se poursuivaient, les dépenses s'accrurent terriblement. La pression se faisait de plus en plus forte sur la jeune société. Stephen n'oubliait jamais le poids de ses responsabilités. Il devint plus exigeant dans ses demandes, plus impatient à l'égard des retards du gouvernement et de ses considérations d'ordre technique, plus soupçonneux envers les ministres du Cabinet qui ne semblaient pas faire preuve d'une dévotion constante et quasiment dénuée de critique vis-à-vis de l'entreprise. Stephen piquait de terribles crises de colère contre des gens neutres, comme Galt par exemple, qui sous un masque d'impartialité, étaient, pensait-il, hostiles au Canadien Pacifique.

Macdonald supportait tout cela. Il savait que Stephen était doté d'une grande puissance créatrice, qu'il avait des ressources infinies et un courage surhumain. Mais il savait aussi que c'était un homme susceptible, impatient, égocentrique et autoritaire. Pour réussir la tâche que Macdonald lui avait confiée, les qualités de Stephen dépassaient amplement ses défauts. Pourtant ces défauts, son humeur vindicative, son arrogante confiance en soi, son impatience et sa colère face aux critiques, étaient précisément des défauts qui risquaient d'augmenter l'acrimonie et les soupçons à l'égard de l'entreprise qu'il représentait. "Comme je vous l'ai déjà fait remarquer", écrivit à Macdonald Hickson du Grand Trunk Railway, "votre gouvernement a créé un pouvoir qui se croit non seulement plus fort que le Grand Trunk, mais aussi plus fort que le gouvernement [64]." L'arrogance et l'indépendance autoritaire de Stephen étaient, Macdonald le savait bien, un des chevaux de bataille favoris des politiciens libéraux. Toute la presse de l'Opposition s'était liguée pour présenter le Canadien Pacifique comme une sorte de monstre effrayant qui dévorerait les ressources du Canada et en asservirait le peuple. De toute évidence, le Canada devrait se montrer extrêmement prudent. Macdonald ne pouvait envisager pour le moment d'accorder une aide financière supplémentaire au Canadien Pacifique. Par contre, il en allait tout autrement du soutien politique. Macdonald pouvait maintenir les garanties politiques qu'il avait promises, et il le fit. Cet automne-là, trois nouvelles chartes furent retirées à des chemins de fer du Manitoba. Mais le gouvernement n'avait pas le pouvoir de donner ne fût-ce qu'un dollar ou un acre supplémentaire pour renforcer financièrement la compagnie. C'était Stephen et lui seul qui devait sortir le chemin de fer de la première crise qu'il traversait.

Macdonald comptait sur Stephen et Stephen ne le déçut pas. En décembre, le président du Canadien Pacifique partit pour New York. Après quelques jours de difficiles négociations, il s'embarqua pour l'Angleterre. Au début de 1883, on apprit qu'une puissante compagnie d'actionnaires avait été formée à New York et que ses membres avaient accepté de souscrire pour trente millions d'actions du Canadien Pacifique au prix moyen d'un peu plus de cinquante-deux sous le dollar, et que des tranches importantes de la nouvelle souscription se vendaient à Londres et Amsterdam. "Je dois dire pour finir", écrivit de Londres John Rose plein d'admiration, "que tout cela est presque entièrement dû aux efforts infatigables de notre ami Stephen dont le zèle, l'énergie, la confiance en soi et l'esprit d'entreprise semblent inspirer la même confiance à tous [65]." Macdonald était heureux. Stephen était peut être un collègue impulsif et difficile. Il était peut être, comme John Rose le faisait à juste titre remarquer, un homme au caractère autoritaire qui ne tolérait pas la moindre opposition et qui semblait presque incapable de faire des compromis. Il était peut-être tout cela. Il l'était sûrement. Mais c'était aussi un grand homme. Macdonald le savait, et malgré les critiques persistantes et malveillantes de Blake, du *Globe* et des "journalistes à la solde du G.T.R.", le monde finirait par le reconnaître!

# V

Macdonald prit froid en décembre. Certains jours, il se sentait trop mal pour assister aux séances du Conseil. Il eut soixante-huit ans le 11 janvier 1883. Sa faiblesse chronique n'était sans doute pas assez grave pour mettre sa vie en danger, mais c'est une chose avec laquelle il devrait compter jusqu'à la fin de ses jours. Depuis sa terrible maladie du printemps 1881, il avait compris que pour survivre et achever son oeuvre, il devrait systématiquement prendre garde à sa santé. Il n'avait jamais été un gros mangeur. Il devenait un buveur raisonnable. Il avait une bonne cave à vins et lorsqu'un correspondant lui recommandait depuis l'Angleterre un Bordeaux à un prix intéressant, il se hâtait de commander deux douzaines de bouteilles. Mais les grandes saouleries, les crises d'alcoolisme gargantuesques de l'âge mûr avaient disparu. Le temps passait à toute allure. Cela lui semblait presque incroyable de penser qu'il avait été marié depuis plus longtemps maintenant avec Agnes qu'avec Isabella, morte depuis tant d'années. La "petite Mary" était une grande fille de presque quatorze ans. Son état était toujours aussi désespérement précaire, malgré tous les traitements spéciaux dont elle avait fait l'objet. Hugh revint à l'Est pour une brève visite au cours de l'hiver 1883. C'était maintenant un homme de près de trente-trois ans. Sa première femme était morte et il allait se remarier [66]. Comme la querelle à propos de son premier mariage semblait loin déjà! Comme ils semblaient incroyablement loin ces jours où, alors qu'il n'était encore qu'un petit garçon, son père l'avait laissé à Kingston aux soins de cette femme grande et maigre, sa tante Louisa. Louisa elle-même était malade, si malade que cet hiver-là Macdonald abandonna presque tout espoir qu'elle survive.

Il savait qu'il devait se ménager le plus possible. Il accueillit avec reconnaissance l'arrivée d'une période de répit au milieu des tensions de l'hiver. Il y avait toujours cette brève relâche entre Noël et la réouverture du Parlement qui se faisait habituellement en février. Cette année-là, la session, la première d'un Parlement dont certains de ses opposants avaient été exclus, promettait d'être relativement calme. À travers tout le pays, la période de chance se poursuivait. Au Manitoba, John Norquay remporta les élections générales aux dépens d'une opposition dirigée par Thomas Greenway qui avait attaqué vigoureusement le rejet fédéral des chartes des compagnies ferroviaires manitobaines. En Ontario, les élections devaient avoir lieu le 27 février. L'opposition conservatrice menait sa campagne avec une telle confiance que, d'après Macdonald, elle avait des chances de battre Mowat. De nombreux députés fédéraux ontariens avaient quitté Ottawa pour prendre part à la campagne électorale dans la Province. Pendant les premières semaines de la session, une curieuse atmosphère de vacances régna sur la Chambre des Communes.

Macdonald était d'humeur tout à fait joviale. Il salua Blake avec indulgence et cordialité. Blake s'était plaint, au cours du débat en réponse au Discours du Trône, de ce que les conservateurs avaient donné une image trop flatteuse de l'état de la nation. Il avait contribué à l'assombrir. Blake, dit Macdonald à la Chambre, préférait l'obscurité à la lumière, la grisaille au soleil, Rembrandt à Turner. "Mon honorable ami, continua-t-il, me rappelle un vieux marin de Newcastle qui avait bourlingué pendant de nombreuses années et qui au cours de son dernier voyage au long cours s'était rendu dans presque tous les pays étrangers. Après un séjour de sept ans aux Antilles, il revint en Angleterre. Son navire approchait des côtes anglaises. Sentant venir la neige et le mauvais temps, voyant les nuages qu'il connaissait bien, il revêtit son ciré et son caban et dit "Voilà le temps que j'aime! Cela n'a rien à voir avec votre infernal ciel bleu [67]."

Pour Macdonald aussi le beau temps persistait. Il était décidé à en profiter. Pour la session de 1883, il avait prévu deux projets de loi importants qui chacun à sa manière affirmerait l'indépendance et le pouvoir du Dominion. L'un était le projet de loi sur le droit de vote destiné à remplacer les différentes législations provinciales qui avaient eu cours jusque-là dans les élections fédérales par une seule réglementation identique pour tout le Dominion. L'autre était le projet de loi sur les boissons alcoolisées aux termes duquel tout règlement concernant la vente de bière, de vin et de spiritueux relèverait de commissaires nommés par le gouvernement fédéral. L'objectif de la loi était de créer un système uniforme de règlements dans l'intérêt de la paix et de l'ordre national. Oliver Mowat, et l'Ontario Licence Act, étaient les adversaires réels mais non avoués du projet. Le verdict du procès Russel contre la Reine justifiait la position du gouvernement. Selon Macdonald, le procès avait confondu ses adversaires ontariens. Mowat et ses amis battaient maintenant en retraite dans le plus grand désordre. Les élections du 27 février causeraient-elles leur chute complète? Pendant quelques heures, à la fin de cette nuit de février, cela sembla presque possible [68]. Les conservateurs reprenaient siège après siège! Mowat n'avait plus qu'une demi-douzaine de circonscriptions d'avance! L'excitation fit naître les plus grands espoirs. Malheureusement, une fois encore, ils furent déçus. Le "petit despote" avait repris le pouvoir. Mais avec une majorité terriblement réduite. Comme l'avait prédit Macdonald, il avait "gagné d'un cheveu" [69]. Sa confiance en lui-même avait été rudement ébranlée. Macdonald profita de son avantage pour présenter le projet de loi sur les boissons alcoolisées.

Les relations fédérales-provinciales étaient très importantes. Mais les relations avec l'empire l'étaient aussi. Depuis l'adoption des résolutions Costigan et l'échec des négociations en vue d'obtenir une subvention à l'émigration de la part du gouvernement britannique au printemps dernier, les relations entre le Canada et l'Angleterre étaient restées très délicates et très difficiles. Il était indispensable et urgent que le Dominion s'efforce de les améliorer s'il voulait obtenir une aide substantielle de la Grande-Bretagne pour coloniser le Nord-Ouest. Mais comment espérer de Sir Alexander Galt et de sa surprenante diplomatie quelque amélioration que ce fût? Galt était un ambassadeur bizarre, qui se sentait irrépressiblement attiré par les idées nouvelles et qui avait un incorrigible besoin de s'exprimer. Une année plus tôt, Macdonald ne l'avait dissuadé qu'à grand peine de publier son pamphlet sur "le libre-échange". Cette fois Galt évita les appels à la prudence. Il décida tout simplement de parler sans en avertir son gouvernement. À Greenock, Edimburgh et Liverpool, il développa longuement des sujets aussi controversés que le protectionnisme, le Home Rule pour l'Irlande et la fédération impériale. La nouvelle déconcertante de son discours d'Edimbourg parvint à Ottawa à la fin de janvier, une semaine à peine avant l'ouverture du Parlement.

Macdonald s'alarma un peu. Il dit à son haut commissaire qu'il attendait "avec quelque anxiété" de prendre connaissance du détail de son discours. "J'espère, poursuivait-il, que vous ne vous êtes pas trop engagé à propos du fédéralisme impérial. À mon humble avis, c'est un projet qui ne verra jamais le jour [70]." Macdonald était sans doute d'accord avec les raisons pour lesquelles Galt avait préconisé la création d'un Parlement fédéral pour gouverner l'Empire. Il était tout aussi convaincu que Galt de la nécessité pour le Canada d'obtenir des pouvoirs plus étendus et d'assumer de plus grandes responsabilités en matière de défense et de politique étrangère. Il avait créé le poste de haut commissaire à Londres. Il allait aussi renforcer, comme il en avait depuis longtemps l'intention, la petite force armée régulière du Dominion, mise discrètement sur pied et originellement composée uniquement d'unités d'artillerie. Il allait leur adjoindre des unités d'infanterie et de cavalerie. Macdonald était tout à fait d'accord avec Galt pour reconnaître que dans l'Empire la défense et la politique étrangère devaient devenir un système collectif; mais il était sûr qu'il y avait moyen d'y parvenir par la coopération de gouvernements autonomes et non en créant de nouvelles institutions fédérales. Il ne croyait absolument pas en un Parlement unique qui gouvernerait tout l'Empire britannique. Il l'avait déjà dit publiquement lors de la Convention libérale-conservatrice de Toronto plus d'un an auparavant et comptait le répéter.

Galt avait pris une très mauvaise direction. Il allait trop vite aussi. Comme d'habitude, Galt était pressé. Il était inutile de se presser. Ce n'était jamais nécessaire ou presque. Le Canada risquait de tout faire échouer en faisant des demandes nationalistes trop hâtives ou en affirmant trop vite sa maturité. Pendant les jours tranquilles de l'été précédent, quand il n'y avait, selon les termes mêmes de Macdonald, pas grand-chose d'autre à faire, quelques journaux évoquèrent la possibilité que Galt devienne le prochain gouverneur général du Canada. C'était l'occasion, au moment où ce dernier parlait à la légère d'une réorganisation impériale à Londres, de mettre définitivement terme à ces rumeurs. Au début de la session, en réponse à une question qu'il avait sans doute personnellement suscitée, il affirma que c'était une invention absurde de penser que Galt serait nommé vice-roi [71]. À son avis, le poste de gouverneur général était la plus importante, mais non la seule manifestation extérieure de la profonde nécessité d'une alliance anglo-canadienne. Il y avait d'autres manifestations de ce lien vital. Et Macdonald ne tenait absolument pas à en affaiblir aucune. Le vieux général Luard s'était rendu tellement impopulaire qu'au cours de l'hiver, au moment de la révision de la loi sur la milice, le Cabinet envisagea un amendement osé qui aurait permis de se passer de l'approbation impériale pour de futures nominations à la tête de la milice canadienne [72]. Cet extrémisme alarma Lord Lorne et Macdonald plein d'appréhension fit marche arrière. Il hésitait à couper les liens entre les deux parties d'un système de défense unitaire. "Nous ne changerons pas la partie de la loi sur la milice qui traite du Major Général commandant les forces canadiennes", écrivit-il à Lord Lorne [73].

Les déclarations de Galt à propos du lien avec l'Empire avaient sans nul doute un aspect gratuit et hors propos. Mais il ne fallait pas les prendre trop au sérieux, car la fédération impériale restait un sujet extrêmement théorique. Il en allait tout autrement du Home Rule en Irlande. Macdonald avait toute raison de croire que la presse et le gouvernement britanniques accueilleraient avec colère l'opinion malvenue du Canada sur la question irlandaise. "Je ne pense pas que les allusions à la question irlandaise et au Home Rule aient été nécessaires, dit-il à Galt, je crois qu'il aurait mieux valu, comme disent les Yankees, "n'en souffler mot [74]." Le blâme en apparence n'avait rien de grave. Macdonald semblait avoir gardé sa cordialité habituelle. Pourtant ce fut l'origine d'un changement décisif dans son esprit. Les extravagances de Galt avaient fini par le lasser. Galt semblait incapable d'apprendre le premier devoir d'un diplomate, celui de ne pas se mêler de la politique intérieure du pays auprès duquel il était accrédité. Il avait de nouveau, pour la troisième fois, présenté sa démission! Macdonald décida de le prendre au mot. "Dispositions prises, câbla-t-il, Tupper votre successeur [75]." Il allait être difficile de se départir de Tupper. Tout le monde savait qu'il était moins intelligent que Galt; mais il était loyal et sérieux, et il avait de la force de caractère. "Sir C. Tupper est un homme fort qui sait ce qu'il veut", dit Lord Lorne à Lord Derby, secrétaire aux Colonies, "et dans les débats ici, il a toujours été un orateur dangereux et habile [76]." Macdonald n'aurait pas employé les mêmes termes. Pour lui, Tupper avait été une véritable forteresse. Il avait vraiment besoin de lui au Canada. Mais peut-être dans l'intérêt du pays valait-il mieux utiliser cette force en Angleterre.

L'hiver avançait et la session se poursuivait. Le printemps s'annonça entrecoupé de tempêtes de neiges. La prorogation approchait. Macdonald, comme toujours, était surchargé de travail. La session n'avait pas été mauvaise. Le projet de loi sur le droit de vote avait connu des difficultés et il ne put présenter le projet de loi sur les industries. Cependant, la plus grande partie de son programme de législation intérieure avait été acceptée. En Angleterre, les conséquences des propos inconsidérés de Galt ne s'étaient pas encore matérialisées. Gladstone et ses collègues semblaient vouloir faire preuve d'une bienveillance toute paternelle. Le gouvernement britannique semblait réellement s'intéresser au Canada et au peuplement de son Nord-Ouest. Il était même possible qu'il apportât sa contribution pour soutenir l'émigration. Quelques membres importants du Cabinet, y compris bien sûr ceux que la question irlandaise concernait le plus directement, étaient notoirement favorables au projet. George Stephen était resté à Londres pour surveiller la vente de sa nouvelle émission d'actions. Il faisait tout son possible pour amener le Cabinet à s'intéresser à un projet pratique et séduisant de subvention à l'immigration irlandaise. La rapidité avec laquelle une décision fut prise prit Macdonald de court. Le 11 mai, Stephen câbla pour lui communiquer officieusement la substance de l'offre britannique [77]. Le Cabinet Gladstone était prêt à avancer un million de livres pour aider la nouvelle compagnie que Stephen se proposait de créer et qui représenterait les intérêts fonciers du Canadien Pacifique Railway et de la Compagnie de la Baie d'Hudson.

Macdonald hésitait. À première vue, l'offre correspondait exactement à ce qu'il attendait depuis des années du gouvernement impérial. Son tour était maintenant venu de se montrer détaché et calculateur, exactement comme l'avait été le gouvernement impérial lui-même. "Parlement sur le point d'être prorogé", câbla-t-il à Stephen, "aucune législation possible cette saison. Gouvernement disposé favorablement, détails suivront [78]." Stephen allait les attendre un bon bout de temps! Macdonald ou son gouvernement pouvaient-ils se montrer favorables à l'offre britannique? De toute évidence, c'était la violence meurtrière qui régnait en Irlande qui avait provoqué cet intérêt nouveau de l'administration Gladstone pour l'émigration. Et c'était la même raison qui poussait les Anglais à faire partir les Irlandais du Royaume-Uni, qui amenait les Canadiens à se montrer peu empressés de les accueillir dans le Dominion. Pourquoi, se disait Macdonald, les Canadiens devraient-ils supporter de lourdes charges supplémentaires pour transporter le terrible problème irlandais au Canada? La proposition britannique cachait effectivement de lourdes charges. Le million de livres ne serait pas avancé directement à la nouvelle compagnie foncière d'immigration de Stephen, mais au gouvernement canadien. Selon Macdonald, le Canada était non seulement responsable du remboursement de la dette à la Grande-Bretagne, mais aussi du recouvrement des prêts consentis aux colons eux-mêmes. C'était absurde! Pourquoi le Canada serait-il favorable à une proposition d'aide faite en partie à ses dépens? C'était la responsabilité de la Grande-

Bretagne et c'est à elle qu'il revenait de subventionner entièrement l'émigration irlandaise.[79]

Les discussions à propos de la subvention à l'immigration se poursuivirent durant tout le printemps et pendant le début de l'été. Elles étaient de plus en plus stériles. Macdonald ne comptait pas se laisser persuader et il passa bien vite à autre chose. On était en juillet. Il avait hâte de partir pour Rivière-du-Loup afin d'y passer de longues vacances sans lesquelles il était parfaitement conscient de ne pouvoir continuer. Après la prorogation, il était de nouveau tombé malade. Chaque fin de session semblait ponctuée par une de ses rechutes. Ses collègues inquiets tentaient une fois de plus de le décharger. Cet été-là, la lourde charge de représenter le Canada à l'étranger revenait à Tilley, Tupper et Macpherson. Il était prévu qu'à son retour, Macpherson reprendrait à Macdonald le portefeuille de l'Intérieur. Macdonald avait l'intention de continuer à diriger les Affaires indiennes et la Police montée. L'énorme et immense projet de cession de terrains dans le Nord-Ouest qui, comme il l'assura plus tard à Lord Lorne, était "suffisante pour un seul homme, et même pour plusieurs", allait dorénavant relever directement de Macpherson [80].

Il venait de se décharger d'un pesant travail de routine. Mais ces arrangements, et tous ceux qu'on pourrait imaginer, allaient-ils alléger vraiment le poids de son travail et de ses inquiétudes? Tupper lui avait dit franchement qu'il ne pouvait espérer aucune amélioration réelle de son état physique s'il n'arrêtait pas de travailler. Le temps était-il venu de suivre le conseil de Tupper? À la fin de la session, il avait affronté les Communes l'air aussi désinvolte que d'habitude. Mais l'effort lui avait beaucoup coûté. À plusieurs reprises au cours des premières semaines de l'été, il eut profondément envie de prendre un repos complet. "Je me suis presque décidé à abandonner mon poste, dit-il à Plumb c'est le bon moment. Je suis sur le point de craquer. Je ne puis me le cacher ni peut-être le cacher à mes amis [81]."

"C'est le bon moment"! Un an, six mois plus tôt, cela aurait pu être exact! Il aurait pu terminer glorieusement sa carrière. Il avait remporté les élections générales. Il avait assuré le succès de sa politique nationale et la réussite du transcontinental national. Le pays lui était reconnaissant de son immense prospérité. Mais cette période était irrévocablement terminée. L'avenir était tout autre. Il avait attendu trop longtemps. À la fin de l'été, quand il revint à Ottawa, il était trop tard.

Le boom économique était terminé.

## Chapitre onze

# Tiens bon, Craigellachie!

### I

La récession ne se fit pas sentir brutalement. Aucun "vendredi noir" n'en marqua le début, aucune faillite de banque ou de maison commerciale vénérable n'en fixa le commencement dans la mémoire populaire. Elle commença tout simplement sans signe avant-coureur, presque à l'improviste et de façon très peu spectaculaire. La récession aurait même pu difficilement se manifester de façon plus discrète. Les gens n'en prirent que peu à peu conscience. Les prix se mirent à tomber lentement mais régulièrement. Le manque de confiance et une extrême nervosité commencèrent à se faire sentir à la Bourse de New York. Soudain, J. H. Pope, qui dirigeait le ministère des Finances en l'absence de Tilley, rapporta que le gouvernement était à court de liquidités [1]. Au cours des dernières années qui venaient de s'écouler, Macdonald en était presque venu à croire que les bénéfices annuels étaient une prérogative des conservateurs. Il évoqua la question avec Tilley dès son retour en l'accusant presque d'être responsable de la situation. Tilley se lança dans une longue explication un peu embarrassée, pleine de références aux capitalisations et aux comptes courants [2]. Ce n'était pas très rassurant. Ce qui se passait dans le Nord-Ouest l'était encore moins et augurait mal de l'avenir. Macdonald était très conscient du fait que le succès de sa politique nationale et le prestige de son gouvernement dépendaient largement de la rapidité et de la réussite du peuplement des Prairies. Mais dans les Prairies, il semblait soudain que rien n'allait plus. Après une spéculation foncière effrénée, les affaires stagnaient lamentablement. Le gel détruisit la récolte de blé de 1883.

Lord Lorne et son épouse allaient rentrer en Angleterre. Leur séjour à Rideau Hall avait coïncidé avec le début heureux et l'apogée du second gouvernement Macdonald. Ils étaient venus présider l'avènement d'une période heureuse, d'un temps "royal", d'un climat où le ciel était bleu, les vents favorables et les averses bénéfiques. Le pays avait grandi comme une plante et avait atteint sa maturité. Il s'était mobilisé autour d'une demi-douzaine d'entreprises colossales. Lord Lorne avait parrainé la création de la Société royale du Canada. Il avait assisté à la mise en place de la "politique nationale" de protection et aux débuts du Canadien Pacifique. Il avait montré de la sympathie et de l'intérêt pour l'établissement d'un poste de haut commissaire à Londres. Il avait vécu les débuts de ce qui deviendrait ultimement le nouveau système diplomatique de l'Empire. Tout s'était bien passé. Pendant les premières années de la seconde administration Macdonald, le succès avait fini par sembler normal tandis que l'échec paraissait une anomalie incongrue. Lord Lorne avait apporté la chance. Sa royale épouse et lui étaient sur le point de partir. Macdonald les vit quitter Ottawa avec un réel regret et avec un peu de cette difficulté qu'éprouve tout vieil homme à voir s'en aller des visages familiers. "Nous avons tous été terriblement désolés de vous voir partir hier", écrivit-il au gouverneur général, "même les habitants d'Ottawa, tellement apathiques d'habitude, ont été touchés [3]."

Les derniers adieux devaient se faire à Québec. C'est là que devait avoir lieu la passation du pouvoir entre l'ancien et le nouveau gouverneur et c'est là que le nouveau régime allait devenir effectif après la cérémonie complexe et habituelle de la prestation de serment. Lord Lorne était parti le premier pour attendre l'arrivée de son successeur. Quelques jours plus tard, Macdonald et tout le Cabinet se pressèrent à sa suite. Un peu après sept heures, par une soirée froide et claire de la fin d'octobre, ils quittèrent tous le quai de la Reine à Québec à bord du *Druid*, le vapeur gouvernemental, pour aller accueillir le marquis de Lansdowne, le nouveau gouverneur général [4]. Au loin, sur le fleuve, au-dessus d'une mince langue de terre, Macdonald apercevait les feux de hune du *Circassian*, vapeur de la compagnie Allan. Au nord, les falaises abruptes de Québec se découpaient brutalement contre le ciel. Les lumières vacillantes de la ville semblaient se mêler aux étoiles. Les lampes éblouissantes de la terrasse Dufferin brillaient comme quelque étrange constellation. Plus haut encore, des deux côtés du fleuve, des fusées colorées éclataient dans l'obscurité comme de minuscules météores. Le *Circassian* dont les hublots brillaient comme de longues rangées de coquillages, s'avançait peu à peu comme un fantôme en direction du quai des bateaux à vapeur de la pointe Lévis. Soudain, avant que Macdonald s'y attende, l'énorme navire arriva à leur hauteur, les surplombant de sa longue coque lisse, sombre et élégante. Les acclamations s'élevaient du rivage. Tout là-haut sur le gaillard d'arrière illuminé, une petite silhouette répondit aux vivats. Le *Druid* se rapprocha. On jeta une passerelle entre les deux navires. Macdonald, grand, mince et l'air étrangement jeune dans le noir, sauta prestement sur le gros vapeur à la suite de Lord Lorne.

Macdonald avait accueilli plus de gouverneurs généraux qu'il ne se souciait de s'en rappeler sur le moment. Il ne le savait pas encore, mais cet homme mince et brun était l'un des deux chefs les plus compétents qu'il aurait à rencontrer dans toute sa carrière. Il l'accueillait avec une politesse toute formelle qu'accentuait un peu ses propres inquiétudes. S'il avait eu son mot à dire dans le choix du représentant de la Couronne au Canada, (mais il avait toujours laissé entendre que cela ne le concernait pas), il n'aurait certainement jamais inscrit le nom de Lord Lansdowne dans ses dix premiers choix. Lord Lansdowne était un pair anglo-irlandais. Il possédait d'immenses propriétés en Irlande qu'il louait à des métayers. Après les violents troubles agraires qui éclatèrent dans l'île, son nom était devenu tristement célèbre auprès de nombreux Irlandais des deux côtés de l'Atlantique. Macdonald savait que dans les villes canadiennes, de nombreux fenians en colère risquaient de devenir violents et qu'il y en avait des millions aux États-Unis. "Il est bien possible", avait-il confié à Lord Lorne peu après que celui-ci lui eût ait la nomination de Lord Lansdowne, "puisque la chasse aux propriétaires fonciers n'est plus sûre en Irlande maintenant, que ces bandits d'Irlando-Américains essaient de la pratiquer ici, tentant de profiter de notre malheureuse promiscuité avec les États-Unis pour s'y réfugier [5]."

Cette inquiétude supplémentaire l'avait tourmenté tout l'été et pendant les premiers jours de l'automne. Il avait essayé, non sans un certain succès, d'influencer l'attitude de la presse envers le nouveau gouverneur. Le soir précédant l'arrivée de Lord Lansdowne, il s'était réuni à l'hôtel Saint-Louis avec les autres ministres pour étudier soigneusement les dispositions prises pour le recevoir. Le Conseil avait décidé de prendre beaucoup de précautions pour la cérémonie de prestation de serment, en alléguant le protocole et l'importance de l'événement. "Je pense qu'il serait bon, avait-il écrit à Lord Lorne, de donner une grande importance au fait que le nouveau gouverneur général prend la direction du gouvernement dans les circonstances présentes [6]." Quand Lord Lansdowne débarqua, tôt le matin du 23 octobre, il l'attendait anxieusement. Il fut sur des charbons ardents tout au long des cérémonies officielles à Québec et pendant le long voyage de retour en train jusqu'à Ottawa. Mais rien ne vint troubler l'instauration du nouveau gouverneur général. Ils atteignirent Ottawa à la tombée de la nuit. L'accueil qu'on avait fait à Lord Lansdowne sur le quai de la gare aurait difficilement pu être plus satisfaisant [7]. Les gardes et les policiers avaient reçu de nombreux renforts, comme Macdonald s'en rendit discrètement compte, mais la foule semblait naturelle, calme et même enthousiaste. "Il n'y a pas eu une seule manifestation discordante dans les acclamations que lançaient les gens qui étaient massés sur le quai", rapporta-t-il fièrement à Lord Lorne [8].

C'était un assez bon présage. Mais dans l'ensemble, les augures semblaient moins bons qu'ils ne l'avaient été pour Lord Lorne. Ce dernier avait été accepté avec confiance et enthousiasme. Lansdowne devrait faire ses preuves. L'avenir était difficile et c'est à travers ces difficultés qu'il devrait se bâtir sa réputation. "Je crains", avait écrit Macdonald dès le mois de juillet, "que le règne de Lord Lansdowne n'en souffre [9]." Il ne s'imaginait pas alors à quel point il disait vrai. Il devenait de plus en plus évident que l'arrivée du nouveau gouverneur marquait une nouvelle étape de l'histoire, un retournement complet de la roue de la chance. Depuis des semaines, les indices de problèmes imminents s'étaient accumulés de toutes parts. Il y avait maintenant une preuve ultime et incontestable qu'une période difficile approchait. Le Canadien Pacifique traversait une crise financière. Le chemin de fer, pensait quelquefois Macdonald, était une organisation qui sur le plan national venait tout de suite après le gouvernement lui-même. Le chemin de fer était un Canada en miniature avec toutes ses aspirations, ses énergies, ses faiblesses. Aucun autre baromètre ne pouvait exprimer mieux ni plus fidèlement les caprices du climat national. Tout ce qui arrivait au chemin de fer en bien ou en mal était significatif. Et n'était-ce pas une triste coïncidence que le 24 octobre, précisément le lendemain de l'arrivée de Lord Lansdowne à Ottawa, George Stephen présente au ministère des Chemins de fer et des canaux une demande officielle d'assistance financière?

Six mois plus tôt, rien ne laissait présager pareille faiblesse. Six mois plus tôt, il est vrai, Stephen avait été sur le point de conclure un accord global qui lui aurait sans doute assuré une paix durable. Au terme de cet accord, la plupart des petites sociétés ferroviaires que détenait le Canadien Pacifique au sud de l'Ontario et dans le Québec devaient être cédées au Grand Trunk. Ces concessions étaient importantes. Stephen, à l'instigation ou avec l'approbation de ses associés nord-américains, décida finalement qu'il ne pouvait les faire. La réconciliation n'eut jamais lieu. Le conflit entre les deux chemins de fer reprit de plus belle. Stephen dirigeait tout de la façon la plus autoritaire. Pendant tout l'été, la construction se poursuivit avec cette énergie furieuse qui, sous l'impulsion de Van Horne, avait fini par devenir une des caractéristiques du Canadien Pacifique lui-même. Pendant tout l'été, l'argent qu'il avait tiré de la vente des trente millions de dollars d'actions disparut peu à peu. Au fil des semaines, Stephen se vit obligé de songer à trouver de nouveaux financements. Il lui restait encore des fonds, mais le moment était proche où il devrait en avoir beaucoup plus. L'automne passa, octobre remplaça septembre. Stephen commença à se rendre compte que sa période de chance était terminée. Le marché de New York était toujours instable, mais cet automne-là, il sembla plus instable et capricieux que jamais. La valeur des actions des chemins de fer variaient en général. En septembre, le cours des actions du Northern Pacific tomba brusquement, ce qui eut de fâcheuses conséquence sur les cotes des autres chemins de fer du continent. À certains moments, les spéculateurs "à la baisse" semblèrent choisir le Canadien Pacifique comme cible préférée. Il fallait que Stephen trouve de nouveaux fonds de roulement et très vite. Sur les cent millions de capital autorisé du Canadien Pacifique, cinquante-cinq millions d'actions avaient déjà été mises sur le marché. Stephen disposait encore d'une valeur de quarante-cinq millions de dollars en actions. D'une manière ou d'une autre, il devait parvenir à les convertir en argent liquide, en tout ou en partie.

À la fin d'octobre, immédiatement après l'arrivée à Ottawa de Lord Lansdowne, de Macdonald et des autres ministres, Stephen gagna la capitale et réserva une chambre au Club Rideau. Au cours des années qui allaient suivre, le Club Rideau, sur la rue Wellington et la vue qu'il en avait sur la colline parlementaire, allaient lui devenir excessivement familiers. Il n'était qu'au début du long calvaire qui l'amènerait à faire le siège des gouvernements et à hanter les salles de conseil. Le 24 octobre, il s'entretint longuement de ses problèmes avec Macdonald [10]. Pour la première fois dans l'histoire de sa présidence, il était sérieusement inquiet. Il n'essaya pas de le cacher. Il croyait toujours fermement au succès final de l'entreprise et était toujours aussi imaginatif. Le plan qu'il présenta pour résoudre ses difficultés était aussi minutieux et détaillé que d'habitude. L'idée était très simple. Stephen se proposait de prouver de la façon la plus convaincante possible que les actions du Canadien Pacifique étaient des valeurs sûres qui rapportaient cinq pour cent d'intérêt. La compagnie avait naturellement décidé originellement de verser des dividendes de cinq pour cent, même pendant la période de construction de la ligne. Jusque-là, ces dividendes avaient été payés régulièrement. Stephen se rendait compte que cela ne suffisait pas pour amener le public à avoir confiance en l'avenir de son entreprise. Il avait désespérément besoin de cette confiance. Sans elle, il était incapable de trouver les fonds de roulement dont il avait besoin. La seule institution capable de sécuriser le public lui paraissait être le gouvernement canadien lui-même. Si le gouvernement canadien contribuait à la société pendant dix ans en acceptant de verser des intérêts de trois pour cent sur le capital-actions de cent millions du Canadien Pacifique, alors il prouverait que c'était un investissement stable et sûr. La compagnie n'aurait plus à verser que deux pour cent, ce dont elle était capable comme elle l'avait déjà amplement prouvé. Le monde se rendrait alors compte que les actions du Canadien Pacifique étaient un investissement sûr qui rapportait des profits de cinq pour cent. La garantie gouvernementale était essentielle au projet. Stephen la voulait et il était prêt à en payer le prix. Il n'avait jamais espéré pouvoir l'obtenir gratuitement. Il proposa de l'acheter soit en argent comptant, soit en actions, exactement comme il pouvait acheter une rente pour lui-même. Comme il le fit remarquer à Macdonald, il faudrait vingt-cinq millions de dollars pour payer un dividende de trois pour cent pendant dix ans sur le capital actions du Canadien Pacifique. Il était prêt à verser quinze millions de dollars immédiatement et cinq autres millions le 1er février 1884; le reste serait versé sous forme de valeurs ou sous d'autres formes, y compris les subsides postaux du gouvernement.

Macdonald accueillit favorablement le projet de Stephen. Le gouvernement devait aider le Canadien Pacifique à sortir de ses difficultés soudaines. "Les tentatives pour faire échouer l'entreprise et faire baisser les actions sont tout à fait répugnantes", confia-t-il avec indignation à Tupper [11]. Macdonald était furieux contre les spéculateurs ferroviaires new-yorkais et leur manque d'enthousiasme. Il l'était encore plus contre Sir Henry Tyler et les "journalistes de Londres à la solde du Grand Trunk". Il ne pouvait admettre un seul instant que le Grand Trunk essayait de miner la crédibilité du Canadien Pacifique et indirectement celle du gouvernement qui l'avait créé et soutenu. Le Grand Trunk Railway était lui-même une preuve stupéfiante de la générosité et de l'indulgence du gouvernement. Comme Macdonald le rappela à Tupper, le Grand Trunk devait au Canada trois millions et demi de livres sterling, sans compter les intérêts impayés depuis trente ans. C'est Macdonald lui-même qui avait alloué à la compagnie la plus grande partie de ce soutien financier à l'époque où il était l'un des chefs du gouvernement de l'ancienne Province unie du Canada. Il n'avait jamais regretté ni désavoué ce geste. Le Grand Trunk Railway avait eu besoin de l'aide gouvernementale exactement comme le Canadien Pacifique en avait à présent besoin, et pour les mêmes raisons. Mais si on avait pendant très longtemps généreusement oublié les obligations du Grand Trunk, on ne les avait jamais pour autant supprimées ou annulées par écrit. Pourquoi le Canada n'annoncerait-il pas qu'il exigeait le remboursement de ses créances si les attaques malicieuses contre le Canadien Pacifique se poursuivaient? "Une menace du genre, dite au bon moment, confiait-il à Tupper, ramènerait vite ces gens à la raison [12]." Il porterait la guerre dans le camp de l'ennemi! Il pressa Tupper et Rose de lui fournir la preuve que le Grand Trunk se livrait à une propagande déloyale. Il aurait sans nul doute l'occasion de s'en servir au cours de la prochaine session.

Entre-temps, il fallait venir au secours de Stephen et de son chemin de fer. Stephen l'inquiétait. Pour la première fois depuis que le contrat avait été signé, en ce fameux jour d'octobre 1880, Stephen semblait déprimé. Pour une personne qui avait "un cran pareil", c'était un mauvais signe. De toute évidence, il fallait agir immédiatement. Le Cabinet décida sans tarder d'accepter la proposition de Stephen qui était par ailleurs facile à défendre sur le plan politique. Stephen retrouva d'un coup toute son énergie et sa vivacité. Il partit pour New York dans l'après-midi du 29 octobre aussi gai et confiant que jadis. Il espérait, comme il le dit à Macdonald, obtenir "les quinze millions de Tilley" [13]. Il ne les obtint jamais. À New York, ses illusions et sa trop grande confiance se dissipèrent brutalement. Il est vrai que les actions du Canadien Pacifique, tout comme son humeur, avaient été brièvement à la hausse [14]. Pendant une journée, à l'annonce du "nouveau départ", elles atteignirent soixante-trois dollars. Mais en grande partie cette hausse était due à une mauvaise interprétation et à une surévaluation de la garantie gouvernementale. On corrigea l'erreur. Le cours se remit à fléchir. Comme depuis des mois, le marché de New York se montrait au mieux défavorable et réticent, et au pire ouvertement hostile. Stephen, le coeur lourd, se rendit compte que dans les circonstances il serait pratiquement impossible de convertir l'énorme total de quarante millions de dollars d'actions en un fonds de roulement. Il avait visé trop haut. Il devrait se contenter d'infiniment moins. Une semaine plus tard, il était de retour à Ottawa avec un projet terriblement réduit [15]. Il demandait à présent la contribution du gouvernement au versement d'un intérêt de trois pour cent, non plus sur l'ensemble du capital-actions de la compagnie, mais seulement sur soixante-cinq millions de dollars. Le changement était de taille. Cela signifierait bien sûr qu'il lui faudrait beaucoup moins d'argent pour acheter la contribution gouvernementale; mais cela signifiait aussi, et c'était extrêmement important, qu'il n'aurait en réalité que dix millions de dollars d'actions à convertir en argent liquide. Malgré toutes ses recherches, il ne voyait pas de solution plus favorable. Le gouvernement non plus. L'affaire fut conclue. Stephen paya ce qu'il devait. Au début de novembre, on annonça la garantie gouvernementale.

Pendant quelque temps, Macdonald pensa contre tout espoir que tout allait se passer comme Stephen l'avait espéré. "Les actions devraient se vendre facilement à soixante-dix ou plus sur le marché anglais", assura-t-il à Tupper avec confiance le 22 novembre [16]. Mais il sifflait dans le noir pour garder courage. Les actions ne montaient pas. Elles tombaient sans cesse. Le gouvernement avait donné sa garantie et la garantie n'avait servi presque à rien [17]. Le public n'avait pas confiance dans le Canadien Pacifique. Partout, il n'y avait que doute, indifférence, méchanceté et jalousie. Stephen n'osait émettre la nouvelle tranche de dix millions d'actions, même si le gouvernement les avait garanties à trois pour cent. Il ne put rien faire de plus que les hypothéquer à New York contre un prêt de cinq millions. Son plan avait échoué. Macdonald et lui le savaient. L'idée d'acheter la confiance et le soutien populaire grâce à un dividende gouvernemental avait été un échec total et écrasant.

Financièrement, la compagnie était beaucoup plus fragile qu'avant. Elle avait versé près de neuf millions de dollars, le premier acompte sur le prix d'achat. Elle avait donné des assurances pour le remboursement du solde. Et tout ce qu'elle avait tiré ou semblait pouvoir tirer de la transaction dans son ensemble était un prêt de cinq millions de dollars. Le prestige du Canada avait incontestablement souffert. La compagnie avait été sérieusement ébranlée. À partir du début de décembre, sa situation ne fit que se détériorer. Stephen était surpris du nombre de ses adversaires et de leur agressivité. Il commença à se rendre compte, ce dont Macdonald était conscient depuis le début, qu'il y avait à travers le monde de puissants intérêts qui de propos délibéré avaient décidé de faire échouer son chemin de fer. "Vous avez raison, écrivit-il à Macdonald, il n'y a rien à attendre des Yankees, sinon la jalousie, l'hostilité et l'envie. Quant à Londres, nos amis feront de leur mieux pour veiller à leurs propres intérêts sans se soucier beaucoup de ce qui nous arrive ici [18]." Stephen fit son possible pour éviter le désastre. Il se battit contre ses ennemis avec toute son énergie et sa passion. Alors que les cours tombaient, il ne cessa de faire la navette entre Montréal et New York pour essayer de restaurer la confiance et d'empêcher la progression des dégâts. Mais c'était sans espoir. Il le comprit vite. "Il faut faire quelque chose *immédiatement*", écrivit-il d'urgence à Macdonald, "pour éviter le discrédit de la compagnie, sinon mieux vaut abandonner et laisser le gouvernement prendre la suite de l'affaire (...) [19]."

Quinze jours plus tôt, Macdonald avait pris une décision. Il savait ce qu'il avait à faire. À New York, Londres, Paris, Amsterdam, tous les investisseurs avaient laissé tomber le Canadien Pacifique. Mais le Canadien Pacifique était un projet du peuple canadien. En dernier ressort, c'était vers le peuple qu'il fallait se tourner pour obtenir un soutien. Et il l'obtiendrait. Mais il lui fallait le concours de tous les amis du chemin de fer et de tous ceux qui lui voulaient du bien pour que le Parlement acceptât l'idée. Le 23 décembre, il câbla à Charles Tupper à Londres, le priant de rentrer au Canada. Tupper était en Angleterre depuis quelques mois à peine. Il était le second haut commissaire canadien à Londres. C'était une charge qu'il avait longtemps espérée. Il était sûr d'aimer son poste. Mais il ne passerait pas l'hiver 1884 à Londres et n'aurait pas le temps de s'habituer à ses nouvelles fonctions. Il était toujours membre du Cabinet canadien et toujours ministre des Chemins de fer et des canaux. Sa place en cette nouvelle période de crise n'était pas à Londres.

"Canadien Pacifique en difficulté", écrivit Macdonald dans son télégramme, "votre présence ici nécessaire [20]."

## II

Les jours paisibles, tranquilles, sans problèmes de son administration, les jours où il avait toujours agi selon ce qu'il fallait, où il lui était presque impossible de se tromper, étaient passés et probablement pour toujours. Quelque chose de plus dur et d'infiniment plus exigeant se présentait à lui. Comment pourrait-il y faire face? Il était cependant persuadé qu'il devrait y faire face. Une nouvelle année s'était écoulée. Une nouvelle session parlementaire approchait rapidement, et il ne lui était toujours pas possible de prendre sa retraite. Cet automne-là, il déménagea de nouveau et pour la dernière fois, comme il dut le sentir obscurément. Il avait été locataire et non propriétaire pendant ces longues années passées à Ottawa. Un an plus tôt, il avait acheté une maison, connue sous le nom de "Reynold's House" et qu'il rebaptisa "Earnscliffe", "le rocher de l'aigle". C'était une maison à pignons aux nombreuses pièces, pleine de coins et de recoins, qui se dressait en bordure de la grande falaise surplombant la rivière Ottawa, à environ un mille de la ville.[21] Il y avait vécu, plus de dix ans auparavant, pendant l'hiver qui avait suivi sa longue convalescence dans l'Île-du-Prince-Édouard, juste avant les réunions de la Conférence de Washington au printemps 1871. Un an plus tôt, à l'automne, il y avait redéménagé pendant quelques mois pendant que l'on refaisait la décoration de Stadacona Hall [22]. Il aimait la maison, sa paix et son isolement, la vue qu'elle présentait sur la rivière et la colline parlementaire, ainsi que le sombre paysage de montagnes et la perspective assombrie des Laurentides qui se profilaient à l'ouest.

La famille Macdonald occupa agréablement les dernières semaines de 1883 à s'intaller [23]. Ni les médecins ni Macdonald lui-même ne trouvaient rien d'anormal à son état physique. Pourtant, il lui aurait été difficile d'affirmer qu'il se sentait robuste et plein d'énergie. "Je suis en assez bonne santé, écrivit-il à Tupper, mais je me sens fatigué chaque soir [24]." Il n'était pas évident qu'il fût le meilleur chef pour mener la difficile campagne parlementaire. Il n'était pourtant pas plus malade que ses collègues. On eût dit parfois que le Cabinet tout entier avait pris l'habitude de hanter les salles de consultation des médecins. Pope était terriblement malade. Tilley craignait de faire du diabète. Campbell souffrait d'affreuses migraines et Macpherson devait aller de temps en temps soigner ses "calculs" dans une ville d'eau allemande. Même Tupper, si costaud et si difficilement déprimé qu'il semblait fait d'acier trempé avait été très malade au printemps précédent. Mais Tupper s'était remis. Tupper avec son énergie de jeune homme était le membre le plus essentiel de ce que Macdonald commençait à considérer comme une équipe de vieillards en bout de course. Tupper avait répondu immédiatement à l'appel au secours de Macdonald pour régler la crise du Canadien Pacifique. Il avait quitté Londres pour Liverpool à minuit le 5 décembre et le lendemain il s'était embarqué pour Montréal sur un paquebot de la compagnie Allan, le *Parisian*.

Tupper parvint à Ottawa une semaine seulement avant Noël. Macdonald et lui s'attaquèrent aussitôt aux problèmes du Canadien Pacifique. Stephen était au bord du désespoir. Les actions des chemins de fer en général, et celles du transcontinental en particulier, avaient été terriblement secouées par la faillite soudaine du Northern Pacific, le principal rival du Canadien Pacifique. Le prix des actions de la société était tombé à cinquante-quatre dollars. De quelque côté que Stephen se tournât, on lui opposait toujours les mêmes sourires ironiques et méprisants. Tout le monde pensait que la compagnie était à court d'argent, que tout était fini et que la banqueroute n'était plus qu'une question de jours. Ses créanciers, les détenteurs de la dette flottante qui annihilait tout espoir de crédit pour la compagnie, le poursuivaient comme une horde de loups. Il avait épuisé tous les expédients. "Il n'existe plus qu'un moyen de rembourser, écrivait-il, c'est que le gouvernement consente un emprunt à la compagnie (...) [25]." Et même le gouvernement ne pouvait, selon lui, agir assez vite. Il lui fallait une avance immédiate de la Banque de Montréal. Et, si c'était possible, il lui fallait une aide à grande échelle que seul le Parlement canadien pouvait autoriser.

Macdonald savait qu'il lui fallait intervenir. La Banque de Montréal était allée le plus loin possible. Elle avait peur d'avancer encore un seul sou. "Il est à craindre que les actions de la banque ne baissent", expliquait Stephen à Macdonald, "à cause des avances importantes qu'elle a consenties au CPR sans couverture [26]." En privé, Tupper assura aux représentants de la banque, Smithers et Buchanan, que le gouvernement était prêt à aider le Canadien Pacifique à rembourser les emprunts qu'on lui consentait. Smithers et Buchacan firent comprendre poliment à Tilley qu'une assurance verbale ne suffisait pas. Ils voulaient plus. Il faudrait une note secrète, signée de Macdonald ainsi que de Tupper et Tilley pour satisfaire les membres du conseil d'administration, comme Stephen en informa Tupper avec quelque embarras le 28 décembre [27]. Le lendemain, Buchanan vint à Ottawa. En fin de compte, il sembla se satisfaire d'une lettre signée par le ministre des Chemins de fer et des canaux pour appuyer la demande de Stephen. La banque finit par accorder l'avance, mais de justesse, comme Stephen le découvrit plus tard, et malgré une vive opposition de plusieurs membres du conseil d'administration [28]. Stephen avait réussi malgré tout. Il avait son argent. Il put faire face aux remboursements qui l'attendaient à New York le 8 janvier. Mais comme Macdonald en était conscient, ce n'était qu'un début, la première contribution aux incommensurables besoins du Canadien Pacifique et une contribution minime. Dans l'avenir, il faudrait payer plus, beaucoup plus. Au milieu de janvier, Stephen présenta officiellement le projet qui lui permettrait de faire face à ses besoins. Il demandait au gouvernement de lui prêter vingt-deux millions et demi de dollars. En contrepartie, il était prêt à hypothéquer la ligne principale du chemin de fer et tous les terrains dont il n'avait pas encore fait l'acquisition.

Au vu de ces sommes incroyables, Macdonald s'effraya. Il ne remettait pas en doute la réalité des besoins de Stephen ni la sagesse de son projet. Tupper, Tilley, Pope et lui avaient examiné et réexaminé toutes les données de la question. Il y avait peut-être moyen de modifier certains détails du projet afin de le rendre politiquement plus défendable. Les conditions imposées au chemin de fer pouvaient être plus sévères et plus rigoureuses. Mais c'était tout. Essentiellement, le projet devait être appliqué tel quel. Il n'y avait pas d'autre solution. Pour le Canadien Pacifique, le projet était absolument vital. Mais pour le gouvernement canadien, n'était-ce pas de toute évidence quelque chose d'absolument impossible politiquement? Macdonald ne savait pas. Plus rien n'était sûr. Moins de deux ans plus tôt, il avait gagné les élections générales de 1882. Sa majorité était amplement suffisante pour faire face aux situations courantes. Mais il ne s'agissait pas d'une situation courante. Il s'agissait d'un élément nouveau sans précédent dans l'histoire du Canada. Il ne pouvait plus se contenter d'une simple majorité parlementaire. Il lui fallait un soutien solide de la base. La situation à laquelle il était confronté était susceptible de briser n'importe quelle majorité parlementaire. Elle risquait de transformer l'armée disciplinée des conservateurs en une foule paniquée de déserteurs. Mais, à ce stade-ci, comment abandonner la partie? Macdonald ne pouvait abandonner le chemin de fer. Il devait continuer et il le savait.

"Nous allons soutenir le CPR", écrivit-il à Lord Lorne au début de janvier, "mais nous nous attendons à une opposition importante au Parlement et craignons quelques défections de la part de nos amis. Nous allons affronter l'Opposition avec détermination [29]." L'Opposition allait être en partie sincère bien sûr, mais ce serait aussi en partie pour elle un jeu politique. Et de plus, dans certains cas, ce ne serait pas une véritable opposition, mais la décision intéressée de demander une récompense au gouvernement comme prix de son soutien. Dans un état fédéral et continental comme le Canada, toute entreprise nationale semblait obligée de supporter toute une série de projets annexes souvent inutiles que lui imposaient certaines provinces et certaines régions. Une entreprise nationale canadienne ressemblait à ces convois du moyen âge qui devaient payer tribut à toute une série de seigneurs et de brigands le long de la difficile route commerciale qui les conduisait à destination. Cette fois, l'objectif était extrêmement important et les sommes impliquées énormes! Tous ceux qui avaient quelque intérêt sur le plan local seraient aux aguets comme de rapaces vautours. L'été précédent, le Dominion était enfin parvenu à conclure un accord avec la Colombie britannique. Cette fois, c'était au tour de la province de Québec. Elle semblait sans cesse ouvrir plus grand la bouche pour recevoir plus. Dans les Provinces Maritimes qui ne tiraient aucun avantage du nouvel itinéraire national, on demandait que le Canadien Pacifique entreprenne la construction d'une nouvelle ligne, "une petite ligne", plus courte que l'Intercolonial qui menait à la mer.

Macdonald savait qu'on le menacerait, qu'on le bouderait et qu'on lui poserait des problèmes. Pourtant, malgré toute l'exaspération qui pouvait en résulter, il y avait pire. Et ce pire était beaucoup plus grave. Il devait parier sur la foi qu'avaient les Canadiens et les étrangers en l'avenir du Dominion. Le Canadien Pacifique, condition de la réussite de l'expansion à l'échelle continentale, avait atteint la limite de ses ressources et épuisé son crédit. En désespoir de cause, le chemin de fer s'était tourné vers l'État qui lui avait donné naissance. Cet État était le Canada, un pays de quelques millions d'habitants, éparpillés sur la moitié d'un continent. Les ressources et le crédit du Canada étaient malheureusement limités. Macdonald risquait-il de dépasser ces limites et de mener le pays au désastre? Selon toute apparence, une période économique difficile approchait. Les revenus baissaient. Le marché s'effondrait. La récession s'accentuait. Elle compromettait les entreprises de moindre envergure et pouvait s'avérer fatale pour une entreprise aussi gigantesque que le Canadien Pacifique. Au cours des mois à venir, les défis allaient être terriblement impitoyables, mais une confiance réelle permettrait de les surmonter. Tout dépendait en définitive de la confiance. Y avait-il moyen de convaincre les Canadiens, et ceux que l'on parviendrait à persuader d'aider les Canadiens, que le Nord-Ouest était une véritable patrie et qu'un Canada transcontinental était un État viable?

C'était le véritable défi qu'il avait à relever dans les mois à venir. Et pendant cette période, ses ennemis recouraient à la propagande la plus mesquine et la plus dénuée de scrupule pour miner le prestige et les espoirs du Canada. Blake, les grits, les "journaleux à la solde du Grand Trunk", les spéculateurs de New York, les correspondants de l'agence Reuter et des grandes agences de presse américaines, la horde nombreuse de tous ses ennemis aux abois feraient tout en leur pouvoir pour calomnier, déprécier et diffamer le projet qu'il voulait défendre. La moindre critique mensongère, la plus petite protestation locale, le moindre signe de mécontentement provincial ou régional, tout ce qui pouvait servir à discréditer son projet et à ruiner le crédit du Canada serait utilisé, exagéré, déformé jusqu'à ne plus rien avoir en commun avec la réalité. Les gouvernements provinciaux, les Assemblées législatives provinciales, les conventions et les associations régionales, tous les organismes dans lesquels les hommes, véritables bêtes politiques, se réunissaient, représentaient des sources potentielles de danger. Tout signe sérieux de désaffection dans n'importe quelle partie du pays affaiblirait sa position. Mais il y avait une région où, plus qu'ailleurs, Macdonald était vulnérable. C'était le Nord-Ouest. Si le Nord-Ouest ne devenait pas une région prospère, son grand plan d'expansion et d'intégration nationales n'aurait pas de sens. S'il y avait le moindre signe tendant à prouver que le Nord-Ouest ne deviendrait jamais la patrie d'une population prospère et satisfaite, alors plus rien ne justifiait le prêt qu'il allait proposer pour venir en aide au Canadien Pacifique, pas plus que l'existence du chemin de fer lui-même. C'était aussi simple que cela. Là se trouvait le vrai noeud du problème. En quatre mois, tout avait changé au Nord-Ouest. Cette région avait fini d'être son meilleur atout. Elle était devenue son problème le plus sérieux. Elle n'était plus maintenant que source d'échec, de découragement et de mécontentement.

Macdonald n'en était pas surpris outre mesure. Il avait toujours su qu'il y avait en puissance dans le Nord-Ouest tous les éléments d'une situation explosive. Les Indiens, les métis et les nouveaux colons représentaient chacun un problème différent, mais tout aussi dangereux que celui des autres. Pour la première fois en près d'un siècle, un gouvernement canadien avait dû négocier avec de grandes tribus d'Indiens bien organisées et tenter de les installer dans des réserves. Le processus compliqué qui avait permis de mener ces négociations à terme était naturellement ancien. Sir William Johnson l'avait mis au point au dix-huitième siècle et l'avait transmis au gouvernement canadien en 1860. Cet héritage administratif s'était révélé d'une grande valeur au moment où les autorités impériales avaient décidé de se départir de l'administration des affaires indiennes [30]. Les questions des réserves indiennes n'étaient pas nouvelle. Mais dans le Nord-Ouest canadien, leur taille, le nombre d'Indiens concernés, l'aspect solennel et l'indulgence des traités, tout contribuait à transformer une entreprise connue et assez simple en une responsabilité nouvelle et terrible. Le prix à payer était certainement lourd. Au cours de l'année fiscale 1884 et de la précédente, le gouvernement du Dominion avait dépensé un peu plus d'un million de dollars par an pour les Indiens. Il y avait à peine six ans que les derniers traités avaient été signés avec les Pieds Noirs à l'automne 1877. Personne ne pouvait encore affirmer de façon sûre que le nouveau système avait réussi. La vie en réserve restait une expérience difficile, pleine d'imprévus et terriblement risquée.

Les craintes de Macdonald étaient du genre de celles qu'on éprouve devant les situations neuves. En ce qui avait trait aux métis et aux nouveaux colons, ses appréhensions venaient d'une expérience qui était encore fraîche dans sa mémoire. Les métis se considéraient comme une "nation". Dans le processus de peuplement, ils étaient une nation de squatters. Macdonald savait, comme tous les juristes de l'époque, que les squatters étaient des gens peu fiables, impatients et têtus, et que la satisfaction de leurs revendications mal définies était probablement le problème le plus exaspérant et le plus difficile auquel pouvait se trouver confrontée une administration chargée de distribuer des terres. Il savait aussi, car la révolte de la rivière Rouge l'avait amplement prouvé, que les squatters métis français du Nord-Ouest constituaient une communauté susceptible, fière et impulsive, et qu'elle avait une longue tradition d'entraide et de coopération. Le caractère semi-militaire de cette société en faisait une force d'opposition tout à fait exceptionnelle. Macdonald savait tout cela. Il savait également que l'afflux d'un grand nombre de colons depuis 1879 avait contribué à rendre la situation précaire.

"Le processus du peuplement d'une région" était un phénomène que Macdonald connaissait par expérience. Il avait grandi au Haut-Canada, au moment où la région commençait à être colonisée. Il avait vécu la vaste et malheureuse agitation des débuts. Ses parents, ses amis et lui avaient connu les privations, l'échec, les épidémies, les soulèvements et la vraie rébellion. Le processus troublé de la colonisation ne pouvait pas avoir changé radicalement en moins d'un demi-siècle. Et s'il avait changé, ce n'était certainement pas en mieux. Le peuplement était devenu une affaire de gros sous. Plus nombreux que jamais, les spéculateurs, les voleurs de terres, ceux qui cherchaient à tirer profit des lotissements urbains, acculaient les fermiers à la faillite, chassaient les colons honnêtes et imprudents. Ils étaient politiquement dangereux, Macdonald en était convaincu. Ils avaient le sens de l'organisation et savaient tirer profit du mécontentement populaire. "En vérité", avait-il écrit à Lord Lorne plus d'un an auparavant, "il n'y a pas d'opinion publique véritable au Manitoba. Les hommes qui fomentent l'agitation sont un groupe de requins avides de terre et voleurs de fermes. D'ici un an ou deux, la grande masse des vrais colons disposera de plus de voix et chassera le groupe de spéculateurs qui se présente aujourd'hui comme "le peuple du Nord-Ouest" [31]."

À présent, et beaucoup trop tôt, Macdonald était confronté, dans le Nord-Ouest à la première difficulté véritable. Le boom foncier avait pris fin de manière abrupte et démoralisante. Le terrible gel du 7 septembre avait pratiquement détruit la récolte de 1883. "Il ne peut y avoir d'époque plus sombre que celle-ci", écrivait de Winnipeg, Aikins, lieutenant-gouverneur du Manitoba le dernier jour de novembre [32]. Les doléances et le mécontentement sont réels disait Aikins avec insistance. Mais il était bien conscient que la nouvelle opposition libérale faisait tout pour les amplifier. Dirigée par Thomas Greenway, elle avait déclaré la guerre au fédéral. Macdonald s'attendait à des problèmes. Il n'eut pas longtemps à attendre. Les 19 et 20 décembre, une assemblée de gens de l'Ouest se réunit à Winnipeg. Les participants créèrent l'Union des fermiers du Manitoba et du Nord-Ouest [33]. Après avoir longuement discuté de leurs problèmes, ils adoptèrent une "déclaration des droits" qui n'était en fait qu'une longue liste de revendications. Ils s'en prenaient au tarif élevé du transport des marchandises, aux taxes sur le matériel agricole, à l'administration des terres publiques, au monopole du Canadien Pacifique et au monopole d'Ogilvie en matière d'élévateurs à grains. Le gouvernement du Canada était évidemment le principal responsable de tous leurs malheurs.

Macdonald était inquiet. L'agitation aurait difficilement pu tomber à un moment moins propice. Elle coïncidait exactement avec la crise financière du Canadien Pacifique. Dans les deux cas, de mystérieux personnages de toute évidence fort influents se hâtèrent de donner aux mauvaises nouvelles toute la publicité possible. Un peu plus d'une semaine avant la réunion de Winnipeg, J.G. Colmer qui dirigeait à Londres le bureau du haut commissariat en l'absence de Tupper, télégraphia fort énervé qu'une dépêche était parue le matin même dans tous les journaux de la capitale pour annoncer l'émergence d'un mouvement des fermiers du Nord-Ouest décidés à obtenir justice. L'agitation, assurait-on aux lecteurs anglais, prenait des "proportions gigantesques". Un orateur enflammé, poursuivait l'article, avait même brandi la menace de "se tourner vers Washington" si l'on ne donnait pas suite aux revendications de son groupe. "De tels articles", concluait avec inquiétude Colmer, "font beaucoup de tort ici [34]." Macdonald savait que ces articles étaient froidement calculés pour nuire au pays. La propagande anticanadienne était à son comble. C'était devenu une vaste conspiration. Vers la fin de décembre, John Rose rapporta qu'il ne se passait pas de jour sans que les journaux londoniens ne publient quelque nouvelle injurieuse envers le Canadien Pacifique ou les intérêts canadiens en général. "Je suis personnellement persuadé, écrivait-il, et d'autres me l'assurent, qu'il s'agit d'une manoeuvre des spéculateurs "à la baisse" de New York aidés par les alliés qu'ils ont ici pour faire du tort au Canadien Pacifique et aux intérêts qui y sont liés [35]."

Macdonald hésitait. Il savait qu'il devait agir le plus vite possible pour sauver le Canadien Pacifique. Mais les conséquences possibles d'une action quelle qu'elle fût l'effrayaient. Jamais encore, il n'avait dû poser de geste aussi vital en des circonstances aussi peu propices et sous l'oeil vigilant de tant d'ennemis. On préparait d'avance des rapports pour combattre les intentions du gouvernement. On se disait de bouche à oreille des propos hostiles à la politique gouvernementale. Stephen et John Rose désespérés le suppliaient de garder le secret. Il dut préparer les clauses complexes de la loi de secours en tenant compte des critiques inévitables que le projet soulèverait. Le Parlement se réunit le 17 janvier. Il dut alors persuader ses partisans incrédules et effrayés que seule une aide supplémentaire à grande échelle pouvait sauver le Canadien Pacifique. Cela lui prit du temps. Et il lui en faudrait encore plus, combien exactement, il ne le savait pas, pour parvenir à faire adopter le projet de loi par le Parlement. Et il serait peut-être trop tard. Stephen était à bout de ressources. Quand ce dernier comprit tout le temps qu'il faudrait pour faire adopter la loi de secours, il s'affola presque. Il dit avec amertume à Tupper qu'il aurait tout laissé tomber s'il avait soupçonné un seul instant que les fonds de secours ne pourraient lui être versés avant le 1er mars. "Je pars ce matin", écrivit-il à Macdonald depuis le Club Rideau alors qu'il se préparait une fois de plus à retourner à Montréal, "et vous pouvez être sûr que je ferai tout mon possible pour faire marcher les choses et éviter le pire jusqu'à ce que le secours arrive, mais vous ne devrez pas me blâmer si je n'y parviens pas (...) Cette affaire m'épuise et me fatigue maintenant à un point tel que j'accueillerais n'importe quel changement avec soulagement [36]."

Macdonald était lui-même épuisé. Stephen semblait faiblir. L'ambitieuse aventure du nationalisme canadien paraissait tourner court. Mais son projet était prêt et il était déterminé à le faire réussir. Dans l'après-midi du vendredi 1er février, après avoir expédié les affaires de routine, Charles Tupper se leva et présenta les onze longues résolutions destinées à secourir le Canadien Pacifique[37].

# III

Le débat qui suivit fut l'un des plus longs et des plus acrimonieux de la longue et difficile histoire du chemin de fer transcontinental canadien. L'Opposition était décidée à faire obstruction. Il est vrai, comme l'admit Blake en Chambre avec franchise et cynisme, qu'il s'attendait à ce que la loi de secours fût adoptée. Mais Blake lui-même, ainsi que ses amis et ses associés, que ce fût au sein du Parlement ou en dehors, estimaient que la situation désespérée du chemin de fer et l'embarras du gouvernement pouvaient être exploités efficacement dans le pays tout entier. Le temps était venu de présenter au peuple canadien un immense réquisitoire contre le Canadien Pacifique. Tous les individus, toutes les organisations, tous les intérêts opposés au chemin de fer avaient maintenant l'occasion de s'unir dans un suprême et ultime effort pour tâcher d'en précipiter la perte. Brydges, l'ancien directeur général du Grand Trunk Railway, se précipita à Ottawa pour mettre Sir Richard Cartwright au courant des injustices commises par la terrible compagnie rivale de la sienne. Joseph Hickson qui avait succédé à Brydges comme directeur, rendit publiques les lettres qu'il avait écrites à Macdonald pour protester contre le caractère injuste et nocif de la loi de secours [38]. Aux Communes, Blake, Cartwright et une longue série d'orateurs libéraux attaquèrent les résolutions Tupper avec toute l'indignation morale d'hommes vertueux à qui l'on demande de pardonner à une véritable abomination politique. Selon Blake, l'histoire du Canadien Pacifique était une chronique ininterrompue et continuelle d'erreurs. Il en dénonça les moyens financiers douteux, les méthodes de construction et leurs monopoles, les changements d'itinéraire incessants, les achats immodérés de chemins de fer ne faisant pas partie de son contrat légitime, les incursions arrogantes à l'est sur le territoire d'autres chemins de fer et au nord-ouest le monopole qu'il préservait jalousement.

Les attaques extérieures n'étaient pas les seuls dangers que Macdonald devait affronter. Il devait aussi tenir compte des menaces de défection de l'intérieur. Le 14 février, alors que la date du vote sur les résolutions de Tupper était encore assez éloignée, une délégation de ministres provinciaux du Québec se présenta devant le Conseil pour demander au profit de sa province une aide fédérale supplémentaire [39]. Quatre jours plus tard,

John Costigan qui avait parrainé les résolutions sur l'Irlande deux sessions plus tôt et qui était depuis peu membre du Cabinet, envoya sa démission à Macdonald [40]. Ce geste n'avait aucun rapport direct avec le Canadien Pacifique, mais il coïncidait exactement avec la crise financière du chemin de fer et avec le moment où les difficultés de Macdonald atteignaient leur point culminant. C'était grave. Macdonald ne tenait absolument pas à risquer de s'aliéner le vote de ces gens capricieux qu'étaient les Irlandais catholiques. Mais il y avait pire. Les quarante et quelques députés conservateurs fédéraux du Québec menaçaient les revendications financières qu'avait présentées le gouvernement de leur province. Certains des leaders moins en vue du groupe semblaient même disposés à mettre comme condition à leur vote en faveur de la loi de secours du Canadien Pacifique la satisfaction des demandes québécoises. La nouvelle de la rébellion naissante se propagea et reçut bientôt la plus grande publicité. "Reuter publie à nouveau message extrêmement injurieux", câbla John Rose de Londres, "concernant démission deux ministres suite affaire Pacifique et vote défavorable quarante-deux députés français [41]."

Macdonald ne comptait pas se laisser effrayer, ni intimider. Il soutint le projet de prêt au Canadien Pacifique avec toute la force dont il était capable. Il n'y avait pas un instant à perdre. Pour la compagnie, c'était maintenant une question de temps. Elle survivait au jour le jour. "Dans l'intervalle", écrivit Stephen le 16 février, "je ne vois pas comment nous allons nous en sortir et continuer à fonctionner jusqu'à ce que les secours nous parviennent. Nos ressources personnelles sont épuisées. Nous ne pouvons plus aider la compagnie. Si nous n'obtenons pas une aide immédiate, nous devrons arrêter. Ce serait tout simplement fatal pour la compagnie [42]." La situation était ridicule et tragique: à la veille d'être sauvée, la compagnie risquait d'avoir à suspendre ses opérations. Macdonald et Stephen firent tout leur possible pour prévenir un tel désastre. Mais il restait dangereusement proche. Il se propageait toutes sortes de rumeurs. Le Cabinet, disait-on, est complètement divisé. Tilley était sur le point de perdre. Le gouvernement tomberait certainement. La campagne de médisance et de dénigrement avait un grand succès. Elle effrayait les investisseurs britanniques, répétait John Rose. Elle intimidait même les banques. Tupper écrivit à la Banque de Montréal, comme il l'avait fait six semaines plus tôt, pour donner l'aval du gouvernement à une demande d'emprunt de Stephen destiné à renflouer la compagnie pendant la brève période où il lui faudrait attendre que le projet de loi passe au Parlement. La banque rejeta la demande. "McIntyre part pour New York ce soir", écrivit Stephen après avoir annoncé la nouvelle à Macdonald. "Il va essayer d'y emprunter 300 000 dollars; ce qui nous permettra, nous le pensons, d'éviter les huissiers jusqu'à mardi ou mercredi. J'espère qu'il y parviendra, mais ce n'est pas sûr. S'il n'y arrive pas, je ne sais pas ce que nous ferons(...) [43]."

Macdonald intervint à peine dans le long débat. Mais il poussa le projet de loi sans répit et sans supporter le moindre délai. Il persuada Costigan de retirer sa démission. Il calma le mouvement de révolte des députés canadiens-français. Il télégraphia à Rose pour lui demander de protester au nom du gouvernement canadien contre les articles injurieux qui paraissaient dans la presse britannique. "Message faux, câbla-t-il, aucun ministre n'a démissionné. Résolutions concernant Canadien Pacifique passées hier en commission, cent trente-six oui, soixante-trois non. Adoption probable aujourd'hui [44]." La Chambre n'approuva les résolutions que le lendemain 22 février. Les Communes adoptèrent la loi qui les regroupait moins d'une semaine plus tard, le 28 février [45]. On était le jeudi, en fin de soirée. Stephen pensait qu'avec l'emprunt que McIntyre obtiendrait peut-être, il serait capable de résister jusqu'au mercredi suivant. Pendant ce temps, la loi devrait passer devant le Sénat. "J'espère que la loi parviendra au Sénat demain soir", écrivit Stephen sur le ton le plus urgent, "je vous écris pour vous demander d'avoir l'amabilité de prendre des mesures pour que vos amis sénateurs approuvent le projet de loi avec toute la célérité possible afin que nous soyons sûrs que nous pourrons disposer de l'argent mercredi. J'espère que Tilley sera prêt (...) [46]." Le mercredi 5 mars arriva. Dans l'après-midi, les députés des Communes se dirigèrent vers la Chambre du sénat pour entendre le gouverneur adjoint, Sir William Ritchie, donner l'assentiment royal au projet de prêt au bénéfice du Canadien Pacifique [47]. Le plan avait réussi, juste à temps.

Immédiatement, la tension baissa. On remboursa à Montréal et à New York, la dette flottante qui avait tant embarrassé Stephen. "Les Yankees sont tout contents maintenant", écrivit Stephen à Macdonald de New York, "puisqu'ils ont reçu leur argent du CPR (...) [48]." Le remboursement des créanciers américains et de la Banque de Montréal, qui soutenait le crédit du Canadien Pacifique sur les marchés financiers internationaux avait été le premier objectif du prêt gouvernemental. Cet objectif était atteint. Mais il y en avait un second encore plus important, un objectif qui assurerait l'achèvement total de l'entreprise et la réussite du chemin de fer pour la fin de 1886 au plus tard sans aide supplémentaire du gouvernement. Pour le moment, Macdonald le savait très bien, personne ne pouvait prédire que cet objectif serait atteint. Il ne pouvait compter que sur le courage et l'ingéniosité de George Stephen. L'avenir du chemin de fer était incertain. D'un coup Macdonald avait presque doublé la subvention accordée au premier transcontinental canadien. Serait-il possible de convaincre le Canada et le monde que les énormes dépenses consenties en faveur de quelques millions de personnes étaient justifiables? Les Canadiens voudraient-ils et pourraient-ils prouver à l'Europe occidentale et aux Américains que leur conception d'un Canada transcontinental prospère était valable? La dépression semblait vouloir persister. Tout annonçait que les difficultés ne feraient que croître. En cette période troublée, les

Canadiens pourraient-ils payer le prix qu'il fallait pour devenir une nation. Ou bien ce pays à demi constitué, à demi peuplé, éclaterait-il sous les trop lourdes charges qui lui étaient imposées?

Macdonald était incapable de répondre. La situation politique était déjà défavorable. Lorsque la session prit fin le 19 avril, elle était devenue plus défavorable encore. Le régionalisme ou le provincialisme constituait la menace la plus sérieuse pour l'unité nationale dont dépendait sa réussite ou son échec. Le sentiment provincialiste semblait croître à travers tout le Dominion. "J'ai dû déjouer un assez ignoble complot de mes amis français", confia-t-il à Lord Lansdowne dans une lettre relatant l'histoire secrète de la session, "je leur ai offert une importante aide financière pour renflouer les caisses de leur province à demi insolvable. Le complot a donc échoué. Mais ce regroupement des Français pour forcer la main du gouvernement en place est une menace permanente pour la Confédération [49]." Ce n'était pas la seule et il le savait. Tout le pays semblait animé de griefs régionaux et de mécontentements provinciaux. La Colombie britannique était satisfaite. Le Nouveau-Brunswick et l'Île-du-Prince-Édouard étaient calmes. Par contre, depuis deux ans, la Nouvelle-Écosse était tombée aux mains de ses adversaires politiques. Le gouvernement du Manitoba, loyal en apparence, était d'humeur instable et se montrait exigeant. La querelle avec l'Ontario et avec Mowat, le "petit despote", se poursuivait toujours. Macdonald était profondément engagé dans cette bataille. Il y avait tant d'animosité des deux côtés maintenant que la façon dont la querelle se réglerait aurait sans aucun doute une signification de premier ordre dans l'histoire politique et constitutionnelle du Dominion. Au début, Macdonald avait espéré une victoire totale. Hélas, l'époque était bien passée où il était encore capable de se bercer d'illusions. Il ne pouvait plus gagner maintenant. Tout ce qu'il risquait, c'était l'échec complet. Au mieux, il devait tâcher de ne pas perdre pied.

Plus d'un an plus tôt, au Parlement, il avait fait face à Mowat avec la superbe assurance que lui avait conféré le triomphe constitutionnel du Dominion dans le procès Russel contre la Reine. À l'époque, c'était Mowat qui était sur la défensive, et l'Ontario's Liquor Licence Act qui avait été sur le point d'être abrogé. La situation s'était malheureusement totalement inversée. Au cours de l'année 1883, la Commission judiciaire du Conseil privé rendit jugement dans le procès Hodge contre la Reine. La validité de la loi ontarienne y était clairement confirmée. C'était à présent au tour de Blake de se moquer de Macdonald et de remettre en doute le caractère constitutionnel du Dominion Licence Act de 1883. Mowat avait repris l'initiative de l'offensive pour défendre sa législation contre les prétentions de la loi fédérale. Agressif et prompt, il avait sauté sur l'occasion. Au cours de l'hiver 1884, l'Assemblée législative ontarienne promulga une autre loi provinciale en matière de permis d'alcool qui, entre autres, imposait de lourdes taxes supplémentaires à tous ceux qui obtenaient leur permis dans le cadre de la réglementation fédérale. De toute évidence, comme le fit remarquer Macdonald à Campbell, ce surcroît de taxe n'avait pas pour objectif d'assurer à la province des revenus supplémentaires, mais était destiné à punir tous ceux qui s'aventuraient à obtenir une autorisation fédérale. "L'idée qu'un citoyen puisse être frappé d'une lourde amende pour avoir obéi à la loi du pays", poursuivait-il avec colère, "est monstrueuse et je ne puis la supporter un seul instant [50]." Plus tard, la nouvelle loi ontarienne sur les permis d'alcool fut rejetée. Mais dans l'intervalle Langevin alla jusqu'à annoncer que la constitutionnalité du système fédéral serait remise en cause devant les tribunaux, "avec toute la célérité requise" [51]. La bataille des tavernes et des cabaretiers, entreprise en partie à cause du "patronage" qu'elle impliquait, touchait de toute évidence à sa fin. L'avantage dont disposait le Dominion au début se réduisait peu à peu. En soi, la controverse était assez ridicule. Pourtant Macdonald l'avait toujours prise au sérieux. Il en voyait, à juste titre, la signification sous-jacente. Ultimement, elle remettait en cause l'interprétation même de l'Acte de l'Amérique du Nord britannique.

La loi sur les permis d'alcool de 1884 fut la dernière législation ontarienne que rejeta le gouvernement Macdonald. Il pensait toujours que la loi ontarienne sur les rivières et les cours d'eau était une mesure injuste. Cet hiver-là, impénitent et déterminé, Oliver Mowat l'avait reconduite pour la quatrième fois. Macdonald l'avait déjà rejetée trois fois. La quatrième fois, il s'abstint. Il n'avait plus le moyen d'agir. On lui avait coupé l'herbe sous le pied. La querelle entre les deux marchands de bois qui avait été à l'origine de la législation de Mowat, s'était entre-temps promenée de tribunal en tribunal. Au début de mars 1884, elle parvint devant la Commission judiciaire du Conseil privé, ce tribunal qui rendait des jugements si curieusement arbitraires et contradictoires. Le 7 mars, Dalton McCarthy, avocat du marchand de bois conservateur, envoya à Macdonald un long et triste compte rendu des délibérations. McCarthy insistait sur la difficulté qu'il avait à faire comprendre aux membres de la Commission ce qu'était réellement le Canada et son économie. "Dans le cas présent, expliquait-il, ils sont, je pense, très influencés par l'idée fausse qu'ils se font du pays. Ils s'imaginent que le Canada est essentiellement un pays voué à l'exploitation du bois et que c'est la principale occupation de ses habitants. Par conséquent, l'utilisation de ses cours d'eau comme grandes artères où le public a librement accès est de la plus haute importance pour nous tous [52]." Quelles qu'aient été les idées des commissaires, on ne pouvait être sûr du jugement qu'ils rendraient. Ils se prononcèrent en faveur du marchand de bois libéral. Il pouvait donc faire flotter librement ses rondins et se servir des "aménagements" de ses concurrents conservateurs, sans avoir à se réclamer de la législation que l'Ontario avait essayé vainement d'adopter pour lui. Il n'y avait pas moyen de rejeter la décision. Elle était sans appel. La question était donc réglée.

Ces affrontements mirent Macdonald à rude épreuve. Le Dominion avait été battu, quasiment humilié. À un moment où il avait désespérément besoin du soutien de la nation, il avait indiscutablement perdu beaucoup de son autorité morale. Il n'avait pas réussi à défendre la cause de l'unité, alors que la moitié des provinces qui faisaient partie de l'Union semblaient vouloir poursuivre leurs récriminations et leur agitation. Le Québec avait eu son argent. L'Ontario avait gagné ses procès. C'était à présent au tour du Manitoba de reprendre le flambeau et de s'agiter jusqu'à mettre en péril le Canadien Pacifique et à menacer la cause du peuplement de l'Ouest. En février, une délégation de l'Union des fermiers du Manitoba et du Nord-Ouest était venue à Ottawa présenter à Macdonald les revendications de l'Ouest. Au début de mars, une seconde assemblée de l'Union à laquelle assistèrent des centaines de délégués se tint à Winnipeg. Elle avait pour objectif de présenter le rapport, en grande partie négatif, de la délégation [53]. Cette fois, les délibérations furent nettement plus alarmantes. Les délégués adoptèrent une résolution qui conseillait carrément aux candidats colons de ne pas venir s'installer dans le Nord-Ouest avant que la région ne fût restaurée dans ses droits. Les fermiers proférèrent des menaces de rébellion et de sécession. Les comptes rendus que faisaient les journaux de ces événements étaient nettement exagérés.

Macdonald n'était pas encore très sérieusement inquiet. "Les spéculateurs", écrivit-il à Lord Lorne, "ruinés après l'effondrement économique qui a succédé au boom d'il y a trois ans, sont dans une situation désespérée. Ils ont essayé avec l'aide de quelques démocrates de provoquer une insurrection. Ils se sont vanté, ont parlé de sécession et de chose du même genre, mais la réaction ne s'est pas faite attendre. Au début de la session au Manitoba, Norquay qui, malgré ses faiblesses et ses nombreux défauts est loyal au Dominion, a obtenu une majorité écrasante de vingt voix pour, par rapport à six contre, au moment du débat sur le Discours du Trône, après que l'Opposition eût introduit certains amendements factieux. Nous faisons tout notre possible pour aider le Manitoba dans les limites du raisonnable. Au début du printemps, les gens seront de retour sur leurs terres et oublieront l'agitation [54]." La prophétie de Macdonald ne semblait pas à ce moment-là pécher par trop d'optimisme. Ses excès et sa partialité trop flagrante avaient discrédité l'Union des fermiers. Tupper fit une concession de taille au régionalisme des gens de l'Ouest en annonçant en Chambre que le gouvernement cesserait d'empêcher, au Manitoba, la construction de chemins de fer reliés à des réseaux américains dès que la ligne du Canadien Pacifique au nord du lac Supérieur serait achevée [55]. Finalement Norquay, qui interrompit spécialement la session de la législature manitobaine pour cela, vint en personne à Ottawa pour discuter des revendications globales de la province. A la fin d'avril, après la prorogation du Parlement, Macdonald se réunit avec les délégués de l'Ouest pour discuter avec eux des "conditions plus favorables".

C'est alors que survint un incident inattendu et assez déconcertant. Norquay repartit pour le Manitoba en mai. Il n'était peut-être pas tout à fait satisfait des concessions qu'il avait obtenues du gouvernement fédéral. Il craignait sans aucun doute que son adversaire, Greenway, ne tire politiquement parti de leurs soi-disant insuffisances. Toujours est-il qu'il défia Ottawa et désavoua l'accord qu'il avait lui-même conclu. Avec le concours empressé des deux partis et sous les applaudissements de toute la province, l'Assemblée législative rejeta en bloc les "conditions plus favorables". C'était un coup dur à ce moment où le Dominion était vulnérable, un coup inattendu qu'amplifiait encore la personnalité de celui qui l'avait porté. Macdonald était consterné et indigné. Il en voulait à Norquay d'avoir succombé si servilement à la seule menace de pression du "démagogue" Greenway. Il était effrayé de la publicité qui serait infailliblement donnée du fait que ses efforts pour satisfaire le Nord-Ouest mécontent avaient complètement échoué. Sur le coup, la colère fut plus forte que l'appréhension. Il lui faudrait montrer à Norquay que le Dominion ne se laisserait pas traiter avec mépris! La province la plus jeune et la moins importante ne parviendrait pas à triompher du gouvernement fédéral. "Les choses étant ce qu'elles sont", écrivit-il sur un ton furieux à Aikins, "ils ont rejeté nos offres qui visaient à rétablir la paix. Elle n'existent donc plus, et ne seront peut-être jamais réitérées. Quoi qu'il en soit, tout est repoussé pour plus d'un an [56]."

Les Canadiens pouvaient-ils supporter la lourde charge qui est celle d'une nation en une période si troublée? L'étranger pourrait-il être amené à croire en la viabilité d'un État canadien transcontinental? Macdonald n'osait pas répondre. Au cours de huit derniers mois, tout s'était retourné contre lui. Au Canada, le mécontentement était grand. L'hostilité à leur égard était la norme aux États-Unis, tandis qu'en Angleterre c'était l'indifférence et le scepticisme. Macdonald restait convaincu que le soutien le plus sûr du Canada restait le Royaume-Uni. Mais il se rendait compte que la longue liste de ses récents malheurs remettait en question le bien-fondé de son objectif premier qui était de créer une véritable nation. Il savait que presque tout ce qui avait été dit ou écrit à propos du Canada en Angleterre au cours des années précédentes avait contribué à édifier un écran de doute et de scepticisme à travers lequel il semblait presque impossible de passer. John Rose découvrit que l'agence Reuter qui distribuait les nouvelles en provenance du Canada à de nombreux journaux britanniques, obtenait toutes ses dépêches sans exception d'Associated Press, qui était notoirement hostile au pays, et qu'elle avait accepté cet arrangement pour la simple raison qu'elle pouvait disposer des dépêches gratuitement ou presque [57]. George Stephen, après le fiasco de l'automne précédent aux

États-Unis, était soucieux d'obtenir un soutien financier plus important en Grande-Bretagne. Depuis Londres, il rapporta que l'image du Canada était toujours aussi mauvaise. Les Anglais se méfiaient profondément de tout ce qui était canadien [58].

Mais ce n'était pas tout, comme Macdonald s'en aperçut bientôt. Tilley allait devoir affronter le même manque de confiance, sous sa forme la plus extrême et la plus grave. Au début de juin, au moment où la Législature du Manitoba rejetait violemment l'accord passé avec le fédéral, le ministre des Finances s'embarqua pour l'Angleterre afin d'y émettre des obligations pour un nouvel emprunt de cinq millions de livres sterling et pour refinancer un ancien emprunt un peu plus important à un taux d'intérêt moins élevé. À Londres, il se rendit compte qu'une campagne de dénigrement systématique était organisée contre le Canada. "On fait tout son possible ici, et on y réussit assez bien", écrivit-il à Macdonald avec indignation, "pour faire baisser les actions du gouvernement et du Canadien Pacifique. Ceux qui connaissent le marché disent qu'elles seront forcées de baisser plus encore. Toutes sortes de déclarations défavorables sont diffusées depuis les États-Unis et Winnipeg à propos du CPR. Je m'attends à ce que le Grand Trunk Railway réagisse violemment contre le prospectus qui paraîtra demain pour annoncer notre emprunt [59]." La réaction fut effectivement presque aussi violente que ce à quoi Tilley s'attendait. Un article diffamatoire parut dans l'un des journaux financiers locaux. L'emprunt y était décrit comme "une autre béquille destinée au CPR". Un homme sandwich qui portait cette inscription sur le dos se promena pendant plusieurs heures devant Baring's où les obligations devaient être offertes au public [60]. "Tilley a son argent", expliqua tristement Rose à Macdonald, "mais il a fallu se battre. Nous avons rencontré tantôt l'opposition la plus vive et tantôt le manque d'enthousiasme de la part de personnes dont le gouvernement et lui étaient en droit d'espérer mieux [61]." Macdonald avait certainement espéré que Tilley obtiendrait un meilleur taux. Il n'y avait pas à être fier de toute l'opération, se disait-il amèrement. On décida de reporter à plus tard l'émission d'actions pour l'emprunt consolidé.

Avant la fin de juin, Macdonald quitta Ottawa pour s'installer dans sa nouvelle résidence d'été de Rivière-du-Loup, "Les Rochers". "J'ai été obligé de me dépêcher de partir d'Ottawa, avoua-t-il à Chapleau, je me sentais sur le point de craquer (...) [62]." Ses soucis étaient incessants. Une fois de plus, il recommença à souffrir de sa piètre condition physique. "Mes problèmes d'estomac me font beaucoup souffrir, écrivit-il à Tupper, et comme je ne puis m'en défaire, je dois les supporter du mieux que je peux, mais cela me rend la vie difficile. Je quitterais bien le gouvernement demain, mais je crois que George Stephen laisserait tout tomber si je le faisais." Macdonald était inquiet. Il souffrait tellement d'insomnie que sa femme s'en inquiéta et l'envoya au bord de la mer [63]. De toute évidence,

Stephen était loin d'en avoir fini avec ses problèmes. Le crédit du Canada était ébranlé. Là-bas, au Nord-Ouest, l'agitation se poursuivait toujours.

Macdonald avait déjà suffisamment de problèmes. Mais soudain ses difficultés dans l'Ouest s'accrurent encore et d'une manière tout à fait inattendue. Louis Riel avait quitté le Canada depuis plus de dix ans. Il était bien sûr impossible d'oublier Riel. Il avait été l'instigateur et le mauvais génie de la rébellion de la rivière Rouge. Il resterait comme une image indélébile dans la mémoire collective des Canadiens. Mais Riel, l'homme de chair et d'os, avait disparu. La dernière chose à laquelle s'attendait Macdonald était bien son retour. Macdonald avait prévu tout un tas de choses, mais jamais il n'avait prévu une malchance pareille. Et pourtant, elle se produisit. Au début de juillet, Louis Riel était revenu dans le Nord-Ouest canadien.

## IV

Tout au long des mois de juillet et d'août alors qu'il essayait de se reposer et de reprendre des forces, Macdonald étudia avec intérêt et curiosité les compte rendus qui lui parvenaient sur la situation dans le Nord-Ouest. Le temps était affreux. Il plut à Rivière-du-Loup pendant la plus grande partie de juillet. Il plut sans interruption au cours du long week-end que Lady Macdonald et lui passèrent avec les Stephen à Causapscal. La pluie dégoulinait des arbres. Le ciel restait tristement couvert et son état de santé ne s'améliorait pratiquement pas. Campbell lui écrivit sur un ton affectueux pour lui dire à quel point il était attristé de sa longue maladie. "Si nous avions, ne fût-ce qu'une semaine de soleil, nous nous sentirions tous mieux", déclara Campbell. "Pourquoi ne pas vous défaire du harnais? Il n'est pas nécessaire de vivre toujours sous tension. Si j'étais vous, je couperais tous les ponts pour un mois. Ne vous est-il pas possible de vous arranger pour le faire? " [64] C'était bien sûr impossible. Ses vacances d'été n'étaient pas de vraies grandes vacances. Quinze ans plus tôt, Rivière-du-Loup était encore un village calme et retiré. Elle était devenue une colonie estivale, populaire et populeuse. Comme Tupper le supposait à juste titre, il y était "exposé" à un travail trop lourd. Les visiteurs se succédaient. Le courrier arrivait sans discontinuer. Macdonald voulait d'ailleurs qu'il en soit ainsi. Il n'aurait pas aimé ne plus avoir de nouvelles. Il restait aux aguets. Une demi-douzaine de problèmes importants et une quantité de difficultés mineures le gardaient continuellement occupé. Il ne pouvait jamais les oublier vraiment. Tout cela avait fini par devenir une part intégrante de sa vie. Mais au cours de l'été 1884, la situation de plus en plus inquiétante du Nord-Ouest était un des problèmes qui le préoccupait le plus.

"Les nouvelles en provenance du Nord-Ouest", admit-il dans une lettre à Lord Lansdowne, "m'inquiètent un peu" [65]. Riel, à la demande d'une délégation de métis anglais et français, était arrivé à proximité de Prince-Albert dans le district de Lorne, foyer de l'agitation métis. Et, comme le confessait Macdonald, son arrivée avait provoqué "tout un émoi" [66]. Edgar Dewdney, lieutenant-gouverneur des Territoires du Nord-Ouest écrivit pourtant qu'il ne s'attendait pas à de véritables troubles. Macdonald lui-même ne s'inquiéta pas outre mesure. Il restait néanmoins sur ses gardes. Il insista pour que l'on surveillât étroitement Riel. Riel s'était avéré capable d'organiser efficacement le mécontentement et dans le Nord-Ouest, il fallait craindre ceux qui en étaient capable, car comme le rappela Macdonald au lieutenant-gouverneur du Manitoba, la région abritait "certains éléments difficiles". Les Indiens avaient eu de terribles difficultés à s'habituer au changement radical de leur mode de vie. Les métis, jadis chasseurs de buffles et messagers de la Compagnie de la Baie d'Hudson, avaient vu disparaître leurs moyens traditionnels d'existence. Ils s'étaient reconvertis à l'agriculture à regret et avec morosité. Les travaux agricoles ne les attiraient pas du tout. Même les derniers arrivés, les nouveaux colons blancs, avaient connu de démoralisants changements dans leur train de vie. Brusquement et presque sans avertissement, les bonnes récoltes avaient pris fin. Les prix avaient chuté. Le gel et l'échec avaient succédé à la prospérité. Pendant la dépression, les terres perdirent de leur valeur. Chacun des trois groupes humains importants du Nord-Ouest avait été obligé de s'adapter à toute une nouvelle série de conditions de vie moins agréables. L'expérience avait été douloureuse. Pour Macdonald, c'était la cause essentielle de l'agitation dans les Prairies. Le Nord-Ouest était rempli d'hommes déçus et mécontents. Ils avaient des problèmes. Ils étaient peut-être prêts à en causer aux autres.

Pourtant Macdonald ne s'attendait pas à ce qu'éclatent de véritables troubles. Des trois "éléments difficiles", c'étaient les Indiens qui l'étaient le moins. "Le dernier, l'élément indien", écrivait-il au lieutenant-gouverneur Aikins "n'est pas à craindre, à moins d'un soulèvement blanc ou métis" [67]. Les Indiens se contenteraient de se laisser diriger par d'autres. Quant aux colons blancs, Macdonald avait tendance à croire qu'ils ne se révolteraient pas les premiers, même s'ils avaient fait les fanfarons et parlé de sécession: à la fin de juin, Norquay avait envoyé à Macdonald copie d'une lettre rédigée par un certain Mack Howes et expédiée à George Purvis, président de l'Union des fermiers. La lettre appelait à la révolte armée. Rien de moins! Macdonald prit des mesures pour mettre à l'abri les armes dont Howes se proposait de s'emparer. Il approuva complètement la décision de Norquay de faire surveiller étroitement les deux agitateurs par des détectives [68]. Mais il lui était déjà assez souvent arrivé d'avoir à faire face à ces conspirations uniquement couchées sur le papier. "Je n'accorde pas trop d'importance à ces complots, écrivit-il à Aikins. Mon expérience avec les fenians m'a enseigné qu'il ne fallait jamais négliger les preuves de complots ou de raids éventuels, simplement parce qu'ils sont fous et voués à l'échec". Macdonald allait rester vigilant, mais il ne s'attendait pas à voir Howes et Purvis passer à l'attaque, armés jusqu'aux dents, à la tête d'une foule de colons blancs insurgés. Les gelées précoces, les taxes élevées sur les moissonneuses, la construction d'une ligne de chemin de fer en direction de la Baie d'Hudson étaient des thèmes de campagne électorale, non des causes de révolte. Si la récolte était abondante, la plupart des revendications des nouveaux colons du Nord-Ouest cesseraient d'elles-mêmes.

Il en allait autrement des métis. Le problèmes des métis, francophones en particulier, était un problème à part, comme il le savait très bien. Riel avait un caractère dangeureusement énigmatique. Les autres métis étaient des gens impressionnables et imprévisibles. "Il n'y a pas moyen de prévoir ce que peut faire Riel, avoua-t-il à Aikins, ni jusqu'où les métis peuvent aller en se fiant à ses conseils [69]." Ils s'étaient déjà révoltés une fois. Ils pouvaient fort bien recommencer. Mais Macdonald ne craignait pas sérieusement que l'épisode du soulèvement de la rivière Rouge se reproduise sur les rives de la rivière Saskatchewan. Il ne pensait pas que les conditions d'une révolte existassent. Les métis avaient été très bien traités. On leur avait fait de nombreuses concessions, y compris la concession, vitale pour eux, qu'on respecterait leurs droits de propriété. Les propriétés des premiers colons métis sur les deux branches de la rivière Saskatchewan avaient été divisées en longues parcelles le long de la rivière exactement comme ils le désiraient. Il est vrai qu'après l'arpentage initial, d'autres métis s'étaient installés, par-delà les fermes métis originelles, sur des terres divisées selon le système des sections rectangulaires et des zones urbaines. Au cours des années 1881 et 1884, ces squatters avaient présenté des pétitions pour qu'on réarpente complètement la région de façon à ce que le découpage des terres fût conforme à leurs désirs. Le gouvernement fédéral n'avait pas du tout l'intention de refuser à ces gens leur parcelle en bordure de rivière. Mais les officiers du cadastre estimaient que les division rectangulaires existantes pouvaient facilement être découpées en longues bandes étroites qui auraient toutes un côté en bordure de rivière. Ce genre de découpage éviterait les frais et les problèmes qu'entraînerait un nouvel arpentage général [70]. Ils s'efforcaient d'expliquer leur projet aux métis impatients et soupçonneux.

Il restait un seul problème, mais c'était un problème de taille. Les métis étaient convaincus qu'ils avaient le même droit que les Indiens à revendiquer le titre de premiers propriétaires des terres d'Amérique du Nord. Et qu'ils pouvaient tout aussi légitimement réclamer des dédommagements. L'Acte du Manitoba, affirmaient-ils, reconnaissait tacitement leurs droits. Celui-ci leur accordait 1 400 000 acres de terre. Après des années de retards, d'incertitudes et de vexations, on finit par diviser ces terres. Chaque enfant métis avait reçu deux cent quarante acres de terrain et chaque chef de famille métis avait reçu en outre des titres de propriété négociables pour cent soixante acres. Toute l'histoire de l'attribution de subsides aux métis avait été des plus compliquées et des plus malheureuses. Aucun de ceux qui avaient quelque expérience du Nord-Ouest ne souhaitait la voir se reproduire. Le gouvernement fédéral ne voyait pas non plus le besoin de la renouveler. Les métis avaient à leur disposition une surabondance de terre dans le Nord-Ouest, sur quelques critères qu'ils appuient leurs revendications. Si, comme Macdonald en informa Lord Lansdowne, ils décidaient d'arguer de leur sang indien, ils pouvaient obtenir leur part de la réserve et les allocations annuelles versées par le gouvernement. Si par ailleurs, ils préféraient conserver le statut de fermiers blancs indépendants, ils pouvaient acquérir une ferme et la première option sur une autre section de terre cultivable aux même conditions généreuses que n'importe qui. Mais les métis voulaient-ils des fermes? Ou voulaient-ils des terres qu'ils pourraient transférer librement et des titres négociables qu'ils pouvaient vendre facilement pour un peu d'argent liquide? Et était-ce le genre de compensation que le Dominion devait penser leur accorder?

Macdonald et les fonctionnaires du ministère de l'Intérieur prenaient leurs responsabilités très au sérieux. Ils savaient qu'ils avaient à faire à un peuple nerveux et imprévoyant. Ils estimaient inutile toute concession qui ne serait pas susceptible d'améliorer de façon permanente le sort des métis. C'est pourquoi ils avaient depuis longtemps rejeté l'idée de leur concéder des titres négociables. Les experts y étaient opposés. Toute l'histoire de la concession de terres aux métis manitobains mettait les fonctionnaires sur leurs gardes et leur donnait à penser qu'il valait mieux ne pas recommencer à leur donner des titres de propriété négociables. Ceux qui en redemandaient maintenant dans le Nord-Ouest était dans l'ensemble un groupe assez peu fiable. Les métis émigrés du Manitoba qui avaient gaspillé les terres qu'on leur avait déjà accordées et qui n'avaient aucun droit à en revendiquer de nouvelles au cours d'une distribution future, se trouvaient bizarrement à la tête du mouvement d'agitation qui se développait sur les rives de la rivière Saskatchewan. Macdonald était convaincu que certains spéculateurs fonciers sans scrupules les aidaient et les encourageaient. Ces gens-là avaient tout à gagner d'une nouvelle distribution de titres négociables. "Les métis revendent aux spéculateurs les titres de propriété pour une bouchée de pain et dépensent tout l'argent en whisky", expliquait Macdonald à Lord Lansdowne, "c'est cela que nous voulons éviter à tout prix [71]." Tout gouvernement responsable se devait d'éviter les erreurs commises avec les meilleures intention du monde. Quel bénéfice réel ce peuple instable et prodigue pourrait-il retirer d'une compensation aussi éphémère?

Il ne serait pas sage de satisfaire la demande telle qu'elle avait été formulée. Cela ne signifiait pas pour autant que Macdonald considérait le problème comme réglé. Il y avait moyen de satisfaire les métis d'une autre manière, beaucoup plus profitable pour eux. Tout était question de compromis. Et selon Macdonald la meilleure preuve qu'il était possible d'en arriver à un compromis satisfaisant était l'attitude modérée de Riel depuis qu'on lui avait demandé de venir dans le Nord-Ouest. L'homme était certainement de la trempe des chefs. Il était à peine arrivé dans les zones de colonisation de la Saskatchewan qu'il commença avec beaucoup d'énergie et d'habileté à trouver le lien entre les diverses causes de mécontentement, celles des métis, des Indiens et des colons blancs, pour en faire une seule et même protestation. Mais il n'avait prêché que des recours conformes à la loi. De toute évidence, il voulait parvenir à un règlement pacifique. Macdonald était rassuré. "Il n'y a, je pense, rien à craindre de Riel, écrivit-il à Lord Lansdowne. Dans sa réponse à l'invitation qui lui a été envoyée et qui était un document modéré et tout à fait correct, il a évoqué certaines revendications qu'il voulait présenter au gouvernement. Je présume qu'il s'agit de revendications concernant les terres qu'il a perdues suite à son procès et à son exil. Je pense que nous devrions le traiter libéralement et refaire de lui un bon citoyen [72]." Dans cette optique, le besoin le plus immédiat et le plus évident était, comme le suggérait Lord Lansdowne, de "contacter" Riel. Des prêtres francophones établis dans les zones reculées et des officiels francophones de l'administration du Nord-Ouest reçurent l'ordre d'approcher discrètement Riel et ses métis mécontents et de voir ce qu'ils pensaient. "Je pense que la politique la meilleure", écrivit Macdonald à Lansdowne après avoir renoncé à l'idée de donner aux métis des titres de propriété, "est de les encourager à préciser leurs revendications dans un mémorandum qu'ils peuvent envoyer à Ottawa, avec ou sans délégation."

À la fin de l'été, la situation n'avait toujours pas changé. Macdonald resta aussi longtemps que possible à Rivière-du-Loup. Lorsqu'il revint finalement à Ottawa après la seconde quinzaine de septembre, il était tristement conscient que ses longues vacances n'avaient pas amélioré son état physique comme il l'avait espéré. L'irritation de ses "parois stomacales", comme disait Tupper dans son jargon de médecin, l'empêchait de se sentir bien. Très souvent, il se sentait même très mal dans sa peau. Il avait besoin de repos et d'aide. Or les difficultés se multipliaient sans cesse. L'Opposition les exploitait outrageusement pour en tirer politiquement avantage. En août, Oliver Mowat, son vieux rival, remporta peut-être la victoire la plus triomphale de sa carrière, suite à un jugement de la Commission judiciaire du Conseil privé [73].

En dépit d'une armée de juristes menée par Dalton McCarthy, qui défendait le Manitoba et le Dominion, Mowat était parvenu à faire reconnaître la légitimité des revendications ontariennes concernant l'immense frontière du nord-ouest déterminée par arbitrage au cours de l'été 1878. Au début de septembre, il revint à Toronto en véritable conquérant, comme un fabuleux seigneur de la guerre asiatique chargé d'un lourd butin et riche de conquêtes territoriales. Même si tout cela était pénible, ce n'était pourtant pas tout. Au cours de l'été, Macdonald avait fini par comprendre ce que cachaient les allusions et les inquiétudes de Stephen. Il savait maintenant que l'énorme subvention accordée au cours de la dernière session ne suffirait pas pour achever le Canadien Pacifique.

"En attendant", confiait-il à Tupper en août, "rien ne va. Dans chaque élection partielle, que ce soit au fédéral ou dans les provinces, les grits nous mènent une lutte impitoyable. Mes collègues, à l'exception de Pope, Langevin et Caron, ne valent rien pour endiguer ces terribles assauts. Avec ma santé vacillante et en raison de mon âge, je suis incapable de tout faire. Le mois prochain, je m'expliquerai clairement avec mes collègues. Il *faudra* qu'ils travaillent ou d'autres le feront à leur place [74]." C'était bien beau! Mais comment pouvait-il les pousser à agir? Bowell, Carling, Macpherson et Campbell lui offrirent tous d'eux-mêmes leur démission pour lui faciliter la tâche de reconstituer un nouveau Cabinet. "Croyez-moi, Sir John", écrivit Tupper exprimant comme d'habitude une évidence qu'il croyait avoir découverte tout seul, "vous avez besoin de sang neuf au Cabinet, des hommes jeunes, actifs, en pleine forme. Avec vos conseils et sous votre direction, ils donneront une impulsion vigoureuse au Parti [75]." Macdonald épuisé était du même avis. Il avait besoin d'hommes jeunes, actifs et en pleine forme. Mais où les trouver? Pendant des années, Dalton McCarthy avait semblé à tous points de vue l'espoir le plus prometteur. Alexander Campbell avait fini par penser que le "chapeau" de Macdonald pourrait bien coiffer un jour la tête du juriste de Barrie. Mais McCarthy, à qui on avait officieusement demandé au printemps d'accepter le portefeuille de la Justice avait répondu, presque exactement de la même manière que John Hillyard Cameron plusieurs décennies plus tôt: il ne pouvait abandonner son cabinet juridique qui lui rapportait de l'argent au moment où il avait de lourdes dettes à rembourser. Macdonald, plein d'espoir, réessaya en septembre. Il essuya un nouveau refus: "Je n'ai pas changé d'avis, lui répondit McCarthy. Je suis toujours aussi incapable d'abandonner mes affaires et d'entrer au ministère. Vous devrez donc prendre de nouvelles dispositions sans compter sur moi [76]."

Le ton froid et catégorique de cette dernière réponse était profondément décourageant. Macdonald comprit qu'il n'avait aucun espoir pendant encore bon nombre d'années d'obtenir l'aide de McCarthy. Il était malade, épuisé par le délicat travail qui consiste à remanier un Cabinet. Il continuait de se sentir physiquement mal. Agnes ne cessait de lui répéter de prendre son état physique plus au sérieux. Elle lui conseillait de voir un nouveau médecin. Il y consentit enfin vers la fin de septembre. Il alla consulter un médecin de Montréal, un certain docteur Howard. Howard lui prescrivit un nouveau traitement. Il semblait très optimiste. Puis, avec le plus grand sérieux, il le pressa de prendre de longues vacances à l'étranger, les seules qui fussent de vraies vacances pour lui. Macdonald réfléchit. Pouvait-il partir? Les nouvelles du Nord-Ouest s'étaient faites inquiétantes tout à coup. L'incertitude financière croissante du Canadien Pacifique était un secret bien gardé qu'il était seul à partager avec George Stephen. Il devrait régler ces problèmes, et rapidement, car apparemment personne d'autre que lui ne pouvait le faire. Mais si les hommes jeunes l'avaient abandonné, s'il devait continuer comme auparavant, alors il devait précieusement tâcher de préserver ce qu'il restait de sa santé. Rivière-du-Loup ne lui avait guère été favorable, Londres le serait peut-être.

Il décida soudain de suivre le conseil d'Howard. "Je suis obligé de partir pour l'Angleterre", écrivit-il à un partisan, "ma santé, me dit-on, le nécessite impérieusement. Mais je ne dirai pas que telle est la véritable raison de mon départ, car nos amis en seraient trop découragés [77]." Il y avait naturellement d'autres raisons, tout aussi valables et plus facilement publiables pour justifier un séjour en Angleterre. Il fallait organiser l'opération de conversion à grande échelle de Tilley. Stephen qui se préparait lui-même à traverser l'Atlantique une nouvelle fois affirma avec persuasion que Macdonald ferait beaucoup plus de bien à sa santé, au pays et au Canadien Pacifique en passant six ou huit semaines en Angleterre qu'en restant à se traîner à la maison. Macdonald céda avec un soupir de soulagement. Le 8 octobre, il quitta Ottawa. Deux jours plus tard, il s'embarqua pour l'Angleterre en l'agréable compagnie de Stephen.

## V

Macdonald passa en Angleterre les vacances les plus agréables possibles. Elles lui permirent, ce qu'aucunes vacances au Canada ne pouvait lui assurer, de se décharger totalement de toutes les responsabilités de sa charge. Mais il espérait tirer plus encore de cette paix totale à laquelle il était contraint. La vie qui s'ouvrait à lui quand il posa le pied sur le quai de la gare à Londres, était ce qu'il connaissait de plus agréable. Il aimait le théâtre, les concerts et les dîners. Il aimait la bonne compagnie et les conversations mondaines. Chaque fois qu'il venait en Angleterre, il y avait de plus en plus de gens, de vieux amis, de nouvelles connaissances, des admirateurs inconnus, qui souhaitaient l'accueillir à nouveau ou le recevoir pour la première fois. Jadis, c'étaient naturellement les conservateurs qui lui avaient offert les réceptions officielles les plus cordiales. Les libéraux, excepté pour les questions officielles, s'étaient montrés aussi distants que la courtoisie le leur permettait. Mais en 1884, un changement extraordinaire semblait s'être opéré en Monsieur Gladstone et chez les membres de son Cabinet. Ils avaient apparemment pour la première fois pris conscience de l'existence de Macdonald. Ils commençaient à admettre qu'ils se trouvaient devant un homme qui avait consacré sa vie au service d'un pays qui pourrait un jour devenir une grande puissance nord-américaine. Malgré toutes leurs prophéties et leurs préférences naïves, malgré la publicité défavorable de la presse libérale, le Dominion du Canada semblait toujours déterminé à jouir d'une existence indépendante au Nouveau Monde et il semblait capable de réussir. C'était étrange, presque incroyable! Mais c'était ainsi! Les libéraux britanniques en étaient arrivés à la conclusion qu'ils devaient admettre l'existence du Canada comme un fait acquis. Il fallait donner à son Premier ministre la reconnaissance qui lui convenait. Ce changement d'attitude curieux était en partie la simple conséquence du passage du temps, le temps qui avait au moins réussi à faire de Sir John Macdonald un personnage familier, sinon une véritable institution coloniale. Mais il y avait autre chose aussi, un changement encore plus fondamental: le changement d'attitude du peuple britannique vis-à-vis de son Empire. La création de l'Imperial Federation League en 1884 en était une preuve. Il fallait bien reconnaître que certains libéraux extrêmement respectables, tels que Monsieur Foster jouaient un rôle de premier plan dans les affaires de l'Imperial Federation League. L'Empire n'était plus quelque chose de honteux dont il fallait presque s'excuser. L'Empire était devenu à plusieurs égards source de fierté.

Macdonald était arrivé à l'improviste. Il ne s'était pas annoncé et personne ne l'attendait. Il fallut à Monsieur Gladstone, peut-être conseillé par certains autres, quelque temps pour décider de la conduite à suivre. Le 15 novembre, près d'un mois après l'installation de Macdonald dans sa vieille résidence londonienne de Dover Street, le Batt's Hotel, il écrivit au Canadien pour lui offrir, en reconnaissance de ses "longs et loyaux services", la Grande Croix de l'Ordre du Bain [78]. Une semaine plus tard, le dimanche 23 novembre, débuta la semaine la plus mémorable que Macdonald devait jamais passer en Angleterre. Il passa le dimanche à Sandringham avec le Prince de Galles. Le lundi, il fut reçu à dîner à Londres par le Club Beaconsfield. Le mardi, sur un ordre royal, il se rendit à Windsor pour recevoir sa nouvelle décoration et pour dîner et passer la nuit au château. Il fut l'invité d'honneur d'un dîner offert à l'Empire Club le lendemain de son retour de Windsor. Le marquis de Lorne — "Quel bon et vrai Canadien, il est!" s'était exclamé Stephen — présidait la cérémonie. Plus de quatre-vingt pairs et députés des Communes étaient présents. C'était sans doute l'hommage le plus enthousiaste jamais offert à un homme d'État canadien. Le président fit avec élégance l'éloge de Macdonald. Lord Salisbury fit de même au nom des conservateurs et Lord Kimberley au nom des libéraux. Plus tard, Lord Lorne confia à Tupper que "personne, à l'exception de quelques potentats étrangers n'avait jamais reçu un tel accueil" [79].

Macdonald en fut heureux et touché. Physiquement, il se sentait infiniment mieux. Dès son arrivée, il était naturellement allé consulter son vieux médecin, le docteur Andrew Clark. Mais c'est Londres, bien plus que les avis médicaux et les traitements qui faisait qu'il se sentait mieux. Il retrouva sa bonne humeur habituelle beaucoup plus vite qu'au cours de l'été de 1881, si vite même que Stephen restait encore vaguement inquiet. Après un grand dîner auquel ils avaient tous deux été conviés, il s'enquit avec sollicitude auprès de Macdonald pour savoir s'il avait bien digéré la soupe à la tortue de la soirée précédente. Macdonald, pour un homme qui avait souffert tout l'été de "terribles dérangements d'estomac", semblait fort bien s'accommoder des plats les plus riches et des somptueux banquets qui se succédaient à une cadence accélérée. Il se sentait presque au mieux de sa forme physique. Il allait faire la conquête des libéraux en 1884 comme il avait fait celle des conservateurs en 1879. Bien sûr, et le dîner à l'Empire Club l'avait amplement prouvé, il restait en Grande Bretagne, d'une certaine façon tout au moins, le protégé spécial du Parti conservateur. Mais sa nouvelle distinction honorifique lui avait été conférée sur recommandation d'un gouvernement libéral. Monsieur Gladstone avait été jusqu'à se montrer franchement aimable avec lui lors de son investiture à Windsor. Lord Kimberley l'avait complimenté en public à l'Empire Club. Les libéraux et les conservateurs s'étaient pour la première fois associés pour lui rendre un impressionnant hommage. C'était, ou tout au moins on pouvait l'interpréter ainsi, la reconnaissance du fait que ses choix en matière de politique nationale étaient bons, l'acceptation de l'idée d'un Canada transcontinental tel qu'il essayait de le créer.

Cette reconnaissance de son mérite n'aurait pu tomber plus à propos. Et les honneurs dont il était l'objet n'auraient pu lui être conférés à un moment plus approprié. Il était un peu ironique bien sûr que cet hommage à sa sagesse politique, cette reconnaissance du brillant avenir de son pays arrivent à un moment où l'édifice national semblait sur le point de s'écrouler. À posteriori, s'il échouait, ces ovations qui le saluaient paraîtraient terriblement ironiques. Mais en attendant il était toujours possible de transformer le rêve en réalité. Aussi longtemps qu'il pourrait lutter pour y parvenir, le moindre signe d'approbation lui était précieux. Il avait besoin de confiance comme rarement auparavant il en avait eu besoin. Depuis le début de l'automne, la situation du Canada avait semblé se détériorer progressivement. Sur le bateau, pendant le voyage, George Stephen lui avait révélé en détail les besoins urgents et désespérés du Canadien Pacifique. Mais ce n'était pas le seul secret troublant qu'il avait emporté avec lui de l'autre côté de l'Atlantique. Juste avant de quitter Ottawa, il avait reçu une nouvelle extrêmement inquiétante en provenance du Nord-Ouest.

Elle était arrivée dans une épaisse lettre personnelle que lui avait envoyée Edgar Dewdney, lieutenant-gouverneur des Territoires du Nord-

Ouest [80]. On avait appliqué le plan proposé par Macdonald et Lord Lansdowne. Le "contact" avec Riel avait été établi. Au début de septembre, deux émissaires francophones officieux, Monseigneur Grandin et Amédée Forget, secrétaire du Conseil pour le Nord-Ouest, étaient allés voir le chef métis et l'avaient persuadé de dresser la liste de ses revendications. Dewdney avait joint à la lettre le compte rendu de cette curieuse entrevue. Macdonald étudia les documents avec une consternation croissante. Les demandes de Riel semblaient incroyables. Il demandait que des terres soient accordées non seulement aux métis vivants, mais aussi tous les dix-huit ans pour chaque génération à venir. Il demandait que deux millions d'acres de terre fussent mis de côté comme dotation pour la construction et l'entretien d'écoles, d'hôpitaux et d'orphelinats destinés aux métis. "C'est ce que nous demandons pour le présent", précisait un post-scriptum du mémorandum joint au compte rendu de l'entrevue de Monseigneur Grandin, "jusqu'à ce que le Canada soit capable de nous payer chaque année les intérêts sur la somme que vaut réellement notre pays et jusqu'à ce que l'opinion consente à reconnaître nos droits dans leur totalité [81]." "La somme que vaut notre pays" était calculée de façon simple et généreuse. La valeur des Territoires du Nord-Ouest dans leur ensemble était estimée à quarante cents l'acre. Le capital qui en résultait devait se partager entre Indiens et métis. Les métis devaient recevoir vingt-cinq sous l'acre et les Indiens, quinze sous! [82]

Tout cela était très ennuyeux. Mais quelque chose inquiétait Macdonald encore plus. L'aspect le plus grave du documents concernait Riel lui-même, ses intentions et ses ambitions. En présence de ses compagnons métis, il avait fait le fanfaron et déclaré avec fougue que sa mission était purement altruiste et qu'il ne se laisserait pas acheter. En privé, toutefois, ses manières avaient changé de façon significative. Il s'était montré beaucoup plus calme. Il avait énuméré minutieusement ses griefs personnels. Il avait fait certaines allusions à la possibilité éventuelle pour ses principaux alliés et lui d'obtenir des postes. Il avait suggéré, sans insister, une "somme d'argent". Qu'est-ce que tout cela signifiait? Tout au long de l'été, Macdonald avait cru qu'il pouvait compter sur la bonne volonté de Riel et sur son désir d'en arriver à un règlement pacifique. Devant les demandes absurdes et la conduite équivoque de celui-ci, toute sa confiance en l'avenir s'était évanouie. Ce métis étrange désirait-il vraiment la paix? Ou bien n'était-il qu'un simple aventurier orgueilleux, anarchiste, doublé d'un maître-chanteur?

Dès son retour, Macdonald serait confronté au problème de Riel et du Nord-Ouest. Mais il en serait de même pour le Canadien Pacifique. Pendant tout l'été, il avait essayé de chasser ce problème de son esprit. Il avait cherché à se persuader que, d'une manière ou d'une autre, George Stephen trouverait une solution. Il avait essayé d'ignorer les allusions et les appels discrets de George Stephen. Il ne pouvait les ignorer plus longtemps. Lorsqu'il atteignit Londres, il connaissait la situation du chemin de fer dans tous ses tristes détails. Après une courte période de répit de huit mois, la compagnie connaissait de nouveaux ennuis financiers. Le prêt du gouvernement l'avait sauvée, mais lui avait aussi imposé des conditions contraignantes qui l'embarrassaient depuis. Macdonald avait pensé qu'il était essentiel de prouver aux Canadiens hésitants ou incrédules qu'il n'était pas en train de dilapider leur argent dans quelque affaire douteuse. Il avait protégé ses investissements en les assortissant de mesures de sécurité sévères. Tous les avoirs de la compagnie étaient pratiquement engagés en première hypothèque au bénéfice du gouvernement du Canada.

Naturellement il restait toujours les trente-cinq millions d'actions non émises. Mais vu la situation, elles étaient presque inutiles. Le lien avec le gouvernement intimidait trop les investisseurs. Les actions étaient cotées à quarante-cinq avant le départ de Macdonald pour Londres. Et rien de ce que put faire Stephen ne parut capable d'en freiner la chute lente et continue. New York avait abandonné le chemin de fer. Londres restait toujours froidement indifférente. Morton, Rose and Company était la seule société britannique à l'avoir jusque-là soutenu. Stephen était convaincu que le soutien de Morton, Rose and Company était timide et inefficace. Stephen et Macdonald essayèrent, par l'intermédiaire d'un jeune membre du clan Baring, associé à une compagnie amie de New York, de s'assurer le soutien de la grande maison Baring [83]. Mais ces premières approches échouèrent. Macdonald ne savait plus à quel saint se vouer.

Stephen l'assurait que la subvention et le prêt du gouvernement, versés au fur et à mesure du progrès des travaux, suffisaient à maintenir le rythme de construction de la ligne. Mais en plus, il y avait la charge fixe que représentait le versement des intérêts et des dividendes. Macdonald savait maintenant que le Canadien Pacifique ne pourrait continuer à honorer ces paiements sans trouver de nouveaux fonds. Où donc y aurait-il moyen de les trouver?

Il avait longuement discuté de ce triste problème avec Stephen pendant sa traversée de l'Atlantique. À Londres, il entreprit avec Tupper une série de conversations tout aussi longues sur le même sujet. Tupper était tout à fait du même avis. Il fallait tenter un dernier effort pour sauver le chemin de fer. Ni l'un ni l'autre n'en doutaient le moins du monde. Le problème était de trouver la forme d'aide la plus défendable du point de vue politique. Il s'agissait aussi de savoir, et c'était une question fondamentale, si le Parlement du Dominion pouvait au cours de sa prochaine session approuver le principe d'une aide gouvernementale quelle que forme qu'elle revête. Macdonald était profondément sceptique. La tâche épuisante et exaspérante que cela représentait le faisait hésiter. Après une pauvre petite année de répit, il fallait recommencer tout le travail, et cette fois dans des circonstances beaucoup moins favorables. Le gouvernement n'était plus aussi solide qu'à l'automne 1883. Des dispositions provisoires avaient été prises, il est vrai, pour l'emprunt qui venait à échéance en janvier 1885. Mais les revenus courants, comme le fit remarquer Tilley depuis le Canada, étaient en baisse, même depuis le début de l'année fiscale en juillet [84]. La crise avait fini par affecter le trésor. À partir de maintenant, ils devaient s'attendre à de sérieuses difficultés financières. Mais aussi graves qu'elles puissent être, elles ne seraient probablement pas aussi déconcertantes que les problèmes politiques que Macdonald rencontrerait à coup sûr. Comment convaincre ses partisans et son propre Cabinet qu'une aide gouvernementale au Canadien Pacifique était à nouveau nécessaire? Le bon Tupper avait toujours été un fervent partisan du chemin de fer. Il pouvait se permettre d'expédier une longue lettre à Tilley, ce qu'il fit, pour lui recommander chaleureusement le plan de secours que Macdonald et lui avaient essayé de mettre au point [85]. Pour le moment, Tupper devait rester en Angleterre. Macdonald avait la responsabilité de faire admettre la décision importante qu'ils avaient prise ensemble. Il devait rentrer et affronter seul ses collègues. Quel en serait le résultat? Macdonald n'en avait pas la moindre idée. Mais il avait donné sa parole à Stephen. Et peut-être s'en était-il fait le voeu à lui-même à quelque moment terrible de honte et de défaite à l'époque du scandale du Pacifique.

## VI

Stephen était assis dans l'agréable bibliothèque de sa maison de St James's Place. Il se sentait transporté de fierté. Il y avait toujours eu de l'espoir même en ce désastreux automne. Aujourd'hui, l'espoir se voyait confirmé. Son cousin Donald Smith et lui, en engageant une fois de plus leur crédit personnel, venaient d'obtenir un prêt de cinquante mille livres pour le chemin de fer. Macdonald s'était engagé en principe à obtenir un nouveau versement de subsides du gouvernement. Stephen pouvait presque croire qu'il venait de trouver le moyen d'en finir avec ses difficultés. Une nouvelle fois, l'association de la compagnie et du gouvernement, son association avec Donald Smith et John A. Macdonald avait triomphé. Ils étaient tous Écossais, tous Highlanders, et pour finir tous enfants de la même vallée. Du côté maternel, les ancêtres de Macdonald, venaient de Strathspey. Stephen et Smith étaient nés dans de petites villes proches de la rivière sur les terres du clan Grant. Les haines sauvages de Stephen, ses moments de sombre découragement et d'exaltation lumineuse, faisaient tous légitimement partie du riche héritage qu'il avait reçu de Speyside. Contrairement à Macdonald qui n'avait aucun souvenir personnel du pays de ses ancêtres, il était empli des souvenirs de la terre qui l'avait façonné. Il se souvenait des tourbillons noir d'encre de la rivière qui coulait entre ses hautes rives. Il se souvenait des eaux brunes, couleur de vieille bière, passant au-dessus des bas fonds. Il se souvenait du grand rocher qui avait donné au clan Grant son lieu de ralliement et son cri de guerre. Le rocher du défi Craigellachie!

*Tiens bon, Craigellachie!*

Il pouvait les vaincre! Donald Smith et lui les battraient encore! Blake, le *Globe* qu'il détestait, les "journaleux à la solde du Grand Trunk, les spéculateurs "à la baisse" de New York, toute la horde malfaisante des ennemis du Canadien Pacifique! Il les battrait tous! Il prit un formulaire de télégramme, l'adressa à Donald Smith à Montréal et écrivit un message de trois mots seulement: "Tiens bon, Craigellachie!" [86].

## Chapitre douze

# Le triomphe et le désastre

## I

En cette brève journée de janvier, la nuit était tombée bien avant que le train n'atteignît Montréal. L'air était étrangement doux. On eut dit qu'un vent léger, printanier s'était levé. La longue file de voitures progressa sans aucune difficulté à travers les rues dont la neige était étrangement absente. Nullement incommodée par le froid, la foule attendait comme si c'était un soir d'avril. Il y avait du monde partout. Tout au long du chemin qui menait au champ d'exercices, Macdonald sentait l'énorme présence de cette foule qui avait envahi les trottoirs. Le bruit des applaudissements qui lui souhaitaient la bienvenue était ininterrompu. On avait allumé des flambeaux sur une distance de deux milles. Très haut, dans le bleu-noir de ce ciel de velours, les fusées du feu d'artifice éclataient en petites pluies rose et jaune jonquille. Sur la place d'Armes, les artificiers avaient construit une fontaine de feu avec des centaines de chandelles romaines qui s'élançaient vers le haut et retombaient en cascades d'étoiles d'or. Les hangars du champ d'exercices étaient bondés, Macdonald savait qu'il ne parviendrait pas à se faire entendre. Il leur dit qu'il aurait souhaité disposer d'un porte-voix pour qu'ils puissent tous l'entendre. Quelques personnes seulement entendirent ses excuses et ses remerciements. Mais les autres ne semblaient pas s'en préoccuper. Ils étaient venus, Français comme Anglais, non pas tant pour l'entendre discourir que pour l'honorer et célébrer son triomphe. Ils attendaient avec patience et sympathie et applaudissaient chaque fois qu'ils en avaient l'occasion [1].

La veille, le samedi 11 janvier, Macdonald avait eu soixante-dix ans. Deux mois plus tôt, alors qu'il était encore en Angleterre, il avait célébré le quarantième anniversaire de son entrée en politique. La grande fête de Montréal commémorait ces deux événements importants. Mais ce n'était pas son premier triomphe depuis son retour. Moins d'un mois plus tôt, les 17 et 18 décembre, s'était tenue à Toronto une grande convention conservatrice à laquelle avaient participé plus de quatre mille militants de tout l'Ontario [2]. Toronto et Montréal, les villes les plus importantes de l'Ontario et du Québec, les deux anciennes divisions politique qui près de vingt ans plus tôt formaient le Canada-Ouest et le Canada-Est! Macdonald avait survécu à tous les changements et à tous les réaménagements politiques. Sa carrière était mêlée à l'histoire des deux sections de l'ancienne Province unie et à l'histoire des deux provinces du nouveau Dominion. Pour la plupart des hommes rassemblés à Montréal sur ce terrain d'exercice et pour ceux qui s'étaient réunis à la Maison de l'opéra à Toronto, le grand nez de Macdonald, sa chevelure épaisse, son visage long et fin étaient intimement associés à tous les événements politiques petits et grands des décennies précédantes. Cet automne-là, apparemment pour la première fois, les Anglais avaient réellement découvert le Premier ministre canadien. Mais les Canadiens eux-mêmes n'avaient nul besoin de le découvrir ou de le redécouvrir. Depuis quarante ans, ils avaient ri de lui, l'avaient critiqué, lui avaient pardonné, avaient cru en lui et l'avaient suivi.

Ils avaient du mal à se rappeler un passé dont il était absent. Ils avaient du mal à concevoir un avenir où il n'aurait pas de part. Tout le monde connaissait bien sûr et déplorait la fragilité de son état de santé. Mais comment les Canadiens auraient-ils pu considérer avec gravité ce que Macdonald lui-même prenait à la légère et sur lequel il ne cessait de blaguer? "Si l'estomac de John A. venait à flancher, alors l'Opposition l'emporterait. Mais si son estomac tient bon, l'Opposition n'a aucune chance", dit-il à ses partisans rassemblés à Toronto, posant ainsi, en termes médicaux, un excellent diagnostic de la situation politique. Ils ne doutaient pas un instant de la défaite de l'Opposition. John A. était politiquement invincible. Il était un monarque tellement indispensable qu'il vivrait sûrement éternellement. Et quand, à Toronto, il leur dit qu'il avait atteint, sinon dépassé, le sommet de sa carrière, quelqu'un dans la salle poussa un cri de protestation qui traduisait bien l'incrédulité des conservateurs, et que tous entendirent alors qu'ils auraient pu ne pas l'entendre.

"Tu ne mourras jamais, John A.!"

En réalité, il était devenu un vieil homme. Mais comme un jeune homme, il continuait de vivre pour le présent et pour le futur immédiat. Il parlait rarement de la mort. Le passé ne l'intéressait pas. Et ce n'est parfois qu'avec un chagrin subit et tenace qu'il se rappelait ce qu'il avait traversé. Un jour, au tout début de leur installation à Earnscliffe, Agnes était en train de déballer et d'arranger leurs effets ménagers. Elle découvrit une mystérieuse petite caisse pleine de jouets d'enfant. Il y avait un hochet brisé, un petit chariot et quelques animaux de bois. Ils n'appartenaient pas à Mary, Agnes en était sûre. Ils semblaient trop anciens pour avoir appartenu à Daisy ou à quelque autre enfant de passage à Earnscliffe. À qui donc pouvaient-ils être? Elle les apporta à Macdonald qui se reposait étendu sur son lit. Il commença par regarder la boîte distraitement, puis soudain de façon beaucoup plus intéressée. Il se dressa sur son coude et prit le chariot.

— Ah, dit-il, c'était au petit John A.[3]

Trente ans venaient de disparaître d'un coup. Il se revoyait à Bellevue, sa villa de style italien. Le souffle chaud de la brise estivale venue du lac Ontario entrait par la fenêtre ouverte et son premier-né jouait bruyamment sur le lit à côté d'Isabella... Macdonald ne remarqua pas le départ d'Agnes. La chambre était vide. Il regardait le plancher, perdu dans ses réflexions.

À certains moments, Macdonald comme tout le monde estimait avoir vécu certaines choses trop terribles pour s'être réellement passées. Mais en général, il portait le fardeau de sa vie avec aisance et même avec désinvolture. De plus en plus fréquemment, les choses lui rappelaient la tristesse de l'existence. Il était de plus en plus conscient de l'ampleur, presque terrifiante, de l'expérience sur laquelle il pouvait s'appuyer. Un jour, en se rendant à son bureau, devant la rangée de portraits des anciens présidents des Parlements canadiens passés, il dit à Joseph Pope, son nouveau secrétaire, homme très doux et d'une impeccable correction, que chaque fois qu'il prenait ce couloir il avait l'impression de marcher dans un cimetière. Et toujours lui revenait en tête l'histoire de ce vieux moine qui, dans un monastère d'Europe, était chargé du soin des portraits des membres défunts de l'Ordre. Ce moine dit un jour à des visiteurs en montrant les tableaux des disparus: "J'ai parfois l'impression que ce sont eux qui sont réels et que nous ne sommes que les fantômes [4]." Macdonald savait que son action passée s'ancrait solidement dans le réel. Elle était réelle, mais imparfaite parce qu'incomplète. Au plus profond de lui, il avait l'impression que l'histoire du Canada, en ce demi-siècle d'une importance majeure pour le pays, était une pièce dont il était l'auteur et qu'il devait se hâter de l'achever. Il avait toujours su ce qu'il voulait. Son plan était au point depuis le début. Il ne lui fallait plus maintenant que quelques années pour le parachever.

*Canadian Pacific Railway*

Sir George Stephen

# II

Et pourtant, comme Macdonald l'admettait lui-même, les difficultés qu'il devait surmonter pour mener son projet à terme se faisaient plus nombreuses et plus importantes que jamais. Les honneurs qui lui avaient été conférés, les fêtes organisées pour lui, l'avaient, il en était conscient, fortement encouragé. Mais ces encouragements n'étaient-ils pas faux, illusoires? Toute l'histoire du Canada depuis les douze derniers mois n'étaitelle pas l'histoire d'une dégradation constante, régulière, ininterrompue? La récession économique, loin de s'achever, s'était aggravée. Le Manitoba était en froid avec le fédéral. L'Ontario l'avait défié avec une impunité triomphale. La Nouvelle-Écosse grognait et ressassait son insatisfaction. Le mécontentement du Nord-Ouest grandissait ou peut-être certains s'efforçaient de le faire croître. Pour la seconde fois, le chemin de fer avait épuisé toutes ses ressources, ce chemin de fer qui devait relier toutes les parties désunies et prêtes à se quereller du Dominion transcontinental. Une fois de plus, la compagnie n'était plus qu'un mendiant embarrassant et embarrassé qui venait cogner à la porte de la nation. L'état de la nation aurait difficilement pu être pire. Les affaires domestiques auraient difficilement pu poser plus de problèmes. Mais en politique il n'y a pas que les questions domestiques. Il faut compter aussi avec les relations extérieures.

Les relations avec les États-Unis n'avaient presque jamais été sereines. Le bon voisinage sur le continent nord-américain avait toujours été troublé par une série d'accès de fièvre, de coups de froid et d'autres maladies. Le problème des pêcheries constituait l'une de ces affections les plus graves. Jamais complètement traitée, elle revenait sans cesse empoisonner la vie politique, comme les crises d'un rhumatisme grave contracté au cours de la prime enfance. Plus de douze ans plus tôt, Macdonald avait poussé le Parlement canadien à accepter le traité de Washington. Il avait peut-être espéré alors que le problème des pêcheries était définitivement réglé, au moins pour toute la durée de sa propre existence politique. Mais le vieux mal était réapparu. Il s'était manifesté en fait dès que le gouvernement américain avait eu une chance de le remettre sur le tapis.

En 1883, à la première occasion, à propos d'une question légale, les Américains avaient annoncé l'abrogation du traité de Washington de la même façon abrupte et inopinée qu'ils avaient mis terme vingt ans plus tôt au traité de réciprocité. Selon Macdonald, il était facile de découvrir les raisons qui motivaient tant de hâte. Le traité de Washington prévoyait que la plus-value des zones de pêche côtière canadiennes par rapport aux zones de pêche américaines serait déterminée par arbitrage. En 1877, le tribunal d'arbitrage qui s'était tenu à Halifax s'était prononcé en faveur des provinces de l'Amérique du Nord britannique pour un montant de cinq millions et demi de dollars. Les États-Unis considérèrent que la somme à payer était énorme. Ils ne purent jamais ni oublier ni pardonner. "En vérité, expliqua Macdonald à Lord Lansdowne, le gouvernement des États-Unis a si souvent roulé la diplomatie britannique qu'il est insatisfait de tout traité qui ne lui procure pas d'avantages marqués [5]". De toute évidence, ces dispositions du traité de Washington ne procuraient à la république aucun "avantage marqué". Les États-Unis n'avaient pas obtenu des zones de pêche pour rien ou pour un dédommagement dérisoire, ce qu'ils espéraient. C'est la raison pour laquelle le premier juillet, c'est-à-dire aussi tôt que possible, les clauses du traité concernant les pêcheries avaient été abrogées.

Que faire? Macdonald avait commencé à étudier le problème au cours de l'été 1884, au moment où débutait la campagne présidentielle américaine. À la demande de Lord Lansdowne, il en reprit l'examen en décembre après que Grover Cleveland eût été élu pour la première fois président. Il s'était déjà passé un certain temps depuis la déclaration des Américains. Le gouverneur général et Sir Lionel Sackville-West, ambassadeur britannique à Washington, avaient hâte que le Canada prenne position. Macdonald rassembla le Cabinet la veille de Noël pour examiner le problème. Pas plus lui qu'aucun de ses ministres ne voyaient de raison pour laquelle le Canada devrait se hâter d'adopter une nouvelle ligne de conduite. Les États-Unis avaient dénoncé les clauses du traité portant sur les pêcheries dans leur propre intérêt et sans se soucier de proposer aucune solution de rechange. Le Dominion n'avait nul besoin d'agir comme un quémandeur nerveux qui attendrait désespérément une réponse favorable et qui se prosternerait humblement devant Washington. Le Canada serait toujours prêt à discuter d'un traité d'échange commercial avec les États-Unis. Il était même prêt à prolonger les privilèges du traité de Washington au profit des citoyens de la république américaine jusqu'au 1er janvier 1886, de façon à ménager une autre période de six mois pour mener à terme les négociations. Et si ces négociations échouaient, eh bien! il serait toujours possible d'en revenir à la Convention de 1818 et de défendre les zones de pêche côtières contre le pillage des Américains. Par ailleurs, il n'y avait aucune raison d'attendre pour discuter le problème Cleveland plutôt qu'Arthur. "M. Arthur", confia Macdonald à Lord Lansdowne, "s'apprête à se lancer dans l'amusant travail d'embarrasser son successeur (...) Nous avons des chances d'être mieux traités par le nouveau gouvernement que par l'administration moribonde [6]".

En matière de pêcheries, il y avait de grandes marges de manoeuvre. Mais pour le Canadien Pacifique, Macdonald, attaqué de toutes parts, était devenu le malheureux prisonnier des circonstances. "Je me sens", confessa Stephen sans aucune honte, "comme un homme qui marche au bord d'un précipice, moins calme qu'il ne le faudrait et sans avoir la marge de manoeuvre que la situation exigerait (...) [7]." Macdonald n'était pas loin de partager les appréhensions et le sentiment d'impuissance qu'éprouvait Stephen. Moins de deux mois plus tôt, quand il avait été en Angleterre, il avait parlé de toute la question avec Stephen et avec Tupper, comme d'habitude résolument optimiste et positif. Il avait alors espéré qu'on trouverait une solution. Les difficultés étaient énormes et il n'avait jamais eu la tentation de les sous-estimer. Mais il avait toujours cru qu'il pourrait les surmonter. Maintenant il ne pouvait plus le croire. C'était une illusion stupide. La faillite du chemin de fer était proche. Il fallait que le gouvernement le subventionne. Sans aide gouvernementale, il ne pouvait survivre et pourtant, politiquement, il semblait impossible que le gouvernement lui vienne en aide.

À mesure que s'écoulait janvier et que se rapprochait l'ouverture de la session parlementaire, les appels de Stephen se faisaient de plus en plus nombreux et de plus en plus pressants. Il ne cessait d'insister avec de plus en plus de véhémence et d'expliquer que "l'objet de la requête adressée au gouvernement est tout simplement de *sauver la vie* de la compagnie" [8]. Tard en décembre, les ouvriers firent la grève à Port-Arthur parce qu'on tardait à leur verser leur paie, et avant la fin de l'année les actions de la compagnie à la Bourse de New York étaient tombées à 43,5. On ne pouvait dire, assura avec une franchise brutale Stephen à Macdonald, jusqu'où elles chuteraient. Une fois de plus, les petits investisseurs réclamaient leur argent. Et une fois de plus à Londres, comme le télégraphia John Rose alarmé, une propagande bien organisée s'efforçait de ruiner la crédibilité de la compagnie [9]. Stephen était devenu presque en permanence un résident d'Ottawa. Il rédigea des mémorandums, aménagea et réaménagea des schémas de solution, hanta les salles de comité et fréquenta les ministres. Stephen était convaincu que le droit de rétention illimitée du gouvernement avait été un facteur déterminant dans l'échec de la compagnie. Selon lui, le seul remède effectif serait une mesure qui rembourserait l'emprunt gouvernemental et qui convertirait les trente-cinq millions d'actions non émises en argent liquide. Il proposa, pour les remplacer, d'émettre trente millions de bons à quatre pour cent. Et pour assurer le succès de l'opération, il demandait que le gouvernement garantisse le capital et les intérêts. C'était un plan pour sauver le chemin de fer moribond. McIntyre et Tupper proposèrent d'autres plans quelque peu différents. Et pendant tout le mois de janvier, le gouvernement les étudia sans enthousiasme, avec beaucoup de scepticisme et d'esprit critique. Stephen était pratiquement hors de lui. "Ce qui m'alarme", écrivit-il indigné à Macdonald, "c'est que le malade risque de mourir pendant qu'à son chevet, les médecins discutent du remède." [10]

Macdonald était pourtant convaincu que la hâte risquait d'être beaucoup plus dangereuse que la patience. Il s'attendait à ce que toute proposition d'aide au Canadien Pacifique se heurte à de l'Opposition, mais il ne prévoyait pas la détermination et la vigueur de cette opposition. Avant son retour au Canada, la rumeur que le gouvernement s'apprêtait à aider la compagnie avait commencé à se répandre à travers le pays et au début de la nouvelle année, une vague de protestations et de cris d'alarme à laquelle s'étaient d'ailleurs joints sans vergogne les journaux conservateurs, avait déferlé sur tout le Dominion. Thomas White, éditorialiste à la *Gazette* de Montréal, déclara qu'il ne croyait en aucune mesure de redressement. Les ministres et collègues de Macdonald, sensibilisés aux protestations des députés de l'arrière-banc et aux plaintes de l'électorat, étaient convaincus qu'une législation dans le domaine n'avait aucune chance de passer. Campbell, McLelan et Bowell étaient tous opposés à un nouvel emprunt. Tilley était plus qu'hésitant. "J'ai entendu tout ce que Stephen avait à dire, écrivit-il à Macdonald, et j'avoue ne pas voir comment nous présenter au Parlement à la prochaine session et demander à nos partisans de voter pour [11]."

Pour le moment, Macdonald ne le voyait pas non plus. La presse était sceptique et son Cabinet réticent. Il se rendit compte qu'il ne devait pas se hasarder à demander trop trop vite. Le 24 janvier 1885, cinq jours avant l'ouverture du Parlement, il écrivit à Tupper: "Je crains que le *Week* n'ait raison quand il prétend que, quelle que soit la docilité de notre majorité, nous n'oserons pas lui demander de voter en faveur d'un autre prêt. Tout est en suspens jusqu'à la semaine prochaine. J'ignore comment cela se terminera [12]." Dès ce moment-là, il était évident de toute manière que l'affaire ne se terminerait pas par un geste parlementaire immédiat en faveur du Canadien Pacifique. Stephen qui, avec Donald Smith, venait juste de réussir à emprunter à la dernière minute les 650 000 dollars nécessaires pour payer les dividendes de janvier, demandait désespérément à Macdonald de s'impliquer lui-même. "La question dépasse certains de nos amis, écrivit-il, mais votre autorité et votre influence seules permettraient de débloquer la situation [13]." C'était inutile, Macdonald, pour le moment, ne souhaitait pas intervenir personnellement pour imposer une décision favorable à la compagnie ferroviaire. Mais en même temps, il ne rejetait pas définitivement la possibilité d'intervenir. Quand il abordait le sujet, il semblait étrangement indécis et peu enclin à se compromettre. Il informa Stephen par télégramme qu'il avait "très peu de chance" d'obtenir de l'aide cette année-là.[14] Dans le débat sur le discours du Trône, Blake le félicita ironiquement de ce que toute allusion au Canadien Pacifique eût été omise. Macdonald sauta sur la première occasion qui se présenta à lui pour expliquer, en des termes peut-être volontairement ambigus, la raison de ce silence: " Il est inutile de parler du Canadien Pacifique", dit-il aux Communes, "dans la mesure où nous ne nous proposons pas de légiférer sur le sujet; en tout cas, dans la mesure où nous ne nous proposons pas pour le moment de légiférer sur le sujet" [15].

Macdonald cachait ses craintes. Il était décidé à gagner du temps. Il était incapable d'évaluer comme il l'aurait fallu ses forces, non plus d'ailleurs que celles de ses adversaires. L'enjeu de la partie qu'il était en train de jouer était beaucoup trop important pour qu'il se permît une fausse manoeuvre. En ce qui concerne les zones de pêche et le chemin de fer, il ne bougeait pas. Mais son programme législatif était important et varié. Il comportait d'autres mesures que celles concernant le rail et les pêcheries. Ce n'était pas la première fois qu'il refusait de bouger une pièce pour mieux en avancer une autre. Il savait maintenant dans quel domaine il voulait avancer. Il voulait se libérer, dans un secteur au moins, du carcan que lui imposaient les provinces. Depuis des années, il était incapable d'admettre que le droit de voter aux élections dépendît de règles déterminées par les différentes législatures provinciales. Plus de quinze ans plus tôt, il avait écrit à Brown Chamberlin: "Il est impossible bien entendu que le droit de vote au fédéral dépende d'un organisme étranger [16]." Quinze ans s'étaient écoulés et le temps l'avait convaincu de la justesse de son opinion. La lutte entre le Dominion et ces "organismes étrangers" qu'étaient les provinces, s'était simplement intensifiée. Mowat avait gagné la bataille des frontières. Peu après, juste avant le début de la session, la Cour suprême du Canada avait invalidé la loi fédérale de 1883 sur les permis d'alcool. Mowat avait réussi à défier le Dominion. L'audace triomphante de Mowat semblait sur le point de devenir un modèle pour toutes les autres provinces mécontentes. C'était intolérable! À deux reprises, dans deux Discours du Trône successifs, le gouvernement avait promis de légiférer "pour uniformiser les règles concernant le droit de vote dans les différentes provinces". Pour la troisième fois, le gouvernement fit la même promesse. Cette fois, il comptait la tenir. Il comptait empêcher ces provincialistes insolents de s'immiscer dans les lois par lesquelles le Parlement du Canada était élu!

# III

Ce "jeu de l'attente" dont il croyait qu'il était infiniment préférable était aussi infiniment risqué parce que l'enjeu était énorme: celui-ci n'était rien d'autre qu'un Canada continental et uni. Les risques étaient tout aussi immenses: le pays risquait d'être divisé, abandonné par la Grande-Bretagne et annexé aux États-Unis. Ses cartes n'étaient pas bonnes. Il ne disposait plus que de très peu de jetons, mais il était toujours dans la partie. Ses principaux partenaires avaient des ressources beaucoup plus considérables, mais le simple fait qu'il fût encore dans la course était déjà en soi une chance extraordinaire. Il jouait chaque partie avec d'infinies précautions. Ses hésitations, ses décisions remises à plus tard étaient devenues célèbres. Cet homme éminemment pratique qui avait réussi à édifier une nation en un quart de siècle était en train de se tailler une réputation d'indécis qui remettait tout à plus tard. Ce réaliste qui vivait intensément le moment présent était affublé de l'amical surnom de "vieux bonhomme demain". C'était un peu ridicule, mais en même temps cela correspondait à une réalité dont il était bien conscient et qui ne lui déplaisait pas. Au tout début de cette année qui fut pour Macdonald la plus dure et la plus dangereuse sur le plan politique, un petit échange assez amusant eut lieu avec Blake. Il reflétait bien cette tendance consciente de Macdonald de tout reporter à plus tard.

L'anecdote se place le jeudi 5 février dans l'après-midi, une semaine après le début de la session. Blake demandait de l'information. En bon chef de l'Opposition qu'il était, il était toujours en train de demander de l'information, à propos de tout et de rien, et dès qu'il en avait l'occasion. Cette fois, ses questions touchaient à des individus. Il voulait savoir combien de temps Sir Charles Tupper, ex-ministre des Chemins de fer et des canaux, avait passé au Canada entre les sessions de 1883 et 1884. Ensuite, il demanda si Sir Charles avait démissionné; et si tel était le cas, quand serait nommé son successeur [17]. Tupper qui avait été nommé haut commissaire avait évidemment passé le plus clair de son temps en Angleterre. Macdonald promit que l'information sur la durée du séjour au Canada de Tupper serait fournie... "demain". Depuis la démission de Tupper en juin 1884, poursuivit Macdonald, c'est J. H. Pope qui a agi comme ministre des Chemins de fer et des canaux. Macdonald conclut en disant: "Nous avons l'intention de combler le poste de ministre des Chemins de fer d'ici peu". À ce moment-là, une petite voix que même le rapporteur officiel ne prit pas la peine d'identifier cria: "demain" [18]. La Chambre sourit. Et Blake continua de poser ses questions. Il demanda si le poste de bibliothécaire du Parlement était vacant et quand le successeur du docteur Todd serait nommé. "Le bibliothécaire n'a pas encore été nommé", répondit aimablement Macdonald. "Il le sera sous peu, j'allais dire "demain", mais je me suis retenu, car je sais que le mot aurait fait rire mes honorables amis [19]."

Le lendemain, on était le 6 février, jour où le Canada prit connaissance de la tragédie de Khartoum et de la mort du général Gordon [20]. Ce n'était que la première des crises militaires de 1885. Mais elle se produisit dans un ciel que tout le monde pensait serein. Ce fut un choc et une cause de grande indignation pour l'Empire. Pendant un temps, une guerre à grande échelle sembla plus proche qu'elle ne l'avait jamais été depuis presque sept ans plus tôt, au moment où les "patriotards" avaient appelé à la résistance contre la Russie, et quand Disraeli avait ordonné à la flotte de la Méditerranée de franchir les Dardanelles et de mettre le cap sur Constantinople. Qu'allait-il se passer cette fois? La Grande-Bretagne allait-elle se retirer du Soudan, comme d'ailleurs Gordon en avait reçu l'ordre, ou bien y avait-il moyen de faire une percée et de reconquérir Khartoum? Et s'il fallait consentir un grand effort populaire de vengeance, quel serait le rôle du reste de l'Empire et celui du Canada en particulier? Le Canada avait déjà contribué un peu à l'expédition militaire qui, l'automne précédent, sous les ordres du général Wolseley avait remonté le Nil pour se porter au secours de Gordon. Un groupe "d'éclaireurs" canadiens, hommes des bois et Indiens qui avaient l'expérience des cours d'eau et rapides du pays, mirent leur expérience au service des colonnes britanniques qui remontaient le Nil dont on ne possédait pas encore de carte à l'époque [21]. Mais ces éclaireurs, malgré leur utilité et bien sûr leur courage, n'avaient pas été de vrais combattants. Le temps n'était-il pas venu d'envoyer de vrais soldats, et en grand nombre?

Pendant un temps, une vague de patriotisme guerrier sembla déferler sur le Dominion. Macdonald, quant à lui, n'y était que très peu enclin pour diverses raisons, à la fois générales et particulières, théoriques autant que pratiques. Comme il en fit part à Tupper, la question d'une assistance militaire réciproque entre la mère patrie et les colonies était une question indissolublement liée au problème plus vaste de l'organisation même de l'Empire. Comme la plupart des hommes de sa génération, il avait des vues personnelles sur le sujet. Mais ses vues ne correspondaient pas à celles qui avaient le plus cours en 1885. Il ne croyait pas en un Parlement fédéral impérial. Il aurait préféré une ligue ou une alliance de la Grande-Bretagne et des "royaumes annexes" de l'Australie et du Canada. Selon lui, il existait déjà entre l'Angleterre et le Canada un pacte pour la défense de l'Amérique du Nord britannique. Il se fondait sur les engagements pris par les deux pays en 1865 et sur les accords signés en 1871 au moment où les troupes impériales avaient quitté le Canada central. Était-il possible, maintenant que le Canada avait atteint une plus grande maturité, d'étendre ces accords? Macdonald avait toujours espéré que le Canada serait une source de force et non de faiblesse pour la Grande-Bretagne. Il gardait toujours en tête l'idée d'une vaste association bien structurée des royaumes autonomes de l'Empire [22]. Mais il savait que dans ce domaine comme dans bien d'autres la précipitation pouvait s'avérer fatale. Il lui avait fallu des années pour créer le noyau d'une petite armée régulière canadienne. Il en faudrait probablement bien plus pour s'entendre sur les obligations extérieures du pays. Macdonald ne voulait pas compromettre l'avenir en agissant prématurément. Il voulait présenter son idée au moment où il serait sûr qu'elle serait accueillie favorablement.

Entre-temps, en l'absence de tout accord formel, il fallait procéder en étudiant cas par cas et en évaluant chacun d'eux à la lumière des circonstances du moment. Une guerre générale qui aurait touché des parties importantes de l'Empire aurait évidemment demandé la contribution de toutes les communautés politiquement autonomes qui en faisaient partie. Il en allait tout autrement des problèmes de défense locaux provoqués par des soulèvements mineurs. D'ailleurs, c'était la Grande-Bretagne elle-même qui avait insisté sur la différence au moment où elle avait retiré ses troupes du Canada en 1871. Si, et cela devenait malheureusement de plus en plus possible, des troubles sérieux éclataient dans le Nord-Ouest canadien, Macdonald n'avait aucune intention de demander une aide militaire impériale comme il l'avait si fébrilement sollicitée en 1869-70. Le maintien de la paix dans le Nord-Ouest nord-américain était maintenant une affaire canadienne. De la même façon, la petite rébellion qui avait éclaté en Égypte était l'affaire de la Grande-Bretagne, et peut-être de l'Australie. "L'Angleterre n'est pas en guerre", rappela Macdonald à Tupper. "Elle aide le Khédive à venir à bout d'une rébellion. Maintenant que Gordon n'est plus, le prétexte de venir en aide à notre compatriote n'existe plus non plus (...) [23]". Le conflit n'était pas un conflit général et il était peu probable qu'il se généralise. Pourquoi l'Empire devrait-il faire les frais de l'incohérence de la politique étrangère de Gladstone? Pourquoi l'Angleterre se lancerait-elle dans quelque action héroïque au Soudan au moment où de sérieux problèmes s'annonçaient avec la Russie à propos de la délimitation de la frontière russo-indienne?

En fin de compte, ce furent les escarmouches à la frontière nord-ouest des Indes qui décidèrent le gouvernement Gladstone à mettre terme aux engagements britanniques au Soudan. Et c'est probablement à cause d'une autre frontière, elle aussi au nord-ouest, que Macdonald réagit avec une telle froideur à l'envie qu'avaient Tupper et les colonels de la milice canadienne de se lancer dans des aventures égyptiennes. Le Nord-Ouest inquiétait Macdonald depuis plus de six mois et même depuis le retour de Riel l'été précédent. Ses craintes augmentèrent rapidement à compter de Noël 1884. Le 30 décembre, une pétition du district de Lorne arriva à Ottawa. Elle était accompagnée d'une lettre de couverture signée par un certain W. H. Jackson qui se qualifiait lui-même de secrétaire du "comité général" [24]. Il n'y avait apparemment aucun lien entre Riel et la pétition. À Ottawa, on savait de Jackson qu'il était le chef d'un petit groupe de colons blancs qui prenaient part au mouvement d'agitation. La lettre référait à "l'aile canadienne et anglaise du mouvement". Et c'est au nom de cette aile que Jackson parlait. La pétition était rédigée en anglais. Elle commençait par faire un résumé des difficultés des Indiens et réitéra l'habituelle revendication des métis à propos de terres et de titres de propriété. Le texte se poursuivait par une série de petites critiques ponctuelles qui portait surtout sur les opérations effectuées dans le cadre du Dominion Lands Act. Il présentait ensuite certains arguments historiques assez douteux, fondés sur les négociations du fédéral avec le Manitoba en 1870, pour étayer la demande du Nord-Ouest d'obtenir une plus grande autonomie politique. En conclusion, la pétition demandait que la région de la Saskatchewan se voit conférer un statut de province avec un gouvernement responsable et un plus grand contrôle de ses ressources. Les signataires demandaient la permission d'envoyer des délégués à Ottawa et de présenter leurs requêtes au gouvernement du Dominion sous forme d'une "charte des droits".

On prit connaissance de la pétition le 5 janvier. Le Cabinet la discuta le 9 janvier et la transmit au ministre de l'Intérieur pour qu'il y donne suite [25]. L'été précédent, Macdonald avait dit à Lord Lansdowne que la meilleure façon de mettre fin aux troubles était d'engager des pourparlers et de négocier avec les mécontents. Le temps en semblait venu. Riel n'avait pas encore réagi directement. Le gouvernement n'avait reçu aucun compte rendu de l'objet de sa mission, signé de sa main, non plus qu'aucune revendication de ses partisans. C'était gênant, mais Macdonald gardait espoir. Si les choses suivaient le même cours qu'au moment de la révolte de la rivière Rouge, les agitateurs qui se trouvaient dans la région de la Saskatchewan tiendraient une grande assemblée, rédigeraient une "charte des droits" et nommeraient des délégués pour venir négocier avec Ottawa. Dans l'intervalle, le gouvernement du Dominion avait décidé de faire une énorme concession. Au début de janvier, les ministres finirent par conclure qu'il fallait procéder immédiatement à un dénombrement des métis du Nord-Ouest en vue de leur donner les terres et les titres fonciers qu'ils réclamaient depuis si longtemps. Macdonald n'avait pas changé d'avis concernant le peu de sagesse de ce douteux dédommagement. D'après lui, de telles subventions étaient dans leur principe injustifiable et dans leurs conséquences, probablement mauvaises. Mais il avait décidé de passer outre à ses jugements personnels et de céder. Plus tard, il dit en Chambre: "Je ne cache pas d'avoir agi à contrecoeur. Je ne cède pas facilement quand une solution meilleure est possible. Mais au dernier moment, j'ai cédé. Je me suis dit: Bon sang! donnons-leur leurs titres fonciers. Peu importe s'ils les boivent, les vendent ou les gaspillent! Mais au moins nous aurons la paix [26]."

Au moment précisément où le gouvernement s'apprêtait à négocier et à consentir à de réelles concessions, Macdonald reçut d'autres nouvelles inquiétantes du Nord-Ouest. Depuis le moment, juste avant son départ pour l'Angleterre, où il prit connaissance du compte rendu de la rencontre de Riel avec Forget et l'évêque Grandin, Macdonald éprouvait des doutes sur les intentions réelles du chef métis. Il reçut de Dewdney qui arriva à Ottawa à la fin de janvier d'autres informations troublantes qui confirmèrent ses doutes et ses appréhensions. Une fois de plus, le "contact" avec Riel avait eu lieu. Quelques jours avant Noël, le père André, un prêtre de l'endroit, et D.H. MacDowall, député de Lorne au Conseil du Nord-Ouest, étaient allés voir le chef métis à Saint-Laurent. Ils eurent un entretien de quatre heures avec lui. Macdonald sidéré était en train d'en lire le rapport. Devant Forget et Grandin, Riel avait éloquemment mis de l'avant ses objectifs altruistes. Il avait à peine évoqué ses demandes personnelles. Il en fut tout autrement avec MacDowall et André. Il se montra cyniquement, presque grossièrement, égoïste. Dès le début de l'entrevue, il annonça qu'il était revenu au Canada à la fois pour obtenir justice pour lui-même et pour défendre les intérêts des métis. Il laissa clairement entendre à ses interlocuteurs qu'il espérait en gagnant de plus en plus de pouvoir au sein du groupe métis, avoir assez de force de pression sur le gouvernement pour que ce dernier donne suite à ses revendications personnelles. MacDowall poursuivait ainsi son incroyable récit: "Il affirma que si le gouvernement prenait en considération ses doléances personnelles et lui versait un montant d'argent correspondant à ses plaintes, il s'arrangerait pour que ses partisans illettrés et dépourvus de jugeotte se satisfassent de toutes les propositions que le gouvernement voudrait bien leur faire, quelles qu'elles fussent concernant le règlement de leur demandes d'allocations de terres. Il ajouta également qu'il quitterait alors le Nord-Ouest pour ne plus jamais y revenir" [27]."

Déjà, ce n'était pas mal! Mais ce n'était pas tout. Riel se mit ensuite à évaluer froidement ce qu'il valait d'un strict point de vue politique. Il basait ses estimations sur les diverses tentatives faites, affirma-t-il, pour l'amener à quitter le pays après la rébellion de la rivière Rouge. Il affirma qu'un émissaire de Sir John Macdonald était allé une fois jusqu'à lui proposer trente-cinq mille dollars! "Il réclame la modeste somme de cent mille dollars, poursuivait MacDowall, mais se contenterait des trente-cinq mille dollars qu'on lui avait initialement offerts, et personnellement je crois qu'il suffirait de trois à cinq mille dollars pour envoyer toute la famille Riel de l'autre côté de la frontière. Riel nous a fait clairement comprendre que son principal objectif était "lui-même" et qu'il était décidé à détourner les revendications de ses partisans pour qu'elles puissent lui servir à lui". Franc et cynique pour décrire ses objectifs réels, il fut tout aussi direct concernant la forme de garantie dont il se satisferait. Les promesses verbales ou écrites ne l'intéressaient pas. Seul un versement en argent comptant le persuaderait de jouer son rôle. Il dit: "Mon nom est Riel et je veux des biens matériels","(...) à cause de la rime, je suppose", ajouta MacDowall, l'air un peu ulcéré.

Ces révélations ébranlèrent Macdonald. Ainsi donc toute l'agitation était née de l'imposture et de la mauvaise foi! Il cessa de croire en la bonne volonté de Riel. "Je crois," dit-il par la suite en Chambre, "qu'il est revenu pour essayer de soutirer le maximum du trésor public [28]". Comment négocier avec un tel homme? Comment calmer un soulèvement si intimement lié à ce personnage énigmatique? Le gouvernement canadien pouvait-il se conformer aux dangereux conseils de quelqu'un qui avouait lui-même être un maître-chanteur en politique? Pouvait-il adopter la ligne de conduite que Riel lui suggérait ouvertement d'adopter? Non! il ne le pouvait pas. "Il n'en était bien sûr pas un seul instant question" [29], déclara Macdonald à la Chambre des Communes quand il fit part aux députés du fait que Riel était prêt à accepter un pot-de-vin. Riel était peut-être prêt à se vendre, mais Macdonald et ses collègues ne pouvaient se payer le luxe de l'acheter. Ils devaient continuer à agir comme s'ils négociaient non pas avec un aventurier américain préoccupé par ses seuls intérêts, mais avec un mouvement populaire canadien tout à fait légitime. Ils devaient faire tout leur possible, et même l'impossible, pour prouver qu'ils étaient disposés à satisfaire les griefs populaires. Le 28 janvier, le Cabinet accepta la proposition du ministre de l'Intérieur qui visait à créer une commission de trois membres pour procéder au dénombrement des métis du Nord-Ouest afin de donner une suite équitable à leurs revendications [30]. "Le gouvernement a décidé d'examiner les plaintes des métis", télégraphia Macpherson à Dewdney le 4 février, "et en conséquence a décidé de procéder au recensement de tous ceux qui n'ont pas déjà bénéficié d'attribution de terres aux termes de l'Acte du Manitoba [31]."

À l'Ouest, Macdonald avait dû céder. Il espérait toujours empêcher que n'éclate la crise qui couvait à l'Est. Mais à l'Est, chaque jour qui passait rapprochait le moment de l'effondrement du Canadien Pacifique. La ruine de ces deux grands projets risquait de détruire le grand projet qu'il avait essayé de mettre sur pied dans les Prairies canadiennes. Il le savait. Mais il était incapable d'accepter cette terrible conclusion. Tout au fond de lui, il se disait qu'il était impossible qu'un simple métis mégalomane puisse empêcher l'Ouest de devenir une patrie pour les Britanniques de l'Amérique du Nord, tout comme il était impossible que la voie ferrée qui devait souder le Canada en un seul vaste pays puisse faire faillite à cause de quelques millions de dollars. Stephen, il le savait, comptait toujours sur les promesses voilées qu'il lui avait faite. Et Stephen, jusqu'au dernier moment et jusqu'à la limite de ses forces, comptait faire tout ce qu'il pouvait pour obtenir du gouvernement le secours qu'il lui avait demandé. Donald Smith et lui avaient emprunté 650 000 dollars pour payer les dividendes de janvier. Ils avaient endossé un emprunt à court terme de cinq mois pour un montant d'un million de dollars "afin de permettre à la compagnie d'avoir assez de fonds pour lui permettre de faire face à ses dépenses courantes pendant les quelques prochaines semaines". Macdonald avait implicitement, sinon explicitement, demandé à Stephen et à son associé de prouver qu'ils étaient prêts à consentir à d'importants sacrifices pour sauver l'entreprise qu'ils avaient créée. Ils l'avaient prouvé. "Je suis prêt à affirmer", écrivit Stephen sur un ton de reproche, "qu'il n'existe pas dans tout le Canada un seul homme d'affaires qui connaissant les faits, ne nous traite pas de fous pour nous être donné tant de mal [32]."

C'est le secours du gouvernement qui justifiait de tels efforts. Mais était-il politiquement possible? Macdonald en doutait toujours tristement. McLelan menaçait de démissionner. La plupart des autres ministres étaient hésitants ou franchement hostiles. John Henry Pope et Frank Smith étaient fortement en faveur d'une aide au chemin de fer. Tupper écrivit de Londres une lettre peut-être encore plus passionnée que d'habitude. Selon lui, il fallait empêcher la ruine du Canadien Pacifique. Il était prêt à revenir immédiatement à Ottawa pour remplacer McLelan ou pour aider le gouvernement à titre de ministre sans portefeuille [33]. Macdonald hocha la tête. Tupper lui manquait terriblement. Mais il se rendait compte que si le haut commissaire revenait, il devrait obtenir un siège au Parlement et que la session serait sans doute terminée depuis longtemps avant qu'une élection partielle puisse se tenir. Non! il devrait se passer de Tupper. Il devrait veiller seul aux choses. Mais il avait du mal à porter le fardeau. À certains moments même, il se sentait complètement découragé. L'entreprise lui semblait un tonneau sans fond dans lequel s'engouffraient les ressources du pays. Tant de parasites semblaient s'y accrocher! "Le Québec, écrivit-il à Tupper, exige à nouveau une ligne québécoise. Les Maritimes réclament l'itinéraire court. Partout, tout n'est que chantage et pot-de-vin! Comment tout cela finira-t-il? Dieu seul le sait! Mais comme j'aimerais ne pas y être mêlé! [34]"

Macdonald écrivit cette lettre à Tupper le 17 mars. Au cours des quelques jours qui suivirent, il devint de plus en plus certain que le Cabinet n'accepterait pas d'allouer des subsides supplémentaires au Canadien Pacifique. Ce n'était pas tout. Au même moment, la menace d'un véritable soulèvement dans le Nord-Ouest se fit de plus en plus précise. Depuis quelques jours, les nouvelles en provenance de la Saskatchewan étaient mauvaises. Avec une terrifiante rapidité, elles se firent pires encore. Que se passait-il? Le père André continuait de demander que l'on versât une "indemnité" à Riel. Crozier, de la police montée du Nord-Ouest, et l'ecclésiastique s'étaient fait pressants: il fallait parvenir sur-le-champ à un arrangement conforme aux "communications confidentielles" [35]. L'incroyable s'était-il vraiment produit? Riel avait-il décidé de remuer ciel et terre parce que l'on n'avait fait aucun cas de ses demandes personnelles d'argent? Était-ce la véritable explication du manque d'effet de la promesse du gouvernement d'en arriver à un arrangement équitable et de donner aux métis des terres et des titres de propriété? Macdonald l'ignorait, et on n'avait plus de temps pour essayer de répondre à de telles questions.

Il fallait agir. La nuit du 23 mars, le major général Frederick Middleton, commandant en chef de la milice canadienne, fut envoyé à Winnipeg. Le lendemain, les journaux faisaient état de rumeurs contradictoires selon lesquelles les métis de Riel menaçaient Fort Carlton et sa petite garnison de membres de la police montée, commandée par Crozier. À l'Ouest, on en était venu à l'insurrection armée. Pendant ce temps-là, à Ottawa, les interminables négociations entre le gouvernement et le Canadien Pacifique étaient dans l'impasse. Stephen se rendait compte avec consternation que le gouvernement ne l'aiderait pas. "Inutile de dire", écrivit-il depuis le bureau d'Abbott situé dans les bâtiments du Parlement, "à quel point je regrette que ce soit là l'aboutissement de tous nos efforts en vue de doter le Canada d'un chemin de fer jusqu'à l'Océan Pacifique. Ce qui me console, c'est que j'ai fait tout mon possible pour l'obtenir [36]."

On était le jeudi 26 mars. Pendant toute la journée, d'alarmantes rumeurs selon lesquelles les hommes de Riel et la police étaient en train de se battre à Fort Carlton, se répandirent de ville en ville jusqu'au plus profond de la campagne canadienne. À Ottawa, on n'avait aucune confirmation officielle du combat. Macdonald envoya un câble rassurant à Londres. Le lendemain, un télégramme du colonel Irvine parvint au bâtiment est. Il mettait terme à toutes ces belles illusions. Ce soir-là, Macdonald prit la parole en Chambre pour annoncer l'escarmouche du lac Duck entre les métis et l'unité de Crozier [37]. Deux échecs, la révolte de la Prairie et la déroute du chemin de fer, survenaient en même temps. À elles deux ces catastrophes risquaient de le détruire, lui et le Canada qu'il voulait bâtir. Mais leurs effets n'étaient pas les mêmes. Il s'agissait de deux problèmes distincts. Il convenait de les résoudre séparément. Il y avait même moyen de se servir de l'un pour régler l'autre. En soi, cela ne suffisait-il pas à reprendre espoir? Il pouvait se servir du chemin de fer pour défendre l'Ouest. Il pouvait se servir de l'Ouest pour justifier le chemin de fer.

## IV

"Cette insurrection est une méchante affaire", écrivit-il au lieutenant-gouverneur Dewdney avec son laconisme habituel, "mais nous devons y faire face de notre mieux [38]." Pour Macdonald, le véritable danger n'était pas la révolte de quelques centaines de métis, mais bien la possibilité d'un soulèvement général des Indiens. Il n'avait jamais cru les Indiens capables d'être les initiateurs de troubles. Mais il ne pouvait s'empêcher de craindre, une fois la rébellion déclenchée, que l'ensemble des autochtones de l'Ouest ne se joignent au mouvement et que le tout se termine dans la ruine et le sang. "La première chose à faire", écrivit-il au général Middleton, en s'excusant modestement de l'ennuyer avec ses considérations de stratège profane, "c'est de circonscrire l'insurrection [39]." Avec tous les moyens en son pouvoir, le gouvernement avait déjà commencé à tâcher de se rallier les hésitants et de se faire confirmer la loyauté de ceux qui étaient de bonne volonté. Grâce au père Lacombe, Macdonald reçut très tôt la promesse du soutien des Pieds Noirs dont la tribu occupait le sud de l'Alberta. On donna l'ordre de distribuer des provisions supplémentaires aux Indiens. On nomma des enquêteurs chargés d'étudier les plaintes des métis.

C'étaient là des mesures de conciliation, des moyens pacifiques. Mais la révolte des Prairies était une insurrection armée. Il fallait une force militaire pour l'empêcher de se propager et pour l'étouffer dans l'oeuf. Pour la première fois dans leur histoire collective, ces gens confiants qu'étaient les Canadiens, se voyaient confrontés à un combat qui se déroulait sur leur propre sol et qu'ils devaient régler avec leurs seules ressources. Macdonald n'envisageait pas de demander le concours des troupes impériales régulières. Il n'avait pas besoin d'attendre, inactif et impuissant, l'arrivée du printemps et l'ouverture à la navigation des voies d'eau pour permettre à un corps expéditionnaire de se frayer péniblement un chemin à travers des milles et des milles de lacs, de forêts, de prairies, en vue d'une improbable rencontre avec une guérilla victorieuse. Il était capable d'agir immédiatement. Il avait le chemin de fer. Un peu partout, des citoyens demandaient à s'enrôler. Moins de quelques jours après que les Canadiens incrédules eussent appris le soulèvement du lac Duck, la première armée nationale canadienne était prête à entreprendre son long voyage vers le Nord-Ouest.

Dès le 25 mars, la milice de Winnipeg, Hugh Macdonald compris, avait commencé à faire un mouvement vers l'ouest. Le lundi 30 mars, sous un ciel gris et pluvieux dans les principales villes de l'est, les troupes se dirigèrent vers les gares de chemin de fer au son de fanfares qui jouaient des airs connus, comme "*Auld Long Syne*" et "*The Girl I Left Behind Me*" [40]. "J'espère que vous pourrez voyager jour et nuit", avait télégraphié Adolphe Caron, ministre de la Milice aux premiers détachements qui se pressaient vers l'ouest. "Je veux montrer ce dont la milice canadienne est capable." L'appel parvint presque aussi clairement et eut presque le même impact sur William Cornelius Van Horne que sur tous les officiers de la milice qui voyageaient vers Winnipeg dans ce chemin de fer qui passait au nord du lac Supérieur. Van Horne savait, et il le fit clairement comprendre à chacun de ses subordonnés, que le crédit du chemin de fer était en jeu et peut-être même son existence, que tout dépendait de la vitesse et de l'efficacité avec lesquelles le Canadien Pacifique était capable de contribuer à l'immense effort militaire. La nuit du 4 avril, les premières compagnies venues de l'est atteignirent Winnipeg. Moins d'une semaine plus tard, Middleton, commandant la première des trois colonnes expéditionnaires, quitta Qu'Appelle et fit route vers le nord-ouest en direction de Batoche, place forte de Riel.

Macdonald avait fait son devoir. Tout dépendait maintenant des soldats. Pendant que Caron essayait énergiquement de régler toutes les questions de détail de l'organisation militaire et que les troupes se frayaient un chemin à travers les prairies dans le froid glacé de ce début de printemps, Macdonald une fois de plus s'attela à la tâche familière de redonner confiance en leur pays aux Canadiens et d'en défendre le prestige à l'étranger: le peuple réagit de façon magnifique. La crainte secrète qui l'avait torturée pendant des années de voir le pays éclater à cause des discussions et des rivalités régionales, s'avérait finalement dénuée de tout fondement. Plus peut-être que jamais auparavant, les Canadiens prouvèrent qu'ils avaient le sens de leur identité nationale et qu'ils avaient foi en leur avenir. Macdonald n'avait pas demandé trop au Dominion. Il n'avait pas imposé un fardeau trop lourd à ce sentiment national, tout neuf mais de plus en plus fort, qu'il s'était patiemment efforcé de faire croître depuis tant d'années. Le premier résultat de la Rébellion était, en fait, une vigoureuse affirmation de la volonté nationale. C'était énorme. C'était peut-être beaucoup plus qu'il aurait osé espérer. Mais il y avait autre chose. La Rébellion du Nord-Ouest le confirma peut-être dans l'idée qu'il avait vu juste dans son action passée, mais aussi fournit à ses ennemis, à l'intérieur comme à l'extérieur, la plus belle occasion de montrer les dents.

À l'étranger, cette occasion fut exploitée à fond. Partout où parvenaient les dépêches des agences de presse américaines, et elles semblaient parvenir presque partout, les problèmes du Nord-Ouest canadien étaient grossièrement exagérés et son avenir dépeint de la façon la plus pessimiste. Les nouvelles en provenance de Winnipeg et que reproduisaient la plupart des journaux canadiens, étaient en général honnêtes et relativement exactes, mais ce n'étaient pas ces nouvelles qui parvenaient au reste du monde anglophone, ni d'ailleurs que le reste du monde anglophone semblait avoir envie de lire. C'étaient les correspondants américains de Saint-Paul, ceux que l'on appelait familièrement les "menteurs à la une" (comme l'affirmait un éditorialiste canadien à ses lecteurs) qui diffusaient la plupart des informations sur la Rébellion du Nord-Ouest que reprenait à plaisir la presse anglaise et américaine [41]. Un seul journal londonien prit la peine d'envoyer un correspondant sur place. Mais le *Times* ne sembla pas envisager un seul instant de faire la même chose. Il préférait se fier à des dépêches datées et expédiées de Philadelphie [42]. Ce n'est finalement que le 5 mai que le *Times* confirma les nouvelles parues précédemment et qui faisaient état d'un soulèvement général des Indiens. Le journal affirmait à ses lecteurs que la guerre indienne au Canada risquait d'être longue et sanglante. Lansdowne était sidéré, comme d'autres gouverneurs généraux l'avaient été avant lui, de telles manifestations d'indifférence et d'une telle méconnaissance des faits. Macdonald et Tupper savaient qu'il ne servait absolument à rien d'opposer un démenti aux malveillantes distorsions de la réalité canadienne que pratiquait la presse américaine. Ils reprirent plutôt leurs vieux efforts pour tâcher de faire en sorte que l'Angleterre écoute d'une oreille favorable le Canada [43].

Au pays, Macdonald savait que l'Opposition serait plus hargneuse et plus déterminée que jamais. Il s'attendait à vivre la plus longue, la plus dure, la plus âpre session depuis cette fameuse session de 1882. Les dernières élections générales avaient eu lieu près de trois ans plus tôt. Découragés, les grits battus à deux reprises avaient maintenant le faible espoir d'un nouvel appel au peuple. Ils comptaient se servir de toutes leurs forces et de toute leur ingéniosité pour tirer le plus grand avantage possible de la session. Ils avaient bien l'intention de se donner à fond. Et quelle chance magnifique, incomparable, ils avaient! Le traité de Washington tirait à sa fin, le Canadien Pacifique était de toute évidence au bord de la ruine et le gouvernement comptait présenter un nouveau projet de loi, éminement contestable. Les libéraux se délectaient de l'immense variété des malchances et des malheurs de leurs adversaires! Et voilà, comme un dernier cadeau que leur faisait le destin, qu'avait éclaté cette désastreuse affaire de rébellion! Macdonald se rendait compte que la situation aurait difficilement pu être pire pour lui. Il savait à quel point il était vulnérable même s'il détenait le pouvoir. "Le gouvernement est trop vieux", dit-il à Tupper. Il s'en rendait compte depuis plus d'un an. Il en devenait de plus en plus conscient à mesure que la session progressait. Les ministres étaient trop vieux pour affronter la crise qui se préparait. Ils étaient fatigués, malades, craintifs. Ils avaient perdu leurs illusions.

Pour un bout de temps au moins, Macdonald devait adopter une stratégie défensive. Il fallait remettre à plus tard les décisions qui prêtaient à controverse. Le pays avait besoin de souffler. D'ici un mois, peut-être deux, un coup de chance au Nord-Ouest viendrait peut-être modifier complètement la situation et enlever leur aspect effrayant aux choses. Son premier choix politique, presque instinctif, avait été de temporiser. L'Opposition, dans une large mesure, l'y obligea presque. Les premiers débats de la session avaient été vétilleux, chicaniers. La nouvelle de la rébellion du Nord-Ouest avait transformé les grits en une meute de roquets qui reniflaient tout et n'importe qui, qui rongeaient pendant des semaines tous les os législatifs qu'on leur lançait. Le 16 avril, Macdonald présenta son projet de loi sur le droit de vote en deuxième lecture. Aussitôt, la meute se rassembla et se mit à japper comme pour la curée. Le projet fut envoyé en commission après d'interminables débats sur certains amendements fondamentaux. Il y resta semaine après semaine pendant que les deux parties ergotaient interminablement sur presque chaque mot.

Cette obstruction prolongée finit par ennuyer Macdonald et par le raidir dans sa détermination. Dans d'autres domaines, par contre, il était évidemment tout disposé à attendre, si on le lui demandait, et à envisager généreusement certains gestes de conciliation. Ce n'était pas le moment, il le savait très bien, de chercher querelle aux États-Unis. Les clauses du traité de Washington concernant les zones de pêche côtière venaient à terme, à la demande du gouvernement américain, le premier juillet. Juridiquement, ce serait à nouveau la convention de 1818 qui régirait les privilèges américains en eaux territoriales britanniques nord-américaines. En réalité, dans les circonstances, il aurait été très peu judicieux pour le Canada d'essayer soudain d'empêcher les pêcheurs américains de pénétrer dans la zone des trois milles. L'Angleterre était toujours sérieusement engagée dans son différend avec la Russie. Le Dominion était aux prises avec les problèmes du nord-ouest. Et, selon Macdonald, la nouvelle administration en poste à Washington, avec Cleveland comme président et Bayard comme secrétaire d'État, promettait d'être beaucoup plus libérale en matière de politique commerciale que toutes celles qui l'avaient précédée durant les dernières années.[44] Exactement comme en 1871, il espérait conclure un généreux accord de commerce réciproque entre les deux pays. C'est la raison pour laquelle il était enclin à accueillir favorablement la demande récente de Bayard, pourtant tout à l'avantage des Américains. Bayard demandait qu'en attendant la négociation d'un nouvel accord, les privilèges américains en matière de pêche prévus dans le traité de Washington fussent maintenus pour une autre période de six mois. En contrepartie de cette importante concession, Bayard laissait entendre que le Président, dans son message au Congrès, pourrait suggérer la création d'une haute commission conjointe dont le mandat serait d'arriver à un règlement pacifique des relations entre les deux pays. À part cela, il n'offrait pas d'autre compensation. Les pêcheurs américains pourraient pêcher en eaux canadiennes jusqu'au 31 décembre; mais à partir du 1er juillet, les taxes à l'importation américaines sur le poisson canadien entreraient en vigueur. "Il nous demande de nous comporter en bons voisins, mais lui-même se garde bien d'agir en bon voisin" [45]: c'est ainsi que Macdonald résuma sèchement la proposition Bayard à l'intention du gouverneur général.

Dans le cas présent, il valait évidemment mieux temporiser et se montrer prudent et conciliant. Mais dans le cas du Canadien Pacifique, la temporisation devenait un jeu de plus en plus dangereux et risqué. En moins d'une semaine, le prestige du chemin de fer s'était considérablement accru. Mais au même moment, il se précipitait vers la débâcle financière à la même vitesse que l'une de ses propres locomotives. Dans l'affaire du Nord-Ouest, il s'était montré magnifiquement efficace et avait vraiment rendu service à la nation. Il avait transporté tellement vite les miliciens canadiens jusqu'à leurs bases de Qu'Appelle, Swift Current et Calgary que l'issue de la bataille était déjà décidée avant même que la rébellion n'ait eu le temps de se développer. Macdonald était convaincu que dans quelques semaines le pays saurait l'apprécier. Mais pour le moment, les troupes n'avaient même pas encore établi le contact avec les rebelles et peu de gens comprenaient la nature réelle du combat. Il ne croyait donc pas qu'il pouvait réellement compter sur un changement de l'opinion publique concernant le chemin de fer. Deux mois, trois mois plus tôt, Macdonald avait craint que l'opposition fût trop vive au sein du Cabinet et du Parti pour qu'il arrive à convaincre ses collègues qu'il fallait offrir une aide supplémentaire au Canadien Pacifique. Au vu des miracles qu'avait réussi le chemin de fer dans l'intérêt national, l'opposition avait de toute évidence diminué. Mais avait-elle diminué assez pour lui permettre d'agir? Il ne le savait pas. Les doutes l'assaillaient. Et son premier instinct était toujours de temporiser.

Hélas! toute temporisation pouvait s'avérer fatale. Il fallait sauver la compagnie vite, sinon il n'y aurait plus rien à sauver. C'était une course entre les créanciers du chemin de fer et le corps expéditionnaire du général Middleton. C'était une épreuve de force entre les interminables et pénibles tergiversations de la politique canadienne, et la fougue et le dévouement de George Stephen. Il avait dilapidé tout ce qu'il possédait pour répondre aux insatiables besoins du chemin de fer. Il avait dit à Donald Smith, et longtemps après Van Horne estimait encore que c'était une des remarques les plus intelligentes de Stephen, que si le chemin de fer échouait il ne fallait pas qu'on puisse les accuser d'avoir gardé un seul dollar en poche.[46] Il s'était tourné vers Ottawa parce que nulle part ailleurs il ne pouvait trouver de l'aide. Comme il le dit à Tupper, il y avait vécu presque en permanence depuis décembre. Des dizaines de fois, il s'était convaincu que tout était fini. Des dizaines de fois, il avait décidé qu'il ne servait plus à rien de continuer à se battre. Et pourtant il était incapable d'abandonner. Un jour, attendant son propriétaire, il assit dans la maison de J.H. Pope, le menton dans les mains, le regard perdu, et marmonnant: "Nous sommes ruinés!" Il était sorti furieux de l'hôtel Russel, en se jurant de ne plus jamais mettre les pieds à Ottawa. Mais il n'était pas parti. Il avait tenu bon. Il n'avait jamais vraiment cessé un seul instant de se battre.

Hélas! la résistance humaine a des limites. Vers le milieu d'avril, il en vint à la triste et décevante conclusion qu'il les avait dépassées. "Il m'est impossible de poursuivre plus longtemps ce combat pour la survie", écrivit-il à Macdonald le 15 avril, "tous ces délais pour régler la question du CPR, quels que justifiés qu'ils puissent être, ont eu raison de moi, m'ont rendu incapable de poursuivre plus avant le travail, et s'il faut continuer, autant envisager la disparition de la compagnie [47]." La disparition de la compagnie! Y avait-il encore moyen de l'éviter? "Pas moyen de payer les salaires", télégraphia Van Horne à Stephen, "impossible de différer, à moins d'une aide immédiate, devons arrêter. Prière informer Premier ministre et ministre Finances. Ne soyez pas surpris, et ne me blâmez pas, si une catastrophe immédiate et des plus graves se produit [48]."

Le 24 avril, Macdonald écrivit une lettre personnelle à C.F. Smithers, de la Banque de Montréal [49]. Il lui expliqua que dans un proche avenir il introduirait au Parlement un projet d'assistance financière au bénéfice du Canadien Pacifique. Mais un tel projet ne pouvait être présenté à la hâte et entre-temps les besoins du chemin de fer se faisaient chaque jour plus pressants. La Banque consentirait-elle, s'il se portait personnellement garant, à verser une avance temporaire à la compagnie? La Banque refusa [50]. Sa position aurait sans doute été différente, écrivit à Macdonald Charles Drinkwater, secrétaire du Canadien Pacifique, si le projet de loi avait effectivement été soumis aux Communes. C'était évident! Macdonald se rendit compte qu'il avait assez tardé. Il devait agir immédiatement s'il voulait éviter l'échec définitif. Les circonstances étaient-elles favorables? Le 25 avril, le peuple canadien, anxieux et attentif, apprit que le colonel Otter et ses troupes étaient arrivées à Battleford. Mais le même jour, parvinrent aussi les nouvelles alarmantes de l'affrontement entre Riel et les forces du général Middleton à Fish Creek. Le combat avait été indécis. le 30 avril, les gros titres des journaux annoncèrent que l'Angleterre et la Russie étaient sur un pied de guerre. Le même jour, Macdonald présenta au caucus conservateur son projet d'aide au chemin de fer [51]. Le 1er mai, il communiqua la substance des résolutions qu'il se proposait très prochainement de soumettre au Parlement [52].

Cela correspondait en gros au projet dont il avait discuté avec Tupper et Stephen au cours de l'automne précédent. Au lieu des trente-cinq millions d'actions ordinaires non émises que le projet de loi se proposait d'annuler, le Canadien Pacifique était autorisé à émettre un montant équivalent de titres en première hypothèque. Ces nouveaux titres auraient pour effet de mettre fin au privilège du gouvernement sur l'ensemble des avoirs de la compagnie. Ils devaient être émis au profit du gouvernement et gardés par le gouvernement comme garantie à la fois pour l'emprunt de l'année précédente et pour la nouvelle avance de cinq millions de dollars qui allait être immédiatement consentie à la compagnie. Tupper pensait que le projet était excellent. Il pensait qu'il ne rencontrerait que peu d'opposition au Parlement et dans le pays "compte tenu du fait dont chacun peut se rendre compte que n'eût été la construction rapide du CPR, le pays aurait pu éclater dans un énorme gaspillage de sang et de ressources" [53]. Il avait raison, Macdonald le savait. La Rébellion était sur le point d'être rapidement étouffée, tel qu'il l'avait espéré et tel qu'il l'avait cru. Il est vrai que le 2 mai, Otter avait subi un dur revers à Cut Knife Hill et avait dû se replier sur Battleford. Mais l'après-midi du 13 mai, Caron lut en Chambre un télégramme triomphal de Middleton qui annonçait la prise de Batoche et la fin de la résistance métisse [54]. L'avenir de l'expansion canadienne venait d'être réglé et réglé pour toujours. Grâce aux soldats canadiens et au chemin de fer canadien, l'Ouest était conquis.

Mais le peuple canadien consentirait-il à payer le prix de sa survie en tant que nation? La partie était maintenant engagée. Il restait à faire adopter le projet de loi par une Chambre des Communes récalcitrante et incontrôlable. L'entière responsabilité du programme législatif gouvernemental reposait sur Macdonald. Macpherson et Chapleau durent s'absenter pour des périodes plus ou moins longues. Pope était faible et malade. De douloureuses migraines paralysaient régulièrement Campbell. Et, deux mois avant la fin de la session, Tilley partit pour l'Angleterre subir l'opération qui mit si abruptement terme à sa carrière politique. Jour après jour en des affrontements furieux, Macdonald, représentant solitaire du Cabinet, affronta la Chambre quasiment seul. Il avait toutes les raisons de croire qu'il craquerait. Ses piètres performances des quelques dernières années pouvaient laisser présager à tous, et à lui d'abord, qu'il échouerait. Mais, poussé par quelque mystérieuse force intérieure, il tenait bon. "Je ne me défends pas mal dans le dur combat que je mène ici" [55], écrivit-il à sa soeur au début de mai.

Il ne croyait pas avoir jamais connu de bataille aussi acharnée. Une fois même, peu après que le projet de loi sur le droit de vote eût été envoyé en commission, la Chambre siégea pendant deux jours et demi sans interruption. Ce n'était là que le plus notable des excès de cet incroyable débat. L'opposition, pendant tout le mois de mai et pendant une partie de juin, combattit chaque clause, chaque paragraphe, chaque phrase et presque chaque mot du projet. Macdonald était de plus en plus convaincu que les libéraux, prétextant que le projet de loi menaçait les droits des provinces, l'exploitaient de propos délibéré pour tâcher d'amener ses partisans canadiens-français à se détourner de lui. Il était de plus en plus décidé à combattre pour la cause de l'Union et pour une Chambre des Communes indépendante qui, selon lui, était l'indispensable expression de cette union. Le projet de loi sur le droit de vote devint une véritable obsession. "Je ne cèderai pas (...)", écrivit-il à Lord Lansdowne au début de juin [56]. Une autre semaine se passa, elle aussi remplie d'escarmouches verbales. La fin de l'étude en commission approchait peu à peu. Le gouvernement soulagé put se consacrer aux projets de loi laissés en suspens et aux autres mesures à demi oubliées de son programme. Le 16 juin, John Henry Pope introduisit finalement les résolutions pour venir en aide au Canadien pacifique.

## V

Le 27 juillet, Macdonald écrivit à Charles Tupper: "Le vingt de ce mois, s'est terminée la session la plus désagréable et la plus harassante dont j'ai été témoin depuis quarante ans. Les grits étaient désespérés et agissaient avec l'énergie du désespoir [57]." L'Opposition avait dû battre en retraite, mais elle avait cédé pas à pas et en se défendant durement. La formidable masse de documents gouvernementaux et de détails statistiques avaient eu raison de l'art oratoire de Blake. Il était contre la subvention supplémentaire au Canadien Pacifique et contre la politique du gouvernement dans le Nord-Ouest. Il lui fallut pour le dire deux discours fleuves qui durèrent chacun plus de six heures et dont la fastidieuse prolixité ennuya tout le monde, jusqu'à transformer même certains de ses partisans les plus ardents en de bruyants ronfleurs. Ces héroïques performances, comme l'obstruction prolongée qui les précéda, ne servirent à rien. Le gouvernement finit par l'emporter. À maints égards, comme le fit remarquer plus tard Macdonald à Campbell, la session n'avait pas été très satisfaisante, le banc ministériel avait été clairsemé, le Premier ministre avait dû porter seul tout le fardeau, une partie du travail n'avait pas été bien fait et les conservateurs s'étaient ouvertement plaints [58]. Pourtant, le gouvernement avait survécu. "La session est terminée", écrivit-il fièrement à Tupper, "et l'Opposition n'a pas marqué un seul point."

"Je considère l'adoption de la loi sur le droit de vote, déclara-t-il, "comme le plus grand triomphe de ma vie [59]." C'était en fait la victoire de l'immense expérience d'un vieil homme et de sa redoutable habileté dans les débats parlementaires. Macdonald savourait, et peut-être surestimait, ce succès personnel. Les victoires qu'il avait remportées concernant le chemin de fer et le Nord-Ouest étaient de toute évidence beaucoup plus importantes sur le plan national. Comme ses prospecteurs l'avaient fait dans les Rocheuses, Stephen avait fini par trouver un passage qui lui permettait de traverser des difficultés qu'on avait considérées jusqu'alors comme insurmontables. Baring, l'importante maison financière, qui jusque-là avait toujours considéré le Canadien Pacifique avec une sereine indifférence, consentit enfin à agir comme courtier pour l'émission des nouveaux titres qui rapportaient un intérêt de quatre pour cent. L'appui de cette grande firme anglaise venait tard. Comme les choses auraient pu se passer plus facilement si elle s'était décidée plus tôt! Mieux valait tard que jamais pourtant. Et en même temps on eût dit que l'Angleterre commençait à accepter l'idée que le Canada devienne un État transcontinental. Les Canadiens avaient payé leurs revendications sur le Nord-Ouest de leur sang, de leur travail et de leurs ressources. La longue épreuve qu'ils avaient traversée, Macdonald s'en aperçut clairement, avait fortifié en eux le sentiment d'être liés par un destin commun. "Vous vous rendrez compte, écrivit-il à Tupper que le retour de nos volontaires a rendu le Canada délirant d'enthousiasme. L'affaire du Nord-Ouest a contribué comme aucun autre événement n'y serait parvenu, à donner conscience aux Provinces qu'elles font partie d'une même nation [60]."

Au Nord-Ouest, tout semblait réglé, ou sur le point de l'être. Il ne restait plus qu'à s'occuper des inévitables conséquences de la Rébellion. Il fallait le faire dans un esprit de clémence, avec objectivité et sans sentimentalisme. La commission créée par le gouvernement devait terminer l'étude des revendications des métis et les tribunaux devaient décider du sort des chefs indiens et métis qui avaient pris part à la révolte. Macdonald avait toujours été persuadé que seule une petite part des demandes d'allocation de titres était légitime. Il n'avait jamais cru que les titres de propriété puissent donner à ceux qui les réclamaient autre chose qu'une satisfaction temporaire. À mesure que se poursuivaient les travaux de la Commission pour le Nord-Ouest, la justesse et l'exactitude de ces suppositions se vérifiaient. Sept cent soixante-dix-neuf métis avaient signé des pétitions pour qu'on reconnaisse leurs droits à une allocation de terres. On s'aperçut finalement que sur les sept cent soixante-dix-neuf demandes, cinq cent quatre-vingt-six étaient invalides, soit que ceux qui les introduisaient avaient déjà reçu des terres au moment de la distribution au Manitoba, ou encore qu'ils étaient des métis des États-Unis, ou finalement qu'ils n'étaient pas des métis du tout, mais de simples squatters [61]. La commission n'accorda des titres fonciers qu'à cent quatre-vingt-treize signataires. Combien d'entre eux allaient durablement pouvoir tirer profit des largesses du gouvernement? "En dépit des bonnes intentions du gouvernement", télégraphia à Langevin depuis l'ouest, Amyot, député canadien-français de Bellechasse, "le travail de la Commission est une farce; une foule de spéculateurs suivent les commissaires, enivrent les métis et leur rachètent leurs titres pour une somme dérisoire [62]." C'était donc pour en arriver là, se dit Macdonald avec amertume, que le pays a été plongé dans l'émeute, que des hommes sont morts et que des millions ont été gaspillés. C'était pour en arriver là qu'une poignée de métis et d'Indiens devaient payer le prix fort d'un emprisonnement à vie. Le pénible et dernier épisode de l'affaire allait commencer. Le 20 juillet, s'ouvrit à Regina devant le juge Richardson le procès de Louis Riel. Il passionna l'ensemble de la nation.

En attendant la conclusion de l'ultime épisode de ce drame malheureux, Macdonald s'efforça de régler les problèmes de l'avenir. Le remaniement ministériel, si souvent retardé l'année précédente, ne pouvait plus attendre. Il y avait plusieurs postes à combler, et peut être même le sien. "Il est temps que je me retire", écrivit-il à Tupper. "J'ai fini mon travail. Tout ce que je me proposais de faire pour la Confédération jusqu'à ce jour a été fait [63]." C'était exact. Son envie de prendre sa retraite était d'autant plus forte qu'elle provenait du sentiment du devoir accompli et non de la faiblesse ou de l'abattement dû à une mauvaise condition physique. Mais comment quitter sa charge maintenant? Macpherson avait déjà démissionné. Tilley avait accepté le poste de lieutenant-gouverneur du Nouveau-Brunswick, sa province natale. Depuis plusieurs semaines, avec cet air sinistre et compassé qui lui était caractéristique, Campbell demandait avec insistance d'être nommé lieutenant-gouverneur de l'Ontario. Si Macdonald quittait le Cabinet à ce moment-là, quand tant d'autres déjà étaient partis ou voulaient partir, il ne ferait que compléter la désintégration du gouvernement et en achever la ruine. Il était obligé de rester, au moins pour un petit laps de temps encore. Il essaya de persuader Campbell de remettre à plus tard ses ambitions et de différer sa démission. Sur le conseil de ses amis des Maritimes surtout, il contacta John S.D. Thompson, un politicien néo-écossais, qui était juge pour le moment, mais qui, avant la défaite conservatrice de 1882, avait été un des personnages les plus forts du gouvernement provincial d'Halifax.[64] Depuis des années, depuis aussi longtemps qu'il pouvait s'en souvenir, il avait cherché une jeune recrue, un homme actif, énergique et compétent, pour apporter du sang neuf à son Cabinet de vétérans fatigués. Thompson, dont tout le monde parlait de façon aussi élogieuse, était-il l'homme qu'il cherchait?

Le 30 juillet, Macdonald parvint finalement à s'échapper de la chaleur torride d'Ottawa. Il partit en vitesse pour Rivière-du-Loup. L'été était déjà à demi achevé. Et pendant ce qu'il en restait, Macdonald ne put se défaire de ses préoccupations politiques. Ses soucis lui gâchèrent presque les quelques belles semaines d'août. Il devait remanier le Cabinet, songer à la façon dont il mènerait les délicates négociations avec le juge Thompson et étudier les arrangements préliminaires en vue de la conférence avec les États-Unis sur la question des pêcheries. Au début de septembre, Macdonald regagna Ottawa. Il avait l'impression de s'être fait voler ses vacances. Dans la capitale, un autre problème plus difficile et douloureux l'attendait. Campbell qu'il avait avec beaucoup de difficulté réussit à persuader de rester au Cabinet, avait naturellement présumé qu'il conserverait le portefeuille de ministre de la Justice qu'il détenait jusque-là. Mais le juge Thompson avait exigé calmement mais avec fermeté pour entrer au Cabinet le ministère de la Justice. Macdonald était décidé à s'assurer les services de Thompson [65]. Campbell surpris ne voulait pas être victime de l'opération [66]. Ce n'est qu'après bien des reproches et de nombreuses et douloureuses récriminations que Macdonald parvint à le persuader d'accepter la direction des Postes. Toute l'affaire le toucha émotivement très fort. Il recommença à avoir envie de vacances, des seules vacances qu'il avait jamais vraiment appréciées: un séjour en Angleterre. "Cet été, je n'ai pas eu de répit du tout, écrivit-il à Tupper; je suis à peu près décidé à traverser l'Atlantique. Mais cette affaire Riel doit être réglée d'abord, ainsi que les arrangements pour les négociations à Washington [67]."

Au cours des dernières semaines, "cette affaire Riel" avait rapidement pris de l'ampleur. Le procès du chef métis s'était terminé le premier août à Régina. Un groupe d'avocats, parmi les plus brillants du pays, avait assuré la défense. Elle reposait essentiellement sur le fait que l'accusé ne disposait pas de toutes ses facultés mentales. Riel lui-même déniait avec véhémence les allégations de folie. La preuve médicale était contradictoire. Comme le fit remarquer B. B. Osler, il y avait un sérieux hiatus entre la soi-disant "mégalomanie" du prisonnier et la perspicacité aiguë dont il avait fait preuve quand il avait essayé de soutirer de l'argent pour prix de l'abandon de sa "mission". "Il semble", comme le dit plus tard le juge en chef du Manitoba dans son verdict, "qu'il essayait surtout, alors qu'il s'affirmait le champion des intérêts des métis, de s'assurer des avantages financiers à son bénéfice personnel [68]." Le chef métis fut reconnu coupable de haute trahison. Il fut condamné, pour reprendre la terrible expression en vogue à l'époque, à être pendu haut et court. Ce verdict, définitif et final, divisa l'opinion publique. Au Québec, de nombreuses voix s'élevèrent pour demander la clémence. Au Canada anglais, et particulièrement en Ontario, on estimait, et c'était une opinion qui ne prêtait même pas à discussion, que le gouvernement ne devait pas intervenir et que l'on devait laisser la justice suivre son cours.

Macdonald était du même avis que ses concitoyens d'Ontario. Riel avait été condamné à être pendu le 18 septembre. Macdonald ne voyait pas la moindre raison qui puisse justifier une intervention de l'État pour modifier la sentence. D'après sa lecture de la preuve, il n'y avait nul besoin d'un nouveau procès. Il était tout à fait sûr que la Cour d'appel du Manitoba confirmerait le verdict de Regina. Il ne croyait pas que le gouvernement dût faire quoi que ce soit de sa propre initiative pour susciter d'autres procédures. "Je ne crois pas", écrivit-il à Lord Lansdowne vers la fin d'août depuis Rivière-du-Loup, "que nous devions accorder un sursis en prévision, comme si c'était une cour, d'une intervention de la Commission judiciaire[69]." Dans les clauses relevant du criminel, il n'y avait évidemment pas moyen de faire appel auprès de la Commission judiciaire du Conseil privé. Et si le gouvernement faisait quoi que ce soit pour "faciliter" un tel appel, le Canada anglais, de l'avis de Macdonald, réagirait sans doute violemment. Bien sûr, il savait qu'une partie de l'opinion publique québécoise approuverait chaleureusement cet appel, mais il était convaincu que Riel, en abandonnant la foi de ses ancêtres, avait perdu le meilleur titre dont il pouvait se prévaloir pour s'attirer les sympathies de ses compatriotes francophones. Le courant d'opinion en sa faveur se fondait sur l'émotivité. Il n'était pas très profond et ne durerait sans doute pas longtemps.

## VI

Dès qu'il revint dans la capitale, le 10 septembre, il dut se rendre à l'évidence: ses conclusions, qui lui paraissaient si rationnelles, étaient fortement contestées. Les pétitions pour commuer la peine de Riel commençaient déjà à arriver. Et, ce qui était bien pire, tout le monde savait que Langevin, avec l'appui probable de Chapleau et de Caron, ferait pression pour créer une commission d'enquête chargée d'étudier l'état mental de Riel. Campbell, qui continuait d'agir comme ministre de la Justice en attendant que Thompson se fasse élire en Nouvelle-Écosse, y était fortement opposé. La défense de Riel, arguait-il, a été fondée sur la maladie mentale. Le juge et les jurés, après avoir pris connaissance d'innombrables preuves, n'y avaient pas cru. "Comment les médecins pouvaient-ils déterminer maintenant ce qu'était l'état mental de Riel en février ou mars dernier?" demandait-il. "Nous ne pouvons leur donner l'autorité d'entendre des témoignages assermentés qui l'accableraient de nouveau et l'enquête se terminera presque inévitablement par un désaccord entre les médecins; en ce qui concerne le sort du prisonnier, l'enquête ne contribuera qu'à rendre "la confusion plus confuse encore (...) Je ne crois pas qu'une telle enquête doive avoir lieu, à moins que la soi-disant maladie mentale ne soit arrivée depuis le procès (...) [70]."

Macdonald était entièrement d'accord. Mais ni Campbell, ni lui ne pouvaient s'enlever de la tête la désagréable idée qu'il faudrait malgré tout finir par créer la commission d'enquête, uniquement pour leurs collègues francophones. Campbell était d'avis que s'il fallait céder, autant céder tout de suite. Mais Macdonald était décidé à éviter aussi longtemps que possible toute interférence du gouvernement dans le cours normal de la justice. Restait une ultime possibilité: une Cour d'appel, même si moins de quinze jours plus tôt il avait lui-même déconseillé d'avoir recours à cette solution. Le 11 septembre, le ministère de la Justice télégraphia au juge Richardson pour accorder un sursis au prisonnier. Immédiatement, les avocats de Riel firent appel à la Commission judiciaire du Conseil privé à Londres.

Entre-temps, le gouverneur général partit pour le Nord-Ouest en train. C'était un voyage planifié de longue date et attendu avec impatience, qui devait marquer l'inauguration du dernier tronçon du Canadien Pacifique. "Maintenant que le chemin de fer est terminé et que mon projet sur le droit de vote a force de loi", avait écrit Macdonald au début de septembre à son vieil ami Lord Carnarvon, "je sens que j'ai fait mon travail et que je puis chanter mon *nunc dimitis* [71]." Il n'y avait plus pour le moment, comme il s'en rendait amèrement compte, la moindre possibilité pour lui de démissionner du gouvernement. Son travail n'était pas terminé. Il était aux prises avec l'affaire Riel. Et l'affaire Riel qui avait éclaté avec une telle violence et une soudaineté si étrange pesait lourd sur l'avenir. Elle menaçait de détruire une bonne partie de son travail. Elle menaçait entre autres de ternir l'achèvement solennel du chemin de fer pour lequel il avait lutté si longuement et si âprement. Très loin, dans les montagnes, le mauvais temps avait interrompu les travaux. La brèche dans la ligne était en train de se refermer, mais elle ne se refermait pas assez vite. Au début d'octobre, il devint évident qu'il n'y aurait pas moyen de poser le dernier boulon avant la fin du mois et que si le gouverneur général voulait être présent au moment où serait rendue la décision finale concernant Riel, il devait changer ses plans et revenir à l'Est. Lansdowne s'empressa de rentrer. Le 22 octobre, trois jours avant son arrivée à Ottawa, un câblogramme du ministère des Colonies informa Macdonald que la Commission judiciaire du Conseil privé avait délibéré sur le cas Riel et avait conseillé à la Reine de rejeter sa demande.[72]

La balle était de nouveau dans le camp d'Ottawa. Une fois de plus, Macdonald était aux prises avec la création d'une commission spéciale d'enquête pour étudier l'état mental de Riel. Caron n'était pas très chaud. Mais Langevin croyait en la nécessité d'une dernière requête pour calmer l'opinion publique du Québec. Macdonald et Campbell, qui entre eux s'étaient déjà mis d'accord pour accepter le projet de Langevin s'il insistait, acceptèrent donc à contrecoeur [73]. À la fois pour des raisons générales et particulières, Macdonald n'aimait pas que le gouvernement

Earnscliffe *Archives publiques du Canada*

intervienne dans l'administration de la justice. Au contraire de ce qu'il croyait le plus juste, il accepta. Mais il était décidé à ce que l'enquête fût clairement circonscrite dans le temps et qu'elle s'intéressât à la seule question qui, aux termes des précédents légaux, constituait le véritable point de discussion.

La cause qui faisait jurisprudence dans toutes les questions de crime et de maladie mentale était le cas McNaghten de 1843. À cette occasion, en réponse à une série de questions de la Chambre des Lords, quatorze juges britanniques avaient répondu, entre autres, qu'un homme devait être considéré sain d'esprit jusqu'à preuve du contraire, et "que pour établir une défense fondée sur les troubles mentaux, il devait être clairement prouvé qu'au moment de commettre l'acte délictuel, l'accusé, à cause de déficiences mentales, ne jouissait pas de sa raison et n'était plus capable de connaître la nature et la qualité des gestes qu'il posait; ou s'il les connaissait, qu'il n'était pas capable de savoir que ce qu'il faisait était mal". La question de la maladie mentale, avaient poursuivi les juges, ne devait pas être posée en termes généraux et abstraits, mais en référence à la capacité de l'accusé de distinguer le bien et le mal, "tout au moins en ce qui concerne l'acte précis dont on l'accuse". Pour finir, dans le cinquième et dernier paragraphe de ce qu'on appela plus tard les "règlements McNaghten", les juges affirmaient qu'on ne pouvait en aucun cas demander à un médecin, même s'il avait assité à l'ensemble du procès et entendu toute la preuve, son opinion sur l'état mental d'un prisonnier au moment où il avait commis le délit, à moins que les faits n'aient été admis ou qu'ils ne soient pas contestés, auquel cas le problème devenait essentiellement d'ordre scientifique [74].

Le dernier jour d'octobre, Macdonald prit rapidement les dernières dispositions pour mettre sur pied la commission d'enquête. Trois médecins, le docteur A. Jukes, médecin à la prison de Regina, le docteur F.-X. Valade d'Ottawa et le docteur M. Lavell, du pénitencier de Kingston, furent désignés pour examiner Riel. On ne leur demanda pas de donner leur opinion sur l'état mental de Riel au moment de la Rébellion. On leur demanda seulement de rendre compte de son état au moment où ils l'examinaient. Lavell et Valade quittèrent Ottawa en même temps en direction de l'Ouest. Les instructions de Macdonald étaient claires et précises. "N'oubliez pas, fit-il remarquer à Lavell, que les jurés ont décidé qu'il était sain d'esprit au moment où il a commis sa trahison et au moment de son procès. Le juge a approuvé le verdict et en appel la Cour du banc de la reine du Manitoba l'a confirmé. Pour toutes ces raisons, il ne vous appartient pas de remettre en cause le verdict. Votre enquête doit se limiter à la seule question de savoir si au moment où vous l'examinez il possède toute sa raison et s'il est capable de distinguer ce qui est bien et ce qui est mal [75]." Dans le cas, poursuivait-il en expliquant plus avant l'objectif de l'enquête, où l'on se rend compte qu'un criminel déjà condamné est atteint de démence, la loi a l'habitude pour des raisons humanitaires de surseoir à sa sentence. Le gouvernement a décidé de faire enquête sur l'état mental actuel de Riel parce que des représentations lui ont été faites selon lesquelles Riel avait fini par perdre la raison. "J'ai à peine besoin de vous souligner", rappelait-il aux deux médecins en insistant une fois de plus sur l'argument central des Règlements McNaghten, "que l'enquête ne vise pas à déterminer si Riel se trompe ou s'illusionne, mais plutôt s'il a perdu la raison au point de ne plus distinguer le bien du mal et au point de ne plus pouvoir être considéré comme un être responsable [76]."

Les médecins partirent. Il n'y avait rien d'autre à faire que d'attendre. Il attendait maintenant deux événements distincts mais étroitement associés: il attendait que le chemin de fer fût complètement terminé et il attendait le verdict final de Riel. Il était étrange de constater à quel point, en cette année tourmentée de 1885, le drame du chemin de fer et le drame de la Rébellion du Nord-Ouest avaient été entremêlés. Et maintenant que ces deux drames étaient sur le point de se dénouer, voilà qu'ils s'influençaient l'un l'autre une fois de plus. Le 7 novembre, le lieutenant-gouverneur Dewdney télégraphia de Regina: "Médecins arrivés ce matin [77]." Le même jour, à la Passe de l'Aigle, très loin, à un endroit que Stephen avait décidé d'appeler Craigellachie, un groupe d'hommes déterminés regardaient Donald Smith, qui portait la barbe, en train de visser le dernier boulon du Canadien Pacifique. Van Horne télégraphia de Craigellachie: "Grâce à votre clairvoyance politique et à votre support constant, le Canadien Pacifique est terminé. Le dernier rail a été posé ce matin (samedi) à 9h22 [78]."

À Ottawa, Macdonald prit connaissance du télégramme de Van Horne le lundi 9 novembre. Si elles lui étaient arrivées un an plus tôt, ou n'importe quand, mais avant le déclenchement de la Rébellion dans le Nord-Ouest, les nouvelles en provenance de la Passe de l'Aigle l'auraient rempli d'une incommensurable satisfaction. À présent, il n'avait ni l'envie, ni le temps de se féliciter ou de se réjouir. Le sursis de Riel expirait le 16 novembre. Il restait moins d'une semaine et le sort du chef métis était sur le point de se décider. Campbell avait terminé son rapport pour le Cabinet. Comme Macdonald en informa Lansdowne, le rapport "recommandait vivement que la sentence de Riel soit mise à exécution" [79]. Un télégramme de Dewdney qui arriva à Ottawa en ce même lundi matin, informa Macdonald que Jukes, le médecin de la prison de Regina, estimait que le prisonnier était "parfaitement responsable de ses actes". Moins de vingt-quatre heures plus tard, Lavell et Valade télégraphièrent également leurs opinions. Après examen, Lavell était persuadé que Riel était un être responsable [80]. Valade faisait la distinction entre les matières "d'ordre politique et religieux", pour lesquelles il ne lui semblait pas que Riel disposait de toute sa raison, et "les autres domaines" où Riel semblait capable de distinguer le bien du mal [81]. Le jeudi 10 novembre, le gouvernement possédait tous les éléments de décision et Macdonald s'était fait une opinion. Six semaines plus tôt, il avait dit au gouverneur général qu'une intervention, au nom de la prérogative gouvernementale, dans l'administration de la justice ne pouvait se justifier qu'en cas de "nécessité supérieure". Il n'y avait pas de "nécessité supérieure" dans l'affaire Riel. Rien ne justifiait d'intervenir. Macdonald se conformerait au verdict des tribunaux. Personne ne le ferait changer d'avis.

Le lendemain, mercredi 11 novembre, le Cabinet décida que Riel serait pendu. Il n'y eut pas besoin de longues et anxieuses discussions pour parvenir à cette décision. D'ailleurs, elle était prévisible dès le départ. La véritable question n'était pas de savoir si la sentence de Riel serait modifiée ou s'il fallait surseoir à son exécution, mais bien si Macdonald pourrait se rallier tous ses ministres francophones et le gros de ses partisans canadiens-français. Caron resta ferme. Langevin n'était pas prêt à abandonner son chef. Et Chapleau, qui, après la décision finale du Cabinet, avait passé la nuit à rédiger un long mémorandum pour expliquer son dissentiment, décida le jeudi matin qu'il ne pouvait porter la responsabilité de le présenter et, par là-même, de risquer de provoquer une guerre raciale [82]. Au moment où Langevin quitta Ottawa c'est-à-dire plus tard le même jour, Macdonald avait l'assurance que le Cabinet ferait front commun face à la vague de protestations de plus en plus vives en provenance du Québec. Les chefs canadiens-français resteraient fidèles. Mais qu'en serait-il de leurs partisans? Cinq députés fédéraux francophones rebelles attendaient Langevin sur le quai de la gare à Montréal. Le lendemain, dix-neuf députés du Québec télégraphièrent à Macdonald qu'ils n'acceptaient aucune responsabilité dans l'exécution de Riel [83].

Le jeudi 12 novembre, un messager spécial quittait Ottawa pour Regina. Il portait l'autorisation du gouverneur général de procéder à l'exécution. C'était maintenant irrévocable. Le stress et la fatigue des derniers jours accentuaient les rides de Macdonald et lui donnaient des cernes aux yeux. Ses collègues le pressèrent de traverser l'océan et de prendre du repos. Il dit à Lord Lansdowne qu'il espérait partir si discrètement qu'il serait déjà à bord du bateau avant même que quelqu'un ne se rendît compte de son départ. Ce qu'il venait de traverser l'avait épuisé. Il appréhendait les troubles qui ne manqueraient pas de se produire. Mais il n'avait pas peur et ses paroles étaient décidées. "Restez calme et résolu, tout reviendra dans l'ordre", câbla-t-il à Langevin depuis Québec [84]. " (...) nous allons vivre des moments difficiles au Québec", dit-il néanmoins à Lansdowne dans un message sec et laconique qui lui était caractéristique, "mais j'ai assez confiance que les esprits se calmeront [85]." Il lui était impossible de croire que le coeur du Québec puisse vraiment se battre pour un homme qui avait abjuré sa religion, renoncé à sa citoyenneté et qui s'était montré tout à fait prêt à laisser tomber ses partisans pour un peu d'argent. Il était incapable de croire vraiment qu'un métis seul pût nuire sérieusement à cette grande idée de l'unité dans la diversité, à cette oeuvre que Cartier et lui avaient entreprise vingt ans plus tôt. Pourtant, avec quelle effrayante rapidité ce choc avait ébranlé le Québec! Le traumatisme continuerait-il après la mort de Riel? Son exécution ouvrirait-elle une période d'émeutes sanglantes, suivie d'autres troubles et d'une autre agitation? Resterait-elle indéfiniment dans les mémoires comme une insulte faite à un peuple? Macdonald allait bientôt le savoir ou commencer à le savoir. Le 15 novembre, Dewdney télégraphia: "Messager arrivé sept heures ce soir[86]."Le lendemain était le lundi 16 novembre.Le lendemain, Riel allait mourir.

Le matin du 16 novembre, le soleil d'automne se leva tard, mais il brillait sur les plaines blanches de givre qui entouraient Regina [87]. Jusqu'à la ligne d'horizon, tout le pays étincelait. Sur ce décor scintillant, se détachait un petit groupe de personnages vêtus de vêtements sombres, graves et figés, immobiles sur la petite estrade aménagée dans la prison de Regina. Au milieu du groupe, le père McWilliams et Riel disaient le *Notre Père.*

*Notre Père, qui êtes aux cieux, que votre nom soit sanctifié, que votre règne arrive, que votre volonté soit faite sur la terre comme aux cieux. Donnez-nous notre pain quotidien. Pardonnez-nous nos offenses comme nous pardonnons à ceux qui nous ont offensés. Ne nous laissez pas succomber aux tentations. Délivrez-nous du mal...*

La trappe s'ouvrit et Riel bascula dans la mort.

## Chapitre treize

# La révolte des provinces

### I

À peine le *Polynesian*, paquebot de la compagnie maritime Allan, eût-il accosté à Liverpool le premier décembre que Macdonald reçut deux invitations pleines de chaleur et d'amitié. George Stephen et John Rose souhaitaient tous les deux que le visiteur habite chez eux pendant son séjour londonien. Anne Stephen était décidée, comme l'écrivait son mari, à faire en sorte que Macdonald se sente aussi bien chez eux qu'au Batt's Hotel [1]. "Je suis seul", assurait de son côté John Rose à son vieil ami, "la maison vous appartient. Vous êtes libre de déjeuner et de dîner quand cela vous plaît... Je sais que c'est un peu loin, mais cela empêchera les gens de venir vous déranger. J'aurai une voiture qui sera à votre seule disposition et qui en dix minutes vous amènera où vous voudrez [2]." Mais même la perspective de la voiture ne parvint pas à convaincre Macdonald de ne pas s'installer au Batt's sur Dover Street. Rose était l'un de ses amis les plus anciens et les plus intimes. Comme le lui rappelait Rose dans un post-scriptum qu'il avait ajouté à sa lettre d'invitation, cela faisait quarante-deux ans qu'ils s'étaient rencontrés pour la première fois. Mais le Batt's était pratiquement devenu la résidence londonienne de Macdonald. Pour lui, une partie, et sans doute une partie non négligeable, du charme de Londres provenait du fait qu'au Batt's il lui suffisait de se laisser faire. Dans une maison privée, les petites obligations auxquelles il aurait dû se plier auraient pu l'ennuyer un peu. Il s'excusa auprès de Stephen et déclina l'amicale hospitalité de Rose. Il les verrait tous les trois, les Stephen autant que Rose, et beaucoup d'autres personnes encore. Mais il descendrait au Batt's.

Londres était tout énervée. Les élections générales, qui en Angleterre pouvaient durer plusieurs semaines, venaient de commencer. L'esprit nouveau et le suspense dramatique que Parnell avait mystérieusement réussi à insuffler à la vie politique britannique, étaient à leur paroxysme. Le 19 décembre, au moment où les derniers résultats venaient de rentrer, le peuple anglais apprit à sa grande consternation que les libéraux disposaient sur les conservateurs d'une majorité de quatre-vingt-six sièges et que le Parti nationaliste irlandais de Parnell en avait obtenu exactement autant. Pour le moment, l'ascendant politique du chef irlandais semblait complet. Sa position "plus que déterminante", comme le déplorait Macdonald dans une lettre à Lord Lansdowne, menaçait beaucoup plus les conservateurs que les libéraux. Parnell pouvait empêcher l'un et l'autre des grands partis anglais de gouverner, mais il n'était pas capable d'amener l'un et l'autre au pouvoir et de faire en sorte qu'il le garde. Le Parti libéral était le seul à qui il pouvait effectivement donner le pouvoir. Le seul fait certain dans toute cette situation tendue et ambiguë était le prochain déclin de Lord Salisbury et des conservateurs.

Macdonald était fortement déçu. Il avait vécu les cinq ans du second gouvernement Gladstone sans éprouver de sentiment débordant de respect ou de reconnaissance. Lord Salisbury avait constitué son premier gouvernement en juin 1885, au moment où la Rébellion dans le Nord-Ouest tirait à sa fin. Le triomphe des conservateurs avait empli Macdonald de fierté. Il l'avait considéré presque comme une seconde victoire canadienne. Six mois plus tard à peine, il était évident que cette victoire serait de courte durée. Les conservateurs semblaient devoir perdre le pouvoir. Et ils allaient le perdre à un moment où le Canada avait un urgent besoin de leur aide en matière de politique étrangère. La question des zones de pêche côtière allait sans doute donner lieu à des négociations serrées, sinon à de réelles disputes avec les États-Unis. Restait le mince espoir, que partageaient Macdonald et Stephen, d'obtenir une subvention impériale au titre de l'aide au système postal pour mettre sur pied une ligne maritime du Canadien Pacifique entre la Colombie britannique et l'Extrême-Orient. Dans l'esprit de Macdonald autant que de Stephen, le Canadien Pacifique pouvait devenir un vaste système de communication transocéanique et transcontinental qui partirait de Liverpool pour se terminer à Hong Kong. Il croyait les conservateurs plus à même d'apprécier l'importance stratégique et commerciale d'une grande route septentrionale. D'après son expérience, il était clair qu'il y avait beaucoup plus à espérer de Salisbury que de Gladstone pour défendre énergiquement les pêcheries canadiennes. Après les élections, dès le retour à Londres de Sir F.A. Stanley, secrétaire aux Colonies, Macdonald entreprit de discuter avec lui de la commission conjointe qu'il se proposait de créer avec les États-Unis [3]. Il passa la fin de semaine du nouvel an aux Greenlands, à Henley-on-Thames, avec W.H. Smith, secrétaire à la Guerre. Le lundi 4 janvier, il se rendit au Foreign Office pour y rencontrer Lord Salisbury en personne [4].

Au même moment, entre deux pièces de théâtre, deux dîners et deux réunions, il continuait à réfléchir aux nouvelles préoccupantes qui lui arrivaient du pays. Il n'y avait plus moyen d'en douter: l'exécution de Riel avait provoqué une terrible agitation au Québec. Le 22 novembre, tout de suite après le départ de Macdonald pour l'Angleterre, un immense meeting de protestation avait eu lieu au Champ-de-Mars, à Montréal. Trente-sept orateurs rivalisèrent de violence pour dénoncer le "gouvernement de lyncheurs" d'Ottawa. Honoré Mercier, le chef libéral provincial dit à la foule que Riel était un martyr chrétien sacrifié sur l'autel du fanatisme orangiste. Wilfrid Laurier, qui depuis plusieurs années essayait de transformer les rouges, anticléricaux et révolutionnaires, en respectables libéraux anglais, déclara héroïquement, dans des termes qui ressemblaient peu à Gladstone mais que s'il avait vécu sur les rives de la Saskatchewan, il aurait lui-même pris les armes. La création du "Parti national" fut la conséquence immédiate du meeting du Champ-de-Mars. Les libéraux et les conservateurs s'étaient unis pour le créer. Ainsi donc, cette aberration de la vie politique canadienne, qui menaçait toujours, ne s'était encore jamais réalisée; la création d'un parti purement "racial", purement canadien-français, venait finalement de se concrétiser.

On pouvait se poser deux questions graves à propos du Parti national, "le parti de la race et de la revanche" comme le qualifia le *Mail* de Toronto. Resterait-il une véritable coalition des libéraux et des conservateurs? Parviendrait-il à exercer une influence réelle sur les politiques canadiennes? À mesure qu'il lisait les journaux et qu'il prenait connaissance des lettres rassurantes de ses collègues, Macdonald pensait de plus en plus que la réponse à la première question était négative. Il était certainement très significatif que deux conservateurs canadiens-français aient modestement déclinés la direction des "nationalistes" avant que Mercier ne finisse par l'accepter. L'agitation devenait, comme Pope le lui écrivait, "chaque jour résolument plus rouge" [5]. Caron était certain que le gros des conservateurs commençaient à se rendre compte que l'Opposition leur avait tendu un piège [6]. Langevin estimait qu'il n'y avait pas plus de vingt députés québécois qui voteraient contre le parti et que moins de dix seulement continueraient à faire opposition au gouvernement [7]. Non! il était sûr que le Parti national n'avalerait pas le conservatisme québécois. En fait, le Parti national était rapidement en train de devenir l'aile la plus ultra, la plus radicale du Parti libéral.

Mais cette évolution éliminait-elle pour autant les dangers? Cette résurgence du nationalisme ne donnerait-elle pas un souffle nouveau au Parti libéral au Québec et ne le fortifierait-elle pas au point de lui assurer des victoires à la fois au niveau provincial et au niveau fédéral? À cette question, qui était de loin la plus importante, Macdonald n'avait pas de réponse. De toute évidence, ses collègues au Canada en étaient tout aussi peu sûrs, malgré leurs prédictions confiantes à l'effet que l'affaire Riel n'était qu'une source d'agitation éphémère et que tout serait complètement oublié au moment où Macdonald serait de retour à Ottawa. Les ministres en général, et particulièrement les ministres canadiens-français, voulaient du temps. Ils voulaient beaucoup plus que quelques jours pour que se résorbe le malaise qu'avait provoqué l'exécution de Riel. Il lui firent comprendre qu'un "léger délai" à l'ouverture du Parlement consoliderait leurs positions. Macdonald était d'accord. Il dit à Lord Lansdowne, désireux de transférer l'âcre débat public qui entourait l'affaire Riel dans le cadre plus légitime du Parlement, qu'il fallait se conformer si possible aux voeux de Langevin et des autres ministres canadiens-français. On leur a fait la vie dure à cause de l'affaire Riel, ajoute-t-il avec sympathie. "Ils méritent qu'on les écoute à cause de l'attitude compréhensive qu'ils ont adoptée [8]."

Macdonald à Londres n'avait pas la vie dure du tout. Comme d'habitude, il avait réussi à se défaire de ses soucis avec une facilité déconcertante. Comme d'habitude, son incroyable résistance, ses extraordinaires facultés de récupération l'avaient efficacement aidé. Après quelques jours de détente complète, il était réapparu, comme tant de fois auparavant, aussi vigoureux, aussi en forme que s'il n'avait jamais eu à mener le dur combat politique. Il tirait un plaisir énorme de la vie. Chaque soir, il soupait à l'extérieur. Il allait régulièrement au théâtre. Il passa deux fins de semaines à la campagne. Et la veille du nouvel an, il assista avec beaucoup d'autres à la représentation d'Aladin, un spectacle de pantomime, à Dury Lane. Il attrapa un léger rhume sur le quai de la gare à Kent parce qu'il avait insisté pour regagner rapidement Londres, après avoir séjourné dans la maison de campagne de Lord Brabourne, malgré la rareté des trains en ce jour de Boxing Day, lendemain de Noël. Ce fut la seule petite mésaventure de ce gentleman vieillissant qui venait de profiter de la vie comme un véritable jeune homme et sans se rendre compte qu'il allait avoir soixante et onze ans le 11 janvier de la nouvelle année.

La "petite" Mary lui écrivait du Canada: "Qu'allez-vous faire le jour de Noël? Vous me manquez beaucoup. J'espère que vous serez de retour pour votre anniversaire (...) [9]." En fait, le 11 janvier, cela faisait deux jours à peine qu'il avait quitté Liverpool à bord de l'*Oregon*, paquebot de la compagnie Cunard. Il n'atteignit finalement Ottawa que le jeudi 19 janvier dans l'après-midi. Il y eut une réception à l'hôtel de ville pour lui souhaiter la bienvenue. L'orchestre joua "*When Johnny Comes Marching*

*Home*". Pat Buckley, le cocher irlandais préféré de Macdonald, les ramena tous à Earnscliffe en passant par la rue Sussex dans une magnifique voiture à quatre chevaux [10]. Macdonald avait l'air en forme, dans une forme remarquable même. "Il a les joues aussi vermeilles qu'une pomme rouge", écrivirent avec enthousiasme les journaux amis. Et pour une fois, Agnes le constata elle-même avec joie, les journaux n'avaient pas exagéré la transformation miraculeuse qui s'était produite en lui en quelques brèves semaines. Elle écrivit à Louisa à Kingston: "Il avait l'air si soucieux et si fatigué quand il est parti que je me réjouis de le voir si pimpant [11]."

## II

Moins de six mois plus tôt, il avait décidé que le temps était venu de démissionner. Il avait dit à Tupper et à Lord Carnarvon que son travail était achevé. Il l'avait pensé. Le Canada qu'il avait créé le justifiait de le penser. Le grand projet qui avait peu à peu pris forme au cours des années remplies de frustration qui avaient précédé 1867 était enfin réalisé. À l'exception de Terre-Neuve, le Canada avait atteint ses frontières historiques. Il l'avait rappelé à Lord Lansdowne: "Sans Terre-Neuve, le Dominion n'est pas complet. Terre-Neuve est la clé de notre porte d'entrée principale (...) [12]." Certains jours, il se persuadait que le Canada devait mettre cette clé en poche. Mais là s'arrêtaient ses rêves d'expansion territoriale. Même s'il était tout disposé à envisager avec un intérêt poli tout projet d'union de l'une ou de plusieurs des colonies des Indes orientales anglaises avec le Canada, il ne pouvait s'empêcher intérieurement d'éprouver de la méfiance et du scepticisme [13]. Selon lui, l'héritage légal du Canada était constitué des provinces et territoires originels de l'Amérique du Nord britannique. Il avait réussi, sur ce vaste domaine transcontinental, à instaurer un gouvernement fédéral fortement centralisé. Depuis presque vingt ans, pendant que se clarifiaient les clauses et dispositions de la Constitution, il veillait aux intérêts du Dominion et les défendait. Il avait travaillé à la mise au point de trois grandes politiques économiques: la colonisation de l'Ouest, le développement de l'industrie à l'Est et la construction d'un chemin de fer transcontinental canadien, grâce auquel peu à peu naîtrait une véritable économie nationale intégrée et diversifiée. Il avait fait son possible et le travail était enfin achevée.

Pourtant, et il le savait très bien, il ne lui était pas possible d'abandonner maintenant. Il avait achevé le plan de ce qui s'appelait le Canada. Mais seul le gros oeuvre avait été érigé. Il lui fallait maintenant sauver cet édifice inachevé et le protéger de l'abandon et de la destruction. Les projets, les enquêtes, les moyens de communication, les institutions politiques, toute la grande machinerie canadienne étaient achevés. Mais la nation elle-même, celle qu'il voulait prospère et populeuse, n'existait pas encore. Dans ce domaine, la pauvreté des résultats semblait tristement réfuter la pertinence du projet originel. Depuis deux ans, tout avait été catastrophique: la dépression persistait; l'immigration n'avait connu aucun succès; la plus grande partie du Nord-Ouest était encore inoccupée; le pays était aux prises avec les conflits culturels et la rébellion. Macdonald avait perdu l'initiative. Peu à peu et de façon constante, on l'avait obligé à prendre une position défensive. De toutes parts, ses ennemis semblaient décidés à exploiter les antagonismes nationaux et à attaquer ce qu'il avait réalisé depuis deux ans.

Il y avait aussi du danger à l'extérieur. Le sénat américain avait rejeté la proposition du président de créer une commission conjointe pour régler la question des pêcheries. Au début de février, l'inévitable se produisit en Angleterre. Le gouvernement Salisbury tomba. Gladstone entreprit de former son troisième gouvernement. Une fois de plus, c'est avec la douteuse collaboration des libéraux anglais que le Canada devrait défendre ses zones de pêche côtière. L'alliance anglo-canadienne que les négociations mettraient sans doute à rude épreuve risquait de s'affaiblir ou même de prendre fin. Ses voisins du Sud n'avaient jamais admis qu'à contrecoeur l'existence d'un Canada autonome. Ils étaient tout disposés à se servir des voies diplomatiques pour contribuer à réaliser leurs desseins annexionnistes. Les États-Unis restaient dangereux. Dans les circonstances, ils l'étaient même peut-être plus qu'ils ne l'avaient été depuis quinze ans. Malgré tout, l'étaient-ils autant, aussi immédiatement et clairement, que les ennemis de l'intérieur?

Macdonald, pour le moment, ne le pensait pas. Depuis qu'il avait repris le pouvoir en 1878, ses ennemis de l'intérieur étaient devenus de plus en plus nombreux. Tout ce qu'il avait fait depuis 1878: l'instauration des tarifs douaniers, le chemin de fer transcontinental, la colonisation de l'Ouest, l'affirmation de la prééminence du fédéral sur les provinces, tout cela avait provoqué des protestations et accentué le mécontentement régional. L'Ontario avait réussi à défier le pouvoir de rejet du fédéral. Le Manitoba semblait déterminé à supprimer la protection accordée au Canadien Pacifique. La Nouvelle-Écosse était de plus en plus mécontente de sa situation financière et économique au sein de la Confédération. Il ne servait à rien bien sûr d'exagérer l'importance de ces problèmes. Ils constituaient l'ordinaire de la vie politique canadienne. Le seul événement vraiment anormal et effrayant de l'année qui venait de finir, la Rébellion du Nord-Ouest, avait été réglé avant même que l'insurrection ait eu le temps de se propager ni de devenir une menace sérieuse. La révolte avait été écrasée. Mais en agonisant n'avait-elle pas fait naître un autre danger, peut-être plus grand encore? L'agitation "nationaliste" au Québec risquait de provoquer par contrecoup en Ontario une réaction tout aussi "nationaliste" et empreinte du même esprit de clocher. Ces deux explosions d'un même sentiment primitif risquaient de détruire la bonne entente culturelle qui était un des principaux bénéfices de la Confédération. La Rébellion du Nord-Ouest avait commencé par unir le pays dans un grand élan de patriotisme. Allait-elle finir par diviser la nation dans un débordement de haine "raciale"? Comment un pays jeune et peu développé, affaibli déjà par ses dissensions internes, pourrait-il survivre à la renaissance sur une vaste échelle de ce vieux conflit culturel?

Une chose à la fois! La première question concernait le sort de Riel. Le Parlement se réunit le 25 février. Le premier mars, C.J. Coursol demanda le rapport de la commission médicale qui avait étudié l'état mental de Riel. La réponse de Macdonald révéla clairement qu'en fait aucune "commission médicale" n'avait été créée. [14]. Il n'y avait pas eu de "rapport" formel. Le gouvernement avait simplement demandé à trois médecins d'examiner le prisonnier et de donner leur opinion sur son état mental au moment de l'examen. Leurs réponses, envoyées séparément, furent transmises de façon fragmentaire et peu officielle par télégramme d'abord et ensuite par courrier. Si un procès pour haute trahison avait lieu au vingtième siècle, on ne rendrait certainement pas publiques des communications de caractère aussi privé et aussi hautement confidentiel. Mais le gouvernement Macdonald distribuait l'information, toute l'information, avec une facilité qu'on n'a guère retrouvée dans les démocraties modernes. Il décida de communiquer au Parlement la substance de l'opinion de chaque expert.[15]

Ce fut un exercice de synthèse assez ardu. La partie omise de la lettre du docteur Jukes au lieutenant-gouverneur Dewdney portait plus préjudice à Riel qu'elle ne plaidait en sa faveur [16]. Lavell, dans son télégramme, avait souligné le fait pertinent que le père André continuait de permettre au prisonnier d'avoir accès aux sacrements et, dans sa lettre subséquente à Macdonald, il avait décrit Riel comme "un personnage ambitieux, vaniteux, sournois et rusé, qui avait un pouvoir particulier pour inciter les êtres faibles à poser des gestes désespérés" [17]. "Il cherche à se mettre de l'avant, concluait-il et, selon moi, s'il parvient à atteindre ses propres objectifs, il ne fera aucun cas de ceux qui l'auront suivi." Toutes ces phrases qui auraient bien sûr procuré la plus vive satisfaction à ceux qui croyaient en la culpabilité de Riel, ne figurèrent pas dans la version imprimée de l'expertise de Lavell. De même, on omit également le paragraphe introductif de Valade dans lequel ce dernier affirmait qu'il ne croyait pas que Riel fût un être sur lequel on pouvait se fier. Par contre, même si elle était un peu confuse, on publia la distinction, qu'avait établie le médecin canadien-français entre les idées du prisonnier "en matière de politique et de religion" et "celles qu'il avait en d'autres domaines". Il était évident que d'après lui Riel était responsable de ses actes uniquement dans la seconde catégorie. Le gouvernement avait donc essayé de reprendre de façon brève et en termes peu provoquants l'essentiel de l'opinion de chaque expert.

Le débat sur le sort de Riel était inévitable. Il serait, Macdonald le savait, difficile et périlleux. Il risquait de provoquer des troubles graves. Mais en même temps, en le manipulant légèrement mais soigneusement, il y avait peut-être moyen de le transformer et de faire tourner la chance du côté du gouvernement. Il y avait certainement moyen de concevoir un débat qui puisse satisfaire les conservateurs francophones et embarrasser les libéraux anglophones. Il faudrait le planifier avec soin. Macdonald avait un talent inné pour ce genre d'exercice. Au tout début de la session, son plan était prêt. Landry, un député conservateur québécois, présenta une motion déplorant que le gouvernement eût permis que la sentence de Riel fût mise à exécution. Macdonald comprit rapidement qu'il y avait beaucoup à tirer de cette résolution. Elle allait permettre aux Bleus d'exprimer leur mécontentement et poser un geste que Langevin considérait comme indispensable en votant contre le gouvernement. Mais elle allait permettre plus que cela. Elle amènerait les libéraux ontariens en colère à exprimer leur sérieux désaccord à propos de Riel.

Le 9 mars, quarante-huit heures avant le début du débat sur la motion Landry, Macdonald tomba malade. Le 9 mars, il en informa le gouverneur général. "J'ai bien peur d'être obligé de garder le lit pour me débarrasser de ma grippe qui risque de se transformer en congestion pulmonaire [18]." De plus en plus malheureux, Macdonald était immobilisé. Son refroidissement avait dégénéré en bronchite accompagnée de sciatique. Depuis sa chambre de malade, il était toutefois capable de diriger l'évolution des débats sur la motion Landry. Il décida d'utiliser une ultime tactique ingénieuse et efficace. Sur ses instructions, Caron demanda à Langevin de poser la question préalable immédiatement après que Landry eût présenté sa motion. "Je serai prêt à intervenir tout de suite après Landry", promit Langevin [19]. Le lendemain, dès que Landry se fut rassis, Langevin après avoir défendu la décision du gouvernement dans une réponse brève et assez formelle, termina en posant la question préalable. Les limites du débat venaient d'être clairement et étroitement circonscrites. On venait de couper court à la longue ribambelle d'amendements plus diaboliquement ingénieux les uns que les autres par lesquels l'Opposition comptait épuiser le sujet et torturer le gouvernement. Le débat ne porterait pas sur la politique du gouvernement dans le Nord-Ouest, que la plupart des libéraux se seraient peut-être accordés à condamner, mais sur l'état mental de Riel et sur le problème de la commutation de sa peine à propos desquels libéraux anglophones et francophones étaient irréconciliablement divisés.

Macdonald garda le lit, mais au lieu de s'améliorer, son état ne fit qu'empirer. Nuit après nuit, il restait couché sans parvenir à trouver le sommeil. Sa sciatique et sa toux l'épuisaient. Les médecins lui prescrivirent des sédatifs et des piqûres. Les drogues lui permirent de dormir un peu. Il restait couché à somnoler de longues heures, la tête "tout embrouillée de narcotiques" [20]. Malgré ses douleurs et son hébétude, il ne perdit cependant jamais complètement le contrôle des affaires. Il ne put s'empêcher de se sentir ennuyé lorsqu'il reçut la longue lettre du gouverneur général qui lui demandait s'il était bien sage pour le gouvernement d'introduire un projet de loi visant à mieux protéger les pêcheries canadiennes. Il trouvait extrêmement suspecte la récente proposition américaine de créer une commission conjointe pour étudier le tracé frontalier entre l'Alaska et le Canada. Pourquoi un tel zèle et un tel empressement de la part d'une nation qui mettait tant de mauvaise volonté à accepter une commission conjointe sur le commerce et les pêcheries? Malgré la douleur et la torpeur, Macdonald fut immédiatement alarmé et sur la défensive. En quelques lettres à Lord Lansdowne, il exposa rapidement les principaux arguments sur lesquels s'appuierait le Canada vingt ans plus tard au moment du règlement définitif de la dispute à propos des frontières de l'Alaska [21].

Mais là n'était pas son principal souci. Il essayait de concentrer ses esprits troublés et hésitants sur le sort de la motion Landry. Le débat, il n'y avait pas à en douter, se déroulait bien. Laurier prononça un discours éloquent au nom de l'Opposition. Le 17 mars, Blake y alla d'un de ces discours fleuve qui lui étaient caractéristiques, sept heures sans interruption, c'est-à-dire exactement deux fois plus long que celui qu'allait prononcer Gladstone quelques semaines plus tard pour présenter son premier Home Rule Bill. Malgré de tels efforts, l'attaque de l'Opposition n'était pas soutenue. Il était significatif que les principaux chefs libéraux anglophones gardent ostensiblement le silence. Thompson à qui revenait, en tant que ministre de la Justice, la charge de défendre le gouvernement, se comporta de façon magnifique en cette première grande occasion qui lui était donnée de participer aux débats. Même Campbell fut impressionné, ce même Campbell qui quelques mois plus tôt avait porté un jugement des plus froids sur Thompson en disant de lui qu'il avait "l'air d'un homme éduqué pour la prêtrise, avec le regard inquiet et les manières onctueuses" [22]. Après le débat sur la motion Landry, Campbell changea d'avis. De toutes parts, on se mit à louer le discours de Thompson. Campbell entendit même un malheureux grit reconnaître que le nouveau ministre de la Justice "avait cloué le bec à Blake" [23]. C'était exact, se dit Macdonald, et ce l'était dans un sens tout à fait particulier. Thompson "avait cloué le bec à Blake" de la façon la plus décisive, en se servant des arguments que ressentaient profondément sans les dire ses propres partisans. Quelques jours plus tard, au moment du vote sur la motion Landry, on s'aperçut que la désaffection chez les libéraux était plus grande que chez les conservateurs. La motion Landry fut rejetée par cent quarante-six voix contre cinquante-deux. [24]. Dix-sept conservateurs francophones votèrent contre le gouvernement, mais trente-trois libéraux anglophones se dissocièrent de l'Opposition.

Tout cela était, comme il dut se le dire, "dans l'ensemble satisfaisant". Couché dans son lit et tout en essayant de supporter la douleur lancinante qu'il éprouvait dans la jambe, Macdonald ne pouvait s'empêcher de penser qu'il avait d'autres raisons plus générales de se sentir satisfait. La session, malgré son absence, se poursuivait en douceur. Les nouveaux ministres plus jeunes, John Thompson à la Justice, George Foster à la Marine et aux Pêches, et Tom White au ministère de l'Intérieur, se montraient tous relativement efficaces. McLelan, qui avait remplacé Tilley aux Finances, était capable d'appâter son budget avec une friandise que tout le monde ne manquerait pas de trouver délectable. Les vingt millions de dollars d'obligations que détenait le gouvernement comme garantie pour l'emprunt consenti au Canadien Pacifique avaient été convertis en argent liquide, suite à l'écoulement par la firme Baring de l'émission d'obligations l'année précédente. Avec cet argent, et des terres évaluées à plus de neuf millions de dollars, le gouvernement était capable, comme l'annonçait avec fierté McLelan "de régler tous les comptes avec la compagnie du Canadien Pacifique" [25]. Les prêts que tous les politiciens réformistes et tous les journaux grits avaient dénoncés comme des cadeaux purs et simples à la compagnie et comme des pertes totales pour le pays, étaient donc remboursés moins d'un an après que le dernier boulon du chemin de fer eût été vissé à Craigellachie. Fort de cet afflux de liquidités de vingt millions, le Canada était capable de rembourser sa dette flottante et évitait d'avoir à trouver de nouveaux financements.

Le public "marchait", comme le dit avec satisfaction McLelan à Macdonald. Il marchait si bien que les libéraux accueillirent le budget de façon fort discrète et fort respectueuse. Les libéraux, en fait, se comportaient en général de façon peu héroïque. Ils étaient désunis. En comparaison avec la longue session exténuante et énervante de 1885, celle-ci semblait particulièrement calme et facile. "La meilleure chose que vous puissiè faire pour nous tous", écrivit avec sagesse Campbell, "est de retrouver la santé. Dans l'intervalle, laissez-nous conduire les affaires publiques comme nous l'entendons [26]." Le conseil était plein de bon sens. Malgré son envie de se tenir informé et son instinct d'organisateur, Macdonald s'accorda du repos. Sa convalescence était longue et difficile. À la fin de mars, il dut subir une pénible vésication. Quinze jours plus tard, il était encore obligé d'admettre que la moindre imprudence, comme le fait de se tenir debout sur sa jambe malade "réveillait le démon endormi" de sa douleur [27]. Son état s'améliorait pourtant. Le 20 avril, il s'aventura, comme il le dit au gouverneur général, à "tâter l'ambiance" de la Chambre [28]. Deux jours plus tard, il était assis à sa place pour présenter le projet de loi gouvernemental sur la représentation des Territoires du Nord-Ouest au sein du Parlement du Dominion.

# III

Les jours de printemps se faisaient plus longs. Cette session sans éclat approchait lentement de sa fin. L'Opposition était de toute évidence abattue et divisée. Mais de toute évidence aussi, comme Macdonald s'en rendait clairement compte, l'Opposition parlementaire n'était qu'une expression très partielle du mécontentement du pays en général. La résistance au programme conservateur n'avait pas réellement diminué, encore moins bien sûr disparu. Elle avait simplement pris une forme différente et peut-être plus dangereuse, celle de l'antagonisme culturel et du mécontentement provincial. Les protestations des provinces revenaient comme des lietmotive toujours recommencés avec une persistance incroyable. Il s'agissait toujours du même air hostile et menaçant, mais repris dans une multitude d'orchestrations différentes tantôt par les cuivres, tantôt par les instruments à vent et tantôt par les trompettes.

Les variations sur le thème principal du mécontentement des provinces semblaient infinies et les sons discordants revenaient toujours. Le Manitoba, malgré le soi-disant règlement "final" de ses récriminations et l'accord intervenu l'année précédente, continuait de contester violemment la "clause de monopole" du Canadien Pacifique. L'Ontario et le Québec se querellaient avec une hargne telle qu'on eut dit qu'ils venaient de découvrir que la "race" et la religion constituaient de nouveaux sujets de dispute. Au début de mai, le *Globe* de Toronto, créé quinze ans plus tôt pour représenter fidèlement et complètement le mouvement conservateur, se mit à publier une série d'articles sur l'Église catholique qui ressemblaient à maints égards aux diatribes de George Brown vingt-cinq ans plus tôt. Le 7 mai, la Législature du Québec se lança dans un long débat sur l'exécution de Riel. Dirigés par l'énergique Mercier et bénéficiant de l'appui "nationaliste", les libéraux du Québec étaient de plus en plus forts et de plus en plus confiants. Tout le monde commençait à se dire que les jours du gouvernement conservateur au Québec étaient comptés.

Mais ce n'était pas tout. Plus à l'est encore, le choeur de protestations se faisait toujours plus fort et plus déterminé. Il y avait quinze ans passés qu'avec l'aide de Howe, Macdonald avait réussi à "pacifier" la Nouvelle-Écosse. Cependant, en ce printemps 1886, aucune province n'était plus impatiente et plus énervée qu'elle. Ses problèmes étaient surtout économiques et financiers. Les taxes fédérales et l'insuffisance des subsides fédéraux constituaient ses deux principaux sujets de mécontentement. Il s'était produit dans l'économie des Maritimes des changements à long terme, comme la diminution de la construction des navires de bois et le déclin relatif des anciens marchés des Indes orientales. Ces changements se combinaient avec le désarroi plus immédiat provoqué par la récession. L'impression que la stagnation était permanente persuada nombre de gens que quelque erreur fondamentale avait été commise. Le vieux sentiment qui ne s'était jamais vraiment tout à fait éteint, qu'on avait forcé la Nouvelle-Écosse à faire partie de la Confédération contre son gré et contre ses intérêts, commença de nouveau à gagner rapidement des adeptes. Un nouveau mouvement reprit le vieil objectif de Howe: l'abrogation de l'union.

Pendant quelque temps, Macdonald suivit l'évolution de cette agitation avec curiosité et intérêt. Le chef libéral W.S. Fielding, qui était devenu Premier ministre de la Nouvelle-Écosse deux ans plus tôt, avait manifestement essayé de tirer un profit politique du mouvement sans toutefois s'y identifier de façon trop étroite. Il avait brandi la menace de sécession pour effrayer le gouvernement du Dominion et l'amener à consentir à la Nouvelle-Écosse des "conditions plus favorables". Ses premiers efforts échouèrent. Au printemps de 1886, il décida de porter un coup plus agressif et plus radical. Le 7 mai, il présenta lui-même une série de résolutions gouvernementales pour que la Nouvelle-Écosse quitte la Confédération. Les résolutions furent adoptées en quelques jours avec de considérables majorités. Le gouvernement provincial annonça des élections sur le thème de la sécession. Malgré le conseil que donna Macdonald au lieutenant-gouverneur Rickey de retarder la dissolution aussi longtemps que possible, les élections générales furent fixées au 13 juin. [29]

Rose s'inquiétait à Londres: "Les résolutions concernant la sécession de la Nouvelle-Écosse sont-elles sérieuses? Ont-elles quelque rapport avec ce que l'on pense ici du Home Rule?" [30] Macdonald était toujours soucieux de faire échec à la propagande anticanadienne en Angleterre. Il était capable en quelques mots de répondre à la seconde question. "Aucun rapport entre Home Rule irlandais et résolutions", câbla-t-il en retour, "province essaie obtenir conditions plus favorables, ressemble à du chantage [31]." Cela ressemblait effectivement à du chantage. Mais c'était un chantage extrêmement dangereux. Jusqu'à quel point? Il n'y avait pas encore moyen de le déterminer. Macdonald savait seulement que depuis la création de la Confédération et le ralliement de la Nouvelle-Écosse en 1869, c'était la première tentative ouverte de cette province pour mettre terme à l'union. Il n'y avait peut-être aucun lien entre le Home Rule irlandais et la sécession de la Nouvelle-Écosse, mais Macdonald était néanmoins conscient que l'agitation provoquée par Fielding atteignait son apogée au moment où les libéraux étaient au pouvoir en Angleterre et au moment où le "Grand Vieil Homme" de la politique britannique épousait passionnément la cause des libertés locales dans l'Empire.

La désaffection du Manitoba et de la Nouvelle-Écosse, la querelle entre l'Ontario et le Québec, ne laissaient rien présager de bon pour l'avenir. Mais cette longue suite de problèmes intérieurs n'était pas la seule source de soucis du gouvernement. La question non résolue des pêcheries et des relations avec les États-Unis posait un autre problème aussi grave ou presque. Au cours de l'hiver, le Canada avait décidé de faire respecter les droits que lui reconnaissaient les traités puisque les États-Unis avaient rejeté toutes les propositions canadiennes de règlement à l'amiable. Aux termes de la Convention de 1818, les bateaux de pêche américains étaient autorisés à pénétrer en eaux territoriales canadiennes pour s'approvisionner en bois, en eau, pour y chercher abri et pour y effectuer des réparations, "à l'exclusion de toute autre raison". Pourquoi ne pas prendre la convention à la lettre, d'autant plus qu'il était ridiculement facile de pratiquer la pêche clandestine si l'on pouvait franchir la limite des trois milles sous n'importe quel prétexte? Le projet de loi destiné à durcir l'application des règlements, au sujet duquel Lord Lansdowne avait exprimé de si sérieuses réserves, passa sans aucun amendement. Entre-temps, sur la côte atlantique, les garde-côtes et les officiers de douane canadiens se mirent à appliquer la législation existante avec plus de vigueur. Au début de mai, ils saisirent le *David J. Adams*, une goélette de pêche américaine, qui avait acheté de la glace et des appâts dans le port de Digby. Durant les quelques semaines qui suivirent, on précéda un certain nombre d'autres saisies pour des infractions analogues à la Convention de 1818.

Aussitôt, les États-Unis élevèrent de vives et énergiques protestations. Que s'imaginaient donc ces outrecuidants coloniaux? Bayard, persuadé comme bon nombre d'Américains que le Canada n'était qu'une dépendance coloniale et peu évoluée, refusa de concéder au Dominion quelque autorité que ce fût pour donner effet, sur le plan législatif ou exécutif, aux traités conclus avec le gouvernement impérial. Les États-Unis prièrent immédiatement et instamment la Grande-Bretagne d'empêcher que cette loi insultante fût appliquée. Lord Rosebery expliqua clairement la position canadienne à l'ambassadeur américain de Londres. Mais Granville, qui après une absence de quinze ans était revenu pour quelque temps au ministère des Colonies, souhaitait réellement que cesse la saisie des bateaux de pêche américains et que la nouvelle loi canadienne sur les pêcheries fût retirée. Macdonald résistait obstinément aux pressions du ministère des Colonies. Il était révolté par le mépris de Bayard envers les pouvoirs législatifs du Canada. "Cette dénonciation de nos pouvoirs par M Bayard me semble vraiment effrontée"[32], dit-il à Lord Lansdowne. Il insista sur le fait que dans les circonstances le Canada n'avait d'autre choix que de protéger ce qui lui appartenait et que la nouvelle loi sur les pêcheries était une tentative tout à fait légitime de sa part pour accroître l'efficacité de cette protection. "Après tout, expliqua-t-il au gouverneur général, cette législation ne vise pas à étendre nos droits, mais simplement à améliorer les procédures qui permettent de les faire respecter [33]."

La session était presque terminée. Macdonald pouvait encore se dire qu'il parviendrait à faire passer son projet de loi sans problèmes. Mais à la dernière minute, il fut obligé de céder. Quelques heures à peine avant la prorogation, le gouverneur général reçut un câble de Lord Granville qui lui ordonnait de retenir le projet de loi sur les pêcheries[34]."Nous nous trouverons dans une position plutôt humiliante face à l'imprudente protestation de Mr Bayard", lui écrivit Macdonald depuis sa place en Chambre dans un dernier effort pour empêcher l'affront, alors que le dernier débat de la session se poursuivait autour de lui. "Il proteste contre notre pouvoir de légiférer et nous semblons platement acquiescer [35]." Moins de quelques minutes plus tard, et malgré lui, le gouverneur général "acquiesça" publiquement. Il demanda à Granville d'expliquer que le projet de loi avait été retenu uniquement pour ne pas nuire aux "négociations" un peu hypothétiques qui étaient en cours. Mais Macdonald et Lansdowne se rendirent compte que le prestige du Canada venait de recevoir un sérieux coup [36]. Le Dominion avait subi un revers diplomatique sérieux. On l'avait obligé de supporter une insulte grave à sa fierté constitutionnelle.

C'était mauvais. Mais c'était loin d'être le seul événement malheureux en ce début d'été 1886. La querelle culturelle et les revendications provinciales prenaient rapidement de l'ampleur. Le *Mail*, malgré les interventions personnelles de Macdonald auprès de son propriétaire, continuait de fomenter la guerre religieuse et culturelle. Au Québec, la croisade "nationaliste" de Mercier remportait un tel succès qu'une victoire libérale aux élections toutes proches semblait maintenant tout à fait possible. Les Néo-Écossais étaient sur le point d'opposer à l'unité canadienne le veto le plus clair et le plus absolu qu'on lui ait jamais opposé. Tout de suite après la prorogation du Parlement, McLelan et Thompson se hâtèrent de regagner la Nouvelle-Écosse pour essayer d'intervenir de tout leur poids dans la campagne électorale provinciale. Ils ne réussirent pas à empêcher la victoire des libéraux. Fielding l'emporta, il l'emporta haut la main. Il l'emporta à cause d'une raison aussi simple que catastrophique : sa proposition de retirer la province de l'Union. "Avant que cette lettre ne vous parvienne", écrivit-il à Tupper le 21 juin, "vous aurez appris que Fielding a battu les conservateurs en poussant le cri de guerre de "sécession!". Il a tout lancé dans la bataille, cavalerie, fantassins et artillerie. La débandade a été totale. McLelan est revenu de cette peu glorieuse campagne. Il est incapable de donner une explication intelligente de ce désastre [37]."

À la triste lumière de ces revers, Macdonald dans le calme bienvenu qui avait succédé à la prorogation se mit à étudier sérieusement l'avenir politique. L'actuel Parlement avait quatre ans. Il devait y avoir des élections générales douze mois plus tard. Lord Lansdowne avait déjà demandé si l'on pouvait prévoir une dissolution avant la fin de 1886. Macdonald semblait enclin à attendre. Le balayage qu'avait réussi Fielding en Nouvelle-Écosse en mettant de l'avant le retrait de la Confédération avait surpris tout le monde, et sans doute Fielding lui-même le premier. Il était trop tôt pour déterminer le degré de sérieux du mouvement sécessionniste. Il y avait également un autre facteur d'incertitude: Gladstone n'avait pas réussi à faire passer son premier Home Rule Bill et devait refaire appel au peuple. "Tout dépend du résultat des élections en Angleterre", écrivit Macdonald au gouverneur général. "Au cas où Gladstone passerait, Dieu sait ce qui peut se passer si une pétition était adressée à la Reine pour demander la séparation [38]." Gladstone, tout pénétré qu'il était du Home Rule, risquait de prendre très au sérieux les demandes de la Nouvelle-Écosse. Et si tel était le cas, personne ne pouvait prédire quel serait l'avenir de la Confédération. Entre-temps, il serait pourtant fou pour le gouvernement du Dominion de prendre pour acquis qu'une telle catastrophe allait effectivement se produire et de provoquer la Nouvelle-Écosse en organisant des élections générales avant que Fielding ait eu le temps de préciser sa position. Il valait mieux attendre, attendre un peu tout au moins. Il y avait d'ailleurs beaucoup d'autres bonnes raisons d'attendre: Riel, le conflit racial et religieux, la récession, l'instabilité du marché du travail. "Nous traversons des écueils, écrivit Macdonald à Tupper, "et il faut faire preuve de beaucoup d'habileté pour diriger le navire."

Pendant les six mois qui viendraient, il fallait qu'il fasse un gros effort et qu'il prépare patiemment le terrain. Il fallait d'abord donner du lest. Dans l'état précaire où se trouvaient les relations entre l'Angleterre et le Canada, il était extrêmement périlleux de mettre l'alliance anglo-canadienne à trop rude épreuve. Par ailleurs des cas types comme celui de la goélette *David J. Adams* avaient permis au Canada de faire clairement comprendre sa position. Il y avait donc moyen d'assouplir un peu la rigueur de l'application de la convention de 1818. Bien sûr, le pays ne permettrait pas un instant aux bateaux américains de pêcher à l'intérieur de la limite des trois milles. Mais pour la saison en cours au moins, il n'y aurait pas d'autres saisies de bateaux s'ils venaient simplement s'approvisionner dans les ports canadiens [39]. "J'ai fait sérieusement peur à Foster", dit Macdonald au gouverneur général, "en lui expliquant que ses saisies risquaient de déclencher une guerre. Il a, je crois, donné des instructions très strictes pour qu'on ne fasse pas preuve de trop de zèle en la matière [40]."

"Ce malheureux imbroglio de la pêche", comme disait Stephen, préoccupa et troubla Macdonald pendant une bonne partie de juin. Il ne pouvait rien faire avant que ne cesse complètement l'excitation causée par la saisie des bateaux américains. Il n'osait pas quitter Ottawa. Il était déjà en train de mettre au point un programme d'activités préélectorales qui allait le tenir occupé pendant de nombreuses semaines loin de la capitale. Il se rendait compte que les prochaines élections ne ressembleraient pas à celles de 1882 dans lesquelles il s'était lancé avec tant de confiance et d'enthousiasme. La campagne électorale qui l'attendait ressemblerait sans doute beaucoup plus à la longue bataille minutieusement organisée qui avait précédé le triomphe de 1878. Il invita Tupper à revenir au Canada pour faire sérieusement le point sur l'embarrassante situation en Nouvelle-Écosse. Macdonald commençait à se dire qu'il serait peut-être sage d'entreprendre une série de meetings politiques, un peu semblables aux fameux pique-niques de 1876 et 1877, en Ontario au cours de l'automne prochain. Ses plans pour l'été étaient faits. Il comptait se rendre dans l'Ouest. Le Canadien Pacifique était sur le point d'inaugurer son service régulier destiné aux passagers entre Montréal et Port Moody, et n'était-il pas normal qu'il soit le premier de ses ministres à prendre le premier train? Le voyage correspondrait un peu à des vacances et il avait grand besoin de repos. Il lui permettrait de connaître ce grand pays qu'il était en train de créer. Il lui donnerait la chance de se montrer à ses nouveaux habitants et d'apaiser la tempête de protestations qui s'élevait du Manitoba.

Lord Lansdowne n'autorisa finalement "l'expédition vers l'ouest" que le 23 juin. Il n'y avait aucun espoir pour Macdonald d'arriver à temps pour prendre le premier train "d'un océan à l'autre": celui-ci quittait la gare Dalhousie à Montréal à huit heures du soir le 28 juin. Tard dans l'après-midi du samedi 10 juillet, le jour finalement prévu pour son départ, il était encore en train de travailler. "Terriblement difficile de partir", griffonna-t-il à Thompson. "J'ai écrit trois lettres à Lord Lansdowne aujourd'hui [41]." Il était tard quand le petit groupe composé de Macdonald, d'Agnes, du compagnon d'Agnes, l'inestimable secrétaire Joseph Pope, de Fred White de la Police montée et de deux domestiques, se rassembla à la gare d'Ottawa. Le départ était resté secret jusqu'à la dernière minute. Il y avait peu de monde à la gare. Ils s'installèrent heureux dans le Jamaïca, un wagon spécial doté de très fins moustiquaires que Van Horne avait pensé à installer pour empêcher les moustiques et la poussière d'entrer [42]. Ils partirent enfin. Les lumières d'Ottawa s'estompèrent. Ils étaient en pleine campagne dans la belle obscurité de la nuit d'été. Ils faisaient route vers le nord-ouest à travers les rochers et les forêts du bouclier canadien. Le train prit de la vitesse. Les longs et lugubres sifflements de la locomotive s'estompèrent peu à peu dans leur sommeil.

## IV

Le train approchait rapidement de Winnipeg. Macdonald regardait le paysage à travers les larges fenêtres à rideaux du Jamaïca. On était le jeudi 13 juillet, aux alentours de neuf heures du matin. Pendant deux jours, le train s'était frayé un chemin à travers les forêts épaisses du Bouclier ou le long des méandres de la rive nord du lac Supérieur. Ils n'avaient pas beaucoup roulé de nuit car Van Horne avait voulu permettre à Sir John de se reposer et de voir la ligne le plus possible de jour. Ils l'avaient bien vue. Mais dans les dernières heures, ils avaient pu se rendre compte du changement subit: les arbres se firent plus rares. Les grands rochers escarpés s'estompèrent et disparurent. Le paysage se fit de plus en plus plat. L'horizon semblait incroyablement loin. Le train ralentit graduellement et s'arrêta. Macdonald se leva. Sa jambe lui faisait encore un peu mal. Il se ressentait encore du contrecoup de la maladie qui l'avait immobilisé pendant l'hiver. Mais deux jours de vacances lui avaient fait du bien. Il se sentait déjà mieux. Il était vêtu d'un costume à pantalons gris, avait un haut-de-forme gris également et portait sa cravate claire préférée. Il avait retrouvé son allure affable et cordiale. [43] Il se dirigea rapidement vers l'arrière du wagon. Il allait faire sa première apparition publique dans les Prairies. Ses fidèles conservateurs de Winnipeg, avec à leur tête le lieutenant-gouverneur Aikins et "l'honnête John" Norquay, l'attendaient sur le quai.

Pendant trois jours, ils furent les invités du lieutenant-gouverneur Aikins. Empruntant une ligne secondaire du Canadien Pacifique, ils firent une longue excursion dans la partie sud-ouest de la Province. Agnes s'aventura à rester dans la locomotive pendant une bonne partie du parcours. À Winnipeg, on organisa plusieurs réceptions où se pressaient de longues files de conservateurs souriants qui souhaitaient serrer la main de Macdonald. Il y eut également une assemblée publique au Royal Roller Rink, la salle la plus vaste de la ville. Macdonald dit à son auditoire qu'en 1880, au moment où on discutait de la compagnie qui aurait le contrat du Canadien Pacifique, il n'aurait jamais espéré être capable un jour de prendre en chair et en os le chemin de fer fini jusqu'à son terminus. Ses amis pensaient avec regret qu'il regardait la ligne depuis la hauteur sereine des cieux. Quant à ses ennemis, ils supposaient bien sûr qu'il serait obligé de la regarder d'en dessous, depuis l'enfer. "J'ai donc désappointé à la fois mes amis et mes ennemis", poursuivit-il sur un ton enjoué. "Je jette sur le chemin de fer un regard horizontal [44]." Ce regard horizontal, expliqua-t-il, ne s'arrêtait pas à Port Moody ou à Victoria, mais se poursuivait vers l'ouest, en imagination tout au moins, par-delà l'Océan Pacifique jusqu'en Extrême-Orient. Lors de son dernier séjour en Angleterre, il avait réussi à intéresser Lord Salisbury à une ligne maritime qui ferait la navette entre la Colombie britannique et la Chine. Puisque les élections s'avéraient bonnes pour les conservateurs en Angleterre et que la perspective d'un retour au pouvoir de Lord Salisbury semblait certaine, il y avait un réel espoir de créer bientôt un service de paquebots sur le Pacifique.

Le vendredi 16 juillet, ils quittèrent Winnipeg très tôt comme ils le faisaient toujours pour chaque nouvelle étape. À Regina ils passèrent une longue fin de semaine agréable et paresseuse avec les Dewdney à Government House [45]. Ils se remirent en route vers l'ouest le mardi. Dans l'immense prairie qui se déroulait devant eux, le train prit de la vitesse. Ils voyageaient à quarante milles à l'heure et atteignirent Medicine Hat au milieu de l'après-midi. La nuit était déjà tombée en ce long jour d'été quand le train s'arrêta dans la petite gare de Gleichen, à l'est de Calgary, en plein coeur du pays des Pieds Noirs. Le chef Crowfoot, qui pendant la dure période des débuts de la Rébellion du Nord-Ouest avait promis à Macdonald que sa tribu resterait loyale, attendait les visiteurs, un peu blessé dans sa dignité, car ils arrivèrent trois heures plus tard que prévu. Le lendemain matin tôt, les Indiens qui étaient venus très nombreux commencèrent le pow-wow. Les chefs de moindre importante, Old Sun, Eagle Rib, Medicine Shield, Running Eagle et Little Plume, étaient assis avec solennité avec leurs plumes de cérémonie et leurs peintures de guerre. Seul Crowfoot était vêtu de ses vieux vêtements, en mémoire de Poundmaker qui venait de mourir, dit-il à Macdonald. Son visage anguleux et fin, trahissait sa perspicacité, sa fierté et son intelligence. Il dit aux Indiens attentifs que Macdonald était "le plus grand homme" qu'ils avaient l'occasion d'accueillir depuis longtemps. Il lui demanda d'apaiser la peur des Indiens de ne plus nourrir leurs enfants et leurs craintes pour leur bien-être. Ensuite, les Indiens dansèrent et on échangea des cadeaux. Macdonald offrit à Crowfoot un costume de drap noir avec des parements de soie, un vrai costume de deuil [46].

Après Calgary, le pays se fit plus vallonné. Peu à peu les collines devinrent de plus en plus hautes et se transformèrent un véritables montagnes. Le train stoppa. Agnes et Macdonald s'installèrent en toute sécurité à l'avant de la locomotive sur la traverse frontale, le "chasse-bestiaux". Et les roues se remirent à tourner. Le vent leur fouettait le visage. Audessous d'eux, ils pouvaient voir le cours rapide et sinueux de la rivière Kicking Horse. La vallée se resserrait de façon menaçante jusqu'à devenir une gorge qui semblait infranchissable, puis elle s'élargissait de nouveau et s'ouvrait sur des pâturages luxuriants et paisibles. Le paysage était si vaste que la perspective qu'on en avait depuis les fenêtres du Jamaica semblait étriquée et décevante. Agnes, avec son inépuisable vitalité, préférait la chaleur du soleil et le fouet du vent. Macdonald, même s'il était un moins fidèle et moins infatigable occupant du "chasse-bestiaux" que sa femme passa pourtant plus de temps sur ce perchoir précaire qu'il ne l'aurait cru possible quatre mois plus tôt. Ils traversèrent la passe Rogers et dépassèrent Craigellachie juchés sur la traverse frontale. C'est de là qu'ils regardèrent les grandes vallées ondulées des rivières Fraser et Thompson. Dans le lointain sur les flancs éloignés du canyon, de grandes cascades tremblaient comme des fils d'argent. Les couleurs des roches, vert, rose, améthyste et violet sombre, se mêlaient et se confondaient. Même le coucher du soleil ne mettait pas fin aux plaisirs du voyage. Le dernier soir, après le souper, ils grimpèrent à leur place préférée sur la traverse frontale. Le ciel était d'un noir d'encre. Le train traversait les canyons de la rivière Fraser et se dirigeait vers Lytton. Quelques étoiles brillaient dans le noir. La rivière coulait à des centaines de pieds au-dessous d'eux. La locomotive semblait se frayer un chemin à tâtons dans le faisceau de son phare avant, paraissait éviter de justesse les précipices, s'enfilait en grondait dans les tunnels, traversait avec fracas des ponts brinqueballants [47].

Le samedi 24 juillet, tôt le matin, ils atteignirent Port Moody et tard le même soir, le vapeur *Princess Louise* les amena à Victoria, le bout de leur route. "Sir John semble aussi gai qu'un pinson", écrivit le correspondant de la *Gazette* à Fort Moody[48].La première partir du voyage,la plus amusante, était terminée. La partie la plus reposante commençait. Pendant plus d'une quinzaine de jours, ils séjournèrent tranquillement à Driard House, l'hôtel le plus agréable de Victoria [49]. Puis ils reprirent sans se hâter le chemin du retour. Ils visitèrent les principales villes de la Colombie britannique. Ils retraversèrent en prenant leur temps les Prairies. Il y eut plusieurs arrêts et plusieurs discours. Macdonald s'adressa aux citoyens des Territoires du Nord-Ouest qui venaient d'acquérir le droit de vote. À Winnipeg, il eut le premier véritable avant-goût de la dure campagne électorale qui l'attendait. Une grande convention conservatrice provinciale y avait été convoquée dans l'espoir de restaurer la force déclinante du gouvernement Norquay et de gagner un soutien populaire aux politiques conservatrices d'Ottawa. Macdonald défendit "la clause de monopole" de la charte du Canadien Pacifique. Il y serait mis fin, espérait-il, "rapidement". Mais entre-temps, il fallait défendre le chemin de fer national. Au besoin, le fédéral devait refuser de donner de nouvelles chartes à d'autres compagnies. Il fallait le protéger des empiètements de ses rivaux américains. [50]

Le lundi 30 août vers quatre heures et demi du matin, la locomotive du Canadien Pacifique déposa les occupants endormis du Jamaica à Ottawa. Le long voyage pendant lequel ils avaient roulé plus de quinze jours et parcouru plus de six mille milles venait de s'achever [51].

## V

De retour dans son bureau du bâtiment est, Macdonald examinait l'horizon politique menaçant. D'Angleterre, Rose lui écrivit son admiration et le félicita de son heureux retour: "Je suppose que vous vous sentez maintenant comme un vieux cheval, impatient de vous lancer dans la course. Je vous souhaite tout le succès possible [52]." Macdonald était loin d'être sûr de son succès. Il avait été pris de court une fois de plus. Il était incapable de se défaire du fardeau des problèmes qui venait de lui échoir. Il devait rester en poste jusqu'au moment où il aurait réussi à signer une forme quelconque d'accord avec les États-Unis concernant les pêcheries. Il devait essayer d'apaiser le mouvement de protestation croissant des provinces. La victoire de Fielding en Nouvelle-Écosse constituait le rejet pur et simple du concept même d'une Amérique du Nord britannique unie. C'est toute la conception de l'intérêt national qu'avait Macdonald qui allait subir une longue série d'épreuves électorales du même genre. Les élections provinciales au Québec furent annoncées pour le 14 octobre. Passé cette date, il y aurait peut-être des élections au Manitoba et très probablement en Ontario. Et un peu plus tard encore, dans les neuf mois qui suivraient, il serait impératif de tenir des élections fédérales.

Au cours du mois de septembre, Macdonald fit quelques courtes incursions exploratoires dans cette région incertaine qu'était le sud de l'Ontario. L'Ontario et le Québec étaient les deux grandes forces du Dominion. Il savait qu'il était en train de perdre le vote catholique irlandais d'Ontario, exactement comme il était en train de perdre le vote catholique francophone au Québec. Au cours d'une réunion politique à London, le 16 septembre, il expliqua clairement à son auditoire que la presse conservatrice était complètement libre de tout contrôle de la part du parti et qu'il ne pouvait en rien être tenu responsable des politiques éditoriales du *Mail* de Toronto [53]. C'était là, se dit-il tristement, une excuse presque inutile. Des excuses aussi faciles ne suffisaient pas à régler les querelles de religion ni à calmer l'agitation raciale. La question n'était pas de savoir s'il perdrait des votes, il était sûr d'en perdre, mais bien s'il en perdrait plus qu'il n'en gagnerait. Si Mercier et ses libéraux nationalistes l'emportaent le 14 octobre, la cause conservatrice à l'échelle du Dominion serait sérieusement compromise. Par contre, si le gouvernement conservateur parvenait à se maintenir au pouvoir à Québec, alors Blake n'avait pas grand chance de sortir vainqueur des prochaines élections fédérales. "Son attitude concernant Riel et le Home Rule a exaspéré un grand nombre de libéraux protestants et spécialement de presbytériens écossais", expliqua Macdonald au gouverneur général. "Ils ne lui pardonneront que s'il réussit en contrepartie à se gagner le Québec. S'il n'y parvient pas, ils diront qu'il s'est vendu sans rien en retirer [54]." Si c'était le cas, Macdonald pouvait être sûr de passer. Si le Québec ne changeait pas d'allégeance, son gouvernement pourrait rester en place. Par moments, tout semblait dépendre du Québec.

Dans l'intervalle, tout en attendant avec appréhension ce fatidique 14 octobre, Macdonald se devait de colmater les autres brèches dans l'autorité et le prestige du Dominion. La mise en vigueur de la loi sur les pêcheries, adoptée au cours de la précédente session, avait été suspendue. Macdonald voulait la rendre effective. Il voulait qu'on lui promette l'aide de l'escadre atlantique de la Royal Navy pour pouvoir défendre ses zones de pêche pendant la saison 1887. Lord Lansdowne qui s'était rendu en Angleterre à la fin de l'été avait pressé le gouvernement britannique de répondre favorablement dans les deux cas [55]. L'heureux retour au pouvoir de Lord Salisbury et des conservateurs avait renforcé Macdonald dans l'espoir que les Britanniques lui viendraient en aide pour mener à bien sa politique de protection. Il fit en sorte de se la gagner. Il était convaincu que la protection serait nécessaire pendant de nombreuses années. Pendant quelque temps, les Américains ne seraient pas disposés à faire des concessions diplomatiques. Ils venaient à peine de sortir d'une élection présidentielle qu'ils se retrouvaient déjà plongés dans une autre.

"Pendant les trois années à venir", expliqua Macdonald à Lord Lansdowne, "aucun des deux partis ne fera rien qui puisse altérer sa popularité. Toute concession au profit de l'Angleterre ou de ses colonies, tout arrangement ou tout traité qui ne sera pas franchement défavorable à la Grande-Bretagne sera mal accueilli. Bayard, contrairement à ce que je pensais, est en train d'essayer de se montrer plus "patriote" que Blaine, à la fois au Canada et au Mexique, mais ni lui ni Cleveland ne sont prêts à déclarer la guerre ou à permettre une rupture des relations diplomatiques. Si Blaine était au pouvoir, il ferait tout ce qu'il pourrait pour nous être désagréable, sauf la guerre, et peut-être, si l'Angleterre avait des problèmes ailleurs dans le monde, irait-il plus loin. Si mon raisonnement est juste, la meilleure politique consisterait, pendant trois ans, c'est-à-dire jusqu'à la prochaine élection présidentielle, à assurer la protection continue de nos eaux territoriales, à arraisonner les bateaux qui contreviennent ouvertement au traité de 1818. Après trois ans, les pêcheurs américains auront appris que chaque infraction implique la saisie et la confiscation de leur bateau, et qu'ils n'ont d'autre recours que de ne pas pénétrer dans nos eaux et d'aller s'approvisionner ailleurs. Si le gouvernement britannique ou nous-mêmes nous montrons faibles, nos eaux seront régulièrement envahies et nous serons obligés d'émettre toute une série de plaintes par voie diplomatique qui risquent, si Blaine ou n'importe quel républicain dans son genre est élu président, d'aboutir à une rupture de nos bonnes relations. La soumission ne *peut* rien nous apporter. L'affirmation tranquille et ferme de nos droits *pourrait* les renforcer [56]."

Puis, le 14 octobre, le Québec alla aux urnes. Les résultats étaient incertains et plutôt mitigés. Mais il était évident que les conservateurs avaient perdu des sièges et que les libéraux nationalistes en avaient gagné. Il y avait encore espoir cependant. Langevin était enclin à penser que le gouvernement conservateur trouverait un moyen quelconque de s'assurer une majorité au moment où la session commencerait [57]. Macdonald envisageait l'avenir avec plus de réalisme et plus de pessimisme. "Le triomphe des Rouges, entraîné par l'affaire Riel, bouleverse complètement l'échiquier politique et menace le gouvernement du Dominion. Elle encouragera les grits et l'opposition en général. Elle découragera nos amis et incitera, je le crains, le pays à voter contre nous aux prochaines élections [58]." Le pire, ou presque, s'était produit. Il n'y avait pas moyen de retarder les élections de plus de six mois. Partout, les perspectives se faisaient de plus en plus sombres. Macdonald avait perdu la Nouvelle-Écosse. Il allait presque certainement perdre le Québec. Au Manitoba, le pouvoir de Norquay devenait de plus en plus fragile. Et, en Ontario, Mowat avait toutes les chances de raffermir ses positions au cours des prochaines élections.

Stephen câbla de Londres: "Quand prévoyez-vous pouvoir venir?" [59] "Je ne viens pas", répondit tout simplement Macdonald. Le samedi 30 octobre, le Cabinet passa tout un long après-midi à discuter de la dissolution prévue et décida à l'unanimité moins trois que les élections devraient avoir lieu avant la prochaine session [60]. Le mercredi 3 novembre, Macdonald partit battre le rappel des forces conservatrices à Toronto [61]. Moins de quinze jours plus tard, alors que la tournée électorale des conservateurs dans le sud de l'Ontario atteignait sa vitesse de croisière, Mowat annonça soudain la dissolution de la législature ontarienne et la tenue d'élections provinciales à la fin de décembre. Les tests, au niveau provincial autant que fédéral, approchaient et même à vive allure en Ontario. Maintenant que l'allégeance du Québec au Parti conservateur paraissait des plus incertaines, il semblait absolument indispensable pour la survie du Parti de gagner l'Ontario. Accompagnée de White, Thompson et Meredith, chef de l'Opposition en Ontario, Macdonald se lança dans une éprouvante tournée de discours électoraux. Il supporta la fatigue et la gêne, les longues heures de travail, la bousculade des foules, l'atmosphère étouffante des salles, avec la bonne humeur d'un politicien né et d'un vieux routier aguerri. "Sir John me surprend", écrivit Thompson émerveillé à sa femme. "Il traverse toutes ces tribulations sans perdre sa bonne humeur (...) [62]." Il attrapa un rhume qui dégénéra en bronchite, mais cela n'affecta pas sérieusement la tournée. Il ne reprit le chemin de la capitale que le 20 décembre [63].

La nouvelle année approchait rapidement. De retour au bâtiment est, Macdonald réétudia anxieusement l'état de la nation. Sur le plan international, le Dominion avait marqué des points. Vers la fin de novembre, le gouvernement impérial notifia qu'il était d'accord pour donner l'aval royal à la loi canadienne sur les pêcheries. Il décida également que si un accord avec les États-Unis n'était pas intervenu avant le début de la saison de pêche suivante, la Royal Navy enverrait un croiseur pour aider le pays à protéger ses zones de pêche [64]. Cette victoire diplomatique retentissante avait été obtenue grâce à la persévérance du gouvernement. Il y aurait moyen de l'exploiter au cours des prochaines élections. Malheureusement, elle était presque seule à pouvoir être exploitée! Sur le plan intérieur, la liste des catastrophes s'allongeait. Les élections au Manitoba avaient eu lieu le 9 décembre et, en Ontario, le 18 décembre. Au Manitoba, Norquay en "réchappa", mais seulement, pour reprendre l'expression du lieutenant-gouverneur, après un éprouvant "suspense". En Ontario, Mowat réussit à doubler sa majorité. Selon Aikins, Norquay devait sa fragile victoire à Macdonald et aux efforts qu'avait fait ce dernier en sa faveur au moment de la convention conservatrice du mois d'août précédent. Mais tout au cours de novembre et de décembre, Macdonald s'était dépensé sans répit et apparemment sans effet pour aider William Meredith. C'était extrêmement décourageant. La situation n'aurait presque pas pu être pire. Sur les quatre élections qui s'étaient tenues en 1886, les conservateurs en avaient perdu deux, s'étaient trouvés nez à nez avec les adversaires dans la troisième, et étaient sortis d'extrême justesse vainqueurs de la quatrième.

Macdonald décida d'aller de l'avant. S'il avait accepté de retarder les élections fédérales, tout le monde aurait pensé qu'il admettait publiquement la gravité de sa situation. Il valait mieux prendre l'initiative et essayer de donner confiance à ses partisans. Le samedi 15 janvier, il envoya à Lord Lansdowne l'arrêté ministériel autorisant la dissolution du Parlement. Le lendemain, les journaux annoncèrent que les élections se tiendraient le 22 février [65]. Dans un dernier effort désespéré, Macdonald passa les deux dernières semaines de janvier à rassembler ses hommes et à leur donner du coeur au ventre. Tupper, qui s'était difficilement laissé persuader que sa présence était absolument indispensable pour gagner la Nouvelle-Écosse, ne partit pas d'Angleterre avant le 12 janvier. Quant à Chapleau, il choisit le moment le plus inopportun pour s'affirmer. Il menaça de démissionner si la longue liste de revendications qu'il soumettait n'était pas satisfaite [66]. L'équipe comprenait certains rebelles et certains réfractaires. Mais dix jours plus tard, ils étaient tous présents et prêts à passer à l'action. Le 24 janvier, Macdonald donna la bonne nouvelle au gouverneur général: "Vous serez peut-être content de savoir que Chapleau est rentré dans le rang [67]." Le lendemain, Tupper, combatif et affable comme toujours, arriva à Ottawa, bien décidé à se battre.

Le dernier jour de janvier, Macdonald partit pour Toronto par le train de minuit [68]. Une ultime mauvaise nouvelle était arrivée ce jour-là. Au Québec, Mercier avait fini par sortir vainqueur de l'embrouillamini des élections d'octobre. Le 30 janvier, un nouveau gouvernement provincial formé de libéraux et de nationalistes s'était installé à Québec. Les ennemis de Macdonald dirigeaient maintenant les deux provinces centrales, les deux "grandes provinces" du Dominion. Tout paraissait en faveur de Blake. Ce qui s'était passé au cours des douze derniers mois semblait vouloir assurer son succès. Mais à mesure que se déroulait la brève et tumultueuse campagne, Macdonald se rendit compte que Blake n'exploitait pas la chance énorme qui lui était offerte. Le pays était plongé dans la récession économique et dans les conflits culturels. La population se sentait frustrée et découragée. Mais Blake n'en profitait pas. Il ne parvenait pas à attirer chez les libéraux le nombre croissant des mécontents.

La position de Blake concernant la dépression et la question controversée de la politique commerciale, nota Macdonald, ne suscite pas grand enthousiasme. Les gens souhaitaient des solutions énergiques, exactement comme pendant la période de 1873-1878. Macdonald avait répondu à l'attente populaire en proposant une politique nationale de protection. Mais Blake, même si la situation était comparable et s'il avait la même chance, n'avait rien de pareil à offrir. Dans les Maritimes et en Ontario un nombre assez important de gens, peu au fait de la chose politique, commençaient à demander l'abandon de la politique nationale et la substitution d'une solution radicalement différente, celle de l'union commerciale avec les États-Unis. De toute évidence, il n'y aurait pas eu moyen de trouver remise en question plus radicale de la politique canadienne de nationalisme économique. Blake était peut-être conscient des avantages politiques de cette proposition, mais il préféra ne pas en tenir compte. À Malvern, dans un de ses premiers discours électoraux, il dit à son auditoire que selon lui l'ampleur de la dette canadienne empêchait toute réduction des taxes canadiennes à l'importation et que les tarifs douaniers devaient continuer "à procurer au manufacturier local de sérieux et vastes avantages sur son compétiteur étranger" [69].

C'était une déclaration tout à fait juste, intelligente et clairvoyante. Mais elle pouvait difficilement soulever l'enthousiasme de gens qui demandaient des remèdes radicaux. Macdonald en profita pour tourner son adversaire en ridicule. Il dit que Blake s'était converti à la dernière heure, contre son gré et sans être tout à fait convaincu, à une religion qu'il avait attaquée jusque-là et qu'il détestait au fond de lui-même. Pendant cette campagne, Macdonald utilisa l'ironie plus souvent qu'à son tour. Habituellement, il parlait le dernier, après que les autres membres de l'équipe conservatrice aient terminé leur discours. Il parlait de façon plus informelle et moins sérieuse. Au début de la campagne, le *Globe* avait appris à ses lecteurs de façon fort émouvante que le Premier ministre était devenu gâteux, que Tom White lui servait à toutes fins pratiques de gardien et que Tupper se dépêchait de revenir au pays pour prendre sa place. Macdonald tira le maximum de ce sombre diagnostic. Il rappela gaiement à ses auditeurs que le *Globe* avait annoncée son suicide en 1873 et qu'à plusieurs reprises depuis le même journal avait prédit sa prochaine démission des suites de son cancer à l'estomac ou de sa paralysie cérébrale. Et il ajoutait, "puisque je profite en ce moment de quelques instants de lucidité avant ma prochaine crise de folie", qu'il était bien prêt à discuter de quelques-uns des points à l'ordre du jour. [70]

D'habitude, il ne parlait pas longtemps. Mais, malgré la rigueur de l'hiver, il participa à la campagne électorale jusqu'à la fin. À Brockville, le vendredi 11 février, une terrible tempête fit rage pendant les défilés, la réception et les discours des conservateurs. La neige bloquait les routes et les chemins de fer. Il ne parvint à regagner Ottawa que le samedi après-midi, tellement épuisé qu'il gagna directement le lit [71]. Ces terribles fatigues parviendraient sans doute à l'abattre un jour. Mais le moment n'en était pas encore venu. Une fois de plus, après quelques heures de repos, sa merveilleuse vitalité reprit le dessus. Le même samedi soir, il prit la parole à Ottawa devant une foule nombreuse. Le lundi, il reprit la route. Et ce n'est que trois jours avant les élections, le samedi 19 février, qu'il se rendit à Kingston où il était de nouveau candidat et où il put se reposer un peu.

## VI

"Après tous les mensonges et les abus, vous avez eu votre revanche", écrivit triomphalement le fidèle Campbell le 23 février. "Je suis vraiment heureux, plus que je ne l'ai été je crois lors des batailles précédentes (...) J'espère que Blake souffre de méchantes migraines (...) Vous voilà de nouveau député de Kingston! Bravo! Deux fois bravo! Prouvez que leurs politiques sont mauvaises! Empêchez-les de jouer leurs vilains tours." [72] Une partie de ces "vilains tours", comme Macdonald l'expliqua au gouverneur général, consistait à avoir cyniquement recours au vaste système de protection du Grand Trunk et, chose plus douteuse encore, à avoir accepté, à Montréal seulement, cent mille dollars des empaqueteurs de viande de Chicago qui contrôlaient jusque-là le marché canadien et qui n'avaient évidemment pas pris trop au pied de la lettre les déclarations de Blake concernant les taxes à l'importation [73]. Pourtant, malgré les étrangers et leur or, le Parti "national" canadien avait gagné. L'audace du vieil homme avait réussi. "Nous avions de nombreux handicaps, écrivit-il à G.T. Blackstock, et nous aurions perdu si nous avions tenu les élections à un autre moment. Je sais que beaucoup de nos amis me trouvaient trop téméraire, mais la témérité l'a emporté [74]."

C'était exact, Macdonald prédit au gouverneur général que les conservateurs disposeraient, une fois tous les résultats rentrés, d'une majorité de trente-cinq à quarante sièges. C'était bien sûr un peu trop optimiste. Mais pas tellement cependant! Au cours des premières batailles qui marquèrent la première session du nouveau Parlement, Macdonald obtint des majorités de trente voix et même un peu plus. Les conservateurs avaient gagné en Nouvelle-Écosse, en Ontario et au Manitoba, les trois provinces "opprimées" que tout le monde pensait prêtes à la révolte et à la sécession. Au Québec, malgré les efforts de Mercier et de ses nationalistes, ils avaient réussi à l'emporter de peu sur leurs adversaires. De toute évidence, l'unité nationale n'était pas morte sur l'échafaud de Régina. La division du pays en plusieurs entités culturelles n'était pas pour tout de suite. La politique canadienne, avec quelques changements mineurs, allait se poursuivre comme par le passé. Les choses allaient continuer leur cours. La réélection de John A. Macdonald n'en était-elle pas la preuve la plus évidente?

Pourtant, malgré le sentiment de soulagement immédiat, les élections de 1887 avaient quelque chose de curieusement peu satisfaisant. Après tout, qu'avaient-elles contribué à régler? Avaient-elles eu d'autre effet que de remettre en question la direction du Parti libéral et de poser le problème du programme politique libéral pour l'avenir? Depuis qu'il avait succédé à Mackenzie, Blake avait été battu à deux reprises. Il était profondément découragé et frustré. Vers la fin de mars, il envoya une circulaire à ses partisans pour leur proposer sa démission. Macdonald suivit ces développements avec des sentiments mitigés. Il était évidemment agréable de prendre connaissance de cet aveu public du découragement de Blake. Par ailleurs, la perspective de son retrait était assez inquiétante. "J'espère qu'il ne démissionnera pas, confessa-t-il à Blackstock, nous ne pourrions trouver d'adversaire plus faible que lui." Macdonald s'était habitué à Blake et à ses petites manies. Il se sentait capable de continuer à battre Blake tous les quatre ou cinq ans jusqu'à la fin du chapitre. Si les libéraux se choisissaient un nouveau chef, tout risquait d'être remis en question. Un nouveau chef risquait de réussir rapidement et beaucoup mieux que Blake avait pu le faire à représenter avec efficacité l'opposition vive du pays.

Pendant que les libéraux tergiversaient à propos de leur chef et de leur programme, le mécontentement national continuait de se manifester sous d'autres formes tout aussi dangereuses. Le 16 mars dans le Discours du Trône qui ouvrait la nouvelle session de la législature québécoise, Mercier annonça qu'il avait l'intention de provoquer une Conférence des provinces et du Dominion en vue d'étudier "leurs relations financières et leurs autres relations". Deux semaines plus tard, le 4 avril, il écrivit à Macdonald pour attirer son attention sur sa récente déclaration et pour lui demander "une rencontre confidentielle" sur le sujet [75]. Cette communication alerta Macdonald sur-le-champ. Cela ne lui plaisait pas. Selon lui, puisque Mercier avait rendu sa proposition publique, il n'était plus temps de tenir des "rencontres confidentielles". En ce qui concerna la conférence elle-même, dès le départ, Macdonald l'envisagea avec la plus extrême méfiance. La constitution ne prévoyait pas de telles réunions et il n'y avait aucun besoin d'en tenir. Pourquoi devrait-il négocier avec les provinces de façon collective plutôt qu'individuelle? Sur quoi se fondait cette étrange et nouvelle proposition? Quels en étaient les mobiles?

Macdonald avait de sérieuses raisons de douter de la bonne foi de Mercier. Il ne pouvait évidemment savoir qu'au début de mai, Mercier avait écrit à Mowat d'Ontario en tâchant de le convaincre "que les gouvernements provinciaux devaient s'entendre pour organiser un système de défense commun" [76]. Instinctivement, Macdonald se disait que la conférence permettrait plus ou moins aux provinces mécontentes de se liguer et de systématiser leur opposition aux politiques nationales et à la prééminence du fédéral. Mercier qui devait son poste de Premier ministre à son opposition aux "lyncheurs" d'Ottawa, était le meneur avoué de cette évidente conspiration, mais Mowat qui depuis des années combattait le droit de veto fédéral, restait certainement un allié sérieux de Mercier. Quant à Fielding qui, suite à la victoire conservatrice en Nouvelle-Écosse, avait prudemment mis en veilleuse sa croisade sécessionniste, il trouverait certainement dans le projet de conférence de Mercier un bon moyen de se tirer d'embarras. Et même Norquay, la malheureux Premier ministre conservateur du Manitoba qui semblait se maintenir au pouvoir avec tant de difficultés, poussé par le puissant courant d'opinion qui dans sa province contestait le droit de veto fédéral, risquait de s'identifier à la ligue de mécontents que préconisait Mercier.

La création de cette ligue comportait des dangers. Il y avait du danger également à accepter l'argument énoncé lors du Discours du Trône de Québec qui en justifiait l'organisation: la Confédération était un contrat que les provinces, qui en étaient parties, pouvaient réviser et revoir à discrétion. Macdonald répondit poliment mais froidement à la première lettre de Mercier [77]. Quand ce dernier, protestant de sa bonne volonté, renouvela sa demande, Macdonald consentit à une réunion officielle, mais non confidentielle [78]. Le Premier ministre du Québec refusa. Avec ou sans la coopération de Macdonald, il était évidemment décidé à poursuivre son projet de conférence interprovinciale.

Non, les élections générales n'avaient rien réglé. En tout cas, elles n'avaient certainement rien réglé en faveur de Macdonald. Il était conscient de certaines des pénibles incertitudes de la situation politique. Il prévoyait que l'avenir serait difficile, mais il ne comptait pas se laisser intimider. On était au printemps. Le 13 avril, le nouveau Parlement se réunit pour sa première session. Macdonald se sentait soulagé et réconforté. Une fois de plus, le peuple du Canada avait appuyé son gouvernement. Une fois de plus, il disposait d'une confortable majorité. Il ne voyait aucune raison de modifier sa conception du rôle du Dominion dans la conduite des affaires nationales ou de modifier les politiques qu'il avait mises de l'avant pour le développement et l'intégration du pays. Les électeurs canadiens avaient endossé ses politiques sans la moindre équivoque. Pourquoi devrait-il en changer? Les provinces insurgées avaient bien beau essayer de miner l'économie nationale, de faire du tort au chemin de fer transcontinental et de détruire la prééminence du Dominion. Il résisterait. Ces politiques nationales étaient les *siennes*. Elles étaient populaires. Il les maintiendrait.

Macdonald ne pouvait bien sûr les maintenir sans se battre. Norquay, après une dernière visite infructueuse à Ottawa, était rentré à Winnipeg et avait de toute évidence renoncé à continuer de défendre la politique ferroviaire du Dominion dans l'Ouest. Le 19 avril, il annonça sans détour que le Manitoba n'acceptait plus que le fédéral interfère dans ses législations ferroviaires. Il informa le gouvernement central que son gouvernement entreprenait immédiatement la construction d'un nouveau chemin de fer, le "Red River Valley Railway" dont la ligne partirait de Winnipeg et irait jusqu'à la frontière américaine. Le problème était posé dans toute son acuité. Il était inévitable qu'il rebondisse au Parlement. Un député de l'Ouest présenta une résolution qui dénonçait la clause de monopole de la charte du Canadien Pacifique. Il était inévitable également que Macdonald fasse une déclaration pour clarifier la politique du gouvernement. Toute l'affaire l'ennuyait profondément. Il commença par discuter avec Stephen de différentes concessions possibles, dont la possibilité de construire de nouvelles lignes secondaires au Manitoba et de réduire le coût du transport des marchandises. Mais il savait qu'il lui était impossible à ce moment-ci de céder sur le point principal du litige.

Il défendit le Canadien Pacifique parce que c'était une grande entreprise nationale, parce que c'était l'épine dorsale de la structure transcontinentale canadienne et du système commercial fonctionnant d'est en ouest, qu'il intéressait chaque province et chaque citoyen et que le Dominion comptait le protéger et le défendre. Il déclara aux Communes: "Il en va de l'intérêt de chaque province que nous tirions nous-mêmes profit de ces échanges commerciaux et ces honorables messieurs d'en face savent pertinemment mieux que quiconque que le Canadien Pacifique n'aurait pas reçu sa charte, que les terres n'auraient pas été distribuées, que les subsides n'auraient pas été votés, qu'aucun prêt n'aurait été consenti, si les représentants des provinces plus anciennes s'étaient dit que le gouvernement finançait une entreprise que l'on pouvait syphonner en de multiples endroits et qu'au moment où les convois arriveraient à Montréal, ils ne transporteraient plus qu'une infime partie des riches et nombreux produits dont tous étaient en droit d'attendre qu'ils traversent le Canada de part en part (...) Non! Nous sommes convaincus que notre politique était la meilleure. Et nous continuons à avoir confiance en elle [79]."

Macdonald éprouvait la même confiance envers sa politique nationale de protection. Il rappela aux Communes que, lors des dernières élections, cette politique avait reçu le même appui populaire. À mesure qu'avançait le printemps, certains signes troublants tendaient à prouver que le public s'intéressait de plus en plus à l'idée d'un complet libre-échange ou d'une union commerciale avec les États-Unis. Même le *Mail* de Toronto semblait porter un intérêt pervers à la nouvelle hérésie. Mais les manquements du *Mail* à l'orthodoxie conservatrice étaient devenus si nombreux qu'ils avaient cessé de choquer. Le journal avait fini par trahir la cause. Macdonald était déjà en train de discuter de la création à Toronto d'un nouveau journal plus orthodoxe [80]. Cette vogue sans doute passagère de l'idée d'une union commerciale avec les États-Unis ne l'impressionnait pas outre mesure. Les seuls changements qu'il envisageait d'apporter à son système protectionniste étaient destinés à le parfaire, à le renforcer et à en accroître la popularité. La Nouvelle-Écosse était tombée dans l'erreur sous l'emprise de Fielding. Le Dominion avait maintenant l'occasion de récompenser la province perdue et retrouvée en s'occupant généreusement de ses intérêts. Le 12 mai, comme principale nouveauté de son budget, Tupper proposa un accroissement substantiel des taxes sur le cuivre et l'acier [81].

Le dispositif de Macdonald restait ce qu'il avait toujours été. Le pays, avec le Canadien Pacifique comme axe principal, était conçu comme un système commercial est-ouest, protégé surtout contre la compétition du Sud et ouvert sur les côtes atlantique et pacifique à la libre circulation des hommes, des biens et des capitaux. Les États-Unis restaient le principal rival de cette organisation nationale et l'Angleterre avait toujours été et restait son principal allié. La réalité présente et l'avenir de l'alliance anglo-canadienne intéressaient toujours Macdonald au plus haut point. Mais ces liens impériaux n'étaient devenus que très tard à la mode en Angleterre. Il fallut attendre 1887, l'année du jubilé de la reine Victoria, pour que le gouvernement britannique se décide à reconnaître de façon formelle les gouvernements autonomes et dépendants de l'Empire. C'est en 1887 que la ligue pour la fédération impériale remporta son plus grand succès. Le gouvernement Salisbury invita les représentants des "royaumes auxiliaires" et des colonies de la Couronne de l'Empire à assister à Londres à une conférence coloniale. À n'importe quel autre moment, Macdonald et Tupper s'y seraient certainement rendus en personne. Mais la Conférence commença au début d'avril, juste au moment où le Parlement canadien venait de s'ouvrir. Il était impossible à la fois au Premier ministre et au ministre des Finances de quitter Ottawa. Alexander Campbell et Sandford Fleming, qui avait été le premier inspecteur gouvernemental du Canadien Pacifique, furent envoyés à leur place.

Macdonald était bien conscient que Fleming n'avait aucune expérience politique. Quant à Campbell, il avait démissionné du gouvernement et était sur le point de devenir lieutenant-gouverneur de l'Ontario. Il savait qu'ils étaient incapables de se montrer très actifs et de faire preuve de grande initiative à la conférence coloniale. Il n'en était pas insatisfait. Il ne souhaitait pas leur voir jouer un rôle parcitulièrement actif. Il n'avait pas envie de se lancer dans de coûteuses innovations au moment où le pays était en pleine dépression économique, où les provinces se querellaient ou éprouvaient la tentation de se séparer, où le Nord-Ouest était encore rebelle et à demi-inoccupé, où un chemin de fer extrêmement coûteux venait à peine d'être achevé. Ce n'était vraiment pas le moment propice, selon Macdonald, pour étudier d'ambitieux projets de défense impériaux ou pour envisager des taux préférentiels pour l'Empire. De toute manière, comme il l'avait dit en 1880 à la Commission royale il préférait pour la défense des possessions britanniques et le commerce extérieur des arrangements séparés entre l'Angleterre et chacune de ses colonies plutôt qu'un système commun qui s'appliquerait à tous.

Campbell et Fleming avaient reçu instruction, non d'offrir une nouvelle contribution canadienne au dispositif général de défense de l'Empire, mais de mettre en relief l'apport du Canada qui avait déjà accepté de nouvelles charges militaires sur le plan intérieur et qui avait achevé seul et sans aide la construction du Canadien Pacifique. Le Canada avait besoin de plus de secours qu'il n'en pouvait lui-même donner. Il en avait besoin pour promouvoir les communications et développer le commerce dans le Pacifique. Et par-dessus tout, il en avait besoin pour défendre ses zones de pêches dans l'Atlantique nord.

Dans le courant du mois de mai, au moment où le Parlement interrompit ses travaux pour le bref ajournement du printemps, ce fut ce dernier élément de son projet national, la protection contre les États-Unis, qui occupa le plus Macdonald. Une nouvelle saison de pêche allait débuter. Et, jusqu'à la conclusion d'un accord avec les États-Unis, chaque saison de pêche était toujours lourde de problèmes possibles. Mais Macdonald abordait la saison 1887 beaucoup plus sereinement que celle de l'année précédente. Au cours de l'hiver, on avait discuté d'une proposition de Bayard que Lord Lansdowne estimait "malhonnête et sournoise" et qui, affirmait-il, défavorisait le Canada "sur tous les points qui prêtaient à discussion et même sur certains points où il n'y avait pas lieu de discuter du tout" [82]. Presque au tout début des discussions, Macdonald fit valoir laconiquement que le projet de Bayard était "dans l'ensemble inadmissible"; et celui-ci n'eut jamais de réelles chances d'être adopté [83]. Le Canada ne consentit aucune autre concession aux Américains. La loi sur les pêcheries de 1886 était en vigueur. Le gouvernement britannique avait promis l'aide de la Royal Navy. En 1887, la défense des zones de pêche allait être plus efficace et plus complète qu'elle ne l'avait jamais été depuis que les États-Unis avaient dénoncé le traité de Washington.

Mais cette défense, aussi réussie et concertée qu'elle pût être, n'était pas l'objectif de Macdonald. Il ne souhaitait pas plus un état de tension diplomatique permanent qu'il ne désirait d'asservissement économique permanent. Il avait toujours espéré régler la querelle à propos des pêcheries en parvenant à un traité réaliste et satisfaisant et il avait toujours cru qu'on avait plus de chances d'arriver à un traité réaliste et satisfaisant si le Canada montrait qu'il était fermement décidé à défendre ses biens. Au printemps de 1887, la vérité de cette simple assertion semblait se vérifier. Après deux ans pendant lesquels Bayard avait essayé de "régler" la querelle au profit des États-Unis en utilisant les moyens les plus divers, le secrétaire d'État américain avait fini par poser un geste d'ouverture et de conciliation. Par l'intermédiaire d'Erastus Wiman, un Canadien qui résidait aux États-Unis et qui allait bientôt devenir l'un des champions les plus connus de l'union commerciale, Bayard fit savoir qu'il serait heureux de rencontrer Macdonald ou Tupper pour discuter des relations américano-canadiennes. Macdonald accepta de bon gré cette invitation indirecte.

Sous prétexte de vacances aux États-Unis, Tupper devait rencontrer Bayard de façon informelle à Washington.[84] Une semaine après le retour de Tupper à Ottawa, une lettre du secrétaire d'État laissait entendre que l'on pourrait en venir à une entente satisfaisante pour les deux parties. "Je suis sûr, écrivait Bayard, que nous cherchons les uns et les autres à conclure un accord juste et durable. Et il n'y a qu'un moyen d'y parvenir: il faut discuter franchement, de manière libérale et d'État à État, de l'ensemble des relations commerciales entre les deux pays [85]."

# VII

Macdonald avait tenu bon. Il n'avait pas changé de position et ne voyait pas de raison d'en changer. La question n'était d'ailleurs pas de savoir s'il en changerait mais bien si on serait capable de le déloger de celle qu'il occupait! Au Parlement, l'opposition ne faisait pas le poids. Les réformistes étaient tout absorbés à se donner un nouveau chef. Blake avait fini par démissionner au début de juin. La presse libérale et conservatrice avait fait chorus pour le remercier poliment des services qu'il avait rendus au pays. Ces articles qui rendaient compte avec respect de la contribution de Blake au bien-être national dégoûtaient Stephen. "Il a fait dix fois plus de tort au Canada que n'importe quel être vivant, rageait-il, les procès-verbaux le prouvent (...) [86]." Le prouvaient-ils réellement? Macdonald hochait la tête. Blake aurait pu être politiquement malveillant. Mais les procès-verbaux prouvaient surtout qu'il avait été un politicien qui avait singulièrement mal réussi. Son successeur, Wilfrid Laurier, homme affable, élégant, cultivé, ferait-il mieux que lui? Et la nomination de Laurier à la direction du Parti aurait-elle des effets radicaux sur la ligne de conduite politique prudente et subtile qui avait été celle de Blake?

Le parlement fut prorogé le 23 juin pendant les festivités de la semaine du jubilé. Macdonald n'avait aucun espoir de pouvoir s'évader sur les rives du Saint-Laurent. Il savait qu'il devrait rester "à suer" pendant tout le mois de juillet à Ottawa. Le Parti libéral se taisait. Il se taisait parce qu'il était en période de redéfinition et de réorganisation. Mais au même moment d'autres cris s'élevaient d'un peu partout. La résistance au Dominion et à ses politiques nationales continuait de s'amplifier hors du Parlement et presque en dehors du système de partis existant. En Ontario, les associations agricoles et les chambres de commerce étaient de plus en plus enthousiastes à l'idée d'une association commerciale avec les États-Unis. Au Manitoba, Norquay, le conservateur renégat, était, semble-t-il, sur le point d'imposer de force sa politique ferroviaire provinciale. Le 2 juillet, dans un geste conscient de défi vis-à-vis du Dominion, il donnait le premier coup de pioche du Red River Valley Railway. Macdonald était furieux. Il était décidé à mettre immédiatement terme à ces façons insolentes de procéder. "Votre population sans le sou de Winnipeg doit recevoir une leçon", dit-il sévèrement à Aikins, "même s'il faut en amener quelques-uns à Toronto et les y juger pour sédition [87]." Il ordonna au lieutenant-gouverneur de lui faire parvenir "dans les meilleurs délais" le texte offensant de la loi. Et le 16 juillet, le fédéral opposa son veto à l'Acte du Red River Valley Railway [88].

Macdonald avait affirmé à Aikins qu'il n'avait pas peur des conséquences de l'intransigeance de sa politique. Mais en lui-même, il pensait tout autrement. Sa position vis-à-vis de la conduite criminelle et folle du Manitoba était bien sûr tout à fait claire. "Quand on pense", expliqua-til à John Rose, "qu'une législature de trente-cinq membres, qui représente une population de cent dix mille personnes, vote froidement un budget d'un million de dollars pour construire un chemin de fer de Winnipeg à la frontière, entre deux lignes qui appartiennent au CPR et qui vont dans la même direction, l'une sur la rive est, l'autre sur la rive ouest de la rivière Rouge, au moment où les affaires ne sont pas assez prospères pour rentabiliser une des deux lignes qui existent déjà, alors on peut se faire une idée du manque de sérieux de cet organisme [89]." C'était incroyable! Personne ne semblait avoir le moindre sens de ses responsabilités! Norquay agissait au moins en partie par intérêt personnel. Quant aux mobiles des politiciens libéraux et des spéculateurs ferroviaires qui le poussaient à agir, ils étaient évidemment suspects. L'entreprise était tellement dénuée de bon sens qu'elle aurait certainement fini par entrainer la faillite de la province. Le Manitoba pouvait s'écrouler. Mais s'il s'écroulait, il en ferait tomber d'autres. Le Nord-Ouest canadien, les chemins de fer canadiens et le crédit canadien étaient de nouveau en train de chuter. Cette mauvaise réputation était financièrement ruineuse. L'avenir inquiétait sérieusement Lansdowne. Stephen, profondément mortifié par cette nouvelle et sérieuse baisse des actions du Canadien Pacifique, en était venu à la conclusion que la clause de monopole ne valait pas le prix exorbitant qu'il devait la payer.

À la fin de juillet, quand Macdonald partit se reposer au Nouveau-Brunswick, l'agitation au Manitoba battait son plein et quand il revint à Ottawa au début de septembre, elle ne s'était en rien atténuée. De quelque côté qu'il se tournât, le ciel semblait bouché. Stephen se lamentait parce que la baisse de la valeur boursière du Canadien Pacifique avait coûté près de vingt millions de dollars aux détenteurs d'actions. Les journaux d'opposition auxquels s'était joint maintenant le *Mail* faisaient tout leur possible pour susciter l'intérêt du public pour la prochaine conférence interprovinciale de Mercier. Et il ne faisait aucun doute qu'au cours de l'été l'intérêt pour une union commerciale avec les États-Unis s'était singulièrement accru. Au cours du mois d'août, la seule raison qu'eut Macdonald de se réjouir fut la nouvelle en provenance d'Angleterre que la mission officieuse de Tupper aux États-Unis avait eu pour résultat qu'on avait accepté la création d'une haute commission conjointe en vue de régler les différends américano-canadiens. Mais la satisfaction de Macdonald fut de courte durée. Les plus profonds malentendus entourèrent immédiatement le projet. Une autre conférence à Washington! Le Canada allait-il une fois de plus se retrouver dans la position d'une victime sacrifiée sur l'autel de l'amitié anglo-américaine?

Macdonald fut immédiatement sur la défensive. Il se posa et posa au gouverneur général une longue série de questions [90]: qui représenterait le Canada à Washington? S'il n'y allait pas lui-même, cet "impulsif" qu'était Tupper pouvait-il agir seul? N'était-il pas probable que Joseph Chamberlain, désigné comme principal commissaire britannique, allait agir conformément aux théories libérales anticoloniales et n'aurait-il pas la tentation de rentrer en Angleterre le plus rapidement possible avec un accord en poche? Les termes de référence inclueraient-ils les relations commerciales autant que la question des zones de pêches de l'Atlantique et du Pacifique? La Commission aurait-elle le mandat de régler la querelle concernant la mer de Bering où les États-Unis arraisonnaient les bateaux canadiens comme si la haute mer était un lac intérieur américain?

Le mandat de la Commission était évidemment un des points essentiels de l'arrangement. Macdonald le voulait aussi large et aussi explicite que possible. Aussi, quand il prit connaissance du mandat de la Commission vers la fin de septembre, fut-il déçu et ennuyé par son caractère à la fois vague et restrictif. "*Dolus latet in generalibus*, écrivit-il au gouverneur général, et toute l'affaire me paraît un piège des États-Unis pour amener l'Angleterre à participer à une Commission dont le seul objectif est d'assouplir les termes de la Convention de 1818. C'est leur objectif depuis longtemps et comme c'est la Grande charte des Provinces Maritimes, nous devons nous y opposer. Vous me trouverez peut-être trop soupçonneux, mais je me souviens très bien de la façon d'agir des commissaires américains à Washington en 1871. Une fois ratifiée la clause concernant les dommages provoqués par l'*Alabama*, ils refusèrent froidement d'étudier les réclamations canadiennes et les demandes de dédommagement pour les raids fenians, sous prétexte que leur gouvernement ne les avait pas mandatés à le faire [91]."

À mesure qu'octobre s'écoulait, il devint de plus en plus clair que les incertitudes des six derniers mois étaient sur le point de se dissiper. L'attente et les appréhensions étaient terminées. Le moment d'agir était venu. Le 13 octobre, le Cabinet décida que Tupper serait le représentant canadien à la Conférence de Washington et que Thompson agirait comme conseiller juridique. "Voilà donc une chose de réglée", écrivit Macdonald à Lord Lansdowne [92]. Pour la seconde fois dans l'histoire de la Confédération, il vivait un face-à-face diplomatique crucial avec les Américains. Et presque au même moment, comme si le tout avait été soigneusement planifié, ses adversaires politiques passèrent à l'attaque sur le plan intérieur. Le 12 octobre, dans un discours prononcé devant les électeurs de sa circonscription à Ingersoll, Sir Richard Cartwright qui, depuis le retrait de Blake était devenu le principal dirigeant libéral ontarien, se prononça clairement en faveur d'une union commerciale avec les États-Unis.[93] Et le 20 octobre, Honoré Mercier souhaitait la bienvenue aux délégués qui étaient venus à Québec pour participer à la conférence interprovinciale.

## Chapitre quatorze

# La renaissance du conflit culturel

### I

Au cours de l'automne 1887, les attaques de la presse contre le projet global de Macdonald atteignirent leur paroxysme. Jamais auparavant on n'avait à ce point tiré à boulets rouges sur ses positions. Jamais les batteries des journalistes n'avaient été si nombreuses et leur feu si fourni. Au Canada français et dans les Provinces Maritimes, les principaux journaux étaient passés à l'opposition. Chez les anglophones du Québec, seule la *Gazette* de Montréal restait fidèle et prenait farouchement sa défense. À Toronto, la capitale de la province "porte-étendard" du Dominion, les deux journaux les plus populaires et les plus fréquemment cités, le *Globe* et le *Mail* s'étaient unis pour s'opposer à tout ce que faisait Macdonald. En désespoir de cause, les conservateurs avaient décider de créer à Toronto un nouveau journal pro-gouvernemental, l'*Empire*. Mais la souscription destinée à trouver des fonds pour le financer fut si catastrophique que Macdonald envisagea pendant un bout de temps la solution plus désespérée d'essayer d'entrer de nouveau dans les bonnes grâces du *Mail*. Dalton McCarthy n'était absolument pas d'accord. "Non!", écrivit-il résolument à Macdonald, "nous devons lancer l'*Empire*, ou nous préparer à subir une défaite aux prochaines élections, sinon avant!" [1]

En même temps, le concert de protestations se faisait plus violent et plus soutenu. Les attaques n'étaient plus dirigées contre telle ou telle politique nationale spécifique, mais contre le concept même d'une nationalité canadienne distincte sur le continent nord-américain. De longs et exhaustifs plaidoyers contre la Confédération énuméraient soigneusement chaque sujet de découragement, chaque événement malheureux, chaque preuve de division culturelle et d'antagonisme religieux. "Notre dette énorme", ainsi commençait la triste liste du *Mail*, "la détermination du peuple du Nord-Ouest de s'affranchir des restrictions en matière de commerce et de transport quitte à défier l'autorité fédérale; l'exode de la population loin du Nord-Ouest et le courant d'émigration encore plus fort qui décime les provinces plus anciennes; les menaces de sécession qui s'élèvent des trois Provinces Maritimes; le déclin de nos exportations dont la valeur est tombée de cinq dollars par tête d'habitant depuis 1873, même si nous avons emprunté vingt millions pour développer nos ressources; la réunion des Premiers ministres provinciaux à Québec pour étudier la façon d'apaiser le mécontentement des provinces et éviter leur faillite, toutes ces choses, pour ne pas en citer d'autres, sont des indices que nous considérerions s'ils se présentaient dans un autre pays, jeune ou vieux, comme les signes avant-coureurs d'un démembrement [2]."

Le prochain démembrement du pays était devenu le thème favori de la presse d'opposition; mais pas de la presse d'opposition seule. Les prédictions étaient toutes plus sombres les unes que les autres. Tout le monde soulignait l'état désespéré de la situation. "Il n'est pas impossible", écrivit l'éditorialiste de la *Gazette* de Montréal, "qu'il soit fait appel au peuple plus tôt que certains ne l'imaginent pour décider s'il est temps de défaire ce que l'on a créé en 1867, c'est-à-dire s'il faut sauvegarder la Confédération ou la laisser se scinder en ses composantes originelles, avant l'annexion subséquente aux États-Unis. Tout laisse prévoir que l'heure approche de prendre cette importante décision [3]." Effectivement, tout laissait prévoir que l'heure de se décider approchait. La population était découragée. Elle doutait d'elle-même. Elle avait le sentiment d'avoir échoué. Tout le monde sentait que la crise était dans l'air. Ne valait-il pas mieux, préconisaient certains, couper les liens nationaux et reconnaître que la tentative de fonder une économie canadienne transcontinentale n'avait été qu'une gigantesque erreur?

C'était dans cette atmosphère désespérée que se réunit la conférence interprovinciale. Les événements du moment jetaient un éclairage sinistre sur son motif avoué qui était d'amender l'Acte de l'Amérique du Nord britannique. Macdonald ne sous-estimait pas le danger potentiel de cette conférence parce qu'il avait de bonnes raisons d'apprécier à sa juste valeur le pouvoir des gouvernements provinciaux. Au cours des vingt années précédentes, il s'était rendu compte qu'ils étaient devenus très différents de ces conseils de comté honorifiques qu'il avait voulu qu'ils deviennent après l'Union. Les gouvernements provinciaux avaient accru leurs pouvoirs constitutionnels, avaient assis leur influence politique et leur prestige. Les loyautés provinciales semblaient devoir se maintenir alors que le sentiment d'appartenance national déclinait. Pour finir, et c'était peut-être le point le plus important, certaines des provinces avaient réussi à étendre leurs limites géographiques et leur pouvoir à un point tel qu'elles invalidaient la carte de l'Amérique du Nord britannique qu'il avait eu en tête au moment de la Confédération. Il avait prévu créer une série de provinces qui ne seraient pas trop grandes et qui seraient assez semblables au point de vue dimension et importance. Mais au cours des dix années qui venaient de s'écouler, l'expansion triomphale de l'Ontario et du Québec avait complètement bouleversé ce rêve d'égalité géographique. Le Parlement impérial n'avait pas encore approuvé les ententes finales sur les frontières nord-ouest de l'Ontario. Mais l'expansion était inévitable. Et, comme Macdonald le fit remarquer à Campbell, si l'Ontario était autorisée à s'étendre au nord jusqu'à la Baie d'Hudson, il fallait le permettre également au Québec.

"Si vous regardez la carte", poursuivait-il gravement, "vous verrez l'énorme superficie de terre que l'on se propose d'ajouter aux deux provinces. Vous constaterez l'importance que cela leur donne par rapport aux autres provinces du Dominion. L'histoire est répétitive. La postérité prouvera que les démons qui existent dans d'autres fédérations du fait de la prépondérance de l'une ou de l'autre de ses parties, se manifesteront également ici. En tant que fondateurs d'une nation, il est de notre devoir d'être capables de voir loin. Je sais bien qu'on dira que les territoires nouveaux que désirent l'Ontario et le Québec ont un climat inhospitalier et sont peu propices à la colonisation, mais n'avons-nous pas entendu le même refrain à propos de la région de la rivière Rouge et du Nord-Ouest? Je ne remets pas en doute le fait qu'une grande partie de cette vaste région que revendiquent les deux provinces reste déserte ou ne soit pas apte à recevoir de nombreux colons [4]." Les deux provinces centrales deviendraient de véritables empires, des gouvernements métropolitains puissants régissant un immense arrière-pays. Et le Québec, qui était peuplé de millions d'habitants obéissant à des coutumes particulières, pourrait s'avérer une barrière fatale à l'unité nationale. "À ce sujet, c'est l'avenir qui m'importe(...), poursuivait Macdonald, un avenir peut-être plus éloigné que celui dont je devrais m'occuper. Mais sommes-nous en train de fonder une nation? Réfléchissez un instant. Que sera ce pays peuplé de millions de personnes, situé entre le Canada anglais et l'Atlantique. Je n'ai aucune objection envers les Français en tant que Français ou en tant que catholiques, mais le barrage de la loi française et du Code civil risque d'être très puissant [5]."

Macdonald avait vu plus loin dans l'avenir peut-être que quiconque. Il avait essayé de toutes ses forces et par tous les moyens de maintenir l'intérêt pour son projet national. Régulièrement, il avait dû céder. Au cours des années 1880, il avait mené plusieurs batailles avec les gouvernements provinciaux. Il en était résulté autant de victoires, de défaites que de matches nuls. Il avait dû céder devant l'Ontario. Il commençait à se dire qu'il devrait céder dans sa querelle avec le Manitoba aussi. Il avait essayé difficilement et sans succès de préserver le système de transport ferroviaire est-ouest que le Manitoba semblait déterminé à détruire. Le Manitoba continuait de résister sans réfléchir plus avant, de façon presque maniaque. Norquay n'avait pas réussi bien sûr à construire sa troisième ligne en direction de la frontière américaine et au départ de Winnipeg. Il n'avait pas réussi à rassembler les capitaux dont il avait besoin. Tout le projet s'était achevé dans la frustration et avait été reporté à plus tard. "Norquay", écrivit Macdonald au lieutenant gouverneur Aikins pour le mettre en garde, "court à sa ruine en essayant de garder le pouvoir [6]." Norquay était incapable de garder le pouvoir, Macdonald le savait. Il était en train de couler, de couler rapidement. Hélas! Il ne coulait pas seul.

Selon toutes probabilités, le gouvernement du Manitoba et le Parti conservateur manitobain le suivraient dans la débâcle. Il avait discrédité le Nord-Ouest, fait fuir les immigrants et les capitaux nécessaires au développement de cette région; il avait porté un dur coup au Canadien Pacifique. "Le développement de votre réseau ferroviaire a été paralysé", déclara avec fougue Macdonald à un de ses correspondants de Winnipeg, "le CPR n'a pu construire les lignes transversales qu'il désirait construire et qu'il avait intérêt à construire pour amener l'indispensable trafic à sa ligne principale(...) À l'heure actuelle, on a si peu confiance en Angleterre en votre avenir qu'il n'y a pas moyen d'emprunter une livre, une cent pour l'investir dans des dotations de terres destinées au chemin de fer [7]." Un an plus tôt, les actions ordinaires de la compagnie se vendaient la coquette somme de soixante-quinze dollars l'action. À la fin de septembre, elles valaient à peine quarante-neuf dollars cinquante. Stephen écrivit à Macdonald le 4 octobre: "J'ai reçu hier des nouvelles d'Angleterre. La position des titres du CPR est des plus décourageantes. Baring se fait constamment déranger par des clients inquiets qui viennent aux nouvelles. D'un ennui à l'autre, je ne sais plus où donner de la tête [8]." Stephen était maintenant presque convaincu qu'il faudrait renoncer à la clause de monopole. Mais il était décidé à y renoncer en le faisant payer cher. Et Macdonald se rendit compte qu'en moins de trois ans il devrait sans doute demander au Parlement canadien et au peuple du Canada de consentir une autre concession de taille au profit du Canadien Pacifique.

Il était évident que sur certains points Macdonald devrait céder. Il avait déjà cédé devant certaines provinces, prises individuellement. Et il serait sans doute obligé de le faire encore. Mais la conspiration bien organisée des gouvernements provinciaux était une tout autre affaire, beaucoup plus scandaleuse. Et devant une telle conspiration, il refusait de céder. Il comptait simplement refuser de reconnaître la Conférence interprovinciale. Il n'avait pas l'intention de faire quoi que ce soit pour en admettre l'existence. Ce mode de défense, s'il semblait faible et inefficace à court terme, pouvait s'avérer payant à long terme. Jusqu'alors les Premiers ministres provinciaux en avaient fait à leur tête. Ils s'étaient rencontrés le 20 octobre, salués par les fanfares de l'Opposition. Ils avaient pris le devant de la scène. On leur avait fait une large publicité. Ils s'étaient entendus sur des principes généraux, ils avaient adopté des résolutions, ils avaient parlé avec beaucoup de volubilité de leurs voeux et de leurs vertus. Ils avaient rejeté le droit de veto du fédéral, réformé le Sénat dans l'intérêt des provinces et s'étaient votés de confortables augmentations de subsides du Dominion. Leurs travaux s'étaient déroulés dans une ambiance affairée. Les délégués semblaient sûrs d'eux et conscients de leur importance. Mais malheureusement ils avaient l'air d'avoir oublié quelque chose d'extrêmement important: Le Dominion n'était pas représenté, pas plus que la Colombie britannique ni l'Île-du-Prince-Édouard. La Conférence interprovinciale n'était pas une réunion à laquelle assistaient tous les gouvernements, ni même tous les gouvernements provinciaux, du Canada. Sur le plan constitutionnel, elle n'avait aucune valeur.

C'est sur cet argument que se fondait Macdonald pour garder un silence fort peu coopératif. Sans appui du Dominion, que pouvaient bien faire les cinq provinces mécontentes avec leurs précieuses résolutions? Sans l'adhésion de la Colombie britannique et de l'Île-du-Prince-Édouard, sur quoi pouvaient-elles se baser pour réclamer un changement de procédure pour amender l'Acte de l'Amérique du Nord britannique. Depuis les débuts de la Confédération, le Parlement impérial n'avait procédé à des amendements que suite à des demandes conjointes du Sénat et de la Chambre des Communes du Canada. Il était évident qu'aussi longtemps que Macdonald et les conservateurs contrôlaient les deux Chambres, les incroyables amendements que proposaient les délégués de la Conférence interprovinciale ne seraient jamais soumis à Londres. C'était aussi simple que cela. Macdonald attendait imperturbable derrière les hauts murs inattaquables de sa défense. Il faudrait une révolution pour le détruire. Est-ce que la Conférence de Québec, ce caucus de grits, cette conspiration des cinq provinces mécontentes, aurait le courage de déclencher une véritable révolution? Macdonald souriait sardoniquement: il ne le pensait pas.

## II

Tout en attendant que les Premiers ministres provinciaux fassent une autre manoeuvre, Macdonald s'occupa d'un autre aspect de la défense de son système national. Les relations avec les États-Unis étaient entrés dans une phase critique. La haute commission conjointe était sur le point de se réunir à Washington. Tout au long de l'automne, le mouvement en faveur d'une union commerciale ou d'accords commerciaux réciproques sans restriction d'aucune sorte s'était gagné de nombreux partisans. Il n'y avait pas grand différence entre l'union commerciale et un accord de réciprocité complète. Les deux projets menaçaient l'autonomie fiscale canadienne et son indépendance politique. Ils étaient diamétralement opposés à la conception de Macdonald d'une nationalité canadienne distincte en Amérique du Nord. Il fallait expliquer leurs dangereuses implications politiques. Mais en même temps, il fallait bien admettre que ces deux projets émanaient d'une aspiration légitime et importante, du désir naturel de tous les Canadiens d'entretenir de bonnes relations commerciales avec les États-Unis. Y avait-il moyen de satisfaire cette aspiration? À la lumière de la lettre prometteuse que Bayard avait envoyée à Tupper, y avait-il de véritables chances de la satisfaire au cours des prochaines négociations de Washington?

Macdonald attendait l'ouverture de la Conférence de Washington avec un mélange d'impatience et d'appréhension. Il avait travaillé depuis près de trois ans pour qu'elle se tienne. Mais maintenant qu'elle était sur le point de se réunir, il sentait une fois de plus les soupçons et l'inquiétude l'envahir. Il ne pouvait s'empêcher d'éprouver un incurable scepticisme envers toute négociation anglo-américaine qui impliquait le Canada. Il osait à peine se permettre d'escompter des résultats positifs. Pourtant, cette fois, les augures semblaient propices. L'administration Cleveland semblait vouloir sincèrement arriver à un vaste accord commercial entre les deux pays. Tupper, qui avait passé une fin de semaine avec Chamberlain à discuter de la position canadienne, s'était laissé séduire par le commissaire britannique. Il écrivit que le Canada "avait de la chance que ce soit lui qui ait été choisi" [9]. Thompson, qui connaissait à fond la question des pêcheries, avait été chargé de l'aspect juridique des négociations et avait été nommé principal conseiller légal. Macdonald avait commencé par dire carrément au gouverneur général qu'il espérait "qu'on n'enverrait aucun juriste anglais". Lord Lansdowne protesta quelque peu. Macdonald répliqua alors que le Canada n'avait pas objection à ce qu'un aviseur légal accompagne Chamberlain, à condition qu'il se confine à jouer un rôle subalterne. "Je voudrais vous mettre en garde contre la tentation d'enlever à Thompson l'initiative en matière juridique", écrivit-il franchement au gouverneur général.[10] Thompson devait pouvoir contrôler le cours des choses. Quel étrange et merveilleux contraste entre le rôle de premier plan, admis par tous, que devait jouer Thompson et le statut embarrassant et incertain des représentants du ministère de la Marine et des Pêcheries que Macdonald avait eu l'effronterie d'amener avec lui à Washington en 1871!

Il avait certainement moins d'appréhension qu'en 1871. Le 15 novembre, il était presque confiant quand il dit au revoir à Tupper. Pourtant, il continuait d'éprouver des doutes, des doutes irrépressibles et désagréables. Il avait eu tant de preuves déjà de ce qu'il appelait "la déloyauté du gouvernement américain". "Il ne faut pas s'attendre à ce qu'ils négocient de bonne foi", avait-il dit au gouverneur général [11]. En moins de quelques jours, en un laps de temps tellement court que les événements semblaient confirmer d'avance ses sombres prédictions, l'exactitude de ses assertions parut devoir se vérifier encore une fois. Les premières lettres de Tupper expédiées de Washington étaient extrêmement déconcertantes. Macdonald, à son grand soulagement, nota que la délégation britannique faisait front commun. Tupper rapportait "notre groupe travaille en complète harmonie et de fort agréable façon" et "rien n'est plus satisfaisant que la manière dont Mr Chamberlain défend notre position" [12]. Non! Grâce à Dieu, le problème venait d'ailleurs! Le problème provenait du fait que les Américains se conduisaient exactement comme ils en avaient absurdement l'habitude et la réputation. Ils avaient donné des preuves d'un véritable désir d'aboutir à un traité commercial généreux. Le secrétaire d'État, Bayard, avait dit à Tupper que, selon lui, pour résoudre de façon satisfaisante les difficultés canado-américaines, il fallait discuter franchement et de manière libérale "de l'ensemble des relations commerciales entre les deux pays". Et voilà qu'à la première réunion officielle de la haute commission conjointe, les plénipotentiaires américains avaient annoncé sans ambages que le mandat de la Commission ne comprenait pas les questions commerciales ou tarifaires et que ses travaux devaient se limiter à une bonne interprétation de la Convention de 1818.

Macdonald était exaspéré, extrêmement déçu mais nullement surpris. "Tous nos pronostics sur l'attitude du gouvernement des États-Unis se vérifient", écrivit-il dégoûté à Lord Lansdowne, "la crédibilité de Mr Bayard en sort fort affaiblie [13]." Il éprouvait sans doute quelque sympathie pour la position du secrétaire d'État. "Je ne doute pas", fit-il remarquer dans une lettre à Tupper, "que le président et lui étaient sincères au début quand ils affirmaient vouloir accroître leurs relations commerciales avec le Canada, mais ils sentent que le Congrès leur est opposé, et ils souhaitent à présent éviter une autre rebuffade de la part du sénat [14]." Il pensait que les Américains essayaient de se tirer de leurs difficultés politiques en désavouant de façon tout à fait humiliante leurs professions de foi passées. Et en même temps, ils étaient évidemment tout disposés à se servir de l'hostilité du sénat pour arracher des concessions au Canada sans qu'il en coûte rien aux États-Unis. "La manière dont Bayard essaie de mettre de côté la lettre qu'il vous a envoyée est tout à fait malhonnête", écrivit Macdonald indigné à Tupper. "Il faut lire cette lettre non seulement en fonction de ce qu'elle signifie, mais dans le contexte des négociations qui ont abouti à la création de la Commission." Le véritable objectif de la Conférence que l'Angleterre et le Canada s'étaient efforcés depuis trois ans d'organiser, était d'examiner l'ensemble des relations commerciales entre les deux pays. Au dernier moment, et avec les malheureux résultats que l'on sait, l'Angleterre avait fait confiance à une déclaration générale d'intention assez vague. Macdonald se lamentait auprès de Lord Lansdowne: "Quel dommage que le gouvernement de Sa Majesté ne nous ait pas écoutés quand nous insistions pour que la question des rapports commerciaux soit nommément mentionnée dans les documents préparatoires à la Conférence. Il est clair que nous sommes tombés dans le piège que nous tendaient les Américains et que nous sommes à présent obligés de confiner nos discussions à l'étude du sens de la Convention de 1818 [15]."

C'était exactement ce que souhaitaient les délégués américains. Ils se disaient peu intéressés par le privilège de pouvoir pêcher à l'intérieur de la limite des trois milles en eaux territoriales canadiennes. Les pêcheurs américains, expliquèrent-ils, n'attachent plus grande importance aux zones de pêche côtière du Canada. Ce qu'ils souhaitaient, pour pêcher plus facilement en haute mer, était exactement ce que les Canadiens prétendaient que la Convention de 1818 ne leur permettait pas: le privilège d'acheter des appâts, de la glace et d'autres fournitures et celui de transborder le poisson dans les ports atlantiques canadiens. Le Canada pouvait-il leur accorder ces privilèges, étant bien entendu que les bateaux de pêche américains devraient se munir de permis pour y avoir droit? Ces permis pourraient être achetés par les bateaux eux-mêmes ou alloués en échange de la libre circulation du poisson canadien sur le marché américain. Tupper croyait que ce type d'arrangement était sage. Il rédigea une proposition en ce sens (une seconde proposition qui était mauvaise par rapport à son projet originel) et, le 7 décembre, télégraphia à Macdonald pour obtenir l'autorisation de la soumettre à la Conférence.

Macdonald se sentait extrêmement indécis. Depuis quinze jours il prenait connaissance avec de plus en plus d'ennui et de dégoût du monceau de lettres et de télégrammes qui provenaient de Washington. "Je suis absolument incapable de m'évader d'ici", répondit-il à sa soeur Louisa qui lui demandait de venir lui rendre visite à Kingston, "je ne puis quitter Ottawa tant que se déroulent les négociations à Washington. Je reçois des messages chiffrés presque à chaque heure auxquels je dois répondre immédiatement [16]." La demande de Tupper exigeait une réponse, une réponse rapide sinon immédiate. Qu'allait-il lui dire? Il le savait à peine. Les manoeuvres diplomatiques déconcertantes de Washington le décourageaient profondément. Il n'y avait plus d'espoir d'obtenir des concessions tarifaires sur le marché américain. Il avait perdu tout moyen d'apaiser le mouvement général d'agitation économique qui pour le moment semblait tellement en faveur d'une union commerciale avec les États-Unis. La proposition de Tupper ne parvenait pas à déclencher son enthousiasme. Le gouverneur général se montrait assez critique à son endroit. Les ministres étaient partagés[17]. Le 8 décembre, après une longue discussion, le Cabinet se prononça contre la proposition par cinq voix contre quatre [18].

Mais pouvait-il se permettre de risquer de faire avorter la Conférence alors qu'elle n'en était qu'à ses débuts? Que pensaient les délégués britanniques de la proposition? Et surtout, les ministres du Cabinet canadien, Tupper, Thompson et Foster qui se trouvaient à Washington, lui étaient-ils favorables? "Êtes-vous tous les trois d'accord sur cette proposition?" [19] télégraphia-t-il à Tupper tard le 8 décembre. La réponse de Tupper était précise et rassurante. "Les trois délégués, le ministre de la Justice et Foster sont d'accord avec la proposition", répondit-il brièvement. En ajoutant leurs trois noms, la faible majorité opposée à la proposition se transforma en une majorité un peu plus importante en sa faveur. Le 10 décembre, après une autre longue discussion, le Cabinet décida à contrecoeur de voter pour le projet [20]. Le gouverneur général était d'accord sur le fait que son gouvernement ne pouvait prendre la responsabilité de faire échouer les négociations à ce stade [21]. Le 10 décembre, Macdonald télégraphia à Tupper pour l'autoriser à soumettre sa proposition. Macdonald était à la fois craintif et mécontent: "Il faut rédiger votre offre avec le plus grand soin", lui demanda-t-il en guise d'avertissement. "Comme vous le savez, ils ne manqueront pas d'abuser de chaque oubli et de chaque expression un peu vague [22]." Il avait peur que les Américains ne se lancent dans des querelles en prenant chaque mot au pied de la lettre. Il était ennuyé par l'accueil que les Canadiens ne manqueraient de réserver à un aussi décevant règlement du contentieux des pêcheries. C'est pour cela qu'il éprouva un vif soulagement dans la nuit du 10 décembre, quand il reçut un télégramme inattendu de Tupper l'informant que la Conférence avait ajourné ses travaux pour les vacances de Noël et que Chamberlain, avant de monter à Ottawa, resterait quelques jours de plus à Washington pour y avoir des discussions privées avec Bayard [23].

## III

Pendant la brève période de vacances, Macdonald eut le temps de faire le bilan de l'état de la nation. Le Canada n'était pas encore en faillite. Certains éléments encourageants pouvaient même être inscrits à l'actif du pays. Mais ils étaient contrebalancés par des passifs aussi importants. Dans l'ensemble, sa position personnelle ne s'était pas améliorée depuis le début de l'automne. Il n'y avait pas le moindre espoir de conclure un traité commercial avantageux avec les États-Unis. Par ailleurs, tout laissait prévoir de nouveaux affrontements avec les provinces mécontentes. Il n'avait aucun moyen de savoir ce que comptaient faire ces deux habiles tacticiens qu'étaient Mowat et Mercier. Mais il était sûr maintenant de toute manière d'avoir perdu l'Ouest. Le long effort qu'il avait fait pour préserver les intérêts conservateurs au Manitoba avait échoué. Norquay, après s'être maintenu de peine et de misère au pouvoir pendant tant d'années, avait fini par démissionner quelques jours avant Noël. Même si son successeur, Harrison, était conservateur, le nouveau gouvernement restait extrêmement fragile. Greenway et les libéraux étaient assurés de s'emparer du pouvoir à très court terme. Les attaques de l'Ouest contre la politique nationale de Macdonald allait être dirigées par un chef nouveau et énergique, un homme qui n'était lié par aucune dette antérieure ni par aucune sympathie politique. Il ferait vraisemblablement tout son possible pour réussir.

Mais ce n'était pas tout. Les dirigeants libéraux continuaient de se laisser fasciner par les possibilités politiques d'une union commerciale ou d'une réciprocité complète avec les États-Unis. Macdonald venait de perdre son meilleur argument. Il avait peu d'espoir de parvenir à calmer l'agitation en concluant un bon traité commercial avec les Américains.

S'il n'y avait pas moyen de satisfaire les aspirations commerciales légitimes qui sous-tendaient le mouvement, il fallait certainement mettre en lumière et faire comprendre ses dangereuses implications politiques. *L'Empire*, le nouveau journal conservateur de Toronto qui avait fini par paraître à la fin de décembre, se lança dans une violente attaque contre le continentalisme nord-américain. Le 30 décembre, Joseph Chamberlain, dans un discours prononcé devant la Chambre de commerce de Toronto, assura son auditoire qu'une union douanière de l'Amérique du Nord compromettrait instantanément la liberté fiscale du Canada et préparerait le chemin à la perte de son indépendance politique [24]. Chamberlain, prédit Macdonald en blaguant à Tupper, pourrait se faire élire dans la circonscription la plus résolument tory du Canada! Il était persuadé que tout le pays avait établi le lien entre l'union commerciale et l'annexion et qu'il était prêt à rejeter les deux. "Toutes les élections fédérales", écrivit-il d'un ton satisfait à Tupper, peut-être trop satisfait d'ailleurs! "se sont toujours prononcées contre l'union commerciale (...) Des hommes éminents au sein de l'Opposition, comme Alexander Mackenzie, James Young, John Macdonald de Toronto et Edgar, le *fidus Achates* de Blake ont dénoncé l'union commerciale. En Ontario, la presse rurale des deux bords s'y oppose. L'union commerciale est un projet mort-né. Je crois que Lord Lansdowne se rend compte à présent que ma politique, que je lui ai annoncée au printemps dernier, était avisée. Il était sage de laisser croître les appels en faveur de l'union commerciale, de laisser le mouvement s'effriter tout seul et disparaître sans lui accorder une importance excessive [25]."

Dans l'ensemble, ses réflexions même si elles étaient mitigées, n'étaient pas plus déprimantes que d'habitude. Le temps des vacances était agréable et reposant. Chamberlain vint à Ottawa. Il y eut des dîners officiels en son honneur et quelques longues conversations sur la question des pêcheries. Mais la plupart du temps, Macdonald resta confortablement installé à Earnscliffe. Pour la première fois depuis des années, la plupart des membres de sa famille étaient rassemblés. Agnes qui avait de nouveau été faire un voyage dans l'Ouest lui avait ramené sa petite fille Daisy [26]. Hugh qui avait été souffrant au début de l'automne, vint passer Noël à Earnscliffe. Il était agréable de voir la sombre et paisible maison s'emplir de monde et de l'entendre retentir de joyeux cris d'enfants. Mais même s'il aimait avoir ses enfants et ses petits-enfants près de lui, Macdonald n'en oubliait pas pour autant les gens de sa génération. Un jour, vers la fin de décembre, Agnes, Hugh et lui prirent le Jamaica pour Kingston afin d'y rendre visite à Louisa. Pendant des années, Louisa avait été une sorte d'invalide, mais son sens de l'hospitalité tournait quasiment à la frénésie dès qu'elle apprenait que sa parenté comptait lui rendre visite. Macdonald la mit en garde avec une sévérité feinte: "Ne te donne pas de mal pour nous! Si tu fais la moindre tentative pour nous préparer des lits, je t'avertis que nous faisons immédiatement demi-tour et que nous rentrons sur-le-champ à Ottawa [27]." Ils passèrent toute la journée avec elle et, en soirée, allèrent tous rendre visite à leur tante Maria Macpherson. Macdonald trouvait sa soeur bien frêle; mais son courage et sa bonne humeur étaient toujours indomptables [28].

Pendant ce temps, on mettait graduellement au point la version détaillée du second projet canadien pour le règlement du contentieux sur les pêcheries. Il s'agissait d'une proposition globale qui, entre autres, comprenait des dispositions pour régler définitivement la question controversée des baies qui faisaient partie des eaux territoriales canadiennes. La principale clause du projet permettait aux bateaux de pêche américains, après avoir obtenu un permis, de s'approvisionner dans les ports canadiens et d'y transborder le poisson. Le coût des permis était fonction du tonnage des bateaux. Ils resteraient gratuits aussi longtemps que les États-Unis lèveraient les taxes à l'importation sur le poisson canadien. Le projet n'enthousiasmait pas Macdonald. Selon lui, l'émission de permis était une procédure compliquée et peu appropriée et il pensait qu'un dédommagement de ce genre en compensation des concessions faites par le Canada ne serait pas très populaire. Il écrivit à Tupper: "Je suggère, si les Américains acceptent le système de permis, qu'on prévoie de les émettre gratuitement aussitôt que notre poisson pourra entrer librement sur le marché américain, que ce soit suite à un traité ou suite à l'abolition de la taxe à l'importation. Mais il ne faut pas les émettre gratuitement avant. Il faut que le système prenne fin aussitôt que de nouvelles taxes à l'importation seront réintroduites (...) Les Américains se féliciteraient de leur habileté s'ils parvenaient à nous faire renoncer à nos exigences concernant les appâts de telle façon que nous ne puissions plus y revenir, et dans un second temps, s'ils faisaient plaisir à leurs pêcheurs en réimposant une taxe à l'importation sur le poisson canadien [29]." La libre circulation du poisson canadien, dernier vestige du projet de traité commercial originel, était la seule chose qui intéressait vraiment Macdonald. Il se réconcilia avec l'idée de permis payants uniquement parce que Chamberlain lui répéta à plusieurs reprises que c'était un élément nécessaire de l'entente finale et que Cleveland et Bayard l'avaient assuré officieusement de leur accord de principe.

La réouverture du Parlement était prévue pour le 23 février. Macdonald écrivit avec confiance à Lord Lansdowne: "La conférence sera terminée depuis longtemps. Il y a tellement peu de points à discuter qu'en quinze jours tout sera réglé. Si on aboutit à un traité, on pourra le présenter immédiatement au Sénat [30]." C'était, de la part de Macdonald surtout, une façon de penser particulièrement naïve. Le Département d'État des États-Unis leur réservait encore des surprises, à lui, comme à Tupper, Chamberlain et Thompson. Le 9 janvier, le jour où la Conférence reprit ses travaux, les délégués anglo-canadiens présentèrent la proposition qui avait, s'imaginait-il, reçu d'avance l'accord des Américains, mais au lieu d'accepter la proposition tout de suite, ces derniers demandèrent un ajournement. L'ajournement se transforma en un délai prolongé. Au bout du compte, les réponses des Américains se firent de plus en plus floues et critiques. La colère de la délégation britannique fut à son comble quand Bayard objecta que la proposition canadienne était inacceptable parce qu'elle ne permettait pas aux bateaux de pêche américaine de pêcher en eaux territoriales canadiennes. Cette résurgence soudaine d'une revendication que les plénipotentiaires américains avaient jusque-là solennellement juré ne plus vouloir reprendre, mit Tupper hors de lui. Chamberlain, rapporta-t-il à Macdonald, était "profondément indigné" [31]. Le chef de la délégation britannique en était arrivé à l'amère conclusion que les plénipotentiaires américains étaient "une bande d'escrocs de la pire espèce". Thompson écrivit cyniquement à sa femme: "J'ai bien peur qu'il ne sorte aucun document tangible de notre mission, sinon nos factures d'hôtel. Ces politiciens yankees sont la pire race de voleurs de la terre [32]."

Macdonald accepta cette seconde révélation d'une humeur beaucoup plus égale que les diplomates furieux de Washington. L'ensemble de l'affaire l'avait déçu. Le traité, si jamais on parvenait à le signer, n'aurait presque aucune valeur pour le Canada et n'apporterait aucun prestige au gouvernement canadien. Il ne se souciait que très peu qu'on arrive ou non à un accord. Mais puisqu'on avait réussi à placer le Canada en si mauvaise posture et qu'on l'avait amené à manoeuvrer dans un cadre aussi restrictif, Macdonald était décidé à se battre âprement pour chaque détail qui restait. "Je crois que les Américains sont en train de marchander comme des marchands de tapis!"[33] écrivit-il à Lord Lansdowne le premier février. Il était résolu de se montrer aussi obstiné. Après la première salutaire explosion de mauvaise humeur, la Conférence entreprit un examen extrêmement soupçonneux et détaillé du brouillon de traité préparé par les Canadiens et de sa version abrégée, le *modus vivendi* qui traitait surtout des privilèges des bateaux de pêche américains dans les ports canadiens.

Pratiquement aucun autre sujet ne fut abordé. Macdonald n'était pas pressé de régler le contentieux concernant la frontière de l'Aslaska [34]. Les Américains apparemment non plus. Et quand Tupper et Chamberlain abordèrent la question des saisies de phoquiers canadiens en mer de Bering, les plénipotentiaires américains eurent exactement la même attitude que leurs prédécesseurs quand on leur soumit les revendications concernant les raids fenians: ils répondirent l'air assuré qu'ils n'avaient pas reçu le mandat de traiter du problème de la mer de Bering. La question des pêches dans l'Atlantique nord étaient le seul point à l'ordre du jour. Il fallait, à l'exclusion de tout autre sujet, s'en tenir à la pêche, aux bateaux de pêche, aux permis de pêche, à l'approvisionnement des pêcheurs et aux taxes douanières sur le poisson. Pendant près de dix jours encore, les discussions mesquines et terre-à-terre se poursuivirent avant d'arriver lentement à terme. " (...) vous verrez que nous finirons par conclure un traité", écrivit Macdonald sans enthousiasme au gouverneur général[35]. Le 15 février, les délégués signèrent le document si rudement discuté. Le 20 février, le président Cleveland le transmit au sénat américain, en l'accompagnant d'une lettre de recommandation.

Trois jours plus tard, s'ouvrait à Ottawa la seconde session du sixième Parlement du Canada.

## IV

"J'espère que vous pourrez revenir bien vite tous les trois pour préparer la rentrée parlementaire", écrivit Macdonald à Tupper le 6 février. "Nous en sommes au point mort au point de vue législatif. Je ne sais pas quoi mettre dans le Discours du Trône [36]." Deux jours avant l'ouverture, il paraissait apparemment toujours aussi indécis. Le 21 février, il écrivit à Lord Lansdowne pour lui promettre que le "discours" serait prêt dans le courant de l'après-midi et qu'il lui en enverrait la première version le lendemain [37]. Ses hésitations et ses incertitudes étaient réelles et curieusement révélatrices. Il avait eu des dizaines de projets de loi secondaires qui tous avaient été remis à plus tard ou étaient restés en suspens, grâce auxquels il espérait étendre et développer les lignes principales de son programme. Mais les lignes principales avait été achevées depuis longtemps. Sa période la plus créatrice en tant que législateur était terminée. Au mieux, et c'était déjà très bien s'il pouvait y parvenir, devait-il essayer de préserver son oeuvre des menaces que faisait peser sur elle une situation économique défavorable et la protéger des attaques et du fanatisme des hommes. Tout ce qu'il pouvait faire était de tenir bon, en attendant des jours meilleurs et en espérant que ses efforts seraient ultimement couronnés de succès. Il avait perdu l'initiative. Des hommes beaucoup plus extrémistes et violents que lui commandaient la situation. Ces hommes nouveaux commençaient à apparaître sur la scène politique fédérale. Ils étaient déjà bien connus dans les milieux politiques provinciaux.

Les cinq conspirateurs provinciaux qui s'étaient rencontrés à Québec avaient passé une partie de l'hiver à chanter les louanges des nouvelles "résolutions de Québec" devant leurs législatures respectives. Mowat était peut-être le plus redoutable membre du groupe, Mercier le plus sinistre, et Greenway qui avait remplacé le malheureux Norquay, le plus bruyant. "Il est tellement dépourvu de principes", écrivit Macdonald à un de ses partisans manitobains à propos de Greenway, "qu'il serait capable de jouer le même jeu que Norquay sans se soucier le moindrement des diaboliques conséquences de l'agitation dans la province du moment que cela lui permettrait de se maintenir au pouvoir [38]." Il était à peu près certain que Greenway allait rapidement marquer son accession au pouvoir par un effort violent pour mettre un terme au monopole du Canadien Pacifique. Qu'allait faire le gouvernement du Dominion? Macdonald était embarrassé par l'imprudente promesse que Tupper avait faite en Chambre quelques années plus tôt selon laquelle il serait mis fin au monopole dès que le chemin de fer serait achevé. Les "diaboliques conséquences" de l'agitation manitobaine sur le Canadien Pacifique, l'Ouest canadien et le gouvernement du Canada l'embarrassaient encore plus. Mais il n'y avait qu'un moyen de mettre terme au monopole. Il devait parvenir à un accord financier avec la compagnie du Canadien Pacifique, un accord qui à terme ne coûterait probablement pas un sou au pays, mais qui dans l'immédiat risquait d'être politiquement fort peu populaire. Pouvait-il se le permettre? Il décida qu'il devait le tenter. Et une semaine avant l'ouverture du Parlement, il entreprit avec J.H. Pope et George Stephen de mettre l'accord au point.

C'est à ce moment-là que Thomas Greenway, accompagné par Joseph Martin, son procureur général, descendit à Ottawa pour rendre effective la libération économique de sa province. L'arrivée de Greenway en ce début de mars aurait difficilement pu tomber à un plus mauvais moment. Macdonald et les représentants du Canadien Pacifique n'étaient pas encore parvenus à un accord. Stephen demandait au Dominion de garantir le capital et les intérêts à quatre pour cent d'une émission d'obligations de vingt-cinq millions et demi de dollars, basée sur les terres non vendues de la compagnie. Macdonald était convaincu que le pays ne pouvait supporter une émission d'obligations de plus de quinze millions. Il fallait, pensait-il, évaluer les terres à un dollar et non à un dollar cinquante l'acre. Pope, Tupper et lui avaient décidé que la garantie gouvernementale ne devrait couvrir que les intérêts, et non le capital, et que le taux ne devrait pas dépasser trois et demi pour cent. Petit à petit, au fil de longues et laborieuses discussions, ils se rapprochaient d'un accord qui dans les grandes lignes correspondait à leurs prévisions [39]. Ils avançaient. Malheureusement, ils n'avançaient pas assez vite au gré de Thomas Greenway qui attendait impatiemment.

Greenway était un diplomate qui avait le sens du théâtre et qui aimait les sorties fracassantes. Il quitta subitement Ottawa pour Toronto. "Je regrette votre départ précipité", lui télégraphia patiemment Macdonald à l'Hotel Queen's. "Les choses progressent aussi vite que possible. J'espère que vous reviendrez et que vous resterez quelques jours. S'il vous plaît, répondez [40]." Greenway, magnanime, répondit. Et, après un second télégramme dans lequel Macdonald réitérait ses regrets et ses assurances, il revint plus magnanimement encore à Ottawa [41]. Mais il laissa clairement entendre qu'il n'était pas prêt à supporter d'autres délais. Le 30 mars, on apprit qu'il n'était plus capable de retarder plus longtemps son départ. Macdonald lui adressa alors une lettre semi-officielle pour l'informer "qu'au cours de la présente session du Parlement fédéral, il y avait de bonnes chances que fût adoptée une législation qui enlève presque toute raison, sinon toute raison, d'opposer un droit de "veto" aux chartes des chemins de fer manitobains" [42]. C'était une assurance prudente. Elle anticipait malgré tout que les difficultés de Macdonald seraient résolues. Le jour même où ce dernier envoya sa lettre, Stephen lui télégraphia de Montréal qu'il lui fallait quelque temps pour réfléchir. À la fin, il y eut pourtant moyen de venir à bout de sa résistance. Le 26 avril, Langevin proposait le projet de loi qui offrait la garantie gouvernementale en échange de l'abolition de l'article quinze de la charte du Canadien Pacifique.

Pendant qu'un Premier ministre provincial était en train de venir à bout de tout le système de défense mis au point pour protéger le système de transport ferroviaire canadien, deux courants extrémistes différents, radicalement opposés, se mirent à attaquer la politique nationale de protection. Le mouvement en faveur de l'union commerciale ne s'était pas disloqué et n'avait pas disparu tout seul. Au contraire, le caucus réformiste, à l'ouverture de la session parlementaire, avait décidé d'adopter comme politique commerciale officielle du Parti, la réciprocité inconditionnelle. Le 14 mars, Sir Richard Cartwright, le "chevalier bleu ruiné" comme aimaient l'appeler plaisamment les conservateurs, proposa en Chambre "la plus grande liberté possible dans les relations commerciales" entre le Canada et les États-Unis pour tous les produits manufacturés ou naturels des deux pays [43]. Les nationalistes pondérés comme Blake et Mackenzie avaient perdu le contrôle du Parti libéral qui était tombé aux mains d'opportunistes et d'aventuriers comme Cartwright ou d'hommes dépourvus d'expérience comme Laurier. De plus, et ce n'était pas aux yeux de Macdonald la conséquence la plus négligeable du nouveau programme libéral, toute forme d'extrémisme politico-économique provoquait immanquablement un courant inverse. L'union commerciale et la réciprocité inconditionnelle, avec les menaces évidentes qu'elles faisaient courir à l'autonomie canadienne, amenaient naturellement les gens à chercher l'appui de l'Angleterre et à renforcer l'alliance anglo-canadienne. Le continentalisme nord-américain avait trouvé son contraire logique: l'impérialisme britannique. Richard Cartwright, le tory renégat qui s'était étrangement transformé en partisan d'une union à l'échelle continentale avait en face de lui Dalton McCarthy, le conservateur pro-Macdonald dont l'attachement à l'idée d'une fédération impériale semblait dépasser la fidélité envers son parti. Depuis l'automne et le moment où la force et le sens politique du mouvement commercial d'union étaient devenus manifestes, l'"Imperial Federation League" avait fait preuve au Canada d'un zèle nouveau. La ligue avait gagné en popularité. McCarthy en était le président. Il en devint le porte-parole parlementaire. Le 30 avril, il prononça un important discours en Chambre en faveur d'un commerce préférentiel avec l'Empire [44].

Macdonald ne prit aucune part importante au long débat sur la motion Cartwright ni à la courte discussion qui suivit le discours de McCarthy. Il essayait de déléguer la plus grande part possible du travail en Chambre à ses adjoints. De toute manière, tout le monde connaissait ses opinions sur le sujet. Il n'avait aucune objection à un large accord commercial avec les États-Unis, non plus qu'à une extension de tarifs commerciaux préférentiels à l'ensemble de l'Empire. Il avait essayé très fort dans le passé, et il essaierait encore à l'avenir, de ménager les deux. Mais il n'aimait ni l'union continentale ni la fédération impériale. Pour les mêmes raisons d'ailleurs! Il était convaincu que ces deux associations représentaient une menace pour le Canada en tant que nation. Les résolutions Cartwright et McCarthy comportaient toutes deux de sérieuses implications politiques que ses partisans et lui trouvaient inacceptables. La plupart des conservateurs gardèrent un silence discret pendant le boîteux débat sur la motion McCarthy. La résolution de Cartwright représentait évidemment une menace autrement sérieuse pour la politique nationale de protection. Les conservateurs y présentèrent des amendements qui étaient en faveur de relations commerciales plus libres avec les États-Unis à condition que cette libéralisation n'entre pas en conflit "avec la politique adoptée en 1879 et qui a depuis reçu de façon aussi évidente la sanction et l'approbation populaire" [45]. Macdonald n'avait pas la moindre intention d'apporter quelque changement fondamental que ce fût à sa politique nationale. Au cours de trois élections générales, le peuple l'avait entérinée, à des moments économiquement propices et à d'autres qui l'étaient moins. Et maintenant, après quatre années de récession, on eut dit que le bon temps était en train de revenir.

Macdonald avait l'impression qu'une phase au moins de sa longue épreuve était sur le point de prendre fin. Une autre session parlementaire s'achevait. Il y avait deux ans et demi, depuis l'exécution de Riel à l'automne 1885, qu'il avait dû rester le dos au mur assailli par une meute d'opposants. Il lui semblait à présent que les attaques étaient moins virulentes. L'assaut concerté des Premiers ministres provinciaux n'avait rien donné de très sérieux. Jusqu'à présent, les attaques des nouveaux chefs libéraux, comme celles des anciens, avaient échoué. Et mieux encore, l'activité économique avait soudain repris. Les prix qui avaient stagné si longtemps étaient en train de remonter doucement. "L'honorable député", dit Macdonald pendant le débat sur le Discours du Trône en faisant allusion à Wilfrid Laurier, "a remarqué la merveilleuse ténacité avec laquelle nous affirmons que ce pays est prospère. Si nous l'affirmons avec une telle ténacité, c'est parce que nous nous croyons justifiés de le faire [46]." Depuis quelques années, la justesse de cette affirmation était un article de foi des conservateurs. Elle représentait l'essence même de leurs espoirs. Mais au bout du compte la conjoncture n'était-elle pas en train de changer? La prospérité n'était-elle pas en train de redevenir un fait palpable?

Le temps passait. Les grands compagnons qui au cours des cinq années qui venaient de s'écouler avaient épaulé Macdonald dans son combat pour construire la nation, le quittaient parce que leur tâche était accomplie. Stephen annonça qu'il démissionnerait de la présidence du Canadien Pacifique au cours de l'été. Lord Lansdowne s'était arrangé depuis longtemps pour partir aussitôt après la fin de la session en cours. Le 22 mai, il prorogea le Parlement. Lady Lansdowne et lui firent une dernière visite à l'improviste à Earnscliffe pour prendre congé d'Agnes et de Mary [47]. Le 23 mai, Macdonald rencontra pour la dernière fois "le chef le plus compétent" sous lequel il ait jamais servi; de son côté, Lansdowne lui avait écrit quelques heures plus tôt une brève note d'adieu: "J'ai bien du mal à exprimer ce que je veux dire au moment de prendre congé et mes difficultés s'accroissent encore quand je ressens profondément ce que j'ai à dire. C'est la raison pour laquelle je n'aime pas profiter de cet après-midi pour vous dire au revoir, vous exprimer à quel point je suis désolé d'avoir à vous quitter et combien j'ai apprécié votre gentillesse et votre confiance(...) Je n'utilise pas une formule de politesse quand je vous dis à quel point j'ai tiré avantage, et je ne pense pas nécessairement au gouvernement du Canada, d'avoir pu rester en communication constante avec un homme comme vous qui possède une vaste expérience des affaires publiques de l'Empire(...) Je ne vous demanderai pas de nous oublier, parce que je suis sûr que vous vous rappellerez de nous, et sans doute avec amitié. Je vous dis au revoir. Je vous souhaite d'être aussi heureux que possible dans cette servitude qui est la vôtre et dont votre pays ne vous laissera pas, j'en ai l'impression, vous émanciper vous-même [48]."

Ils étaient partis. Et combien d'autres étaient partis ou sur le point de partir. Ils partaient avec regret ou, comme dans le cas de Stephen, avec rancoeur et amertume à cause de l'ingratitude du Canada. Ils partaient parce qu'ils étaient fatigués, parce qu'ils étaient malades ou parce que la mort les emportait. Thomas White, le nouveau ministre de l'Intérieur, qui s'était affirmé tellement bon orateur et qui était un excellent administrateur était mort inopinément un mois avant la fin de la session. John Henry Pope souffrait d'une maladie que l'on disait et qu'il savait mortelle. McLelan avait hâte de démissionner. Tupper souhaitait rejoindre Londres et ce poste de haut commissaire qu'il aimait. Thompson espérait que Macdonald trouverait vite un moyen de combler son poste de façon à ce qu'il puisse profiter d'une place qui allait s'ouvrir bientôt à la Cour suprême du Canada. Ils renonçaient, abandonnaient, s'en allaient ou voulaient s'en aller. Macdonald avait la triste impression qu'il avait déjà ressentie que l'équipe qu'il avait créée était en train de lui glisser entre les doigts.

Pourquoi fallait-il toujours qu'il en soit ainsi? Pourquoi ne disposait-il pas d'un petit groupe de ministres compétents dirigés par un chef incontesté à qui il pouvait remettre son leadership? Son travail était achevé. Il avait créé la nation canadienne. Depuis trois malheureuses années, il la défendait contre les forces intérieures de désintégration et contre les attaques de l'extérieur. Un peu plus d'un an plus tôt, il avait triomphalement remporté les élections. Un nouveau chef avait amplement le temps de reprendre les affaires en main avant que le gouvernement n'ait à se représenter devant le peuple. Et s'il fallait vraiment qu'il se retire, s'il voulait pouvoir se reposer avant que la mort ne l'appelle, c'était vraiment sa dernière chance.

Il en parla avec Stephen et avec Tupper. Mais il ne voyait pas comment s'y prendre. Qui allait lui succéder comme chef? Dix ans plus tôt, il avait dit, sous les applaudissements de son auditoire de Kingston, que Tupper était son successeur le plus valable et le meilleur. Mais c'était en 1877 et depuis beaucoup de choses s'étaient passées. Tupper avait commencé une nouvelle carrière. Il était le premier diplomate canadien. Tilley s'était définitivement retiré de la vie publique. Et Langevin, le seul autre dont la carrière remontât à une époque où la Confédération n'existait pas encore, était devenu le membre le plus ancien du Cabinet après Macdonald. L'influence et le prestige de Langevin n'avaient jamais égalé ceux de Cartier. Mais au cours des jours périlleux de la crise Riel, sa stature politique s'était affermie. Sa loyauté avait permis au Cabinet de rester solidaire et avait empêché que n'éclate un conflit racial ouvert. En reconnaissance, Macdonald aurait bien pu admettre que ses états de service justifiaient Langevin de réclamer la succession à la chefferie. Mais cette entente, si jamais elle existait, était-elle encore valide? Et surtout, était-ce le bon moment de la concrétiser? Tout le monde était au courant des jalousies et des rivalités qui divisaient les dirigeants canadiens-français. "La méfiance réciproque qu'ils éprouvent les uns pour les autres est apparemment irrémédiable" [49], rappela tristement Macdonald à Tupper. Et Stephen, après une longue conversation avec un politicien canadien-français, rapporta que les députés fédéraux du Québec préféreraient probablement Tupper à tout autre chef choisi dans leur groupe [50]. Était-ce une solution? Avant la fin de la session, Macdonald rediscuta de toute la question avec le chef néo-écossais [51]. Mais Tupper ne croyait apparemment pas qu'il fallait briser l'entente avec Langevin et sans doute préférait-il son poste de Londres. C'était décidé. Tupper démissionna de son poste de ministre des Finances et fut à nouveau nommé haut commissaire. Tout de suite après la session, il quitta Ottawa pour l'Angleterre.

Le meilleur et le plus fiable de ses lieutenants était parti. Il était presque le dernier survivant actif des politiciens de sa génération en Amérique du Nord britannique. Comment s'en aller maintenant? Il devait s'accrocher, au moins pour quelque temps encore. Une fois de plus, il devait s'atteler à la tâche ingrate et fastidieuse de remanier son Cabinet. Il fallait qu'il rencontre le nouveau gouverneur général, Lord Stanley of Preston, qui avait été accueilli comme il faut et qui s'était installé. Il écrivit à Lord Lansdowne: "Je crains que Lady Lansdowne et vous-même ne nous ayez un peu gâté ma femme et moi et je crois qu'il faudra un certain temps avant que nous nous concilions les nouveaux venus [52]." Il y avait tant de nouveaux venus à ce moment-là! De si nombreux visages étrangers! Il était un vieil homme dont l'esprit était resté extraordinairement jeune et vif. Mais il avait vraiment demandé beaucoup à cette jeunesse et à cette vivacité!

## V

L'été fut terne et sans histoires. Macdonald passa des vacances tranquilles à Dalhousie, au Nouveau-Brunswick. Il fit un voyage à l'île du Cap Breton. Stephen avait démissionné de la présidence du Canadien Pacifique au début d'août et pendant un bout de temps, Macdonald espéra en vain qu'il pourrait aller faire un tour en Angleterre en compagnie de l'ex-président. Mais ce n'était pas possible. Le Canada vivait des moments par trop dangereux pour qu'il puisse partir. Et si les problèmes intérieurs canadiens n'avaient pas suffi, il y avait à l'extérieur toutes les extravagances dues à l'approche de la prochaine élection présidentielle. À chaque élection présidentielle américaine, au moins un ou deux points de litige entre les États-Unis et la Grande-Bretagne ou l'Amérique du Nord britannique rebondissaient, au bénéfice des millions d'Américains anglophobes d'origine irlandaise. Macdonald était sûr que ce serait encore le cas cette fois. Il était convaincu qu'on ressortait ces contentieux, si on ne les inventait pas de toutes pièces, à des fins électorales. En 1888, ni les démocrates ni les républicains ne durent faire grand effort d'imagination. Les sujets de dispute existaient déjà. L'avenir du traité Bayard-

Chamberlain n'était toujours pas décidé. La querelle à propos de la chasse au phoque en mer de Bering prenait des proportions de plus en plus grandes.

Le sénat n'avait pas encore ratifié le traité Bayard-Chamberlain. Et on n'était apparemment pas plus près d'en arriver à une solution, concernant la chasse au phoque, qu'on ne l'était au cours de l'été 1866, au moment où le premier phoquier canadien avait été arraisonné en haute mer. Au cours du printemps, le Département d'État avait proposé, d'avril à novembre, la création d'une période durant laquelle la chasse serait fermée, et où on ne pourrait pêcher le phoque en haute mer. C'était une proposition humanitaire hostensiblement mise de l'avant sous prétexte de protéger les phoques du massacre. Mais il apparut très clairement à Lord Lansdowne et à ses ministres que les principaux bénéficiaires du projet seraient non les phoques eux-mêmes, mais les chasseurs de fourrure américains. L'interdiction de pêche en haute mer allait frapper les bateaux canadiens, mais en même temps elle n'empêcherait pas le moins du monde l'"American Alaska Fur Company" d'abattre impunément autant de bêtes qu'elle le pouvait sur les îles Pribilof. La magnanimité de la proposition n'impressionna donc guère Macdonald. Il accepta en réchignant de déclarer que le Canada était disposé "à unir ses efforts à ceux d'autres gouvernements pour empêcher l'extermination des phoques à fourrure dans le Pacifique nord" [53]. Et les négociations se poursuivirent sans aboutir à rien au cours de l'été. "Et qu'en est-il de la mer de Bering?" écrivit Macdonald à Lord Stanley depuis Inch Arran House, l'hôtel de Dalhousie où il logeait. "Je crois pouvoir lire entre les lignes que Mr Bayard désire étirer les discussions et remettre tout règlement jusqu'après les élections présidentielles de novembre (...) Ni Bayard ni Cleveland ne veulent avoir l'air de faire la moindre concession qui risquerait de se retourner contre eux au moment du scrutin [54]."

Il avait averti le gouverneur général qu'en période d'élection les pays anglophones pouvaient s'attendre à recevoir des camouflets bien calculés de la part des États-Unis. Macdonald en avait fait l'expérience à maintes reprises. Malgré tout, il fut quelque peu surpris de constater à quel point la politique étrangère américaine servait de prétexte à la politique intérieure. Cleveland et ses adversaires républicains semblaient également déterminés à s'affirmer les champions des droits américains. Ils étaient également disposés à se servir du problème des pêcheries pour attester de leur valeur républicaine. Le 21 août, le sénat rejeta le traité Bayard-Chamberlain. Deux jours plus tard, avec l'intention évidente d'opposer à un acte de bravoure un geste plus héroïque encore et peut-être plus sensationnel, le président Cleveland envoya un message au Congrès pour lui demander le pouvoir de décréter la fin de toute relation commerciale avec le Canada.

Tous les avantages du traité n'étaient pas perdus puisque le *modus vivendi* qui l'accompagnait restait en vigueur. Par ailleurs, il était quasiment certain que le sénat, qui venait presque de se faire voler l'exclusivité de la virulence antibritannique, n'appuierait pas Cleveland dans son projet de couper tout lien économique avec le Canada. Par contre, il n'était pas surprenant que sa féroce déclaration qui équivalait presque aux préliminaires d'une déclaration de guerre, alarmât les Canadiens. Macdonald essaya d'expliquer les choses. Il écrivit avec réalisme à Lord Lansdowne: "Cleveland, j'imagine, s'est dit qu'il allait perdre le vote irlandais de New York. C'est la raison pour laquelle, en désespoir de cause, il a essayé de tordre un peu plus que les autres la queue du Lion britannique [55]." Malheureusement, la violence de la déclaration contraria les projets de Macdonald pour la fin de l'été. "J'avais presque décidé d'aller en Angleterre", écrivit-il avec regret à Stephen, "quand le Président a fait son message. Il était impossible de prévoir ce que ferait le Président ou le sénat. J'ai donc pensé qu'il était nécessaire de rester de façon à ce que le Canada puisse réagir à toute initiative des États-Unis [56]."

L'élection présidentielle américaine était la raison la plus importante, mais non la seule qui l'obligeait à rester de faction à Ottawa. Le formidable remue-ménage qui secouait les États-Unis en cette période électorale avait son équivalent, mais à une échelle réduite, en politique provinciale canadienne. L'été avait été bruyant et rempli de disputes. L'automne le fut encore plus. Collectivement, les provinces semblaient calmes. Elles n'avaient posé aucun geste apparent pour donner suite aux réformes proposées au cours de la Conférence interprovinciale. Mais les plus turbulentes faisaient autant d'esclandre qu'elles le pouvaient. La Législature de Québec venait d'adopter certains règlements fort controversés. Et Thomas Greenway continuait de s'agiter sur la scène nationale. Dès que la cause de monopole fut abrogée, il entreprit de faire ce que Stephen avait toujours craint: il négocia avec le Northern Pacific Railroad pour que celui-ci achève et fasse fonctionner le Red River Valley Railroad. Quand les administrateurs du Canadien Pacifique essayèrent par injonction d'empêcher la construction d'une ligne secondaire de ce nouveau réseau, Joseph Martin, procureur général de Greenway, fit protéger les travaux par un groupe de policiers volontaires. Pendant quelque temps, il y eut risque d'un semblant de guerre civile.

Macdonald essayait de maintenir un équilibre précaire entre les adversaires ulcérés et de les obliger à garder chacun leur place, mais il avait beaucoup de difficulté. Il écrivit à John Schultz, le nouveau lieutenant-gouverneur de la Province: "Plus je pense à la façon d'agir des Manitobains, et surtout des gens de Winnipeg, plus je suis surpris. Ils semblent décidés à s'aliéner le CPR. Ils traitent la compagnie comme si elle était une ennemie de la Province. Ils sont tellement peu conscients des conséquences de leurs actes qu'ils pressent le CPR d'étendre son réseau et de construire des lignes additionnelles et au même moment, ils donnent des chartes et négocient avec une compagnie étrangère pour qu'elle construise des lignes rivales [57]." La façon d'agir du Manitoba était évidemment inexcusable. Si Greenway décidait de défendre ses extravagances en utilisant de façon fort douteuse son pouvoir législatif, Macdonald était prêt à réutiliser son droit de veto [58]. Il ne comptait supporter aucun des actes absurdes de Greenway. Mais en même temps l'air sinistre de vierge offensée de Stephen ne le convainquait pas entièrement. Il rappela à l'ex-président que le Canadien Pacifique avait lui aussi acquis toute une série de chemins de fer aux États-Unis et que l'on ne pouvait pas blâmer Greenway "de souhaiter pour sa province le plus grand nombre de lignes possible". D'après lui, le pessimisme de Stephen et son amère déception devant la noire ingratitude du peuple canadien dénotaient une beaucoup trop grande sensiblerie de sa part. "Ne soyez pas dégoûté de l'ingratitude des Manitobains. J'ai été assez longtemps en politique pour savoir que la reconnaissance est une chose rarissime en ce bas monde [59]."

L'automne réservait un autre test beaucoup plus dur à Macdonald et à son réalisme politique. Les élections présidentielles américaines approchaient à grand pas. Il y avait tant de points de litige non réglés entre le Canada et les États-Unis qu'il attendait ces élections avec plus d'inquiétude que quatre ans plus tôt. Il écrivit à Lord Lansdowne: "J'espère que Cleveland passera, car si Harrison était élu président, c'est Blaine en tant que secrétaire d'État qui détiendrait le pouvoir réel. Ce qui signifie des ennuis pour le Canada, et pas seulement pendant quatre ans, parce que Blaine fera tout son possible pour se présenter à la présidence aux élections suivantes et entre-temps courtisera les Américains d'origine irlandaise [60]." Le gouverneur général était surpris et effaré par la facilité avec laquelle les deux partis se jetaient dans les bras des Irlando-Américains et par la certitude qu'ils avaient tous les deux recueilli un grand nombre de suffrages en se montrant le plus inamical possible envers l'Angleterre et le Canada [61]. Même Macdonald qui pensait connaître la politique américaine fut quelque peu désarçonné par la violence de la campagne électorale. Un électeur républicain assez peu connu réussit à envenimer encore les relations anglo-américaines en jouant le jeu d'un l'*agent provocateur*.* Il écrivit à l'ambassadeur britannique en poste à Washington. Se faisant passer pour un Anglais naturalisé Américain de Murchison, il lui demanda conseil pour savoir pour qui voter. Sir Lionel Sackville-West, c'est à peu près à ce moment-là qu'il devint Lord Sackville of Knole, répondit imprudemment qu'à son avis le Parti démocrate semblait souhaiter vouloir maintenir des relations amicales avec la Grande-Bretagne et semblait prêt à régler toutes les questions litigieuses avec le Canada. Le 24 octobre, les organisateurs républicains publièrent la lettre. Deux jours plus

---

*N.D.T.: en français dans le texte.

tard, embarrassé par cette ingérence de l'ambassadeur britannique dans la politique intérieure américaine et bien conscient qu'un sentiment amical envers l'Angleterre et le Canada était perçu comme un vrai crime politique, Cleveland renvoya Lord Sackville en Angleterre ("un des plus jolis coups de pied que vous ayez jamais donné", commenta un de ses partisans enthousiaste [62].

Macdonald avait rappelé à Stephen: "Il n'y a pas moyen de savoir jusqu'où peuvent aller les yankees pour dramatiser la situation politique [63]." Il était navré pour Lord Sackville, même s'il pensait que le piège dans lequel il était tombé était un peu gros [64]. Il ne fut pas surpris de la défaite de Cleveland et de la nomination de Blaine comme secrétaire d'État. "(...) Nous devons prendre les choses comme elles viennent", avait-il écrit à Lord Lansdowne au début de la campagne au moment où il espérait encore que Cleveland serait élu. Il essayait maintenant de se réconforter à l'idée que son travail et celui de Tupper serait facilité du fait qu'Harrison contrôlait entièrement les deux Chambres au Congrès et qu'il n'aurait à faire face à aucune obstruction organisée, au contraire de son prédécesseur, s'il souhaitait la réconcialiation. Le traité sur les pêcheries était toujours en suspens. Les négociations pour régler le contentieux de la mer de Bering n'avaient pas encore débuté. Une bonne demi-douzaine de questions en matière de commerce, de transport et de communications n'étaient, au grand regret de Macdonald, pas encore réglées. Il était toujours intéressé à l'installation d'un câble sous-marin dans le Pacifique et à la création d'un service maritime subventionné entre Vancouver, l'Australie et l'Extrême-Orient. Il était disposé à accorder de larges subventions à une ligne express de vapeur dans l'Atlantique entre Halifax et Montréal. Il y avait une quantité de sujets qu'il aurait aimé discuter avec le gouvernement britannique. Malheureusement, il dut reporter à plus tard la visite en Angleterre qu'il avait prévue pour l'automne. Mais, comme il le dit à Tupper, il avait bon espoir que la session de 1889 serait courte. Et si elle l'était, il se dépêcherait de partir au printemps.

Sur le plan intérieur, il y avait de bonnes raisons de reprendre espoir. Selon toutes apparences, l'opposition organisée n'était plus aussi formidable qu'elle l'avait été douze mois plus tôt. Les Premiers ministres des provinces, après un dernier inutile effort pour amener Macdonald à discuter des résolutions de la Conférence interprovinciale, avaient tacitement renoncé à leur projet de réforme de la Constitution [65]. L'attaque contre la prééminence du Dominion avait échoué. L'énervement qui avait entouré l'affaire des chemins de fer manitobains semblait se calmer. Le retour de la prospérité économique avait affaibli l'enthousiasme pour la réciprocité inconditionnelle avec les États-Unis. Il n'y avait plus moyen d'en douter. Les beaux jours étaient revenus. "Dans l'ensemble, la récolte au Manitoba et dans le Nord-Ouest a été excellente", écrivit Macdonald à George Stephen vers la fin d'octobre, "et comme les prix sont bons, tout le pays est content, sauf à Prince-Albert et dans le nord de la Saskatchewan où rien n'a poussé." Dans certaines régions, cela allait plus mal qu'ailleurs bien sûr, mais dans l'ensemble, le Dominion retrouvait sa bonne humeur et sa confiance en l'avenir. Au début de janvier, tout heureux, Macdonald dit à Stephen: "L'esprit d'entreprise est en train de renaître au Canada [66]."

Une autre année venait de s'achever. Le 11 janvier, il écrivit au professeur Williamson: "Je fête aujourd'hui mes soixante-quatorze ans. Cela porte à réfléchir. Je me porte assez bien pour mon âge, mais je ne puis espérer que cela durera bien longtemps. Mon travail s'accroît plus vite que le nombre de mes années. Il va falloir bientôt penser m'arrêter [67]." Il allait bientôt devoir penser s'arrêter ou la mort viendrait le prendre avant même qu'il ait eu le temps de prendre de vraies vacances. Sa soeur Louisa était morte cet automne-là. Pendant de longues années, elle avait été souvent malade. Il avait souvent dû affectueusement la gronder à cause de ses imprudences exactement comme jadis, aux Stones Mills et à Hay Bay, Margaret et lui avaient protégé le bébé "Lou". Vers la fin d'avril pourtant, le médecin lui donna des nouvelles satisfaisantes de sa santé. Il la réprimanda gentiment: "Il m'a dit sans mâcher ses mots que tu refuses de rester tranquille. Le repos complet, m'a-t-il dit, est la meilleure médecine, et tu ne veux pas (...) Ma chère Louisa, il faut vraiment que tu prennes mieux soin de toi, sinon nous allons nous disputer [68]." Elle lui avait ressemblé physiquement et elle avait beaucoup de sa vivacité et de son type d'esprit. Elle avait tenu bon, fragile, gentille, indomptable pendant toutes les années de faiblesse et de souffrance. Mais elle était morte à présent. Maria Macpherson, la soeur de sa première femme Isabella, restait le dernier lien avec le passé.

Tout était en train de changer, même son environnement quotidien. À la fin de 1888, la famille Macdonald quitta les appartements qu'elle avait loués et où elle avait vécu pendant l'automne pour se réinstaller à Earnscliffe dans une maison redécorée, agrandie et améliorée. "Reynold's House" quand Macdonald l'avait acheté six ans plus tôt était agréable, mais un peu petite. On y avait aménagé une jolie salle à dîner neuve et construit un petit bureau supplémentaire qui lui était exclusivement destiné. La maison réaménagée convenait mieux à un Premier ministre qui avait de nombreux visiteurs, un abondant courrier à tenir à jour et qui recevait beaucoup. "Agnes est très fière", écrivit-il au professeur Williamson [69]. Lui-même était assez satisfait des travaux de rénovation. Après trois quarts de siècle, la demeure qu'il habitait convenait enfin au travail auquel il avait consacré sa vie. Il y avait vécu les cinq dernières années. Il y mourrait sans doute. Il pourrait peut-être, qui sait, y prendre sa retraite et profiter de quelques années de tranquillité.

Les rénovations d'Earnscliffe étaient pour les Macdonald une façon de dire adieu aux tristes et ternes années du passé récent. Macdonald était incapable de vivre dans le passé. Il fallait qu'il vive dans le présent et pour l'avenir. Ses perspectives personnelles et celles de son pays étaient meilleures et plus encourageantes. La prospérité revenait. Et la prospérité était un solvant extraordinaire qui venait à bout des plus graves difficultés. La prospérité calmait les esprits nerveux. N'allait-elle pas réussir à rejeter dans l'ombre les politiciens extrémistes du genre d'Honoré Mercier et de Thomas Greenway? Macdonald était enclin à le penser. Il confia assez confidentiellement à Stephen: "À l'Est, Mercier est en train de se détruire, tout comme Greenway d'ailleurs à l'Ouest. J'espère être débarrassé d'ici peu de ces deux fripouilles [70]."

Aucun espoir n'aurait pu s'avérer aussi trompeur!

## VI

Honoré Mercier était le prototype de cette nouvelle génération de politiciens canadiens provincialistes et véhéments qui avaient fait leur apparition au moment du grand remue-ménage provoqué par l'affaire Riel. En 1887, il avait essayé d'orchestrer une attaque contre l'unité du Dominion. Et maintenant, en présentant un projet de loi pour régler la dispute concernant les Biens des Jésuites, il ressortait soudainement une question qui menaçait sérieusement la bonne entente culturelle du pays. La controverse sur les Biens des Jésuites était exactement le genre de dispute politico-religieuse qui avait dressé les Canadiens francophones et anglophones les uns contre les autres au cours des années 1850 et que les Pères de la Confédération avaient essayé d'empêcher de renaître par certaines dispositions de l'Acte d'Amérique du Nord britannique. Une fois de plus, on ressoulevait le vieil et épineux problème des relations entre l'Église et l'État. Les années précédentes, le dispositif national de Macdonald avait souffert de toutes sortes de faiblesses sur le plan intérieur et d'attaques extérieures, à la fois sur le plan constitutionnel, politique et économique. Et voilà que ressurgissait une calamité plus ancienne et pire encore: le conflit culturel.

La question était complexe, et à maints égards hautement contestable. La Société de Jésus originelle, qu'un bref papal avait en 1773 supprimée dans tout le monde catholique, possédait de vastes biens en Nouvelle-France avant la conquête britannique de 1763. En 1800, après la mort du dernier des jésuites, la Couronne avait confisqué ces biens. En 1831, ils avaient été alloués en dotation à la Législature du Bas-Canada qui les gérait et les administrait pour financer le système d'éducation de la province. À partir de 1860, époque où ils se réétablirent au Canada-Est, les jésuites commencèrent à faire de plus en plus de pressions pour obtenir un dédommagement pour leurs avoirs perdus. Les revendications de la Société de Jésus étaient vigoureusement contestées par les évêques catholiques qui prétendaient que les propriétés des ordres religieux supprimés par bref papal revenaient à la hiérarchie des diocèses où ils se trouvaient. Mercier décida de mettre terme à la dispute en ménageant un règlement final qui aurait l'approbation du pape. La loi sur les Biens des Jésuites, adoptée par la Législature du Québec au cours de l'été 1888, réglait les demandes de compensation contradictoires en accord avec la décision du pape. La loi prévoyait que les différents plaignants se partageraient une somme de quatre cent mille dollars. En outre, soixante mille dollars revenaient au Comité protestant pour l'instruction publique du Québec.

L'opposition à la loi se développa lentement mais sûrement. Au cours de l'automne et de l'hiver 1888-89, cette opposition se fit de plus en plus vigoureuse et convaincue. Pourquoi, demandaient les éditorialistes des journaux protestants et les chefs laïques, les évêques ou les jésuites devaient-ils recevoir une compensation? Un bref papal ne pouvait conférer aucun droit de propriété dans un pays britannique. Une nouvelle Société de Jésus ne pouvait faire sienne les réclamations d'une corporation qui n'existait plus pour la seule raison qu'elle s'était appropriée le même nom. La sécularisation des Réserves du Clergé avait réglé une fois pour toutes la question des subventions publiques aux organismes religieux. Il n'était ni sage ni juste de s'écarter de cette décision au bénéfice d'une seule communauté religieuse. Et il était particulièrement inadmissible que l'on s'écartât de la règle pour des biens que la province gérait déjà à des fins éducatives. Finalement, et c'était peut-être l'aspect le plus grave de l'accusation, on avait fait appel à l'autorité du pape pour parvenir à un règlement, et l'échange de correspondance entre le pape et Mercier avait été publié *in extenso* en préambule à la loi. Pour toutes ces bonnes et plus que suffisantes raisons, les adversaires de la loi sur les Biens des Jésuites se mirent à faire pression sur le gouvernement du Dominion pour qu'il invalide cette mesure législative des plus injustes. En janvier 1889, les premières pétitions importantes réclamant la non-ratification de la loi arrivèrent à Ottawa.

Une semaine avant Noël, Tupper avait demandé par télégramme: "Ai-je raison d'assurer au comte de Norfolk que le gouvernement n'opposera pas son veto à la loi sur les Biens des Jésuites?" [71] Macdonald répondit que le problème serait réglé vers la mi-janvier. Pour certaines raisons, qu'il ne pouvait ou ne voulait pas expliquer, quelques ministres souhaitaient réfléchir un peu à la question [72]. Vers le milieu de janvier, les pétitions continuaient d'affluer à Ottawa et l'agitation populaire prenait de l'ampleur. Il n'était plus temps de temporiser. Le gouvernement s'empressa d'annoncer qu'il n'avait pas l'intention d'opposer son veto à la loi sur les Biens des Jésuites. Macdonald était entièrement d'accord avec la décision, mais il n'était pas d'accord avec certaines des phrases du préambule de la loi. Il était porté à croire qu'on les y avait peut-être placées dans le but exprès de le provoquer et de l'amener à exercer un droit de veto qui aurait été injustifié et irréfléchi. Mais il ne se laisserait pas avoir. Le veto n'était pas nécessaire et n'aurait pas été sage. Il expliqua à un pasteur protestant que le Dominion n'avait pas à agir au nom de l'intérêt national contre une mesure qui n'avait aucune implication sur les autres provinces [73]. Le Dominion ne voulait pas intervenir. Et il ne faisait pas de doute pour lui que l'agitation cesserait rapidement dès qu'il annoncerait sa décision avec fermeté.

Mais l'agitation ne cessa pas. Au contraire, le débat se fit plus général et plus passionné. La question du veto à la loi sur les Biens des Jésuites avait toutes les chances de rebondir au Parlement. Et, ce qui était plus dur à supporter encore, il était très probable que la question ne serait pas soulevée par quelque réformiste calviniste, mais bien par celui qui avait failli devenir le chef des conservateurs, Dalton McCarthy. McCarthy, comme Greenway et Mercier, était un politicien typique des temps nouveaux. Moins de cinq ans plus tôt, il avait abruptement refusé le poste de ministre de la Justice que lui offrait Macdonald. La période de récession et la Rébellion du Nord-Ouest l'avaient évidemment passionné plus que la routine administrative et les compromis du pouvoir n'y parviendraient jamais. Au continentalisme nord-américain de Cartwright, il avait opposé la fédération impériale. Ses amis et lui comptaient maintenant confronter le séparatisme catholique et canadien-français de Mercier avec l'idéal d'un Canada anglophone unifié et soumis à la Couronne britannique. "On m'a demandé de vous faire savoir", informa-t-il Macdonald dans une lettre datée du premier mars,"qu'à trois heures ou pendant la période de questions, O'Brien se propose de demander que l'on discute le plus tôt possible de la question du veto à la loi sur les Biens des Jésuites [74]."

Le Parlement avait repris ses travaux le 31 janvier. Macdonald n'en était pas réjoui. "Je suis en bonne santé, mais la perspective d'une autre session m'ennuie plutôt", avait-il dit à George Stephen. Le printemps et la prorogation étaient loin. Le vrai problème qui justifiait ses vagues appréhensions venait de se poser. Le 15 mars, il convoqua une réunion du caucus du Parti. La grande majorité des députés conservateurs l'appuyèrent pour demander à W.E. O'Brien de retirer la motion qui demandait au gouvernement du Dominion d'opposer son veto à la loi sur les Biens des Jésuites. Les demandes furent sans effet. O'Brien, McCarthy et le petit groupe de députés qui les appuyait persistèrent dans leur décision, même si leur résolution équivalait presque à un vote de non-confiance à l'égard du gouvernement conservateur [75]. Ils offrirent bien sûr de démissionner du Parti. C'était évidemment la dernière chose que souhaitait Macdonald. Il espérait maintenir l'unité et la force du conservatisme et empêcher la politique de parti au Canada de tomber dans le fanatisme des querelles de "race" et de religion. "Je serais désolé", écrivit-il au colonel O'Brien le 20 mars, "qu'un député, quel qu'il soit, se sente forcé d'avoir à quitter le Parti conservateur parce qu'il a voté en faveur de votre motion [76]."

Le grand débat commença le mardi 26 mars. Macdonald y prit relativement peu de part. Si John Thompson assuma la défense de la position gouvernementale. Le modéré qui avait accepté le poste de ministre de la Justice répondait à l'extrémiste qui l'avait refusé. Macdonald ne se leva pour prendre la parole que très tard dans la nuit du jeudi, après trois jours de débat. Pendant quelques minutes, il s'amusa et amusa la Chambre en félicitant les libéraux pour leur belle unanimité à défendre la politique de non-intervention du gouvernement dans les affaires provinciales. Mais il consacra le gros de son discours à évoquer les luttes politico-religieuses de ses débuts et à demander que l'on fasse appel à la raison pour éviter que ne renaissent les tristes antagonismes de race et de religion. "Quelles seraient les conséquences d'un veto?" demanda-t-il à la Chambre. "L'agitation, la dispute, le début d'une guerre religieuse et raciale! Il serait fait préjudice aux intérêts supérieurs de la nation. Notre crédibilité à l'extérieur serait gravement compromise et, au pays, la bonne entente sociale serait détruite [77]." Pour toutes ces raisons, Macdonald espérait que la révolte de McCarthy et de ses partisans ne gagnerait pas le reste du pays. C'est la raison pour laquelle, une heure plus tard, après le vote final, Macdonald ne put s'empêcher de pousser un immense soupir de soulagement. Seuls treize députés, huit conservateurs, dont O'Brien lui-même, et cinq libéraux, avaient voté en faveur de la motion. Cent quatre-vingt-huit avaient voté contre [78]. La question était donc close, et bien close. Les "treize valeureux", encore appelés les "douze disciples du diable", avaient pu exprimer leur opinion. Il fallait respecter l'affirmation de leurs convictions profondes. Il n'y aurait ni expulsions ni récriminations. Maintenant qu'on avait eu l'occasion de discuter raisonnablement de toute la question et qu'on avait pris une décision fondée sur la raison, la nation pouvait retrouver la paix.

Mais la paix n'était pas pour demain. Le 25 mars, un jour avant le début du débat à la Chambre des Communes d'Ottawa, à Toronto, un grand meeting de masse décida qu'il était du devoir de tout citoyen canadien d'utiliser les moyens légitimes en son pouvoir pour empêcher que la loi sur les Biens des Jésuites n'entre en vigueur. Une assemblée plus vaste encore était prévue pour le 22 avril. Le comité des citoyens de Toronto annonça que McCarthy y prendrait la parole. L'avertissement était clair: McCarthy se proposait d'enlever au Parlement canadien la question des Biens des Jésuites pour la porter au jugement du peuple canadien. Au début d'avril, comme pour souligner qu'il avait décidé de choisir l'indépendance, il démissionna de la présidence de l'Union libérale-conservatrice d'Ontario. Macdonald essaya de lancer un dernier appel à cet homme qu'il avait admiré, qui avait été un de ses partisans et qui était son ami. Il lui demanda de revenir sur sa démission et de mettre un terme à cette agitation dénuée de sens, née de pulsions primitives et qui risquait de diviser le Parti et le pays [79]. McCarthy se montra inflexible. La question essentielle en politique canadienne, répondit-il à Macdonald, n'est pas de savoir si le Canada sera ou non annexé aux États-Unis, "mais plutôt si ce pays sera anglais ou français" [80]. Des milliers de personnes surexcitées semblaient vouloir prendre position. Au début de juin, huit cents délégués ontariens formèrent à Toronto l'Association pour l'égalité des droits. Le 24 juin, jour de la Saint Jean-Baptiste, Mercier et une pléiade d'orateurs canadiens-français prononcèrent une série de discours qui étaient autant d'orgueilleuses ripostes.

L'été de Macdonald était réglé! La loi sur les Biens des Jésuites était arrivée à Ottawa le 8 août 1888. À compter de cette date, le gouverneur général en conseil avait un an pour y opposer son veto. À mesure qu'approchait le jour final et fatidique, l'agitation se faisait de plus en plus véhémente. Macdonald écrivit à Lord Lansdowne: "Les ultras protestants sont en train de devenir littéralement fous. Je ne puis comparer la situation qu'à celle qui avait cours au moment du Complot papiste ou de l'agitation qui a entouré l'agression papale et qui s'est terminée de façon si peu glorieuse, par l'"ecclesiastical Titles Act" de Lord John Russell. Partout en Ontario, on bat le tambour de la religion. L'aversion que l'on éprouve pour les Français contribue beaucoup à l'agitation. Je crois pourtant qu'elle diminuera bientôt, mais je n'aimerais pas d'élections générales en ce moment [81]." Pendant quelques semaines, tout pouvait se passer. Il fallait qu'il reste et continue à garder un regard protecteur sur le pays. Thompson le pressait d'aller en Angleterre. Il ajoutait, pour le rassurer: "Les ministres promettaient de ne pas s'impliquer *beaucoup* jusqu'à votre retour [82]." Mais Macdonald se rendait compte qu'il devait retarder sa mission en Angleterre une fois de plus. Reverrait-il jamais Londres et la façade familière et tranquille du Batt's Hôtel? Il n'y aurait plus de mot de bienvenue de John Rose à Liverpool. Rose était mort. Ce décès avait assombri sa propre existence et avait ravivé en lui la terrible incertitude quant au nombre d'années qui lui étaient encore imparties. Un jour, il y avait près d'un an, il avait dans un moment de dépression écrit à Lord Lansdowne qu'il avait bien peur qu'ils ne se soient vus pour la dernière fois. Et si c'était vrai?

Il avait son lot de soucis et de déceptions. Mais le 7 juin, quand il se rendit à l'Université de Toronto pour y recevoir des mains de son président, Sir Daniel Wilson, un doctorat *honoris causa*, il semblait plus enjoué et détendu que jamais [83]. Sa vivacité physique allait de pair avec sa vivacité intellectuelle. Quand Sir Daniel eut terminé sa présentation, Macdonald sauta sur ses pieds, "avec la souplesse d'un homme jeune" pour aller chercher le diplôme. Après la cérémonie, il était tout souriant. Il rit et serra d'innombrables mains sous les applaudissements nourris des étudiants. Alors qu'il quittait l'auditorium avec W.R. Meredith, il lui demanda en blaguant: "Je me demande si la guerre entre Queen's et Toronto sera plus virulente que l'agitation à propos des jésuites. Qu'en pensez-vous? Si seulement la vie politique était la vie universitaire!" Malheureusement, la querelle qui entourait les Biens des Jésuites était bien différente d'un débat sur l'inscription aux examens. Le 8 août approchait à grands pas, et en même temps, les dernières manifestations qu'organiserait certainement l'Association pour l'égalité des droits. Il avait décidé de rester imperturbable. Avant la fin de juin, il était de retour à Rivière-du-Loup et à sa maison de campagne, Les Rochers. Il écrivit à Thompson qui était resté à son bureau dans la capitale: "Le temps est superbe. Il est encore plus agréable quand on pense que très peu de choses vous séparent de l'enfer, vous qui êtes en train d'attendre et de cuire sous le soleil d'Ottawa [84]."

Il restait à Macdonald une excellente carte à jouer dans la partie qui s'était engagée à propos de la loi sur les Biens des Jésuites. Dès le 31 mai, il avait écrit à Tupper pour le presser d'obtenir du procureur général et du solliciteur général de l'Empire un avis officiel "confirmant la validité et la constitutionnalité" de cette loi si controversée [85]. Le temps passa et la réponse n'arrivait toujours pas. Quand l'avis finit par arriver, Macdonald en trouva le libellé très décevant et très imparfait. Entre-temps, l'Association pour l'égalité des droits avait demandé à rencontrer le gouverneur général pour lui expliquer les raisons qui, selon elle, justifiaient le veto. Hugh Graham, du *Star* de Montréal, offrait cinq cents dollars à quiconque contesterait la constitutionnalité de la loi devant la Cour suprême du Canada. Macdonald n'était pas entièrement satisfait de la façon dont était rédigée la réponse que le gouverneur général se proposait de faire à la délégation de l'Association pour l'égalité des droits [86]. Mais le 2 août, jour de l'entrevue, tout se passa très bien. Selon Lord Stanley, les délégués "se montrèrent très modérés" [87].

"La réponse du gouverneur général a été bien acceptée", écrivit Macdonald fort satisfait à Thompson [88]. "L'admirable article" du ministre de la Justice à propos de la pétition de Graham lui plut également beaucoup. Finalement, vers la fin août, les hommes de loi anglais firent parvenir à Ottawa un texte révisé et plus acceptable sur la constitutionnalité de la loi sur les Biens des Jésuites [89]. Elle fut publiée le 3 septembre, le lendemain du jour où Macdonald quitta Rivière-du-Loup pour la capitale. Il était presque en train de se dire que l'affaire était terminée. Le laps de temps imparti au fédéral pour opposer son veto était échu. La loi sur les Biens des Jésuites était en vigueur. Macdonald se disait que l'agitation était terminée et que le dangereux conflit culturel qu'avait provoqué la loi était sur le point de s'apaiser.

Il se trompait. Entre-temps, McCarthy était parti vers l'Ouest et y ressoulevait toute la question de la langue française et des écoles séparées au Manitoba et dans les Territoires du Nord-Ouest.

## Chapitre quinze

# La dernière élection

## I

Macdonald avait près de soixante-quinze ans. Il affrontait le monde comme un vieux lion, moins fort qu'autrefois et conscient que ses forces s'en allaient, mais toujours puissant et fier d'avoir pu garder le dessus. Il était grand et maigre. Il se tenait droit comme un jeune homme. Sa chevelure aux boucles légères, aux cheveux souples et grisonnants continuait d'évoquer la tignasse de sa jeunesse. Ses yeux semblaient las et désillusionnés. Mais sa bouche était ferme. Elle trahissait sa force et son humour. Son visage n'était pas amer. Il ne semblait pas ni imbu de lui-même, ni hypocrite. Son visage reflétait sa sagesse. C'était celui d'un homme qui avait beaucoup vécu et qui s'était beaucoup battu. Il ne devait d'excuses à personne. Il n'éprouvait aucun regret. Il se tenait debout, l'air à la fois déterminé, à la fois méfiant et débonnaire, désinvolte et courageux.

Il avait survécu à toute une génération de politiciens. Les camarades et les adversaires de ses premières années, MacNab, Hincks, Cameron et Foley, étaient morts ou oubliés. George Brown, le plus grand adversaire de toute sa carrière, était décédé depuis dix ans. Tilley, Campbell et McLelan avaient tous accepté une honorable retraite dorée de lieutenants-gouverneurs. Et cela faisait un demi-siècle que le jeune Alexander Campbell était entré pour la première fois dans son petit bureau de Kingston un jour d'automne de 1839. Il avait vu sept gouverneurs généraux arriver et s'en aller. De temps en temps, l'un ou l'autre lui donnait des nouvelles, mais de façon de plus en plus épisodique. Le vieux Lord Monck qu'un rhumatisme empêchait quasiment de bouger lui avait écrit une fois. La lecture de cette lettre lui avait rappelé tous les projets et les batailles d'il y avait vingt-cinq ans[1]. Il se souvenait de ce fameux premier juillet 1867 quand ils se trouvaient tous dans la salle humide du Conseil privé, "en train de mettre la voiture en marche" comme l'avait dit Monck, tandis qu'au dehors un ardent soleil brillait au-dessus de la colline parlementaire.

Il leur avait survécu à tous. Et ses ressources n'étaient pas encore épuisées. Il n'en était pas encore venu à bout. Il lui semblait qu'il pourrait toujours aller plus loin, et encore plus loin. Campbell parlait de ses "multiples réserves". McLelan lui écrivit plein d'admiration: "Il m'est souvent arrivé, quand le Conseil était embarrassé et que vous remettiez doucement les choses à leur place, de penser à l'expression qu'employait un vieux fermier quand il voyait feu mon père faire quelque chose qui surprenait tous les voisins. Il disait: cet homme possède des roues qui n'ont pas encore été mises en mouvement. J'ai pensé la même chose de mon chef et de ses inépuisables réserves: "des roues qui n'ont pas encore été mises en mouvement" [2]." Macdonald avait rêvé, il avait eu des projets, il avait créé des choses. Le Canada dont il avait rêvé s'était matérialisé dans ses grandes lignes depuis longtemps déjà. Mais Macdonald n'avait pas épuisé son élan créateur et sa capacité de créer. Il restait plus intéressé aux grandes idées qu'aux détails administratifs. Comme un jeune homme, les politiques constructives l'attiraient, et la minutie des travaux de routine l'impatientait. Au cours de l'été 1889, il écrivit à Thompson: "Juste avant de partir, j'ai dit à Bowell que bien sûr, tous mes collègues s'occupent avec soin de leur ministère, mais moi, je n'arrive pas à les intéresser vraiment ou même à leur faire exprimer une opinion sur la politique générale du gouvernement, à moins que je n'en prenne l'initiative. J'ai donné l'exemple de la conférence que vous proposiez avec les colonies d'Australasie. À quatre reprises, j'ai demandé au Conseil d'y réfléchir. Je n'obtiens jamais rien qu'un acquiescement général à tout ce que je propose (...) Bon! C'est flatteur, mais cela ne m'aide pas beaucoup (...) [3]."

Son plus grand échec était peut-être qu'il n'avait pas réussi à s'entourer de lieutenants efficaces qui auraient pu le décharger. Le Cabinet quelques années plus tôt était trop vieux. Des nominations récentes l'avaient bien sûr rajeuni. Mais avaient-elles contribué à l'émergence d'un nouveau chef? Pouvait-il avoir plus confiance en son unité et en sa sagacité? Il secouait tristement la tête en signe de négation. Les meilleurs vétérans continuaient de partir. John Henry Pope, l'un des derniers, était mort en avril après une longue maladie. Langevin était après Macdonald celui qui avait les plus longs états de service. Il avait de l'expérience, il était loyal et patient. Mais c'était un homme terne, dépourvu d'imagination, absorbé par l'ennuyeuse routine et le peu reluisant patronage qui se pratiquait au ministère des Travaux publics. Chapleau était passionné et éloquent, mais il était toujours en train d'essayer d'accroître et de consolider son empire politique. Au printemps de 1889, Macdonald écrivit à Lansdowne: "Chapleau est toujours aussi ambitieux et dénué de scrupules. Il est en train d'inciter ses compatriotes à réclamer pour lui la succession du pauvre Pope au ministère des Chemins de fer. Mais je refuse absolument, car ce poste lui donnerait l'occasion de se livrer à toutes sortes de tripotages auxquels il ne pourrait pas résister. Il serait sans cesse en train d'intriguer et toujours mécontent [4]." Pour finir, et c'était une solution désespérée car il n'avait plus dirigé lui-même de ministère depuis des années, Macdonald décida d'assumer lui-même la fonction de ministre des Chemins de fer et des Canaux. Il avoua plus tard à Tupper: "Je n'en avais pas du tout envie, mais je ne pouvais faire autrement car je risquais la *crise ministérielle** [5]." Chapleau l'aurait certainement provoquée. C'était un collègue difficile, à coup sûr beaucoup plus difficile que Caron. Mais Caron lui-même se mettait toujours dans le pétrin à cause de son imprudence et de son entêtement, puis à la dernière minute, il parvenait "à s'en sortir grâce à son remarquable talent pour manipuler les foules".

Les autres, pour la plupart, ne valaient guère mieux. Ils étaient peut-être mêmes pires. Les Irlandais, Frank Smith et John Costigan, étaient fantasques et peu fiables. Il y avait des moments encourageants où Costigan "faisait semblant d'être modéré" et parvenait à donner le change pendant un bout de temps. Mais ensuite il y avait des périodes déplorables où il oubliait ses devoirs et Macdonald devait le menacer de l'obliger à démissionner [6]. Dewdney qui avait été lieutenant-gouverneur des Territoires du Nord-Ouest pendant les troubles de 1885 était entré au Cabinet. Mais sa nomination comme ministre de l'Intérieur avait provoqué une vive opposition des Canadiens français. Charles Hibbert Tupper, fils du haut commissaire, était un autre jeune nouveau ministre. Macdonald l'admirait, même s'il restait critique à son égard. Il écrivit franchement à Thompson: "Charley a hérité de l'outrecuidance de son père. Il faudra le remettre à sa place dès le départ [7]." Tous, même les plus jeunes et les plus prometteurs, avaient leurs manies, leurs faiblesses et leurs défauts. Le Cabinet était un fardeau autant qu'un appui. Pour sauvegarder sa tranquillité, il avait été obligé à soixante-quatorze ans de prendre lui-même la direction d'un important ministère. Et sur la douzaine de ministres ou plus qu'il avait, il ne pouvait compter finalement que sur un seul homme, John Thompson, son seul soutien solide. Il admirait les documents officiels que rédigeait Thompson. Il lui faisait confiance comme porte-parole du gouvernement dans les grands débats parlementaires et appréciait ses conseils.

Pourtant, avait-il le droit de présumer que Thompson était son successeur logique? Thompson était catholique (il s'était converti au catholicisme). Avait-il le droit, s'il pensait aux intérêts du Parti et de la nation, de

---

*N.D.T.: en français dans le texte.

démissionner en faveur de Thompson? Voulait-il déjà abandonner la direction? La politique était son métier. Il y avait consacré ses plus grands talents naturels. Il les avait développés grâce à l'expérience de toute une vie. Il ne voyait pas de charge honorable qu'il pourrait accepter en guise de retraite ou de semi-retraite et pour remplacer la tâche à laquelle il avait consacré sa vie. Tupper qui avait pu se rendre compte à loisir de "l'ignorance crasse concernant tout ce qui est canadien" qui prévalait alors à Washington, pressait Macdonald de prendre le poste dont Lord Sackville avait été si peu cérémonieusement chassé au cours de l'automne 1888. Il écrivait: "Si j'étais à la place du gouvernement de Sa Majesté, je vous anoblirais et vous offrirais le poste d'ambassadeur à Washington (...)." [8] Mais cette suggestion, même si elle avait été sérieusement envisagée, n'aurait pas intéressé Macdonald. Il ne voulait ni le poste ni le titre de noblesse.

Non bien sûr qu'il ait eu la moindre objection à ce que des Canadiens reçoivent des honneurs! Au contraire, il avait toujours pensé que "l'idée de la monarchie devait être renforcée dans les colonies et qu'il fallait ménager la possibilité d'atteindre une classe sociale plus élevée". Et il avait toujours espéré que les sujets du royaume du Canada "considèrent la Reine et Impératrice comme principale dispensatrice d'honneurs" [9]. Mais il savait, et Agnes le savait aussi, qu'il n'avait pas les moyens de supporter avec dignité les charges inhérentes à un titre de noblesse. Agnes avait écrit une fois à Louisa: "Vous pouvez être certaine qu'il n'acceptera *jamais* d'être anobli. Cela nous rendrait tous les deux ridicules. Et même si on a très souvent dit du mal de nous, je crois humblement que nous n'avons jamais été ridicules. Rien ne m'attristerait plus que de le voir devenir, lui, le plus désargenté des hommes, un *très pauvre seigneur*... Je sais ce qu'il en pense. Je suis *absolument certaine* qu'il ne commettra jamais la grande erreur d'accepter un titre de noblesse [10]." Macdonald n'accepterait pas l'honneur que Tupper, et beaucoup d'autres sans doute, était prêt à réclamer pour lui en haut lieu. De plus, le poste que Tupper espérait lui voir attribuer en reconnaissance pour les services rendus ne lui souriait pas.

Le poste d'ambassadeur britannique à Washington était, il le savait, le seul poste suffisamment prestigieux qu'on pouvait lui offrir s'il se retirait de la vie politique active. Il n'était pas comme Howe dont toute la vie avait été empoisonnée par la quête malheureuse et vaine d'une nomination impériale de prestige. De toutes manières, il n'était pas convaincu que le poste de Washington puisse être pour le moment occupé par un Canadien quel qu'il fût. Il avait écrit à Tupper: "Je doute énormément qu'il soit pertinent d'envoyer un ambassadeur canadien en permanence à Washington. Le système actuel qui consiste à adjoindre un Canadien à l'ambassadeur britannique habituel chaque fois qu'il est question de problèmes qui touchent le Canada fonctionne à merveille. Il est meilleur que les changements que l'on propose. Je ne vous ennuierai pas par de longs arguments. Réfléchissez-y un moment et je suis sûr que vous serez d'accord avec moi [11]." Les objections qui militaient contre la proposition de Tupper lui semblaient si évidentes qu'il n'éprouvait pas même le besoin de les énumérer. Par ailleurs, si Tupper s'entêtait à ne pas se laisser convaincre, il restait selon Macdonald un ultime et irréfutable argument. Comment pourrait-il y aller? Il écrivit à Tupper un peu plus tard: "Qu'en est-il de l'ambassade à Washington? Qu'il me suffise de dire que pour le moment ni vous ni moi ne pourrions accepter le poste si on nous l'offrait. Et je ne vois pas d'autre Canadien qui fasse l'affaire, à l'exception peut-être de Thompson [12]."

Macdonald ne pouvait pas partir. Il ne pouvait quitter le Canada. Il pensait instinctivement que sa seule place était à Ottawa. Il n'était bien sûr pas naïf au point de s'imaginer indispensable. Les illusions sur les choses et les gens, y compris sur lui-même, étaient des éléments coûteux d'un ameublement mental et elles ne lui encombraient pas l'esprit. Mais il avait tout au fond de lui-même la conviction un peu vague qu'aussi longtemps qu'il en était physiquement capable, il devait continuer de veiller sur le pays qu'il avait créé. Toute sa vie lui avait à peine suffi pour compléter l'oeuvre qu'il avait imaginée. Depuis cinq ans, on l'avait presque constamment obligé à rester sur ses gardes. Mais certains signes tendaient à montrer que l'agitation dans le pays était en train de se calmer. Et il avait certaines raisons de croire que les attaques dont il était l'objet étaient moins véhémentes. Au cours de l'été 1889, il était revenu à certaines affaires importantes laissées en suspens. Le sénat américain avait rejeté le traité sur les pêcheries. Les relations canado-américaines étaient donc extrêmement peu satisfaisantes. Il y avait un autre point qu'il n'avait pas encore développé et approfondi autant qu'il l'aurait voulu: le système commercial canadien est-ouest, transcontinental et transocéanique allant jusqu'en Europe d'une part et jusqu'en Extrême-Orient de l'autre.

Macdonald n'était pas partisan d'une fédération impériale. Il savait que la fédération impériale, en partie à cause de l'impopularité de ses avocats canadiens, était devenue profondément suspecte au Canada français. Il était hors de question de mettre au point d'ambitieux projets de défense au niveau de l'Empire ou d'une union commerciale impériale. Mais il était toujours aussi convaincu que l'alliance avec l'Angleterre et l'association avec les autres nations en voie de développement de l'Empire et du Commonwealth étaient les garants les plus sûrs de l'autonomie politique canadienne et de son indépendance fiscale et commerciale. En réaction à la proposition libérale de réciprocité commerciale inconditionnelle avec les États-Unis, il écrivit: "Cela me semble tout à fait insensé de proposer à toutes fins pratiques de limiter nos échanges commerciaux étrangers aux seuls États-Unis alors qu'il existe de telles possibilités pour le développement de notre commerce avec le reste du monde. Notre véritable politique doit être de développer des liens commerciaux plus étroits avec l'Angleterre et avec les colonies britanniques. Le Canada est déjà en communication avec l'Australie pour cela et, si j'interprète bien les signes du temps, l'Angleterre d'ici peu pensera plus à ses enfants et moins aux étrangers qu'elle ne l'a fait jusqu'à présent [13]."

Il avait toujours espéré bien sûr que dès que le Canada et les autres colonies auraient prouvé qu'ils étaient capables d'approvisionner le Royaume-Uni et de lui fournir les produits dont il avait besoin, la Grande-Bretagne se laisserait persuader d'établir des tarifs préférentiels sur les denrées alimentaires. "Je crains pourtant", écrivit-il à un correspondant britannique, "que le fétiche du libre-échange ait encore trop d'admirateurs en Angleterre pour que cela se produise. Mais le jour viendra et nous devons attendre [14]." En attendant, il était décidé à explorer les perspectives d'une amélioration des communications et d'un accroissement du commerce avec l'Australasie et l'Extrême-Orient. Le ministre des Postes britannique avait fini par signer un contrat avec le Canadien Pacifique pour le transport du courrier vers la Chine. Au cours de l'été, Macdonald avait étudié la composition d'une mission canadienne qui serait conduite par J.J.C. Abbott et qui devrait se rendre en Australie et en Extrême-Orient pour discuter de diverses questions comme l'installation d'un câble sous-marin dans le Pacifique, la création d'une ligne de paquebots, et la possibilité d'améliorer les relations commerciales avec les différents gouvernements australiens [15]. Avant la fin de l'été, il s'aperçut que le calendrier politique australien était très différent de celui des Canadiens et que toutes les législatures australiennes siégeraient pendant l'automne. L'"expédition" d'Abbott aux antipodes devait être reportée au printemps 1890 au moment où, espérait-on, le Parlement canadien serait prorogé.

Mais il y avait plus important et plus immédiat que l'Australie. Il y avait les États-Unis. Et il était urgent d'en venir à un consensus préliminaire avec le Royaume-Uni sur tous les points importants qui portaient à discussion avant que les négociations avec les États-Unis n'aillent dangereusement trop loin. Macdonald avait écrit à Thompson assez tôt au début de l'été: "Je voudrais votre avis sur la position à adopter concernant les yankees. D'après la note de Pauncefote au gouverneur général, il est clair que Lord Salisbury ne bougera pas, mais qu'il attendra que les États-Unis le fassent. Et *eux* ne bougeront pas. Devons-nous agir nous-même? Si oui, en quel sens? Le *modus vivendi* vient à échéance au mois de février prochain et nos problèmes recommenceront. Nous ne devons pas jouer aux vierges offensées et attendre en nous fermant les yeux. J'attends une réponse [16]."

Il n'eut pas à attendre longtemps. Un peu plus d'une semaine plus tard, il reçut une longue réponse, très détaillée, du ministre de la Justice. Thompson était d'avis de faire tout suite "des avances" aux États-Unis. D'après lui, il y avait au moins trois questions importantes dont le règlement était d'une importance vitale pour le Canada: la mer de Bering, les pêcheries de l'Atlantique nord et les relations commerciales. Macdonald était d'accord. Mais il savait que rien de sérieux ne pouvait être entrepris avant l'automne et il était convaincu qu'il ne fallait faire aucun geste préliminaire avant que chacun des points énumérés par Thompson ait été discuté en profondeur avec les officiels de Londres. Cela faisait plusieurs années qu'il espérait en vain traverser l'Atlantique et se rendre en Angleterre. Agnes avait dit un jour à Louisa: "je n'ai jamais vu personne à qui les voyages faisaient autant de bien qu'à lui." La traversée par mer et Londres qui se trouvait de l'autre côté représentaient pour lui un plaisir physique et intellectuel qu'il s'était promis depuis longtemps et qu'il avait dû régulièrement remettre à plus tard, à cause des différents périls auxquels il avait été obligé de faire face. Mais pourquoi reporter encore le voyage? Pourquoi ne pas partir cet automne-là, avec un autre ministre, Thompson de préférence, et avoir là-bas des discussions approfondies sur toutes les questions litigeuses entre le Canada et les États-Unis?

Cette décision lui souriait. Mais presque aussitôt, s'il y réfléchissait plus à fond, le doute l'assaillait. Était-il vraiment recommandé de partir? Il écrivit à Thompson: "Le principal obstacle, si nous partions vous et moi, serait que le Conseil risque de commettre des erreurs dans l'Affaire des Jésuites et de nous compromettre sur d'autres questions. Pendant notre absence le Québec et les Maritimes feraient d'énormes pressions sur le Conseil [17]." Le Cabinet, ne pouvait-il s'empêcher de penser, est un mélange malheureux de vétérans peu fiables et d'apprentis inexpérimentés. Pouvait-il compter sur lui au moment où de telles difficultés pointaient à l'horizon. Il était vrai que l'agitation qui avait entouré la loi sur les Biens des Jésuites avait diminué. Mais, comme il l'avait dit à Lord Lansdowne, elle ne s'était pas apaisée "sans conséquences malheureuses". Il lui expliqua: "Elle a ravivé les sentiments hostiles entre Anglais et Français que le temps avait presque réussi à éteindre, et cela pourrait mener à une situation désastreuse [18]." Un peu plus tôt, il s'était félicité de ce que l'agitation se fût confinée à l'Ontario et au Québec. Mais le Canada dans son ensemble était devenu un pays prêt à prendre feu et sur lequel soufflait avec violence un vent de discorde et d'énervement. Avant la fin de l'été, le Manitoba, la plus énervée de toutes les provinces, avait été la proie d'une nouvelle controverse.

Dalton McCarthy était parti à l'Ouest durant l'été. Au début d'août, il avait prononcé deux discours, le premier à Portage la Prairie, le second à Calgary. Et aux deux endroits, il avait répété son nouvel évangile: il ne fallait pas permettre qu'un "nationalisme" étroit, francophone et paroissial empêche le développement d'une véritable nationalité canadienne par le biais d'écoles particulières et de privilèges linguistiques. McCarthy avait bien sûr déjà à de multiples reprises développé en long et en large de tels arguments. L'importance des discours de Portage la Prairie et de Calgary ne résidait pas tant dans leur nouveauté que dans

*Archives publiques du Canada*

Sir John Thompson

leur pertinence par rapport à la situation du Manitoba et des Territoires du Nord-Ouest. Les paroles de McCarthy auraient difficilement pu tomber plus à pic, à la fois à cause du lieu géographique où elles avaient été prononcées et du moment où il les avait prononcées. Sa seule présence dans l'Ouest sembla devoir précipiter l'expression des convictions des gens de cette région, de ce qu'ils pensaient depuis longtemps, de ce sur quoi ils n'hésitaient pas un instant et qu'ils étaient déterminés à concrétiser immédiatement. Joseph Martin, l'énergique procureur général du Premier ministre Greenway, qui avait demandé un vote de félicitations après le discours de Portage la Prairie, profita de l'occasion pour endosser le plus ostensiblement possible les opinions de McCarthy. En moins de quelques jours, le gouvernement du Manitoba annonça qu'il comptait étudier le problème des écoles séparées et le statut de la langue française à la prochaine session de la législature. Moins de deux mois plus tard, l'Assemblée des Territoires du Nord-Ouest fit une pétition au gouvernement fédéral pour qu'il abrogeât l'article 110 qui précisait les privilèges de la langue française dans la loi sur les Territoires du Nord-Ouest.

## II

Ce fut un automne frustrant et décevant. Rien ne semblait marcher. Une fois de plus, il fallut remettre à plus tard la visite en Angleterre si longtemps différée. La mission en Australie était également remise. Le projet global d'extension et d'amélioration du système commercial canadien semblait partout en butte à des obstacles et à des désagréments. La "ligne courte", qui était le projet d'un service ferroviaire plus rapide entre Montréal et les Maritimes via les États-Unis, n'avait été qu'une longue suite de difficultés et de disputes. En octobre, la firme "Anderson and Company of Scotland", qui avait pratiquement accepté de mettre sur pied un service de vapeurs rapides entre le Canada, l'Angleterre et l'Europe, renonça à son option [19]. Les relations avec le Canadien Pacifique qui dans l'ensemble étaient restées au beau fixe pendant les terribles difficultés de 1884 et 1885 étaient en train de se détériorer rapidement suite à toute une série de désaccords. Il y eut des disputes à cause de la "ligne courte", à cause du choix des terres de la compagnie et finalement, et c'était le contentieux le plus grave, à cause de l'état de la ligne que le gouvernement avait construite en Colombie britannique. Stephen écrivit une longue lettre de récriminations dans laquelle il passait tous ces points en revue. Il se plaignait de "l'injustice et de l'hostilité" dont on avait fait preuve à l'égard de la compagnie. Macdonald en fut littéralement "irrité". Il répondit indigné: "Je ne m'explique pas cette accusation qu'on ait injustement traité le CPR, surtout si vous me la faites à moi et surtout venant de *vous*. Mais il ne sert à rien de se mettre en colère (...) Je vous conseille de lire le roman de Charles Reade, *Put yourself in his Place*. Je suis sûr que vous agiriez comme nous si vous étiez ministre. Mais voilà, vous ne regardez les choses que d'un seul point de vue, je le crains!" [20]

Il y eut beaucoup de disputes du genre. Il y eut beaucoup de déceptions au moment où justement il aurait pu espérer que ces attentes seraient comblées. Le pays était raisonnablement prospère. La plupart des dissensions internes semblaient disparaître. Mais partout où Macdonald avait essayé d'améliorer les relations extérieures du pays, on semblait dans l'impasse. Il avait fallu retarder le projet de réouvrir les discussions avec les États-Unis sur toute une série de questions parce que les discussions préliminaires avec Londres n'avaient pas eu lieu et parce que, jusqu'au remplacement de Lord Sackville mis à la porte de Washington avec si peu d'égards, toute négociation sérieuse entre les deux pays semblait pratiquement impossible. Dans l'intervalle, les États-Unis avaient de nouveau réitéré au cours de la saison 1889 leur réclamation concernant un contrôle de la chasse aux phoques en mer de Bering. Macdonald expliqua à Lord Lansdowne avec un certain réalisme: "Pour faire plaisir à l'"Alaska Company" et aux Irlandais, les vedettes de la douane saisissent les phoquiers de Colombie britannique et pour apaiser Lord Salisbury elles les laissent s'échapper [21]." Cet état de choses fort peu satisfaisant se poursuivit sans changement jusque tard en automne, quand le nouvel ambassadeur britannique, Sir Julian Pauncefote, arriva finalement à Washington. Blaine, le secrétaire d'État américain, demanda immédiatement la reprise des négociations concernant la chasse aux phoques.

Macdonald souffrait d'une bronchite et était confiné à Earnscliffe quand la dépêche annonçant la proposition américaine arriva à Ottawa. Il avait toujours craint que Blaine n'occupât un poste important. Deux ans plus tôt, il avait fait la prophétie suivante à Lord Lansdowne: "Si Blaine était au pouvoir, il ferait tout pour nous nuire sauf la guerre. Et peut-être si l'Angleterre avait des problèmes quelque part ailleurs dans le monde, irait-il plus loin." Et maintenant cet homme, qu'il avait toujours considéré comme l'incarnation du patriotisme revanchard et qu'il croyait profondément hostile au Canada était solidement installé au gouvernement. Blaine était là, un "fait acquis", comme se disait Macdonald, au moins pour un bout de temps. Et Macdonald avait toujours pensé qu'il fallait pouvoir regarder la réalité en face, soit de bon coeur soit avec résignation et essayer d'en tirer le maximum. Il dit à Lord Stanley que le Canada acceptait la proposition mais sous certaines réserves. Il stipula que les Américains devaient retirer leurs plaintes concernant la juridiction sur la mer de Bering, que le Canada devait être directement représenté à la commission conjointe et que les résultats auxquels cette commission aboutirait devaient être soumis à l'approbation du Canada [22].

La réponse arriva rapidement. Elle était très insatisfaisante [23]. Les États-Unis soulignaient qu'ils n'avaient jamais affirmé la doctrine de la *mare clausum* et qu'en conséquence ils refusaient toute responsabilité.

C'était une exaspérante façon de répondre à côté de la question! Si le gouvernement des États-Unis n'avait pas affirmé sa juridiction sur la mer de Bering, pourquoi donnait-il l'ordre à ses fonctionnaires des douanes de saisir les vaisseaux canadiens en haute mer? Dans le brouillon de réponse qu'il rédigea pour Lord Stanley, Macdonald traita honnêtement de cet important aspect de la question. Mais la réplique américaine comportait deux autres points qui le troublaient à peine moins. Le premier était la préférence marquée de Blaine pour une "réunion diplomatique" informelle plutôt que pour une commission. Le second était son refus catégorique qu'un représentant officiel canadien assistât aux négociations. Macdonald n'avait pas confiance aux "réunions diplomatiques": les États-Unis auraient trop beau jeu de contester ou de remettre en question leurs incertaines conclusions. Mais il trouvait encore plus déplaisant l'effort évident que faisait Blaine pour affaiblir la position diplomatique canadienne. Bien sûr, c'était l'intérêt des États-Unis, pour toute négociation concernant l'Amérique du Nord britannique, de ne traiter qu'avec la Grande-Bretagne que le sujet n'intéressait qu'indirectement. Mais était-ce le seul objectif de Blaine? À de nombreuses reprises, sur une période de plusieurs années, le secrétaire d'État s'était montré constamment hostile vis à vis de l'Amérique du Nord britannique. Ce dernier refus ne trahissait-il pas un état d'esprit plus général et moins clairement défini, à savoir le désir de retarder, de gêner, de faire avorter le développement national du Canada?

Malgré tout, et Macdonald le savait très bien, il ne pouvait renoncer à l'espoir d'une rencontre. La seule alternative aurait été de résister ouvertement à cette politique de police qu'exerçaient les États-Unis sur la région contestée. Et la perspective déjà évoquée d'envoyer un bâtiment de guerre en mer de Bering pour protéger les phoquiers canadiens inquiétait profondément Macdonald. Vers la fin d'octobre, il avait écrit à Tupper: "Je risque d'être mal compris en Colombie britannique, mais j'avoue ne pas aimer l'idée d'un bateau de guerre britannique en mer de Bering. Il n'y aura pas moyen d'éviter des incidents. Les officiers américains les provoqueront peut-être. Auquel cas, cela ne produira peut-être pas la guerre, mais Blaine pourrait profiter de l'occasion pour rompre toutes relations commerciales ou diplomatiques [24]." Il fallait supporter les rebuffades bien calculées de Blaine par crainte d'avoir à endurer quelque chose de beaucoup plus grave. Il fallait accepter avec le plus de bonne grâce possible la délicate suggestion britannique qu'un Canadien serve de conseiller technique à l'ambassadeur en poste à Washington. Le 13 décembre, Lord Stanley télégraphia au ministère aux Colonies: "Le Canada ne comprend pas les objections des États-Unis contre le fait qu'un Canadien soit le représentant direct du gouvernement de Sa Majesté, mais pour éviter tout retard se conforme à la proposition du gouvernement de Sa Majesté sans autre protestation [25]."

Charles Hibbert Tupper, le fils du "vieux cheval de guerre du Cumberland", était le conseiller canadien qui devait assister à la Conférence. Cette dernière n'aurait pas lieu avant la fin de l'hiver. Entre-temps, il fallait rappeler le Parlement. Macdonald avait prévu d'ouvrir la session assez tôt, en espérant qu'Abbott pourrait partir effectuer sa mission en Australie vers la fin de mars et en escomptant s'en aller lui-même faire cette visite trop longtemps différée en Angleterre avant que l'été ne fût trop avancé. Comme il l'avait prévu, le Parlement s'ouvrit le 16 janvier. Il avait beaucoup de temps. Mais déjà, bien avant le début des travaux, Macdonald commença à se rendre compte qu'il serait pratiquement impossible d'épuiser l'agenda en deux mois. La session n'allait pas être facile, au contraire. Elle allait prêter à controverse et promettait d'être orageuse. Le conflit culturel, comme un incendie attisé par un vent déchaîné, s'était étendu depuis l'Ontario jusqu'au Manitoba par-delà les espaces vierges du bouclier précambrien. La violence de la querelle ne s'était pas atténuée. Son caractère avait à peine changé. Aussi longtemps qu'il avait été question de la loi sur les Biens des Jésuites, le débat orageux avait porté essentiellement sur le pouvoir et les privilèges de l'Église catholique. Mais maintenant que l'agitation avait gagné le Manitoba et les Territoires du Nord-Ouest, les attaques étaient axées sur la langue et le système d'éducation. Il était certain que dès l'ouverture du Parlement, Dalton McCarthy déposerait à la première occasion une motion pour abolir les garanties concernant la langue française incluse dans l'Acte des Territoires du Nord-Ouest et qu'un long et acrimonieux débat s'ensuivrait inévitablement.

Il ne pouvait, Macdonald en était très conscient, y avoir le moindre doute sur l'origine et le sens de cette nouvelle contestation dans le Nord-Ouest. C'était la conséquence de l'arrogante dictature de Riel. Exactement vingt ans plus tôt, Riel et ses conseillers spirituels avaient essayé, dans l'intérêt des métis en particulier et des Canadiens français en général, de déterminer d'avance la structure et les institutions de la première province canadienne de l'Ouest. Ils avaient demandé, et obtenu, un système d'éducation particulier, avant même que les citoyens de la rivière Rouge aient étudié la question. Ils avaient imposé un statut provincial à une communauté qui après en avoir longtemps débattu l'avait expressément rejeté. Même en 1870, cette détermination du statut du Manitoba avant que l'on ne fût certain du véritable caractère de la région, n'avait pas été chose facile. Elle avait été possible uniquement parce que Riel et ses conseillers spirituels avaient délibérément falsifié les voeux exprimés par les habitants de la rivière Rouge. Même en 1870, la communauté de la rivière Rouge n'était pas un simple petit Canada français dans l'Ouest. En vingt ans, c'est-à-dire depuis l'adoption de l'Acte du Manitoba, le véritable caractère de la province s'était affirmé de façon de plus en plus évidente. Macdonald avait fait remarquer à Chapleau avec réalisme: "Il n'y a pas de raison particulière de préférer, pour un poste dans l'Ouest, un Canadien français. Le peuple du Québec n'y émigrera pas. Les Québécois préféreront, avec sagesse, je crois, s'installer sur les terres de leur province qui ne sont pas encore occupées et accroître leur influence dans l'est de l'Ontario. En conséquence, le Manitoba et les Territoires du Nord-Ouest deviendront ce qu'est actuellement la Colombie britannique, c'est-à-dire entièrement anglais, avec des lois anglaises, une immigration anglaise, ou plutôt britannique et, suis-je tenter d'ajouter, avec des préjugés anglais [26]."

Aux alentours de 1890, le choc entre la loi et la réalité devint violent. L'agitation actuelle était l'inévitable conséquence des tentatives du peuple du Nord-Ouest pour se libérer du carcan qu'on leur avait si prématurément imposé. Pour Macdonald et les conservateurs, cette agitation présentait une double menace. Constitutionnellement, les positions du Manitoba et des Territoires du Nord-Ouest étaient assez différentes. Le danger en provenance des Territoires du Nord-Ouest était le plus direct et le plus immédiat. Dans les limites de l'Acte de l'Amérique du Nord britannique et conformément aux interprétations des tribunaux, le Manitoba avait juridiction sur son système scolaire et sur les garanties provinciales en matière de langue. Mais dans le cas des Territoires du Nord-Ouest qui ne disposaient pas encore d'un gouvernement responsable, ces matières relevaient nécessairement du Parlement fédéral. Le Dominion était évidemment beaucoup plus impliqué dans les affaires des Territoires que dans celle du Manitoba. Mais même en ce qui concernait le Manitoba et son projet de législation radical, le gouvernement fédéral pouvait difficilement adopter une position de complet détachement. Le Dominion, en plus de son pouvoir général de veto, disposait de certains pouvoirs spécifiques en matière d'éducation. Et dans la controverse, maintenant presque inévitable, sur la nouvelle législation scolaire du Manitoba, ces pouvoirs ne manqueraient pas d'être évoqués. Mais ceci restait dans le futur. Pour le moment, c'était la langue française dans les Territoires du Nord-Ouest qui était en cause. Le 22 janvier, six jours après l'ouverture de la session, Dalton McCarthy déposa une motion pour enlever de l'Acte des Territoires du Nord-Ouest l'article cent dix [27].

McCarthy justifia sa proposition en affirmant simplement qu'il était "plus pratique dans l'intérêt de l'unité d'avoir une langue commune". Macdonald ne croyait pas qu'une langue commune fût la condition nécessaire de l'unité nationale. Mais il ne pensait pas non plus que des garanties constitutionnelles puissent préserver la dualité de langues dans les Territoires du Nord-Ouest si la grande majorité des habitants y étaient résolument opposés. Il se trouvait devant un cruel dilemme, un dilemme plus difficile que celui dans lequel son Parti et lui avait été poussés à la suite de l'agitation concernant la loi sur les Biens des Jésuites. Le peuple du Québec n'avait pas le monopole de la religion catholique. Mais sur le continent nord-américain, il était le seul à parler la langue française. Avec le temps et à mesure qu'approchait la seconde lecture du projet McCarthy, les députés francophones étaient de plus en plus farouchement déterminés à défendre le statut de leur langue. Mais en même temps, les députés anglophones étaient quant à eux de plus en plus décidés à permettre à la population du Nord-Ouest d'exercer le droit de déterminer elle-même le caractère de ses propres institutions. Il n'y avait qu'un moyen d'aborder cette insoluble situation. Le 11 février, la veille du jour où le projet McCarthy devait passer en seconde lecture, le Parti conservateur décida de la conduite qu'il suivrait: en caucus, malgré le profond mécontentement de la plupart des Canadiens français, le Parti décida qu'il ne prendrait pas position sur le sujet en tant que Parti et que le vote serait libre.

Le 12 février, dès le début du débat, Nicholas Flood Davin, député d'Assiniboia-Ouest, proposa un amendement: "L'Assemblée législative des Territoires du Nord-Ouest doit être autorisée à disposer du sujet de ce projet de loi par décret ou par ordonnance, après les prochaines élections générales dans les dits Territoires [28]." C'était, aux yeux des conservateurs anglophones, un admirable compromis qui avait le mérite d'écarter la menace que faisait peser Dalton McCarthy sur la langue française et qui permettait en toute sécurité de transférer tout le sujet litigeux et de le laisser à l'initiative lointaine de l'Assemblée législative du Nord-Ouest. Une solution aussi intelligente aurait dû satisfaire les députés du Québec. Mais de toute évidence, ils étaient loin d'être satisfaits. Tout espoir de les amener à voter pour l'amendement Davin disparut quand Beausoleil, député libéral de Berthier, proposa un amendement à l'amendement, selon lequel les garanties concernant la langue dans les Territoires du Nord-Ouest avait été aménagées pour promouvoir la bonne entente et l'harmonie raciale et que rien depuis ne s'était passé qui pût excuser ou justifier leur abolition [29]. Il devint très vite clair que l'amendement Beausoleil deviendrait le slogan auquel tous les Canadiens français, indépendamment du parti auquel ils appartenaient, se rallieraient irrémédiablement. Le lendemain 13 février, un second caucus conservateur, long et inutile, ne parvint pas à réconcilier les anglophones et les francophones membres du Parti. Les députés du Québec ne voulaient rien savoir. Pendant les autres jours que dura le débat, les orateurs canadiens-français se succédèrent, de part et d'autre de la Chambre, pour souscrire aux principes énoncés dans l'amendement Beausoleil.

Macdonald n'intervint pas dans le débat avant l'après-midi du 17 février. Il réagit à Laurier qui disait avec mépris du projet McCarthy qu'il était un exemple typique du toryisme dur et oppressif. Macdonald n'eut pas la moindre difficulté à prouver que c'était une majorité conservatrice, sous Lord Metcalfe, qui la première avait demandé au Parlement impérial d'amender la clause de l'Acte d'Union de 1840 stipulant que seule la langue anglaise serait utilisée dans tous les documents écrits de la législature provinciale. Il n'hésita pas à affirmer, ce qu'il avait déjà affirmé quarante ans plus tôt pour venir à bout de l'opposition obstinée de George Brown, que la dualité culturelle du Canada devait être acceptée comme première condition de sa survie. Il déclara fermement: "Il n'y a pas de race dominante dans ce pays. Il n'y a pas de race conquise dans ce pays. Nous sommes tous sujets britanniques, et ceux qui ne sont pas Anglais n'en sont pas pour autant moins sujets britanniques que les autres [30]." C'étaient des principes qu'il était prêt à réaffirmer n'importe quand et sur lesquels il n'était disposé à faire aucun compromis. Mais il se rendait compte qu'il y avait d'autres principes en jeu. Il ne fallait pas seulement tenir compte des susceptibilités des Canadiens français. L'agitation touchait autant le Nord-Ouest que le Québec. Il rappela à la Chambre: "Nous devons faire très attention, monsieur le président, en calmant l'agitation au Québec et en apaisant le mécontentement des gens du Québec, de ne pas provoquer la colère des hommes libres du Nord-Ouest en adoptant une résolution qui retarde pour un temps indéfini, et ce peut être une longue période, une question qui, nous pouvons le constater d'après la résolution qu'ils ont adoptée, les préoccupe au plus haut point [31]."

Il cherchait sérieusement un compromis acceptable, mais de toute évidence, il n'y parvenait pas. Il était opposé au projet McCarthy. Il rejetait l'amendement Beausoleil. Il approuvait globalement le plan Davin qui permettait aux citoyens du Nord-Ouest de décider eux-mêmes de la question. Il semblait s'en tenir à la doctrine de l'autodétermination. Vers la fin de son discours, il commença à modérer sa position en proposant de reporter tout le règlement de la question à plus tard. Au cours du débat des jours précédents, Edward Blake avait suggéré que la décision concernant la langue française fût reportée jusqu'au moment où le caractère de la communauté du Nord-Ouest fût plus clairement marqué. N'était-il pas possible, demanda Macdonald à la Chambre, de trouver un compromis honnête en combinant cette suggestion avec la proposition originelle de Davin?

Il était extrêmement grave. Mais il était fatigué et moins efficace que d'habitude. S'il avait espéré que les Canadiens français se rallieraient à sa proposition plutôt vague, il dut se rendre compte immédiatement qu'il avait échoué. Sa position déçut profondément ses partisans du Québec. Le lendemain, il y eut plusieurs réunions du caucus. Les Canadiens français résistaient obstinément. Le vote sur la motion Beausoleil eut lieu un jour plus tard. Tous les députés canadiens-français, à l'exception de Chapleau et d'une ou deux abstentions, votèrent pour. Les cent dix-sept députés anglophones firent bloc et votèrent contre [32]. La menace qui pesait depuis si longtemps sur la politique canadienne venait de se concrétiser. Les partis ne semblaient plus compter. C'était un affrontement de race.

Après ses premiers tâtonnements, Macdonald finit par trouver une formule de compromis acceptable. C'est Thompson qui la présenta cette nuit-là, car la longue dispute avait épuisé le Premier ministre. Deux jours plus tard, après la brève suspension du Mercredi des Cendres, la Chambre de meilleure humeur reprit le débat. Macdonald endossa au nom du gouvernement l'amendement Thompson. En préambule, la nouvelle résolution reprenait et réaffirmait les dispositions concernant la langue française énoncées dans l'Acte de l'Amérique du Nord britannique. Elle déclarait ensuite qu'il était légitime, pratique et non contraire à ces dispositions que le Parlement donnât à l'Assemblée des Territoires du Nord-Ouest le pouvoir de décider, après les prochaines élections générales, de la façon dont se déroulerait ses travaux et de la nature de ses communications, écrites ou verbales. L'usage de la langue française dans les tribunaux des Territoires du Nord-Ouest continuerait d'être permis. Les règlements territoriaux seraient comme par le passé publiés en français et en anglais. Mais à l'avenir l'Assemblée du Nord-Ouest aurait l'autorité de déterminer la langue de ses débats et de ses documents. C'était un compromis. Mais compte tenu de la situation réelle dans les Territoires, c'était un compromis qui n'était pas irréaliste. Dans un discours formel, qui fut le principal événement des deux derniers jours de débat, Macdonald présenta la résolution avec tout le sérieux et la force de persuasion dont il était capable. Il termina en disant: "Oublions ce cri et nous en serons récompensé parce que ce malheureux incendie, qu'une étincelle aura suffi à déclencher, sera éteint pour toujours; et nous irons de l'avant, comme nous l'avons fait depuis 1867, comme un seul peuple, avec un seul objectif, regardant ensemble le même avenir et espérant construire ensemble un seul grand pays [33]."

Tôt dans la matinée du 22 février, Lord Stanley écrivit à Macdonald pour le féliciter "des excellents résultats du vote", ce vote pour lequel le grand effort qu'il avait consenti avait été déterminant [34]. La nuit précédente, un peu après dix heures, le scrutin sur l'amendement Thompson avait finalement eut lieu. Cinquante députés avaient voté contre: un groupe d'irréductibles Rouges canadiens-français, quelques partisans de McCarthy et un petit nombre de libéraux qui préféraient la motion Davin. Cent quarante-neuf députés, anglais et français, avaient voté pour [35].

## III

Quatre jours plus tard, Charles Hibbert Tupper, le nouveau ministre de la Marine et des Pêcheries arriva à Washington pour les négociations sur la chasse aux phoques.

Les premiers rapports de Tupper ne rassurèrent pas du tout Macdonald. Blaine semblait déterminé à réduire à zéro la participation canadienne aux négociations. Il essayait de façon délibérée de donner le caractère le plus informel possible aux rencontres. De plus, il assumait qu'il était nécessaire d'instaurer une saison où la chasse serait fermée avant même qu'aucune étude ait été faite pour prouver qu'il le fallait effectivement. Il était clair qu'il n'appréciait pas du tout la présence d'un délégué canadien. Au cours de la première réunion, il dit franchement à Tupper qu'il était surpris de l'y voir. Il déclara froidement: "J'avais compris que le gouvernement britannique et l'administration des États-Unis s'entendraient sur la nécessité de limiter la saison de la chasse aux phoques dans l'intérêt de cette grande et importante industrie; et qu'ensuite l'accord serait soumis au Canada pour approbation [36]." Tupper prit courageusement la liberté de lui rappeler qu'à moins que les États-Unis ne considèrent la mer de Bering comme une *mare clausum* leur appartenant, il fallait de toute évidence discuter de la nécessité et de la pertinence de fermer la chasse durant une saison avec toutes les nations que la chasse aux phoques intéressait. Blaine rétorqua: "Je n'ai jamais prétendu que cette mer était *mare clausum*." Puis il ajouta rapidement: "Mais souvenez-vous, je n'ai jamais renoncé non plus à cette revendication émise par mon prédécesseur [37]." Il accepta finalement de mettre par écrit les raisons qui justifiaient les Américains de demander une période pendant laquelle la chasse serait fermée. Tupper s'occupa à rédiger la réponse canadienne. Mais il était évident que ce type de diplomatie minutieuse où tout était consigné par écrit irritait le secrétaire d'État. Il voulait instaurer tout de suite une saison où la chasse serait fermée. Et, dans l'esprit soupçonneux de Tupper, le nouvel ambassadeur britannique, Sir Julian Pauncefote, avait l'air bien empressé de se ranger de l'avis de l'Américain.

Macdonald avait été malade au début de l'année. La session l'avait épuisé. Le 4 mars, il écrivit avec lassitude à Bowell: "Je ne me sens pas bien du tout. Je suis complètement abattu. Si je ne garde pas le lit, je vais tomber malade. Alors, essayez de vous débrouiller le mieux possible [38]." Rien ne lui permettait de savoir si Tupper "se débrouillait bien" à Washington. Les lettres qu'il recevait du délégué canadien accusaient un retard inexplicable. Il se mit à suspecter les agents américains de fouiller le courrier [39]. On envoya le jeune Stanley, fils du gouverneur général, à Washington avec de nouvelles et importantes communications. Mais cette tentative pour renforcer la position de Tupper en faisant poliment et discrètement pression sur l'ambassadeur britannique n'eut aucun effet. Blaine refusait à toutes fins pratiques de discuter un instant de plus des raisons qui justifiaient une clôture de la saison de chasse. Il demanda abruptement aux représentants anglo-canadiens de présenter leur "proposition finale". Le 18 mars, Tupper quitta Washington pour Ottawa, avec le projet d'accord préparé par Pauncefote.

Le travail de la session était extrêmement exigeant et Macdonald ne se sentait pas trop bien. Mais après le 28 mars et la présentation du budget Foster, le Cabinet entreprit de discuter le projet de Pauncefote et d'y apporter des amendements. Le projet qui prit graduellement forme était relativement simple. Dans ses grandes lignes, il ressemblait très fort, et c'était peut-être une ressemblance de mauvaise augure, au traité sur les pêcheries de l'Atlantique nord que le sénat américain avait rejeté deux ans plus tôt. Le principal élément du projet anglo-canadien prévoyait la création d'une commission mixte d'experts, avec recours ultime à un arbitre, chargée d'étudier les conditions de vie des animaux et, dans un délai de deux ans, de soumettre un plan pour le contrôle et la réglementation de la chasse aux phoques. Pendant que les commissaires faisaient enquête, la capture des phoques sur terre ou sur mer serait suspendue [40].

Macdonald et le Cabinet étaient décidés à soumettre la proposition américaine d'établir une saison de chasse, que rien jusque-là ne justifiait, au test rigoureux d'un examen global et minutieux. Les amendements canadiens n'étaient pas compromettants. Leurs propositions étaient strictement impartiales. Au début d'avril, Tupper regagna Washington avec le projet modifié. Sir Julian Pauncefote était visiblement ennuyé [41]. Il s'alarma quand il découvrit que les Canadiens avaient inclus parmi les zones sur lesquelles les commissaires devaient enquêter et auxquelles le *modus vivendi* s'appliquerait, les îles Pribilof qui appartenaient aux États-Unis. Il fit objection. Et ses objections ennuyèrent et laissèrent perplexes à la fois Tupper et Macdonald. Si le véritable objectif de toute la discussion était d'empêcher l'extinction des phoques, alors quelle distinction valable pouvait-on faire entre abattage non réglementé en haute mer et abattage non réglementé sur les îles? Pourquoi Pauncefote n'admettait-il pas la pertinence de ce raisonnement? Pourquoi était-il prêt à céder aussi facilement aux arguments de Blaine? Tupper confia à Macdonald: "Ce n'est peut-être pas à moi à le dire, mais je ne puis m'empêcher d'insister sur le fait que, pour toute négociation ultérieure avec les États-Unis, aucun ambassadeur britannique en poste à Washington ne devrait agir en notre nom. Il est évident que celui-ci est toujours motivé par le désir de rendre son futur séjour à Washington aussi agréable que possible et qu'il est par là même incapable de prendre la position ferme et indépendante qu'il devrait prendre [42]."

Macdonald était d'accord, Sir Julian Pauncefote n'était de toute évidence pas Joseph Chamberlain. Et le gouvernement canadien devrait prendre des mesures énergiques pour faire comprendre clairement sa position à Washington. Le 11 avril, après réception du compte rendu que fit Tupper des objections de l'ambassadeur britannique, Macdonald rédigea un télégramme très ferme à son collègue de Washington: "Conseil souhaite fassiez clairement comprendre à Sir Julian désir d'adhérer aussi près que possible grandes lignes notre proposition [43]." Une quinzaine de jours plus tard, comme Pauncefote se demandait encore s'il fallait inclure les îles dans les zones régies par le *modus vivendi*, Macdonald télégraphia que si l'ambassadeur britannique insistait pour maintenir l'article originel non amendé, le projet d'accord ne devrait être présenté aux États-Unis que si les réserves du Canada étaient clairement exprimées [44]. Alors, Sir Julian céda. Le Foreign Office approuva finalement le projet. Le 29 avril, Pauncefote le présenta à Blaine. Il s'ensuivit un long silence qui dura plusieurs semaines. Le 22 mai, Macdonald et Pauncefote apprirent que le Cabinet des États-Unis avait rejeté leur proposition par le biais fort peu formel d'un communiqué de presse publié dans les journaux américains. La même dépêche annonçait qu'une vedette des douanes américaines avait reçu l'ordre de saisir les bateaux qui chassaient le phoque dans les eaux de la mer de Bering [45].

À ce moment-là, le Parlement avait été prorogé depuis environ une semaine. Même si la session avait commencé un mois plus tôt que d'habitude, elle ne s'était pas terminée plus tôt. La session avait été longue, épuisante, décevante et, pour Macdonald, malade et fatigué, franchement désagréable. Au fil des semaines, le Parti conservateur y avait perdu une bonne part de son crédit. Un mois après l'ouverture, J.C. Rykert, député conservateur de Lincoln, avait été accusé d'utiliser sa position et son influence au Parlement pour en tirer des bénéfices personnels [46]. Même si la commission d'enquête n'établit pas le bien-fondé de ces accusations, les témoignages sur le caractère et la conduite de Rykert furent tellement accablants qu'il fut pour finir obligé de démissionner de son siège de député. Au début de mai, au moment où *l'affaire** Rykert tirait à sa fin, on révéla pour la première fois un autre scandale encore plus répugnant et qui impliquait des personnages beaucoup plus en vue du Parti conservateur. Thomas McGreevy, député de Québec-Ouest, fut accusé d'avoir pendant plusieurs années accepté des sommes d'argent considérables pour promouvoir au sein du ministère des Travaux publics les intérêts d'une firme d'entrepreneurs du Québec, la compagnie "Larkin Connoly and Company" [47]. Ces déplorables accusations étaient d'autant plus dangereuses que Thomas McGreevy était le beau-frère de Sir Hector Langevin et que le ministère de Sir Hector Langevin avait toujours été le ministère des Travaux publics. Bowell écrivit à Macdonald: "Vous auriez eu tout à fait raison d'affirmer que Langevin ne peut pas avoir trop de *patronage*: *il aime ça*!" [48] Macdonald ne le savait que trop bien en effet, les possibilités de maquignonnage dans le ministère de Langevin étaient presque infinies.

Les scandales étaient graves et de plus en plus sérieux. Mais ce n'étaient pas les seuls problèmes internes en ce début de l'été 1890. Le gouvernement s'était bien tiré du grand débat sur le statut de la langue française dans les Territoires du Nord-Ouest. Il en avait même acquis une

---

*N.D.T.: en français dans le texte.

certaine réputation de sagesse dans l'art de gouverner. Mais dans l'intervalle, au Manitoba, l'un des deux clans qui se déchiraient dans le conflit culturel avait fait brutalement soudainement un autre pas en avant. Au cours de la session de 1890, la législature provinciale avait aboli les garanties légales concernant la langue française et avait créé un nouveau réseau uniformisé d'écoles non confessionnelles au soutien duquel devaient contribuer tous les citoyens quelle que fût leur confession religieuse. Une minorité mécontente s'opposait à ce changement. Mais, en ce qui concernait les garanties pour la langue, il était évidemment inutile, après l'amendement de l'Acte des Territoires du Nord-Ouest, de demander au gouvernement fédéral d'intervenir. C'était autre chose pour la loi sur le système scolaire au Manitoba. Les habituelles pétitions, pour demander le veto fédéral, se mirent à affluer à Ottawa.

Macdonald avait eu l'expérience des longues tribulations de la loi sur les Biens des Jésuites. Il était maintenant sûr de la conduite à suivre. En mars, il écrivit à un de ses partisans francophones du Manitoba: "Je suis fortement d'avis que la seule manière de régler de façon satisfaisante la question des écoles séparées dans votre province est de faire appel aux tribunaux. Si le fédéral opposait son veto à la loi, il ne ferait que jouer le jeu de Greenway et de Martin. Ils rassembleraient sans doute de nouveau la législature et feraient passer la loi une autre fois; puis ils dissoudraient la Chambre et iraient aux urnes. L'agitation serait à son comble et la question ne serait toujours pas réglée. Par contre, une décision des tribunaux la réglerait de façon définitive et empêcherait toute agitation [49]." C'était bien sûr ce qu'il y avait à espérer de mieux. Mais il restait beaucoup de temps avant que n'expire le délai pendant lequel pouvait s'exercer le droit de veto. Et il restait peut-être plus de temps encore avant que les causes types n'aient fini leurs longues pérégrinations devant les divers tribunaux. Pendant ce temps-là, les causes d'agitation subsistaient. Pour le gouvernement fédéral, le risque de se trouver dans une situation embarrassante était très réel.

Il y avait du danger mais, grâce à Dieu, il était encore assez éloigné! Les problèmes les plus immédiats et les plus urgents auxquels le gouvernement se trouvait confronté n'étaient pas les problèmes intérieurs mais les questions internationales. Vers la fin de juin, Thompson partit pour l'Angleterre afin d'y discuter avec les fonctionnaires britanniques des droits de propriété littéraire et des réglementations en matière de marine marchande. Il devait également soulever une question à laquelle Macdonald s'intéressait depuis longtemps: la nomination d'un Canadien au sein de la Commission judiciaire du Conseil privé. À force de toujours retarder sa visite en Angleterre, que Macdonald se sentait maintenant trop fatigué pour entreprendre, toute une série de questions à discuter avec le ministère des Colonies s'était accumulée. Elles étaient toutes assez importantes. Mais la plus importante de toutes était évidemment celle de la chasse au phoque dans la mer de Bering. Depuis le refus de Blaine d'accepter le projet d'accord et depuis que les Américains avaient publiquement annoncé leur intention de faire la police dans la mer de Bering, les relations avec les États-Unis étaient plus tendues que jamais. Lord Salisbury et le secrétaire d'État américain s'étaient lancés dans une longue controverse sur la liberté des mers. Une petite escadre de la Royal Navy mouillait d'inquiétante façon en rade d'Esquimalt, en Colombie britannique. Le risque de guerre, le danger d'un incident, que Macdonald avait toujours craint et qui aurait pu mener à la guerre ou à la ruprure des relations diplomatiques et commerciales, était plus menaçant que jamais.

Mais ce n'était pas tout. Des changements significatifs étaient en train de se produire à Washington. Il devenait de plus en plus évident que les États-Unis étaient sur le point d'aborder une toute nouvelle page de leur histoire en matière de politique commerciale. Le congrès délibérait d'une nouvelle mesure législative globale sur les taxes à l'importation, le projet de loi McKinley. Le projet McKinley prévoyait un accroissement général et substantiel des taxes américaines, mais aussi l'imposition de quelques nouvelles et très lourdes taxes spécifiques sur certaines des céréales les plus importantes et sur d'autres produits agricoles que le Canada exportait aux États-Unis. Le projet McKinley rejetait en réalité de façon claire et nette toute l'idée d'un accord commercial raisonnable entre le Canada et les États-Unis. Il compromettait gravement plusieurs compagnies canadiennes d'exportation. Il causerait sans doute la ruine de l'industrie de l'orge dans le sud de l'Ontario.

C'était une mauvaise période, une période politiquement dangereuse. Les élections générales approchaient inévitablement. Malgré son énorme vitalité, Macdonald se sentait parfois découragé à cause du déclin de ses forces et la persistance de ses problèmes. Il ne pouvait abandonner maintenant. Il n'avait aucun moyen de se retirer. Il mourrait à la tâche. Il accepta son destin sans rien dire. Mais il ne pouvait pas s'empêcher de se sentir abattu parfois quand il réfléchissait à son âge et quand il se laissait aller à la lassitude. À certains moment, il pensait tristement que l'utilité de son gouvernement était arrivé à terme. Au début de juin, il écrivit à Tupper: "Notre avenir me décourage plutôt, non que le pays ne nous suive pas ou ne compte plus nous suivre, mais parce que notre gouvernement est *trop vieux* et qu'il est resté *trop longtemps* en poste. Je vais avoir soixante-seize ans. Langevin a beaucoup vieilli. Sauf pour ce qui est de son ministère, il est inactif et inutile. Il ne se mêle pas aux politiques du Québec. Caron, Chapleau et lui laissent Mercier détourner la province, parce qu'ils aiment trop leur tranquillité. Costigan et Colby ont leurs défauts, comme vous savez. Bowell est assez robuste, mais il accuse néanmoins son âge. Et je crains pour la santé de Thompson. Mais en voilà assez!" [50]

En voilà assez pour quelque temps. Avant la fin de juin, Macdonald partit pour Rivière-du-Loup pour y passer, comme il le dit à Tupper, six semaines de vacances.

## IV

Les longues vacances qu'il passa aux Rochers furent les plus tranquilles, les plus reposantes qu'il eût connues depuis des années. Il y fit des plans pour l'avenir. Il faudrait certainement tenir des élections générales en 1891. Il serait dangereux d'attendre plus longtemps. Les présages dans les provinces, auxquels il accordait beaucoup d'attention, laissaient deviner des troubles une fois de plus. Mercier avait été triomphalement réélu lors des récentes élections générales à Québec. En Ontario où, sous l'impulsion de Dalton McCarthy, l'Association pour l'égalité des droits avait mené une campagne quasiment distincte aux dépens des conservateurs de Meredith, Mowat avait été reconduit au pouvoir avec une confortable majorité. Ces succès libéraux répétés dans les provinces inquiétaient Macdonald. Il était temps de toute manière, pensait-il, de commencer à préparer l'avenir, mais sans manifestations trop spectaculaires. Au début d'août, il visita l'Île-du-Prince-Édouard où il n'était pas revenu depuis 1870, quand il avait passé un long été de repos et de convalescence à Charlottetown [51].

À mesure qu'avançait l'été et qu'approchait l'automne, les défaites provinciales semblèrent passer à l'arrière-plan. Le véritable danger était tout autre: il résidait dans l'instauration prochaine des tarifs McKinley. Déjà Laurier, Cartwright et Charlton prédisaient que la nouvelle loi aurait pour conséquence inévitable de provoquer un désastre économique au Canada. Ils avaient ressorti l'idée de réciprocité commerciale inconditionnelle de l'obscurité relative où elle était restée l'année précédente, avec tout le même enthousiasme que si c'eût été un concept nouveau. La réciprocité inconditionnelle, expliquaient-ils dans de nombreux discours, était le seul remède capable d'éviter la catastrophe qui guettait le Canada. Et le Parti libéral était bien sûr le seul parti capable de la négocier avec les États-Unis. À la fin de septembre, Macdonald prononça une série de discours dans les Provinces Maritimes. Tout le monde parlait avec excitation des conséquences du projet McKinley. Il consacra donc la dernière partie de son discours d'Halifax aux politiques commerciales. L'objectif essentiel des États-Unis, expliqua-t-il à son auditoire, est de parvenir à annexer le Canada. Il ne fallait pas espérer de la république un accord de réciprocité satisfaisant. Si les Canadiens désiraient commercer librement avec les États-Unis, disaient les Américains, ils devaient soit accepter l'annexion ou, ce qui serait presque la même chose, se séparer du Royaume-Uni et créer une république "indépendante" [52].

Il revint de Saint-Jean en empruntant la "ligne courte". Dans la clarté dorée de ce jour d'automne, les marchands et les marins dans d'innombrables ports canadiens étaient frénétiquement en train de charger les derniers cargos pleins à ras-bord qui partiraient en direction des États-Unis. Le lundi 6 octobre, la loi McKinley entrait en vigueur. Un mois plus tard, se tinrent les élections pour le Congrès américain. Une lueur d'espoir se mit alors à poindre pour le Canada. Les démocrates avaient pris le contrôle de la nouvelle Chambre des représentants. Macdonald écrivit à Stephen: "Il est extraordinaire de voir à quel point le peuple des États-Unis est opposé à la loi McKinley. Il est facile de prévoir le cours immédiat des événements. À cause de la foutue constitution des États-Unis, l'actuel Congrès, même si le peuple l'a discrédité, sinon répudié, garde les pleins pouvoirs jusqu'au 4 mars prochain. Il se réunira de nouveau le 4 décembre. La question est de savoir si la majorité républicaine va aller de l'avant ou si, effrayée par l'hostilité des électeurs, elle va faire marche arrière. Si le sénat est ferme, même après mars prochain, il n'y aura pas moyen d'annuler la loi McKinley avant 1897. Mais je me suis laissé dire que les sénateurs de l'Ouest, même républicains, feront marche arrière à cause du mécontentement populaire. On va bien voir [53]."

Bien sûr, il verrait. Mais il ne s'attendait pas vraiment à ce que la loi fût abrogée. L'hostilité permanente dont avaient fait preuve pendant des années l'administration Cleveland aussi bien que l'administration Harrison l'avait convaincu que l'anéantissement de l'expérience nationale canadienne était devenu un objectif avoué des deux partis politiques américains. Il écrivit à Stephen: "Sir Charles Tupper vous dira que tout homme d'État américain (et il les a tous vus en 88) convoite le Canada. Leur désir de s'en emparer augmente, et Dieu sait où leur avidité s'arrêtera. Si Gladstone réussit, il sacrifiera le Canada sans le moindre scrupule. Nous devrons nous battre aux prochaines élections. Et seule la conviction que la bataille sera mieux menée si c'est moi et non quelqu'un d'autre qui la dirige, me fait entreprendre la tâche, handicapé que je suis par les infirmités de mon grand âge (...) Si nous restions entre nous, je ne doute pas un instant que nous l'emporterions. Mais j'ai de sérieuses appréhensions que partagent tous mes amis ici. Je crois qu'il sera dépensé beaucoup d'argent yankee pour corrompre notre peuple [54]." Il croyait que des fonds américains seraient largement utilisés pour aider l'opposition canadienne et il croyait aussi que l'opposition canadienne conseillait les Américains sur la façon de mener leur politique d'obstruction délibérée et de refus systématique. Il savait également que la lutte pour se gagner les suffrages des électeurs canadiens allait se mener dans l'ambiance de découragement et de misère, car la dépression sévissait de nouveau. Le 7 novembre, trois jours après les élections américaines, les marchés boursiers de

Londres et de Paris étaient en pleine baisse et, la semaine suivante, les bourses de toutes les capitales financières importantes du monde occidental s'effondrèrent.[55]

Dans ces tristes circonstances, la nouvelle que Terre-Neuve avait réussi à négocier un accord commercial et un traité sur les pêcheries avec les États-Unis fut accueillie avec consternation et effarement. Le 15 novembre, en réponse à de nombreuses demandes d'explications inquiètes, le secrétaire aux Colonies, Lord Knutsford, télégraphia les termes du futur accord. Il ajouta que Blaine semblait disposé à étudier un traité séparé avec le Canada sur une base très large et suggéra qu'un ou deux délégués canadiens se rendent officieusement à Washington pour le rencontrer. Deux jours plus tard, après une longue réunion du Cabinet, Macdonald attendait le gouverneur général avec une première version du compte rendu de la réunion du Conseil qui, convoqué à la hâte, s'était réuni sur le sujet[56]. Il semblait profondément tracassé. Des négociations séparées avec Terre-Neuve, déclara-t-il, auront simplement pour effet de diviser et d'affaiblir l'Amérique du Nord britannique en dressant les colonies l'une contre l'autre. Blaine, rappela-t-il au gouverneur général, n'a jamais désavoué l'opinion qu'il avait fréquemment exprimée et selon laquelle les États-Unis ne devaient donner aucun privilège sur leurs marchés au Canada tant que ce pays restait possession britannique. Aux États-Unis, les hommes politiques et les journaux n'essayaient même pas de cacher leur espoir qu'une attitude constamment hostile de l'administration américaine à l'égard du Canada finirait par affaiblir et par briser le désir des Canadiens de vivre une existence politique séparée.

Voilà, déclara gravement Macdonald, l'intention contre laquelle l'Amérique du Nord britannique doit constamment lutter. Si la Grande-Bretagne permettait à Terre-Neuve de signer un traité séparé, le sentiment d'isolement et de malchance augmenterait au Canada. Cela contribuerait à fournir aux États-Unis une aide substantielle dans la guerre commerciale qu'ils menaient contre le Dominion. Des négociations séparées, qui entraîneraient des avantages différents, des concessions inégales, créeraient des jalousies et des antagonismes, et affaibliraient la résistance de l'Amérique du Nord britannique. Le seul moyen efficace d'assurer la survie du Canada en tant que nation séparée, et Macdonald exprimait là l'une de ses convictions les plus profondes, était que la Grande-Bretagne et l'ensemble de l'Amérique du Nord britannique fassent front commun contre les États-Unis. Quant à l'invitation d'entreprendre des conversations "officieuses" avec Washington, son amère expérience expliquait la profonde méfiance qu'il ressentait envers ce type de négociations avec les États-Unis. Si des délégués canadiens se présentaient officieusement, seul Pauncefote que Macdonald croyait influencé par Blaine, aurait un véritable statut diplomatique. Des discussions "officieuses" permettraient simplement d'éviter de tenir compte du cas canadien. À la première occasion, Blaine pourrait les dénoncer, et il n'y manquerait pas.

L'effet de ces vives protestations fut immédiat, et il ne fut pas simplement négatif: il apparut bien vite que cette affaire, à l'origine révoltante et effrayante, pourrait bien avoir des conséquences exceptionnellement propices. À la fin de novembre et au début de décembre, Macdonald souffrit d'une grippe tenace. Mais les nouvelles qu'on lui apportait dans son bureau d'Earnscliffe semblaient toutes, surtout en regard du passé, extraordinairement bonnes. La signature de l'accord avec Terre-Neuve fut repoussée au moment où le Canada pourrait entreprendre aussi des négociations avec les États-Unis [57]. Le Royaume-Uni était d'accord pour que les représentants canadiens aux prochaines réunions fussent des plénipotentiaires et non de simples délégués. En réponse à l'offre pressante du Canada qui voulait commencer les négociations tout de suite, Pauncefote rapporta que Blaine n'accepterait pas de commission formelle, si une "base d'arrangement" n'était pas d'abord mise au point, mais qu'il avait exprimé "son profond désir" de conclure "un vaste traité de réciprocité" [58]. Macdonald n'était pas très convaincu. Cette façon d'éluder les choses était caractéristique. Mais, dans les circonstances critiques du moment, il savait qu'il devait accepter l'invitation ambiguë de Blaine et essayer d'en tirer le maximum pour le Canada [59]. Il écrivit à Thompson: "Nous avons dit au Parlement et ailleurs que les États-Unis avaient si souvent rejeté nos tentatives de négociations que, par respect pour nous-mêmes, nous n'irions pas à genoux à Washington, mais que nous étions prêts à discuter sérieusement dès que les États-Unis manifesteraient le moindre désir de négocier. Cette suggestion de Blaine nous en donne l'occasion. Cela empêchera l'Opposition de prétendre que nous avons quitté nos positions pour assumer les leurs [60]."

Le 13 décembre, le gouvernement canadien envoya des dépêches à Londres et à Washington qui énonçaient brièvement ses propositions d'ensemble pour les discussions commerciales [61]. Trois semaines plus tard, le 2 janvier, Lord Knutsford expliqua l'accueil que Washington avait réservé à ces propositions. Le secrétaire d'État Blaine, télégraphia-t-il, ne croit pas qu'il soit possible d'arriver à créer une commission formelle sur le commerce à moins que ses perspectives de succès n'aient été assurées par des discussions privées préalables. Mais il était disposé à entreprendre ces discussions privées avec Pauncefote et avec un ou plusieurs délégués canadiens, n'importe quand après le 4 mars [62]. "Vous remarquerez", expliqua plus tard Macdonald à Thompson, que rien n'indiquait qu'il fallait garder cette réunion privée et informelle secrète jusqu'en janvier, quand nous demandions l'autorisation de rendre public un mémorandum du Conseil proposant une conférence formelle. Nous savions que la conférence que proposait Blaine devait être officieuse et en ce sens privée, mais nous ne savions absolument pas que le fait de tenir un meeting devait lui-même rester privé [63]."

Bien sûr, le projet de tenir la rencontre ne resta pas privé. Macdonald lui-même ne l'annonça pas officiellement. Il ne demanda pas au gouvernement britannique la permission de la rendre publique avant le 21 janvier, date à laquelle il était déjà presque décidé à demander la dissolution immédiate du Parlement [64]. Mais pendant que les communications officielles subissaient l'embargo, les journaux ne se privaient pas pour se lancer dans toutes sortes de spéculations. Il y avait plein de rumeurs et d'insinuations dans l'air. Les deux camps sentaient que des élections générales étaient imminentes et chacun manoeuvrait désespérément pour consolider ses positions. Le 14 juin, le *Mail* de Toronto annonça, "selon des sources dignes de foi au point qu'il y a peu de chances que la rumeur soit fausse", que la Grande-Bretagne avait demandé instamment au Canada d'aplanir ses différends avec les États-Unis pour en arriver à un vaste accord commercial, et "qu'en conséquence Macdonald et ses collègues étaient sérieusement ennuyés" [65]. L'article provoqua une réaction de l'*Empire* de Toronto. Ce qu'a dit le *Mail* est faux, déclara carrément le journal. Au contraire, c'était le gouvernement des États-Unis qui avait récemment contacté le gouvernement canadien en vue de l'amélioration des relations commerciales [66].

On avait forcé la main de Macdonald. Il devenait extrêmement important qu'il fasse une déclaration officielle, et tout de suite. Il voulait la permission non seulement de rendre publique la substance de la proposition canadienne du 13 décembre, mais aussi de signaler qu'elle avait été inspirée par l'attitude favorable des États-Unis [67]. C'est l'opposition libérale qui le forçait à agir et aussi, mais pour d'autres raisons, James G. Blaine. Dans les circonstances, les liens entre le Département d'État américain et l'Opposition canadienne, que même le gouverneur général avait commencé à suspecter, se trouvaient soudain dramatiquement révélés. Le 28 janvier, Edward Farrer, l'un des éditiorialistes du *Globe* de Toronto, eut une interview "importante quoiqu'informelle" à Washington avec le secrétaire d'État Blaine et Hitt, président de la Commission du Congrès pour la politique étrangère [68]. Blaine avait estimé impossible de recevoir des représentants officiels canadiens avant le 4 mars. Mais il était de toute évidence disposé à discuter de relations commerciales dès le 28 janvier avec l'éditorialiste d'un des principaux journaux canadiens de l'Opposition. Les négociations avec des délégués officiels canadiens devaient rester privées, mais l'entrevue de Farrer fut immédiatement annoncée à la presse et reçut la plus grande publicité. L'immédiate conséquence de la rencontre, une conséquence sans nul doute planifiée durant la réunion elle-même, reçut une publicité encore plus grande. Dans une lettre datée du même jour, un membre du Congrès demanda au secrétaire d'État si des négociations en vue d'une réciprocité commerciale "partielle" étaient en cours avec le Canada. Blaine répondit: "Je vous autorise à contredire les rumeurs auxquelles vous faites référence. Il n'y a aucune négociation en cours en vue de quelque traité de réciprocité que ce soit avec le Canada (...) Nous n'avons été nullement informé de la venue prochaine à Washington de Sir Charles Tupper [69]."

Macdonald, depuis le début, s'était méfié des discussions "informelles". Il s'était douté que Blaine les dénoncerait dès que cela ferait son affaire. Blaine avait agi exactement comme Macdonald l'avait pensé. Il avait délibérément et complètement trompé Macdonald. "Non, je n'ai pas vu la lettre", répondit Stanley le jour de sa publication, en réponse à une question de Macdonald, "mais cela ressemble assez à Blaine (...) Plus je pense à la situation et plus je suis d'avis que nous devons aller de l'avant, Blaine ou non!" [70] Macdonald était d'accord. Le gouvernement était dans une situation embarrassante. On lui avait tendu un piège, on l'avait doublé avec une froide efficacité et ensuite on l'avait habilement empêché d'émettre un mot d'explication ou de protestation. C'était insupportable, cela risquait d'être désastreux! Mais c'était ainsi. D'autres délais, d'autres manoeuvres ne serviraient à rien. Il fallait confirmer la décision de dissoudre le Parlement, prise le 21 janvier et maintenue pendant les jours inquiets et frustrants qui avaient suivi. Macdonald avait toutes les bonnes raisons du monde d'aller en campagne électorale immédiatement, avec toute la détermination et la confiance dont il était capable. Le lundi 2 février, la proclamation d'élections générales fut signée. Quand il regagna la maison ce soir-là en voiture avec son secrétaire, il semblait plein d'énergie. Il rédigea son discours électoral jusque tard dans la nuit.

Ce discours était une défense bien argumentée du Canada qu'il avait mis en place et de ses deux grandes créations, le chemin de fer national transcontinental et la politique nationale de protection. Le discours attaquait le principe de réciprocité commerciale inconditionnelle qui selon Macdonald représentait la menace la plus grave pour l'autonomie fiscale et l'indépendance politique du Canada. Il expliquait à ses électeurs: "La question sur laquelle vous allez bientôt être appelés à vous prononcer se résume à ceci: allons-nous mettre en danger le grand héritage que nous ont légué nos ancêtres et nous soumettre à des taxes directes pour le seul privilège d'avoir notre tarif décidé à Washington, avec la perspective de faire à terme partie de l'Union américaine? (...) En ce qui me concerne, mon choix est clair. Je suis né sujet britannique, je mourrai sujet britannique. De toutes mes forces et jusqu'à mon dernier souffle, je m'opposerai à cette "trahison camouflée" qui tente par des moyens sordides et par des offres mercenaires de détourner notre peuple de sa véritable allégeance. Durant mes longues années de service public, pendant presque un demi-siècle, j'ai été fidèle envers mon pays et envers ses meilleurs intérêts. Je fais appel avec une égale confiance aux hommes qui se sont fiés à moi dans le passé et aux jeunes gens qui représentent l'espoir de ce pays et sur qui repose son avenir. Je leur demande de m'appuyer vigoureusement et tous ensemble dans ce dernier effort que je fais pour l'unité de l'Empire et pour la sauvegarde de notre liberté commerciale et politique [71]."

Le 21 janvier, il avait lancé un dernier appel par câble à Tupper en Angleterre: "Dissolution immédiate presque sûre. Votre présence durant campagne Provinces Maritimes essentielle pour encourager nos amis. SVP venez. Répondez [72]." Tupper répondit par l'affirmative. Et le 6 février, c'est-à-dire la veille du jour où Macdonald termina son discours électoral, il était une fois de plus de retour à Ottawa. Ils allaient se battre ensemble pour la dernière fois. Le samedi 7 février, Tupper se rendit à Kingston pour assister à une assemblée où son chef ne pouvait se rendre. Huit jours plus tard, le samedi soir le 15 février, Macdonald quitta Ottawa pour Toronto.

## V

Macdonald était décidé à terminer ce que Blaine et Farrer avaient commencé. Si c'était le genre de guerre qu'on voulait, alors, avec un peu de chance et une bonne stratégie, il se sentait capable de la mener dans le camp de l'ennemi. Il était prêt à changer de méthode, mais son programme restait essentiellement le même. Colmer télégraphia d'Angleterre que le correspondant du *Times* affirmait que le gouvernement conservateur avait pratiquement renoncé à son projet d'établir des relations commerciales plus étroites avec les États-Unis, politique sur laquelle il avait décidé d'en appeler au peuple et qu'il était revenu à ses anciennes politiques de protectionnisme et de loyauté impériale. Cela n'avait évidemment aucun sens. Le gouvernement conservateur n'avait jamais officiellement "fait appel au peuple" sur une politique de relations commerciales plus étroites avec les États-Unis. Il n'en avait jamais eu la chance. Blaine avait réussi à lier les mains des Canadiens et à leur imposer un bâillon sur la bouche pendant qu'il les doublait impunément. Malgré l'amère humiliation ressentie à la suite de cette fourberie, Macdonald était prêt à reprendre les négociations comme si de rien n'était. "Correspondant *Times* Toronto dans l'erreur", télégraphia-t-il de retour en Angleterre. "Gouvernement et Parti conservateurs n'ont pas abandonné les principes selon lesquels ils en ont appelé au peuple. Ils désirent toujours négocier relations commerciales plus étroites avec les États-Unis, mais ils insistent pour être maîtres de leurs propres tarifs et ils n'évinceront pas la mère patrie [73]." C'étaient bien sûr les conditions sur lesquelles Macdonald avait toujours insisté. Et le discours qu'il avait prononcé à Halifax le 1er octobre 1890, le seul discours important de l'automne précédent, contenait déjà tous les principaux thèmes du discours qui inaugura sa campagne le 7 février 1891.

Il n'avait pas changé de programme. Il n'avait pas l'intention d'attaquer Blaine directement. Mais, par un heureux coup de chance, Farrer, le journaliste qui servait d'intermédiaire entre le secrétaire d'État américain et l'opposition canadienne, était à sa merci. Le mardi 17 février, au cours d'un grand rallye conservateur à l'Académie de musique de Toronto où Tupper et lui étaient les principaux orateurs, il attaqua Farrer, et à travers lui le Parti libéral, en mettant en question la loyauté du journaliste et les mobiles pour lesquels celui-ci se faisait l'avocat de la réciprocité commerciale inconditionnelle. À la demande d'un ami américain, Farrer avait écrit un pamphlet dans lequel, comme il l'expliqua lui-même plus tard, il avait essayé d'envisager les relations commerciales canado-américaines comme un Américain aurait pu les voir. Et, partant de ce point de vue, il avait suggéré diverses méthodes de représailles économiques par lesquelles les États-Unis pourraient amener les citoyens du Dominion à se rendre compte de la stupidité de leur politique en matière de commerce et de pêcheries [74]. Le pamphlet avait eu un tirage extrêmement limité et toute l'opération devait rester secrète. Grâce à un imprimeur ami, les conservateurs avaient réussi à mettre la main sur une partie des épreuves. Mais ces quelques précieuses épreuves révélaient clairement l'esprit de l'argumentation de Farrer et le type de représailles qu'il suggérait: des taxes sur le tonnage des bateaux canadiens, la suspension des privilèges d'entreposage aux États-Unis, l'interruption des liaisons du Canadien Pacifique à Sault-Sainte-Marie.

À Halifax, Macdonald avait laissé entendre que l'Opposition canadienne aidait et soutenait les Américains dans la guerre commerciale qu'ils menaient contre le Dominion. Les insinuations étaient devenues des accusations précises. Le rejet des avances canadiennes, l'hostilité dont faisait preuve Washington vis-à-vis des intérêts légitimes du Canada, étaient en grande partie imputables, dit-il à son auditoire, aux conseils que des traîtres dans le genre de Farrer avaient prodigués aux Américains. Dans les faits, Farrer et ses semblables s'étaient offerts comme guides canadiens pour mener à bien l'annexion. Ils avaient dit aux Américains: si vous voulez vous emparer du Dominion, ne faites aucune concession au Canada, faites pression sur lui, soumettez les Canadiens, intimidez-les de toutes les façons possibles. Macdonald poursuivait en résumant l'argumentation générale du pamphlet de Farrer: "En réalité, ce document explique toutes les manières de faire du tort au commerce canadien et d'appauvrir ses habitants, pour finalement aboutir à l'annexion (...) Je prétends qu'il existe un complot délibéré dans lequel certains membres de l'Opposition sont plus ou moins compromis. Je prétends qu'il existe un complot délibéré pour amener le Canada, par la force, par des moyens frauduleux ou des deux façons, à faire partie de l'Union américaine [75]."

Macdonald était capable aussi bien que Farrer et Blaine, ou même mieux qu'eux, de jouer le jeu qu'ils avaient commencé. Il avait réussi à retourner les arguments de ses adversaires contre eux. Mais il avait fait plus que gagner en se servant de quelque tour de passe-passe. Il avait trouvé et énoncé, dans une forme simple et définitive, le thème principal des élections. Farrer, l'éditorialiste d'un des plus importants journaux de l'Opposition, avait été disposé, en une période de dépression et de grande misère nationale, à conseiller l'étranger contre les intérêts de son propre pays. Les libéraux, en se faisant les champions de relations économiques étroites avec les États-Unis ne jouaient-ils pas en réalité le jeu de l'étranger aussi efficacement, mais simplement de manière un peu moins évidente? Et toute l'idée de réciprocité commerciale inconditionnelle n'était-elle rien de plus qu'un vote de non-confiance envers le concept d'une nation distincte et séparée en Amérique du Nord? Durant les quelques années qui avaient précédé, le Dominion avait connu des malchances et des revers. On l'avait acculé au pied du mur. Mais l'instinct de résistance et le désir de survie étaient forts. Et c'était un vieil homme de soixante-seize ans qui incarnait ce désir et cet instinct. Il avait dit aux Canadiens, dans un ultime manifeste, qu'il avait l'intention de continuer "de bâtir sur ce continent, sous le drapeau de l'Angleterre, un grand et puissant pays" et que jusqu'à la mort il n'y renoncerait jamais.

Pour un vieil homme de soixante-seize ans, il menait un train d'enfer. Avant de quitter Ottawa, il avait dit à son secrétaire Joseph Pope qu'il avait l'intention de rester à Toronto et de veiller au déroulement général de la campagne [76]. Mais il ne put s'en tenir à son plan. De tous les coins de la Province, on le réclamait. Il céda. Rapidement et inévitablement, il se retrouva aux premières lignes, partout où la bataille était rude. Le mercredi 18 février, le lendemain du jour où il avait démoli Farrer, il quitta Ottawa pour Hamilton. Le jeudi, il était à Strathroy. Le vendredi, il était l'hôte de John Carling, à London. Et le samedi, rebroussant chemin vers l'est, il prit successivement la parole à Stratford, St. Mary's, Guelph, Acton et Brampton.

Il avait fait la même chose, ou presque, des centaines de fois. Et récemment encore, en 1886, Thompson s'était émerveillé de son excellente forme au cours d'une tournée électorale du même genre. Mais le samedi 21 février fut sans doute le jour où il eut le plus de mal à parler. À Brampton, les gens remarquèrent à quel point sa voix était rauque. Et quand ils atteignirent Toronto, tard dans la nuit, Pope crut remarquer que son patron était plus fatigué que d'habitude après des prestations du même genre. Le dimanche, Macdonald se reposa. Mais un jour de repos n'était pas suffisant. Il était anormalement silencieux quand ils partirent pour Kingston le dimanche soir. Après des jours de temps clément, il faisait de nouveau extrêmement froid dans l'ouest de l'Ontario. Le thermomètre indiquait près de moins vingt-cinq degrés centigrades aux premières heures du lundi matin quand son train privé s'immobilisa à Kingston. Le temps de se rendre à l'hôtel British American, il était complètement gelé. Il passa la plus grande partie de la journée à se reposer dans sa suite à l'hôtel. Un journaliste vint le voir au début de l'après-midi et le trouva d'excellente humeur, mais toujours sous le coup de la fatigue de son périple dans l'ouest [77].

Le mardi 24 février, la température changea de nouveau radicalement. En fin d'après-midi, les nuages qui s'étaient amoncelés depuis les douze dernières heures, se transformèrent en violentes averses et pendant la nuit le vent se mit à souffler en tempête [78]. Ce soir-là, il s'adressa à la foule rassemblée à la Maison de l'opéra de Kingston. Le lendemain, le sol était couvert de boue et de flaques d'eau. Le ciel était lourd et bas. Il partit pour Napanee. Voilà près de soixante ans qu'il était venu, jeune homme de dix-sept ans, créer dans ce petit village de colons une succursale pour l'étude juridique de George Mackenzie. Cela avait été la première étape importante de sa carrière. Et voilà qu'il y revenait pour ce qui était pratiquement son dernier voyage. La ville, en ce jour de février désagréable et froid, était bourrée de monde. En voiture ouverte, on le conduisit lentement le long de la rue principale à travers la foule qui applaudissait et se pressait, jusqu'à l'hôtel de ville. Dans la salle la chaleur était suffocante. Même l'estrade était bourrée de monde. Comme dans un rêve vague et décousu, il eut connaissance d'un choeur de jeunes filles qui chantaient l'hymne national. Puis quelqu'un se mit à parler. Quelqu'un d'autre l'introduisit. Il eut connaissance qu'il avait terriblement de mal à se lever [79]. Il luttait de toutes ses forces. Son visage était rouge et ses cheveux blancs étaient dépeignés. Il n'était conscient de rien sinon de la chaleur, de la foule et de son épouvantable faiblesse. Et puis ce fut terminé. Dans la bousculade, il se dirigea vers la porte, défila devant des visages, des voix, des mains tendues, dans un brouhaha indistinct et affolant. Il était dans la rue dans la voiture ouverte, par cette température humide et glacée.

Quand ils atteignirent finalement son wagon de chemin de fer privé, Pope lui remit toute une liasse de télégrammes qui venaient d'arriver et le laissa sur le seuil de sa chambre à coucher. Quelques minutes plus tard à peine, quand le secrétaire revint dans la pièce, il trouva le vieil homme étendu en travers du lit [80]. Son visage était gris, gris de fatigue, mais gris aussi de cette fatigue qui n'était que l'épuisement de toute une vie.

## VI

On mit terme à la tournée. Les autres discours prévus furent annulés. En un moment de grande faiblesse, sa vieille ennemie, la bronchite, une bronchite grave, avait eu de nouveau raison de lui. Il n'avait presque plus de voix. Son pouls était faible et irrégulier. Et quand il respirait, il avait souvent mal au poumon gauche [81]. Pendant des jours, alors que la bataille électorale atteignait son paroxysme, il resta couché et se reposa à Kingston. Ce n'est que la veille du jour du scrutin, le 4 mars, qu'il se sentit capable d'entreprendre le voyage de retour pour Ottawa. Dès qu'il atteignit la capitale, il se mit au lit. Ce soir-là, on lui fit part des premiers résultats électoraux dans sa chambre. Une petite toux sèche le secouait encore. Il se sentait extrêmement fatigué. Il était près de dix heures. Les résultats de plus de la moitié des circonscriptions étaient arrivés. Macdonald se tourna soudain sur le côté et s'endormit.

Le lendemain, les télégrammes de félicitations et les lettres commencèrent à affluer. Le marquis de Salisbury, Lord Lorne, George Stephen et une foule d'autres admirateurs lui avaient envoyé leurs félicitations. Même la Reine, comme l'en informa Lord Stanley, "avait exprimé son vif plaisir devant le résultat des élections". Les sentiments personnels de Macdonald étaient plus mitigés. Son gouvernement avait été réélu. À Kingston, il disposait de la plus importante majorité de toute sa carrière politique. Mais le Parti avait perdu quelques sièges au Québec et en Ontario. Et même s'il en avait gagné d'autres dans les Provinces Maritimes, sa majorité au total s'était un peu réduite. Ils étaient néanmoins les vainqueurs. En cette année de misère économique et de grave découragement, c'était peut-être fantastique que le gouvernement ait pu se maintenir au pouvoir. Il écrivit à George Stephen: "Les effets du tarif McKinley sont si désastreux que si nous avions retardé les élections jusqu'à la prochaine récolte, nous aurions été littéralement anéantis (...) J'ai été extrêmement surpris et ennuyé de voir que la vieille idée de réciprocité inconditionnelle avait la faveur de nos fermiers. Tout au long de la campagne, j'ai souligné que la réciprocité inconditionnelle équivalait à l'annexion. Les manoeuvres de Cartwright, Farrer et Wiman nous ont permis de pousser le cri de la loyauté, ce qui a eu un effet considérable. Cependant, la défection des fermiers et les larges sommes d'argent qui *sans l'ombre d'un doute* sont venues des États-Unis ont affaibli notre majorité et nous ont placé face à un avenir incertain."[82]

Son propre avenir, comme quelques proches commençaient à le réaliser, était plus incertain encore. Le 10 mars, il écrivit au professeur Williamson: "Je récupère lentement, très lentement. Je ne suis pas sorti de la maison depuis mon retour. Mais aujourd'hui il fait beau et j'irai en voiture jusqu'au Conseil [83]." Il s'était aventuré la veille à sortir de la chambre pour la première fois et avait commencé à dépouiller l'énorme courrier qui s'était accumulé. Son médecin, le docteur R.W. Powell, le mit en garde et lui rappela avec beaucoup de sérieux qu'il avait impérativement besoin de repos. Il écouta avec son habituelle courtoisie. Mais il était évident qu'il comptait ne pas suivre trop à la lettre les conseils médicaux.

Il répondit gravement au docteur Powell: "Il faut que j'aille travailler si j'en suis capable [84]." Mais il n'en était pas encore réellement capable: bien avant la fin des travaux du Conseil le 10 mars, l'extrême fatigue l'abattit de nouveau. Il dut quitter avant l'ajournement, à sa grande tristesse et à la grande consternation de ses collègues.

Les semaines passaient. Il passait le plus clair de son temps alité ou à l'intérieur de la maison. À la fin de mars, il dit à Stephen qu'il "sortait à peine" de son état de prostration. Le temps où il lui était loisible de récupérer s'écoulait rapidement. Au début d'avril, Sir Charles Tupper partit réouvrir les négociations commerciales à Washington. Il y subit un nouveau déboire, car Blaine une fois de plus reporta les discussions à plus tard. Il y retourna une seconde fois et finit par s'embarquer pour l'Angleterre. À ce moment-là, Macdonald était très occupé à préparer la rentrée parlementaire. Le 29 avril, presque avant qu'il ne s'en rende compte, la nouvelle session s'ouvrit. Il allait mieux. Il avait presque retrouvé son ancienne énergie et sa bonne humeur, quand le premier jour du débat sur le Discours du Trône, il donna la réplique à Laurier qui prétendait qu'aux élections, il avait emporté une victoire à la Pyrrus. Il répondit avec humour: "Je dis à mes amis et à mes ennemis: *J'y suis, j'y reste**. Nous comptons rester. Et il faudra plus que le pouvoir de l'honorable député et de la phalange de ses partisans, pour nous déranger ou nous déloger de notre piédestal [85]." C'était courageux! Mais à mesure que les jours passaient, tout le monde pouvait se rendre compte de sa faiblesse. Quand il rentrait à Earnscliffe le soir, ou le plus souvent l'après-midi, Agnes savait qu'il était complètement épuisé.

Durant ces longues et tristes semaines de convalescence, il s'était souvent senti faible et déprimé. Mais le 12 mai, moins de quinze jours après la rentrée parlementaire, il connut soudain la peur. Avec deux de ses collègues, il était allé ce matin-là attendre le gouverneur général. Le vieux problème à la fois lassant et plein de risques de la chasse au phoque en mer de Bering avait ressurgi. Il fallait répondre à un télégramme du ministère des Colonies qui demandait des explications. Il commença à expliquer son point de vue. Et puis soudain, sans avertissement, il eut de la difficulté à trouver ses mots et à dire ce qu'il avait à dire. Il était terriblement conscient de ce mystérieux handicap. Le gouverneur général l'était aussi. Il inventa une excuse pour emporter le télégramme avec lui à Rideau Hall et promit de le ramener lui-même dans l'après-midi au bureau du Premier ministre dans l'édifice parlementaire. Il était presque l'heure convenue quand Macdonald entra précipitamment dans ses locaux, traversa son salon privé, appela son secrétaire et, après lui avoir expliqué que Lord Stanley était sur le point d'arriver, lui demanda d'aller chercher Sir John Thompson pour qu'il vienne immédiatement. Pope se hâta. Il

*N.D.T.: en français dans le texte.

*Archives publiques du Canada*

John A. Macdonald

revint en disant que le ministre de la Justice serait là dans quelques minutes.

"Il doit venir tout de suite", dit Macdonald d'une voix étouffée et en articulant avec difficulté, "il doit parler à ma place au gouverneur général. Je suis incapable de parler. Quelque chose ne marche pas, je ne puis pas articuler [86]."

Lord Stanley arriva quelques minutes plus tard. Son Premier ministre et son ministre de la Justice l'attendaient dans une attitude étrangement raide et compassée. Macdonald semblait malade. Il semblait aussi extrêmement embarrassé. Il demanda d'une voix basse et peu distincte à Thompson de parler pour lui. En quelques minutes, ils mirent au point le texte de la réponse télégraphique et le télégramme fut envoyé. La tension et le malaise dans la pièce semblèrent s'accentuer. Lord Stanley ne pouvait rien faire que prendre congé. Au moment où il se retourna pour partir, il vit quelque chose qu'il n'avait pas remarqué jusque-là: un côté du visage de Macdonald semblait légèrement contracté et déformé [87].

La porte se referma sur le gouverneur général. Thompson partit presque immédiatement après. Pendant quelque temps, Macdonald resta seul. Puis, comme s'il ne pouvait supporter la solitude plus longtemps, il se rendit dans le bureau de Pope.

"J'ai peur d'être paralysé", dit-il avec beaucoup d'inquiétude dans la voix, "mon père et ma mère en sont morts. Et on dirait que je sens qu'elle me gagne [88]."

Pope appela une voiture. Ils descendirent ensemble pour l'attendre sur la colline parlementaire. Macdonald semblait aller mieux. À six heures et demie, quand le docteur qu'on avait appelé arriva à Earnscliffe, il trouva son patient en meilleur état physique. Il avait presque complètement retrouvé l'usage de la parole. Ils discutèrent ensemble de l'incident de l'après-midi [89]. Macdonald reconnut qu'il avait déjà parfois senti que son bras gauche ne voulait pas obéir et qu'il ressentait des fourmillements dans la main gauche et dans les doigts. Powell lui expliqua ce dont il souffrait. Il souligna que c'était la conséquence presque inévitable du surcroît de travail et il conseilla très gravement à Macdonald de prendre un repos complet. C'était sa dernière chance. Mais il refusa de la saisir. Il dit à Powell qu'il était hors question pour lui de prendre un repos complet ou de quitter Ottawa en pleine session. Il se maintint à son poste. Il se rendit aux séances du Conseil. Il assista aux travaux du Parlement. Et, pour un temps, la chance sembla couronner sa magnifique audace. Son état s'améliora rapidement. Et du lundi au vendredi, dans l'avant-dernière semaine de mai, il avait presque retrouvé son entrain de jadis.

Le vendredi 22 mai 1891, était un jour bien ordinaire à la Chambre des Communes du Parlement du Canada. Il ne se distinguait en rien des centaines d'autres jours qu'y avait vécu Macdonald depuis la lointaine première session de 1865. En cette fin de printemps, le vent était aussi chaud et aussi doux que si c'avait été le milieu de l'été. Toute la colline parlementaire embaumait le lilas. Ce jour-là, Thompson écrivit à sa femme: "Sir John est de nouveau très bien et en pleine forme [90]." Il semblait presque que Macdonald avait retrouvé son ancienne forme parlementaire. Il ne parlait pas longtemps, mais il intervenait fréquemment dans le débat. Il faisait, comme d'habitude, des blagues et des commentaires amusants. Il était toujours là à onze heures au moment de l'ajournement. Il s'attarda un peu sur la terrasse extérieure à bavarder avec son ministre des Douanes, Mackenzie Bowell. On se serait cru un soir d'été. Les buissons de lilas en fleur faisaient le tour de la colline parlementaire; et par-delà, le paysage descendait abruptement jusqu'à la rivière pour remonter de l'autre côté vers les collines basses et sombres du bouclier précambrien. Et quelque part, caché par le roc et la forêt, il y avait le chemin de fer, brillant sous la lune, son chemin de fer, la voie du Canada, la voie du destin qui se frayait un chemin, mille après mille, à travers le Nord-Ouest.

"Il est tard, Bowell", dit-il, "bonne nuit!"

# Épilogue

# Le six juin 1891

## I

Il était six heures du soir quand il revint à Earnscliffe le samedi 23 mai. Le Parlement bien sûr était ajourné pour la fin de semaine. Mais il avait profité de cette journée libre pour convoquer une réunion du Cabinet. Pendant tout l'après-midi, ils avaient discuté. Il descendit lentement de voiture. Agnes qui était venue anxieusement à sa rencontre à la grille d'entrée, vit immédiatement avec un pincement de douleur à quel point il semblait épuisé. Elle prit sa serviette qu'il ramenait avec lui chaque fois qu'il rentrait à la maison. Ils remontèrent le sentier en se donnant le bras, mais c'est elle qui l'aidait à marcher [1].

On était samedi soir. Et tous les samedis soirs pendant la session, il y avait une règle établie depuis longtemps qui était en train de devenir une tradition de son règne de Premier ministre: le samedi soir, Macdonald avait l'habitude de donner un grand dîner. Tous les invités avaient reçu leur invitation. Dans moins d'une heure, ils allaient commencer à arriver. Il était impossible, dit-il à Agnes ennuyée, d'annuler le tout à la dernière minute. Il présiderait la table, comme il l'avait déjà fait si souvent. Son esprit semblait vouloir se montrer à la hauteur de la situation. Il était au meilleur de sa forme ce soir-là. Tout se passa comme s'il avait décidé que ses invités à cette dernière réception garderaient de lui le vif souvenir d'un hôte agréable et enjoué. Quand Pope le quitta, vers dix heures du soir, il lui sembla que l'ancien Sir John, non pas le Sir John d'il y avait quelques mois, mais celui d'il y avait quelques années, était miraculeusement ressuscité [2].

Le dernier invité prit congé. Macdonald avait le visage en feu et se sentait soudain fatigué. Il faisait chaud dans la pièce. Dehors, la nuit printanière était encore assez fraîche pour empêcher que l'on fasse trop de courant d'air. Macdonald ouvrit une autre fenêtre. Pendant quelque temps, il s'assit à côté et se détendit dans un fauteuil. L'air froid le rafraîchissait. Sur le coup, il ne se rendit compte de rien. Mais le lendemain, il se rappela ce petit épisode parce que le lendemain, son état avait de nouveau subitement empiré. Il avait pris froid, un petit rhume sans doute! Mais les effrayants symptômes qui l'avaient tant troublé trois mois plus tôt à Kingston étaient réapparus [3]. Sa voix était très faible. Il ressentait une sensation d'oppression et de pression dans la poitrine. Et quand il toussait, il avait des pointes aiguës de douleur.

Au début de l'après-midi, sérieusement inquiète, Agnes appela le médecin. Powell réussit à le soulager immédiatement. Il parvint également à lui faire garder le lit pendant deux jours. Les résultats étaient encourageants. Le troisième jour, le mercredi le 27 mai, il ne put supporter l'inaction plus longtemps. Il pensait à tout le courrier qui s'accumulait en bas. Il insista ce matin-là pour se rendre à son bureau. Il y travailla avec Pope une bonne partie de la journée. Quand Powell vint le voir ce soir-là, il lui dit qu'il se sentait assez bien. Il était fatigué et faible, mais il fallait s'y attendre. Il avait une journée de travail dans le corps. Ce soir-là, il ne se sentait pas inquiet quand il gagna le lit. Au contraire, il était assez satisfait d'avoir bien travaillé. Il se réveilla brusquement vers deux heures et demie du matin. Il avait crié à haute voix sans s'en rendre compte. Agnes terrifiée était penchée sur lui. En quelques minutes, il se rendit compte qu'il ressentait quelque chose d'anormal dans sa jambe gauche et qu'il avait perdu toute force et toute sensation dans le bras gauche [4].

Il était couché dans le lit. Tout était tranquille. Il attendait. Dieu merci, il était encore capable de parler! Appelé en hâte, le médecin arriva un peu après trois heures. Il put discuter avec lui de ce qu'il ressentait avec son habituel laconisme et son habituelle clarté. La partie gauche de son visage était légèrement raidie et contractée. Mais il était capable de parler sans difficulté. Et avant la fin de cette courte nuit de printemps, il s'était déjà partiellement remis de sa crise. Vers neuf heures et demie, il était capable en faisant un effort de relever doucement la jambe. Même si son bras gauche restait engourdi, cela sembla se passer doucement à mesure que la matinée avancait. Quand Pope arriva, après le départ du médecin et après le petit déjeuner, Macdonald le salua avec son flegme habituel. Ses yeux ne semblaient pas effrayés ni sa voix inquiète. Il discuta en détail, et avec un intérêt de toute évidence réel, des deux résolutions qu'il avait l'intention de soumettre sous peu au Parlement. Tout se passait comme s'il espérait réellement retrouver sa place à la Chambre des Communes au plus tard le lundi suivant! Un seul incident prouve cependant qu'il était conscient de son état. Il demanda à Pope de lui apporter un des documents de sa succession. Pope lui demanda s'il désirait le signer tout de suite ou plus tard.

— Maintenant, répondit-il laconiquement, pendant qu'il en est encore temps! [5]

Powell avait demandé que d'autres médecins auscultent son patient. Mystérieusement, la rumeur se répandit à Ottawa que le Premier ministre était de plus en plus sérieusement malade [6]. Vers le milieu de l'après-midi, l'arrivée des docteurs George Ross et James Stewart, de Montréal, donna ample confirmation aux nouvelles alarmantes. Vers quatre heures, les médecins consultants étaient au chevet de Macdonald. Il n'avait toujours aucune difficulté d'élocution. Ses capacités intellectuelles n'étaient nullement atteintes. Il était maintenant capable de remuer assez librement la jambe. Mais si la raideur dans son bras gauche subsistait, il était capable relativement facilement de le lever vers la tête et de l'écarter du corps. De l'avis des médecins, il allait merveilleusement mieux. Mais de toute évidence, il y avait une légère lésion. Ils lui expliquèrent gravement ce qu'il en était réellement et lui assurèrent que le seul moyen d'éviter une seconde attaque qui lui serait probablement fatale était de rester couché et de ne pas se mêler de la vie politique pendant au moins quelques semaines. Macdonald les remercia courtoisement de leur gentillesse et de leur franchise. On informa Lady Macdonald. On mit au point le bulletin de santé qui devait être rendu public. Et, à six heures, le docteur Powell se rendit à la salle du Conseil privé, y rencontra les membres du Cabinet solennellement réunis et les informa de ce qui s'était passé. [7]

## II

Macdonald passa tranquillement la soirée à lire au lit. C'était ainsi, malade ou en bonne santé, qu'il avait l'habitude de terminer ses journées. Cette nuit-là, il dormit sa quantité habituelle de sommeil: six heures environ. Le vendredi 29 mai, au matin, il se sentait beaucoup mieux. Il prit une tasse de thé. Il était capable de bouger beaucoup plus librement son bras gauche que le soir précédent, comme le remarqua le docteur Powell. Pope arriva vers dix heures. Comme Macdonald l'avait fait toute sa vie, poussé par quelque irrépressible et incorrigible besoin, il demanda à voir les lettres qui étaient arrivées le matin [8]. Pope lui en apporta quelques-unes, soigneusement choisies parmi les plus anodines. Quelques minutes plus tard, le secrétaire revint avec des nouvelles de toute évidence plus intéressantes. Sir John Thompson, le ministre de la Justice, était arrivé à Earnscliffe. Il attendait en bas. Macdonald décida sur-le-champ de saisir l'occasion qui se présentait. Cela faisait plus d'une semaine qu'il n'avait vu aucun de ses collègues. Il avait hâte de reprendre contact et de réimposer son contrôle habituel. Et Thompson était son ministre préféré, celui qui partageait ses confidences les plus intimes. Il ordonna que l'on fasse entrer le ministre de la Justice immédiatement.

Thompson était assez agité quand il pénétra dans la chambre. C'était un homme inquiet et fatigué. Durant les derniers jours, ses responsabilités déjà lourdes jusque-là s'étaient énormément accrues, même si leurs limites n'en avaient pas été clairement précisées. Les rumeurs, les bulletins de santé, la consultation des médecins montréalais, tout avait eu un effet corrosif. En quarante-huit heures, le caractère de la Chambre avait radicalement changé. L'anxiété terrassait le Parti gouvernemental. L'Opposition s'était réveillée et attendait fébrilement. "Les grits", écrivit Thompson à sa femme ce jour-là, "ressemblent à des pirates prêts à sauter à l'abordage. Nous aurons un caucus mardi et nous battrons le rappel de nos gens." Comment était-ce possible? Sans chef connu et accepté, comment rallier efficacement le gros des troupes conservatrices? Il regarda l'homme qui était allongé sur le lit devant lui. La bouche de Macdonald était ferme, ses yeux étaient vifs. Il aurait pu simplement se relever d'une maladie bénigne. Il semblait de toute évidence mieux. Il se pouvait même qu'il redevienne tout à fait bien de nouveau. Mais tout au fond de lui, Thompson ne le croyait pas. Il avoua à sa femme un peu plus tard: "Selon toutes probabilités, il ne reviendra pas en Chambre cette cession, si même il y revient jamais!" [9]

" (...) si même il y revient jamais!" Cette idée qu'aucun des deux n'exprima servit de prémisses muettes à leurs spéculations. Qui succéderait à Macdonald? Il n'y avait pas de premier choix évident. Il y avait très peu de possibilités réelles. Depuis des mois, depuis des années, Macdonald avait réfléchi à la question. Il savait tout ce qui s'était dit ou tout ce qui pouvait se dire, pour ou contre chaque candidat possible. Il y avait des arguments qui militaient en faveur de Langevin, de Tupper et de Thompson. Mais il était conscient que la religion de Thompson le disqualifiait. Il n'ignorait pas la mauvaise réputation de Langevin suite aux récents scandales, ni l'impopularité de Tupper auprès de certains ministres importants du Cabinet, y compris Thompson, non plus d'ailleurs que la préférence avouée de Tupper pour son travail de haut commissaire à Londres. Il avait déjà pensé à l'idée d'une nomination bouche-trou, à la nomination d'un Premier ministre temporaire, provisoire, qui pourrait maintenir l'unité du gouvernement et du Parti jusqu'à ce que la question de la direction fût réglée. À la fin du printemps, à l'une des dernières séances du Cabinet auxquelles il ait assisté, il avait déjà suggéré une telle façon de procéder à Thompson. "Thompson", avait-il dit doucement, "quand je ne serai plus là, il faudra vous rassembler autour d'Abbott, c'est votre homme, et c'est le seul [10]." Abbott n'était ministre que depuis quelques années, mais au Parlement il était l'un des vétérans. Il était un très ancien et très loyal conservateur. Et le fait qu'il siégeât au Sénat plutôt qu'à la Chambre des Communes, laisserait à Thompson beaucoup de latitude pour contrôler les débats aux Communes. La promotion d'Abbott serait provisoire et de pure forme. Mais, même là, en était-il digne? Macdonald n'en était pas sûr. Ses doutes et ses incertitudes subsistaient. Il ne se sentait pas particulièrement chaud envers Abbott. Et même maintenant, à la toute fin, il hésitait encore à poser le geste final et solennel de le désigner comme son successeur.

— Thompson, dit-il d'une voix faible mais ferme, il y a quelque temps je vous ai dit que vous devriez vous rallier autour d'Abbott, que c'était votre homme. J'ai changé d'avis. Il est trop intéressé [11].

Il aurait continué à parler. Mais Thompson souhaitait mettre terme à la visite. Le vieil homme devait être fatigué. Et n'avait-il pas déjà assez, ou peut-être même trop parlé? Aussi gentiment et doucement qu'il le put, le ministre de la Justice mit fin à la conversation et se retira. Macdonald resta seul, mais pas longtemps. Vers midi, un second visiteur, le docteur Sullivan, le médecin qui s'était occupé de lui à Kingston pendant sa maladie de l'hiver passé, lui rendit une brève visite. Le malade but un peu de lait et quelques cuillères de bouillon de boeuf. Il se reposait et lisait une revue quand Powell arriva un peu après trois heures et demie. Pendant un moment, le médecin et son malade parlèrent ensemble. La pièce était très tranquille. Toute la maison était plongée dans le silence. Au dehors, les allées et le jardin d'Earnscliffe semblaient somnoler sous le chaud soleil de cette fin de mai. Powell posait ses habituelles questions de routine à son malade. Macdonald faisait ses réponses habituelles. Alors, comme s'il avait voulu s'installer un peu plus confortablement pendant cet examen, le vieil homme rejeta la tête en arrière sur l'oreiller. Il bâilla une ou deux fois. Et, en moins d'une seconde, il sembla perdre conscience.

Le docteur se précipita. Était-ce possible? Instantanément, il sut qu'il n'y avait pas de doute possible. L'homme couché dans le lit devant lui venait de subir une seconde et terrible attaque. Tout le côté droit de son corps était paralysé. Il ne pouvait plus parler [12].

On était le vendredi 29 mai à quatre heures de l'après-midi.

Le médecin appela tout de suite Agnes, Hugh John et Pope. Rapidement à voix basse, il leur expliqua ce qui était probablement arrivé. L'homme accablé par la maladie était conscient de leur présence effrayée. Il essayait désespérément de parler à son fils. Il n'y parvint pas et tous comprirent alors l'ampleur de la tragédie qu'il vivait. Le temps était compté. La mort pouvait arriver en quelques heures, en quelques minutes même. Le médecin s'affairait à soulager son malade. Il demanda immédiatement du secours et rédigea les indispensables bulletins de santé. Il envoya des messagers pour demander à deux médecins d'Ottawa, Sir James Grant et le docteur H.P. Wright, de venir immédiatement en consultation à Earnscliffe. Il écrivit à la fois au gouverneur général et à Sir Hector Langevin pour les informer que l'état de son malade avait soudain dramatiquement empiré.

Earnscliffe attendait dans un silence douloureux et tendu. Il était six heures et demie quand Sir James Grant et le docteur Wright arrivèrent. La lumière dorée de cette fin d'après-midi illuminait les fenêtres. Le docteur Powell et ses deux collègues passèrent un long moment dans la chambre silencieuse du haut. Si Agnes s'était accrochée au vain espoir que la longueur de la consultation signifiait que le diagnostic était incertain et que les spécialistes étaient partagés, elle fut rapidement déçue. Les médecins étaient unanimes. Les symptômes étaient très marqués. Et, comme l'expliqua le docteur Powell, il était évident "qu'une hémorragie avait eu lieu dans l'hémisphère cervical gauche, confinée surtout à la zone motrice" [13]. Comme au moment de la crise, le patient était tranquillement installé dans son lit, le coeur avait apparemment continué à fonctionner normalement, et selon Powell, le dommage était légèrement moins grave que ce à quoi on aurait pu s'attendre. Malgré tout, l'état de Macdonald était extrêmement critique. Manifestement, les docteurs craignaient le pire. À huit heures du soir, ils rédigèrent un bulletin de santé destiné à la presse. Un peu plus tard, dans une seconde lettre à Langevin, Sir James Grant exposa, sans essayer de l'atténuer, la triste conclusion à laquelle ils étaient arrivés. Il écrivit: "Je viens de voir Sir John en consultation. Perte complète de l'usage de la parole. Hémorragie cérébrale. État désespéré [14]."

Il était neuf heures passées quand le message arriva au Parlement. La Chambre des Communes siégeait en session du soir. Pendant la plus grande partie de la journée, les députés avaient discuté une résolution libérale déplorant la récente participation de Sir Charles Tupper aux élections générales canadiennes et affirmant que c'était un manquement à ses devoirs de haut commissaire du Canada à Londres. On discutait déjà du même sujet une semaine plus tôt, le dernier jour où Macdonald était venu au Parlement. Mais l'Opposition n'avait pas épuisé le sujet. Au moment où l'on apporta la note de Sir James Grant, C.H. Mackintosh, député conservateur de la ville d'Ottawa était en train d'essayer de répondre à une attaque de Cartwright. Pendant un moment, Langevin fixa le message des yeux. Il en communiqua à voix basse la teneur aux autres ministres. Il traversa la salle et murmura la nouvelle à Laurier. La Chambre se rendit rapidement compte que quelque chose de grave et d'inhabituel était en train de se passer. Il n'y eut plus le moindre doute, une minute plus tard, quand le ministre des Travaux publics se leva pour demander l'ajournement. La voix de Langevin était étrangement émue.

"J'ai le pénible devoir", dit-il en parlant avec difficulté, "d'annoncer à la Chambre qu'une nouvelle qui vient d'arriver d'Earnscliffe nous informe que le Premier ministre a eu une rechute et qu'il est dans un état extrêmement critique. Nous possédons les rapports des médecins qui veillent sur le très honorable gentleman. Ils ne semblent pas croire qu'il puisse survivre plus de quelques heures [15]."

Une minute plus tard, on ajourna la Chambre. Il était près de dix heures. Les députés s'attroupèrent autour du ministre des Travaux publics. Il répéta la nouvelle. Il montra le message de Sir James Grant. Quand ils eurent appris tout ce qu'il y avait à apprendre, les conservateurs et les libéraux, en petits groupes, se mirent à parler entre eux à voix basse de la catastrophique nouvelle. Langevin resta assis à sa place. Les larmes lui coulaient sur les joues. C'était un homme terne, sans grandes capacités sauf pour les travaux de routine de l'administration. Il avait un sérieux penchant pour le népotisme et le maquignonnage. Mais depuis trente ans, dans toutes les situations imaginables, malgré tous les risques, il avait loyalement suivi Macdonald. Vulgaire, vénal, cet homme vieillissant était l'incarnation même de la loyauté. Et en cet instant précis, sa loyauté semblait devoir racheter le reste.

"Je l'ai suivi pendant trente-cinq ans, ne cessait-il de répéter, pendant trente-cinq ans, je l'ai suivi [16]."

Thompson, Chapleau et lui se rendirent à Earnscliffe cette nuit-là. Plus tôt dans la soirée, alors que la Chambre siégeait toujours, le gouverneur général avait pris des nouvelles. Il informa la reine par câble. Vers dix heures, la nouvelle courait sur tous les fils télégraphiques jusque dans chaque ville, chaque cité, chaque village du Canada. Le lendemain matin, les journaux annonçaient à la une la nouvelle à des millions de Canadiens effarés. Certains des gros titres désignaient Macdonald par son nom, d'autres par son titre officiel, d'autres encore, comme s'il ne pouvait y avoir le moindre doute sur l'identité du personnage, par un simple pronom personnel. *Il est mourant*. On avait informé les Canadiens du pire. Ils s'attendaient à ce qu'il meure. Comme les médecins qui avaient émis le premier bulletin, ils ne voyaient pas comment il pourrait survivre longtemps au terrible choc. Les Canadiens étaient sûrs que les journaux du lundi matin annonceraient sa mort. Le lundi arriva. La nouvelle fatale et définitive n'était imprimée nulle part. Il vivait encore. Les heures passaient et il vivait toujours. Et, petit à petit, à mesure que les heures s'accumulaient jusqu'à totaliser un autre jour, les Canadiens commencèrent à se rendre compte que très loin, là-bas, dans le silence feutré de sa chambre d'Earnscliffe, Macdonald était en train de livrer sa dernière bataille, et cette fois contre la mort.

# III

On était le premier juin. La vallée de la rivière Ottawa baignait dans la chaleur et la lumière. Depuis deux semaines, il n'avait presque pas plu [17]. Au crépuscule, le ciel et le soleil étaient pourpres avant de basculer dans la nuit. Derrière les rideaux tirés, à Earnscliffe, la grande chambre obscure semblait somnoler dans la torpeur de l'été. Et c'est là qu'il était couché, brisé, silencieux, somnolent, mais toujours en vie. La formidable vitalité dont il avait si souvent usé et abusé et qui ne lui avait jamais fait défaut, menait un ultime et involontaire combat pour l'existence. Son pouls était faible et irrégulier, sa respiration difficile et haletante. Il était douloureusement évident que ses dernières forces étaient sur le point de le lâcher. Pourtant il vivait toujours. Qu'il l'ait voulu ou non, son organisme continuait à combattre désespérément pour la vie. Il était capable d'ingurgiter le lait, le bouillon de boeuf et le champagne qu'on lui faisait avaler avec d'infinies précautions. Il pouvait faire comprendre qu'il voulait qu'on le change de côté dans le lit.

Il avait encore conscience d'autre chose que ses simples besoins physiques. Très loin, dans son ultime retranchement, derrière les murailles épaisses de la paralysie et du silence, son esprit fonctionnait toujours, imparfaitement mais froidement, raisonnablement comme il avait toujours fonctionné. Il ne pouvait pas parler. Tout son côté droit était immobilisé. Mais son bras gauche, qui avait subi la première attaque de paralysie, était toujours intact. Il était toujours capable de communiquer avec ceux qui veillaient à côté de lui par une pression de la main gauche. C'était son dernier moyen de contact avec le monde. Et il l'utilisait avec beaucoup de sûreté, sans hésiter le moindrement et sans jamais se tromper [18]. Si un des docteurs ou une des infirmières posaient une question de telle manière que la pression de la main pouvait signifier aussi bien oui que non, alors il la gardait lâche. Il ne faisait une pression de la main que quand la signification du geste était devenue claire et indubitable, et quand il le voulait. Ses désirs, qui s'exprimaient de façon faible mais sûre des lointaines distances d'où ils parvenaient, équivalaient à des ordres que son entourage essayait d'exécuter à la lettre. Il parla de cette étrange façon à Agnes, à Hugh John, à Pope, à Fred White et aux autres personnes qui le servaient. Régulièrement, alors que sa femme était assise à son chevet, il répondait à la question qu'elle n'osait poser et qu'elle ne posait pas en lui serrant légèrement la main.

La chambre était silencieuse. La maison était silencieuse. Les jardins reposaient sous le soleil. Les remorqueurs qui tiraient leurs trains de rondins sur la rivière ne sifflaient pas. On avait enlevé les clochettes des voitures à chevaux qui montaient et descendaient lentement la rue Sussex [19]. Les gens se tenaient à l'écart, avec respect et vénération. Un long cortège de curieux venait tous les jours demander des nouvelles au gardien, à la grille d'entrée. Un peu plus loin, on avait dressé une tente pour le télégraphiste du Canadien Pacifique. Toutes les quelques heures, les correspondants des journaux venaient en groupe prendre connaissance des derniers bulletins de santé et poser leurs innombrables questions aux médecins. Tout le pays attendait des nouvelles. Et en même temps, tout en attendant, les gens se livraient à toutes sortes de spéculations.

À Ottawa, écrivit d'un ton sardonique Thompson à sa femme, l'énervement est à son comble. Qu'est-ce qui allait se passer? Qui, s'il mourait, succéderait au vieux chef? Il y eut un mouvement en faveur de Tupper que Tupper lui-même s'empressa de décourager en envoyant un câble énergique à son fils. On discuta des chances de Langevin, même s'il en avait moins qu'avant. Le nom de Thompson fut de plus en plus souvent évoqué, tandis que Thompson lui-même, comme il le dit à sa femme, "essayait de mettre au point un arrangement pour qu'Abbott soit le nouveau Premier ministre" [20]. Tout cela restait du domaine de la spéculation. Rien n'était définitif ni certain. Rien ne pouvait être fait avant la fin du combat qui se menait dans le calme de cette chambre à Earnscliffe. Rien ne serait fait, avait signifié Lord Stanley, avant que les funérailles d'État, solennelles et inévitables, fussent terminées. Thompson, même s'il avait décidé de refuser le poste de chef du Parti conservateur, était ennuyé à la perspective de ce nouveau délai, selon lui inconstitutionnel. Il pensait que le gouverneur général n'avait pas le droit de rester sans gouvernement une heure de plus qu'il était nécessaire [21]. Mais, selon les Canadiens, quand le gouvernement de celui qui avait créé le pays serait-il réellement abrogé? Il déterminait le sort du Canada depuis son lit d'agonie. Il continuerait à diriger le pays jusqu'au moment où on l'enfouirait en terre.

Pendant cinq jours, le pays tout entier tourna les yeux vers Earnscliffe. Le sixième jour, le 4 juin, un rayon d'espoir interrompit soudain la triste monotonie des habituels bulletins de santé. À Ottawa, la température après la brève pluie de la veille était légèrement plus fraîche. L'horizon qui avait été embrumé par la fumée des feux de forêt, était redevenu clair [22]. Et à l'intérieur de la chambre obscure dans la maison près de la falaise, un changement notable et indubitable semblait en train de se produire. Les bulletins médicaux de la mi-journée se lisaient comme suit: "Sir John Macdonald a passé une assez bonne nuit. Ses symptômes cérébraux au moment de notre consultation étaient légèrement meilleurs. Il ne fait aucun doute qu'ayant vécu six jours depuis sa crise, une absorption partielle a eu le temps de se produire [23]." Était-ce possible? L'hémorragie était-elle en train de disparaître lentement? Avaient-ils le droit d'espérer? La nouvelle se répandit dans le pays. Les spéculations allaient bon train. À Earnscliffe, un petit groupe de personne continuaient à le veiller anxieusement en retenant leur souffle. Son état semblait continuer de s'améliorer. Vers le milieu de l'après-midi, on se rendit compte qu'il discernait et reconnaissait plus facilement les visages qu'il y était jamais arrivé depuis le début de la crise. Et l'un après l'autre, ses proches défilèrent à son chevet. Était-ce le dernier adieu, ou l'imperceptible début d'une véritable amélioration?

Pendant quelques heures, la balance du sort parut hésiter, et puis doucement, elle pencha en sa défaveur. Il était de nouveau plus faible cette nuit-là. Et plus faible encore le vendredi midi quand le docteur George Ross, appelé en hâte de Montréal pour la seconde fois arriva pour prendre part à l'habituel examen de la mi-journée. "Aujourd'hui", déclarèrent les médecins dans leur bulletin de deux heures, "nous avons trouvé Sir John A. Macdonald dans un état critique. Ses forces, qui ont graduellement diminué tout au long de la semaine dernière, ont subi un autre déclin marqué depuis hier. D'après nous, ses chances de vie diminuent régulièrement [24]." L'après-midi faisait place à la soirée. D'heure en heure, le lent déclin se poursuivit. La petite flamme de conscience qui s'était allumée pour la dernière fois la veille dans l'après-midi s'éteignait lentement. Une fois l'obscurité tombée, elle disparut pour de bon.

Il y eut une autre courte et chaude nuit d'été, avec dans le lointain le grondement assourdi des chutes de la Chaudière. Il y eut un autre crépuscule rouge, et un autre jour d'été, lumineux et long. La rivière étincelait sous le soleil comme au premier jour de la Confédération et coulait sereinement vers le nord-ouest. Le soleil se coucha une fois de plus derrière les crêtes bleu sombre des Laurentides. Et c'est alors qu'intervint l'ultime changement. Jusque-là, la respiration de Macdonald avait été rapide et haletante. Elle se fit plus lente, plus calme et, tandis que ceux qui le veillaient se rapprochaient de lui, elle s'éteignit dans une dernière, légère et lente expiration. Il était parti maintenant. Il se trouvait par-delà les soucis et les projets, par-delà l'Angleterre et le Canada. Par-delà la vie, il était entré dans la mort.

## IV

Tout était très calme à l'extérieur, aux alentours d'Earnscliffe. La plupart des journalistes avaient renoncé à monter plus longtemps la garde un peu avant dix heures. Deux correspondants seulement étaient restés. Ils étaient d'abord allés lentement vers la tente du télégraphiste du Canadien Pacifique et ils étaient revenus sur leurs pas. Ils venaient juste d'arriver à la grille quand ils entendirent des bruits de pas se pressant en leur direction sur le sentier. Une lanterne suspendue au-dessus de la remise jetait une faible lumière. Ils virent le visage tendu et épuisé de Joe Pope. Il était exactement dix heures vingt-quatre en cette nuit du samedi 6 juin.

— Messieurs, dit Pope la voix brisée, Sir John Macdonald est mort. Il est mort à dix heures et quart. [25]

En réponse à la question que les journalistes se hasardèrent à poser, il ajouta que la fin était venue doucement, paisiblement. Ensuite, il fixa le dernier bulletin du docteur Powell à la porte d'entrée d'Earnscliffe. En quelques minutes, le télégraphe répercuta la nouvelle à l'est et à l'ouest. Quelques minutes plus tard encore, les cloches se mirent à sonner le glas à Ottawa. Et, avant minuit, elles sonnaient dans la plupart des villes du Dominion.

Le lendemain, il reposa dans la chambre où il était mort. Il fallut attendre le dimanche à neuf heures pour qu'on descendît son corps au rez-de-chaussée dans la vaste et haute pièce qu'il avait fait ajouter à Earnscliffe, et qui était maintenant tendue de lourdes draperies blanches et pourpres [26]. C'est là qu'il reposa toute la journée du lundi, revêtu de son uniforme de conseiller privé de l'Empire avec les insignes de ses ordres à ses côtés. Le gouverneur général, les ministres et un petit groupe d'amis et d'associés entrèrent un à un et se recueillirent un instant à ses côtés. Mais ils ne représentaient qu'une infirme portion des milliers de gens qui souhaitaient lui faire leurs derniers adieux et qui maintenant s'empressaient de gagner Ottawa, en train, en voiture ou en chariot de ferme. Le dimanche soir, le Cabinet avait décidé que les funérailles nationales allaient de soi. Agnes avait donné son accord. Dès que le Parlement réouvrit le lundi après-midi, Langevin, l'aîné des ministres, annonça officiellement la mort du vieux Premier ministre et proposa officiellement "qu'il soit publiquement enterré et que cette Chambre fasse tout le nécessaire pour donner à la cérémonie la solennité et l'importance qu'elle requérait". Laurier appuya la proposition. Il était curieux, et cependant guère déplacé, que les deux éloges funèbres prononcés cet après-midi-là l'aient été par des Canadiens francophones. Laurier, bien sûr, était de loin l'orateur le plus élégant des deux. Mais les phrases banales, heurtées de Langevin, la chute abrupte de son discours trahissaient sa sincérité simple et inébranlable: "M. le président, conclut-il, j'aurais souhaité continuer à parler de notre cher ami disparu, et vous entretenir de la bonté de son coeur dont j'ai été si souvent témoin, mais je sens que je dois arrêter. J'ai le coeur plein de larmes. Je suis incapable de poursuivre."

Le lendemain, le mardi 9 juin, le corps fut exposé dans la Salle du sénat du Parlement du Canada. Des Canadiens de tous âges et de toutes professions vinrent lui faire leurs derniers adieux. La foule défila tout le jour jusque tard dans la nuit et tôt le lendemain matin, il y avait déjà une longue file qui attendait. Il était près de midi et la salle allait être fermée au public quand Sir Casimir Gzowski, le représentant de la reine, s'avança solennellement et déposa sur la poitrine du défunt une gerbe de roses. L'inscription disait: "De la part de Sa Majesté la Reine Victoria à la mémoire de son fidèle et dévoué serviteur [28]." C'était l'ultime hommage.

La grande salle se vida doucement. On procéda aux derniers préparatifs. À une heure quart exactement, la cloche de la tour se mit à sonner. Et lentement, avec majesté, le cortège funèbre se mit en branle.

La nuit, comme beaucoup d'autres nuits en ce début d'été, avait été lourde et suffocante. Au cours de la matinée, le temps devint de plus en plus chaud. Le long cortège descendit lentement la rue Rideau sous un ciel bleu et sous un soleil de plomb. Les magasins et les maisons étaient drapés de noir et de pourpre. Les gens étaient massés par centaines le long du parcours. Aux abord de l'église St. Alban, la foule était encore plus nombreuse. Au moment où le bref service funèbre toucha à sa fin, la chaleur tropicale sembla se faire plus forte encore. Mais il faisait encore plus lourd quand le cortège se reforma et se mit en route vers la gare. Une curieuse brume jaune flottait dans l'air. À l'ouest, un gros nuage noir se dressait de façon menaçante au-dessus du Parlement. Il y eut des bourrasques soudaines. Quelques grosses gouttes tombèrent. Puis un véritable déluge s'abattit sur la ville.

À la gare, la locomotive du Canadien Pacifique était drapée de pourpre et de noir. Le long de la longue ligne transcontinentale, chaque locomotive et chaque gare de son chemin de fer portaient les couleurs du deuil. Le train se mit en route vers l'ouest en direction de Kingston. En cette fin d'après-midi, la tempête avait nettoyé le ciel. Les rayons du soleil couchant avaient la couleur de l'or. Il y avait du monde sur chaque quai de gare. Il y avait des groupes d'hommes et de femmes rassemblés sur les chemins de traverse et d'autres qui attendaient seuls dans les champs. La nuit était avancée quand le train atteignit Kingston, mais la gare était bondée. La dépouille funèbre fut amenée à l'hôtel de ville. Les gens commencèrent à s'assembler devant la porte dès cinq heures du matin, le 11 juin. La foule continuait d'affluer en ville à mesure que le soleil montait. Ensuite, à pied ou dans tous les véhicules possibles, ils le suivirent par centaines pour son dernier voyage par les routes poussiéreuses jusqu'au cimetière de Cataraqui [29].

"Je désire être enseveli au cimetière de Kingston à côté de la tombe de ma mère, tel que je le lui ai promis [30]." Il reposait près de ses parents, près de sa première femme, près de ses soeurs et de son enfant mort depuis longtemps. Le terrain légèrement en pente grimpait jusqu'à un petit monticule d'où l'on apercevait, vers le sud-ouest, quelques-unes des tours et quelques-uns des toits des plus gros bâtiments de Kingston. Quelque part, au milieu des édifices à la façade de calcaire gris se trouvait la petite boutique de la rue Quarry où il avait commencé à pratiquer le droit. Face au lac, il y avait sa villa de style italien, "Bellevue", où son premier-né était mort. Cela faisait près de soixante et onze ans qu'Hugh, Helen et leurs enfants avaient mis le pied sur le quai de Kingston pour la première fois. Plus loin que le quai, il y avait le port et les îles qui marquaient l'extrémité est des Grands Lacs. Et plus loin que les îles, le fleuve Saint-Laurent commençait son long périple vers la mer.

*Note sur les sources bibliographiques*

Le second volume de cette biographie, comme le premier, se base sur des documents contemporains aux événements décrits dans le texte. Les principales sources sont des séries de documents qui se trouvent dans diverses archives et bibliothèques, tant publiques que privées, à la fois au Canada et en Grande-Bretagne. Ces nombreuses collections m'ont été utiles pour la composition des deux volumes de cette biographie. Pour une description plus détaillée de ces matériaux, je renvoie le lecteur à la note sur les références incluse dans le premier volume. Je me contenterai de commenter rapidement ici la nature des documents qui m'ont été particulièrement utiles pour le second volume et d'indiquer les collections dont il n'a pas encore été fait mention.

En général, les sources à la fois manuscrites et imprimées sont plus riches et plus nombreuses pour la période que couvre le second volume. Les documents portant sur les vingt-cinq dernières années de la carrière de Macdonald sont extrêmement nombreux et de grande qualité. On s'est très peu servi de tout ce matériel dans le passé. Une bonne partie en est utilisée ici pour la première fois. Les Archives Macdonald qui continuent d'être la principale source de référence pour la biographie sont plus abondantes pour la période post-confédération que pour la période qui l'a précédée. Ces archives se complètent de toute une série de documents extrêmement valables et qui émanent des principaux collègues de Macdonald. Il convient de citer les Archives Tupper et les Archives Thompson qui sont conservées aux Archives publiques du Canada, ainsi que les Archives Alexander Campbell qui se trouvent aux Public Record and Archives en Ontario. Le journal de Lady Macdonald a permis d'éclairer la vie familiale de Macdonald. Ce journal, actuellement en possession de Madame Pepler, couvre les premières années qui ont suivi la Confédération. Le journal d'Edmund A. Meredith a permis de reconstituer la petite histoire politique d'Ottawa telle que la percevait un fonctionnaire responsable et bien informé.

Les documents des gouverneurs généraux et des secrétaires aux Colonies de cette période ont été une des sources d'information les plus riches pour la composition du second volume. Macdonald avait l'habitude d'écrire à ses chefs politiques régulièrement et fréquemment de la même façon que Disraeli et Gladstone faisaient rapport à la reine Victoria. Les gouverneurs généraux rendaient compte à leur tour de l'histoire interne des affaires canadiennes à leurs supérieurs politiques, les secrétaires aux Colonies. Les Archives Argyll (la correspondance du marquis de Lorne alors qu'il était gouverneur général du Canada) et les Archives Lansdowne contiennent toutes deux un nombre substantiel de lettres de Macdonald. Le comte Granville, le comte de Kimberley, le comte de Carnarvon et Sir Michael Hicks Beach, plus tard premier comte St. Aldwyn, occupèrent tour à tour le poste de secrétaire aux Colonies pendant la plus grande partie de la période qui couvre le présent volume. Et leurs documents se sont avérés extrêmement utiles. La correspondance Dufferin-Carnarvon, 1874-1878, a été éditée récemment (C.W. de Kiewiet et F.H. Underhill, Toronto, The Champlain Society, 1955), mais toutes les références renvoient ici aux manuscrits originaux qui se trouvent à Londres au Public Record Office. Finalement, la correspondance de Sir Stafford Northcote, premier comte de Iddesleigh, qui fut l'un des hauts commissaires britanniques à la Conférence de Washington en 1871 et pendant quelque temps gouverneur de la Compagnie de la Baie d'Hudson, a révélé certaines informations intéressantes concernant les négociations sur les pêcheries et la Rébellion de la rivière Rouge.

# Références

## Chapitre un: Le ralliement de la nouvelle-Écosse


1. *Globe*, Toronto, 8 novembre 1867.
2. Journal de Mme Macdonald, 7 juillet 1867.
3. Id.
4. Archives publiques du Canada, Archives Macdonald, vol. 514, Macdonald à Bischoff, 17 octobre 1867.
5. *Leader*, Toronto, 9 novembre 1867; *Globe*, 9 novembre 1867.
6. Archives Macdonald, vol. 514, Macdonald à Hill, 11 novembre 1867.
7. *Leader*, 11 novembre 1867.
8. Archives Macdonald, vol. 514, Macdonald à Archbishop Connolly, 31 décembre 1867.
9. Journal de Mme Macdonald, 11 janvier 1867.
10. Id., 7 juillet 1867.
11. Id., 1er décembre 1876.
12. Id., les 19 janvier, 24 et 26 mars 1868.
13. Id., 17 novembre 1867.
14. Norman Ward, "The Formative Years of the House of Commons, 1867-91", *Canadian Journal of Economics and Political Science*, vol. 18, nov. 1952, pp. 431-451.
15. Archives Macdonald, vol. 514, Macdonald à Cook, 3 février 1868.
16. Journal de Mme Macdonald, 11 janvier 1868.
17. *Debates and Proceedings of the House of Assembly of the Province of Nova Scotia, 1868*, Halifax, pp. 34-35.
18. Journal de Mme Macdonald, 7, 27 février 1868.
19. Archives Macdonald, additionnel, vol. 2, Macdonald à Louisa Macdonald, 6 mars 1868; Journal de Mme Macdonald, 25 février 1868.
20. Archives Macdonald, vol. 194, Campbell à Macdonald, 28 février 1868.
21. Id., vol. 514, Macdonald à McCully, 29 février 1868.
22. *Globe*, 20 mars 1868.
23. Id., 7 avril 1868; Isabel Skelton, *The Life of Thomas D'Arcy McGee*, Gardenvale, Canada, 1925, pp. 537-538.
24. Journal de Mme Macdonald, 12 avril 1868.
25. Josephine Phelan, *The Ardent Exile*, Toronto, 1951, pp. 296-297.
26. *Globe*, 8 avril 1868.
27. Journal de Edmund A. Meredith, vol. 6, 7 avril 1868.
28. E.M. Saunders, *The Life and Letters of the Hon. Sir Charles Tupper, Bart, K.C.M.G.*, Londres, 1916, vol. I, pp. 167-169, Macdonald à Tupper, 30 avril 1868.
29. Archives Macdonald, vol. 514, Macdonald à Archibald, 4 juillet 1868.
30. Id., vol. 115, Tilley à Macdonald, 17 juillet 1868; id., Archibald à Macdonald, 17 juillet 1868.
31. Sir Joseph Pope, *Correspondence of Sir John Macdonald*, Toronto, sans date, pp. 67-70, Monck à Macdonald, 29 juillet 1868.
32. Archives Macdonald, vol. 514, Macdonald à J.S. Macdonald, 30 mai 1868; id., Macdonald à Tupper, 4 juillet 1868.

33. Archives publiques du Canada, Archives Chamberlin, vol. 2, Macdonald à Chamberlin, 26 octobre 1868.
34. *Globe*, 4 août 1868.
35. Joseph Pope, *Memoirs of the Right Honourable Sir John Alexander Macdonald, G.C.B., First Prime Minister of the Dominion of Canada*, Londres, 1894, vol. 2, p. 29, Howe à Macdonald, 1er août 1868.
36. Id., vol. 2, pp. 29-34, Macdonald à Monck, 4 septembre 1868.
37. Archives Macdonald, vol. 115, Minutes de la Convention, août 1868.
38. Pope, *Memoirs*, vol. 2, pp. 29-34, Macdonald à Monck, 4 septembre 1868.
39. Archives Macdonald, vol. 115, Macdonald à Howe, 7 août 1868.
40. *Globe*, 8, 10 août 1868.
41. Pope, *Memoirs*, vol. 2, pp. 29-34, Macdonald à Monck, 4 septembre 1868.
42. Journal de Mme Macdonald, 27 août 1868.
43. Id., 19 septembre 1868.
44. Id., 21 septembre 1868.
45. Archives Macdonald, vol. 514, Macdonald à Rose, 23 septembre 1868.
46. Pope, *Memoirs*, vol. 2, annexe 18, pp. 302-303, Howe à Macdonald, 15 septembre 1868.
47. Archives Macdonald, vol. 514, Macdonald à Howe, 6 octobre 1868.
48. Id., vol. 115, Howe à Macdonald, 13 octobre 1868.
49. Saunders, *Tupper*, vol. I, p. 187, Macdonald à Tupper, 20 novembre 1868.
50. Archives Macdonald, vol. 515, Macdonald à Archibald, 27 octobre 1868.
51. Pope, *Memoirs*, vol. 2, annexe 18, pp. 303-304, Macdonald à Howe, 26 septembre 1868.
52. Id., vol. 2, annexe 18, pp. 305-306, Macdonald à Howe, 4 novembre 1868.
53. *Globe*, 28 novembre 1868.
54. Archives Macdonald, vol. 202, Cartier à Macdonald, 24 décembre 1868.
55. Archives publiques du Canada, Archives Tupper, Macdonald à Tupper, 2 janvier 1869.
56. Archives Macdonald, vol. 515, Macdonald à Howe, 23 décembre 1868.
57. Id., Macdonald à Davis, 15 janvier 1869.
58. Journal de Mme Macdonald, 13 janvier 1869.
59. Archives Tupper, Macdonald à Tupper, 2 janvier 1869.
60. Archives Macdonald, vol. 515, Macdonald à White, 1er février 1869.
61. Journal de Mme Macdonald, 30 janvier 1869.
62. Archives Macdonald, vol. 515, Macdonald à Langevin, 25 janvier 1869.
63. Journal de Mme Macdonald, 7 février, 1er avril 1869.

## Chapitre deux: L'ouest en révolte

1. *Globe*, 24, 27 février 1869; Journal d'E.A. Meredith, vol. 6, 27 février 1869; Archives Macdonald, vol. 515, Macdonald à Howe, 8 mars 1869.
2. Journal de Mme Macdonald, 11 avril 1869.
3. Archives Macdonald, vol. 539, Allan à Macdonald, 20 avril 1869.
4. Id., Allan à Macdonald, 24 avril 1869.
5. Id., vol. 515, Macdonald à Doyle, 16 juin 1869.
6. Id., Macdonald à Young, 25 mai 1869.
7. Charles Clarke, *Sixty Years in Upper Canada, with Autobiographical Recollections*, Toronto, 1908, pp. 56-59; G.W. Ross, *Getting into Parliament and After*, Toronto, 1913, pp. 23-28.

8. R. S. Longley, *Sir Francis Hincks, A Study of Canadian Politics, Railways and Finance in the Ninetennth Century,* Toronto, 1943, pp. 348-349.
9. *Globe*, 31 juillet, 5 août 1869.
10. Archives Macdonald, vol. 516, Macdonald à Allan, 29 septembre 1869.
11. Id., vol. 520, Macdonald à O'Brien, 26 mars 1872.
12. Journal de Mme Macdonald, 27 février 1868.
13. Journal d'E. A. Meredith, vol. 7, 13 septembre 1869.
14. *Globe*, 29 septembre 1869.
15. Pope, *Correspondence*, p. 99, Rose à Macdonald, 27 septembre 1869.
16. Journal d'E. A. Meredith, vol. 7, 8 octobre 1869.
17. Journal de Mme Macdonald, 7 novembre 1869.
18. Archives Macdonald, vol. 516, Macdonald à Grey, 27 octobre 1869.
19. Id., Macdonald à Brown, 14 octobre 1869.
20. Id., Macdonald à McDougall, 8 décembre 1869.
21. D. F. Warner, "Drang nach Norden-the United States and the Riel Rebellion", *Mississipi Valley Historical Review*, vol. 34, mars 1953, pp. 693-712.
22. Archives Northcote, liasse 4, Northcote à Lampton, 20 avril 1870.
23. Archives Macdonald, vol. 516, Macdonald à Stephen, 9 décembre 1869.
24. Id., Macdonald à Cartier, 27 novembre 1869.
25. Id., Macdonald à McDougall, 27 novembre 1869.
26. Id., Macdonald à McDougall, 20 novembre 1869.
27. Id., Macdonald à Cartier, 27 novembre 1869.
28. Journal de Mme Macdonald, 1er décembre 1869.
29. G 13, vol. 3, Granville à Young, 30 novembre 1869.
30. Archives Macdonald, vol. 516, Macdonald à Rose, 5 décembre 1869.
31. British Museum, additionnel MSS. 44166 (archives Gladstone), Granville à Gladstone, 29 novembre 1869.
32. Archives Macdonald, vol. 516, Macdonald à McDougall, 12 décembre 1869.
33. Id., Macdonald à Archibald, 10 décembre 1869.
34. Id., Macdonald à McDougall, 27 décembre 1869.
35. Id. Macdonald à Cartier, 27 novembre 1869.
36. Pope, *Memoirs*, vol. 2, pp. 59-61, Macdonald à Rose, 31 décembre 1869.
37. Id.
38. Pope, *Correspondence*, p. 119, Macdonald à Rose, 3 janvier 1870.
39. Archives Northcote, liasse 4, Lampton à Northcote, 31 janvier 1870.
40. Archives Macdonald, vol. 516, Macdonald à Rose, 26 janvier 1870.
41. Pope, *Correspondence*, p. 124, Macdonald à Brydges, 28 janvier 1870.
42. Archives Macdonald, vol. 516, Macdonald à Carroll, 29 septembre 1869.
43. Id., vol. 258, Rose à Macdonald, 7 février 1870.
44. C. P. Stacey, *Canada and the British Army*, 1846-1871, Londres, 1936, p. 216.
45. Archives Northcote, liasse 4, Lampton à Northcote, 31 janvier 1870.
46. Archives Mac donald, vol. 516, Macdonald à Rose, 26 janvier 1870.
47. Journal de Mme Macdonald, 1 avril 1870.
48. Pope, *Correspondence*, p. 120, Macdonald à Rose, 21 janvier 1870.
49. *Parliamentary Debates*, 1870, pp. 449-468 et 558-575.
50. Pope, *Correspondence*, p. 132, Macdonald à Rose, 25 mars 1870.
51. Archives Macdonald, vol. 517, Macdonald à Rose, 11 mars 1870.
52. Id.

53. Public Record Office, P. R. O. 30/29 (Archives Granville), Gladstone à Granville, 6 mars 1870; Archives royales, D 27, Gladstone à la reine, 5 mars 1870.
54. British Museum, Additionnel MSS 44167 (Archives Gladstone), Granville à Gladstone, 6 mars 1870.
55. G 13, vol. 3, Granville à Young, 5 mars 1870.
56. Pope, *Correspondence*, p. 134, Macdonald à Carnarvon, 14 avril 1870.
57. G 13, vol. 3, Young à Granville, 9 avril 1870.
58. Pope, *Correspondence*, p. 133, Macdonald à Carnarvon, 14 avril 1870.
59. *Globe*, 15 avril 1870.
60. Id., 12 avril 1870.
61. G. F. G. Stanley, *The Birth of Western Canada, a History of the Riel Rebellions*, Londres, 1966, p. 95.
62. Journal d'E. A. Meredith, 19 avril 1870; Archives royales, P. 24, Curle à Ponsonby, 22 avril 1870.
63. Archives Northcote, liasse 4, Northcote à Granville, 26 avril 1870.
64. *Globe*, 25 avril 1870.
65. Archives Northcote, liasse 4, Northcote à Lampton, 26 avril 1870.
66. Stanley, *Birth of Western Canada*, pp. 118-119.
67. Id., p. 114.
68. Archives Macdonald, vol. 517, Macdonald à Young, 27 avril 1870.
69. Archives Northcote, liasse I, Northcote à Disraeli, 28 avril 2870.
70. *Globe*, 4 mai 1870.
71. Journal de E. A. Meredith, vol. 7, 30 avril 1870.
72. Andrew Lang, *Life, Letters and Diaries of Sir Stafford Northcote, First Earl of Iddesleigh*, Edinburgh et Londres, 1890, vol. I, p. 331.
73. Archives Macdonald, vol. 517, Macdonald à Young, 4 mai 1870.

## Chapitre trois: Pêche et diplomatie

1. Pope, *Memoirs*, vol. 2, p. 76, Archives Northcote, liasse 3, McNeill à Northcote, 7 mai 1870.
2. *Globe*, 30 mai 1870; Journal d'E. A. Meredith, 30 mai 1870.
3. Pope, *Correspondence*, p. 136, Blake à Bernard, 2 juin 1870.
4. *Globe*, 18 juin 1870.
5. *Islander*, Charlottetown, 8 juillet 1870.
6. Id., 18 septembre 1870.
7. *Times* d'Ottawa, 23 septembre 1870.
8. Archives Macdonald, vol. 517, Macdonald à Greer, 23 septembre 1870.
9. Id., Macdonald à Mme Williamson, 23 septembre 1870.
10. Id., Macdonald à Musgrave, 29 septembre 1870.
11. A. L. Burt, *The United States, Great Britain, and British North America, From the Revolution to the Establishment of Peace after the War of 1812*, New Haven et Toronto, 1940, pp. 418-419.
12. R.S. Longley, "Peter Mitchell, Guardian of the North Atlantic Fisheries, 1867-1871", *Canadian Historical Review*, vol. 22, décembre 1941, pp. 389-402.
13. Pope, *Correspondence*, p. 122, Macdonald à Rose, 21 janvier 1870.
14. Archives Macdonald, vol. 517, Macdonald à Macpherson, 4 novembre 1870.

15. Id., Macdonald à O'Connor, 19 novembre 1870.
16. Id., Macdonald à Archibald, 1er novembre 1870.
17. Id., Macdonald à Campbell, 1er novembre 1870.
18. Archives Kimberley, Journal des événements durant le gouvernement Gladstone, 13 juin 1871.
19. P. R. O. 30/29 (Archives Granville), vol. 80, Thornton à Granville, 20 septembre 1870, 4 octobre 1870.
20. G. Smith, *The Treaty of Washington, 1871, A Study in Imperial History*, Ithaca, 1941, p. 25.
21. Journal de Mme Macdonald, 3 janvier 1871.
22. Id., 4 janvier 1871.
23. G 13, vol. 4, Kimberley à Lisgar, 1er février 1871.
24. Id., Lisgar à Kimberley, 2 février 1871.
25. Archives Macdonald, vol. 167, Macdonald à Lisgar, 4 février 1871.
26. Public Record Office, FO. 5, 1298, Rose à Granville, 9 février 1871.
27. G 13, vol. 4, Kimberley à Lisgar, 4 février 1871.
28. Archives Macdonald, vol. 518, Macdonald à Macpherson, 6 février 1871.
29. Id., Macdonald à Rose, 22 février 1871.
30. Id., vol. 167, Macdonald à Tupper, 5 mars 1871.
31. P. R. O. 30/29, vol. 80, Thornton à Granville, 14 février 1871.
32. Id., Vol. 63, de Grey à Granville, 28 février 1871.
33. Id., de Grey à Granville, 7 mars 1871.
34. Id., vol. 80, Thornton à Granville, 22 novembre 1871; Archives Northcote, liasse 4, Northcote à Lisgar, 5 avril 1871.
35. Archives Macdonald, vol. 167, Macdonald à Tupper, 5 mars 1871.
36. P. R. O. 30/29, vol. 63, de Grey à Granville, 3 mars 1871.
37. Id., de Grey à Granville, 7 mars 1871.
38. Archives Macdonald, vol. 168, Macdonald à Tupper, 8 mars 1871.
39. Id., Macdonald à Tupper, 9 mars 1871.
40. Id., Macdonald à Tupper, 11 mars 1871; id., Hincks à Macdonald, 12 mars 1871.
41. G 13, vol. 4, Kimberley à Lisgar, 11 mars 1871.
42. Archives Macdonald, vol. 167, Macdonald à Tupper, 17 mars 1871.
43. P. R. O. 30/29, vol. 63, de Grey à Granville, 17 mars 1871.
44. Archives Macdonald, vol. 167, Macdonald à Tupper, 17 mars 1871.
45. Id., vol. 518, Macdonald à Tupper, 21 mars 1871.
46. P. R. O. 30/29, vol. 63, de Grey à Granville, 10 mars 1871.
47. Archives Macdonald, vol. 518, Macdonald à Lisgar, 11 mars 1871.
48. Id., Macdonald à de Grey, 31 mars 1871.
49. Id., vol. 168, Macdonald à Tupper, 22 mars 1871.
50. Id., vol. 518, Macdonald à Tupper, 29 mars 1871.
51. P. R. O. 30/29, vol. 63, de Grey à Granville, 27 mars 1871.
52. Id., vol. 59, Gladstone à Granville, 12 avril 1871.
53. Id., vol. 63, Gladstone à Granville, 4 avril 1871.
54. Id., vol. 59, Granville à Gladstone, 4 avril 1871.
55. Archives Kimberley, Lisgar à Kimberley, 6 avril 1871; P. R. O. 30/29, vol. 63, de Grey à Granville, 18 avril 1871.
56. Id., de Grey à Granville, 31 mars 1871.
57. Id., de Grey à Granville, 24 mars 1871.

58. Id., de Grey à Granville, 11 avril 1871.
59. Archives Northcote, liasse 4, Northcote à Gladstone, 18 avril 1871.
60. Archives Macdonald, vol. 518, Macdonald à Tupper, 16 avril 1871.
61. P. R. O. 30/29, vol. 59, Gladstone à Granville, 20 février 1871.
62. Id., vol. 63, de Grey à Granville, 25 mars 1871.
63. Id., de Grey à Granville, 15 avril 1871.
64. Id., vol. 59, Gladstone à Granville, 17 avril 1871.
65. Id., vol. 63, de Grey à Granville, 21 avril 1871.
66. Archives Macdonald, vol. 518, Macdonald à Tupper, 27 avril 1871.
67. Id., vol. 518, Macdonald à Morris, 21 avril 1871.
68. Id., Macdonald à Hincks, 29 avril 1871.
69. Pope, *Memoirs*, vol. 2, p. 137, Macdonald à Cartier, 6 mai 1871.
70. P. R. O. 30/29, vol. 63, Lisgar à Northcote, 6 mai 1871.
71. Id., de Grey à Granville, 12 mai 1871.
72. Id.
73 Id., de Grey à Granville, 5 mai 1871.
74. Lang, *Northcote*, vol. 2, pp. 17-18.
75. Allan Nevins, *Hamilton Fish, the Inner History of the Grant Administration*, New York, 1936, p. 490.

## Chapitre quatre: Plans pour l'avenir

1. Pope, *Correspondence*, p. 145, Macdonald à Morris, 21 avril 1871.
2. Archives Macdonald, vol. 518, Macdonald à de Grey, 15 juin 1871.
3. Id., Macdonald à Gowan, 24 juin 1871.
4. Id., Macdonald à de Grey, 6 juin 1871.
5. Id., Macdonald à Gowan, 24 juin 1871.
6. Id., vol. 252, Morris à Macdonald, 1er avril 1871; *Parliamentary Debates, Dominion of Canada, 1871*, Ottawa 1871, pp. 660-765 et 1027-1030.
7. *Globe*, 14 mars 1873, Archives Macdonald, vol. 123, Les noms des partis présents à la rencontre du 14 juillet 1871.
8. Archives Macdonald, vol. 519, Macdonald à Jackson, 17 juillet 1871.
9. Id., vol. 77, Lisgar à Macdonald, 7 juillet 1871.
10. Archives Kimberley, Lettres de Lisgar, Kimberley à Lisgar, 25 mai 1871.
11. Id., Compte rendu de Kimberley.
12. Id., Compte rendu de Gladstone.
13. Archives Kimberley, Lettres de Lisgar, Kimberley à Lisgar, 25 mai 1871.
14. Archives royales, R 51, Gladstone à la reine, 8 juin 1871; id., D 27, Gladstone à la reine, 5 juillet 1871.
15. British Museum, additionnel Mss. 44, 224 (Archives Gladstone), vol. 139, Kimberley à Gladstone, 7 juin 1871.
16. Archives Macdonald, vol. 519, Macdonald à Lisgar, 21 juillet 1871.
17. Archives Kimberley, Lettres de Lisgar, Kimberley à Lisgar, 4 août 1871.
18. G 3, vol. 3, Kimberley à Lisgar, 23 septembre 1871.
19. Archives Macdonald, vol. 519, Macdonald à O'connor, 27 novembre 1871.
20. Public Records and Archives of Ontario, Archives Campbell, Macdonald à Campbell, 19 décembre 1871.
21. Archives Macdonald, vol. 519, Macdonald à Gowan, 12 octobre 1871.
22. Id., Macdonald à Carling, 23 décembre 1871.

23. Id., Macdonald à Bellingham, 10 octobre 1871.
24. Id., Macdonald à Pope, 3 novembre 1871.
25. Id., Macdonald à Lisgar, 29 novembre 1871.
26. Archives Kimberley, Lettres de Lisgar, Kimberley à Lisgar, 20 décembre 1871.
27. British Museum, additionnel MSS. 44224, Kimberley à Gladstone, 15 décembre 1871.
28. Archives Royales, A 42, Gladstone à la reine, 18 décembre 1871.
29. G 3, vol. 8, Kimberley à Lisgar, 21 décembre 1871.
30. Archives Kimberley, Lettres de Lisgar, Lisgar à Kimberley, 11 janvier 1872.
31. Archives Macdonald, vol. 520, Macdonald à Lisgar, 22 janvier 1872.
32. Id., vol. 519, Macdonald à Carling, 24 novembre 1871.
33. Id., Macdonald à Hamilton, 28 décembre 1871.
34. Id., vol. 520, Macdonald à O'Connor, 22 février 1872.
35. Id., Macdonald à Pope, 6 février 1872.
36. British Museum, additionnel MSS. 44, 224, Kimberley à Gladstone, 16 février 1872.
37. Archives Macdonald, vol. 167, Rose à Macdonald, 8 février 1872.
38. Archives publiques du Canada, G 13, vol. 5, Kimberley à Lisgar, 10 février 1872.
39. Archives Kimberley, Lettres de Lisgar, Kimberley à Lisgar, 22 février 1872.
40. Id., Lisgar à Kimberley, 29 février 1872.
41. G 13, vol. 5, Lisgar à Kimberley, 28 février 1872.
42. Archives Macdonald, vol. 520, Macdonald à Patterson, 24 février 1872.
43. Id., vol. 519, Macdonald à Brown, 2 décembre 1871.
44. Id., vol. 520, Macdonald à Stephen, 20 février 1872.
45. Id., Macdonald à Patterson, 24 février 1872.
46. Id., vol. 539, Macpherson à Macdonald, 21 février 1872; id., vol. 543, Trust Deed, 27 mars 1872.
47. Id., vol. 123, Macdonald à Macpherson, 11 mars 1872.
48. Id., vol. 520, Macdonald à Rose, 17 avril 1872.
49. *Report of the Royal Commissionners, Appointed by Commission, Addressed to them under the Great Seal of Canada, bearing date the Fourteenth Day of August, 1873, Ottawa, 1873, p. 195, Allan à Smith, 28 février 1872.*
50. D. G. Creighton, "George Brown, Sir John Macdonald, and the Workingman", *Canadian Historical Review*, vol. 24, décembre 1943, pp. 362-376.
51. G 13, vol. 5, Kimberley à Lisgar, 16 mars 1872.
52. J. A. Chisholm (éditeur), *The Speeches and Public Letters of Joseph Howe, Halifax, 1909, vol. 2, pp. 639-640.*
53. Archives Macdonald, vol. 520, Macdonald à Rose, 17 avril 1872.
54. Pope, *Correspondence*, p. 161, Macdonald à Cameron, 3 janvier 1872.
55. Archives Kimberley, Journal des événements durant le gouvernement Gladstone, 2 mars 1872.
56. Id.
57. Journal d'E. A. Meredith, vol. 7, 3 mai 1872.
58. *Parliamentary Debates, Dominion of Canada*, Ottawa, 1872, pp. 344-345.

## Chapitre cinq: Chantage

1. Archives Macdonald, vol. 520, Macdonald à Rose, 18 juin 1872.
2. Id., vol. 228, Lynch à Macdonald, 9 mai 1872.
3. Pope, *Correspondence*, p. 165, Macdonald à Rose, 5 mars 1872.
4. *Report of the Commissioners*, p. 43.
5. Archives Macdonald, vol. 194, Campbell à Macdonald, 3 juillet 1872.
6. Id., vol. 520, Macdonald à Rose, 18 juin 1872.
7. *Report of the Commissioners*, Témoignage de Macdonald, pp. 102-103.
8. Id., Témoignage de Macpherson, pp. 28-29.
9. Archives Macdonald, vol. 344, Hewitt à Macdonald, 19 juin 1872.
10. *Mail* de Toronto, 12 juillet 1872.
11. Id.
12. Archives Campbell, Macdonald à Campbell, 12 juillet 1872.
13. Archives Macdonald, vol. 123, Allan à Macdonald, 12 juillet 1872.
14. Id., vol. 520, Macdonald à McInnes, 17 juin 1872.
15. *Mail*, 15 juillet 1872.
16. Id., 16 juillet 1872.
17. Archives Macdonald, vol. 194, Campbell à Macdonald, 20 juillet 1872.
18. Id., vol. 123, Macpherson à Macdonald, 19 juillet 1872.
19. Id., Allan à Macdonald, 17 juillet 1872; id., Allan à Cartier, 18 juillet 1872.
20. Id., Cartier à Macdonald, 19 juillet 1872.
21. Id., Cartier à Macdonald, 22 juillet 1872.
22. *Daily News* de Kingston, 26 juillet 1872.
23. *Report of the Commissioners*, Témoignage de Macdonald, pp. 103-199; Archives Macdonald, vol. 123, Macpherson à Macdonald, 27 juillet 1872.
24. *Report of the Commissioners*, Témoignage d'Allan, pp. 135-136; Archives Macdonald, vol. 123, 30 juillet 1872.
25. *Report of the Commissioners*, p. 200.
26. T. S. Webster, John A. Macdonald et Kingston, Thèse de Maîtrise Université Queen, 1944, p. 121.
27. Archives Macdonald, vol. 521, Macdonald à G. Macdonald, 6 août 1872.
28. *Report of the Commissioners*, Témoignage de Macdonald, p. 118.
29. Id., Témoignage d'Allan, p. 137.
30. Pope, *Correspondence*, p. 177, Macdonald à Lisgar, 2 septembre 1872.
31. Archives Macdonald, vol. 521, Macdonald à Macpherson, 19, 26 septembre 1872.
32. Id., vol. 123, Macpherson à Macdonald, 17 septembre 1872.
33. Id., Allan à Macdonald, 4 octobre 1872.
34. Id., Allan à Macdonald, 7 octobre 1872.
35. Archives Kimberley, PC/A/25a, Dufferin à Kimberley, 15 octobre 1872; *Report of the Commissioners*, pp. 84-85, Témoignage de Campbell.
36. Archives Macdonald, vol. 123, Macpherson à Macdonald, 16 novembre 1872.
37. Archives Kimberley, PC/A/25a, Dufferin à Kimberley, 27 novembre 1872.
38. Archives Campbell, Hincks à Campbell, 8 novembre 1872.
39. Archives Macdonald, vol. 522, Macdonald à Langevin, 28 novembre 1872.
40. Archives Macdonald, vol. 202, Macdonald à Cartier, 23 décembre 1872.

41. *Report of the Commissioners*, annexe, p. 89, déclaration de McMullen's.
42. *Report of the Commissioners*, pp. 170-171, Témoignage d'Abbott.
43. Id., annexe, p. 89, déclaration de McMullen.
44. Archives Macdonald, vol. 125, Smith à Macdonald, 20 février 1873.
45. Id., vol. 224, Hincks à Macdonald, 25 février 1873.
46. Id., vol. 522, Macdonald à Rose, 13 février 1873.
47. Id., vol. 126, Affidavit d'A.T. Cooper, 2 octobre 1873.
48. Pope, *Memoirs*, vol. 2, annexe 26, p. 329.
49. Archives Kimberley, PC/A/25a, Dufferin à Kimberley, 4 avril 1873.
50. Archives Macdonald, vol. 202, Macdonald à Cartier, 10 avril 1873.
51. *Mail*, 9 avril 1873.
52. Id., 19, 22 avril 1873.
53. Id., 7 mai 1873.
54. Archives publiques du Manitoba, Archives Morris, "C", Campbell à Morris, 29 novembre 1873.
55. *Mail*, 7 mai 1873.
56. G 13, vol. 5, Kimberley à Dufferin, 12 mai 1873.
57. Archives Macdonald, vol. 258, Rose à Macdonald, 1er mai 1873.
58. Id., vol. 125, Allan à Macdonald, 9 avril 1873.
59. Pope, *Memoirs*, vol. 2, pp. 157-158, Cartier à Macdonald, 17 mai 1873; id., pp. 158-159, Joséphine Cartier à Macdonald, 22 mai 1873.
60. Journal d'E.A. Meredith, vol. 8, 20 mai 1873.
61. Archives Kimberley, PC/A/25a, Dufferin à Kimberley, 29 mai 1873.
62. Id., Dufferin à Kimberley, 21 juin 1873.
63. Id., Dufferin à Kimberley, 13 juin 1873.
64. Archives Macdonald, vol. 523, Macdonald à Cameron, 2 juillet 1873.
65. *Gazette* de Montréal, 3 juillet 1873.
66. Id., 4 juillet 1873.
67. Archives Macdonald, vol. 125, Blake à Macdonald, 3 juillet 1873.
68. Id., vol. Macdonald à Dufferin, 4 juillet 1873.
69. Id.
70. Id., vol. 523, Macdonald à Amour, 8 juillet 1873.
71. *Globe*, 18 juillet 1873.
72. Archives Macdonald, vol. 79, Macdonald à Dufferin, 7 août 1873.
73. Id., Macdonald à Dufferin, 31 juillet 1873; ibid., vol. 125, Campbell à Macdonald, 18 juillet 1873.
74. Id., vol. 125, Abbott à Macdonald, 21 juillet 1873.
75. Archives Kimberley, PC/A/25b, Dufferin à Kimberley, 14 août 1873.
76. Archives Macdonald, vol. 79, Dufferin à Macdonald, 31 juillet 1873.
77. Archives Kimberley, PC/A/25b, Dufferin à Kimberley, 6 novembre 1873.
78. Id., Dufferin à Kimberley, 9 août 1873.
79. *Correspondence Relative to the Canadian Pacific Railway Company*, Londres, 1874, pp. 7-29, Dufferin à Kimberley, 15 août 1873.
80. *Mail*, 14 août 1873.
81. *Report of the Commissioners*, p. 221, Huntington à Day, 26 août 1873.
82. Archives Macdonald, vol. 126, Ramsay à Macdonald, 22 septembre 1873.
83. Id., Abbott à Macdonald, 10 octobre 1873.
84. Id., Affidavit de Cooper, 2 octobre 1873.
85. *Globe*, 5 septembre 1873.

86. Archives Kimberley, PC/A/25b, Dufferin à Kimberley, 26 septembre 1873.
87. Archives Macdonald, vol. 523, Macdonald à Dufferin, 22 septembre 1873.
88. Archives Kimberley, PC/A/25b, Dufferin à Macdonald, 19 octobre 1873 (compris dans Dufferin à Kimberley, 26 octobre 1873).
89. Id., PC/A/25a, Dufferin à Kimberley, 23 avril 1873.
90. Id., PC/A/25b, Dufferin à Kimberley, 26 octobre 1873.
91. Journal d'E.A. Meredith, vol. 8, 22 octobre 1873.
92. Archives Kimberley, PC/A/25b, Kimberley à Dufferin, 6 octobre 1873.
93. Id., Dufferin à Kimberley, 26 octobre 1873.
94. Archives Morris, "C", Campbell à Morris, 29 novembre 1873.
95. Archives Kimberley, PC/A/25b, Dufferin à Kimberley, 6 novembre 1873.
96. Id.
97. *Mail*, 5 novembre 1873, dans Pope, *Memoirs*, vol. 2, p. 194.
98. *Mail*, 4 novembre 1873.
99. Archives Kimberley, PC/A/25b, Dufferin à Kimberley, 6 novembre 1873.
100. Archives Macdonald, vol. 79, Mme Dufferin à Mme Macdonald, 4 novembre 1873; id., Dufferin à Macdonald, 4 novembre 1873.
101. *Mail*, 6 novembre 1873.

## Chapitre six: La croisée des chemins

1. *Mail*, 7 novembre 1873.
2. Journal d'E.A. Meredith, vol. 8, 7 novembre 1873.
3. *Mail*, 17 novembre 1873.
4. Id.
5. E.P. Deane, "How Canada has voted: 1867 to 1945", *Canadian Historical Review*, vol. 30, septembre 1949, pp. 227-248.
6. Archives Macdonald, vol. 346, Mackintosh à Macdonald, 30 janvier 1874.
7. Id., vol. 303, Pétition contre l'élection de Macdonald, 7 novembre 1874.
8. Public Record Office P. R. O. 30/6 (Archives Carnarvon), vol. 26, Dufferin à Carnarvon, 18 mars 1874.
9. Saunders, *Tupper*, vol. I, p. 234, Macdonald à Tupper, 24 août 1874.
10. *Gazette*, 13 août, 16 septembre 1874.
11. Saunders, *Tupper*, vol. I, p. 234.
12. *Gazette*, 19 septembre 1874.
13. P. R. O. 30/6, vol. 27, Dufferin à Carnarvon, 8 décembre 1874.
14. Id., Dufferin à Carnarvon, 8 décembre 1874.
15. Webster, John A. Macdonald et Kingston, p. 127.
16. *Toronto Directory for 1876, Containing an Alphabetical Directory of the Citizens and a Street Directory...*, Toronto, 1876, p. 281.
17. Archives Macdonald, additionnel, vol. 2, Hugh Macdonald à Macdonald, 25 mars 1874. Dans cette lettre, Hugh, suggérait à son père de laisser le gros de son héritage à sa femme et à sa fille, "et que vous me donniez une vétille simplement pour montrer que je n'ai pas été déshérité pour mauvaise conduite".
18. P. R. O. 30/6, vol. 26, Dufferin à Carnarvon, 16 avril 1874.
19. Pope, *Correspondence*, p. 236, Patteson à Macdonald, 17 février 1874.

20. W. S. Wallace (éditeur), "Edward Blake's Aurora Speech", *Canadian Historical Review*, vol. 2, septembre 1921, pp. 249-271.
21. Saunders, *Tupper*, vol. I, p. 234.
22. *Debates of the House of Commons of the Dominion of Canada*, Ottawa, 1975, vol. I, p. 32.
23. Id., p. 649.
24. Archives Macdonald, vol. 159. Ce volume contient la correspondance concernant les lois sur la Cour suprême de Macdonald.
25. *House of Commons Debates*, 1875, p. 976.
26. F. H. Underhill, "Edward Blake the Supreme Court Act, and the Appeal to the Privy Counvil, 1875-6", *Canadian Historical Review*, vol. 19, septembre 1938, pp. 245-263.
27. *House of Commons Debates*, 1875, p. 980.
28. Id., p. 981.
29. M. A. Ormsby, "Prime Minister Mackenzie, the Liberal Party and the Bargain with British Columbia", *Canadian Historical Review*, vol. 26, juin 1945, pp. 148-173.
30. *Toronto Directory for 1876*, p. 281.
31. Bibliothèque de l'Université Queen's, Archives Williamson, Macdonald à Williamson, 27 avril 1876.
32. Archives Macdonald, additionnel, vol. 2, Macdonald à Louisa Macdonald, 14 juillet 1875.
33. Id., Hugh Macdonald à Macdonald, 30 novembre 1875.
34. Id., Macdonald à Hugh Macdonald, 2 décembre 1875.
35. O. D. Skelton, *The Life of Alexander Galt*, Toronto, 1920, p. 468.
36. Id., p. 483.
37. Archives Macdonald, additionnel, vol. 2, Macdonald à McCarthy, 15 février 1875.
38. *Gazette*, 26 novembre 1875.
39. Archives Macdonald, vol. 189, Bowell à Macdonald, 9 décembre 1875.
40. *Gazette*, 26 novembre 1875.
41. *Mail*, 8 novembre 1875.
42. *Gazette*, 26 novembre 1875.
43. *Mail*, 8 novembre 1875.
44. Id., 29 novembre 1875.
45. *Proceedings of Special Meeting of the Manufacturers' Association of Ontario held at St. Lawrence Hall, Toronto, 25th and 26th November, 1875*, Toronto, 1876.
46. *Gazette*, 21, 22janvier 1875.
47. Pour les déclarations de White et Tupper voir la Gazette du 27 septembre 1875; *Mail*, 4 novembre 1875.
48. *Gazette*, 10 novembre 1875.
49. *Mail*, 29 novembre 1875.
50. *Globe*, 6 novembre 1875.
51. Id., 28 juillet 1875; *Gazette*, 14 octobre 1875.
52. *Mail*, 29 novembre 1875.
53. Archives Macdonald, vol. 282, Tupper à Macdonald, 29 janvier 1876.
54. Archives Tupper, Macdonald à Tupper, 27 janvier 1876.
55. *Gazette*, 29 janvier 1876.

56. *Mail*, 23 février 1876.
57. *Gazette*, 26 février 1876.
58. Id.
59. *House of Commons Debates*, 1876, p. 261.

## Chapitre sept: Les terrains de pique-nique de l'Ontario

1. *House of Commons Debates*, 1876, pp. 262-283.
2. Id., p. 321.
3. Id., p. 340.
4. *Journals of the House of Commons*, 1876, p. 490.
5. *Debates*, 1876, p. 491.
6. Id., p. 493.
7. *Gazette*, 18 mars 1876.
8. Archives Macdonald, additionnel, vol. 2, Macdonald à McCarthy, 17 février 1876.
9. Archives Williamson, Macdonald au professeur Williamson, 11 mars 1876.
10. Archives Macdonald, additionnel, vol. 2, Macdonald à Louisa Macdonald, 25 avril 1876.
11. *Mail*, 3 juillet 1876.
12. Id.
13. Archives Tupper, Macdonald à Tupper, 7 juillet 1876.
14. *Mail*, 28 juillet 1876.
15. Id., 10, 24, 31 août 1876.
16. Id., 7 septembre 1876.
17. Id., 13 septembre 1876.
18. Archives Macdonald, additionnel, vol. 2, Hugh Macdonald à Macdonald, 22 septembre 1876.
19. P. R. O. 30/6, vol. 30. Dufferin à Carnarvon, 19 janvier 1877.
20. S. Thompson, *Reminiscences of a Canadian Pioneer for the Last Fifty Years*, Toronto 1884, pp. 339-340.
21. Archives Macdonald, vol. 347, Cameron à Macdonald, 4 février 1877.
22. Id., additionnel, vol. 2, Macdonald à McCarthy, 15 février 1875.
23. Id., Macdonald à McCarthy, 17 novembre, 18 décembre 1876.
24. *House of Commons Debates*, 1877, pp. 44-49.
25. P. R. O. 30/6, vol. 31, Dufferin à Carnarvon, 27 avril 1877.
26. *Mail*, 7 septembre 1876.
27. P. R. O. 30/6, vol. 31, Dufferin à Carnarvon, 9 février 1876.
28. Archives Macdonald, vol. 346, Gray à Macdonald, 14 août 1876.
29. *House of Commons Debates*, 1877, pp. 123-147.
30. Id., p. 402.
31. P. R. O. 30/6, vol. 31, Dufferin à Carnarvon, 5 avril 1877.
32. Id., Dufferin à Carnarvon, 27 avril, 3 mai 1877.
33. Id., Dufferin à Carnarvon, 3 mai 1877.
34. *Mail*, 3 mai 1877.
35. Archives Macdonald, additionnel, vol. I, Macdonald à Macdonnell, 7 mai 1877.
36. Id.

37. *Mail*, 7 juin 1877.
38. Id., 11 juin 1877.
39. Id., 5 juillet 1877.
40. Id., 9 juillet 1877.
41. Archives Tupper, McCarthy à Tupper, 13 juillet 1877.
42. Archives Macdonald, vol. 232, McLelan à Macdonald, 20 août 1877.
43. Archives Tupper, Macdonald à Tupper, 22 août 1877.
44. Archives Macdonald, additionnel, vol. 2, Mary Macdonald à Macdonald, 12 octobre 1877.
45. Id., vol. 259, Rose à Macdonald, 24 novembre 1877.
46. Id., additionnel, vol. I, Macdonald à Macdonnel, 21 août 1877.
47. *Mail*, 11, 13, 17 octobre 1877.
48. Id., 18 ocotbre 1877; Archives Macdonald, additionnel, vol. 2, Macdonald à Louisa Macdonald, 22 octobre 1877.
49. Pope, *Correspondence*, pp. 329-342, Macdonald à Northcote, 1er mai 1878.
50. Archives publiques du Canada, Archives Alexander Mackenzie, Lettres vol. 6, Mackenzie à Cameron, 8 avril 1878.
51. *House of Commons Debates*, 1878, vol. 2, p. 1796. L'histoire que raconte Macdonald était dans l'ensemble exacte, mais il commit une erreur importante. Celui qui accompagnait Bowell au théâtre cette fois-là n'était pas le docteur Johnson, mais le docteur Hugh Blair. Johnson entendit cette histoire pour la première fois quand Bowell la lui raconta pendant les derniers jours d'un voyage aux Hébrides. Voir G. B. Hill et L. F. Powell (éditeurs), *Bowell's Life of Johnson*, Oxford, 1940, vol. 5, p. 396.
52. *House of Commons Debates*, 1878, vol. 2, pp. 2556-2557.
53. *House of Commons Debates*, 1878, vol. 2, pp. 1878-1902.
54. Id., pp. 1057-2067.
55. Id., p. 2564.
56. Archives Macdonald, additionnel, vol. I, Macdonald à Macdonnel, 13 mars 1878.
57. *Mail*, 25 mai, 5, 8, 10 juillet 1878.
58. Archives Macdonald, additionnel, vol. 2, Macdonald à McCarthy, 21 août 1878.
59. Id., vol. 228, McCarthy à Macdonald, 25 août 1878.
60. Id., additionnel, vol. 2, Macdonald à McCarthy, 23 août 1878.
61. *News* de Kingston, 23 août 1878; *Mail*, 23 août 1878.
62. *Mail*, 28, 30, 31 août 1878.
63. Archives Macdonald, vol. 276, Tilley à Macdonald, 26 juillet 1878.
64. Id., vol. 282, Tupper à Macdonald, 6 août 1878.
65. Id., vol. 226, Langevin à Macdonald, 22 août 1878.
66. Pope, *Memoirs*, vol. 2, p. 202.
67. *News*, 18 septembre 1878.

## Chapitre huit: La réalisation du plan

1. Pope, *Correspondence*, p. 245, Macdonald à Smith, 1er octobre 1878.
2. Archives Macdonald, additionnel, vol. 2, Macdonald à Louisa Macdonald, 2 octobre 1878.
3. Id., vol. 524, Macdonald à Graham, 6 novembre 1878.

4. Saunders, *Tupper*, vol. I, pp. 262-263, Macdonald à Tupper, 9 octobre 1878.
5. Pope, *Correspondence*, pp. 239-242, Macdonald à Northcote, 1er mai 1878.
6. Archives St. Aldwyn, PCC92, Dufferin à Hicks Beach, 12 octobre 1878.
7. H. D. Kemp, Le département de l'Intérieur de l'ouest, 1873-1883 Thèse de maîtrise, Université du Manitoba, 1950.
8. *House of Commons Debates*, 1878, vol. 2, p. 1651.
9. Archives Macdonald, vol. 524, Macdonald à McCarthy, 24 octobre 1878.
10. Id., vol. 259, Rose à Macdonald, 30 octobre 1878.
11. Skelton, *Galt*, pp. 515-520.
12. Archives St. Aldwyn, PCC92, Dufferin à Hicks Beach, 8 août 1878.
13. Id., PCC13, Hicks Beach à Beaconsfield, 26 août 1878.
14. Archives Macdonald, vol. 524, Macdonald à Coursal, 14 novembre 1878.
15. Archives Kimberley, PC3A325b, Kimberley à Dufferin, 20 novembre 1873.
16. Archives Argyll, Lettres vol. 4, Dufferin à Lorne, 22 août 1878.
17. *House of Commons Debates*, 1875, p. 649.
18. Id., 1879, vol. 2, p. 1821.
19. Id., 1878, vol. 2, 2556.
20. Id., 1876, p. 573.
21. Archives Argyll, Lettres vol. 4, Dufferin à Lorne, 22 août 1878.
22. Archives Macdonald, vol. 195, Campbell à Macdonald, 15 juillet 1880.
23. Pope, *Correspondence*, pp. 240-241. Macdonald à Northcote, 1er mai 1878.
24. Archives Macdonald, vol. 259, Rose à Macdonald, 19 décembre 1878.
25. Id., vol. 216, Galt à Macdonald, 30 novembre 1878.
26. Id., Galt à Macdonald, 18 décembre 1878.
27. Id., Galt à Macdonald, 20 décembre 1878.
28. Id., vol. 524, Macdonald à Frazer, 26 décembre 1878.
29. *Globe*, 26 juillet 1878.
30. Archives Argyll, Lettres, vol. I, Lorne à Hicks Beach, 3 décembre 1878.
31. W.A. Mackintosh, *The Economic Background of Dominion-Provincial Relations*, annexe 3 of the *Report of the Royal Commission on Dominion-Provincial Relations*, Ottawa, 1939, pp. 19-20; O.J. McDiarmid, *Commercial Policy in the Canadian Economy*, Cambridge, 1946, pp. 161-163.
32. Archives Argyll, Lettres, vol. I, Lorne à Hicks Beach, 1er janvier 1879.
33. Id., Lorne à Hicks Beach, 5 février 1879.
34. Id., Lorne à Hicks Beach, 8 février 1879.
35. *Gazette*, 15 février 1879.
36. Id., 17 février 1879.
37. Archives Argyll, Lettres, vol. I, Lorne à Hicks Beach, 10 mars 1879.
38. G13, vol. 10, Hicks Beach à Lorne, 12 mars 1879.
39. Canada, *Sessional Papers*, 1879, No. 155, Compte rendu de Tilley, 19 mars 1879.
40. Pope, *Correspondence*, pp. 251-252, Chapleau à Macdonald, 2 décembre 1879.
41. Archives St. Aldwyn, PCC61, Lorne à Hicks Beach, 26 décembre 1878.
42. *House of Commons Debates*, 1878, vol. I, pp. 407-408.
43. Archives Argyll, Lettres vol. I, Lorne à Hicks Beach, 3 décembre 1878.
44. Archives St. Aldwyn, PCC61, Lorne à Hicks Beach, 26 décembre 1878.
45. Archives Argyll, Lettres, vol. 4, Lorne à Hicks Beach, 9 avril 1879.
46. Archives St. Aldwyn, PCC61, Lorne à Hicks Beach, 27 mars 1879.

47. Id., Lorne à Hicks Beach, 3 avril 1879.
48. Id., Lorne à Hicks Beach, 6 avril 1879.
49. Archives Macdonald, vol. 80, Macdonald à Lorne, 28 mars 1879.
50. *House of Commons Debates*, 1879, vol. 2, p. 1823.
51. Archives Macdonald, vol. 199, Carling à Macdonald, 19 mai 1879.
52. Id., additionnel, vol. 2, Macdonald à Louisa Macdonald, 26 juin 1879.
53. Id., Macdonald à Louisa Macdonald, 6 juillet 1879.
54. *Gazette*, 28 juillet 1879.
55. Archives Macdonald, vol. 162, Compte rendu de Macdonald, 4 août 1879.
56. Id., Rose à Macdonald, 6 août 1879.
57. Id., Hicks Beach à Macdonald, n.d.
58. Archives St. Aldwyn, PCC75, Beaconsfield à Hicks Beach, 8 août 1879.
59. Archives royales, P 25, Lorne à Beaconsfield, 1er juin 1879.
60. Archives Macdonald, vol. 162, Mémorandum confidentiel sur les tarifs douaniers, 25 août 1879.
61. Id., vol. 216, Considérations reliées à la demande de garantie impériale, 25 août 1879.
62. Id., vol. 162, Macdonald à Walkem, 23 août 1879.
63. Id., vol. 80, Lorne à Macdonald, 28 juin 1879.
64. Archives Argyll, Lettres vol. 4, Hicks Beach à Lorne, 16 août 1879.
65. Archives Macdonald, vol. 162, Compte rendu de Macdonald, 10 août 1879; Id., additionnel, vol. 2, Macdonald à Louisa Macdonald, 20 août 1879.
66. Id., vol. 216, Mémorandum confidentiel sur le représentant du Canada à Londres, 25 août 1879.
67. M.H. Long, "Sir John Rose and the Informal Beginnings of the Canadian High Commissionership", *Canadian Historical Review*, vol. 12, Mars 1931, pp. 23-43.
68. Archives Macdonald, vol. 259, Rose à Macdonald, 2 novembre 1879.
69. Id., vol. 216, Mémorandum confidentiel sur le représentant du Canada à Londres, 25 août 1879.
70. Archives St. Aldwyn, PCC61, Lorne à Hicks Beach, 25 juillet 1879.
71. British Museum, additionnel MSS. 44225 (Archives Gladstone), Kimberley à Gladstone, 2 décembre 1873.
72. Archives Kimberley, PC/A/25b, Kimberley à Dufferin, 8 décembre 1873.
73. Archives Macdonald, vol. 162, Mémorandum, 14 août 1879.
74. Id., additionnel, vol. 2, Macdonald à Louisa Macdonald, 20 août 1879.
75. Id., vol. 162, Hicks Beach à Macdonald, 28 août 1879.
76. Archives Argyll, Lettres, vol. 4, Beaconsfield à Lorne, 13 août 1879.
77. Archives Macdonald, vol. 162; Pope, *Memoirs*, vol. 2, pp. 205-206.
78. W.F. Monypenny and G.E. Buckle, *The Life of Benjamin Disraeli, Earl of Beaconsfield*, Londres, 1920, vol. 6, p. 477.
79. Journal d'E.A. Meredith, vol. 10, 23 septembre 1879.
80. Archives Argyll, Lettres, vol. I, Lorne à Hicks Beach, 22 octobre 1879.
81. Pope, *Memoirs*, vol. 2, pp. 207-209, Macdonald à Beaconsfield, 7 octobre 1879.
82. Archives St. Aldwyn, PCC61, Lorne à Hicks Beach, 25 novembre 1879.
83. Archives Macdonald, vol. 216, Hicks Beach à Lorne, 1er novembre 1879.
84. Archives Argyll, Lettres, vol. 4, Salisbury à Lorne, 5 novembre 1879.
85. Id., Hicks Beach à Lorne, 7 novembre 1879.

86. Id., Lettres, vol. I, Lorne à Salisbury, 29 septembre 1879.
87. Archives Macdonald, vol. 216, arrêté ministériel, 22 décembre 1879.
88. Archives Argyll, Lettres Vol. I, Lorne à Salisbury, 28 novembre 1879.
89. G13, vol. 10, secrétaire aux colonie au gouverneur général, 31 janvier 1880.
90. Archives Macdonald, additionnel, vol. I, Macdonald à Lorne, 5 février 1880.
91. G13, vol. 10, secrétaire aux colonies au gouverneur général, 7 février 1880.
92. Archives Macdonald, vol. 228, McCarthy à Macdonald, 28 décembre 1879.
93. Id., vol. 217, Galt à Macdonald, 9 janvier 1880.
94. Id., vol. 259, Rose à Macdonald, 22 janvier 1880.
95. *Mail*, 22 mars 1880.
96. Archives Macdonald, vol. 247, Macpherson à Macdonald, 24 mars 1880.

## Chapitre neuf: Un contrat pour le rail

1. Heather M. Donald, *La vie de Lord Mount Stephen*, Thèse de maîtrise de l'Université de Londres, 1952.
2. Id.
3. Archives Argyll, Lettres vol. 4, Macdonald à Lorne, 15 mai 1880.
4. Id., Lettres de Macdonald, Macdonald à Lorne, 17 mai 1880.
5. Archives Macdonald, vol. 217, Galt à Macdonald, 4 mai 1880.
6. Id., additionnel, vol. I, Macdonald à Lorne, 25 mai 1880.
7. Id., vol. 217, Galt à Macdonald, 7 juin 1880.
8. Id., Brouillon des instructions pour Galt, sans date.
9. Sessional Papers, 1885, No. 116, pp. 81-96.
10. Chester Martin, *"Dominion Lands" Policy*, vol. 2 in *Canadian Frontiers of Settlement*, éd. par W. A. Mackinstosh et W. L. G. Joerg, Toronto, 1938.
11. Archives Macdonald, additionnel, vol. I, Macdonald à Lorne, 18, 23 juin 1880.
12. Id., vol. 127, McIntyre à Macdonald, 21 juin 1880.
13. Id., vol. 195, Campbell à Macdonald, 15 juillet 1880.
14. Id., vol. 81, Lorne à Macdonald, 24 juin 1880.
15. Id., additionnel, vol. I, Macdonald à Lorne, 5 juillet 1880.
16. Archives Campbell, Campbell à Mills, 2 août 1880.
17. Archives Macdonald, vol. 127, McIntyre à Macdonald, 5 juillet 1880.
18. Ind., vol. 524, Macdonald à Dunmore, 3 juillet 1880.
19. Id., vol. 267, Stephen à Macdonald, 9 juillet 1880.
20. Id, vol. 163, Mémorandum, 19 juillet 1880.
21. Alice R. Stewart, "Sir John A. Macdonald and the Imperial Defence Commission of 1879", *Canadian Historical Review*, vol. 35, juin 1954, pp. 119-139.
22. Archives Macdonald, vol. 163, Mémorandum, 23 juillet 1880.
23. G. P. de T. Glazebrook, *A History of Transplantation in Canada*, Toronto et New Haven, 1938, p. 240.
24. Archives Campbell, Onderdonk à Campbell, 3 août 1880.
25. Archives Macdonald, vol. 127, Macdonald à Tilley, sans date.
26. Id., Puleston à Macdonald, 2 septembre 1880.
27. Id., vol. 163, Cameron à Macdonald, 8 septembre 1880.
28. Id., vol. 127, McIntyre à Macdonald, 12 août 1880.

29. Id., vol. 163, Mémorandum, 4 septembre 1880.
30. Id., vol. 127, Macdonald à Langevin, 4 septembre 1880.
31. Id., additionnel, vol. 2, Macdonald à Louisa Macdonald, 3 octobre 1880.
32. Id., vol. 267, Stephen à Macdonald, 27 septembre 1880.
33. Archives Macdonald, vol. 127, Macdonald à Rose, 5 novembre 1880.
34. Archives Argyll, Lettres, vol. 2, Lorne à Walker, 26 septembre 1880.
35. Glazebrook, *A History of Transportation*, p. 302.
36. Archives Macdonald, vol. 267, Stephen à Macdonald, 18 octobre 1880.
37. Archives Argyll, Lettres, vol. 4, Macdonald à Lorne, 16 novembre 1880.
38. Archives Macdonald, additionnel, vol. 2, Macdonald à Louisa Macdonald, 2 décembre 1880.
39. Id., vol. 81, Lorne à Macdonald, 6 décembre 1880.
40. *House of Commons Debates*, 1880-1881, vol. I, pp. 50-74.
41. Archives Macdonald, additionnel, vol. 2, Macdonald à Louisa Macdonald, 23 décembre 1880.
42. Archives Argyll, Lettres de Macdonald, Macdonald à Lorne, 6 janvier 1881.
43. *House of Commons Debates*, 1880-1881, vol. I pp. 102-106, 144.
44. Archives Macdonald, vol. 127, C. Rose à Macdonald, 8 janvier 1881.
45. *House of Commons Debates*, 1880-1881, vol. I, p. 488.
46. Id., p. 494.
47. Archives Macdonald, vol. 128, Donaldson à Macdonald, 18 janvier 1881.
48. Id., vol. 524, Macdonald à Galt, 24 janvier 1881.
49. Archives Argyll, Lettres, vol. 4, Macdonald à Lorne, 26 janvier 1881.
50. *House of Commons Debates*, 1880-1881, vol. I, p. 765.
51. Archives Macdonald, vol. 128, Morris à Macdonald, 28 janvier 1881.
52. Id., vol. 524, Macdonald à Galt, 27 février 1881.
53. Id., vol. 195, Campbell à Macdonald, sans date.
54. Id., vol. 524, Macdonald à Galt, 27 février 1881.
55. Id., vol. 218, Galt à Macdonald, 4 janvier 1881.
56. Id., vol. 267, Stephen à Macdonald, 7 avril 1881.
57. Saunders, *Tupper*, vol. I, p. 302, Macdonald à Tupper, 21 mars 1881.
58. Id., vol. I, pp. 302-202, Macdonald à Tupper, 11 avril 1881.
59. Id., vol. I, p. 303, Macdonald à Tupper, 21 avril 1881.
60. Archives Macdonald, vol. 524, Macdonald à Tupper, 18 avril 1881.
61. Archives Williamson, Louisa Macdonald à Williamson, 3 mai 1881.
62. *Mail*, 24 mai 1881.
63. Saunders, *Tupper*, vol. I, p. 304, Macdonald à Tupper, 16 mai 1881.
64. Archives Macdonald, vol. 524, Macdonald à Stephen, 6 mai 1881.
65. Saunders, *Tupper*, vol. I, p. 303, Macdonald à Tupper, 21 avril 1881.
66. Archives Tupper, Macdonald à Tupper, 2 juin 1881.
67. Archives Argyll, Lettres, vol. 4, Galt à Lorne, 2 juin 1881.
68. Archives Macdonald, additionnel, vol I, Macdonald à Lorne, 20 juin 1881.
69. Archives Tupper, Macdonald à Tupper, 21 juin 1881.
70. Archives Campbell, Macdonald à Campbell, 12 juillet 1880.
71. *Mail*, 22 juillet 1881.
72. Archives Macdonald, additionnel, vol. I, Macdonald à Lorne, 20 juin 1881.
73. Archives Macdonald, vol. 164, Carnarvon à Macdonald, 6 août 1881.
74. Id., vol. 282, Tupper à Macdonald, sans date.
75. Id., vol. 195, Campbell à Macdonald, sans date.

76. Id., Campbell à Macdonald, 22 août 1881.
77. Archives Campbell, Macdonald à Campbell, 12 juillet 1880.

## Chapitre dix: La période faste

1. Archives Macdonald, vol. 164, programme du concert donné sur le *Sardinian*, 15 septembre 1881.
2. *Mail*, 19 septembre 1881.
3. A.S. Morton, *History of Prairie Settlement*, vol. 2, *Canadian Frontiers of Settlement*, éd. par W.A. Mackintosh et W.L.G. Joerg, Toronto, 1938, p. 59.
4. Archives Macdonald, vol. 248, Macpherson à Macdonald, 4 septembre 1881.
5. Id., Macpherson à Macdonald, 9 août 1881; id., vol. 256, J.H. Pope à Macdonald, 19 août 1881.
6. Id., vol. 267, Stephen à Macdonald, les 29 octobre, 4 et 5 novembre 1881.
7. Id., Stephen à Macdonald, 27 août 1881.
8. Id., Stephen à Macdonald, 17 novembre 1881.
9. Pope, *Correspondence*, pp. 280-281, Macdonald à Stephen, 19 octobre 1881.
10. Archives Macdonald, vol. 524, Macdonald à Stephen, 6 janvier 1882.
11. Id., Macdonald à Griffin, 31 octobre 1881.
12. J.C. Morrisson, *Oliver Mowat et le développement des droits provinciaux en Ontario: une étude des relations Dominion-Provinces, 1867-1896*, Thèse de maîtrise, Université de Toronto, 1947, chapitre 3.
13. W.E. Hodgins, *Correspondence, Reports of the Minister of Justice, and Orders in Council upon the Subject of Dominion and Provincial Legislation 1867-1895*, Ottawa, 1896, p. 61, Compte rendu du ministre de la Justice, 9 juin 1868.
14. *House of Commons Debates*, 1882, p. 924.
15. Hodgins, *Dominion and Provincial Legislation*, 1867-1895, p. 177, Compte rendu du ministre de la Justice, 21 mai 1881.
16. Archives Macdonald, vol. 524, Macdonald à Meredith, 14 janvier 1882.
17. *Mail*, 24 novembre 1881.
18. Archives Macdonald, additionnel, vol. I, Macdonald à Lorne, 2 novembre 1881.
19. Id., Macdonald à Lorne, 14 décembre 1881.
20. Archives Argyll, Lettres, vol. 2, Lorne à Granville, 17 décembre 1881.
21. Archives Macdonald, vol. 218, Galt à Macdonald, 9, 13 décembre 1881.
22. Id., vol. 524, Macdonald à Galt, 7 janvier 1882.
23. Id., Macdonald à Galt, 27 décembre 1882.
24. Glazebrook, *History of Transportation in Canada*, p. 294.
25. Archives Macdonald, vol. 524, Macdonald à Galt, 24 décembre 1881.
26. Id., vol. 267, Stephen à Macdonald, 26 février 1882.
27. Id., vol. 524, Macdonald à Lynch, 9 décembre 1881.
28. Id., vol. 228, Lynch à Macdonald, 20 février 1882.
29. Id., vol. 524, Macdonald à Galt, 15 mars 1882.
30. Id., Macdonald à Galt, 28 février 1882.
31. Id., vol. 259, Rose à Macdonald, 6 février 1882.
32. Archives Argyll, Lettres, vol. 3, Lorne à Kimberley, 23 mars 1882.
33. Archives Macdonald, vol. 524, Macdonald à Marsh, 28 janvier 1882.
34. *House of Commons Debates*, 1882, pp. 876-926.

35. Id., pp. 1068-1075.
36. Id., pp. 1033-1034.
37. Pope, *Correspondence*, pp. 287-289, Macdonald à Lorne, 2 mai 1882.
38. Archives Kimberley, Lettres de Lorne, Kimberley à Lorne, 11 mai 1882.
39. Archives Macdonald, vol. 219, Galt à Macdonald, 27 avril 1882.
40. *House of Commons Debates*, 1882, pp. 1202-1204.
41. Norman Ward, *The Canadian House Of Commons: Representation*, Toronto, 1950, p. 30.
42. R.M. Dawson, "The Gerrymander of 1882", *The Canadian Journal of Economics and Political Science*, vol. I, (Mai 1935), pp. 197-221.
43. *House of Commons Debates*, 1882, p. 1208.
44. Id., p. 1209.
45. Archives Macdonald, vol. 267, Stephen à Macdonald, 8 mai 1882.
46. Id., additionnel, vol. I, Macdonald à Lorne, 3 avril 1882.
47. Id., vol. 267, Stephen à Macdonald, 9 juin 1882.
48. *Mail*, 26 mai 1882.
49. Id., 29 mai 1882.
50. Archives Argyll, Lettres de Macdonald, Macdonald à Lorne, 22 juin 1882.
51. Archives Macdonald, vol. 277, Tilley à Macdonald, 25 juin 1882.
52. Archives Argyll, Lettres de Macdonald, Macdonald à Lorne, 22 juin 1882.
53. Archives Macdonald, additionnel, vol. I, Macdonald à Lorne, 28 juillet 1882.
54. Id., Macdonald à Lorne, 4 août 1882; id., vol. 82, Lorne à Macdonald, 5 août 1882; id., additionnel, vol I, Macdonald à Lorne, 8 août 1882.
55. Archives Argyll, Lettres, vol. 4, Cambridge à Lorne, 3 juillet 1882; Archives Macdonald, vol. 82, Lorne à Macdonald, 18 juillet 1882; ibid., additionnel, vol. I, Macdonald à Lorne, 21 juillet 1882.
56. *Mail*, 8 juillet 1882.
57. Id., 2 juin 1882.
58. *Report pursuant to Resolution of the Senate to the Honourable the Speaker by the Parliamentary Counsel relating to the Enactment of the British North America Act, 1867...*, Ottawa, 1939, annexe 3, pp. 14-18.
59. Archives Macdonald, vol. 267, Stephen à Macdonald, 19 août 1882.
60. Id., Stephen à Macdonald, 24 août 1882.
61. Id., vol. 219, Galt à Macdonald, 16 août 1882.
62. Id., vol. 267, Stephen à Macdonald, 9 juillet 1880.
63. Id., Stephen à Macdonald, 27 août 1882.
64. Id., vol. 223, Hickson à Macdonald, 9 octobre 1882.
65 Id., vol. 259, Rose à Macdonald, 1er février 1883.
66. Archives Williamson, Macdonald à Williamson, 19 février 1883.
67. *House of Commons Debates*, 1883, p. 23.
68. *Mail*, 28 février 1883.
69. Pope, *Correspondence*, p. 299, Macdonald à Galt, 21 février 1883.
70. Skelton, *Galt*, pp. 539-540, Macdonald à Galt, 2 février 1883.
71. *House of Commons Debates*, 1883, p. 65.
72. Archives Argyll, Lettres, vol. 3, Lorne à Cambridge, 10 mars 1883.
73. Id., Lettres, vol. 4, Macdonald à Lorne, 10 mars 1883.
74. Pope, *Correspondence*, p. 298, Macdonald à Galt, 21 février 1883.
75. Archives Macdonald, vol. 219, Macdonald à Galt, sans date.
76. Archives Argyll, Lettres vol. 3, Lorne à Derby, 22 avril 1883.

77. Archives Macdonald, vol. 267, Stephen à Macdonald, 11 mai 1883.
78. Id., Macdonald à Stephen, 12 mai 1883.
79. Id., additionnel, vol. I, Macdonald à Lorne, 26 juin 1883.
80. Archives Argyll, Lettres de Macdonald, Macdonald à Lorne, 16 octobre 1883.
81. Archives Macdonald, vol. 525, Macdonald à Plumb, 24 juin 1883.

## Chapitre onze: Tiens bon, Craigellachie!

1. Archives Macdonald, vol. 256, Pope à Macdonald, 23 juillet 1883.
2. Id., vol. 277, Tilley à Macdonald, 27 septembre 1883.
3. Archives Argyll, Lettres de Macdonald, Macdonald à Lorne, 16 octobre 1883.
4. *Mail*, 23 octobre 1883.
5. Archives Macdonald, additionnel, vol. I, Macdonald à Lorne, 9 juin 1883.
6. Archives Argyll, Lettres de Macdonald, Macdonald à Lorne, 26 juillet 1883.
7. *Mail*, 24 octobre 1883.
8. Archives Argyll, Lettres de Macdonald, Macdonald à Lorne, 26 octobre 1883.
9. Id., Macdonald à Lorne, 19 juillet 1883.
10. Archives Macdonald, vol. 267, Stephen à Macdonald, 25 octobre 1883.
11. Archives Tupper, Macdonald à Tupper, 22 novembre 1883.
12. Id.
13. Archives Macdonald, vol. 267, Stephen à Macdonald, 29 octobre 1883.
14. *Mail*, 30 octobre 1883.
15. *Mail*, 7 novembre 1883.
16. Archives Tupper, Macdonald à Tupper, 22 novembre 1883.
17. *House of Commons Debates*, 1884, pp. 99-100.
18. Archives Macdonald, vol. 267, Stephen à Macdonald, 3 décembre 1883.
19. Id., Stephen à Macdonald, 15 décembre 1883.
20. Pope, *Correspondence*, p. 308, Macdonald à Tupper, 1er décembre 1883.
21. Archives Macdonald, vol. 525, Macdonald à Christie, 20 novembre 1882.
22. Id., Macdonald à Bate, 25 avril 1884.
23. Archives Williamson, Macdonald à Williamson, 21 novembre 1883.
24. Archives Tupper, Macdonald à Tupper, 22 novembre 1883.
25. Archives Macdonald, vol. 267, Stephen à Macdonald, 15 décembre 1883.
26. Id., Stephen à Macdonald, 23 décembre 1883.
27. Archives Tupper, Stephen à Tupper, 28 décembre 1883.
28. Id., Stephen à Tupper, 5 janvier 1884.
29. Archives Macdonald, additionnel, vol. I, Macdonald à Lorne, 7 janvier 1884.
30. G.F.G. Stanley, *The Birth of Western Canada, a History of the Riel Rebellions*, Londres, 1936, p. 207.
31. Archives Macdonald, additionnel, vol. I, Macdonald à Lorne, 2 décembre 1882.
32. Id., vol. 186, Aikins à Macdonald, 30 novembre 1883.
33. J.A. Jackson, *Le veto opposé à la législation manitobaine sur les chemins de fer pendant les années 1880*, Thèse de Maîtrise, Université du Manitoba, 1945, pp. 48-49.
34. Archives Macdonald, vol. 282, Colmer à Macdonald, 10 décembre 1883.

35. Id., vol. 259, Rose à Macdonald, 29 décembre 1883.
36. Id., vol. 269, Stephen à Macdonald, 22 janvier 1884.
37. *House of Commons Debates*, 1884, pp. 84-85.
38. Grand Trunk Railway: *Correspondence between the Company and the Dominion Government respecting Advances to the Canadian Pacific Railway Company*, février 1884.
39. R. Rumilly, *Histoire de la Province de Québec*, vol. 4, *Les "Castors"* Montréal, sans date, pp. 132-133.
40. Archives Macdonald, vol. 206, Costigan à Macdonald, 18 février 1884.
41. Id., vol. 259, Rose à Macdonald, 21 février 1884.
42. Id., vol. 269, Stephen à Macdonald, 16 février 1884.
43. Id., Stephen à Macdonald, 27 février 1884.
44. Id, vol. 259, Macdonald à Rose, 21 février 1884.
45. *House of Commons Debates*, 1884, p. 569.
46. Archives Macdonald, vol. 269, Stephen à Macdonald, 27 février 1884.
47. *House of Commons Debates*, 1884, p. 664.
48. Archives Macdonald, vol. 269, Stephen à Macdonald, 21 mars 1884.
49. Id., additionnel, vol. I, Macdonald à Lorne, 26 mars 1884.
50. Id., vol. 525, Macdonald à Campbell, 26 avril 1884.
51. *House of Commons Debates*, 1884, p. 937.
52. Archives Macdonald, vol. 228, McCarthy à Macdonald, 7 mars 1884.
53. Jackson, *Le veto opposé à la législation manitobaine sur les chemins de fer*, pp. 49-53.
54. Archives Macdonald, additionnel, vol. I, Macdonald à Lorne, 26 mars 1884.
55. *House of Commons Debates*, 1884, p. 109.
56. Archives Macdonald, vol. 525, Macdonald à Aikins, 6 juin 1884.
57. Id., vol. 259, Rose à Macdonald, 23, 27 février 1884.
58. Id., vol. 269, Stephen à Macdonald, 26 avril 1884.
59. Id., vol. 277, Tilley à Macdonald, 12 juin 1884.
60. Id., Tilley à Macdonald, 19 juin 1884.
61. Id., vol. 259, Rose à Macdonald, 18 juin 1884.
62. Id., vol. 525, Macdonald à Chapleau, 3 juillet 1884.
63. Archives Tupper, Macdonald à Tupper, 28 juin 1884.
64. Archives Macdonald, vol. 197, Campbell à Macdonald, 23 juillet 1884.
65. Archives Lansdowne, Lettres de Macdonald, Macdonald à Lansdowne, 17 juillet 1884.
66. Id., Macdonald à Lansdowne, 10 juillet 1884.
67. Pope, *Correspondence*, pp. 314-315, Macdonald à Aikins, 28 juillet 1884.
68. Archives Macdonald, vol. 525, Macdonald à Norquay, 1 juillet 1884.
69. Pope, *Correspondence*, p. 313, Macdonald à Aikins, 7 juillet 1884.
70. Archives Macdonald, vol. 105, Deville à Burgess, 14 février 1884.
71. Pope, *Correspondence*, pp. 317-319, Macdonald à Lansdowne, 12 août 1884.
72. Archives Landsowne, Lettres de Macdonald, Macdonald à Landsowne, 5 août 1884.
73. C. R. W. Biggar, *Sir Oliver Mowat*, Toronto, 1905, vol. I, chap. 15.
74. Archives Tupper, Macdonald à Tupper, 13 août 1884.
75. Archives Macdonald, vol. 282, Tupper à Macdonald, 11 septembre 1884.
76. Id., vol. 228, McCarthy à Macdonald, 28 septembre 1884.
77. Id., vol. 526, Macdonald à Robertson, 4 octobre 1884.

78. Pope, *Memoirs*, vol. 2, p. 209.
79. Archives Macdonald, vol. 282, Tupper à Macdonald, 11 décembre 1884.
80. Id., vol. 107, Dewdney à Macdonald, 19 septembre 1884.
81. Id., Compte rendu de la conversation entre Riel et l'évêque Grandin, 7 septembre 1884.
82. Id., Forget à Dewdney, 18 septembre 1884.
83. Id., vol. 526, Macdonald à Baring Brothers, 6 septembre 1884.
84. Id., vol. 277, Tilley à Macdonald, 3 décembre 1884.
85. Id., vol. 129, Tupper à Tilley, 28 novembre 1884.
86. J. M. Gibbon, *Steel of Empire*, Toronto, 1935, p. 278.

## Chapitre douze: Le triomphe et le désastre

1. *Mail*, 13 janvier 1885; Pope, *Correspondence*, pp. 331-332, Macdonald à Tupper, 24 janvier 1885.
2. *Mail*, 18, 19 décembre 1884; Pope, *Correspondence*, p. 328, Macdonald à Tupper, 24 décembre 1884.
3. Pope, *Memoirs*, vol. I, p. 62.
4. Id., vol. 2, p. 62.
5. Archives Lansdowne, Lettres de Macdonald, Macdonald à Lansdowne, 7 juin 1884.
6. Id., Macdonald à Lansdowne, 25 décembre 1884.
7. Archives Macdonald, vol. 269, Stephen à Macdonald, 29 décembre 1884.
8. Id., Stephen à Macdonald, 14 janvier 1885.
9. Id., vol. 256, Rose à Macdonald, 10 janvier 1885.
10. Id., vol. 269, Stephen à Macdonald, 14 janvier 1885.
11. Id., vol. 277, Tilley à Macdonald, 6 janvier 1885.
12. Pope, *Correspondence*, pp. 331-332, Macdonald à Tupper, 24 janvier 1885.
13. Archives Macdonald, vol. 269, Stephen à Macdonald, 17 janvier 1885.
14. Id., vol. 269, Macdonald à Stephen, 20 janvier 1885.
15. *House of Commons Debates*, 1885, vol. I, p. 22.
16. Pope, *Correspondence*, pp. 74-75, Macdonald à Chamberlin, 26 octobre 1868.
17. *House of Commons Debates*, 1885, vol. I, p. 41.
18. *Mail*, 6 février 1885.
19. *Debates*, 1885, vol. I, p. 41.
20. *Mail*, 6 février 1885.
21. G. F. G. Stanley, *Canada's Soldiers, 1604-1954, Toronto, 1954, pp. 270-271.*
22. *House of Commons Debates*, 1886, vol. I, p. 20.
23. Pope, *Correspondence*, pp. 337-338, Macdonald à Tupper, vol. I, p. 20.
24. Archives publiques du Canada, ministère de l'Intérieur, département des Terres fédérales, dossier no 83808, 1885.
25. Id.
26. *House of Commons Debates*, 1885, vol. 4, p. 3118.
27. Archives Macdonald, vol. 107, MacDowall à Dewdney, 24 décembre 1884.
28. *House of Commons Debates*, 1885, vol. I, p. 745.
29. Id.
30. *Sessional Papers*, 1885, No, 116, arrêté ministériel, 28 janvier 1885.
31. Archives Macdonald, vol. 105, Macpherson à Dewdney, 4 février 1885.

32. Id., vol. 269, Stephen à Macdonald, 9 février 1885.
33. Pope, *Correspondence*, p. 337, Tupper à Macdonald, 24 février 1885.
34. Archives Tupper, Macdonald à Tupper, 17 mars 1885.
35. Archives Macdonald, vol. 107, André à Dewdney, 21 janvier 1885 Dewdney à Macdonald, 3 février 1885; id., Crozier à Dewdney, février 1885.
36. Pope, *Correspondence*, pp. 338-339, Stephen à Macdonald, 26 mars 1885.
37. *House of Commons Debates*, 1885, vol. 2, p. 790.
38. Pope, *Correspondence*, pp. 341-342, Macdonald à Dewdney, 29 mars 1885.
39. Id., pp. 340-341, Macdonald à Middleton, 29 mars 1885.
40. *Mail*, 31 mars 1885.
41. Id., 25 mars 1885.
42. Archives Macdonald, vol. 259, Rose à Macdonald, 9 mai 1885.
43. Id., vol. 283, Tupper à l'éditeur du *Times*, 20 mai 1885.
44. Archives Lansdowne, Lettres de Macdonald, Macdonald à Lansdowne, 9 mars 1885.
45. Id., Macdonald à Lansdowne, 15 mai 1885.
46. Gibbon, *Steel of Empire*, p. 287.
47. Pope, *Correspondence*, p. 345, Stephen à Macdonald, 15 avril 1885.
48. Id., Stephen à Pope, 16 avril 1885.
49. Archives Macdonald, vol. 129, Macdonald à Smithers, 24 avril 1885.
50. Id., Drinkwater à Macdonald, 25 avril 1885.
51. *Mail*, 1er mai 1885.
52. Id., 2 mai 1885.
53. Archives Macdonald, additionnel, vol. 283, Tupper à Macdonald, 7 mai 1885.
54. *House of Commons Debates*, 1885, vol. 3, pp. 1822-1823.
55. Archives Macdonald, additionnel, vol. 2, Macdonald à Louisa Macdonald, 9 mai 1885.
56. Archives Lansdowne, Lettres de Macdonald, Macdonald à Lansdowne, 3 juin 1885.
57. Macdonald à Tupper, 29 juillet 1885, Lettre en possession d'Oscar Orr, Vancouver, Colombie britannique.
58. Pope, *Correspondence*, pp. 358-360, Macdonald à Campbell, 12 septembre 1885.
59. Macdonald à Tupper, 27 juillet 1885.
60. Id.
61. *Sessional Papers*, 1886, No, 45.
62. Archives Macdonald, vol. 106, Amyot à Langevin 16 mai 1885.
63. Macdonald à Tupper, 27 juillet 1885.
64. Pope, *Correspondence*, pp. 351-352, Macdonald à Thompson, 21 juillet 1885.
65. Id., pp. 358-360, Macdonald à Campbell, 12 septembre 1885; Archives Macdonald, vol. 526, Macdonald à Campbell, 14 septembre 1885.
66. Pope, *Correspondence*, p. 360, Campbell à Macdonald, 13 septembre 1885; Archives Macdonald, vol. 197, Campbell à Macdonald, 14 septembre 1885.
67. Saunders, *Tupper*, vol. 2, p. 61, Macdonald à Tupper, 4 septembre 1885.
68. *Sessional Papers*, 1886, No. 43.
69. Pope, *Correspondence*, pp. 354-356, Macdonald à Landsdowne, 28 août 1885.

70. Archives Macdonald, vol. 197, Campbell à Macdonald, 11 septembre 1885.
71. Id., vol. 526, Macdonald à Carnarvon, 8 septembre 1885.
72. Id., vol. 106, secrétaire aux Colonies au gouverneur général, 22 octobre 1885.
73. Id., Campbell à Macdonald, 23 octobre 1885; id., Campbell à Macdonald, 27 (?), octobre 1885.
74. H. Barnes, "A Century of the McNaghten Rules", *Cambridge Law Journal*, vol. 88, pp. 300-321.
75. Archives Williamson, vol. 106, Macdonald à Lavell et Valade, 31 octobre 1885.
76. Archives Macdonald, Macdonald à Lavell, 31 octobre 1885.
77. Id., Dewdney à Macdonald, 7 novembre 1885.
78. Id., vol. 129, Van Horne à Macdonald, 7 novembre 1885.
79. Archives Lansdowne, Lettres de Macdonald, Macdonald à Lansdowne, 9 novembre 1885.
80. Id., vol. 106, Opinion de M. Lavell, 8 novembre 1885.
81. Id., Opinion de F.X. Valade, 8 novembre 1885.
82. Pope, *Correspondence*, p. 364, Chapleau à Macdonald, 12 novembre 1885.
83. Archives Macdonald, vol. 108, Lesage à Macdonald, 13 novembre 1885; id., Coursal et al. à Macdonald, 13 novembre 1885.
84. Pope, *Correspondence*, p. 365, Macdonald à Langevin, 13 novembre 1885.
85. Archives Lansdowne, Lettres de Macdonald, Macdonald à Lansdowne, 13 novembre 1885.
86. Archives Macdonald, vol. 107, Dewdney à Macdonald, 15 novembre 1885.
87. *Leader* de Regina, 17 novembre 1885; *Mail*, 17 novembre 1885.

## Chapitre treize: La révolte des provinces

1. Archives Macdonald, vol. 166, Stephen à Macdonald, 29 novembre 1885.
2. Id., Rose à Macdonald, 27 novembre 1885.
3. Id., vol. 85, Macdonald à Lansdowne, 12 décembre 1885.
4. Id., vol. 166, Livre d'engagement, 2, 4 janvier 1886.
5. Id., vol. 256, Pope à Macdonald, 10 décembre 1885.
6. Id., vol. 200, Caron à Macdonald, 26 novembre 1885.
7. Id., vol. 227, Langevin à Macdonald, 19 décembre 1885.
8. Id., vol. 85, Macdonald à Lansdowne, 21 décembre 1885.
9. Id., additionnel, vol. 2, Macdonald à Macdonald, 22 décembre 1885.
10. *Mail*, 20 janvier 1886.
11. Archives Macdonald, additionnel, vol. 2, Agnes Macdonald à Louisa Macdonald, 19 janvier 1886.
12. Id., vol. 526, Macdonald à Lansdowne, 7 juin 1885.
13. Archives Lansdowne, Lettres de Macdonald, Macdonald à Lansdowne, 26 mai 1884; Pope, *Correspondence*, p. 326, Macdonald à Hincks, 18 septembre 1884.
14. *House of Commons Debates*, 1886, vol. I, p. 31.
15. *Sessional Papers*, 1886, vol. 12, No. 43.
16. Archives Macdonald, vol. 106, Jukes à Dewdney, 6 novembre 1885.
17. Id., Lavell à Macdonald, 8, 9 novembre 1885.

18. Archives Lansdowne, Lettres de Macdonald, Macdonald à Lansdowne, 9 mars 1886.
19. Archives Macdonald, vol. 227, Langevin à Macdonald, 10 mars 1886.
20. Archives Lansdowne, Lettres de Macdonald, Macdonald à Lansdowne, 13, 17 mars 1886.
21. Id., Macdonald à Lansdowne, 13, 15 mars 1886.
22. Pope, *Correspondence*, p. 360, Campbell à Macdonald, 14 septembre 1885.
23. Archives Macdonald, vol. 198, Campbell à Macdonald, 22 mars 1866.
24. *House of Commons Debates*, 1886, vol. I, p. 368.
25. Id., p. 411.
26. Archives Macdonald, vol. 198, Campbell à Macdonald, 26 mars 1886.
27. Archives Lansdowne, Lettres de Macdonald, Macdonald à Lansdowne, 14 avril 1886.
28. Id., Macdonald à Lansdowne, 20 avril 1886.
29. *Chronicle* de Halifax, 10, 26 mai 1886.
30. Archives Macdonald, vol. 259, Rose à Macdonald, 10 mai 1886.
31. Id., Macdonald à Rose, 12 mai 1886.
32. Id., vol. 86, Macdonald à Lansdowne, 4 juin 1886.
33. Archives Lansdowne, Lettres de Macdonald, Macdonald à Lansdowne, 21 mai 1886.
34. Archives Macdonald, Lettres de Macdonald à Lansdowne, 2 juin 1886.
35. Archives Lansdowne, Lettres de Macdonald, Macdonald à Lansdowne, 2 juin 1886.
36. Archives Lansdowne, Lettres, vol. 3, Lansdowne à Granville, 2 juin 1886.
37. Pope, *Correspondence*, p. 382, Macdonald à Tupper, 21 juin 1886.
38. Archives Lansdowne, Lettres de Macdonald, Macdonald à Lansdowne, 1 juillet 1886.
39. Id., Macdonald à Lansdowne, 7 juillet 1886.
40. Id., Macdonald à Lansdowne, 10 juillet 1886.
41. Archives publiques du Canada, Archives Thompson, Macdonald à Thompson, 10 juillet 1886.
42. Archives Macdonald, vol. 288, Van Horne à Agnes Macdonald, 7 juillet 1886.
43. *Manitoban* de Winnipeg, 13 juillet 1886.
44. Id., 15 juillet 1886.
45. *Leader* de Regina, 20 juillet 1886.
46. *Mail*, 21, 22 juillet 1886.
47. Id., 23, 26 juillet 1886.
48. *Gazette* de Port Moody, 31 juillet 1886.
49. *Star* de Victoria, 25, 29 juillet 1886.
50. *Manitoban*, 26 août 1886.
51. *Mail*, 31 août 1886.
52. Archives Macdonald, vol. 259, Rose à Macdonald, 15 septembre 1886.
53. *Mail*, 17 septembre 1886.
54. Archives Lansdowne, Lettres de Macdonald, Macdonald à Lansdowne, 2 octobre 1886.
55. Archives Lansdowne, Lettres de Macdonald, Macdonald à Lansdowne, 4 septembre 1886.
57. Archives Macdonald, vol. 227, Langevin à Macdonald, 15 octobre 1886.

58. Pope, *Correspondence*, p. 386, Macdonald à Tupper, 15 octobre 1886.
59. Archives Macdonald, vol. 270, Stephen à Macdonald, 4 novembre 1886.
60. Archives Thompson, Lettres de famille, Thompson à sa femme, 31 octobre 1886.
61. *Mail*, 4 novembre 1886.
62. Archives Thompson, Lettres de famille, Thompson à sa femme, 12 novembre 1886.
63. Pope, *Correspondence*, p. 390, Macdonald à Tupper, 20 décembre 1886.
64. Archives Macdonald, vol. 86, secrétaire aux Colonies à Lansdowne, 26 novembre 1886.
65. Archives Lansdowne, Lettres de Macdonald, Macdonald à Lansdowne, 15 janvier 1887; *Mail*, 17 janvier 1887.
66. Archives Macdonald, vol. 205, Chapleau à Macdonald, 20 janvier 1887.
67. Archives Lansdowne, Lettres de Macdonald, Macdonald à Lansdowne, 24 janvier 1887.
68. *Mail*, 1 février 1887.
69. *Globe*, 24 janvier 1887.
70. *Mail*, 12 février 1887.
71. Archives Macdonald, vol. 205, Macdonald à Chapleau, 13 février 1887.
72. Id., vol. 198, Campbell à Macdonald, 23 février 1887.
73. Archives Lansdowne, Lettres de Macdonald, Macdonald à Lansdowne, 24 février 1887.
74. Archives Macdonald, vol. 527, Macdonald à Blackstock, 28 mars 1887.
75. Pope, *Correspondence*, p. 399, Mercier à Macdonald, 4 avril 1887.
76. Province de l'Ontario, *Sessional Papers*, 1887, No. 51 Mercier à Mowat, 8 mars 1887.
77. Pope, *Correspondence*, pp. 399-400, Macdonald à Mercier, 6 avril 1887.
78. Id., p. 401, Macdonald à Mercier, 28 avril 1887.
79. *House of Commons Debates*, 1887, vol. I, pp. 578-579.
80. Archives Macdonald, vol. 228, McCarthy à Macdonald, 3 avril 1887.
81. *House of Commons Debates*, 1887, vol. I, pp. 384-407.
82. Archives Macdonald, vol. 86, Lansdowne à Macdonald, 25 décembre 1886.
83. Id., vol. 527, Macdonald à Lansdowne, 28 décembre 1886.
84. Archives Lansdowne, Lettres de Macdonald, Macdonald à Lansdowne, 16 mai 1887.
85. Charles Tupper, *Recollections of Sixty Years in Canada*, Londres et Toronto 1914, pp. 177-182.
86. Archives Macdonald, vol. 170, Stephen à Macdonald, 4 juin 1887.
87. Ind., vol. 527, Macdonald à Aikins, 25 juin 1887.
88. *Dominion and Provincial Legislation*, pp. 855-856.
89. Pope, *Correspondence*, pp. 403-404, Macdonald à Rose, 25 juin 1887.
90. Archives Macdonald, vol. 527, Macdonald à Lansdowne, 1er septembre 1887; Archives Lansdowne, Lettres de Macdonald, Macdonald à Lansdowne, 14 septembre et 3 octobre 1887.
91. Archives Lansdowne, Lettres de Macdonald, Macdonald à Lansdowne, 24 septembre 1887.
92. Id., Macdonald à Lansdowne, 13 octobre 1887.
93. *Globe*, 14 octobre 1887.

## Chapitre quatorze: La résurgence du conflit culturel

1. Archives Macdonald, vol. 228, McCarthy à Macdonald, 3 septembre 1887.
2. *Mail*, 27 octobre 1887.
3. *Gazette*, 20 octobre 1887.
4. Archives Campbell, Macdonald à Campbell, 3 décembre 1887.
5. Id., Macdonald à Campbell, 15 décembre 1887.
6. Archives Macdonald, vol. 527, Macdonald à Aikins, 15 octobre 1887.
7. Id., Macdonald à Brown, 17 octobre 1887.
8. Id., vol. 270, Stephen à Macdonald, 4 octobre 1887.
9. Pope, *Correspondence*, p. 406, Tupper à Macdonald, 15 septembre 1887.
10. Archives Lansdowne, Lettres de Macdonald, Macdonald à Lansdowne, 18 octobre 1887.
11. Archives Macdonald, vol. 527, Macdonald à Lansdowne, 3 octobre 1887.
12. Id., vol. 176, Tupper à Macdonald, les 24 et 25 novembre 1887.
13. Id., vol. 527, Macdonald à Lansdowne, 30 novembre 1887.
14. Pope, *Correspondence*, p. 406, Macdonald à Tupper, 7 décembre 1887.
15. Archives Macdonald, vol. 527, Macdonald à Lansdowne, 30 novembre 1887.
16. Ind., additionnel, vol. 2, Macdonald à Louisa Macdonald, 10 décembre 1887.
17. Id., vol. 527, Macdonald à Tupper, 8 décembre 1887.
18. Id., Macdonald à Tupper, 9 décembre 1887.
19. Id., vol. 176, Tupper à Macdonald, 9 décembre 1887.
20. Archives Lansdowne, Lettres de Macdonald, Macdonald à Lansdowne, 10 décembre 1887.
21. Archives Macdonald, vol. 87, Lansdowne à Macdonald, 18 décembre 1887.
22. Id., vol. 527, Macdonald à Tupper, 8 décembre 1887.
23. Archives Lansdowne, Lettres de Macdonald, Macdonald à Lansdowne, 11 décembre 1887.
24. J.L. Garvin, *The Life of Joseph Chamberlain*, Londres 1933, vol. 2, pp. 333-334; W.R. Graham, "Sir Richard Cartwright, Wilfrid Laurier, and Liberal Trade Policy", *Canadian Historical Review*, vol. 33, mars 1952, pp. 1-18.
25. Archives Macdonald, vol. 527, Macdonald à Tupper, 15 janvier 1888.
26. Id., additionnel, vol. 2, Macdonald à Louisa Macdonald, 10 septembre 1887.
27. Id., Macdonald à Louisa Macdonald, 2 décembre 1887.
28. Id., Macdonald à Minnie Macdonnell, 12 janvier 1888.
29. Id., vol. 527, Macdonald à Tupper, 5 janvier 1888.
30. Archives Lansdowne, Lettres de Macdonald, Macdonald à Lansdowne, 31 décembre 1887.
31. Archives Macdonald, vol. 176, Tupper à Macdonald, 19 janvier 1888.
32. Archives Thompson, Lettres de famille, Thompson à sa femme, 16 janvier 1888.
33. Archives Lansdowne, Lettres de Macdonald, Macdonald à Lansdowne, 1er février 1888.
34. Pope, *Correspondence*, pp. 408-409, Macdonald à Tupper, 6 février 1888.
35. Archives Lansdowne, Lettres de Macdonald, Macdonald à Lansdowne, 11 février 1888.
36. Pope, *Correspondence*, p. 409, Macdonald à Tupper, 6 février 1888.
37. Archives Lansdowne, Lettres de Macdonald, Macdonald à Lansdowne, 21 février 1888.

38. Archives Macdonald, vol. 527, Macdonald à Daly, 31 janvier 1888.
39. Id., vol. 271, Stephen à Macdonald, les 25 février et 16 et 20 mars 1888.
40. Id., vol. 119, Macdonald à Greenway, 20 mars 1888.
41. Id., Macdonald à Greenway, 21 mars 1888; id., Greenway à Macdonald, 23 mars 1888.
42. Id., vol. 527, Macdonald à Greenway, 30 mars 1888.
43. *House of Commons Debates*, 1888, vol. I, p. 144.
44. Id., vol. 2, pp. 1069-1078.
45. Id., vol. I, p. 646.
46. Id., p. 14.
47. Archives Macdonald, additionnel, vol. 2, Macdonald à Louisa Macdonald, 29 mai 1888.
48. Id., vol. 88, Lansdowne à Macdonald, 23 mai 1888.
49. Id., vol. 528, Macdonald à Tupper, 14 juillet 1888.
50. Id., vol. 271, Stephen à Macdonald, 12 janvier 1888.
51. Saunders, *Tupper*, vol. 2, p. 117-118.
52. Archives Lansdowne, Lettres de Macdonald, Macdonald à Lansdowne, 13 juillet 1888.
53. Id., Macdonald à Lansdowne, 24 avril 1888.
54. Archives Macdonald, vol. 528, Macdonald à Stanley, 17 juillet 1888.
55. Archives Lansdowne, Lettres de Macdonald, Macdonald à Lansdowne, 6 septembre 1888.
56. Pope, *Correspondence*, pp. 429-431, Macdonald à Stephen, 22 octobre 1888.
57. Archives Macdonald, vol. 528, Macdonald à Schultz, 2 août 1888.
58. Id., Macdonald à Schultz, 17 novembre 1888.
59. Id., Macdonald à Stephen, 4 août 1888.
60. Archives Lansdowne, Lettres de Macdonald, Macdonald à Lansdowne, 6 septembre 1888.
61. Archives Macdonald, vol. 89, Stanley à Macdonald, octobre 1888.
62. Allan Nevins, *Grover Cleveland, A Study in Courage*, New York, 1933, pp. 428-431.
63. Pope, *Correspondence*, vol. 528, Macdonald à Stephen, 22 octobre 1888.
64. Archives Macdonald, vol. 528, Macdonald à Tupper, 16 novembre 1888.
65. Pope, *Correspondence*, p. 431, Mowat à Macdonald, 17 novembre 1888.
66. Id., p. 436, Macdonald à Stephen, 12 janvier 1889.
67. Macdonald à Williamson, 11 janvier 1889, Lettre en possession de W.F. Nickle, Kingston, Ontario.
68. Archives Macdonald, additionnel, vol. 2, Macdonald à Louisa Macdonald, 27 avril 1888.
69. Macdonald à Williamson, 11 janvier 1889.
70. Pope, *Correspondence*, p. 430, Macdonald à Stephen, 22 octobre 1888.
71. Archives Macdonald, vol. 284, Tupper à Macdonald, 19 décembre 1888.
72. Id., vol. 528, Macdonald à Tupper, 22 décembre 1888.
73. Id., Macdonald à Hamilton, 26 janvier 1889.
74. Id., vol. 228, McCarthy à Macdonald, 1er mars 1889.
75. Id., vol. 471, O'Brien à Macdonald, 18 mars 1889.
76. Id., vol. 528, Macdonald à O'Brien, 20 mars 1889.
77. *House of Commons Debates*, 1889, vol. 2, p. 908.
78. Id., p. 910.

79. Pope, *Correspondence*, pp. 442-443.
80. Id., pp. 443-444, McCarthy à Macdonald, 17 avril 1889.
81. Archives Lansdowne, Lettres de Macdonald, Macdonald à Lansdowne, 14 mai 1889.
82. Archives Macdonald, vol. 275, Thompson à Macdonald, 18 mai 1889.
83. *Globe*, 8 juin 1889.
84. Archives Thompson, vol. 89, Macdonald à Thompson, 4 juillet 1889.
85. Pope, *Correspondence*, pp. 445-446, Macdonald à Tupper, 31 mai 1889.
86. Archives Thompson, vol. 91, Macdonald à Thompson, 2 août 1889.
87. Archives Macdonald, vol. 94, Stanley à Macdonald, 2 août 1889.
88. Archives Thompson, vol. 91, Macdonald à Thompson, 14 août 1889.
89. Id., Macdonald à Thompson, 30 août 1889.

## Chapitre quinze: La dernière élection

1. Archives Macdonald, vol. 275, Monck à Macdonald, 24 septembre 1890.
2. Id., vol. 232, McLelan à Macdonald, 29 juin 1890.
3. Archives Thompson, vol. 89, Macdonald à Thompson, 4 juillet 1889.
4. Archives Lansdowne, Lettres de Macdonald, Macdonald à Lansdowne, 14 mai 1889.
5. Pope, *Correspondence*, p. 461, Macdonald à Tupper, 7 décembre 1889.
6. Archives Macdonald, vol. 528, Macdonald à Costigan, 2 mai 1889.
7. Archives Thompson, vol. 72, Macdonald à Thompson, 13 juin 1888.
8. Pope, *Correspondence*, pp. 431-432, Tupper à Macdonald, 1er décembre 1888.
9. Id., pp. 449-451, Macdonald à Knutsford, 18 juillet 1889.
10. Archives Macdonald, additionnel, vol. 3, Agnes Macdonald à Louisa Macdonald, sans date.
11. Id., vol. 528, Macdonald à Tupper, 16 novembre 1888.
12. Id., Macdonald à Tupper, 22 décembre 1888.
13. Bibliothèque de l'Université Queen's, Collection McLaughlin, Macdonald à Hallam, 6 mai 1889.
14. Pope, *Correspondence*, p. 449, Macdonald à Edgecome, 4 juillet 1889.
15. Archives Thompson, vol. 90, Macdonald à Thompson, 27 juillet 1889.
16. Id., vol. 89, Macdonald à Thompson, 4 juillet 1889.
17. Id., vol. 90, Macdonald à Thompson, 25 juillet 1889.
18. Archives Lansdowne, Lettres de Macdonald, Macdonald à Lansdowne, 28 septembre 1889.
19. Archives Macdonald, vol. 288, Andersons à Macdonald, 12 octobre 1889.
20. Pope, *Correspondence*, pp. 455-456, Macdonald à Stephen, 13 septembre 1889.
21. Archives Lansdowne, Lettres de Macdonald, Macdonald à Lansdowne, 28 septembre 1889.
22. Archives Macdonald, vol. 32, Stanley à Macdonald, sans date.
23. Id., secrétaire aux Colonies au gouverneur général, sans date.
24. Id., vol. 529, Macdonald à Tupper, 22 octobre 1889.
25. Id., vol. 32, Stanley à Knutsford, 13 décembre 1889.
26. Pope, *Correspondence*, p. 414, Macdonald à Chapleau, 6 juin 1888.

27. *House of Commons Debates*, 1890, p. 38.
28. Id., p. 532.
29. Id., p. 557.
30. Id., p. 745.
31. Id., p. 750.
32. Id., pp. 875-876.
33. Id., p. 895.
34. Archives Macdonald, vol. 90, Stanley à Macdonald, 22 février 1890.
35. *House of Commons Debates*, 1890, p. 1018.
36. Archives Macdonald, vol. 30, C. H. Tupper à Macdonald, 27 février 1890.
37. Id.
38. Archives Thompson, vol. 103, Macdonald à Bowell, 4 mars 1890.
39. Archives Macdonald, vol. 529, Macdonald à C. H. Tupper, 11 mars 1890.
40. Id., vol. 31, Premier projet de convention pour la chasse aux phoques dans le Pacifique nord.
41. Id., C. H. Tupper à Macdonald, 10 avril 1890.
42. Id., C. H. Tupper à Macdonald, 11 avril 1890.
43. Id., Macdonald à C. H. Tupper, 11 avril 1890.
44. Id., C. H. Tupper à Macdonald, 27 avril 1890.
45. C. C. Tansill, *Canadian-American Relations*, 1875-1911, New Haven et Toronto, 1943, p. 311.
46. *House of Commons Debates*, 1890, pp. 449-450, 638-650, 1713-1734.
47. Id., pp. 4500-4503, 4564.
48. Archives Macdonald, vol. 189, Bowell à Macdonald, 23 juillet 1890.
49. Pope, *Correspondence*, p. 466, Macdonald à Chevrier, 25 mars 1890.
50. Saunders, *Tupper*, vol. 2, p. 140, Macdonald à Tupper, 5 juin 1890.
51. *Empire* de Toronto, 9 août 1890.
52. Id., 2 octobre 1890.
53. Pope, *Correspondence*, pp. 477-479, Macdonald à Stephen, 10 novembre 1890.
54. Id.
55. *Empire*, le 11 et 12 novembre 1890.
56. G 12, vol. 85, Stanley à Knutsford, 19 novembre 1890.
57. *Sessional Papers*, 1891, no. 38, Knutsford à Stanley, 25 novembre 1890.
58. Id., Pauncefote à Stanley, 7 décembre 1890.
59. Archives Macdonald, vol. 530, Macdonald à Stanley, 8 décembre 1890.
60. Archives Thompson, vol. 118, Macdonald à Thompson, 9 décembre 1890.
61. G 12, vol. 85, Stanley à Knutsford, 13 décembre 1890.
62. *Sessional Papers*, 1891, No. 38, Knutsford à Stanley, 2 janvier 1891.
63. Archives Thompson, vol. 127, Macdonald à Thompson, 27 avril 1891.
64. G 12, vol. 85, Stanley à Knutsford, 21 janvier 1891.
65. *Mail*, 14 janvier 1891.
66. *Empire*, 16 janvier 1891.
67. G 12, vol. 85, Stanley à Knutsford, 24 janvier 1891.
68. *Free Press* d'Ottawa, 29 janvier 1891.
69. *Globe*, 30 janvier 1891.
70. Archives Macdonald, vol. 90, Stanley à Macdonald, 30 janvier 1891.
71. Pope, *Memoirs*, vol. 2, annexe 28, p. 336.
72. Archives Macdonald, vol. 285, Macdonald à Tupper, 21 janvier 1891.

73. Id., Macdonald à Colmer, 13 février 1891.
74. *Globe*, 18 février 1891.
75. *Empire*, 18 février 1891.
76. Pope, *Memoirs*, vol. 2, p. 257.
77. *News* de Kingston, 23 février 1891.
78. Id., 25 février 1891.
79. Id., 26 février 1891.
80. Pope, *Memoirs*, vol. 2, pp. 257-258.
81. Archives publiques du Canada, Les dix derniers jours de l'honorable John Alexander Macdonald, G. C. B. Premier ministre du Canada, par son médecin traitant, Robert Wynyard Powell, m.d.
82. Pope, *Correspondence*, p. 485, Macdonald à Stephen, 31 mars 1891.
83. Archives Williamson, Macdonald à Williamson, 10 mars 1891.
84. Powell, les dix derniers jours.
85. *House of Commons Debates*, 1891, vol. I, p. 35.
86. Pope, *Memoirs*, vol. 2, pp. 258-259.
87. G 12, vol. 85, Stanley à Knutsford, 4 juin 1891.
88. Pope, *Memoirs*, vol. 2, p. 259.
89. Powell, Les dix derniers jours.
90. Archives Thompson, Lettres de famille, 22 mai 1891.

## Épilogue: Le six juin 1891

1. Powell, Les dix derniers jours, p. 5.
2. Pope, *Memoirs*, vol. 2, p. 259.
3. Powell, Les dix derniers jours, pp. 5-6.
4. Id., p. 6
5. Pope, *Memoirs*, vol. 2, p. 260.
6. *Free Press* d'Ottawa, 28 mai 1891.
7. Powell, Les dix derniers jours, pp. 7-8.
8. Pope, *Memoirs*, vol. 2, pp. 260-261.
9. Archives Thompson, Lettres de famille, Thompson à sa femme, 29 mai 1891.
10. Sir John Willison, *Reminiscence, Political and Personal*, Toronto, 1919, p. 193.
11. Id.
12. Powell, Les dix derniers jours, p. 9.
13. Id., p. 10.
14. *Free Press*, 30 mai 1891.
15. *House of Commons Debates*, 1891, p. 600.
16. *Empire*, 30 mai 1891.
17. *Mail*, 2 juin 1891.
18. Powell, Les dix derniers jours, pp. 11-12.
19. *Mail*, 2 juin 1891.
20. Archives Thompson, Lettres de famille, Thompson à sa femme, 31 mai 1891.
21. Id., Thomson à sa femme, 1er juin 1891.
22. *Empire*, 5 juin 1891.
23. Powell, Les dix derniers jours, p. 14.
24. Id., p. 15.
25. *Gazette* de Montréal, 8 juin 1891.

26. *Mail*, 9 juin 1891.
27. *House of Commons Debates*, 1891, p. 884.
28. *Empire*, 11 juin 1891.
29. *Mail*, 12 juin 1891.
30. Pope, *Memoirs*, vol. 2, p. 264.

# Index

# Table des matières

Achevé d'imprimer sur les presses de

**L'IMPRIMERIE ELECTRA***

*Division de l'A.D.P. Inc.

pour

**LES ÉDITIONS DE L'HOMME***

*Division de Sogides Ltée

Imprimé au Canada/Printed in Canada

# Ouvrages parus aux ÉDITIONS DE L'HOMME

*** Pour l'Amérique du Nord seulement.**
**** Pour l'Europe seulement.**

## *ALIMENTATION — SANTÉ*

* **Allergies, Les,** Dr Pierre Delorme
* **Apprenez à connaître vos médicaments,** René Poitevin
* **Art de vivre en bonne santé, L',** Dr Wilfrid Leblond
* **Bien dormir,** Dr James C. Paupst
* **Bien manger à bon compte,** Jocelyne Gauvin
* **Boîte à lunch, La,** Louise Lambert-Lagacé
* **Cellulite, La,** Dr Gérard J. Léonard
**Comment nourrir son enfant,** Louise Lambert-Lagacé
**Congélation des aliments, La,** Suzanne Lapointe
* **Conseils de mon médecin de famille, Les,** Dr Maurice Lauzon
* **Contrôlez votre poids,** Dr Jean-Paul Ostiguy
* **Desserts diététiques,** Claude Poliquin
* **Diététique dans la vie quotidienne, La,** Louise Lambert-Lagacé
**En attendant notre enfant,** Yvette Pratte-Marchessault
* **Face-lifting par l'exercice, Le,** Senta Maria Rungé
* **Femme enceinte, La,** Dr Robert A. Bradley
* **Guérir sans risques,** Dr Émile Plisnier
* **Guide des premiers soins,** Dr Joël Hartley
**Maigrir, un nouveau régime... de vie,** Edwin Bayrd
* **Maman et son nouveau-né, La,** Trude Sekely
** **Mangez ce qui vous chante,** Dr Leonard Pearson et Dr Lillian Dangott
* **Médecine esthétique, La,** Dr Guylaine Lanctôt
**Menu de santé,** Louise Lambert-Lagacé
* **Pour bébé, le sein ou le biberon,** Yvette Pratte-Marchessault
* **Pour vous future maman,** Trude Sekely
* **Recettes pour aider à maigrir,** Dr Jean-Paul Ostiguy
**Régimes pour maigrir,** Marie-José Beaudoin
* **Soignez-vous par le vin,** Dr E.A. Maury
**Sport — santé et nutrition,** Dr Jean-Paul Ostiguy

## *ART CULINAIRE*

* **Agneau, L',** Jehane Benoit
* **Art d'apprêter les restes, L',** Suzanne Lapointe
**Art de la cuisine chinoise, L',** Stella Chan
* **Bonne table, La,** Juliette Huot
* **Brasserie la mère Clavet vous présente ses recettes, La,** Léo Godon
* **Canapés et amuse-gueule**
* **Cocktails de Jacques Normand, Les,** Jacques Normand
* **Confitures, Les,** Misette Godard
**Conserves, Les,** Soeur Berthe
* **Cuisine aux herbes, La,**
* **Cuisine chinoise, La,** Lizette Gervais
* **Cuisine de maman Lapointe, La,** Suzanne Lapointe
* **Cuisine de Pol Martin, La,** Pol Martin

* **Cuisine des 4 saisons, La,** Hélène Durand-Laroche
* **Cuisine en plein air, La,** Hélène Doucet-Leduc
* **Cuisine facile aux micro-ondes,** Pauline St-Amour
**Cuisine micro-ondes, La,** Jehane Benoit
* **Cuisiner avec le robot gourmand,** Pol Martin
* **Du potager à la table,** Paul Pouliot et Pol Martin
* **En cuisinant de 5 à 6,** Juliette Huot
* **Fondue et barbecue**
**Fondues et flambées de maman Lapointe,** S. et L. Lapointe
* **Fruits, Les,** John Goode
* **Gastronomie au Québec, La,** Abel Benquet
* **Grande cuisine au Pernod, La,** Suzanne Lapointe
* **Grillades, Les**
* **Hors-d'oeuvre, salades et buffets froids,** Louis Dubois
* **Légumes, Les,** John Goode
* **Liqueurs et philtres d'amour,** Hélène Morasse
* **Ma cuisine maison,** Jehane Benoit
* **Madame reçoit,** Hélène Durand-Laroche
* **Omelettes, 101,** Marycette Claude
* **Pâtisserie, La,** Maurice-Marie Bellot
* **Petite et grande cuisine végétarienne,** Manon Bédard
* **Poissons et crustacés**
* **Poissons et fruits de mer,** Soeur Berthe
**Poulet à toutes les sauces, Le,** Monique Thyraud de Vosjoli
* **Recettes à la bière des grandes cuisines Molson, Les,** Marcel L. Beaulieu
* **Recettes au blender,** Juliette Huot
* **Recettes de gibier,** Suzanne Lapointe
* **Recettes de Juliette, Les,** Juliette Huot
* **Recettes de maman, Les,** Suzanne Lapointe
* **Sauces pour tous les plats,** Huguette Gaudette et Suzanne Colas
**Techniques culinaires, Les,** Soeur Berthe Sansregret
* **Vos vedettes et leurs recettes,** Gisèle Dufour et Gérard Poirier
* **Y'a du soleil dans votre assiette,** Francine Georget

## *DOCUMENTS — BIOGRAPHIES*

* **Architecture traditionnelle au Québec, L',** Yves Laframboise
* **Art traditionnel au Québec, L',** M. Lessard et H. Marquis
* **Artisanat québécois 1,** Cyril Simard
* **Artisanat québécois 2,** Cyril Simard
* **Artisanat québécois 3,** Cyril Simard
* **Bien-pensants, Les,** Pierre Breton
* **Chanson québécoise, La,** Benoît L'Herbier
* **Charlebois, qui es-tu?** Benoit L'Herbier
* **Comité, Le,** M. et P. Thyraud de Vosjoli
* **Deux innocents en Chine rouge,** Jacques Hébert et Pierre E. Trudeau
* **Duplessis, tome 1: L'ascension,** Conrad Black
* **Duplessis, tome 2: Le pouvoir,** Conrad Black
* **Dynastie des Bronfman, La,** Peter C. Newman
* **Écoles de rang au Québec, Les,** Jacques Dorion
* **Égalité ou indépendance,** Daniel Johnson
**Enfants du divorce, Les,** Micheline Lachance
* **Envol — Départ pour le début du monde,** Daniel Kemp
* **Épaves du Saint-Laurent, Les,** Jean Lafrance
**Ermite, L',** T. Lobsang Rampa
* **Fabuleux Onassis, Le,** Christian Cafarakis
* **Filière canadienne, La,** Jean-Pierre Charbonneau
* **Frère André, Le,** Micheline Lachance
* **Grand livre des antiquités, Le,** K. Belle et J. et E. Smith
* **Homme et sa mission, Un,** Le Cardinal Léger en Afrique
* **Information voyage,** Robert Viau et Jean Daunais
* **Insolences du Frère Untel, Les,** Frère Untel
* **Lamia,** P.L. Thyraud de Vosjoli
* **Louis Riel,** Rosenstock, Adair et Moore
* **Maison traditionnelle au Québec, La,** Michel Lessard et Gilles Vilandré

* **Maîtresse, La,** W. James, S. Jane Kedgley
* **Mammifères de mon pays, Les,** St-Denys, Duchesnay et Dumais
* **Masques et visages du spiritualisme contemporain,** Julius Evola
* **Mon calvaire roumain,** Michel Solomon
* **Moulins à eau de la vallée du Saint-Laurent, Les,** F. Adam-Villeneuve et C. Felteau
* **Mozart raconté en 50 chefs-d'oeuvre,** Paul Roussel
* **Musique au Québec, La,** Willy Amtmann
* **Objets familiers de nos ancêtres, Les,** Vermette, Genêt, Décarie-Audet
* **Option, L',** J.-P. Charbonneau et G. Paquette
* **Option Québec,** René Lévesque
* **Oui,** René Lévesque

**OVNI,** Yurko Bondarchuck

* **Papillons du Québec, Les,** B. Prévost et C. Veilleux
* **Petite barbe. J'ai vécu 40 ans dans le Grand Nord, La,** André Steinmann
* **Patronage et patroneux,** Alfred Hardy

**Pour entretenir la flamme,** T. Lobsang Rampa

* **Prague l'été des tanks,** Desgraupes, Dumayet, Stanké
* **Premiers sur la lune,** Armstrong, Collins, Aldrin Jr
* **Provencher, le dernier des coureurs de bois,** Paul Provencher
* **Québec des libertés, Le,** Parti Libéral du Québec
* **Révolte contre le monde moderne,** Julius Evola
* **Struma, Le,** Michel Solomon
* **Temps des fêtes, Le,** Raymond Montpetit
* **Terrorisme québécois, Le,** Dr Gustave Morf

**Treizième chandelle, La,** T. Lobsang Rampa

* **Troisième voie, La,** Émile Colas
* **Trois vies de Pearson, Les,** J.-M. Poliquin, J.R. Beal
* **Trudeau, le paradoxe,** Anthony Westell
* **Vizzini,** Sal Vizzini
* **Vrai visage de Duplessis, Le,** Pierre Laporte

## *ENCYCLOPÉDIES*

* **Encyclopédie de la chasse, L',** Bernard Leiffet
* **Encyclopédie de la maison québécoise,** M. Lessard, H. Marquis

**Encyclopédie de la santé de l'enfant, L',** Richard I. Feinbloom

* **Encyclopédie des antiquités du Québec,** M. Lessard, H. Marquis
* **Encyclopédie des oiseaux du Québec,** W. Earl Godfrey
* **Encyclopédie du jardinier horticulteur,** W.H. Perron
* **Encyclopédie du Québec, vol. I,** Louis Landry
* **Encyclopédie du Québec, vol. II,** Louis Landry

## *LANGUE* *

**Améliorez votre français,** Jacques Laurin
**Anglais par la méthode choc, L',** Jean-Louis Morgan
**Corrigeons nos anglicismes,** Jacques Laurin
**Notre français et ses pièges,** Jacques Laurin
**Petit dictionnaire du joual au français,** Augustin Turenne
**Verbes, Les,** Jacques Laurin

## *LITTÉRATURE* *

**Adieu Québec,** André Bruneau
**Allocutaire, L',** Gilbert Langlois
**Arrivants, Les,** Collaboration
**Berger, Les,** Marcel Cabay-Marin
**Bigaouette,** Raymond Lévesque
**Bousille et les justes** (Pièce en 4 actes), Gratien Gélinas
**Cap sur l'enfer,** Ian Slater

Carnivores, Les, François Moreau
Carré Saint-Louis, Jean-Jules Richard
Cent pas dans ma tête, Les, Pierre Dudan
Centre-ville, Jean-Jules Richard
Chez les termites, Madeleine Ouellette-Michalska
Commettants de Caridad, Les, Yves Thériault
Cul-de-sac, Yves Thériault
D'un mur à l'autre, Paul-André Bibeau
Danka, Marcel Godin
Débarque, La, Raymond Plante
Demi-civilisés, Les, Jean-C. Harvey
Dernier havre, Le, Yves Thériault
Domaine Cassaubon, Le, Gilbert Langlois
Doux mal, Le, Andrée Maillet
Emprise, L', Gaétan Brulotte
Engrenage, L', Claudine Numainville
En hommage aux araignées, Esther Rochon
Exodus U.K., Richard Rohmer
Exonération, Richard Rohmer
Faites de beaux rêves, Jacques Poulin
Fréquences interdites, Paul-André Bibeau
Fuite immobile, La, Gilles Archambault
J'parle tout seul quand Jean Narrache, Émile Coderre
Jeu des saisons, Le, M. Ouellette-Michalska
Joey et son 29e meutre, Joey
Joey tue, Joey
Joey, tueur à gages, Joey
Marche des grands cocus, La, Roger Fournier
Monde aime mieux..., Le, Clémence DesRochers
Monsieur Isaac, G. Racette et N. de Bellefeuille
Mourir en automne, Claude DeCotret
N'tsuk, Yves Thériault
Neuf jours de haine, Jean-Jules Richard
New Medea, Monique Bosco
Ossature, L', Robert Morency
Outaragasipi, L', Claude Jasmin
Petite fleur du Vietnam, La, Clément Gaumont
Pièges, Jean-Jules Richard
Porte silence, Paul-André Bibeau
Requiem pour un père, François Moreau
Séparation, Richard Rohmer
Si tu savais..., Georges Dor
Temps du carcajou, Les, Yves Thériault
Tête blanche, Maire-Claire Blais
Trou, Le, Sylvain Chapdelaine
Ultimatum, Richard Rohmer
Valérie, Yves Thériault
Visages de l'enfance, Les, Dominique Blondeau
Vogue, La, Pierre Jeancard

## *LIVRES PRATIQUES — LOISIRS*

* **Abris fiscaux, Les,** Robert Pouliot et al.
* **Améliorons notre bridge,** Charles A. Durand
* **Animaux, Les — La p'tite ferme,** Jean-Claude Trait
* **Appareils électro-ménagers, Les**

**Art du dressage de défense et d'attaque, L',** Gilles Chartier

* **Bien nourrir son chat,** Christian d'Orangeville
* **Bien nourrir son chien,** Christian d'Orangeville
* **Bonnes idées de maman Lapointe, Les,** Lucette Lapointe
* **Bricolage, Le,** Jean-Marc Doré

**Bridge, Le,** Viviane Beaulieu

* **Budget, Le,** En collaboration
* **100 métiers et professions,** Guy Milot
* **Collectionner les timbres,** Yves Taschereau
* **Comment acheter et vendre sa maison,** Lucile Brisebois
* **Comment aménager une salle de séjour**
* **Comment tirer le maximum d'une mini-calculatrice,** Henry Mullish
* **Comment amuser nos enfants,** Louis Stanké
* **Conseils aux inventeurs,** Raymond-A. Robic
* **Construire sa maison en bois rustique,** D. Mann et R. Skinulis
* **Crochet jacquard, Le,** Brigitte Thérien
* **Cuir, Le,** L. Saint-Hilaire, W. Vogt

Danse disco, La, Jack et Kathleen Villani
* **Décapage, rembourrage et finition des meubles,** Bricolage maison
* **Décoration intérieure, La,** Bricolage maison
* **Dentelle, La,** Andrée-Anne de Sève
* **Dictionnaire des affaires,** Wilfrid Lebel

**Dictionnaire des mots croisés. Noms communs,** Paul Lasnier

**Dictionnaire des mots croisés. Noms propres,** Piquette, Lasnier et Gauthier
* **Dictionnaire économique et financier,** Eugène Lafond

**Dictionnaire raisonné des mots croisés,** Jacqueline Charron
* **Distractions mathématiques,** Charles E. Jean
* **Emploi idéal en 4 minutes, L',** Geoffrey Lalonde
* **Entretenir et embellir sa maison**
* **Entretien et réparation de la maison**
* **Étiquette du mariage, L',** Fortin-Jacques-St-Denis-Farley
* **Fabriquer soi-même des meubles**
* **Fins de partie aux dames,** H. Tranquille, G. Lefebvre
* **Fléché, Le,** F. Bourret, L. Lavigne
* **Fourrure, La,** Caroline Labelle
* **Gagster,** Claude Landré
* **Guide complet de la couture, Le,** Lise Chartier
* **Guide du propriétaire et du locataire,** M. Bolduc, M. Lavigne, J. Giroux
* **Guide du véhicule de loisir,** Daniel Héraud

**Guitare, La,** Peter Collins
* **Hypnotisme, L',** Jean Manolesco

**Jeu de la carte et ses techniques, Le,** Charles-A. Durand
* **Jeux de cartes, Les,** George F. Hervey

**Jeux de dés, Les,** Skip Frey
* **Jeux de société,** Louis Stanké

**Lignes de la main, Les,** Louis Stanké
* **Loi et vos droits, La,** Me Paul-Emile Marchand
* **Magie et tours de passe-passe,** Ian Adair
* **Magie par la science, La,** Walter B. Gibson

**Manuel de pilotage**
* **Massage, Le,** Byron Scott
* **Mécanique de mon auto, La,** Time-Life Book
* **Menuiserie: les notions de base, La**
* **Météo, La,** Alcide Ouellet
* **Meubles, Les**
* **Nature et l'artisanat, La,** Soeur Pauline Roy

**Noeuds, Les,** George Russel Shaw
* **Outils électriques: quand et comment les utiliser, Les**
* **Outils manuels: quand et comment les utiliser, Les**

**Ouverture aux échecs,** Camille Coudari
* **Petit manuel de la femme au travail,** Lise Cardinal
* **Petits appareils électriques, Les**
* **Piscines, barbecues et patios**
* **Poids et mesures calcul rapide,** Louis Stanké
* **Races de chats, chats de race,** Christian d'Orangeville
* **Races de chiens, chiens de race,** Christian d'Orangeville
* **Règles d'or de la vente, Les,** George N. Kahn
* **Savoir-vivre d'aujourd'hui, Le,** Marcelle Fortin-Jacques
* **Savoir-vivre,** Nicole Germain
* **Scrabble,** Daniel Gallez
* **Secrétaire bilingue, Le/la,** Wilfrid Lebel
* **Squash, Le,** Jim Rowland
* **Tapisserie, La,** T.M. Perrier, N.B. Langlois

**Taxidermie, La,** Jean Labrie
* **Tenir maison,** Françoise Gaudet-Smet
* **Terre cuite,** Robert Fortier
* **Tout sur le macramé,** Virginia I. Harvey
* **Trouvailles de Clémence, Les,** Clémence Desrochers
* **Trucs ménagers, 2001,** Lucille Godin
* **Vive la compagnie,** Pierre Daigneault
* **Vivre, c'est vendre,** Jean-Marc Chaput
* **Vitrail, Le,** Claude Bettinger
* **Voir clair aux dames,** H. Tranquille, G. Lefebvre

**Voir clair aux échecs,** Henri Tranquille

**Votre avenir par les cartes,** Louis Stanké
* **Votre discothèque,** Paul Roussel

## PHOTOGRAPHIE — CINÉMA

**8/super 8/16,** André Lafrance
**Apprenez la photographie avec Antoine Desilets,** Antoine Desilets
**Apprendre la photo de sport,** Denis Brodeur
* **Chaînes stéréophoniques, Les,** Gilles Poirier
* **Chasse photographique, La,** Louis-Philippe Coiteux
**Ciné-guide,** André Lafrance
**Découvrez le monde merveilleux de la photographie,** Antoine Desilets
**Je développe mes photos,** Antoine Desilets
**Je prends des photos,** Antoine Desilets
**Photo à la portée de tous, La,** Antoine Desilets
**Photo de A à Z, La,** Desilets, Coiteux, Gariépy
**Photo-guide,** Antoine Desilets
**Photo reportage,** Alain Renaud
**Technique de la photo, La,** Antoine Desilets
**Vidéo et super-8,** André A. Lafrance et Serge Shanks

## PLANTES — JARDINAGE *

**Arbres, haies et arbustes,** Paul Pouliot
**Culture des fleurs, des fruits et des légumes, La**
**Dessiner et aménager son terrain**
**Guide complet du jardinage, Le,** Charles L. Wilson
**Jardinage, Le,** Paul Pouliot
**Jardin potager, Le — La p'tite ferme,** Jean-Claude Trait
**Je décore avec des fleurs,** Mimi Bassili
**Plantes d'intérieur, Les,** Paul Pouliot
**Techniques du jardinage, Les,** Paul Pouliot
**Terrariums, Les,** Ken Kayatta et Steven Schmidt
**Votre pelouse,** Paul Pouliot

## PSYCHOLOGIE — ÉDUCATION

* **Âge démasqué, L',** Hubert de Ravinel
**Aider son enfant en maternelle et en 1ère année,** Louise Pedneault-Pontbriand
**Aidez votre enfant à lire et à écrire,** Louise Doyon-Richard
**Amour de l'exigence à la préférence, L',** Lucien Auger
* **Caractères et tempéraments,** Claude-Gérard Sarrazin
* **Caractères par l'interprétation des visages, Les,** Louis Stanké
**Comment animer un groupe,** Collaboration
**Comment déborder d'énergie,** Jean-Paul Simard
* **Comment vaincre la gêne et la timidité,** René-Salvator Catta
**Communication dans le couple, La,** Luc Granger
**Communication et épanouissement personnel,** Lucien Auger
* **Complexes et psychanalyse,** Pierre Valinieff
**Contact,** Léonard et Nathalie Zunin
* **Cours de psychologie populaire,** Fernand Cantin
**Découvrez votre enfant par ses jeux,** Didier Calvet
* **Dépression nerveuse, La,** En collaboration
**Développement psychomoteur du bébé, Le,** Didier Calvet
* **Développez votre personnalité, vous réussirez,** Sylvain Brind'Amour
**Douze premiers mois de mon enfant, Les,** Frank Caplan
* **Dynamique des groupes,** J.-M. Aubry, Y. Saint-Arnaud
**Être soi-même,** Dorothy Corkille Briggs
**Facteur chance, Le,** Max Gunther
* **Femme après 30 ans, La,** Nicole Germain

* **Futur père,** Yvette Pratte-Marchessault
**Hatha-yoga pour tous,** Suzanne Piuze
**Hypnose, bluff ou réalité?** Alain Marillac
**Interprétez vos rêves,** Louis Stanké
**J'aime,** Yves Saint-Arnaud
**Jouons avec les lettres,** Louise Doyon-Richard
* **Langage de votre enfant, Le,** Professeur Claude Langevin
* **Maladies psychosomatiques, Les,** Dr Roger Foisy
* **Maman et son nouveau-né, La,** Trude Sekely
* **Méditation transcendantale, La,** Jack Forem
**Mise en forme psychologique, La,** Richard Corriere et Joseph Hart
**Naissance apprivoisée, Une,** Edith Fournier et Michel Moreau
**Personne humaine, La,** Yves Saint-Arnaud
**Première impression, La,** Chris L. Kleinke
**Préparez votre enfant à l'école,** Louise Doyon-Richard
* **Relaxation sensorielle,** Pierre Gravel
** **Rythmes de votre corps, Les,** Lee Weston
**S'affirmer et communiquer,** Jean-Marie Boisvert et Madeleine Beaudry
**S'aider soi-même,** Lucien Auger
**Savoir organiser: savoir décider,** Gérald Lefebvre
**Savoir relaxer pour combattre le stress,** Dr Edmund Jacobson
**Se comprendre soi-même,** Collaboration
**Se connaître soi-même,** Gérard Artaud
* **Séparation du couple, La,** Dr Robert S. Weiss
**Vaincre ses peurs,** Lucien Auger
**Vivre avec sa tête ou avec son coeur,** Lucien Auger
* **Volonté, l'attention, la mémoire, La,** Robert Tocquet
* **Vos mains, miroir de la personnalité,** Pascale Maby
**Vouloir c'est pouvoir,** Raymond Hull
* **Yoga, corps et pensée,** Bruno Leclercq
* **Yoga des sphères, Le,** Bruno Leclercq

## *SEXOLOGIE*

* **Adolescent veut savoir, L',** Dr Lionel Gendron
* **Adolescente veut savoir, L',** Dr Lionel Gendron
* **Amour après 50 ans, L',** Dr Lionel Gendron
**Avortement et contraception,** Dr Henry Morgentaler
* **Déviations sexuelles, Les,** Dr Yvan Léger
* **Fais voir!** Dr Fleischhauer-Hardt
**Femme enceinte et la sexualité, La,** Elisabeth Bing, Libby Colman
* **Femme et le sexe, La,** Dr Lionel Gendron
* **Helga,** Eric F. Bender
**Guide gynécologique de la femme moderne, Le,** Dr Sheldon H. Sheny
* **Homme et l'art érotique, L',** Dr Lionel Gendron
* **Maladies transmises par relations sexuelles, Les,** Dr Lionel Gendron
* **Mariée veut savoir, La,** Dr Lionel Gendron
* **Ménopause, La,** Dr Lionel Gendron
* **Merveilleuse histoire de la naissance, La,** Dr Lionel Gendron
* **Qu'est-ce qu'un homme?,** Dr Lionel Gendron
* **Quel est votre quotient psycho-sexuel?,** Dr Lionel Gendron
* **Sexualité, La,** Dr Lionel Gendron
**Sexualité du jeune adolescent, La,** Dr Lionel Gendron
**Sexe au féminin, Le,** Carmen Kerr
**Yoga sexe,** S. Piuze et Dr L. Gendron

## *SPORTS*

* **ABC du hockey, L',** Howie Meeker
**Aïkido — au-delà de l'agressivité,** M. N.D. Villadorata et P. Grisard
* **Apprenez à patiner,** Gaston Marcotte
**Armes de chasse, Les,** Charles Petit-Martinon

Badminton, Le, Jean Corbeil
* **Bicyclette, La,** Jean Corbeil
* **Canadiens, nos glorieux champions, Les,** D. Brodeur et Y. Pedneault
**Canoé-kayak,** Wolf Ruck
**Carte et boussole,** Bjorn Kjellstrom
* **Comment se sortir du trou au golf,** L. Brien et J. Barrette
**Conditionnement physique, Le,** Chevalier, Laferrière et Bergeron
* **Corrigez vos défauts au golf,** Yves Bergeron
**En forme après 50 ans,** Trude Sekeley
* **En superforme,** Dr Pierre Gravel, D.C.
* **Entraînement par les poids et haltères,** Frank Ryan
* **Exercices pour rester jeune,** Trude Sekely
**Exercices pour toi et moi,** Joanne Dussault-Corbeil
* **Femme et le karaté samouraï, La,** Roger Lesourd
* **Français au football, Le,** Ligue canadienne de football
* **Guide du judo (technique au sol), Le,** Louis Arpin
* **Guide du judo (technique debout), Le,** Louis Arpin
**Guide du self-defense, Le,** Louis Arpin
* **Guide du trappeur,** Paul Provencher
* **Initiation à la plongée sous-marine,** René Goblot
* **J'apprends à nager,** Régent LaCoursière
* **Jeu défensif au hockey, Le,** Howie Meeker
**Jogging, Le,** Richard Chevalier
* **Jouez gagnant au golf,** Luc Brien et Jacques Barrette
**Karaté, Le,** Yoshinao Nanbu
* **Kung-fu, Le,** Roger Lesourd
* **Lutte olympique, La,** Marcel Sauvé, Ronald Ricci
* **Marche, La,** Jean-François Pronovost
* **Maurice Richard, l'idole d'un peuple,** Jean-Marie Pellerin
* **Mon coup de patin, le secret du hockey,** John Wild
* **Nadia,** Denis Brodeur et Benoît Aubin
* **Natation de compétition, La,** Régent LaCoursière
* **Navigation de plaisance au Québec, La,** R. Desjardins et A. Ledoux
* **Observations sur les insectes, Mes,** Paul Provencher
* **Observations sur les mammifères, Mes,** Paul Provencher
* **Observations sur les oiseaux, Mes,** Paul Provencher
* **Observations sur les poissons, Mes,** Paul Provencher
* **Pêche à la mouche, La,** Serge Marleau
* **Pêche au Québec, La,** Michel Chamberland
* **Pistes de ski de fond au Québec, Les,** C. Veilleux et B. Prévost
**Programme XBX de l'Aviation royale du Canada**
* **Puissance au centre, Jean Béliveau,** Hugh Hood
* **Racquetball, Le,** Jean Corbeil
** **Randonnée pédestre, La,** Jean-François Pronovost
* **Raquette, La,** W. Osgood et L. Hurley
* **Secrets du baseball, Les,** Claude Raymond et Jacques Doucet
* **Ski, Le,** Willy Schaffler et Erza Bowen
* **Ski de fond, Le,** John Caldwell
* **Ski nautique, Le,** G. Athans Jr et C. Ward
* **Squash, Le,** Jean Corbeil
* **Stratégie au hockey, La,** John Meagher
* **Surhommes du sport, Les,** Maurice Desjardins
* **Techniques du billard,** Pierre Morin
* **Techniques du golf,** Luc Brien et Jacques Barrette
* **Techniques du hockey en U.R.S.S.,** André Ruel et Guy Dyotte
**Techniques du tennis,** Ellwanger
* **Tous les secrets de la chasse,** Michel Chamberland
* **Troisième retrait, Le,** C. Raymond et M. Gaudette
* **Vivre en forêt,** Paul Provencher
* **Vivre en plein air camping-caravaning,** Pierre Gingras
* **Voie du guerrier, La,** Massimo N. di Villadorata
* **Voile, La,** Nick Kebedgy